2026
年度版

国家一般職
教養試験

過去問
500

JN091880

◆国家一般職大卒程度試験の基礎能力試験は、令和6年度試験から出題内容、出題数、試験時間が変更されました（巻頭❹ページ参照）。本書に掲載している令和5年度以前の問題は変更前の試験のものですので、学習の際にはご注意ください。

◆教養試験は、人事院の表記では「基礎能力試験」となっています。

◆本書は、平成22年度から令和6年度の過去問を収録しています。

◆令和6年度試験の問題は、出題された順番どおりに巻頭にまとめて掲載しています。

◆本書では、人事院が作成・公開した試験問題文に合わせて、令和5年度の問題・解説から、読点については「、」を使用しています。それ以前の問題・解説等では、人事院の問題文に合わせて「,」を使用していたため、両者が混在しています。ご了承ください。

資格試験研究会編

実務教育出版

国家一般職[大卒]
試験ガイド

■試験制度の変更

平成24年度から新たな採用試験が実施され、旧「国家Ⅱ種試験」は「国家一般職大卒程度試験」に再編された（本書では、平成23年度以前の国家Ⅱ種の問題も掲載している）。

令和6年度からは、基礎能力試験の内容が変更された（下記参照）。

令和7年度からは、教養区分が新設されることが発表された。教養区分は、専門試験が課されず、大学3年生から受験できる。第1次試験日は他区分と同じ日である。

■1次試験の種目・方法

①基礎能力試験（多肢選択式）（1時間50分）

公務員として必要な基礎的な能力（知能および知識）についての筆記試験で、全区分共通の問題が出題される（令和7年度に新設の教養区分も他区分と共通）。

令和6年度から内容が変更され、知識分野は時事が中心となり、情報が出題されることとなった

出題数は30問で、知能分野24問（文章理解、判断推理、数的推理、資料解釈）、知識分野6問（自然・人文・社会に関する時事、情報）を解答する。

＊令和5年度以前は、試験時間は2時間20分、出題数は40問で、知能分野27問、知識分野13問（自然・人文・社会［時事を含む］）であった。

②専門試験（多肢選択式）（建築以外の区分は3時間、建築区分は2時間）

各試験の区分に応じて必要な専門的知識などについての筆記試験。

行政区分の場合は、3時間で、16科目（計80問）から8科目（計40問）を選択し解答する。

③専門試験（記述式）（行政・建築以外の区分は1時間、建築区分は2時間）

各試験の区分に応じて必要な専門的知識などについての筆記試験。それぞれの関連する領域における一般的な課題について論述する。

④課題対応能力試験（時間不明）

教養区分でのみ行われる。速く正確に課題を解く能力についての、多肢選択式（5択）マークシート試験。

⑤一般論文試験（1時間）

行政区分でのみ行われる。一般的な行政に携わる者として必要な文章による表現力、課題に関する理解力などについての短い論文による筆記試験で、出題数は1題。字数制限は特に定められていないが、B4サイズの用紙で1,600字程度である。

令和6年度出題例は、巻頭❼❶・❼❶ページ参照。

⑥一般教養論文試験（時間不明）

教養区分でのみ行われる。一般的な教養を土台とした判断力、思考力についての、論文試験。

■2次試験の種目・方法

人物試験

人柄、対人的能力などについての個別面接が行われる。受験者の情報によれば、試験時間は15分程度、試験官は3人である。

■最終合格から採用まで

最終合格者は、試験の区分ごとに作成する採用候補者名簿（5年間有効）に記載される。各府省等では、採用候補者名簿に記載された候補者の中から、面接などを行って採用者を決定する。

なお、志望する府省等に関する知識を深めるとともに、各府省等が行うこの採用面接に自分を呼んでもらうための自己PRの重要な機会が「官庁訪問」である。採用機関は、官庁訪問を通じて、訪問者が適した人材であるかどうかなどをチェックするので、あらかじめ、志望する府省・採用機関のウェブサイト等から、業務説明、官庁訪問等の日時・場所・参加方法・予約の受付等の採用関係情報を得たうえで、積極的に官庁訪問を行い、自分をアピールすることが大切である。令和6年度の場合、官庁訪問は7月2日から開始された

が、地方機関への採用の場合、地域によっては、官庁訪問のルールに一部変更を加える場合がある。

■合格者の決定方法

人事院のウェブサイトでは、合格者の決定方法が公開されている（新設の教養区分は除く）。
①筆記試験の得点は、各試験種目の素点ではなく、試験種目ごとに平均点、標準偏差を用いて算出した「標準点」を用いている。
②人物試験は、各受験者についてA〜Eの5段階で評価し、各段階の標準点を算出している。
③各試験種目の配点比率は右段の表のとおり（カッコ内は建築区分のもの）。専門試験〔記述式〕と一般論文試験はどちらか一方のみ。

令和6年度国家一般職大卒程度試験の概要

受付期間	インターネット 2月22日〜3月25日
受験資格	1 平成6年4月2日〜平成15年4月1日生まれの者 2 平成15年4月2日以降生まれの者で次に掲げるもの (1) 大学を卒業した者および令和7年3月までに大学を卒業する見込みの者ならびに人事院がこれらの者と同等の資格があると認める者 (2) 短大または高専を卒業した者および令和7年3月までに短大または高専を卒業する見込みの者ならびに人事院がこれらの者と同等の資格があると認める者
採用予定数	4,140名
勤務地	（行政区分）全国を9つに分けた地域ごとの採用で勤務地はおおむねその地域内。 ※ただし、本府省への採用については、関東甲信越地域以外の地域からも採用が可能である。 （技術系区分）勤務地は全国各地。

	試験日	試験種目	解答時間
試験日試験種目	第1次 6月2日(日)	基礎能力試験(多肢選択式) 一般論文試験 専門試験(記述式) 専門試験(多肢選択式)	1時間50分 行政…1時間 行政・建築以外1時間（建築は2時間） 3時間（建築は2時間）
	第2次 7月10日〜7月26日のうちの指定日	人物試験(個別面接)	

合格者発表日	第1次合格者	6月26日
	最終合格者	8月13日

試験種目	基礎能力試験	専門試験(多肢選択式)	専門試験(記述式)	一般論文試験	人物試験
配点比率	$\frac{2}{9}\left(\frac{2}{9}\right)$	$\frac{4}{9}\left(\frac{2.5}{9}\right)$	$\frac{1}{9}\left(\frac{2.5}{9}\right)$	$\frac{1}{9}$	$\frac{2}{9}\left(\frac{2}{9}\right)$

④筆記試験の各試験種目の「基準点」は、多肢選択式試験では原則として満点の30%とし、記述式試験では個別に定めている。基準点に達しない試験種目が1つでもある受験者は、他の試験種目の成績にかかわらず不合格となる。
⑤1次試験合格者は、基礎能力試験と専門試験（多肢選択式）が基準点以上である者について、両試験種目の標準点を合計した得点で決定される。
⑥最終合格者は、1次試験合格者のうち、一般論文試験または専門試験（記述式）が基準点以上であり、かつ、人物試験がA〜Dの評価である者について、1次試験を含むすべての試験種目の標準点を合計した得点で決定される。

令和6年度試験区分別実施結果
※競争率＝1次受験者数÷最終合格者数

試験区分		申込者数(人)	1次受験者数(人)	1次合格者数(人)	最終合格者数(人)	競争率(倍)
行政	北海道地域	981	769	683	527	1.5
	東北地域	1,394	1,103	807	550	2.0
	関東甲信越地域	7,915	5,484	2,729	1,942	2.8
	東海北陸地域	2,191	1,595	924	653	2.4
	近畿地域	3,036	2,221	1,173	816	2.7
	中国地域	1,416	1,083	780	523	2.1
	四国地域	986	713	450	299	2.4
	九州地域	2,300	1,791	995	631	2.8
	沖縄地域	501	364	167	134	2.7
	行政小計	20,720	15,123	8,708	6,075	2.5
デジタル・電気・電子		455	258	232	164	1.6
機械		199	132	115	83	1.6
土木		819	543	483	312	1.7
建築		136	82	75	52	1.6
物理		285	190	182	155	1.2
化学		443	270	233	172	1.6
農学		661	460	415	285	1.6
農業農村工学		149	111	99	57	1.9
林学		373	294	281	202	1.5
小計		3,520	2,340	2,115	1,482	1.6
合計		24,240	17,463	10,823	7,557	2.3

② 出題分析

令和6年度　教養試験

No.	科　目		出題内容（択一式・全問解答）	難易度
1	文章理解	現代文	内容把握（長谷川政美『ウイルスとは何か』）	B
2			内容把握（南塚信吾・小谷汪之『歴史的に考えるとはどういうことか』）	A
3			内容把握（門脇厚司『子どもの社会力』）	B
4			内容把握（沼野雄司『音楽学への招待』）	C
5			文章整序（齋藤孝『上機嫌の作法』）	A
6			空欄補充（池内了『なぜ科学を学ぶのか』）	C
7		英文	内容把握（肺がんの進化と適応を明らかにしたTracerXプロジェクト）	B
8			内容把握（ゴッホの絵に関する乳児と大人の好みの類似性）	C
9			文章整序（悪夢がもたらす適応的な効用）	A
10			空欄補充（演奏している音への集中が演者のパフォーマンスを向上させる）	B
11	判断推理		命題（6種類の果物の好き嫌い）	B
12			要素の個数（イヌ、ネコ、ウサギを飼っている人の調査結果）	B
13			対応関係（転勤してきた5人の社員の所属・年代・学歴）	B
14			方位と位置（小学校、中学校、高校、駅、公民館、図書館の位置関係）	B
15			数量相互の関係（相撲大会の予選と本選での5人の勝ち点）	B
16			経路（マス目状に区切られた地面をつなぐ道路を作るのに必要な最小費用）	B
17			軌跡（線分ABのAがY軸上、中点MがX軸上を動くときのBの軌跡の概形）	B
18	数的推理		順列（9人の児童の並び方）	B
19			旅人算（A～Cの3人が同じ場所から同じ目的地に進む場合）	C
20			魔方陣（4×4のマス目に入る数）	B
21			平面図形（折り紙を折ったときの線分の長さ）	B
22	資料解釈		特許出願件数と対前年同月増加率（グラフ、実数値・増減率）	B
23			札幌、福島、静岡、熊本の気象データ（数表、実数値）	B
24			ある地域の人為起源炭素収支の推移（数表、実数値）	B
25	自然・人文・社会に関する時事		気象・災害（熱中症、地球温暖化、線状降水帯、耐震基準、山火事等）	A
26			労働（時間外労働の上限、医療法、女性の就業、障害者の雇用、児童労働等）	B
27			会議・イベント（G7・G20サミット、クールジャパン、沖縄の歴史、関東大震災100年、日本国際博覧会等）	B
28			原子力（核融合実験、北朝鮮の潜水艦の進水式、ウクライナの原子力発電所、原子爆弾、ALPS処理水の海洋放出等）	A
29			日本の社会情勢（マイナンバー、最低賃金、飲食料品の値上げ、藤井聡太氏、国枝慎吾氏等）	B
30	情　報		誤り検出符号（パリティチェックでのパリティビットの扱い方）（空欄補充）	B

※難易度：S＝特に難しい、A＝難しい、B＝普通、C＝易しい

令和 ⑤ 年度　教養試験

No.	科 目		出題内容（択一式・全問解答）	難易度
1	文章理解	現代文	内容把握（本川達雄『生物学的文明論』）	B
2			内容把握（中倉夫『美とは何か』）	B
3			内容把握（関水徹平『「ひきこもり」経験の社会学』）	A
4			内容把握（太田肇『日本人の承認欲求　テレワークがさらした深層』）	C
5			文章整序（柴田昌治『日本的「勤勉」のワナ』）	A
6			空欄補充（上市秀雄『後悔を活かす心理学』）	A
7		英文	内容把握（米国での子どもの肥満予防・対策を巡る諸問題）	B
8			内容把握（欧州諸国によるリモートワーカー・デジタルノマドの誘致）	B
9			内容把握（紙幣印刷技術の発展の歴史と通貨の未来）	C
10			文章整序（領土から見た北米先住民族チョクトー族の歴史）	A
11			空欄補充（昆虫の羽のナノ構造をヒントにした抗菌技術の開発）	C
12	判断推理		集合（あるクラスで行われた5科目のテスト結果）	C
13			対応関係（A〜Dの4人がもらったビー玉の色）	C
14			対応関係（自動車保険に継続加入している4人の契約者の状況と等級）	B
15			トーナメント戦（4人のじゃんけん大会）	B
16			操作手順（5×5のマスの盤上の駒の操作手順）	B
17			順序関係（駅伝競走大会の第2区の順位・走行タイム）	B
18			平面構成（移動距離が6となったときに到達しうるポストの数）	B
19			立体の切断（立方体を切断してできた立体の回転体の形状）	B
20	数的推理		確率（野球大会でAチームがBチームに3勝2敗で優勝する確率）	B
21			不定方程式（20円、50円、120円の切手を使用して1,960円の料金を払う）	B
22			平面図形（正方形を折ってできる三角形の面積）	B
23			虫食い算（計算式の空欄に当てはまる数字の合計）	B
24			速さと時間（1MBのデータ量を転送するのにかかる時間）	B
25	資料解釈		A〜Jの10か国の産業別人口構成（三角グラフ、構成比）	B
26			A〜Eの5社が経営する飲食店の店舗数と売上高（数表、実数値）	B
27			緑茶の輸出量と輸出額の推移、形状別の緑茶の輸出実績（グラフ・数表、実数値）	B
28	時事		観光や文化等（鉄道、外国人観光客の入国、危機遺産、世界自然遺産等）	B
29			科学技術等（光通信衛星、はやぶさ2、PLATEAU、半導体等）	B
30			金融等（円安ドル高の要因、SWIFT、NISA、デジタル払い、暗号資産）	B
31	自然科学	物理	波や音（縦波と横波、回折、共振、うなり、音の3要素）	C
32		化学	化学結合（共有結合、イオン結合、金属結合、結晶）	B
33		生物	バイオーム（森林、草原、日本での水平分布・垂直分布）	B
34	人文科学	日本史	明治・大正時代の内閣（伊藤、山県、大隈、桂、原各内閣の施策）	B
35		世界史	中世ヨーロッパ世界（フランク王国、農奴解放、十字軍、神聖ローマ帝国等）	B
36		地理	環境問題（地球温暖化、酸性雨、オゾン層破壊、熱帯林の減少、砂漠化）	C
37		思想	江戸時代の思想家（林羅山、本居宣長、荻生徂徠、中江藤樹、二宮尊徳）	B
38	社会科学	政治	日本の地方自治（国庫支出金と地方交付税交付金、平成の大合併等）	C
39			日本の選挙制度・政党（公職選挙法、参議院の選挙制度、政治資金規正法等）	C
40		経済	第二次世界大戦後の日本経済（シャウプ勧告、高度経済成長、バブル経済等）	C

※難易度：S＝特に難しい、A＝難しい、B＝普通、C＝易しい

令和4年度　教養試験

No.	科　目		出題内容（択一式・全問解答）	難易度
1	文章理解	現代文	内容把握（三輪眞木子『情報検索のスキル』）	B
2			内容把握（笹原宏之『日本の漢字』）	A
3			内容把握（筒井淳也『社会を知るためには』）	A
4			内容把握（藤原辰史『ナチスのキッチン−「食べること」の環境史（決定版）』）	C
5			文章整序（吹浦忠正『国旗で読む世界地図』）	B
6			空欄補充（井筒俊彦『意味の深みへ−東洋哲学の水位』）	B
7		英　文	内容把握（プラスチックごみをブロックに変えるケニア人エンジニアの試み）	B
8			内容把握（ピカソの孫が語る、天才を育てた土地と両親の支え）	C
9			内容把握（共有された類似性の解釈としての文化と類似性の判断基準）	B
10			文章整序（企業におけるデジタル・トランスフォーメーションの意味）	A
11			空欄補充（パンデミックがもたらした空間と時間の制約からの自由）	A
12	判断推理		対応関係（A〜Gの7種類の豆を使用するブレンドコーヒー）	C
13			順序関係（円形に並んだA〜Iの9人がボールをパスをする順番）	B
14			位置関係（横一列に並んだA〜Hの8人の飲み物の種類）［問題不掲載］	＊
15			対応関係（縦一列に並んだA〜Eの5人の順番、服の色、連れている動物）	B
16			対応関係（ア〜オの5区画に植えたA〜Dの4種の作物）	B
17			数量相互の関係（単価の異なる2種類の菓子各1袋の合計金額）	B
18			位相と経路（A〜Kの各地点に配達できる荷物の個数の最大値）	A
19			立体の切断（直方体の切断面）	B
20	数的推理		確率（4人をランダムに選び出して2人以上の誕生月が同じになる確率）	B
21			流水算（船の速さを静水時の1.5倍にしたときの時間）	C
22			平面図形（正方形の頂点Aと動点P、Q、Rによって囲まれる面積の最小値）	B
23			連立方程式（足し算の計算ピラミッド）	B
24			プログラミング（5人の生徒の成績を求める手順）	B
25	資料解釈		6品目の果実の品目別卸売数量と卸売価格の推移（数表）	B
26			音楽と舞台の公演回数・市場規模の推移、ジャンル別構成比（棒グラフ・円グラフ）	B
27			1日当たりの平均睡眠時間についての調査（構成比、帯グラフ）	B
28	時　事		近年の科学技術等（ISS、「きらめき」、IoT、地球シミュレータ、データサイエンティスト）	B
29			日本の教育等（幼児教育・保育の無償化、教科担任制、GIGAスクール構想、学習指導要領、STEM教育）	B
30			近年の社会情勢（シェアリングエコノミー、巣ごもり消費、改正特定商取引法、ゲーム利用、MVNO）	B
31	自然科学	物　理	電気と磁気（導体、合成抵抗、交流、磁極、電流による磁場）	B
32		化　学	化学反応とエネルギー（反応熱、状態変化、エネルギー、ヘスの法則、光化学反応）	B
33		生　物	遺伝情報等（DNA、細胞分裂、セントラルドグマ、タンパク質、mRNA）	A
34	人文科学	日本史	江戸時代の産業（商業、貨幣、新田開発・農具、漁法・海運、鉱山）	A
35		世界史	第二次世界大戦終結後（ベトナム、中南米、プラハの春、スエズ戦争、アフリカの年）	B
36		地　理	世界の工業（工業立地論、労働集約型工業、ブルーバナナ、サンベルト、経済特区）	B
37		思　想	西洋の思想（ピコ＝デラ＝ミランドラ、エラスムス、マキャヴェリ、トマス＝モア、カルヴァン）	C
38	社会科学	法　律	基本的人権（国務請求権、国家からの自由、人身の自由、国家賠償請求権）	C
39		経　済	金融の仕組み（預金通貨、金本位制度、金融、銀行の業務、日本銀行）	B
40		政　治	内閣と行政（内閣不信任、内閣総理大臣、独立行政委員会、オンブズマン制度、国家公務員倫理法）	C

※難易度：S＝特に難しい、A＝難しい、B＝普通、C＝易しい

No.14については、人事院より「出題に誤りがあり、正答がないことが判明した」旨の発表がありましたので、問題は掲載しておりません。

令和③年度　教養試験

No.	科　目			出題内容（択一式・全問解答）	難易度
1	文章理解	現代文		内容把握（横山雅彦『「超」入門！論理トレーニング』）	B
2				内容把握（蛯原 健『テクノロジー思考——技術の価値を理解するための「現代の教養」』）	B
3				内容把握（川端祐一郎「失語症の二つのタイプと現代日本人」〈『表現者クライテリオン』2019.11 所収〉）	B
4				内容把握（貫 成人『哲学マップ』）	A
5				文章整序（阿部謹也『世間とは何か』）	A
6				空欄補充（岡西政典『新種の発見』）	B
7		英　文		内容把握（アフリカでのスマート手動ポンププロジェクト）	C
8				内容把握（完璧主義の弊害）	B
9				内容把握（持続可能な農業政策への転換の必要性）	B
10				文章整序（海賊船の乗組員の規律）	A
11				空欄補充（睡眠の個人差についての研究成果）	B
12	判断推理			命題（6種類のスポーツについてのアンケートからいえること）	C
13				対応関係（A〜Eの5人が通う6つの習い事についていえること）	B
14				位置関係（ビル街に並ぶ第1〜9ビルの間を歩いた3人の発言からいえること）	B
15				順序関係（A〜Eの5人で行う短距離走とハードル走についていえること）	B
16				数量相互の関係（電化製品A〜Dのうち複数を使用した場合の電気代）	B
17				数量相互の関係（8つのマス目に収納できるボールの個数の最大値と最小値の差）	B
18				平面図形（図形を5つ隙間なく並べられる形）	B
19				空間図形（正二十面体の各頂点から正五角錐を除いた多面体の面、頂点、辺の数）	B
20	数的推理			場合の数・確率（A〜Eの5人で行うじゃんけんのトーナメント）	A
21				整数関係（2ab4と表される4ケタの数に含まれる正の整数 a, b の和）	B
22				平面図形（正方形Aに内接する正方形Bに内接し45°傾いた長方形の長辺 a の長さ）	B
23				整数関係（Aが思い浮かべた10〜99の2ケタの整数のうちの一つの数）	B
24				整数関係（13年ゼミと17年ゼミが2021〜2250年に発生する回数〈空欄補充〉）	A
25	資料解釈			わが国の外国人労働者数および国籍別割合の推移等（棒グラフ、折れ線グラフ）	B
26				わが国の熱中症による救急搬送人員の年別推移と年齢区分（数表、帯グラフ）	B
27				3つの年層別の余暇の過ごし方（数表）	B
28	時　事			医療等（遠隔医療、ゲーム障害、統合失調症、発達障害、自殺）	B
29				近年の世界の気象や環境（台風、貨物船座礁、温暖化、バッタの大量発生、アマゾン火災）	B
30				各国の領土問題（北方領土、カシミール地方、ゴラン高原、南シナ海、イギリス）	B
31	自然科学	物　理		運動量保存の法則（小球Aと小球Bの正面衝突後における小球Aの速度）	C
32		化　学		酸と塩基（酸・塩基の定義、酸性雨、pH指示薬、中和滴定、電離度）	B
33		生　物		生殖と発生（無性生殖・有性生殖、配偶子形成、独立の法則、卵割、重複受精）	S
34	人文科学	日本史		中・近世の争乱と征夷大将軍（藤原清衡、平清盛、北条義時、足利尊氏、織田信長〈空欄補充〉）	B
35		世界史		中国の諸王朝（秦、隋、北宋、元、明）	A
36		地　理		世界のエネルギー事情（石炭、石油、シェールガス、原子力、バイオエタノール）	B
37		思　想		宗教（バラモン教、仏教、ユダヤ教、キリスト教、イスラーム）	B
38	社会科学	法　律		法の支配（法の支配の原則、憲法、法治主義、特別裁判所等）	C
39		経　済		国際経済（比較生産費説、国際収支、貿易収支、外国為替市場、外国為替相場）	B
40		政　治		わが国の戦後政治史（政党政治、消費税導入、行財政改革、選挙制度改革、アベノミクス）	C

※難易度：S＝特に難しい、A＝難しい、B＝普通、C＝易しい

令和②年度　教養試験

No.	科 目			出題内容（択一式・全問解答）	難易度
1	文章理解	現代文		内容把握（松井孝典『我関わる、ゆえに我あり』）	S
2				内容把握（飯沢耕太郎『写真的思考』）	A
3				内容把握（渡邊二郎「構造と解釈」〈『渡邊二郎著作集 第9巻』所収〉）	B
4				内容把握（好井裕明『違和感から始まる社会学』）	C
5				文章整序（藤本一勇　ヒューマニティーズ『外国語学』）	A
6				空欄補充（國分功一郎『中動態の世界―――意志と責任の考古学』）	C
7		英 文		内容把握（地中海で救助される難民への人道支援）	C
8				内容把握（アーサー＝コナン＝ドイル卿生誕160周年を記念する硬貨）	B
9				内容把握（植物と菌類の協力関係）	C
10				文章整序（ワークライフバランスを巡るヨーロッパでの議論）	B
11				空欄補充（ヨーロッパ人とは何者か）	B
12	判断推理			命題（6か国語の中に通訳できる言語がある者の在籍状況）	C
13				対応関係（8人の総務、企画、営業、調査の4つの部への配置）	B
14				位置関係（8人の10階建ての2つの建物内での移動）	B
15				対応関係（5種類計15枚のクッキーを5人で分ける場合）	B
16				試合の勝敗（10人での将棋トーナメントの対戦結果）	B
17				対応関係（7人が所属する4つのプロジェクト）	B
18				折り紙（正方形の紙を折って両面から開いて潰した一部を切って広げた形）	B
19				立体構成（4か所で折れ曲がった筒の中の鏡に反射して見える図形）	B
20	数的推理			場合の数（3グループで行う受付業務を異なるグループで行える最大日数）	B
21				流水算（2地点を往復する船の静水時の速さと川の流れの速さの比）	B
22				一次関数（フルーツA、Bの栽培費と輸送費から求められる販売額合計の最大値）	B
23				連立方程式（A国とB国の両方を旅行した者の数）	B
24				比（歯車Aが5周する間に歯車Cが回転する角度）	B
25	資料解釈			職業ごとの従事者数と男女比、従事者に占める未婚者割合調査（棒グラフ、散布図）	B
26				ある試験の2016年度と2019年度の地域別実施結果（数表）	B
27				6回のオリンピックの種類別メダル獲得数（棒グラフ、折れ線グラフ、数表）	B
28	時　事			医療等（熱中症、エボラウイルス病、麻疹、手足口病、がんゲノム療法）	B
29				日本の教育等（電子端末普及率、外国語、部活動、入試改革、教員の働き方改革）	B
30				日本の税制（国際観光旅客税、軽減税率制度、各種控除、たばこ税、酒税）	C
31	自然科学	物 理		気体の状態変化（熱力学第一法則、気体の内部エネルギー、断熱変化）	C
32		化 学		高分子化合物（生分解性高分子、吸水性高分子、PET、グルコース等）	B
33		生 物		生物の代謝（ATP、酵素、異化・同化、光合成、呼吸・発酵）	A
34	人文科学	日本史		桃山～明治時代における日本の外交等（朝鮮、琉球・清、開国、通商条約）	B
35		世界史		18～19世紀のヨーロッパ（七年戦争、ナポレオン、ウィーン体制、クリミア戦争等）	B
36		地 理		日本の地形（U字谷、氾濫原、扇状地、天井川、岩石海岸、リアス海岸）	B
37		思 想		近現代の思想家（フーコー、ミル、ハンナ＝アーレント、サルトル、キルケゴール）	B
38	社会科学	法 律		日本の国会議員の特権等（不逮捕特権、免責特権、歳費等）	B
39		経 済		国際通貨体制（金本位制、ニクソン・ショック、プラザ合意等）	C
40		政 治		日本の地方自治等（各種委員会、行政改革、地方議会、条例、自主財源）	B

※難易度：S＝特に難しい、A＝難しい、B＝普通、C＝易しい

次の文の内容と合致するものとして最も妥当なのはどれか。

　野生動物にはさまざまなウイルスが共生しているが、それらはたいていの場合、そのままではヒトには感染できないし、さらにヒト・ヒト感染を起こして人間社会で拡がることはできない。そのような能力をもった変異体が生まれることが必要なのである。

　ウイルスの立場で見ると、新たな宿主に感染する能力を進化させれば、自分の子孫を増やすことになる。近年の人口爆発の結果、ヒトは巨大な都市をつくって生活するようになった。また野生動物の生活圏で多くのヒトと家畜が密集して生活するようになった。ウイルスにとっては、このようなヒトや家畜への感染力を進化させれば将来の繁栄につながることになる。

　したがってCOVID-19が終息したり、弱毒化したりしてヒトと平和的に共生するようになったとしても、その後も別の新たな動物由来ウイルス感染症の出現が繰り返されていくことであろう。

　宿主と共生体のあいだには厳しいせめぎ合いがあり、常に緊張関係がある。宿主と共生体のそれぞれが自身の子孫をなるべく多く残すように振る舞うが、双方の利害が一致する場合もあれば、対立することもある。

　その結果として、多様な関係が進化する。宿主と共生体の双方が利益を得るような相利共生がある一方で、共生体が宿主に対して害を与える寄生や病原体になるなどの関係も生じる。どんな関係であっても、双方にとってすべての面でよいことだけということはないので、宿主と共生体のあいだの関係は流動的であり、絶えず変化する。これには国際政治の世界と似たところがある。

　われわれのからだの内側やまわりは多種多数な細菌で満ちあふれている。中には病気を引き起こすものもいるが、その多くはわれわれが生きていく上で重要な役割を果たしている。

　地球上に生息する細菌の総数は、真核生物の細胞の総数を超えると推定されている。これらの細菌や真核生物すべてにさまざまなウイルスが共生していると考えられるので、ウイルスこそが地球上で圧倒的多数を誇る進化する複製子だといっても過言ではない。しかも宿主にくらべてウイルスゲノムの進化速度は速いので、短期間でさまざまな進化の可能性を試すことができる。

　ウイルスが宿主の生きる上で果たしている役割については、研究が始まったばかりでまだあまり分かっていないことが多いが、ウイルスの中で病気を引き起こすようなものはわずかに過ぎない。

1　人口爆発により、ヒトは巨大都市をつくり、ヒトや家畜の生活圏が野生動物の生活圏にまで及んだ結果、野生動物は減少し、それまで野生動物に寄生していたウイルスは、野生動物の代わりにヒトや家畜に共生するようになった。

2　新たな宿主への感染能力を進化させることは、動物由来のウイルスにとって自らの子孫を増やすことにつながり、ウイルスが弱毒化したり、感染症が終息したりすることはあっても、また別の新たな動物由来ウイルス感染症が現れることがある。

3　細菌やウイルスは、いったん宿主との間に相利共生の関係が確立すると、双方の利害が一致し、お互いの利益となり得る選択をする傾向が強まるため、宿主に対して害を与える寄生

や病原体にはならない。

4 宿主と共生体の関係は多様であり、多様性を尊重する現代の国際政治の世界に類似しているが、国際政治においては、利害をめぐり常に厳しいせめぎ合いが行われる一方、宿主と共生体にそうした緊張関係が生じることはほとんどない。

5 ウイルスが宿主である真核生物の進化に大きな影響を与えることは、ウイルスの総数が真核生物の細胞の総数をはるかに上回ることからも明白だが、ウイルスゲノムの進化速度は宿主に共生する細菌の進化速度よりも遅い。

解説

出典：長谷川政美『ウイルスとは何か』

　野生動物と共生しているウイルスがヒトや家畜への感染力を進化させ、新たな動物由来ウイルス感染症が出現するように、宿主と共生体の間には常に緊張関係があり、双方が利益を得る相利共生がある一方で、宿主に害を与える寄生や病原体になる関係もある。ウイルスが宿主の生きる上で果たしている役割にはまだわかっていないことが多いが、病気を引き起こすものはわずかである、と述べた文章。

1. 前半は正しいが、野生動物が減少したとは述べられていない。また、ウイルスが「野生動物の代わりにヒトや家畜に共生するようになった」のではなく、野生動物だけでなく「ヒトや家畜への感染力を進化させれば」ウイルスが拡がることができるとある。

2. 妥当である。

3.「相利共生の関係が確立すると」「お互いの利益となり得る選択をする傾向が強まる」とは述べられていない。また、「どんな関係であっても、双方にとってすべての面でよいことだけということはない」、「宿主と共生体のあいだの関係は流動的であり、絶えず変化する」ので、「宿主に対して害を与える寄生や病原体にはならない」とは限らない。

4.「宿主と共生体のあいだには厳しいせめぎ合いがあり、常に緊張関係がある」と述べられているので、「宿主と共生体にそうした緊張関係が生じることはほとんどない」というのは誤り。

5.「ウイルスが宿主の生きる上で果たしている役割については、研究が始まったばかりでまだあまり分かっていないことが多い」と述べられており、「ウイルスが宿主である真核生物の進化に大きな影響を与える」とは述べられていない。また、ウイルスは細菌に共生し、ゲノムの進化速度は宿主にくらべて「速い」とあることから、ウイルスゲノムの進化速度は細菌の進化速度より速いと考えられる。

正答 **2**

次の文の内容と合致するものとして最も妥当なのはどれか。

　よく、「歴史とは過去との対話である」と言われる。それは現在の事態を理解するには過去のことをよく知っておかねばならないという意味で使われている。あるいは、現在の問題を解決するには、過去から学ばねばならないという意味で使われている。だがこれは一面的に理解されてはならない。「過去との対話」と言うとき、たとえば、今の会社の人間関係を解決するには、徳川家康の事績をよく学ぶべきである、といった「対話」が言われているのではない。目先の政治目的や、経済的利益や、プロパガンダ目的のために歴史を利用するのではないのである。安易な「対話」、都合の良い「対話」が歴史だと言っているのではないのである。

《中　略》

　人は、未来においてどのような世界を作ればいいかを考えて、そのために何をすればいいかを考えるが、ある朝突然そのような世界が作れるわけではない。現在存在するものを利用し改善しながら作るわけである。しかし、その現在あるものは過去から受け継いだ性質や性格や特徴を持っている。それを知るためには過去を追わねばならない。だが、過去を追って、現在存在するものの個性を知ったとたんに、未来への展望を修正しなければならなくなる。こうして、過去と未来は現在をとおして対話するのである。歴史は現在あるものから出発するが、その現在は過去に制約されているのである。

　これをわれわれ自身に当てはめてみるならば、自分がどのような世界の未来を考えているのだろうかと自問し、そういう未来を目指すには現在をどうすればいいのか、その現在はどういう過去を持っているのかを考えるという作業が必要である。そういうことを意識しながら、さまざまな歴史の情報を探して学んでみる。そうして、過去を探ってみて、自分の目指している未来を修正しなければならないことも生じるかもしれない。これが「対話」である。

　また、われわれが歴史書などを読んだり、映像を見たりするとき、この作者はどういう未来を目指してこの過去に向き合っているのかを考えてみることが必要である。ある歴史家は、アジア諸国の共存を目指して歴史を探っているかもしれない。ある人は、アジアの中での日本の優位を確保することを目指して、歴史を探っているかもしれない。ある人は、アジア諸国の激しい競争・闘争を予測して歴史を探っているかもしれない。ある人は、国境のないアジアの共同体を目指しているのかもしれない。その点を意識したうえで、それぞれの歴史書や画像を見て、納得できるかどうかを考えることが求められている。

1　「過去との対話」とは、例えば、徳川家康の事績をよく学ぶことで得られた教訓から、今の会社における人間関係の問題を解決しようとすることを指す。

2　人は、現在存在するものを利用し改善しながら未来の世界を作るが、現在存在するものは過去から性質や性格を受け継いでいるので、それを知るために過去を追う必要がある。

3　自分がどのような世界の未来を考えているか自問するときには、全て現在あるものから出発するようにして、過去の出来事から来る制約にとらわれないことが重要である。

4　歴史書は、その作者の目指した未来を考えて読み解く必要があり鵜呑みにできないが、映像は、真実を映しているため、歴史書よりも信用できる。

5　多くの歴史家は、アジア諸国の共存を目指したり、あるいはアジアの中での日本の優位確

保を目指したりと特定の目的を持っているため、真実を残そうとした歴史家を探すことが重要である。

解説

出典：南塚信吾・小谷汪之『歴史的に考えるとはどういうことか』

「歴史とは過去との対話である」というとき、目先の目的のために歴史を利用する安易な「対話」が歴史なのではない。未来においてどのような世界を作り、そのために現在どうすればいいか考えるとき、過去を探って学ぶことで現在を理解し、自分の目指している未来を修正しなければならなくなることが「対話」であり、過去と未来が現在をとおして対話するという意味である、と述べた文章。

1. 「過去との対話」については、「たとえば、今の会社の人間関係を解決するには、徳川家康の事績をよく学ぶべきである、といった『対話』が言われているのではない」と述べられているので、「例えば、徳川家康の事績をよく学ぶことで得られた教訓から、今の会社における人間関係の問題を解決しようすることを指す」とするのは誤り。

2. 妥当である。

3. 「歴史は現在あるものから出発するが、その現在は過去に制約されている」とあるので、「過去の出来事から来る制約にとらわれないことが重要である」とするのは誤り。

4. 歴史書も映像も、「この作者はどういう未来を目指してこの過去に向き合っているのかを考えてみることが必要」とあり、映像のほうが真実を映しているとか、歴史書よりも信用できるという比較はなされていない。また、「歴史書や画像を見て、納得できるかどうかを考えることが求められている」とはあるが、信用性については直接問題にはされていない。

5. 「真実を残そうとした歴史家を探すことが重要」とされているのではなく、歴史書や映像を見るときに、作者がどういう未来を目指して過去に向き合っているのか、納得できるかどうかを考えることが必要であるとされている。

正答 2

次の文の内容と合致するものとして最も妥当なのはどれか。

　社会学には社会的凝集力と似た用語として社会的凝集性がある。社会学でいう社会的凝集性とは、「集団内の成員を引き止めるべく作用する全体的場の力」のことで、集団がそのメンバーを引きつけ、まとめあげていく魅力といったものを指している。ここでいう凝集力もそれに近いが、集団そのものの魅力というより、成員個々が引きつけ合うことによって全体がまとまっていく側面に重きをおいた言い方である。社会の成員が備えている社会的磁力といってもいい。

　会社であれ、組合であれ、政党であれ、学校のクラスであれ、クラブであれ、はたまた趣味のサークルであれ、環境保護のための市民団体であれ、組織や集団がその目的を実現するためには、メンバーになっている人々全員が、所属している集団や組織に対する所属意識が高く、自分がなすべき責務を遂行しようとする意欲が強くなければならないのはいうまでもない。しかし、それだけでは不十分で、集団や組織が長く続き、しかも次第にいい方向に変わっていくためには、メンバー同士が互いに好感をもっていて、一緒に何かできることに喜びを感じていることが大事なことである。成員がそういう感情をもっていれば、一人ひとりが集団や組織をもっと良くしようと、意欲をもって動くようになるということである。

　同じことは、社会全体にもあてはまる。その社会で生まれ、そこで育ち、今を生きている人々全員が、この社会に生まれてよかったと思い、いまこうして生きているのが幸せだと感じているとしたら、社会は、自ずと、全体として、しかるべき機能を十全に果たすことになろうし、社会がそういう状態にあれば、われわれは社会に凝集力があるということができよう。

　しかし、社会がこのような状態に至るには、社会のメンバーがいくつかの条件を満たしていなければならない。その条件とは、端的にいえば、まず、社会の成員が互いに他者に関心と愛着と信頼感をもっていて、その上で、社会を成立させている要素を共有していることである。同じ言葉を同じ意味で使い、ある位置を占める者は、自分がどんな役割を果たすよう期待されているかを了解しており、自分が行動する場がどのように意味づけられているかも分かっていて、自分が生活している社会がどんな社会であるかについてもイメージを共有している、といったことである。

　ところが、わが国の現状をみたとき、こうした条件が著しく損なわれていることを認めざるをえない。人々は互いに無関心の度合いを深めているし、その結果として、社会に対する関心をなくしており、さらには、わが子が使う言葉を親が理解できず、先生のいう言葉の意味が生徒に伝わらず、自分が行動している場所がどんなところかに頓着せずに振る舞い、周りにいる人がどこで何をしようと「われ関せず」でかかわろうとせず、社会がどんな状態であろうと「好きな人が何とかすれば」といっこうに関心を示さない、といった事態が進行している。同じ社会に住みながら、人々が互いに何のつながりも関心ももたず、自分の利益と関心だけにこだわって生きているとしたら、まず社会がよくなることはありえない。むしろ、社会の崩壊が一気に進むしかない。現在のわが国では、社会の凝集力が極度に落ちているということである。

　凝集力の低下は、社会の崩壊を促すだけではない。社会的凝集力の低下は、いま、人々の生きている充実感も奪っているといっていい。なぜなら、人間は、自分の存在価値を他人に認められてこそ、生きる実感をもつことができる生き物だからである。

1 社会的凝集性は、社会的磁力と言い換えることができ、集団が特定の中心メンバーの個人的魅力を核として、それに他のメンバーが引きつけられることによって全体がまとまっていく作用のことである。

2 ある組織や集団におけるメンバー全員の所属意識が高く、自分がなすべき責務を遂行しようとする意欲も高い場合、その組織や集団は、それら自体に魅力があり、メンバー同士が互いに好感をもっていて、一緒に何かできることに喜びを感じていることが多い。

3 社会に凝集力があるといえる状態では、社会のメンバーが互いに他者に関心と愛着と信頼感をもっており、それに加えて、同じ言葉を同じ意味で使うなど、社会を成立させている要素の共有がなされている。

4 わが国の現状として、社会の凝集力の低下が顕著になっており、その主たる原因として、親子間における言葉の意味や認識に大きなずれが生じ、その結果として、社会にさしたる関心をもたない人々が増えていることが挙げられる。

5 人間は、自分の存在価値を他人に認められてこそ、生きる実感をもつことができる生き物であるといえるため、人々の生きている充実感が失われることによって、社会の凝集力の低下がもたらされている。

解説

出典：門脇厚司『子どもの社会力』

社会の成員が互いに引きつけ合うことで全体がまとまっていく力を社会的凝集力といい、成員一人ひとりが幸せを感じ社会も全体としてしかるべき機能を十全に果たせる凝集力のある社会になるには、成員が互いに関心と愛着と信頼をもち、社会を成立させている要素を共有していなければならないが、わが国の現状をみると、こうした条件が著しく損なわれているため、凝集力が低下し、人々の充実感も奪われている、と述べた文章。

1. 「社会的磁力」と言い換えられているのは、「社会的凝集性」ではなく「凝集力」である。また、社会的凝集性は、「集団内の成員を引き止めるべく作用する全体的場の力」であり、「個人的魅力」ではなく集団の魅力のことである。

2. 組織や集団がその目的を実現するためには、メンバー全員の所属意識が高く、自分がなすべき責務を遂行しようとする意欲も強くなければならないが、それだけではなく、「メンバー同士が互いに好感をもっていて、一緒に何かできることに喜びを感じていることが大事なことである」と述べられている。メンバーの所属意識が高く、自分の責務を遂行する意欲も高い組織や集団が、魅力があり、メンバーが互いに好感をもち、一緒に何かできることに喜びを感じていることが多いと述べられているのではない。

3. 妥当である。

4. わが国で社会の凝集性が低下しているというのは正しいが、親子間における言葉の意味や認識に大きなずれが生じていることの結果として、社会にさしたる関心をもたない人々が増えているとは述べられていない。

5. 人々の生きている充実感が失われることによって社会の凝集力の低下がもたらされているのではなく、社会の凝集力の低下が人々の生きている充実感も奪っていると述べられており、因果関係が逆である。

正答 **3**

次の文の内容と合致するものとして最も妥当なのはどれか。

モーツァルト効果、という言葉をご存知だろうか。

モーツァルトを聴くだけで、なぜか頭がよくなったり、身体の調子がよくなったり、はたまたお酒や味噌が美味しくなったりもするという、不思議な効果のことである。

多くの音楽ファンは眉唾ものだと感じていることだろう。そもそもモーツァルトが身体にいいというのならば、幼少期から生涯にわたって毎日その音楽に浸りきっていた、当のヴォルフガング氏がなぜ35歳の若さであっけなくこの世を去ってしまったのか、という単純な反論がまずは思い浮かんだりもする。

あらかじめ言っておけば筆者も、モーツァルト効果はおそらく「ないだろうな」と考えている。理由はいくつか挙げられる。モーツァルトの生きた時代に、彼と似た音楽様式で曲を書いている作曲家は沢山おり、それらとモーツァルトの「効果」に特段の差があるとは思えないこと。次にモーツァルトの曲といっても、明るく軽快なものから、ドロドロと暗いものまで様々であるから、それらが同じように「効果」を及ぼすとはとても思えないこと。さらに音楽は演奏によっても大きく変わるので——たとえばアーノンクール指揮とカラヤン指揮のモーツァルトではまるで様相が異なる——その「効果」が同じとは思えないこと、等々…。

もっとも、音楽が脳や身体に一種の効果をもたらすこと自体は否定しない。音楽を聴くことで集中力が高まったり、逆にリラックスしたりするという経験は、誰もが持っているだろう。ただ、「モーツァルトだけが特別」とは、ちょっと信じがたいということなのだ。一般的な音楽の効用と、俗流の天才神話が合体して生じた、さして罪のない思い込み、というあたりが、モーツァルト効果に関する筆者自身の率直な感想である。

いちいち訊いてみたことはないが、これはおそらく、世界の大多数の音楽学者の意見でもあるだろう。なにしろ、音楽学の世界でモーツァルト効果の是非が論じられたことなど、筆者の知る限りでは一度もない。音楽学者の誰もが、そうしたことがときおり巷で話題になることは知りながらも、真面目に相手にしていないのである。

……が、実は音楽学の世界から一歩外に出てみると、多くの学者がモーツァルト効果に関する膨大な数の論文を発表しており、しかもそれらは賛成派と反対派、あるいは「あるかもしれない派」と「多分ないのでは派」に分かれながら、いまだに喧々囂々、侃々諤々の議論を繰り広げているのである。

筆者はある時ふと、こうした研究について興味がわき、以来、関連の論文を探しては少しずつ読むようになった。

1 モーツァルト効果がないことは既に明確になっており、筆者は、世界中の音楽学者と同じように、モーツァルト効果を真面目に相手にせずともよいものと考えている。

2 モーツァルトだけでなく他の優れた音楽家の曲も、脳や身体に良い効果をもたらすことは確実視されているため、このような一般的な音楽の効用は、多くの学者に研究されている。

3 モーツァルトの曲は、明るい曲や暗い曲など様々あり、演奏によっても様相が異なるため、これらと天才神話が相まって、モーツァルト効果があると信じられてきた。

4 筆者は、モーツァルト効果を疑わしく思い、世界の大多数の音楽学者も同様の意見を持っ

ているだろうとも考えているので、音楽学の外の世界の議論に罪深さを感じている。

5 筆者は、音楽学者でない学者によってモーツァルト効果が大いに論じられていることを認識し、そうした議論の内容を追っている。

解説

出典：沼野雄司『音楽学への招待』

　音楽が脳や体に一種の効果をもたらす経験はあっても、モーツァルトを聴くだけで身体や精神に良い効果を与えるというモーツァルト効果はないというのが世界の大多数の音楽学者の意見であるが、音楽学の世界から一歩外に出ると多くの学者がモーツァルト効果を研究していることに興味を持った、と述べた文章。

1. モーツァルト効果について筆者自身は「ないだろうな」と考え、世界の大多数の音楽学者も同じ意見だと考えているが、音楽学では「モーツァルト効果の是非が論じられたこと」がないため、「ないことは既に明確になって」いるわけではない。また、筆者は音楽学の世界の外でのモーツァルト効果の研究に興味がわいたと述べられており、「真面目に相手にせずともよいものと考えている」とは述べられていない。

2. 「音楽が脳や身体に一種の効果をもたらすこと自体は否定しない」と述べられているが、優れた音楽家の曲が、脳や身体に良い効果をもたらすことが確実視されているとまでは述べられていない。また、多くの学者が研究しているとされているのは、「一般的な音楽の効用」ではなくモーツァルト効果である。

3. 前半に書かれているのは、モーツァルト効果があることの理由ではなく、ないことの理由として挙げられていることである。

4. 前半は正しいが、筆者は音楽学の外の世界でのモーツァルト効果に関する議論に対し、「罪深さ」ではなく「興味」を感じている。

5. 妥当である。

正答　**5**

次の ☐☐☐☐ の文の後に、A〜Eを並べ替えて続けると意味の通った文章になるが、その順序として最も妥当なのはどれか。

> 　自画自賛する力が昨今、認められつつあるように思います。というのは、今のヒーローといわれる人たちに、冷静に自画自賛できる人が急速に増えている傾向があるからです。
> 　自慢と自画自賛は違います。自慢は、あくまでも自分を誇りたい気持ち。

A：それに対して、いばっている、謙遜が足りない、人格が未熟と考える人こそ、嫉妬心、競争心に囚われている。自画自賛を非難がましく言う人こそおかしいのです。

B：これに対して、自画自賛は自他に関係なく、そこに生まれたものを客観的に評価する姿勢です。自分の描いた絵とは思えないほど素晴らしい、つまり、自分が描いたにもかかわらずいい、我ながらあっぱれ、という気持ち。自分のことをいばりたい、誇りたいのではなく、自分の功績を正当に評価できるということ。

C：謙遜と自慢は裏表で、どちらもろくでもない。自画自賛というのは、自慢と謙遜の間で揺れ動くのではなく、常に肚の据わった客観的視点を持ってこそ可能になるものです。

D：自慢と自画自賛を区別できないと、対人関係で謙遜するしかしようがない、というところに陥りやすい。ニーチェの忌み嫌う隣人愛の世界。お互いに、自分を低く低く置き、自己卑下をしていれば安全だ、嫌われないと考える。しかし、そこに埋没していると、自分も社会も沈滞していくのです。

E：常に自己卑下に回り合う社会はとても息苦しい。しかし、自分に対して、肯定的に高い評価をすると、途端に「思い上がっている」と排除しようとする力が働く。自慢話を聞かされるのは誰でもあまりいい気分ではないですが、自分のやったことに素直に驚いて「なんであんなに打てたんだろう？」「どうしてこんないい文書が書けたのだろう、今はもう書けそうにない」というのは、自慢ではなく、素直な思いです。

1 B→C→D→A→E

2 B→D→E→A→C

3 D→A→B→C→E

4 D→C→A→E→B

5 E→B→C→A→D

解　説

出典：齋藤孝『上機嫌の作法』

　自分を誇りたい気持ちである自慢は謙遜と裏表で、自己卑下に陥りやすくなり、自分も社会も沈滞してしまうが、自画自賛する力は、自慢と謙遜の間で揺れ動くのではなく、自他に関係なく客観的に評価する姿勢であり、自分の功績を正当に評価できるということであり、昨今はこの自画自賛する力が認められつつある、と述べた文章。

　つながりが見つけやすいものをグループ分けしたり、接続語や指示語を手掛かりにしたりして考える。まず、「自己卑下」について述べているDとEを見ると、Dで自己卑下をしていれば安全だが「自分も社会も沈滞していく」と述べ、それをEの第1文の「自己卑下に回り合う社会」で受けているため、D→Eとなる。また、□□□□□□の文は、自画自賛が昨今認められつつあるが、自慢と自画自賛は異なり、自慢は自分を誇りたい気持ちであると述べている。選択肢をみると、これに続く可能性があるのはB、D、Eであるが、Eは「自己卑下」についての記述が唐突であるため、不適切である。Bは自慢の定義を「これ」で受けて、自慢に対し、自画自賛は何が違うのか定義を述べているため、適切である。Dでは自画自賛の定義がないまま「自慢と自画自賛を区別できない」場合について論を進めているため、つながりが悪い。Bで自画自賛とは何かを説明し、Dで自慢と自画自賛を区別できない場合は、謙遜し、自己卑下するしかなく、自分も社会も沈滞していくと述べ、Eでは、沈滞の様子を具体的に述べている。Eの最後の文で挙げている、自画自賛の言葉を「それ」で受け、Aでは自画自賛を非難する人がいるが非難する人のほうがおかしいと述べ、Cで自画自賛と自慢・謙遜の違いを再度述べてまとめている。

　よって、B→D→E→A→Cの順となり、正答は**2**である。

正答　**2**

次の文の　　　　　に当てはまるものとして最も妥当なのはどれか。

　なぜ、わざわざ科学的な考え方の重要性を強調するか、には理由があります。私たちは民主主義の時代に生きており、誰もが自由に意見を述べられ、それが尊重される建前になっていますが、必ずしもそのように社会が機能しなくなっている側面が見受けられるからです。私は「お任せ民主主義」と呼んでいるのですが、むずかしいことは上の人や専門家に任せ、自分はそれらの人たちが言うことに従っていれば間違いがない、という姿勢が現代人に多く見受けられるようになっているということです。自分で考え判断する姿勢が失われていると言えるのではないでしょうか。

　しかし、それでは一人一人の意志や考え方や疑問点が自由に表明されることがなくなり、　　　　　　　　　　ばかりとなって、最後には独裁的な社会になりかねません。生き生きとした知的で豊かな社会になるためには、誰もがしっかり自分の意見を表明し、他の人の言うことも聞き、互いに議論することを通して理解し合い、よりよい方向を見いだしていくというふうにならねばなりません。それが人間を互いに大事にし合う真の民主主義社会なのです。そのような社会にするためには、誰もが独立した人格の持ち主として尊重し合い、科学的に考えてお互いの意見を率直に出し合う、そんな健全な人間関係を作っていくことが大切です。その意味でも、科学的なものの見方・考え方は欠かせないのです。

1　虚心坦懐な人間

2　舌先三寸な人間

3　独立独歩な人間

4　平身低頭する人間

5　付和雷同する人間

解説 ━━━━━━━━━━━━━━━━━━━━━━━━━━━━━━

出典：池内了『なぜ科学を学ぶのか』

　自分で考え判断する姿勢を失い他の人に従う「お任せ民主主義」が現代人に多く見受けられるようになったが、誰もが自分の意見を表明し、他の人の言うことも聞き、議論を通して理解し合い、よりよい方向を見いだしていく真の民主主義社会にするためには、科学的なものの見方・考え方が重要である、と述べた文章。

　　　　　　　　の前の「それ」は、前の段落の「お任せ民主主義」で「自分で考え判断する姿勢が失われている」ことをさしていることから、　　　　　　には、そのような特徴の人間が入ると考えられる。

　1の「虚心坦懐」（先入観がなくさっぱりした気持ちのこと）、3の「独立独歩」（人に頼らず自分で考え行動すること）は、　　　　　　の前後の「一人一人の意志や考え方や疑問点が自由に表明されることがなくなり」や「独裁的な社会」と合わない。また、2の「舌先三寸」（口先だけで相手をだますこと）、4の「平身低頭」（ただひたすら謝ること）のように、他の人をだます、他の人に謝るという内容は本文で述べられていない。5の「付和雷同」（自分の考えがなく、他の人の言動にすぐ同調すること）は、「それらの人たちが言うことに従っていれば間違いがない」「自分で考え判断する姿勢が失われている」と合致する。

　よって、正答は5である。

正答　5

次の文の内容と合致するものとして最も妥当なのはどれか。

An unprecedented analysis of how cancers grow has revealed an "almost infinite" ability of tumours[*1] to evolve and survive, say scientists.　The results of tracking lung cancers for nine years left the research team "surprised" and "in awe" at the formidable force they were up against.　They have concluded we need more focus on prevention, with a "universal" cure unlikely any time soon.　Cancer Research UK said early detection of cancer was vitally important.

The study — entitled TracerX — provides the most in-depth analysis of how cancers evolve and what causes them to spread.　Cancers change and evolve over time — they are not fixed and immutable.　They can become more aggressive: better at evading the immune system and able to spread around the body.　A tumour starts as a single, corrupted cell, but becomes a mixture of millions of cells that have all mutated in slightly different ways.　TracerX tracked that diversity and how it changes over time inside lung cancer patients and say the results would apply across different types of cancer.　"That has never been done before at this scale," said Prof Charles Swanton, from the Francis Crick Institute and University College London.　More than 400 people — treated at 13 hospitals in the UK — had biopsies taken from different parts of their lung cancer as the disease progressed.

"It has surprised me how adaptable tumours can be," Prof Swanton told me.　"I don't want to sound too depressing about this, but I think — given the almost infinite possibilities in which a tumour can evolve, and the very large number of cells in a late-stage tumour, which could be several hundred billion cells — then achieving cures in all patients with late-stage disease is a formidable task."　Prof Swanton said: "I don't think we're going to be able to come up with universal cures.　If we want to make the biggest impact we need to focus on prevention, early detection and early detection of relapse."　Obesity, smoking, alcohol and poor diet all increase the risk of some cancers.　Tackling inflammation[*2] in the body is also being seen as a way of preventing cancer.　Inflammation is the likely explanation for air pollution causing lung cancers and inflammatory bowel[*3] disease increasing the risk of colon[*4] cancer.

（注）　[*1]tumour：腫瘍　　[*2]inflammation：炎症　　[*3]bowel：腸　　[*4]colon：結腸

1　英国の研究チームは、肺がんを9年間にわたって追跡した結果、最新の人工知能（AI）や医療技術によって「万能の」がん治療薬を開発できると結論付けている。

2　がんは、攻撃的に免疫システムを侵略して常に遺伝的に変化するものと、身体中に転移するが遺伝的に変化しないものとの2種類に大別される。

3　今回の研究は、全世界の病院で今までにない規模で行われたが、肺がんのみを対象としており、研究の結果は、別の種類のがんには当てはまらないものであった。

4　英国の研究者は、がんの適応能力の高さを考慮すると、がん予防と早期発見、再発の早期発見に注力する必要があると述べている。

5　肥満や瘦せすぎなどは一部のがんのリスクを高め、精神的ストレスによる炎症は結腸がんにつながるとされている。

出典：James Gallagher "Study reveals cancer's 'infinite' ability to evolve"

　全訳〈がんがどのように成長するかに関する前例のない分析により、腫瘍が進化して生き残る「ほぼ無限の」能力が明らかになったと、科学者らは言う。肺がんを９年間にわたって追跡した結果、研究チームは、彼らが立ち向かわんとする恐るべき力に「驚き」、「畏怖の念」を抱いた。彼らは、「普遍的な」治療法が近々実現する可能性は低いため、予防により重点を置く必要があると結論づけている。英国王立がん研究基金は、がんの早期発見が極めて重要であると述べた。

　トレーサーＸと題されたその研究は、がんがどのように進化し、何ががんを転移させるのかの、最も詳細な分析を提供する。がんは時間の経過とともに変化し、進化する。がんは固定された、不変のものではない。より攻撃的になる可能性がある。免疫システムを回避するのがうまく、身体中に転移することができるのである。腫瘍は１つの破損した細胞として始まるが、わずかに異なる方法ですべてが変異した数百万の細胞の混合物になる。トレーサーＸは、その多様性と、肺がん患者の体内で時間の経過とともにどのように変化するかを追跡し、その結果はさまざまな異なる種類のがんに当てはまることを突きとめた。「これまで、これほどの規模で（研究が）行われたことはなかった」と、フランシス・クリック研究所とユニバーシティ・カレッジ・ロンドンの Charles Swanton 教授は語った。英国の13の病院で治療を受けた400人以上が、病気の進行に応じて肺がんのさまざまな部分から採取された生体組織検査を受けた。

　「腫瘍の適応脳力の高さに驚かされた」と Swanton 教授は私に語った。「これについて落胆させるようなことはあまり言いたくないが、腫瘍が進化するほぼ無限の可能性と、末期腫瘍の細胞が非常に多く、数千億個にもなりうることを考慮すると、末期疾患のすべての患者の治癒を成し遂げることは、手強い任務だと思う」。Swanton 教授は言った。「普遍的な治療法を考え出すことができるとは思えない。最大の効果をもたらしたいのであれば、予防、早期発見、再発の早期発見に重点を置く必要がある」。肥満、喫煙、アルコール、偏った食事はすべて、一部のがんのリスクを高める。体内の炎症に対処することも、がんを予防する方法として注目されている。大気汚染が肺がんを引き起こし、炎症性腸疾患が結腸がんのリスクを高めるのは、炎症のためであるという説が有力である。〉

1．第１段落後半で、普遍的な治療法が近々実現する可能性は低いと述べられているので、「『万能の』がん治療薬を開発できる」は誤り。また、「最新の人工知能（AI）や医療技術」に関する記述も見当たらない。

2．免疫システムや転移に関する記述は第２段落半ばに見られるものの、がんが遺伝的に変化することに関する記述はない。

3．第２段落後半によれば、この研究は英国の13の病院の患者を対象としたものなので、「全世界の病院で」が誤り。また、研究の対象は肺がんのみであるが、その結果はさまざまな種類のがんに当てはまるだろうという記述が同段落半ばにあるので、「別の種類のがんには当てはまらない」も誤り。

4．妥当である。第３段落冒頭、および同段落半ばの記述に一致する。

5．がんのリスクを高める要因として肥満があることや、結腸がんの原因となる炎症に関する記述は第３段階後半に見られるものの、痩せすぎや精神的ストレスへの言及は見当たらない。

正答　4

次の文の内容と合致するものとして最も妥当なのはどれか。

Adults and babies alike prefer the vibrant colors of van Gogh's paintings, a new study in the *Journal of Vision* found.

Infants between 18 and 40 weeks old and adults between 18 and 43 years old were given iPads with a selection of 10 van Gogh landscapes among 40 images. The paintings were presented in pairs with 45 possible combinations for each participant.

Though certain biases already begin in infancy, life experiences impact individual preferences as we age.

Infants were shown the painting pairs for five seconds at a time. Those who looked at one image longer than another were determined to have a visual preference for that image. Adults received the same test and visual pairings, but were asked to select the image they found most pleasant. The team then compiled the data from 25 adults to score each artwork on its average pleasantness. This data was compared with the average looking time of 25 infants.

They found that the infants generally looked longer at the artworks that the adult participants had rated more highly for pleasantness, with van Gogh's *Green Corn Stalks* achieving the highest shared preference.

The research suggests that infants look longer at colors that adults also preferred and showed an affinity* for Picasso over Monet. A previous study, however, found no relationship between the length of time infants looked at paintings and adults'preferences. This early research showed fewer paintings than the most recent study, but included a wider range of artists.

The team then tried to pinpoint what aspects of van Gogh's paintings most interested both infants and adults. They determined that babies looked longer at paintings with more variation in brightness and colors, and adults tended to rank those same paintings more highly. High-contrast paintings are very likely easier for infants to see, as their vision is still developing.

（注）　*affinity：（強い）好み

1　新しい研究では、乳児とその親である大人が二人一組になり、一度に提示された10枚のゴッホの絵の中から、最も好きな絵を１枚選ぶことが求められた。

2　過去の研究では、幼少期に多くの芸術作品に触れる経験が、個人の嗜好に大きな影響を及ぼすことが明らかになっている。

3　新しい研究では、乳児も大人も共に、最も長く見た絵は同じであり、また、年齢が上がるにつれ、見る時間が長くなる傾向があると明らかになった。

4　過去の研究では、提示した絵の数と参加者の人数が多く、分析に時間が掛かり過ぎたため、新しい研究では、絵の数と参加者の人数は減らされている。

5　新しい研究では、乳児は、明るさと色の変化が大きいゴッホの絵を、より長い時間見る傾向があることが明らかになった。

出典：Francesca Aton "Infants and Adults Prefer van Gogh's Vibrant Color Palettes, New Study Finds"

全訳〈大人も赤ちゃんも同じようにヴァン・ゴッホの絵画の鮮やかな色彩を好むことが、ジャーナル・オブ・ビジョンに掲載された新しい研究で判明した。

生後18〜40週の乳児と18〜43歳の大人に、ヴァン・ゴッホの40枚の画像から風景画10枚を選んだiPadが与えられた。各参加者には、45通りの組み合わせが可能な絵画が2枚1組で提示された。

ある種の偏りは乳児期にすでに始まっているが、年齢が上がるにつれ、人生経験が個人の好みに影響を及ぼす。

乳児は一度に5秒ずつ絵のペアを見せられた。ある画像をもう一方の画像よりも長く見た者は、その画像に対する視覚的な好みがあると判断された。大人は同じ視覚的な組合せのテストを受けたが、最も心地よいと思う画像を選択するよう求められた。チームは次に、大人25人からのデータを集計し、各作品の平均的な好みについてスコアをつけた。このデータが、乳児25人の平均観察時間と比較された。

乳児は一般的に、大人の参加者が心地よいとより高く評価した作品を長く見ていることが判明し、ヴァン・ゴッホの「トウモロコシの茎」が共通して最も好まれた。

研究によると、乳児は、大人も好む色をより長く見て、モネよりもピカソに強い好みを示したという。だが、以前の研究では、乳児が絵画を見ている時間の長さと大人の好みとの間に関連性はみられなかった。この初期の研究では、最新の研究よりも絵画の数は少なかったが、より幅広い芸術家が含まれていた。

次にチームは、乳児と大人の両方がヴァン・ゴッホの絵画のどの側面に最も興味を持ったかを正確に特定しようとした。乳児は明るさと色の変化がより大きい絵をより長く見る傾向があり、大人はそれらと同じ絵画をより高く評価する傾向があると、彼らは結論づけた。乳児の視覚はまだ発達段階にあるため、コントラストの高い絵画を見やすかった可能性が非常に高い。〉

1. 新しい研究におけるテストの実施方法については第4段落に説明があるが、「乳児とその親である大人が二人一組になり」に該当する記述は見られない。また、乳児はより長く見た絵を好んだと判断されたと述べられており、「1枚選ぶことが求められた」のではない。

2. 過去の研究については第6段落で触れられているが、「幼少期に多くの芸術作品に触れる経験」に関する記述は見当たらない。

3. 第4段落によれば、新しい研究では、大人が長く見たか否かは調査されていない。また「年齢が上がるにつれ」という記述は第3段落に見られるものの、人生経験が嗜好に影響を及ぼすと述べられているのみで、見る時間が長くなるかどうかについては触れられていない。

4. 過去の研究については第6段落に記述があるが、新しい研究よりも提示した絵の数が少なかったとあるので誤り。また、過去の研究の参加者の人数については触れられていない。

5. 妥当である。第7段落の記述に一致する。

正答　**5**

次の[　　　]の文の後に、ア〜オを並べ替えて続けると意味の通った文章になるが、その順序として最も妥当なのはどれか。

As awful as nightmares[*1] can be, they aren't necessarily always a bad thing.　New research into the brain regions involved in nightmares has found that in some cases a dream-time scare may even have some adaptive value.

ア：In a 2019 study published in the open access journal *Human Brain Mapping*, a team led by Virginie Sterpenich, senior researcher at the University of Geneva's Swiss Center for Affective Sciences, recruited 89 subjects and had them keep a dream diary for one week, in which they reported the contents of their dreams and the associated emotions, including fear, anger, sadness and disgust.

イ：When looking at the frightening or menacing faces, subjects who reported fewer nightmares in their dream diary, showed fMRI activity in the insular and midcingulate cortices[*2] of the brain, which more or less mirrored that of people having bad dreams.

ウ：Later, those subjects underwent functional magnetic resonance imaging (fMRI) while looking at pictures of faces with what the researchers had determined were happy, funny, or menacing or frightening expressions.

エ：The implication, according to Sterpenich and her colleagues: bad dreams experienced in the safety of the bed can actually serve to help us better handle genuinely frightening or threatening episodes in the real world.

オ：In subjects who reported more nightmares, those brain regions were less reactive to the negative images — effectively shrugging them off.

（注）　[*1]nightmare：悪夢
　　　　[*2]insular and midcingulate cortices：（大脳皮質の領域である）島皮質及び中帯状皮質

1　ア→ウ→イ→オ→エ
2　ア→エ→ウ→オ→イ
3　ア→オ→ウ→イ→エ
4　オ→ア→ウ→エ→イ
5　オ→ウ→ア→イ→エ

解説

出典：Jeffrey Kluger "Scientists Are Learning to Read — and Change — Your Nightmares"
　全訳〈悪夢は恐ろしいものでありうるが、必ずしも常に悪いものではない。悪夢に関連する脳領域に関する新たな研究により、場合によっては、夢の中での恐怖がある程度の適応的価値

を持つ可能性さえあることが判明した。

ア：オープンアクセスジャーナルのヒューマン・ブレイン・マッピングに掲載された2019年の研究では、ジュネーブ大学のスイス感情科学センターのVirginie Sterpenich上級研究員率いるチームが、89人の被験者を募集し、1週間の夢日記をつけてもらった。その日記の中で被験者らは夢の内容と、それに伴う恐怖、怒り、悲しみ、嫌悪感を含む感情を報告した。

ウ：その後、これらの被験者らは、幸せな表情、おもしろい表情、脅迫的表情、恐ろしい表情であると研究者たちが判断した顔の写真を見ながら、磁気共鳴機能画像法（fMRI）検査を受けた。

イ：夢日記で悪夢の報告が少なかった被験者らは、恐ろしい、あるいは脅迫的な顔を見たとき、脳の島皮質および中帯状皮質でfMRI活動を示した。それは多かれ少なかれ、悪夢を見ている人々の脳の活動に酷似していた。

オ：悪夢の報告が多かった被験者らの脳領域はネガティブなイメージに対してあまり反応せず、効果的にそれらを振り払っていた。

エ：Sterpenichとその同僚らによる推測では、安全なベッドで経験した悪夢は、現実の世界での本当に恐ろしい、あるいは脅迫的な出来事にうまく対処するのに役立つ可能性がある。〉

　選択肢を見ると、アかオのいずれかで始まっている。冒頭の _____ の文から、この文が「nightmares（悪夢）」と「brain（脳）」に関する「research（研究）」についての文章であることを念頭に置きつつ、まず、ア～オに、それぞれ共通して含まれる単語を探してみる。

　すると、ア、イ、ウ、オの4つに「subjects（被験者）」という言葉が出てくる。具体的に「89 subjects」と数字が説明されているのがアであることから、この4つの中ではおそらくアが最初に来ると思われる。

　さらにこの語に注目して見ると、イの「subjects who reported fewer nightmares（悪夢の報告が少なかった被験者）」とオの「subjects who reported more nightmares（悪夢の報告が多かった被験者）」が比較されていることがわかる。

　その悪夢の多寡を報告するために記したのが、「a dream diary（夢日記）」であることが、アから読み取れる。ここに不定冠詞aがついていることを考えても、アは、イとオよりも先に来なくてはならない。ここで、オから始まる選択肢**4**と**5**は消去できる。

　イとオを読み比べると、「brain」の活動を調べた領域について、より詳しく説明されているのがイであるため、イがオより先に来ると考えられる。ここで、オがイより前に置かれている選択肢**2**と**3**も消去できる。

　残った選択肢**1**を検証してみると、「subjects」が受けた「fMRI」という検査について触れているのがイとウで、略称として登場するイよりも、言葉そのものが説明されているウが先にくることは確実である。また、「manacing/threatning（脅迫的）」あるいは「frightening（恐ろしい）」表情や出来事に触れているのがイ、ウ、オであるが、より具体的に「what the researchers has determined（研究者たちが判断した）」と説明されているのがウであることから、ウがイとオより前に来ると考えられる。

　また、冒頭の _____ の文で提示され、アで前提条件を説明されている研究について、結論を述べているのが「implication（推測される結果）」という語で始まるエであり、研究の過程を示しているのが「subjects」という語を含むイ、ウ、オであると考えられるので、文のつながりに問題はない。

　よって、正答は**1**である。

正答　**1**

次の文のア、イに当てはまるものの組合せとして最も妥当なのはどれか。

Music performance is enhanced when musicians concentrate on the sounds they make, not on the movements of their fingers, according to a study led by researchers at the University of St Andrews.

Dr Ines Jentzsch and Yukiko Braun from the School of Psychology and Neuroscience studied the performance of 51 pianists and showed that the accuracy and the quality of a musical performance depended on what the musicians gave focus to while playing.

By concentrating on something external — such as achieving a smooth tone or creating a musical mood — instead of something internal such as concentrating on their fingers hitting the right notes, the pianists performed more accurately, providing an interesting insight that could help musicians learn how to overcome performance anxiety.

Participants in the musical study with at least intermediate piano playing skills were asked to practise a set piano piece for seven days and then perform it to the experimenter under different performance instructions. The researchers found that an external focus of attention resulted in more accurate performance compared to an internal focus instruction, as evaluated by the difference in the number of note pitch errors and note corrections.

Importantly, the study found that the advantage of external over internal focus of attention was the same regardless of the skill level of the pianist, meaning the findings could have an impact for music teaching practice and not just for musicians who perform for audiences.

Encouraging students to focus 　ア　 instead of on 　イ　 might make it easier for them to carry out their well-rehearsed motor actions while also freeing up their capacity to concentrate on expressive and interpretative aspects of the music during performance, and could help reduce the impact of performance anxiety.

	ア	イ
1	internally	creating a musical mood
2	internally	their own body movements
3	externally	creating a musical mood
4	externally	the sounds they make
5	externally	their own body movements

解　説

出典：“This one simple trick can improve your performance” University of St Andrews news

全訳〈セント・アンドリュース大学の研究者らが主導した研究によると、音楽家が自分の指の動きではなく自分のつくり出す音に集中すると、音楽の演奏が向上するという。

心理神経科学部の Ines Jentzsch 博士と Yukiko Braun は、51人のピアニストの演奏を研究し、音楽演奏の正確さと質とは、音楽家が演奏中に何に集中したかによることを示した。

正しい音符を弾く指に集中するといった内的なものではなく、滑らかな音色を実現したり、音楽的な雰囲気をつくり出すなど外的なものに集中したりすることで、ピアニストがより正確に演奏したという、音楽家が演奏に対する不安をどのように克服するかを学ぶのに役立つ興味深い洞察を示したのである。

　少なくとも中級以上のピアノ演奏スキルを持つ音楽学科の参加者は、7日間決まったピアノ曲を練習し、その後、異なる演奏指示に従って、実験者に対して演奏するよう求められた。研究者らは、音のピッチエラーと音の正誤の数の違いによって評価すると、内的なものに集中した指示と比較して、外的なものに注意を向けたほうが、より正確な演奏をもたらすことを発見した。

　重要なのは、注意を内に向けるよりも外に向けることの利点が、ピアニストのスキルレベルに関係なく同じようにあることが、この研究で判明したということである。つまり、この研究結果は、聴衆の前で演奏する音楽家だけでなく、音楽教育の実践にも影響を与える可能性がある。

　生徒に　イ　ではなく　ア　集中するよう促すことで、十分に練習した動作を実行しやすくなると同時に、演奏中に音楽の表現や解釈の側面に集中する能力が解放され、演奏に対する不安の影響を軽減できる可能性があるのである。〉

　選択肢を見ると、アは「internally（内的に）」「externally（外的に）」のいずれかとなっている。アを含む文を見ると、「Encouraging students to focus　ア　（生徒に　ア　集中するよう促す）」というのであるから、アには、そのように集中することが生徒にとってよりプラスになることを示す語が入ると考えられる。

　そこで全体を見ると、第3段落に、「the pianists performed more accurately（ピアニストがより正確に演奏した）」というプラスの結果が述べられている。それは「By concentrating on something external（外的なものに集中することで）」得られたとあり、さらに「instead of something internal（内的なものではなく）」と添えられている。よって、音楽教育の実践にあたり生徒に促すことは、内的なものよりも外的なものであることがわかるので、アには「externally」が入る。ここで、選択肢1と2は消去できる。

　次に、イを含む文を見ると、「instead of on　イ　（　イ　ではなく）」とあるので、イには第3段落の「something internal（内的なもの）」に当たるものが入ることがわかる。具体的には何を示しているかを探すと、第3段落では「such as concentrating on their fingers hitting the right notes（正しい音符を弾く指に集中する）」ことであると述べられている。

　ここで第1段落を見ると、「Music performance is enhanced when musicians concentrate on the sounds they make, not on the movements of their fingers（音楽家が自分の指の動きではなく自分のつくり出す音に集中すると、音楽の演奏が向上する）」とあり、この内容を第3段落と重ね合わせると、否定されている「something internal」は「the movements of their fingers」であることがわかる。よって、イにふさわしいのは「their own body movements（自分自身の体の動き）」と考えられ、正答は5である。

　なお、選択肢1と3の「creating a musical mood（音楽的な雰囲気をつくり出す」は第3段落で、選択肢4の「the sounds they make（自分のつくり出す音）」は第1段落で、それぞれ集中すべきこと、つまり肯定的な例として挙げられている。

正答　5

あるグループに、いくつかの果物について、それぞれ好きか好きではないかを調査したところ、次のことが分かった。このとき、論理的に確実にいえるのはどれか。

- ○　ブドウが好きな人は、モモが好きである。
- ○　オレンジが好きな人は、ブドウが好きである。
- ○　リンゴが好きな人は、パイナップルが好きで、かつ、ブドウが好きではない。
- ○　オレンジが好きではない人は、マンゴーが好きではない。
- ○　モモが好きな人は、マンゴーが好きである。

1　リンゴが好きな人は、モモが好きではない。
2　モモが好きな人は、リンゴが好きである。
3　オレンジが好きな人は、パイナップルが好きである。
4　マンゴーが好きではない人は、オレンジが好きである。
5　パイナップルが好きではない人は、ブドウが好きである。

解説

与えられた命題を論理式で表す。このとき、「ブドウが好き」を「ブドウ」、「ブドウが好きではない」を「$\overline{ブドウ}$」と表す。

A「ブドウ→モモ」

B「オレンジ→ブドウ」

C「リンゴ→（パイナップル∧$\overline{ブドウ}$)」

D「オレンジ→$\overline{マンゴー}$」

E「モモ→マンゴー」

　次に、このA～Eについて、その対偶を定める。

F「$\overline{モモ}$→$\overline{ブドウ}$」

G「$\overline{ブドウ}$→$\overline{オレンジ}$」

H「（$\overline{パイナップル}$∨ブドウ）→$\overline{リンゴ}$」

I「マンゴー→$\overline{オレンジ}$」

J「$\overline{マンゴー}$→$\overline{モモ}$」

　これらA～Jより、選択肢を検討していく。

1．妥当である。Cは、C1「リンゴ→パイナップル」、C2「リンゴ→$\overline{ブドウ}$」に分割可能なので、これを利用すると、C2、G、D、Jより、「リンゴ→$\overline{ブドウ}$→$\overline{オレンジ}$→$\overline{マンゴー}$→$\overline{モモ}$」となり、「リンゴが好きな人は、モモが好きではない」は、確実に推論できる。

2．Hは、H1「$\overline{パイナップル}$→$\overline{リンゴ}$」、H2「ブドウ→$\overline{リンゴ}$」に分割可能なので、これを利用すると、E、I、B、H2より、「モモ→マンゴー→$\overline{オレンジ}$→ブドウ→$\overline{リンゴ}$」となるので、「モモが好きな人は、リンゴが好きではない」となる。

3．B、A、E、Iより、「オレンジ→ブドウ→モモ→マンゴー→$\overline{オレンジ}$」となり、また、B、H2より、「オレンジ→ブドウ→$\overline{リンゴ}$」となる。いずれも「パイナップル」にはつながらないので、「オレンジが好きな人は、パイナップルが好きである」を確実に推論することはできない。

4．J、F、Gより、「$\overline{マンゴー}$→$\overline{モモ}$→$\overline{ブドウ}$→$\overline{オレンジ}$」となるので、「マンゴーが好きではない人は、オレンジが好きではない」となる。

5．H1より、「$\overline{パイナップル}$→$\overline{リンゴ}$」となるが、その先が推論できない。

正答　**1**

ある高校で、イヌ、ネコ、ウサギの3種類のうち、どの動物を飼っているかを調査した。その結果について次のことが分かっているとき、ネコのみを飼っている人は何人か。

　○　イヌを飼っている人は、72人であった。
　○　ネコを飼っている人は、58人であった。
　○　ウサギを飼っている人は、28人であった。
　○　3種類のうち2種類のみを飼っている人は、34人であった。
　○　ネコとウサギの2種類のみを飼っている人は、6人であった。
　○　3種類のうちいずれか1種類のみを飼っている人は、84人であった。
　○　ウサギのみを飼っている人は、12人であった。

1　24人
2　30人
3　36人
4　42人
5　48人

キャロル表を利用して検討していく。まず、「イヌを飼っている人は72人」、「ネコを飼っている人は58人」、「ウサギを飼っている人は28人」、「ネコとウサギの2種類のみを飼っている人は6人」、「ウサギのみを飼っている人は12人」を表に記入する。次に、イヌとネコの2種類のみを飼っている人数をx、イヌとウサギの2種類のみを飼っている人数をy、3種類とも飼っている人数をz、イヌだけを飼っている人数をp、ネコだけを飼っている人数をqとする。

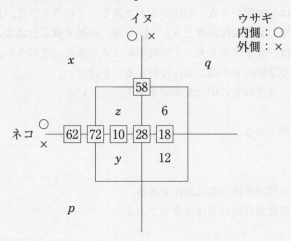

そうすると、$y+z=28-(6+12)=10$、$x+p=72-10=62$、$p+q=84-12=72$となる。ここからは、選択肢の数値をqに代入してみればよい。$q=24$だと、$p=48$、$x=14$、$x+z=58-(24+6)=28$より、$z=14$となり、条件を満たせない（$z<10$でなければならない）。$q=30$だと、$p=42$、$x=20$、$x+z=58-(30+6)=22$より、$z=2$、$y=8$となり、すべての条件を満たす。$q=36$だと、$p=36$、$x=26$となって、ネコを飼っている人数が58を超えてしまう。$q=42、48$の場合も同様で、やはりネコを飼っている人数が58を超えてしまう。したがって、ネコのみを飼っている人数は30人であり、正答は**2**である。

正答　**2**

ある会社の本社では、今年の4月に支社からA～Eの5人の社員が転勤してきた。次のことが分かっているとき、確実にいえるのはどれか。

○ A～Eの所属は、総務課が2人、営業課が2人、経理課が1人である。そのうち、Bは営業課所属であり、Cは総務課所属である。また、Aは経理課所属ではない。

○ A～Eの年齢は、20代が2人、30代が3人である。そのうち、A、Dは30代である。また、20代の者どうし又は30代の者どうしで同じ課に所属することはない。

○ A～Eの学歴は、大学卒が3人、大学院卒が2人である。そのうち、A、Cは大学卒である。また、同じ学歴の者が同じ課に所属することはない。

○ A～Eのうち、30代の者の中に大学院卒が1人だけいる。

1 Aの所属は総務課である。

2 Bは30代である。

3 Eは大学卒である。

4 A～Eのうち、経理課所属の者は20代である。

5 A～Eのうち、経理課所属の者は大学卒である。

解説

まず、条件で明示されている内容をまとめると、次の表Ⅰとなる。

表Ⅰ

	総務課	営業課	経理課	20代	30代	大卒	院卒
A			×	×	○	○	×
B	×	○	×				
C	○	×	×			○	×
D				×	○		
E							
人数	2	2	1	2	3	3	2

AとCは大学卒で所属する課が異なっているので、Aは営業課である。営業課は2人であるから、DとEは営業課ではない。また、AとBは営業課で年齢、学歴が異なっているので、Bは20代、大学院卒である（表Ⅱ）。

表Ⅱ

	総務課	営業課	経理課	20代	30代	大卒	院卒
A	×	○	×	×	○	○	×
B	×	○	×	○	×	×	○
C	○	×	×			○	×
D		×		×	○		
E		×					
人数	2	2	1	2	3	3	2

DとEの一方が総務課で他方が経理課、一方が大学卒で他方が大学院卒であるが、総務課の者はCとは異なる学歴なので大学院卒であり、経理課の者は大学卒である。また、「30代の者の中に大学院卒が1人だけいる」という条件より、総務課、大学院卒の者は30代であり、同じ総務課のCは20代である。したがって、経理課、大学卒の者は30代であり、Eは30代であることがわかる（表Ⅲ）。

表Ⅲ

	総務課	営業課	経理課	20代	30代	大卒	院卒
A	×	○	×	×	○	○	×
B	×	○	×	○	×	×	○
C	○	×	×	○	×	○	×
D		×		×	○	×	○
E		×		×	○		
人数	2	2	1	2	3	3	2

　DとEについては、Dが総務課、大学院卒、Eが経理課、大学卒の場合（表Ⅳ）と、その逆でDが経理課、大学卒、Eが総務課、大学院卒の場合（表Ⅴ）の両方の可能性がある。どちらの場合でも当てはまるのは、**5**のみである。

表Ⅳ

	総務課	営業課	経理課	20代	30代	大卒	院卒
A	×	○	×	×	○	○	×
B	×	○	×	○	×	×	○
C	○	×	×	○	×	○	×
D	○	×	×	×	○	×	○
E	×	×	○	×	○	○	×
人数	2	2	1	2	3	3	2

表Ⅴ

	総務課	営業課	経理課	20代	30代	大卒	院卒
A	×	○	×	×	○	○	×
B	×	○	×	○	×	×	○
C	○	×	×	○	×	○	×
D	×	×	○	×	○	○	×
E	○	×	×	×	○	×	○
人数	2	2	1	2	3	3	2

正答　**5**

ある町の、小学校、中学校、高校、駅、公民館、図書館の位置関係が次のとおりであるとき、確実にいえるのはどれか。

ただし、方角は正確に示されているものとする。

○　駅は、小学校の北東で、かつ、中学校の北にある。

○　図書館は、中学校の西で、かつ、高校の南にある。

○　公民館は、図書館の北西で、かつ、小学校の西にある。

○　高校は、公民館の北東で、かつ、駅の西にあり、かつ、中学校の北西にある。

1　中学校は、小学校の南東にある。

2　小学校は、高校の北東にある。

3　公民館は、駅の北西にある。

4　図書館は、小学校の南にある。

5　図書館は、駅の南東にある。

解 説

駅の南に中学校、西に高校があり、中学校の西、かつ、高校の南に図書館があり、中学校の北西に高校があるので、高校、駅、図書館、中学校は正方形の頂点に位置する。また、公民館の北東に高校、南東に図書館、東に小学校があるので、公民館、高校、図書館、小学校は、45°傾いた正方形の頂点に位置する。この場合、小学校は駅と図書館、高校と中学校を結ぶ、正方形の対角線の交点に位置することになる。

　よって、**2**〜**5**は誤りで、正答は**1**である。

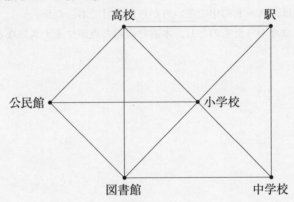

正答 1

ある相撲の大会において、A～Eの5人は、それぞれ別の予選を勝ち抜き、総当たりの本選に進出した。本選の勝ち点の計算方式は、予選と異なり、勝った者は勝ち点として3点を得て、負けた者は1点を失うものであった。本選においては、AとBは共に3勝1敗、Cは2勝2敗となった。

　A～Eの予選と本選での勝ち点の合計が、それぞれ13、15、12、6、9点であるとき、予選におけるCの勝ち点は、A～Eの中で多い方から何番目であったか。

　ただし、引き分けはなかったものとし、本選での勝ち点がマイナスになることもあり得る。

1　　1番目

2　　2番目

3　　3番目

4　　4番目

5　　5番目

本戦において、A、Bは3勝1敗、Cは2勝2敗なので、この結果をまとめると表Ⅰとなり、本戦での勝ち点は、AとBがそれぞれ8点、Cが4点、予選での勝ち点は、Aが5点、Bが7点、Cが8点である。

5人で1回戦総当たりを行うと、対戦総数は$_5C_2 = \dfrac{5 \cdot 4}{2 \cdot 1} = 10$である。A〜Cの合計で8勝4敗なので、DとEの勝敗合計は、2勝6敗となる。まず、Dが2勝2敗、Eが0勝4敗とすると、表Ⅱのようになり、予選におけるCの勝ち点は、多いほうから2番目である。

表Ⅰ

	勝	敗	勝ち点	予選	計
A	3	1	8	5	13
B	3	1	8	7	15
C	2	2	4	8	12
D					6
E					9

表Ⅱ

	勝	敗	勝ち点	予選	計
A	3	1	8	5	13
B	3	1	8	7	15
C	2	2	4	8	12
D	2	2	4	2	6
E	0	4	−4	13	9

Dが1勝3敗、Eが1勝3敗の場合は表Ⅲ、Dが0勝4敗、Eが2勝2敗の場合は表Ⅳとなり、表Ⅱ〜表Ⅳのいずれの場合も、予選におけるCの勝ち点は、多いほうから2番目となる。

表Ⅲ

	勝	敗	勝ち点	予選	計
A	3	1	8	5	13
B	3	1	8	7	15
C	2	2	4	8	12
D	1	3	0	6	6
E	1	3	0	9	9

表Ⅳ

	勝	敗	勝ち点	予選	計
A	3	1	8	5	13
B	3	1	8	7	15
C	2	2	4	8	12
D	0	4	−4	10	6
E	2	2	4	5	9

よって、正答は**2**である。

正答 **2**

図のように、5×5のマス目状に区切られた地面がある。各マス目の数字は、そのマス目内にある岩石の数を表している。いま、これらのマス目を縦又は横につないで、左上の●のマス目と右下の★のマス目をつなぐ道路を作る。その際、道路となるマス目内にある岩石を全て取り除き、マス目を覆うようにアスファルトを敷く。岩石を取り除くには、取り除く岩石の数×1万円、アスファルトを敷くには、アスファルトを敷くマス目の数×100万円掛かるとき、条件を満たす道路を作るのに必要な最小の費用はいくらか。

ただし、●及び★のマス目には岩石はないが、アスファルトを敷く必要がある。

●	3	6	3	1
1	4	6	1	6
7	8	3	7	6
5	1	5	7	3
1	7	8	2	★

1　　925万円
2　　926万円
3　　927万円
4　1,024万円
5　1,025万円

●のマス目から始めて★のマス目まで進むものとして、通過するマス目が最も少なく（最短経路）、通過するマス目の岩石の数の合計が最も少なくなるような経路を考える。

各マス目において、そこまでの合計の岩石の数が最も少なくなる場合の最短経路を考えて、その合計の岩石の数をマス目に書き込んでいく。そうすると、次の図の灰色で示したマス目を選べば、取り除く岩石の数が27個で最も少なくなることがわかる。このとき、岩石を取り除く費用は27個×1万円＝27万円、アスファルトを敷く費用は9マス×100万円＝900万円で、合計927万円となる。

よって、正答は**3**である。

●	3 ₃	6 ₉	3 ₁₂	1 ₁₃
1 ₁	4 ₅	6 ₁₁	1 ₁₂	6 ₁₈
7 ₈	8 ₁₃	3 ₁₄	7 ₁₉	6 ₂₄
5 ₁₃	1 ₁₄	5 ₁₉	7 ₂₆	3 ₂₇
1 ₁₄	7 ₂₁	8 ₂₇	2 ₂₈	★

正答 3

図のように、一定の長さの線分 AB があり、M は AB の中点である。いま、A が Y 軸上を動き、M が X 軸上を動くとき、B の軌跡の概形として最も妥当なのは次のうちではどれか。

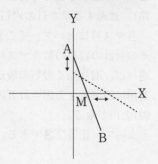

1

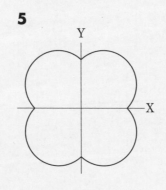

2

3

4

5

MがX軸とY軸との交点にあるとき、Bは図Iの位置になり、AがX軸とY軸との交点にあるとき、Bは図IIの位置になる。

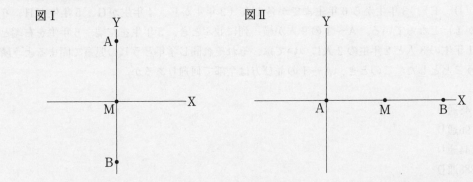

図I　図II

図Iと図IIの間で点Aを3点取ってみると図IIIのようになり、点Bの軌跡は楕円となる。

図III

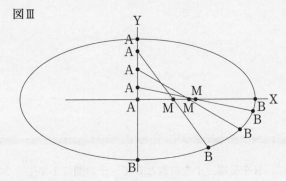

よって、正答は**1**である。

正答　**1**

ある学校に通う9人の児童A～Iについて、学年は、1年生が3人（A、B、C）、2年生が2人（D、E）、3年生から6年生までが各1人（3年生がF、4年生がG、5年生がH、6年生がI）となっている。A～Iの9人が横一列に並ぶとき、5年生を左端、6年生を右端とし、1年生の3人と2年生の2人については、それぞれ同じ学年どうしの児童で固まるよう隣り合うこととした。このとき、A～Iの並び方は全部で何通りあるか。

1　48通り

2　96通り

3　144通り

4　288通り

5　576通り

解説

まず、次の図のように、Hを左端、Iを右端として、その間に1年生、2年生、F、Gを横1列に並べることを考えると、1年生、2年生、F、Gの並べ方は、4! 通りである。

Ⓗ　①1年生　②2年生　Ⓕ　Ⓖ　Ⓘ

そして、1年生3人の並べ方は3! 通り、2年生2人の並べ方は2! 通りあるから、並べ方は全部で、4!×3!×2!＝4×3×2×1×3×2×1×2×1＝288より、288通りであり、正答は**4**である。

正答　**4**

A、B、Cの3人が同じ場所から同じ道を通って同じ目的地へ徒歩で向かった。Aは、Bの出発15分前に出発し、Cの到着4分後に到着した。Bは、Cの出発7分後に出発し、Aの到着11分後に到着した。A、B、Cはそれぞれ一定の速さで移動し、Bは分速60m、Cは分速70mだったとすると、Aの速さはいくらか。

1　分速48m

2　分速50m

3　分速52m

4　分速54m

5　分速56m

解説

　BはCより7分遅く出発し、Cより15分遅く到着している。したがって、BはCより8分余計にかかっている。Cが目的地まで行くのにかかった時間を x 分とすると、Bは $(x+8)$ 分かかっているので、$70x=60(x+8)$、$70x=60x+480$、$10x=480$、$x=48$ より、Cは目的地まで48分かかっている。AはCより8分早く出発し、4分遅く到着しているので、Cより12分余計に時間がかかっている。目的地までの距離は、$70×48=3360$ より3,360mで、Aは $48+12=60$ より、これに60分かかっているから、$3360÷60=56$ より、Aの速さは分速56mとなる。

　よって、正答は**5**である。

正答　**5**

1～16までのそれぞれ異なる整数を 4×4 のマス目に一つずつ入れて、縦、横、対角線に並ぶ四つの数の和がいずれも34となるように配置する。整数が配置されていない図のマス目全てに整数を一つずつ入れたとき、PとQのマス目の数の和はいくつか。

4		15	
	11		8
9	7	Q	
P		3	

1   6

2   15

3   16

4   22

5   26

解　説

1～16までのそれぞれ異なる整数を4×4のマス目に1つずつ入れて、縦、横、対角線に並ぶ4つの数の和がいずれも等しくなる（34になる）、いわゆる4次魔方陣の場合、図Ⅰに示す同じ記号の4マスの和も必ず34になる。そうすると、図Ⅱにおいて、A＋B＋8＋9＝34、A＋B＝17である。2数の和が17となる数の組合せで、残っているのは、(1, 16)、(5, 12) のどちらかである。A＝1とすると、縦の列で、14＋P＝34、P＝20となって不適である。A＝16とすると、横の行で、16＋11＋8＝35となり、3数で34を超えてしまう。A＝12とすると、縦の列で、25＋P＝34、P＝9となり、9を2回使うことになってしまう。したがって、A＝5、B＝12である（図Ⅲ）。

図Ⅰ

○	×	×	○
△	□	□	△
△	□	□	△
○	×	×	○

図Ⅱ

4		15	
A	11		8
9	7	Q	B
P		3	

図Ⅲ

4		15	
5	11		8
9	7	Q	12
P		3	

　これにより、P＝16、Q＝6と決まり（図Ⅳ）、正答は**4**である。全マスを完成させると図Ⅴのようになる。

図Ⅳ

4		15	
5	11		8
9	7	6	12
16		3	

図Ⅴ

4	14	15	1
5	11	10	8
9	7	6	12
16	2	3	13

正答　4

長さ20cm四方の折り紙（表面が白色、裏面が灰色）を、①、②のような手順で折った。このとき、xの長さはいくらか。

①　折り紙を半分に折って折り目（中心線）を付け、図のように頂点A及びBが中心線上に来るように折る。

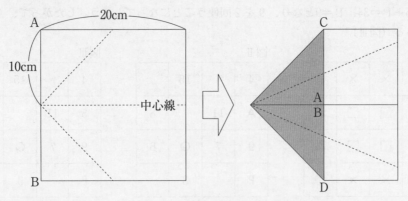

②　図のように頂点C及びDが中心線上に来るように折る。

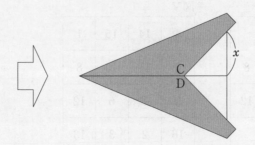

1 $10\sqrt{2}-10$ cm

2 $20-10\sqrt{2}$ cm

3 $5\sqrt{2}$ cm

4 $10-2\sqrt{2}$ cm

5 $20\sqrt{2}-20$ cm

図Ⅰにおいて、点Qにおける角度は、45+90=135より、135°である。これを折り返すので、図Ⅱにおける斜線部分の三角形の、点Q部分の角度は45°となる。このことから、図Ⅱの斜線部分の三角形は直角二等辺三角形である。PQ=$10\sqrt{2}$ cmであるから、$x=20-10\sqrt{2}$であり、正答は**2**である。

図Ⅰ

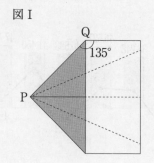

図Ⅱ

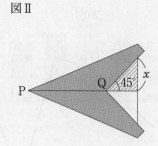

正答　**2**

図は、2021年の特許出願件数とその対前年同月増加率を月別に示したものである。これから確実にいえることとして最も妥当なのはどれか。

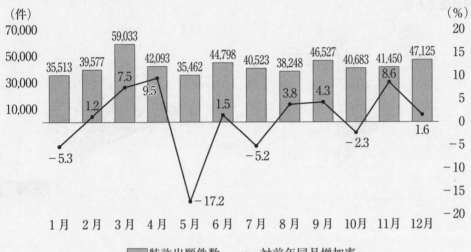

1　2020年で特許出願件数が最も少なかった月は、4月である。

2　2020年で特許出願件数が最も多かった月は、5月である。

3　2020年2月の特許出願件数の対前月増加数は、2020年12月の特許出願件数の対前月増加数より少ない。

4　2020年7月の特許出願件数は、2020年8月の特許出願件数よりも少ない。

5　2021年の特許出願件数の合計は、48万件を下回っている。

1. 2020年4月の特許出願件数は、42093÷(1＋0.095)≒38441である。2020年で特許出願件数が最も少なかった月は8月であり、38248÷(1＋0.038)≒36848である。

2. 2020年5月の特許出願件数は、35462÷(1－0.172)≒42829である。2020年で特許出願件数が最も多かった月は3月であり、59033÷(1＋0.075)≒54914である。

3. 妥当である。2020年2月の特許出願件数は、39577÷(1＋0.012)≒39108であり、2020年1月の特許出願件数は、35513÷(1－0.053)≒37501であるから、2020年2月の特許出願件数の対前月増加数は、39108－37501＝1607である。一方、2020年12月の特許出願件数は、47125÷(1＋0.016)≒46383であり、2020年11月の特許出願件数は、41450÷(1＋0.086)≒38168であるから、2020年12月の特許出願件数の対前月増加数は、46383－38168＝8215である。したがって、2020年2月の特許出願件数の対前月増加数は、2020年12月の特許出願件数の対前月増加数より少ない。

4. 2020年7月の特許出願件数は、40523÷(1－0.052)≒42746であり、2020年8月の特許出願件数は、**1**の解説のとおり約36848であるから、2020年7月のほうが多い。

5. 2021年1年間で48万件であるとすると、1か月平均は4万件である。4万件を基準とすると、これを下回っているのは、1月＝－4,487、2月＝－423、5月＝－4,538、8月＝－1,752であり、約－11,000である。これに対し、3月だけで＋19,033となるので、1か月平均は4万件を超えており、1年間では48万件を超えている。

正答 **3**

表は、札幌、福島、静岡及び熊本の各都市の2018年から2022年までの気象データを示したものである。これから確実にいえることとして最も妥当なのはどれか。

(単位 mm)

都市	年	合計降水量	最大降水量		
			1日当たり	1時間当たり	10分間当たり
札幌	2018	1,282	61	28	10
	2019	814	64	14	8
	2020	905	62	22	7
	2021	1,089	58	30	10
	2022	1,154	82	26	9
福島	2018	828	45	34	11
	2019	1,463	234	40	16
	2020	1,225	89	26	8
	2021	1,202	67	34	9
	2022	1,033	47	31	13
静岡	2018	2,442	117	35	15
	2019	2,391	401	43	18
	2020	2,614	151	56	16
	2021	2,511	188	63	23
	2022	2,967	246	107	26
熊本	2018	1,951	146	57	16
	2019	2,027	168	56	15
	2020	2,468	168	72	29
	2021	2,348	199	47	21
	2022	1,502	106	62	21

1 2018年から2022年までにおける、各都市の「10分間当たりの最大降水量」の平均は、静岡が最も多く、福島が最も少ない。

2 2019年から2022年までにおける、札幌の「合計降水量」及び福島の「合計降水量」のそれぞれの対前年増減率をみると、いずれの都市も「合計降水量」が前年から20％以上増加した年は、「1時間当たりの最大降水量」が前年から30％以上増加している。

3 2019年から2022年までにおける、各都市の「1日当たりの最大降水量」の対前年増減率をみると、福島の2019年が最も増加率が大きく、熊本の2022年が最も減少率が大きい。

4 2018年から2022年までにおける、各都市の「合計降水量」の平均は、静岡が最も多く、札幌が最も少ない。

5 2018年から2022年までにおける、各都市の「合計降水量」に占める「1日当たりの最大降水量」の割合が10％を超えている年がある都市は、静岡のみである。

1. 2018年から2022年までにおける、各都市の「10分間あたりの最大降水量」の合計は、札幌が10＋8＋7＋10＋9＝44、福島が11＋16＋8＋9＋13＝57、静岡が15＋18＋16＋23＋26＝98、熊本が16＋15＋29＋21＋21＝102であり、熊本が最も多く、札幌が最も少ない。したがって、平均も熊本が最も多く、札幌が最も少ない。

2. 福島の2019年の「合計降水量」は、1463÷828≒1.77より、前年から約77％増加しているが、「1時間当たりの最大降水量」は、40÷34≒1.18より、前年から18％しか増加していない。

3. 「1日当たりの最大降水量」は、福島の2019年は234で、2018年の45の約5倍となっている。ほかの各都市の各年で、前年の5倍以上になっているものはないので、福島の2019年が最も対前年増加率が大きいのは明らかである。熊本の2022年は、106÷199≒0.53より、前年から47％減少している。対前年減少率が最も大きいのは、2020年の静岡で、151÷401≒0.377より、前年から約62.3％減少している。なお、その次に対前年減少率が大きいのは、2020年の福島で、89÷234≒0.380より、前年から約62.0％減少している。

4. 妥当である。2018年から2022年までにおける、各都市の「合計降水量」の和は、札幌が1282＋814＋905＋1089＋1154＝5244、福島が828＋1463＋1225＋1202＋1033＝5751、静岡が2442＋2391＋2614＋2511＋2967＝12925、熊本が1951＋2027＋2468＋2348＋1502＝10296であり、静岡が最も多く、札幌が最も少ない、したがって、平均も静岡が最も多く、札幌が最も少ない。

5. 「1日当たりの最大降水量」が「合計降水量」の10％を超えている年がある都市を調べる。静岡の2019年は、2391×0.1≒239＜401であり、10％を超えているが、福島の2019年も、1463×0.1≒146＜234であり、10％を超えている。

正答　**4**

表は、ある地域の人為起源炭素収支（推定値）の推移を示したものである。これから確実にいえることとして最も妥当なのはどれか。

なお、表中の数字にある±は、この範囲内の値であることを示している。例えば、2000年代の1年当たりの量について、「化石燃料燃焼等」の炭素の量が77±4とは、73〜81の範囲内の値（整数）であることを示す。

（単位：億トン炭素）

		1750〜2019年の270年間の総計の量	2000年代(2000〜2009年)の1年当たりの量	2010年代(2010〜2019年)の1年当たりの量
人為起源二酸化炭素排出源(A＝B＋C)	化石燃料燃焼等(B)	4,450±200	77±4	94±5
	土地利用変化（C）	2,400±700	14±7	16±7
二酸化炭素吸収源(D＝E＋F)	陸上の吸収（E）	2,300±600	29±8	34±9
	海洋の吸収（F）	1,700±200	21±5	25±6
大気中への残留（A−D）		2,850±0	41±0	51±0

1 2010年代の1年当たりの量（単位：億トン炭素）について、「陸上の吸収」の炭素の量が35±0、「海洋の吸収」の炭素の量が26±0、「土地利用変化」の炭素の量が16±1であったとすると、「化石燃料燃焼等」の炭素の量は94±1となる。

2 2000年代の10年間の「化石燃料燃焼等」の炭素の量の総計が730億トン炭素であったとすると、2000年代の10年間の「土地利用変化」は150億トン炭素に確定する。

3 2000年代、2010年代の「陸上の吸収」と「海洋の吸収」の四つの数値が全て同じであったとすると、2000年代、2010年代共に1年当たりの「二酸化炭素吸収源」の炭素の量は50又は52億トン炭素のいずれかに確定する。

4 1750〜1999年の250年間の「陸上の吸収」の炭素の量の総計は、1,240〜2,100億トン炭素の範囲にある。

5 1750〜2019年の270年間の「二酸化炭素吸収源」の炭素の量の総計は、3,100〜4,700億トン炭素の範囲にある。

1.「陸上の吸収」の炭素の量が35±0、「海洋の吸収」の炭素の量が26±0であったとすると、「二酸化炭素吸収源」の炭素の量は35＋26＝61となる。「人為起源二酸化炭素排出源」の炭素の量は、61＋51＝112となるから、「化石燃料燃焼等」の炭素の量は、112－（16±1）＝96±1となる。

2.2000年代の10年間の「化石燃料燃焼等」の炭素の量の総計が730億トン炭素であったとすると、1年当たりの量は73億トン炭素となる。2000年代の1年当たりの量をみると、「人為起源二酸化炭素排出源」の炭素の量は、（29±8）＋（21±5）＋（41±0）＝91±13となる。「土地利用変化」の炭素の量は、91±13－73＝18±13となり、10年間で150億トン炭素に確定することはない。

3.妥当である。2000年代における「陸上の吸収」の範囲は21〜37、「海洋の吸収」の範囲は、16〜26、2010年代における「陸上の吸収」の範囲は25〜43、「海洋の吸収」の範囲は19〜31である。4つの数値がすべて同じであったとすると、その数値として可能性があるのは25と26だけである。このとき、2000年代、2010年代ともに1年当たりの「二酸化炭素吸収源」の炭素の量は、25×2＝50または26×2＝52のいずれかに確定する。

4.1750〜2019年の270年間の「陸上の吸収」の炭素の量の総計は、1,700〜2,900の範囲となる。また、2000年代、2010年代の1年当たりの「陸上の吸収」の炭素の量は、それぞれ21〜37、25〜43の範囲となるので、10年間ではそれぞれ210〜370、250〜430の範囲となる。1750〜1999年の250年間の「陸上の吸収」の炭素の量の総計は、最も少ない場合、1700－（370＋430）＝900であり、最も多い場合、2900－（210＋250）＝2440であるから、900〜2,440億トン炭素の範囲にある。

5.1750〜2019年の270年間の「二酸化炭素吸収源」の炭素の量の総計は、最も少ない場合、（2300－600）＋（1700－200）＝3200、最も多い場合、2300＋600＋1700＋200＝4800となり、3,200〜4,800億トン炭素の範囲にある。

正答 **3**

気象や災害とそれらをめぐる最近の動きに関する記述として最も妥当なのはどれか。

1　我が国の春から夏の変わり目には、偏西風が強くなり、オホーツク海高気圧の勢力が増す。この高気圧に覆われると、晴れて日射が強くなり、全国的に暑い日が続く。気象庁は、気温が35度を超えた段階で熱中症警戒アラートを発表し、熱中症への警戒を呼び掛けている。このアラートは1990年代から導入されており、2020年には、アラートが発表された際に公共施設を「クーリングシェルター」として開放することが各自治体に義務付けられた。

2　我が国の2023年の夏（6～8月）の全国平均気温は、統計開始以来、最も高かった。世界各地でも高い気温となり、同年7月に国連のグテーレス事務総長は、「地球沸騰化の時代が来た」と表現した。地球温暖化が進むと、氷河の融解や海水の膨張による海面上昇が予測される。サンゴ礁でできたインド洋のモルディブや太平洋上のツバルなどの島々は、海面が上昇すると水没するおそれがある。

3　我が国の夏から秋の変わり目には、シベリア高気圧の勢力が増し、西高東低の気圧配置となる。その時期に発生する秋雨前線に台風が近づき大雨をもたらす現象を、線状降水帯という。線状降水帯の発生予測は非常に困難なため、2023年現在、気象庁は、予測情報を出さず、線状降水帯が発生した際に速やかに「顕著な大雨に関する情報」を発表し、安全の確保を呼び掛けている。

4　地震の程度を表す尺度に震度とマグニチュード（M）がある。マグニチュードは、ある地点の地震動の強さの程度を表し、マグニチュードが1大きくなると地震のエネルギーは2倍、2大きくなると4倍に増える。2023年、トルコでM7.8の地震が発生し、トルコとシリアで多数の死者、行方不明者が出た。被害が拡大した要因として耐震基準の運用の緩さが指摘されており、この地震を受けて、我が国では耐震基準の見直しが行われた。

5　2023年、ハワイのマウイ島で大規模な山火事が発生し、カモノハシやハリモグラといった固有種の生息地に甚大な被害をもたらした。山火事の主な原因は、伝統的な農業形態である焼畑農耕からの延焼と考えられている。山火事によって森林が大きく破壊された場合、土壌がない裸地となり、水分量が減少する。そのため、溶岩流の跡地などから始まる遷移と比べて、遷移が遅く進行する。

1. 春には上空の偏西風の影響が強くなり、大陸南部で生まれた移動性高気圧と温帯低気圧が交互に日本を東進するため周期的に天気が変化する。オホーツク海高気圧が発達するのは6〜7月で、北太平洋高気圧との境で前線が停滞して梅雨前線となるため、雨の日が続く。また、オホーツク海高気圧は寒冷な高気圧であり、北海道〜関東地方の太平洋側に冷害を引き起こす。また、熱中症警戒アラートは、府県予報区等内において、いずれかの暑さ指数情報提供地点における、翌日・当日の日最高暑さ指数（WBGT）が33（予測値）に達する場合に発表されるもので、2021年から本格実施され、環境省と気象庁から発表されてきた。2023年に成立し、2024年に施行された改正気候変動適応法では、従来の熱中症警戒アラートが、熱中症警戒情報として法に位置づけられた。また、同法では、新たに熱中症特別警戒情報（熱中症特別警戒アラート）が創設された。これは、都道府県内において、すべての暑さ指数情報提供地点における、翌日の日最高暑さ指数（WBGT）が35（予測値）に達する場合等に発表されるものである。さらに、同法では、市町村長は、冷房設備を有する等の要件を満たす施設（公民館、図書館、ショッピングセンター等）を指定暑熱避難施設（クーリングシェルター）として指定することができ、指定暑熱避難施設の管理者は、熱中症特別警戒情報（熱中症特別警戒アラート）の発表期間中、施設を一般に開放しなければならないこととされた。

2. 妥当である。

3. 日本においてシベリア高気圧の勢力が増し、西高東低の気圧配置となるのは冬である。線状降水帯とは、次々と発生する発達した積乱雲が列をなした積乱雲群によって、数時間にわたってほぼ同じ場所を通過または停滞することで作り出される、線状に伸びる強い降水を伴う雨域のことである。また、気象庁は、線状降水帯による大雨の可能性がある程度高いと予測された場合、半日程度前から呼びかけを行っている。

4. ある地点の地震動の強さの程度を表したものは震度である。マグニチュードは、地震そのものの大きさ（エネルギー）を表しており、マグニチュードが1大きくなると地震のエネルギーは約32倍、2大きくなると1000倍に増える。2023年のトルコ・シリア地震において、多くの建物が倒壊したことで被害が拡大し、耐震基準の運用の緩さが指摘されている点は正しい。しかし、この地震を受けて日本で耐震基準の見直しが行われた事実はない。

5. カモノハシはオーストラリアの固有種であり、ハリモグラはオーストラリア、パプアニューギニア、インドネシアに生息している。マウイ島の山火事の原因は焼畑農耕からの延焼ではなく、老朽化した送電線が強風により破損し、出火したことであるとされている。また、山火事によって森林が大きく破壊された場合でも、土壌がない裸地とはならない。この場合の遷移は、溶岩流の跡地のように土壌が存在していない状態からの遷移と比べて早く進行する。

正答　**2**

労働をめぐる動向などに関する記述として最も妥当なのはどれか。

1　2020年に施行された改正労働基準法では、全ての民間企業において、従業員の時間外労働の上限は「原則月90時間、年1,000時間」とされた。我が国の労働をめぐる歴史をみると、昭和初期に、富岡製糸場での過酷な労働環境を受けて、田中正造らの呼び掛けにより、女性の就業時間を制限する工場法を制定するための動きが見られた。しかし、資本家の反対があり、工場法が成立したのは第二次世界大戦後であった。

2　医師や教師などの公共的な性格を有する職業は、労働基準法の適用対象外となっており、これらの職業の労働条件は、医療法などの個別の法律によって定められている。2023年に施行された改正医療法では、全ての医師について、時間外労働の上限を年2,000時間とすることが定められた。我が国の医学の歴史をみると、18世紀に蘭学が発達し、平賀源内は西洋医学の解剖書を翻訳した『解体新書』を著した。

3　近年、女性の就業率が出産期に下がり、育児が落ち着いた時期に再び上昇する「M字カーブ」の解消が進む一方、女性の正規雇用比率が20代後半をピークとして低下する「L字カーブ」が見られ、出産を機に女性が正規雇用として職場に戻れていないとの指摘がある。なお、我が国の女性運動をめぐる歴史をみると、明治時代に、平塚らいてうらが青鞜社を結成し、雑誌『青鞜』の創刊号には、「元始、女性は実に太陽であった」と記された。

4　2023年に施行された改正障害者雇用促進法において、民間企業の障害者の法定雇用率は、算定対象に新たに知的障害者や精神障害者を含めるとした上で、5.0％へと引き上げられた。我が国の社会保障制度のうち、障害のある人に対して支援を提供する仕組みをリージョナリズムといい、1960年代には、支援促進のために障害者差別解消法が制定された。

5　児童労働の排除など、人権尊重の取組を求める動きが民間企業に対して拡大したことや、新型コロナウイルス感染症の感染拡大の影響により、世界全体で労働に従事する17歳以下の子どもの数は、2020年に推計5,000万人と、国連の調査開始以降最少となった。世界の児童労働をめぐる歴史をみると、17世紀のフランスでは、アナーキズムの思想に基づいて会社法が制定され、年少者の労働時間が制限された。

1. 2019年4月に施行された改正労働基準法では、時間外労働の上限は「原則月45時間、年360時間」とされた（中小企業への適用は2020年4月。医師等への適用は2024年4月）。また、臨時的な特別の事情があって労使が合意する場合でも、時間外労働は年720時間以内とするなどの必要があることとされた。工場法は、1900年に政府自身が大規模な全国的工場調査を実施するなどし、全国の工場での過酷な労働環境を受けて、年少者・女性の就業時間を規制する動きから1911年（明治44年）に制定されたもので、昭和初期に、富岡製糸場での過酷な労働環境を受けて制定の動きがみられたわけではなく、田中正造らの呼びかけによるものでもない。なお、田中正造は、日本初の公害事件といわれる足尾銅山鉱毒事件を追及し、鉱毒問題の解決に身を投じた人物である。

2. 医師、教師ともに、原則は労働基準法の適用対象である。ただし、医師については、2024年に施行された改正医療法では、例外の場合の時間外労働の年間の上限を原則として960時間（3次救急病院や年間に救急車1,000台以上を受け入れる2次救急病院など、地域医療に欠かせない機能を持つ医療機関で勤務する医師や、初期臨床研修医など短期間で集中的に症例経験を積む必要がある医師は特例で1,860時間）とすることなどが定められた。また、『解体新書』を著したのは、前野良沢、杉田玄白らである。平賀源内は、エレキテル（摩擦起電器）の製作などで知られる本草学者・科学者・戯作者である。

3. 妥当である。

4. 障害者雇用促進法では、従業員が一定数以上の規模の事業主は、従業員に占める身体障害者・知的障害者・精神障害者の割合を「法定雇用率」以上にする義務があるとしており、この「事業主」には、民間企業だけでなく、国・地方公共団体等も含まれる（法定雇用率は事業主の区分によって異なる）。知的障害者は1998年施行の改正障害者雇用促進法で、精神障害者は2018年施行の改正障害者雇用促進法で、法定雇用率の算定対象に含まれるようになった。障害者の雇用の促進等に関する法律施行令等の改正により、民間企業の法定雇用率は、2024年4月から2.3％から2.5％へと引き上げられ、2026年7月から2.7％へと引き上げられることとなった。リージョナリズムとは、地域主義のことであり、障害のある人に対して支援を提供する仕組みのことではない。障害者差別解消法は、障害を理由とする差別の解消の推進を目的とするもので、2013年に制定された（施行は2016年）。

5. 世界全体で労働に従事する17歳以下の子どもの数は、2020年に推計約1億6,000万人となっている。これは2016年の約1億5,160万人よりも多くなっており、調査開始以降最少とはなっていない。会社法とは、会社の設立・運営において遵守しなければならない規定を定めた法律のことをいい、フランスでは、単行法としての会社法は存在せず、商法の中でこれが規定されている。また、年少者の労働時間を制限する法律は会社法ではなく、労働基準法である。ちなみに、アナーキズムは無政府主義を意味し、国家や宗教などの政治的権威を否定し、個人の自由が重視される社会を運営していくことを理想とする思想であるので、会社法の制定とはつながらない。

正答　**3**

各種の会議やイベントなどに関する記述として最も妥当なのはどれか。

1　2023年、G7サミットが広島で、G20サミットが伊勢志摩で開催された。G7サミットでは、ウクライナのゼレンスキー大統領が来日し、国際情勢などが議論された。G20サミットでは、法の支配に基づく自由で開かれた国際秩序を堅持し、強化すると明記した首脳宣言が発表された。G7サミットの首脳が訪問した厳島神社（宮島）は、鎌倉時代、蒙古襲来（元寇）に対する戦勝祈願のため北条政子によって造営されたものである。

2　クールジャパンとは、外国人が「クール（かっこいい）」と捉えるマンガ・アニメを発信源として、インバウンド需要の拡大を目指すものである。その一環として、2023年、コミックマーケット（「コミケ102・103」）を福岡で、ジャパン・エキスポ（第22回 Japan Expo）を札幌で開催し、多くの外国人観光客が会場を訪れた。このように注目を集めている日本のマンガの原点は、その描写と風刺性から、明治時代に雪舟が描いた屏風絵の「鳥獣人物戯画」であるとされている。

3　沖縄にはかつて中継貿易を盛んに行っていた琉球王国があり、日本政府は、明治時代に沖縄県を設置した。その後、第二次世界大戦中に米軍が沖縄に上陸し、沖縄は、戦後のサンフランシスコ平和条約調印後も米国の施政権下に置かれたが、1972年に日本に復帰した。2022年、沖縄は復帰から50年を迎え、沖縄と東京の2会場を中継で結んで沖縄復帰50周年記念式典が開催された。

4　関東大震災は、ユーラシアプレートの内部で発生したプレート内地震により、関東平野北部を中心に甚大な被害をもたらした災害である。2023年は関東大震災から100年の節目で、「関東大震災100年」をテーマとするイベントが各地で開催された。関東大震災が起きた1923年には、明治天皇の暗殺を計画したとして、吉野作造、内村鑑三らが検挙される大逆事件が起きた。

5　日本国際博覧会（大阪・関西万博）は、カジノを含む統合型リゾート（IR）の開業時期に合わせて、2025年に大阪湾の埋立地で開催予定であり、「未来社会の実験場」として「空飛ぶクルマ」の商用飛行などが計画されている。日本初の「万博」である日本万国博覧会は、1960年代に、東京オリンピック開催直前に愛知で開催され、そのシンボルタワーは、岡倉天心制作の「太陽の塔」であった。

解説

1. G20サミットが開催されたのは伊勢志摩ではなくインドのニューデリーである。また、法の支配に基づく自由で開かれた国際秩序を堅持し、強化すると明記した首脳宣言が発表されたのは、G20サミットではなくG7サミットである。G7サミットの首脳が訪問した厳島神社（宮島）は、593年に佐伯鞍職により創建されたとされている。G7サミットにおいて、ウクライナのゼレンスキー大統領が来日し、国際情勢などが議論されたという記述は正しい。

2. クールジャパンの定義はさまざまであるが、一般的には、世界から「クール（かっこいい）」と捉えられる日本の「魅力」のことであり、マンガ・アニメに限定されないし、インバウンド需要の拡大をめざすものにも限定されない。2023年のコミックマーケット（「コミケ102・103」）は東京で、ジャパン・エキスポ（第22回 Japan Expo）はフランスのパリで開催されている。また、日本のマンガの原点とされている「鳥獣人物戯画」は、平安時代末期から鎌倉時代初期に複数の作者によって描かれたものが京都市の高円寺に伝来した絵巻物である。雪舟は室町時代に活躍した水墨画家である。

3. 妥当である。

4. 1923年に起こった関東大震災は、北米プレート（大陸プレート）とフィリピン海プレート（海洋プレート）の境界で発生した海溝型の地震により、関東平野南部を中心に甚大な被害をもたらした災害である。2023年は関東大震災から100年の節目で、「関東大震災100年」をテーマとするイベントが各地で開催されたという記述は妥当である。また、大逆事件とは、一般的には、1910年に幸徳秋水ら26名が明治天皇暗殺を計画したとして起訴された事件のことをいう。吉野作造、内村鑑三は、この事件に関与していない。なお、1923年には、難波大助が摂政の裕仁親王を暗殺しようとした虎の門事件が起きている。

5. 日本国際博覧会（大阪・関西万博）の会場と、大阪府・大阪市が進めるカジノを含む統合型リゾート（IR）の予定地は、どちらも大阪湾の人工島の夢洲であり、万博の開催は2025年であるが、IRの開業時期は2030年の予定である。「『未来社会の実験場』として『空飛ぶクルマ』の商用飛行などが計画されている」という記述は、令和6年度（2024年度）の国家一般職大卒程度試験の1次試験が行われた2024年6月の時点では正しい内容であったが、2024年9月までに、万博での「空飛ぶクルマ」の4つの運航事業者すべてが、安全性の証明の手続が遅れていることなどから商用飛行を見送り、デモ飛行のみを行う方向で調整が進められていることが明らかになった。日本初の「万博」である日本万国博覧会は、1970年に大阪で開催され、そのシンボルタワーは、岡本太郎制作の「太陽の塔」であった。東京オリンピックが開催されたのは1964年であるから、その直前の開催ではない。なお、岡倉天心は、1887年にフェノロサとともに東京美術学校を設立した美術評論家である。

正答 **3**

原子力をめぐる動きなどに関する記述として最も妥当なのはどれか。

1 2022年、中国において新たな方式の核融合の実験が行われ、高温・高圧下でウランとヘリウムを化学反応させることで、投入した分を上回るエネルギーを取り出すことに世界で初めて成功した。核融合を利用した核融合発電は、発電時に水素しか発生しないため、環境への負荷が低い。

2 2023年、北朝鮮は、原子力潜水艦の進水式を行った。北朝鮮は、朴正熙を大統領とする韓国に侵攻した朝鮮戦争以来、北大西洋条約機構（NATO）の全ての加盟国と国交を断絶したままであるが、ロシアやイラクなどから経済支援や技術協力を得て、新型の原子力潜水艦の開発を進めている。

3 2023年末現在、ウクライナ南部にあるチョルノービリ（チェルノブイリ）原子力発電所はロシアに占拠されている。同発電所は、1970年代に炉心が融解して爆発したが、当時のフルシチョフ第一書記はグラスノスチを理由に情報を住民に公開しなかったため、被害が拡大し、多くの住民が移住を余儀なくされた。

4 1945年、米国やソ連などの連合国と戦っていた我が国は、広島と長崎に原子爆弾を投下され、さらに、英国から宣戦されたため、ポツダム宣言を受諾した。その後、2023年、バイデン大統領は、現職の米国大統領として初めて長崎の原爆資料館を訪れ、原爆死没者慰霊碑への献花を行った。

5 国際原子力機関（IAEA）によるレビューを受けた上で、2023年、福島第一原子力発電所に貯蔵されているトリチウムを含んだ ALPS 処理水の海洋放出が開始された。陽子の数が同じで中性子の数が異なる原子のことを同位体（アイソトープ）といい、トリチウムは水素の同位体の一つである。

1. 2022年に核融合実験を行い、投入した分を上回るエネルギーを取り出すことに世界で初めて成功した国は中国ではなくアメリカである。アメリカは、カリフォルニア州の国立研究所で、重水素と三重水素を入れた容器にレーザーを照射して高温・高圧下で核融合をさせることで、投入した分を上回るエネルギー取り出すことに世界で初めて成功した。したがって、ウランとヘリウムを化学反応させるという点は誤り。また、この核融合を利用した核融合発電によって発生するのは、水素ではなくヘリウムであるのでこの点も誤り。環境への負荷が低いという点は正しい。

2. 2023年に北朝鮮が進水式を行ったのは、原子力潜水艦ではなく戦術核攻撃潜水艦である。また、北朝鮮が38度線を越えて韓国に侵攻した朝鮮戦争当時の韓国大統領は、朴正煕ではなく李承晩である。北朝鮮は、朝鮮戦争以降もイタリアやドイツといった北大西洋条約機構（NATO）の加盟国と国交があるためこの点も誤り。北朝鮮はロシア、イランと協力関係にあるが、イラクとは国交がない。

3. ロシアに占拠されているウクライナの原子力発電所は、ウクライナ南部にあるザポリージャ原子力発電所である。ウクライナ北部にあるチョルノービリ（チェルノブイリ）原子力発電所の爆発事故が起こったのは1986年であり、当事のソ連の指導者はフルシチョフ第一書記ではなく、ゴルバチョフ書記長である。ゴルバチョフは事故について何が起きたのか真実を話すよう求めたが、当時の原発担当相は事実を隠蔽しようとしたため、公表に時間がかかった。グラスノスチは、ゴルバチョフ政権が掲げる社会主義経済の停滞を打破するための改革（ペレストロイカ）の一部であり、「情報公開」を意味する。そのため、グラスノスチを理由に情報を住民に公開しなかったという記述も誤り。なお、フルシチョフがソ連共産党第一書記であったのは1953〜64年であり、時代が異なる。

4. 1945年、米国や英国などの連合国と戦っていた日本は、8月6日に広島に、8月9日に長崎に原子爆弾を投下され、8月8日にソ連から宣戦されたことなどから、8月14日にポツダム宣言を受諾した。また、2023年、G7広島サミットの際に、米国のバイデン大統領が広島の平和記念資料館を訪れ、原爆死没者慰霊碑への献花を行ったが、現職の米国大統領として初めて広島の平和記念資料館を訪れ、原爆死没者慰霊碑へ献花を行ったのはオバマ大統領であり、2016年のことである。

5. 妥当である。

正答　**5**

我が国の社会情勢などに関する記述として最も妥当なのはどれか。

1　令和5（2023）年、マイナンバーの公金受取口座に別人の口座が誤登録された問題で、政府の第三者機関である個人情報保護委員会は、厚生労働省に行政指導を行った。マイナンバーは、2000年代前半に成立したマイナンバー法により、18歳以上の国民一人ひとりに個人番号を指定するもので、公平な税負担やきめ細かい社会保障の給付などを目的としている。

2　我が国の最低賃金は、労働関係調整法によって定められている。令和5（2023）年度の最低賃金は全国平均で時給1,000円を超えており、これは、新型コロナウイルス感染症の感染拡大前の令和元（2019）年度に続き2度目である。令和5（2023）年7月時点で、ドイツ、英国、オーストラリアなどのG7各国の最低賃金は、日本円で時給2,000円を超えており、これら先進諸国と比べると、日本の最低賃金は低い。

3　国内の主要食品メーカー約200社が令和5（2023）年に値上げした飲食料品は30万品目を超えた。全食品分野に及ぶ年30万品目超の値上げはバブル経済崩壊後例がない。いわゆるバブル経済は、1980年代のブレトン＝ウッズ協定締結後の急激な円高に対応するためにとられた金融緩和政策により発生した余剰資金が、土地や株式に流れて発生した。

4　令和5（2023）年、将棋界で史上初の八大タイトル独占を達成した藤井聡太氏に、総理大臣顕彰が授与された。将棋は日本の伝統文化の一つであり、「成金」や「高飛車」など将棋から生まれた言葉もある。第一次世界大戦時に世界的な船舶不足が生じた際、我が国では、造船・海運業は空前の好況となり、ここから巨利を得て蓄財した「船成金」が続々と生まれた。

5　令和5（2023）年、車いすテニスの第一人者として活躍した国枝慎吾氏に国民栄誉賞が授与された。国枝氏は、パラリンピックでの金メダル獲得やフランスのウィンブルドン選手権を含めた四大大会を制し、「生涯ゴールデンスラム」を達成した。障害者基本法に基づき、障害者がスポーツに参画する環境を整備することをナショナルミニマムという。

解説

1. マイナンバーの公金受取口座に別人の口座が誤登録された問題で、政府の第三者機関である個人情報保護委員会が行政指導を行ったのは、厚生労働省ではなく、デジタル庁と国税庁、システムの運営会社である。また、マイナンバー法が成立したのは2013年である。マイナンバー法により個人番号が指定される対象は、18歳以上の国民ではなく、すべての国民（年齢による制限なし）である。マイナンバーが、国民への公平な税負担やきめ細かい社会保障の給付などを目的としているという記述は正しい。

2. 我が国の最低賃金は、労働関係調整法ではなく最低賃金法によって定められている。令和5（2023）年度の最低賃金は全国平均で時給1,000円を超えたという点は正しいが、最低賃金の全国平均が時給1,000円を超えたのはこれが初めてである。また、令和5（2023）年7月時点で、G7各国の最低賃金は、日本円で時給2,000円を超えていない国が多い。いずれにせよ、これらの先進諸国と比べると、日本の最低賃金は低いという点は正しい。

3. 国内の主要食品メーカー約200社が令和5（2023）年に値上げした飲食料品は、約30万品目ではなく、約3万品目である。また、いわゆるバブル経済は、1985年のプラザ合意後の急激な円高に対応するためにとられた金融政策により発生した余剰資金が、土地や株式に流れて発生したものであるので、ブレトン＝ウッズ協定という記述が誤り。なお、ブレトン＝ウッズ協定は、1944年に結ばれた、国際通貨基金と国際復興開発銀行を設立する協定である。

4. 妥当である。

5. 「生涯ゴールデンスラム」とは、選手生活の間に、国際テニス連盟が定めた四大大会と、オリンピックまたはパラリンピックのすべてで優勝することをさし、この四大大会とは、オーストラリアで開催される全豪オープン、フランスで開催される全仏オープン、イギリスで開催されるウィンブルドン選手権、アメリカで開催される全米オープンのことである。よって、フランスのウィンブルドン選手権という記述は誤り。また、障害者がスポーツに参画する環境を整備することは、障害者基本法ではなく、スポーツ基本法に基づいているのでこの点も誤り。なお、ナショナルミニマムとは、国がすべての国民に対して行う最低限の生活保障のことであり、記述の内容とは一致しない。令和5（2023）年に車いすテニスの第一人者として活躍した国枝慎吾氏に国民栄誉賞が授与されたという記述は正しい。

正答　4

次は、誤り検出に関する記述であるが、A、Bに当てはまるものの組合せとして最も妥当なのはどれか。

> ノイズ等の様々な要因によって、データを送受信する際にデータに誤りが生じることがある。このような誤りを検出する方法の一つとして、パリティチェックがある。パリティチェックは、一定長のビット列から成るデータに対し、1のビットの個数が偶数個か奇数個かを表すビット（パリティビット）を付加することで、データに誤りが生じているか否かを検出する方法である。ここでは、1の個数が偶数のときパリティビット「0」、1の個数が奇数のときパリティビット「1」を付加するとする。例えば、"0000000" は1が0個（偶数個）であるから「0」を付加し、"0101010" は1が3個（奇数個）であるから「1」を付加する。受信者側では、データの1の個数が偶数か奇数かにより、データの通信時に誤りがあったかどうかを判定できる。

○　送信者がデータ "1011111" を、上記と同じ条件でパリティビットを付加して送信する。このとき、付加すべきパリティビットは「　　A　　」である。

○　受信者がデータ "1011110" と、上記と同じ条件でこれに付加されたパリティビット「1」を受信したとする。このとき、受信したデータとパリティビットに誤りがない、又は、受信したデータとパリティビットのうち　　B　　ことが分かる。

	A	B
1	0	偶数個のビットに誤りが生じている
2	0	奇数個のビットに誤りが生じている
3	1	全てのビットに誤りが生じている
4	1	偶数個のビットに誤りが生じている
5	1	奇数個のビットに誤りが生じている

解説 ━━

送受信したデータのビット誤りを検出する単純な仕組みの一つであるパリティチェックに関する理解を確認している問題である。ここで、パリティチェックとは、送信側は7ビットの送信データに1ビットのパリティビット（検査ビット）を付加し、受信側が7ビットの受信データとパリティビットを照合することで誤りを検出する仕組みである。

このパリティチェックの仕組みの説明は問題中でも与えられているが、パリティビットを、7ビットのデータの1の個数が偶数のときに「0」とし、1の個数が奇数のときに「1」とするという設定（偶数パリティと呼ばれる場合もある）の確認が重要である。

A：送信するデータ"1011111"に付加するパリティビットは、1の個数が6個で偶数であるので、「0」である。

B：受信したデータが"1011110"で、受信したパリティビットが「1」であった場合の、受信したデータとパリティビットの誤りの可能性を考える。

送信したデータが"1011110"であった場合（受信したデータに誤りがない場合）、送信したパリティビットは、1の個数が5個で奇数であるので、「1」である。

したがって、受信したデータとパリティビットに誤りがない可能性があることになる。

次に、誤りがあった場合について考える。

①受信したパリティビットの「1」が正しい場合

送信したデータの1の個数は奇数となる。受信したデータ"1011110"の1の個数も奇数であるから、受信したデータの誤りの個数は偶数となる。

たとえば、送信したデータが"0100110"であったとすると、受信したデータのうち4個（偶数個）のビットに誤りが生じていることになるが、送信したデータも受信したデータも1の個数は奇数であり、送信したパリティビットも受信したパリティビットも1であるため、データとパリティビットの矛盾は生じない。

②受信したパリティビットの「1」が誤りの場合

送信したデータの1の個数は偶数となる。受信したデータ"1011110"の1の個数は奇数であるから、受信したデータの誤りの個数は奇数となる。データの誤り（奇数個）とパリティビットの誤り（1個）を合わせると、誤りの個数は偶数であることがわかる。

たとえば、送信したデータが"0101110"であったとすると、受信したデータのうち3個（奇数個）のビットに誤りが生じていることになるが、送信したデータの1の個数は偶数で、送信したパリティビットは「0」であったが、受信したデータの1の個数は奇数で、受信したパリティビットは誤りにより「1」となっているため、データとパリティビットの矛盾は生じない。

①、②より、受信したデータとパリティビットのうち「偶数個のビットに誤りが生じている」可能性もあることがわかる。

よって、正答は**1**である。

正答 **1**

令和6年度　一般論文試験

行政区分の一次試験で行われる。
出題数1題。
答案用紙はB4サイズで1,600字見当。
解答時間は1時間。

　2018（平成30）年6月に成立した働き方改革関連法に基づき、トラックなど自動車の運転業務の時間外労働についても、2024（令和6）年4月から上限規制が適用されることとなった。その結果、2024年度の輸送力（貨物輸送量等）は、2019年度のそれと比較して、14%（トラックドライバー14万人相当）不足すると推計されている。
　このような状況に関して、以下の資料①、②を参考にしながら、次の(1)、(2)の問いに答えなさい。

(1)　トラックドライバーに時間外労働の上限規制が適用されることによる影響について、その影響を受ける者ごとに整理しながら述べなさい。
(2)　(1)の影響を踏まえ、我が国が行うべき取組について、あなたの考えを具体的に述べなさい。

資料①　国内貨物のモード別輸送量

※1　輸送トン数は、輸送した貨物の重量（トン）の合計である。
※2　輸送トンキロは、輸送した貨物の重量（トン）にそれぞれの貨物の輸送距離（キロ）を乗じたものである。

（国土交通省ウェブサイトを基に作成）

資料②　物流の2024年問題に関する専門家の見方

Q．政府は、トラック運転手の不足を受けて、今後10年程度で船舶や鉄道の輸送量を2020年度の２倍に増やす目標を掲げました。この動きをどう見ますか。

　これまで何日もかけてトラックで長距離運送をしていたが、その中間をフェリーや鉄道が担うためトラック運転手の労働時間が削減できる。長距離輸送で何泊もするような勤務が減れば、働き方を重視する若い世代や女性にとっても働きやすくなるだろう。さらに、フェリーや鉄道で荷物を運べば、トラックよりも二酸化炭素の排出量が削減され環境面でもメリットが大きい。

Q．国の対策では、宅配便の再配達を減らすため、いわゆる「置き配」を選んだり、ゆとりのある配送の日を指定したりした利用者にポイントを付与するサービスの実証事業を行うことも盛り込まれました。

　国民の行動変容を促すという点で、ポイント付与という経済的な動機付けは効果的だ。これまでどおりの早さで配達を希望する場合と数日遅れを認める場合とでポイントを付けたり価格差をつけたりする仕組みができれば、トラック運転手の労働時間を平準化することにつながる。再配達を希望する人には追加料金を求めるなど、相応の負担がかかることを利用者も理解していくべき。物流の2024年問題は、物流業界だけでなく、荷主や利用者の協力も欠かせない。

（NHKニュース2023年10月10日を基に作成）

国家一般職［大卒］
教養試験

過去問&解説
No.1～No.470

次の文の内容と合致するものとして最も妥当なのはどれか。

　科学は普遍性を大切にします。いつでもどこでも何にでもあてはまる法則、それが科学では重要なのです。ところが生物は個別主義でご当地主義です。異なる環境ごとにそれに適応した異なる種がいます。そしてそういう種は、進化の長い歴史の産物なのであり、歴史には偶然がからんできます。だから多様な生物はそれぞれが特殊なのであって、普遍性を大切にする科学の目から見ると、そんな物は重要性が低いと思われがちなのですね。

　でも、かけがえがないとは特殊だということです。長い歴史をもった特殊なもの、そういうものに価値があるのだという発想が、生物多様性を大切にする根底にあるべきです。

　これをサンゴ礁に引きつけて言えば、進化という歴史の中で、独特のものが形づくられて来たのが今、私たちが目にしているサンゴ礁の多様な生物たちなのであり、これは価値あるものとして大切にすべきです。そして、南の島には独特の文化があり、それを育んできたのがサンゴ礁です。生物も文化も、歴史をもつ独特のものは、それだけで価値ありとすべきです。

　科学について、さらに一言。科学は、世界を単純化して眺めるものです。世界の構成要素も単純化し、要素間の関係も単純化します。科学が質を問わないのは、構成要素を単純化するためです。

　ところが生態系は、質の異なる非常に多くの生物たちが相互に複雑な関係を結んでできあがっているものです。これは科学が苦手とする相手なのですね。なにせ単純に量に換算して数学的に処理することが困難です。

　それに、そもそも数学そのものが成り立つのかも、疑問なのですね。4－1＝3という算数は、いつでも成り立つとされていますが、生態系の場合、かりに四種の生物がおり、そのうち、一種でもいなくなったらその生態系そのものが成り立たないということはあり得るわけで、4－1＝0になってしまいます。

　サンゴと褐虫藻が一緒になると、ものすごい働きをしますから、1＋1＝10や100という答えになります。

　こんなふうですから、生物多様性に関しては、数字にしっかりと裏打ちされたはっきりしたことが言えません。とくに予測に関しては、数式を使ってシミュレーションをするから予測が立てられるのであり、数式がうまく使えないと、かなりあいまいな予測しかつきません。でも、はっきりしないから何もしなくてもいい、という判断を下さないようにしようではないか、というのが、こういう問題に対する態度だと思います。

1　科学の長年の課題の一つとして、生態系を普遍性をもった学問としていかに取り込むかが挙げられる。

2　生態系は、質の異なる生物の複雑な関係から成り立っており、サンゴと褐虫藻が一緒になると、多様な生物から成る生態系が育まれる。

3　科学では、構成要素や要素間の関係を単純化していくが、生態学では、要素間の関係の単純化は難しく、構成要素を単純化することで学問が進展した。

4　生態系においては、生物の量を数学的に処理することができるが、加算では想定より量が増え、減算では想定より量が減ることになる。

5 生物多様性に関するシミュレーションは難しいため、生物学者はこれを避けようとする姿勢がみられる。

解 説 ━━━━━━━━━━━━━━━━━━━━━━━━━━━━

出典：本川達雄『生物学的文明論』

　普遍性を大切にし、構成要素や要素間の関係を単純化する科学に対し、生物は多様でそれぞれが特殊であるが重要性が低いわけではなく、特殊だということに価値があり、また、生物がつくる生態系は質の異なる多くの生物の複雑な関係から成り立っているから、生物多様性に関する予測は難しいが、かといって何もしなくてもいいわけではない、と述べた文章。

1. 科学は普遍性を大切にし、世界の構成要素を単純化するものであるが、生態系はその性質上、単純化することが困難であると述べられているのであり、「生態系を普遍性をもった学問としていかに取り込むか」が、「科学の長年の課題の一つ」というようなことは述べられていない。

2. 妥当である。「生態系は、質の異なる非常に多くの生物たちが相互に複雑な関係を結んでできあがっている」と述べられている。また、「サンゴと褐虫類が一緒になると、ものすごい働きをしますから、1＋1＝10や100という答えになります」というのは、サンゴと褐虫類が一緒になることで、その2つだけではなく、「多様な生物から成る生態系が育まれる」ということを意味する。

3. 前半は正しいが、生態系は多くの生物たちが「相互に複雑な関係を結んでできあがっている」から、「要素間の関係の単純化」だけでなく構成要素の単純化も難しいと考えられる。また、生態学という学問の進展については、本文中で問題とされていない。

4. 生態系では「単純に量に換算して数学的に処理することが困難」とあるため、「数学的に処理することができる」という記述は誤り。また、「単純に量に換算して数学的に処理することが困難」とあることから、「加算」「減算」で量の増減を論じることも不適切である。

5. 生物多様性に関して、「数式がうまく使えないと、かなりあいまいな予測しかつきません」と述べられているが、生物学者は生物多様性に関するシミュレーションを避けようとする姿勢がみられる、というようなことは述べられていない。

正答　2

次の文の内容と合致するものとして最も妥当なのはどれか。

　呪術の源は日常の生活にある。人々が感じている、自然のさまざまな事象に対する畏敬の念と厄除け、恵みへの願望、神秘的な力を発現させたり自分達のものにしようとする意志、狩りや闘いの成功のイメージといったものを感覚的なものに顕在化し、集団的な高揚した感情に高め、生活のエネルギーに変えるのが呪術であった。自然の神秘的な力、その脅威の中で無力な個々人が、集団の一員としての一体感、連帯感を伴って、願っていることの成就への確信、達成の満足感、行動への自信と勇気、それらに伴う幸福感といった感情の喚起をもたらすのである。そのように言うと、功利的、現世利益的面ばかり強調するようだが、実際には呪術やそれに関連した踊り、音楽、造形的なもの等は、人々に共通の世界（宇宙）との一体感をもたらし、深い安堵感と幸福感を伴った帰属意識といったものを呼び覚ましてくれるものであったろう。

　呪術のためにどうしても必要な、人々の感性に訴えて感情を喚起し高揚させる「象徴的なもの」に、動物や狩をする人間を描いた絵があり、何かの霊力の象徴である神秘的な力を持ったものを擬人化して表わす仮面を付けた踊りがあり、彫像や抽象的な文様があり、音楽がある。そしてこれらが後の宗教絵画や音楽、神像や仏像、より装飾的面を強めた日用品の文様、娯楽的な面を強めた舞踊や演劇等へ繋がっていくのである。また象徴的なものが表現する対象、内容もより人間生活の多様な面に広がり、人間のさまざまな感情や出来事に広がっていく。男女の求愛の歌等は呪術的なものと同様、古い起源を持っているかも知れない。

　芸術の起源を、このような集団的な感情の喚起をもたらす象徴的なものに求めるとするなら、それは人々にとって幼年時からの繰り返しによって言葉と同様に認知され深く心のうちに定着するものとならなければならない。それ故、地域的、部族的あるいは民族的様式が生まれ、伝承によって定着するのである。認知され定着したものはそれが抽象的、記号的なものであっても人々の感情を動かす共通のシンボルとなる。抽象的な文様や、後世の十字架の印、旗等がそれに相当する。

　種々の芸術は、呪術的段階を過ぎても自律的なものになるまでの道程は長かった。音楽は宗教的な儀式や行事と結びつくことが多かったし、総合芸術としての演劇の一端を担う等、補助的な役割が多かった。

1　呪術やそれに関連した踊り、音楽、造形的なもの等は、人々に、集団の一員としての一体感をもたらすことにより、民族どうしの闘いに臨む際の闘争心や怒りの感情を喚起した。

2　芸術と呪術の明確な違いは、芸術には呪術にはない娯楽的な面があり、呪術には芸術にはない宗教的な面があるという点である。

3　呪術には、集団的な感情の喚起をもたらす象徴的なものが必要であり、後に、それらが表現する対象や内容は、人間の生活の多様な面やさまざまな感情に広がった。

4　地域、部族、民族等の集団内で生まれ、伝承によって定着した人々の感情を動かす共通のシンボルが芸術の起源であるが、仏像や旗といった具体的なものは定着しにくい傾向があった。

5　補助的な役割が多かった音楽が、総合芸術の一端を担う等、自律的なものになった結果、呪術は集団の高揚感を高めるというそれまでの役割を失い、廃れていった。

解説

出典：中俣夫『美とは何か』

　呪術が、自然に対する畏敬の念や願望などを、集団としての一体感や連帯感を伴う集団的な感情を喚起し高揚させるために必要とした、絵、踊り、文様、音楽などの「象徴的なもの」が芸術の起源となったが、そうした芸術が自律的なものになるまでの道程は長かった、と述べた文章。

1.「呪術やそれに関連した踊り、音楽、造形的なもの等は、人々に共通の世界（宇宙）との一体感をもたらし、深い安堵感と幸福感を伴った帰属意識といったものを呼び覚ましてくれるものであったろう」と述べられており、呪術が「集団の一員としての一体感」をもたらすものであることは述べられているが、「民族どうしの闘いに臨む際の闘争心や怒りの感情を喚起した」というようなことは述べられていない。

2. 芸術には呪術にはない娯楽的な面があるとする記述は、本文中に見られない。また、「宗教的絵画や音楽、神像や仏像」とあるように、芸術にも宗教的な面はあると述べられている。

3. 妥当である。集団的な感情の喚起をもたらす呪術のためにどうしても必要な「象徴的なもの」として、絵、踊り、文様、音楽があり、「象徴的なものが表現する対象、内容もより人間生活の多様な面に広がり、人間のさまざまな感情や出来事に広がっていく」と述べられている。

4.「認知され定着したものはそれが抽象的、記号的なものであっても人々の感情を動かす共通のシンボルとなる」と述べられ、それに相当するものの一つに旗が挙げられており、「仏像や旗といった具体的なものは定着しにくい傾向があった」というようなことは述べられていない。

5. 芸術が自律的なものになるまでの道程において、音楽は「総合芸術としての演劇の一端を担う等、補助的な役割が多かった」と述べられているのであり、「総合芸術の一端を担う」ことが、補助的な役割を脱して、自律的なものになることを意味しているのではない。また、音楽が自律的なものになった結果、呪術がそれまでの役割を失い、廃れていったというようなことは述べられていない。

正答　**3**

次の文の内容と合致するものとして最も妥当なのはどれか。

多数派／少数派という区別は、文字通りには、数の大小を意味するにすぎない。その意味では、多数派の生き方とは、そのような生き方をする人が多数派だということにすぎない。だが、多数派のあり方への同化主義において、多数派とはたんに人数の多さを表すのではなく、みずからは問い直されることのない基準となっている。基準から外れる少数派のあり方は、「劣ったもの」であり、矯正可能であれば矯正されなければならないものとみなされる。

同化主義から解放されるとは、多様な少数派の生き方を、多数派を基準として評価しないということだ。自分自身がどのように生きているか——どちらかといえば多数派なのか、それとも少数派なのか——にかかわらず、他人の生のあり方——それが多数派寄りであろうと少数派寄りであろうと——を、多数派の生のあり方を基準として優れているとか劣っているとか判断しないということだ。ある社会において、ある生き方が多数派であるからといって、その生き方があるべき基準ではない。ある価値観が多数派であるからといって、そのような価値観に同調すべきということにもならない。

多数派のあり方を基準とする同化主義から解放されたとき、眼前に広がる社会とは、多数派があるべき基準になって多数派／少数派の間に越えがたい分断線が引かれているような社会ではなく、ひとりひとりの生のあり方が——理念上は——対等であるような社会だろう。ひとりひとりの生き方、価値観、関心があり、諸個人は、多様な価値観・関心にもとづいて生きている。そのなかには多数派を基準とする同化主義を受け入れている人もいれば、受け入れていない人もいる。そうした多様な人びとが、それぞれのよりよい生を追求して、ぶつかり合い、折り合っている。つまり、そこに見いだされる社会とは、多様な人びとが、ぶつかり合い、折り合う関係性としての社会である。「ひきこもり」経験者は、よりよい生を追求する者のひとりとして、そのような社会のなかに自分自身を見いだすだろう。

とはいえ、多数派のあり方に同化すべきだという発想は、たんに個々人の視点のあり方にとどまる問題ではない。多数派のあり方を輪郭づけ、一定の方向に人びとを誘導する諸々の社会制度や政策がある。

たしかに、それらの諸制度や法令は人びとの利害がぶつかり合い、折り合った結果である。だが、折り合いの結果として成り立っている諸制度や法令は、不動の合意ではありえず、いつでも問い直されうる。多数派のあり方への同化主義から離れてみれば、社会とは、互いに異なる生活史をもち、それぞれの異なった関心をもつ生きる人びとが、ぶつかり合いながら、合意を形成する進行中の過程である。

1 人びとの間で問い直されることのない優れた基準が形成された後、その基準に従って生きることができる人びとが、多数派と呼ばれる集団を形成する。

2 同化主義から解放されるとは、他人の生のあり方について、多数派の生のあり方を基準として評価しないということである。

3 多数派を基準とする同化主義を受け入れる人がいなくなることで、ひとりひとりの生のあり方が対等である社会が成立する。

4 人びとの利害がぶつかり合い、折り合った結果として成立する諸制度は、優れたものであ

るため、尊重されるべきである。
5 多数派のあり方への同化主義から完全に離れることで、多様な価値観・関心にもとづいて生きる人びとの利害関係が調整され、諸制度や法令が完成された社会が実現される。

解説

出典：関水徹平『「ひきこもり」経験の社会学』

多数派のあり方を基準とし、それに同化すべきだとする同化主義から解放されるということは、他人の生のあり方を、多数派を基準として評価しないことであり、ひとりひとりの生のあり方が対等で、多様な人びとがぶつかり合い折り合う関係性としての社会になり、社会制度や政策も不動の合意ではなく、社会は合意を形成する進行中の過程としてとらえられる、と述べた文章。

1. 問い直されることのない基準が形成された後に多数派という集団ができるとは述べられておらず、もともとは人数が多いというだけの意味だった多数派の生き方が、多数派のあり方への同化主義においては問い直されることのない基準となっていると述べられている。

2. 妥当である。同化主義から解放されるとは、他人の生のあり方を、「多数派の生のあり方を基準として優れているとか劣っているとか判断しないということだ」と述べられている。

3. ひとりひとりの生のあり方が対等である社会は、多数派のあり方を基準とする同化主義から解放されたときに成立すると考えられているが、「多数派を基準とする同化主義を受け入れている人もいれば、受け入れていない人もいる」と述べられているので、受け入れる人がいなくなることで成立するとするのは誤り。

4. 人びとの利害がぶつかり合い、折り合った結果として成立する諸制度や法令について、「不動の合意ではありえず、いつでも問い直されうる」と述べられており、「優れたものであるため、尊重されるべきである」というようなことは述べられていない。

5. 諸制度や法令は不動の合意ではなく、「多数派のあり方への同化主義から離れてみれば、社会とは、互いに異なる生活史をもち、それぞれの異なった関心をもつ生きる人びとが、ぶつかり合いながら、合意を形成する進行中の過程である」と述べられているので、「諸制度や法令が完成された社会が実現される」とするのは誤り。

正答 **2**

文章理解 判断推理 数的推理 資料解釈 時事 物理 化学 生物

次の文の内容と合致するものとして最も妥当なのはどれか。

コロナ下でテレワークを始めた多くの人たちは、物理的にも人間関係の面でも会社共同体から切り離された。それによって社員は経済的な面だけでなく、社会的、心理的にもどれだけ会社に依存していたかを実感したのではなかろうか。それは、とりわけ日本人にとって会社という組織が圧倒的な存在感をもっているからである。

その理由を説明しよう。

社員の視点から会社を見ると、そこには二つの顔がある。

社会学では集団を大きく二つのタイプに分類する。一つは、家族やムラなど自然発生的で情によって結びつく「基礎集団」。もう一つは、特定の目的を達成するために結集する「目的集団」である。F・テンニースの「ゲマインシャフト」と「ゲゼルシャフト」、R・M・マッキーバーの「コミュニティ」と「アソシエーション」などの分類もおおむねそれに相当する。

この分類にしたがうなら会社は典型的な目的集団であり、個人は労働力を提供して報酬を得るというドライな関係で会社とつながっているはずだ。実際に欧米諸国はもちろん中国や東南アジアの国々でも、そのように割り切っている人が多い。手当なしで働くサービス残業などはあり得ないし、権利としての休暇はめいっぱい取り、条件のよい職場が見つかれば迷いなく転職する。

いっぽう日本の会社は目的集団でありながら、基礎集団としての性格も併せ持っている。いったん正社員として採用されたら、「会社の一員」としての身分を獲得し、会社に対する無限定の忠誠や貢献と引き替えに、将来にわたって安定した収入と生活が約束された。「メンバーシップ型」雇用と称されるゆえんである。ただ約束といっても明文化されたものではなく、「心理的契約」と呼ばれるように暗黙の了解である。けれども単なる口約束ではなく、社会的に履行が半ば強制された約束だといえる。そのため企業の存立が危ういなど正当な理由がない場合、いわゆる「解雇権濫用の法理」によって裁判で解雇は無効とされるケースが多い。

このように目的集団でありながら基礎集団、すなわち共同体としての性格を併せ持つ日本の組織を私は「共同体型組織」と呼んでいる。なお「共同体」は本来「コミュニティ」とほぼ同義語だが、本書ではコミュニティよりも閉鎖的で運命共同体的な性格の強い集団を「共同体」と呼ぶことにする。

企業組織が共同体としての性格を併せ持つのは必ずしも日本特有ではなく、厳密にいえば欧米など海外の企業組織にも共同体としての側面はみられる。したがって程度の差だという見方があるかもしれない。しかし職務主義の有無など雇用制度の違い、生涯転職回数の極端な差、各種労働関係法令、それに職業別・産業別労働組合か企業別労働組合かという違いなどをみても、そこには「程度の差」で片づけられない質的な差があることが読み取れる。

1 コロナ下のテレワークにおいて、日本では、社員が会社から物理的に切り離されてしまうため、会社の存在感を改めて認識することはほとんどない。

2 日本では、有給休暇であってもめいっぱい取ることを推奨しない企業が多く、このことが、特にテレワーク下において社員の心理的な負担になると指摘されている。

3 東南アジア諸国では、欧米諸国と比べて「基礎集団」が重視されており、社員は、無限定

の忠誠や貢献と引き替えに、定年までの安定した収入を明確に約束されている。

4 欧米諸国では、日本と比べて社員と会社のつながりはドライであり、社員は、より条件のよい職場へ躊躇なく転職する傾向が強い。

5 海外の企業組織にも共同体としての側面がみられるため、海外企業と日本企業の共同体としての性格の差はわずかである。

解説

出典：太田肇『日本人の承認欲求 テレワークがさらした深層』

会社は、特定の目的を達成するために結集する「目的集団」であるが、日本の会社は目的集団でありながら、自然発生的で情によって結びつく「基礎集団」としての組織も併せ持つ「共同体型組織」であり、海外の企業組織にも見られる共同体としての側面とは質的な差がある、と述べた文章。

1. コロナ下のテレワークにおいて、「物理的にも人間関係の面でも会社共同体から切り離された」ことによって、社員は「どれだけ会社に依存していたかを実感したのではなかろうか。それは、とりわけ日本人にとって会社という組織が圧倒的な存在感をもっているからである」と述べられているので、「会社の存在感を改めて認識することはほとんどない」とするのは誤り。

2. 欧米諸国、中国、東南アジアの国々の人について、「権利としての休暇はめいっぱい取り」と述べられているが、日本の企業での有給休暇については述べられていないし、社員の心理的な負担についても述べられていない。

3. 基礎集団と目的集団の分類に従うなら「会社は典型的な目的集団であり、個人は労働力を提供して報酬を得るというドライな関係で会社とつながっているはずだ。実際に欧米諸国はもちろん中国や東南アジアの国々でも、そのように割り切っている人が多い」と述べられており、欧米諸国と東南アジア諸国の事情は同様であるとされている。東南アジア諸国ではなく日本において、会社が基礎集団としての性格も併せ持ち、「無限定の忠誠や貢献と引き替えに、将来にわたって安定した収入と生活が約束された」と述べられている。

4. 妥当である。欧米諸国や中国、東南アジア諸国では、会社とはドライな関係と割り切っている人が多く、「条件のよい職場が見つかれば迷いなく転職する」と述べられている。

5. 「欧米など海外の企業組織にも共同体としての側面はみられる」と述べられているが、海外企業と日本企業との間には、「『程度の差』で片づけられない質的な差がある」と述べられているので、「性格の差はわずかである」とするのは誤り。

正答 **4**

次の □□□□□ と □□□□□ の文の間のA～Fを並べ替えて続けると意味の通った文章になるが、その順序として最も妥当なのはどれか。

> 　枠内思考という思考停止が生じてしまう理由の一つに、タテマエという〝枠〟の存在があります。
> 　現実の日本的な企業経営の中でどうしても避けなくてはならないのは、事実・実態に基づかないタテマエでのやり取りです。

A：これに対して、「人間は失敗する生き物」という言い方もできます。

B：この言葉は非常に大きな重みを持っています。確かに、失敗は許されないものであることは、〝あるべき論〟としては極めて正しいからです。

C：しかし、タテマエではなく、事実・実態に基づいて仕事をする、というのは意外と難しいことです。

D：これは〝あるべき論〟ではありません。人間である限り、名人にも天才にも、必ず失敗は起こります。つまり、事実・実態に即した言い方です。

E：たとえば、「失敗をしてはならない」という言い方はタテマエに通じています。「失敗をしてはならない」ということ自体が間違っているわけではありません。

F：ただし、この言い方だと、聞く人によっては、「失敗をしてもよい」「失敗を単に許容している」と捉えてしまう可能性があることも考えておく必要があります。

> 　ここで問題なのは、「失敗をしてはならない」という言い方が間違ってはいないにしても、事実・実態とは乖離（かいり）したタテマエになってしまっているということです。

1　C→B→A→F→E→D
2　C→D→F→B→A→E
3　C→E→B→A→D→F
4　E→B→F→A→C→D
5　E→D→C→B→F→A

解説

出典：柴田昌治『日本的「勤勉」のワナ まじめに働いてもなぜ報われないのか』

　日本的な企業経営において、事実・実態に基づかないタテマエでのやり取りを避けなければならないということを、「失敗をしてはならない」と「人間は失敗する生き物」という言い方を対比させて述べた文章。

　つながりが見つけやすいものをグループ分けしたり、接続語や指示語を手掛かりにしたりして、選択肢と比較して考える。

　A～Fは、「失敗は許されないもの」という言い方に関するB、Eと、「人間は失敗する生き物」という言い方に関するA、D、Fと、どちらにも直接は触れていないCに分かれる。B、Eをみると、Bに「この言葉」とあり、Eの「失敗をしてはならない」を指していることから、E→Bの順となる。

　また、A、D、Fをみると、Dの「これ」、Fの「この言い方」は、Aの「人間は失敗する生き物」を指しているので、A、D、FではAが最初に来る。Aで「人間は失敗する生き物」という言い方を取り上げ、Dでこれは〝あるべき論〟ではなく事実・実態に即した言い方であると説明し、Fで「ただし、この言い方だと」として、「人間は失敗する生き物」という言い方の受け取られ方について補足して説明しているので、A→D→Fの順となる。

　Aの「これに対して」とは、「失敗してはならない」という言い方に対してということであるから、E→Bのまとまりの後に、A→D→Fのまとまりが来る。

　Cの内容は、冒頭の　　　　　　の文の、事実・実態に基づかないタテマエでのやり取りは避けなければならない、という内容を、逆接の接続詞「しかし」で受けて、それが難しいことを述べたものであるから、冒頭の　　　　　　の文の次にCが来る。

　Cの後に、Eで「たとえば」として、例を挙げた説明が始まる。「失敗をしてはならない」という言い方がタテマエの例であり、それに対して、「人間は失敗する生き物である」という言い方が事実・実態に基づいている例であり、最後の　　　　　　の文で、「失敗をしてはならない」という言い方が、事実・実態とは乖離したタテマエになってしまっていることが問題であるとまとめている。

　したがって、C→E→B→A→D→Fの順序が妥当であり、正答は**3**である。

正答　**3**

文章理解
判断推理
数的推理
資料解釈
時事
物理
化学
生物

次の文の □□□□□ に当てはまるものとして最も妥当なのはどれか。

　後悔を低減させ、後悔を役立たせるためには、後悔対処法を知っておく必要がある。しかしながら、ポジティブな対処さえしておけばよいというわけではない。場合によっては、ポジティブな対処を避け、あえてネガティブな対処（逃避、何もしないなど）をするほうがよいこともある。後悔対処法を知っていることは重要なことだが、後悔対処法の機能や使うべき状況も考慮する必要がある。

　つまり、「○○という後悔には、××という対処をすればよい」という知識ではなく、メタ認知的な視点、わかりやすく言い換えると、「どのような場合に、どのような心理状態のとき、どの後悔対処法を適用すると、より効果的なのか」という、「いつ」「どこで」「どの対処」を「どのように用いればよいか」という後悔対処の適用方法を知っておくことが重要といえる。

　受験や仕事で失敗してしまった場合、「もっと受験勉強をしておけばよかった」「事前準備をきちんとしておけばよかった」と後悔することだろう。もちろん「努力（一所懸命受験勉強をする、仕事のためのスキルを上げる）」などのポジティブな方法は、よい対処法である。

　しかしながら、不合格通知をもらったり、取引先から契約解除をされたりした直後に、このようなポジティブな対処をすることは難しい。このような場合には、とりあえずそのショックを低減させる方法を取るほうがよいだろう。ボーッとして何も考えないようにして現実逃避をしたり、何らかの方法で憂さ晴らしをしたり、ストレスを発散したり、あるいはあえて何もしない。ある程度の時間が過ぎて落ち着いた後に、努力のようなポジティブな対処をするほうがよい。

《中　略》

　常にネガティブな対処法を使うことは、好ましいことではない。しかしながら、たとえネガティブな方法であったとしても、□□□□□□□□□□□□□□□□□□□□□□□□、適用することも必要不可欠なのである。そのようにすることにより、より効果的、効率的に大きな後悔を低減させることができる。

1 そのときの状況や心理状態に応じて、自分にあった対処法を適宜選択し

2 後悔の種類ごとに対処法をあらかじめ決めておき

3 今後、同じ後悔を繰り返さないための唯一の方法として

4 何らかの失敗をした人は誰でも、後悔で何も手につかなくなるため

5 メタ認知的な視点を鍛えるために、ネガティブな方法であることを承知の上で

解説 ━━━

出典：上市秀雄『後悔を活かす心理学』

　後悔を低減させ役立たせるためには、ポジティブな対処だけでなく、あえてネガティブな対処をするといった、後悔対処法の機能や使うべき状況を考慮し臨機応変に適用することが重要である、と述べた文章。

　　　　　　　　の後に「そのようにすることにより、より効果的、効率的に大きな後悔を低減させることができる」とあるから、　　　　　　　　には、後悔を大きく低減させる効果がある対処法の適用について説明した内容が入る。

1．妥当である。

2．「『○○という後悔には、××という対処をすればよい』という知識ではなく」と述べられていることから、「後悔の種類ごとに対処法をあらかじめ決めておき」とするのは筆者の主張に反する。

3．場合によってはネガティブな対処をするほうがよいこともある、とか、ポジティブな対処をすることが難しいような場合には、ネガティブな方法をとるほうがよい、と限定的に述べられていることから、ネガティブな方法を「唯一の方法として」適用すると述べるのは、不適切である。

4．失敗した直後にショックでポジティブな対処をすることが難しい場合などに、落ち着くまでは何もしないなどのネガティブな対処をするほうがよいこともある、ということが述べられているのであり、失敗をしたすべての人にとって、ネガティブな対処をすることがよいということではないし、「後悔で何も手につかなくなるため」にネガティブな対処が必要となるということでもない。後悔を低減させるために、状況や心理状態に応じて、ネガティブな対処法であっても、有効な対処法を選択すべきであると述べられているのである。

5．ネガティブな対処法も含めて有効な後悔対処法を適用できるようになるためには、メタ認知的な視点が重要であると述べられているのであり、メタ認知的な視点を鍛えるために、ネガティブな対処法を適用すべきであると述べられているのではない。

正答　**1**

国家一般職
［大卒］
No. 7 教養試験

文章理解　　英文（内容把握）　　令和5年度

文章理解

判断推理

数的推理

資料解釈

時事

物理

化学

生物

次の文の内容と合致するものとして最も妥当なのはどれか。

Since 2010, numerous public health efforts have been implemented to reduce rates of childhood obesity[*1], including Michelle Obama's Let's Move campaign and the Healthy, Hunger-Free Kids Act. Despite these efforts, rates of childhood obesity have increased, a sign that these actions may not be as beneficial as people assume, said Solveig Argeseanu Cunningham, associate professor of global health and epidemiology[*2] at Emory University.

Experts believe that lowering rates of childhood obesity may come down to public policy, such as improving school nutrition packages and expanding the Supplemental Nutrition Assistance Program.

"Those types of policy changes, there's some evidence that they reduce food insecurity, improve nutrition, and can improve child weight outcomes together in an equitable way," said Dr. Jennifer Woo Baidal, the director of the Pediatric Obesity Initiative at Columbia University.

However, since socioeconomic status was not a major predictor of childhood obesity, policy changes may not be enough on their own, said Dr. Venkat Narayan, the executive director of the Global Diabetes Research Center at Emory. More organized research is needed to find the factors leading to increased rates and earlier onsets of childhood obesity, as well as finding strategies to effectively prevent obesity from becoming more "severe," he added.

"Other countries keep large registries and databases, where they can have this timely surveillance[*3] of what is happening over time with individuals," Baidal said. "It's just another sign of the lack of investment in child health and obesity prevention in the United States."

（注）　[*1] obesity：肥満　[*2] epidemiology：疫学、流行病学　[*3] surveillance：監視

1 小児期の肥満の割合を減らすため多くの取組が実施されており、2010年と比較すると、現在の方が実施される取組の効果が高いことが示されている。

2 Cunningham 氏は、Emory 大学において小児期の肥満の実験を行った結果、子ども本人が減量の努力をしても、期待どおりの効果が得られない傾向があることを指摘している。

3 専門家たちは、学校での肥満対策のみでは効果が限られていると確信しており、国レベルで肥満対策に取り組むための新たな法整備を推奨している。

4 Narayan 氏は、より「重度」の肥満の子どもから優先的に、効果的な治療を開始することの必要性を指摘している。

5 Baidal 氏は、他国では大規模なデータベースがあることを挙げ、米国において子どもの健康や肥満の予防に対する投資が不十分であることを指摘している。

解説

出典：Rachel Fadem "Rates of childhood obesity have increased, study finds"

全訳〈2010年以来、小児期の肥満の割合を減らすために、健康のための公的な取り組みが数多く実施されている。その中には、Michelle Obama のレッツ・ムーブ（体を動かそう）・キャンペーンや、「健康で飢えることのない子どもたち法」といったものが含まれる。こうした取り組みにもかかわらず、小児期の肥満の割合は増加しており、これはこうした活動が、人々が思っているほど有効ではないことの表れかもしれないと、Emory 大学で国際保健と疫学を専門とする Solveig Argeseanu Cunningham 准教授は語った。

専門家たちは、小児期の肥満の割合を下げるということは、学校向けの栄養対策の改善や、補充的栄養支援プログラムの拡充のような公共政策を行うことに行き着くかもしれないと信じている。

「そういったタイプの政策変更は、それが食料不安を減らして栄養状態を改善し、子どもの体重の結果を公平なやり方で一緒に改善できるという証拠がある」と、Columbia 大学で小児肥満戦略の理事の Jennifer Woo Baidal 博士は語った。

しかしながら、社会経済状況は小児肥満の予測の主要な判断材料ではなかったため、政策変更もそれだけでは十分ではないかもしれないと、Emory 大学国際糖尿病研究センターの常任理事の Venkat Narayan 博士は語った。小児肥満の割合の増加やより早い時期での発症の要因をつきとめるには、より系統的な調査が必要で、同時に肥満がより「重度」に至るのを効果的に防ぐ戦略も必要とされる、と彼はつけ加えた。

「他国では大規模な記録とデータベースを保有しており、そこでは、時とともに個人に何が起こっているのかについての、この時宜を得た監視をすることができる」と Baidal は語った。「それもまた、米国において子どもの健康や肥満の予防への投資が不十分であることを示す1つの表れである。」〉

1. 2010年と現在について、小児期の肥満の割合を減らす取り組みの効果を比較した記述はない。

2. Cunningham 氏が Emory 大学で実験を行ったことは述べられていない。また、子ども本人の減量の努力に触れた記述もない。

3. 専門家たちは、学校での公共政策は肥満対策に効果があると信じていると述べられている。それに対する識者の問題提起が後半の段落で述べられている。また、専門家たちが、国レベルでの取り組みのための新たな法整備を推奨しているという趣旨の記述もない。

4. Narayan 氏は、より「重度」の肥満を防ぐことの必要性を指摘していると述べられているのであり、より「重度」の肥満の子どもから優先的に、効果的な治療を開始することの必要性を指摘しているとは述べられていない。

5. 妥当である。

正答　**5**

次の文の内容と合致するものとして最も妥当なのはどれか。

Many remote workers indulged their wanderlust[*1] during the pandemic, taking their laptops and passports to far-flung destinations.　Now many parts of Europe are enticing them to come stay awhile longer.

Nearly a dozen European countries, from Latvia to Croatia to Iceland, have introduced longer-term visas to attract affluent remote workers from abroad.　Others, including Italy and Spain, have similar plans in the works.　Many, such as Greece and Estonia, are also wooing[*2] these so-called digital nomads with tax breaks and other perks[*3].

Some European cities and villages have also started their own remote-worker campaigns as a way to boost their economies and sustain local service jobs.　In Spain, for instance, a group called the National Network of Welcoming Villages for Remote Workers helps such workers settle in villages with 5,000 or fewer inhabitants.　Its website lets users search participating villages for information on accommodation, Wi-Fi connection speeds and local attractions.

Some workers have taken "work from anywhere" to heart in the past couple of years. The number of Americans who identify as digital nomads — meaning those who combine remote work with travel — more than doubled to 15 million in 2021 from seven million in 2019, according to MBO Partners, which sells support services to independent contractors.　Many say they want to stay untethered[*4].　In a June Gallup survey, 22% of workers who said their jobs can be done from anywhere said they plan to continue working remotely full time in 2022 and beyond.

Many digital nomads are skilled knowledge workers who earn well beyond the €2,000-€3,500 monthly income requirements of most European digital visa programs — a big reason so many countries and towns are trying to lure them.

"Countries are now competing for talent, just like companies used to compete for talent," said Prithwiraj Choudhury, an associate professor at Harvard Business School who estimates nearly three-dozen countries worldwide now provide digital-nomad visas.

（注）　[*1] wanderlust：放浪願望　[*2] woo：支持を得ようと努める　[*3] perk：特典
　　　　[*4] untethered：縛られていない

1　ラトビアやクロアチアでは、国内のリモートワーカーを対象に、税制上の新たな優遇措置を設け、リモートワークの推進に積極的に取り組んでいる。

2　ヨーロッパでは、経済の活性化のため、リモートワーカーを対象とした独自のキャンペーンを展開している都市や村もある。

3　デジタルノマドは、長期休暇は外国旅行に行き、自国ではリモートワークを行う人々であり、米国のデジタルノマドの数はスペインの2倍である。

4　デジタルノマドの多くが勤務経験の浅い若者であるため、彼らを招致しようとする国は、スキルアップのための研修プログラムを用意している。

5　ヨーロッパでは、大手企業が競ってデジタルノマドの獲得に乗り出しており、外国での滞在費用の一部を補助するなど、金銭面でのサポートに力を入れている。

解説

出典：Lucy Papachristou and Elissa Miolene "Are You a 'Digital Nomad'? — European Locales Want Remote Workers"

全訳〈パンデミック（感染の世界的流行）の間、多くのリモートワーカーが、ノートパソコンやパスポートを遠方の目的地に持ち出し、自らの放浪願望を満たした。現在、ヨーロッパの多くの地域が、もっと長い間滞在しに来るよう彼らに誘いかけている。

ラトビアからクロアチアやアイスランドにまで至る、10余りに及ぶヨーロッパの国が、外国からの裕福なリモートワーカーを引きつけるべく、長期滞在ビザを導入している。イタリアやスペインを含む他の国でも同様の計画が進行中である。ギリシャやエストニアなどの多くの国も、これらのいわゆるデジタルノマドに向けて、税制上の優遇措置やその他の特典を用意して支持を得ようと努めている。

ヨーロッパのいくつかの都市や村でも、経済の活性化と地元のサービス業を維持する手段として、独自のリモートワーカー向けキャンペーンを始めた。たとえば、スペインでは、リモートワーカー歓迎村落全国ネットワークと呼ばれる団体が、そうした働き手に対し住民5,000人以下の村への定住支援を行っている。そのウェブサイトでは、参加している村落の宿泊施設やWi-Fiの接続速度や地元の呼び物に関する情報をユーザーが検索できるようになっている。

一部の働き手は、この「どこでも好きな場所にいて働く」スタイルをこの2、3年で喜んで受け入れている。独立系の請負業者に支援サービスを販売しているMBOパートナーズ社の調べによれば、自分をデジタルノマド――リモートワークを旅行と組み合わせている人々を意味する――であるとしている米国人の数は、2019年の700万人から2021年には1,500万人と倍増を超える勢いである。多くが、自分は縛られていない状態を望むと答えている。ギャラップ社の6月の調査では、自分の仕事はどこにいてもできると答えた働き手の22％が、2022年以降もフルタイムでリモートワークを続ける予定であると答えている。

多くのデジタルノマドは熟練した知識労働者であり、大半のヨーロッパ諸国におけるデジタルビザ制度の対象となる月収2,000～3,500ユーロという要件を十分に上回っている――これほど多くの国や町が彼らを招致しようとしている大きな理由である。

「各国は今、かつて企業が才能を求めて競ったのとまったく同じように、才能を求めて競っている」と、Harvard Business SchoolのPrithwiraj Choudhury准教授は語った。彼の概算によると、世界全体で現在30数か国がデジタルノマド・ビザを発給しているとのことである。〉

1．ラトビアやクロアチアは、リモートワーカー向けに長期滞在ビザを導入している国として述べられている。税制上の優遇措置に取り組んでいる国として本文で挙げられているのは、ギリシャやエストニアである。

2．妥当である。

3．デジタルノマドは、「リモートワークを旅行と組み合わせている人々」と述べられており、「長期休暇は海外旅行に行き、自国ではリモートワークを行う人々」ではない。また、米国とスペインのデジタルノマドの数を比較した記述はない。

4．「デジタルノマドの多くが勤務経験の浅い若者である」とか、「彼らを招致しようとする国は、スキルアップのための研修プログラムを用意している」といった内容は述べられていない。

5．かつて企業が才能を求めて競争したのとまったく同じように、各国が才能を求めて競っている、すなわちデジタルノマドを招致しようと競っていると述べられているのであり、大手企業が競ってデジタルノマドの獲得に乗り出しているとは述べられていない。また、外国での滞在費用の一部を補助するというような内容も述べられていない。

正答　**2**

次の文の内容と合致するものとして最も妥当なのはどれか。

Around A.D. 100, a Chinese court official ground up a mash of mulberry bark*¹, rags and fishnets, and invented paper.　A few centuries later, someone — maybe a Buddhist monk who was tired of writing the same sacred text again and again — carved a sacred text into a block of wood and invented printing.

A few centuries after that, a merchant in the capital of Sichuan*² set out to solve another problem: the money his customers were using was terrible.　It was mostly iron coins, and it took a pound and a half of iron to buy a pound of salt.　It would be the modern equivalent of going grocery shopping with nothing but pennies.

So the merchant told his customers that they could leave their coins with him.　In exchange, he gave them a claim check*³ — a piece of paper that could be used to retrieve the coins.　People started using the claim checks themselves to buy stuff, and paper money was born.　It was a huge hit.

Pretty soon, the government took over the business of printing paper money, and it spread throughout China.　In an era when there was no mechanized transport, the ability to move value around on a few pieces of paper — rather than a wagon full of metal coins — was a breakthrough.

Paper money relied on paper and printing, which were a kind of technology.　But paper money itself also was a new technology — a tool that made trade easier.　This led to an increased exchange of ideas and more economic specialization, which in turn meant people could grow more food and make more stuff.　Paper money helped China get richer.　At the same time, that new technology came with risks — it meant rulers could print lots of money, which sometimes led to ruinous inflation.

Today, new technologies allow us to move money using the supercomputers in our pockets. In the coming years, technology will drive even more dramatic changes in money, as the full impact of cryptocurrencies becomes clear.　Like paper money, these new technologies will continue to bring new opportunities, efficiencies and risks.

　　（注）　*¹ mulberry bark：桑の木の皮　　*² Sichuan：四川（中国の地名）
　　　　　　*³ claim check：預かり証

1　1～2世紀頃、中国の役人は、仏教の僧侶に文書の作成を依頼したが、字を書くのにうんざりした僧侶は木材に字を彫って印刷する技術を発明した。

2　四川の商人は、当時の顧客が大量の鉄の硬貨の金額を計算するのに苦労していただけでなく、それらの硬貨では塩しか購入できないという問題を解決しようと考えた。

3　四川の商人は、顧客から鉄の硬貨を受け取り、預かり証を顧客に渡した上で、顧客の代わりに買い物を行った。

4　紙幣に関する技術が経済の発展に資する一方、インフレーションのようなリスクをもたらしたのと同様に、暗号通貨のような新たな技術が、新たな好機やリスクなどをもたらすと考えられる。

5 中国では、政府が紙幣の印刷を民間に委ねた結果、印刷等の技術が発展し、紙幣が急速に流通したことから、売買がより容易に行われるようになった。

解説

出典：Jacob Goldstein "WHAT THE HISTORY OF MONEY SAYS ABOUT WHAT'S COMING"

全訳〈紀元100年頃、ある中国の役人が、桑の木の皮を砕いたものと、布切れと、漁網をすりつぶして、紙を発明した。その数世紀後、ある人物——もしかしたら、同じ経文を何度も書くのにうんざりした、ある仏教の僧侶かもしれない——が、木片に経文を彫ることで印刷を発明した。

それから数世紀がたって、四川の中心地のある商人が、顧客の使うお金がひどく使いづらいという、別の問題の解決に乗り出した。それは、たいていは鉄の硬貨であったが、塩を１ポンド買うのに１ポンド半の鉄が必要であった。現代でいえば、ペニー硬貨だけを持って食料品の買い物に行くようなものである。

そこで、その商人は顧客に対して、硬貨を自分に預けておけばよいと言った。それと引き換えに、彼は彼らに預かり証——硬貨を取り戻すために使うことのできる紙片——を与えた。人々は物を買うのに預かり証そのものを使い始め、紙幣が誕生した。それは大ヒットであった。

すぐに、政府が紙幣を印刷する事業を引き継ぎ、それは中国全域に広まった。まだ輸送に機械が使われていなかった時代にあって、価値を表すものを、数枚の紙片で——金属製の硬貨でいっぱいの荷車ではなくて——持ち運びができることは、飛躍的な進歩であった。

紙幣は、紙と印刷というある種の技術に依存していた。しかし、紙幣それ自体も一つの新たな技術——売買を容易にする道具——であった。このことが、互いの発想のやり取りの増加と、経済的専門化につながった。それは、今度は人々がより多くの食物を育て、より多くのものを作ることができるようになったということを意味した。紙幣は中国をより豊かにすることに貢献した。それと同時に、その新たな技術はリスクをもたらした——それは支配者がたくさんのお金を刷ることができ、それは時に破壊的なインフレーションを引き起こすことを意味した。

今日、新たな技術によってわれわれは、ポケットの中にあるスーパーコンピュータを使ってお金を動かすことができるようになっている。数年後には、暗号通貨のもたらす全面的な影響が明らかになるにつれて、技術はさらに劇的な変化をお金にもたらすだろう。紙幣と同様に、こうした新たな技術は新たな好機と効率、そしてリスクをもたらし続けるだろう。〉

1. 中国の役人が仏教の僧侶に文書の作成を依頼したという内容は述べられていない。仏教の僧侶が木材に経文を彫って印刷する技術を発明したという記述はあるが、これは「１〜２世紀頃」から数世紀後のこととして述べられている。

2. 「顧客が大量の鉄の硬貨の金額を計算するのに苦労していた」とか、「それらの硬貨では塩しか購入できない」といった内容は述べられていない。

3. 四川の商人が顧客から鉄の硬貨を受け取り、預かり証を渡したことは正しいが、「顧客の代わりに買い物を行った」とは述べられていない。

4. 妥当である。

5. 中国において、「政府が紙幣の印刷を民間に委ねた結果、印刷等の技術が発展し」たとは述べられていない。逆に、政府が紙幣を印刷する事業を引き継いだ結果、紙幣が中国全域に広まったと述べられている。

正答 **4**

文章理解
判断推理
数的推理
資料解釈
時事
物理
化学
生物

次の　　　　　と　　　　　の文の間のア〜エを並べ替えて続けると意味の通った文章になるが、その順序として最も妥当なのはどれか。

The Chahta[*1] homeland was the fine bottomland of Mississippi.　After Europeans arrived, Chahta leaders played Spain, France, and England against each other, trading with all sides and creating prosperous farms and ranches.　The nation's first decades with the new United States were largely peaceful — the Chahta even allied with it against Great Britain and its Native allies in the War of 1812.　The great Chahta leader Pushmataha was commissioned as a brigadier general[*2].

ア：In the treaty the U.S. promised that "no territory or State shall ever have a right to pass laws for the Government of the Choctaw Nation... and that no part of the land granted them shall ever be embraced in any territory or State."

イ：Despite their alliance, the Chahta became in 1830 the first of more than 40 nations forced to leave their homelands and move to what was then called Indian Territory (now Oklahoma).

ウ：That promise was not kept.　In the next few decades much of the new Chahta homeland was parceled off to other Native nations.　The rest was converted from communal to private land and distributed to tribe members who were often strong-armed into selling it to settlers.

エ：Their journey inaugurated the infamous Trail of Tears.　In return for ceding[*3] their land, the Chahta made one crucial demand: sovereignty[*4].

In 1907 Indian Territory was incorporated into the new state of Oklahoma. Indigenous nations outside Oklahoma faced similar losses.　Today the average reservation is 2.6 percent of the size of the original homeland.

（注）　[*1] Chahta：Choctaw 族（北米先住民の一部族）　[*2] brigadier general：准将
　　　　[*3] cede：割譲する　[*4] sovereignty：主権

1　ア→ウ→エ→イ
2　ア→エ→イ→ウ
3　イ→ア→ウ→エ
4　イ→ウ→ア→エ
5　イ→エ→ア→ウ

出典：Charles C. Mann "We are here" — chapter two 'Let the Games Begin'

全訳〈Choctaw族の故郷はミシシッピ州の美しい低地であった。ヨーロッパ人がやってくると、Choctaw族の指導者たちはスペイン、フランス、イングランドを相手にし、全方位の貿易をしながら豊かな農場と牧場を作り上げた。その部族と新しい米国との初めの数十年の関係は、おおむね平和的なものであった―― Choctaw族は、1812年の戦争（米英戦争）では、英国とその先住民の同盟者に対抗して、米国と同盟を結びさえした。Choctaw族の偉大な指導者プッシュマタハは、准将に任命された。

イ：それらの同盟関係にもかかわらず、1830年、Choctaw族は居住地を離れ、当時インディアン準州と呼ばれた場所（現在のオクラホマ州）に移ることを強いられた40を超える部族の初めとなった。

エ：彼らの旅は、悪名高い「涙の旅路」の先駆けとなるものであった。彼らの土地を割譲する見返りとして、Choctaw族は主権という一つの極めて重要な要求をした。

ア：その条約において米国は、「今後いかなる準州あるいは州も、Choctaw族の政府に対する法律を制定する権利を有さず、……彼らに授けられたいかなる土地の部分も、今後いかなる準州あるいは州にも包摂されることはない」ことを約束した。

ウ：その約束は守られなかった。続く数十年で、新しいChoctaw族の居住地の大部分は、他の先住部族に分けられた。残りは共有地から私有地へと転用されて部族民に分配され、彼らはしばしば自分の土地を他の入植者に売ることを強制された。

1907年に、インディアン準州は新たに成立したオクラホマ州に編入された。オクラホマ州の外にいた先住部族も、同様の喪失に直面した。今日、平均的な特別保留地は、もともとの居住地の大きさの2.6%にすぎない。〉

　選択肢を見ると、アかイのいずれかで始まっている。冒頭の □□□□□ の文では、米国でChoctaw族と呼ばれているアメリカ先住民について、その本来の居住地と、入植してきた欧米人との関わりが述べられ、米国の独立（1776年）後、1810年代までは米国と協力関係にあったことが述べられている。文中のalliedおよびalliesは、ally「同盟を結ぶ。同盟国」のそれぞれ過去形、複数形である。

　イは、初めの文中にalliance「同盟」という語があり、冒頭の □□□□□ の文に自然につながる内容である。一方、アはIn the treaty「その条約において」で始まっており、条約に関する話題は未出であることから、イで始めるのが妥当であると判断できる。

　イでは、1830年になるとChoctaw族の扱いが変わり、現在のオクラホマ州への移住を強制されたことが述べられている。ウとエの文章を見ると、ウはThat promise「その約束」で始まっており、約束に関する話題は未出であることから、イに続くものとしては不適当。むしろ、promisedという動詞が含まれているアに続けるのが適当ではないかと推測できる。一方、エはTheir journey「彼らの旅」で始まっていることから、イの移住の話題に続くものとして適切であることが判断できる。

　以上より、冒頭の □□□□□ の文に続くものとしてイ→エ、他方でア→ウのつながりができるので、**5**のイ→エ→ア→ウがこれに該当する。エ→アのつながりに関しては、アの the treatyにあたる条約そのものへの言及はエの中にないが、第2文の、土地を割譲する見返りとして主権を要求したという内容が、その後条約に明記されたものと推測できるため、文のつながりは問題ない。

正答　5

文章理解
判断推理
数的推理
資料解釈
時事
物理
化学
生物

次の文の 　　　　 に当てはまるものとして最も妥当なのはどれか。

　　Insect wings have nano-pillars — or blunt[*1] spikes — which destroy bacteria on contact. Australian and Japanese scientists are creating material with nano-patterns, inspired by the insect wings. These patterns also kill bacterial cells. The new technology has major implications for food storage because so much is wasted when bacterial growth seeps[*2] into food. The new material helps shield food from bacterial contamination[*3].

《中　略》

　　The scientists are now working on scaling up the technology to find the best way to mass produce the antibacterial packaging. But the potential applications of the technology do not stop with packaging. In an earlier 2020 review published in Nature Reviews Microbiology, the researchers detailed how potential uses might one day even include defeating drug-resistant superbugs[*4].

　　RMIT University's School of Science Distinguished Professor Elena Ivanova said at the time that finding non-chemical ways of killing bacteria was critical, with more than 700,000 people dying each year due to drug-resistant bacterial infection. "Bacterial resistance to antibiotics is one of the greatest threats to global health and routine treatment of infection is becoming increasingly difficult," Professor Ivanova said. "When we look to nature for ideas, we find insects have evolved highly effective antibacterial systems. If we can understand exactly 　　　　　　　　　　 , we can be more precise in engineering these shapes to improve their effectiveness against infections. Our ultimate goal is to develop low-cost and scalable antibacterial surfaces for use in implants and in hospitals, to deliver powerful new weapons in the fight against deadly superbugs."

（注）　[*1] blunt：鈍い、とがっていない　　[*2] seep：しみ込む　　[*3] contamination：汚染
　　　[*4] superbug：抗生物質に対する耐性の強い細菌

1　what types of drugs have strong effect against bacteria
2　how insect-inspired nano-patterns kill bacteria
3　what kinds of packages remove insects from food
4　how bacteria get drug-resistant characteristics
5　why a large number of people die from bacterial infection

解説

出典：Ian Royall "Antibacterial packaging modelled on bacteria-busting wing patterns"
　　全訳〈昆虫の羽には、接触する細菌を破壊するナノピラー——つまり、とがっていない大くぎ——がある。オーストラリアと日本の科学者が、昆虫の羽に着想を得て、ナノパターンを持つ素材を作ろうとしている。これらのパターンもまた、細菌の細胞を殺すものである。細菌の増殖が食品にしみ込むと非常に多くが無駄になるので、その新しい技術は食品の貯蔵にとって

大きな意味がある。その新しい素材は、細菌汚染から食品を守るのに役立つものである。

《中　略》

　科学者たちは現在、この技術の規模を拡大して抗菌性を持つ包装材を大量生産する最良の方法を見出すことに取り組んでいる。しかし、この技術が応用できる可能性は包装にとどまるものではない。『ネイチャー・レビュー・ミクロバイオロジー』の2020年の早い号に掲載された論文では、どのようにして可能な利用法が、いつかは、薬剤耐性のある、抗生物質に対する耐性の強い細菌を退治することさえ含むようになるかもしれないかを、研究者たちが詳述した。

　RMIT大学理学部のElena Ivanova特別教授はその時に、毎年70万人を超える人が薬剤耐性菌感染症で亡くなっている状況で、細菌を非化学的方法で殺す方法を見つけることは急務であると語った。「抗生物質に対する細菌の耐性は、国際保健において最大の脅威の1つであり、感染症の日常治療はますます困難になりつつある」とIvanova教授は語った。「われわれがアイデアを求めて自然に目を向ければ、昆虫が非常に効果的な抗菌法を進化させてきたことがわかる。もしわれわれが、<u>昆虫に着想を得たナノパターンがどのように細菌を殺すか</u>を正確に理解することができれば、われわれは感染症に対する効果を高めるためにこれらの形を設計するうえで、より厳密であることができる。われわれの究極の目標は、組織移植や病院で使用できる低コストで拡張可能な抗菌表面を開発して、致死性のある、抗生物質に対する耐性の強い細菌に対する戦いにおいて、強力な新しい武器を供給することである。」》

　空欄を含む文は、「もしわれわれが～できれば、われわれは～できる」という形になっている。したがって、空欄部分を含む前半は、それまでに述べられている内容を踏まえて、後半部分のようになる条件が述べられていると考えられる。

　本文の冒頭では、昆虫の羽には「ナノピラー」と呼ばれる、細菌を殺す組織が備わっていることが述べられ、オーストラリアと日本の科学者がそのことに着想を得て、「ナノパターン」を持った素材の開発に取り組んでいることが述べられている。そして、この素材が食品を細菌から守るのに役立つことが述べられている。

　中略の後では、この新しい技術が包装に役立ち、さらには薬剤耐性菌への対策に応用できる可能性について述べられ、教授の発言を引用する形で詳述されている。医療現場の危機的状況について述べられた後、「われわれがアイデアを求めて自然に目を向ければ、昆虫が非常に効果的な抗菌法を進化させてきたことがわかる」と述べられ、冒頭の研究内容に話が結びつく。

　空欄を含む文は、「もしわれわれが、＿＿＿＿＿＿を正確に理解することができれば、われわれは感染症に対する効果を高めるためにこれらの形を設計するうえで、より厳密であることができる」となる。

　空欄に入る選択肢のそれぞれの意味は、**1**「どんなタイプの薬が細菌に対して強い効果があるか」、**2**「昆虫に着想を得たナノパターンがどのように細菌を殺すか」、**3**「どんな種類の包装が昆虫を食品から取り除くか」、**4**「細菌がどのようにして薬剤耐性を得ているか」、**5**「なぜ多数の人々が細菌感染が原因で亡くなっているのか」である。食品の包装はこの段落のテーマではないので、**3**は不適。「細菌を非化学的方法で殺す方法を見つけること」が課題なので、**1**も不適。多数の人々が薬剤耐性菌感染症で亡くなっていると述べられているので、**5**も不適。残るは**2**と**4**であるが、空欄を含む文の後半の these shapes および their effectiveness が何の形、効果をさすかを考えれば、**2**の insect-inspired nano-patterns をさすと考えるのが自然である。**4**の characteristics「性質、特徴」では意味が通らない。

正答　**2**

文章理解
判断推理
数的推理
資料解釈
時事
物理
化学
生物

次の文の内容と合致するものとして最も妥当なのはどれか。

　人間は，危険や好機到来の兆候を示す異変を読み取るために，常に周囲の状況に注意を払っている。その対象は，自分の行為が周囲の人々から非難の目で見られていないか，子供がいじめられていないか，といった個人的な関心から，勤務先の人間関係や不祥事や業績悪化の兆し，新たなビジネスチャンスの到来，国の政策や予算配分の変化，景気の動向，戦争の勃発，火山活動の活発化といった社会・環境の異変にまで及んでいる。

　このように人間が被害を未然に防止するために周囲の状況に関心を持つことを，「環境モニタリング」という。

　この環境モニタリング行動は，人間以外の動物にも見られる。たとえばキリンの場合，群が餌を食べている間，数頭の監視役が群の周辺で外敵の襲撃を監視していることが知られている。

　人間の環境モニタリング本能を満たすために発達してきたのが，テレビや新聞等のマスコミである。「犬が人間にかみついてもニュースにならないが，人間が犬にかみついたらニュースになる」といわれるように，日常のありきたりの出来事はニュースに取り上げられない。反対に，めったにない変わった出来事ほど，ニュースとしての価値が高い。

　価値あるニュースの条件は，①常軌を逸していること，②目立っていること，③感情を沸き立たせること，④論議の的となること，⑤タイムリーであること，といわれている。

《中　略》

　そして，毎日のニュースは，スキャンダル，犯罪，経済危機，大火災，自然災害といった不幸な出来事を繰り返し報道している。

　人間がどんなことに注意を向けるかは，心理学の重要な研究課題である。イギリスの実験心理学者であるバートレットは，この点について，知識構造（スキーマ）との整合性で説明している。

　人間は過去の経験や既存知識をスキーマと呼ばれる知識構造として記憶している。新たに得た情報を処理する際には，分類や解釈を用いてその情報を知識構造に組み入れ，知識構造そのものを変化させていく。観察した事象や入手した情報が個人の持つ知識構造からかけ離れていると，驚きや恐怖を覚える。また，生々しい情報は人間の興味をそそり，感情を高揚させ，強烈なイメージを浮かび上がらせる。個人の知識構造からかけ離れた生々しい情報は，より多くの認知的処理を生み，その結果，長く人の記憶に留まる。

1　人間の環境モニタリングは，被害を未然に防止するために周囲の状況に関心を持つことで，好機到来などを読み取り，利益を得ることを目的とするものである。

2　人間の環境モニタリング行動と人間以外の動物の環境モニタリング行動の違いは，人間以外の動物だけが本能によりそれを行う点である。

3　めったにない変わった出来事ほど，ニュースとしての価値が高い一方，視聴者の心身に深刻な影響を与え，専門家の支援を必要とする場合もある。

4　ありきたりのニュースに人間が注意を向けないのは，スキーマに存在しない情報はそもそも認知の対象とはならないからである。

5　人間は，新たに情報を得た際，過去の経験などから成る知識構造を変化させつつ情報を処理しており，個人の知識構造からかけ離れた情報を得た際には，多くの認知的処理を行う。

解説 ●━━━━━━━━━━━━━━━━━━━━━━━━━━━

出典：三輪眞木子『情報検索のスキル』

　人間の環境モニタリング本能を満たすため，ニュースはありきたりの出来事は取り上げず，めったにない変わった出来事を価値が高いとみなすが，それは，観察した事象や入手した情報が個人の持つ知識構造（スキーマ）からかけ離れた生々しい情報であると，より多くの認知的処理を生み，長く人の記憶にとどまるため，と心理学的に説明した文章。

1．前半は正しいが，環境モニタリングは，「利益を得ることを目的とするもの」ではなく「被害を未然に防止するために周囲の状況に関心を持つこと」であるため，誤り。

2．「人間の環境モニタリング本能」とあることから，人間も本能により環境モニタリングを行っている可能性がある。

3．前半は正しいが，「視聴者の心身に深刻な影響を与え，専門家の支援を必要とする場合もある」というようなことは述べられていない。

4．ありきたりのニュースは，スキーマからかけ離れていないため，驚きや恐怖を覚えず，注意を向けにくいと考えられる。逆に，「スキーマに存在しない情報」に対しては「驚きや恐怖を覚える」のであり，「認知の対象とはならない」わけではない。

5．妥当である。

正答　**5**

次の文の内容と合致するものとして最も妥当なのはどれか。

　外国の人々が，漢字のプリントされたTシャツを着ているのを見ると，とても日本人では身につけられないようなことが書かれていることが少なくない。しかし，日本人が着るローマ字が書かれたTシャツも，ネイティブスピーカーから見れば，顔を赤らめるようなものや，事件に巻き込まれかねないような内容のものが多いと聞く。もともと日本人は，早くから横文字で看板を書くことを好み，江戸時代のうちにそれに対する禁令まで出されたという。互いに読めない文字に不思議さと憧れを感じているわけで，その内容や機能性よりも雰囲気だけを楽しもうとする意識が透けて見える。いわゆる片仮名ことばの隆盛とも，根底を同じくしているのではなかろうか。

　しかし意味は分からないが文字の醸し出す雰囲気だけを楽しむことは，こと漢字の場合には，本来持ち合わせていた語を表すための表意性が失われてきたことにつながるのではなかろうか。漢字を固定したものととらえ，何かで決められた漢字を「答え」としてたくさん覚えたり，パズルにして楽しむといったことによる空前の「漢字ブーム」が到来していると言われて久しい。日本語への関心もマスメディアを通じて高まってきた。その一方で，本を読まなくなり，文字離れが加速しているという。漢字を文脈から切り離し，一つの「正解」だけを知っているかどうかにとどまっていないだろうか。漢字のイメージ偏重が，それらの行き着く果てではないことを望みたい。

《中　略》

　日本の文字は，中国をはじめとする世界の文字のいわば鉱脈の中から，日本人が日本語を書くためにふさわしい形を求めて，足りないものを造って補い，余分なものを切り捨てるなどして彫琢してきたものである。その字体も省略と整理を施しつつ，意味も日本語に適応するように調整しながら磨き上げてきたものである。むろん日本語自体も変化し続けたが，文字についてもそれに対応する工夫がまた先人たちによって重ねられてきたからこそ，今に至るまで残り，日々日本の文章にちりばめられているのである。その生命力の根源は，ことばを適切に書き表そうとする漢字の持つ意外なほど柔軟な対応性である。よくもあしくも個々人，地域，社会という多様性を生み出してきた「根」からも，表記に最も適したものを吸い上げることで表現に幅を与え，枯渇することなく活力のあるものとなってきた。

　活字離れや手書きの機会の減少が進む中で，漢字を丸暗記やパズルなど遊びだけの対象にすることは，漢字の特質である表意性さえも忘れさせかねない。漢字を反射的にえられる直感的なイメージだけでとらえることの危うさは，名付けだけにとどまらなくなっている。日本人がみずからの文字についての観察を放棄し，思考を失うときが来れば，また，過去から続く営為をふり返ることもしなければ，的確な選択も創意工夫もなされなくなり，日本の漢字は過去の遺産となるしかないのであろう。

1　日本人はもともと外国の人々よりも文字の雰囲気を楽しもうとする傾向が強いため，漢字の表意性は江戸時代には失われつつあった。

2　漢字が本来持ち合わせていた表意性が失われていき，丸暗記やパズルの対象とされるようになったことで，活字離れが進んでいった。

3 日本人は文字に対して，日本語に適応させるために取捨選択を繰り返し，また，変化していく日本語を適切に表記するための工夫をし続けてきた。

4 漢字の柔軟な表現力を通じて，様々な文化が日本に持ち込まれたため，日本の社会に多様性がもたらされた。

5 手書きの機会の減少が進む中で，漢字を正しく書くことのできない日本人が更に増え続ければ，将来的に漢字は廃れるだろう。

解 説

出典：笹原宏之『日本の漢字』

　日本の漢字は，日本人が，日本語に適応させるため意味や字体を工夫して磨き上げてきたもので，その柔軟な対応性もあり，今に至るまで残っているが，漢字の内容や機能性よりも，漢字の雰囲気だけを楽しもうとしたり，イメージだけでとらえようとしたりすることにより，漢字の表意性が忘れられてしまいかねない，と危惧を述べた文章。

1. 日本人が文字の雰囲気を楽しもうとする傾向は指摘されているものの，それを外国の人々と比較してはいない。また，江戸時代に横文字で看板を書くことに対する禁令が出されたとは述べられているが，「漢字の表意性は江戸時代には失われつつあった」というようなことは述べられていない。

2. 表意性が失われて活字離れが進んでいったのではなく，活字離れが進む中で，丸暗記やパズルの対象にすることが，「漢字の特質である表意性さえも忘れさせかねない」とあることから，「丸暗記やパズルの対象とされるようになったことで，活字離れが進んでいった」という因果関係は示されていない。「その一方で」とあるように，両者は独立した事象として紹介されている。

3. 妥当である。

4. 漢字の柔軟な対応性によって，漢字は今に至るまで残っているのであり，漢字が柔軟であったからさまざまな文化が持ち込まれ，日本の社会に多様性がもたらされたという記述はない。逆に，個々人，地域，社会という多様性から，漢字の表現に幅が与えられたとある。

5. 漢字を正しく書くことのできない日本人が増え続けることを危惧しているのではなく，漢字を直感的なイメージだけでとらえることの危うさを指摘しているのである。

正答 **3**

次の文の内容と合致するものとして最も妥当なのはどれか。

　私たちの社会は，専門知に基づいた無数の仕組みによって成立しています。自動車は，材料工学（アルミ，ガラス，ゴム等々），熱力学，電子工学といったたくさんの専門技術の組み合わせです。いったん独自の分野（土俵）が別々に構築され，それぞれの場所で知識が発展し，自動車という製品においてそれらを再度組み合わせるわけです。

　社会についても同様ですが，やっかいなのはこの組み合わせ方が自動車のようにきっちりと隙間なくなされているのではなく，かなりの「緩さ」を含んでいることにあります。もちろん自動車のような精密機械においても多少の緩みが入り込む余地はあります。だからこそ故障や事故が稀に起こるのです。ただ，多くの場合には機械は問題なく動くものです。それは，動作テストをし，うまくいかない場合には一旦止めてから検査するなど，観察と検証をすることが容易だからです。

　これに対して社会では，そうはいきません。たとえば，政治と経済のつながりは，きっちりとした完全なものではありません。この「つながりの緩さ」があるからこそ，金融システムが政治その他の影響でうまく機能しなかったり，少子化に歯止めをかけようとして導入した政策が裏目に出たり，といったことがふつうに起こるのです。

　もう一度確認しましょう。社会は，知識や専門システムの組み合わせでできています。そしてその組み合わせ方には，緩みが入り込みます。繰り返しになりますが，この「緩さ」という言葉も，社会の成り立ちについて知る上できわめて重要な概念です。

　ただ，学問にもいろいろなものがあります。ふつうは，経済学のように現実の対象とかなり距離をとった土俵を持っているものです。つまり，いろんな専門知の土俵がいろんなところにあって，これが学問分野の独自性となっています。

　他方で，学問分野を特徴づけるもう一つ重要なポイントがあります。しかもこのポイントは，これまであまり論じられてこなかったものです。すなわち，対象との距離も学問によって異なっている，ということです。

　社会学は経済学に比べれば専門化の度合いが小さい，と述べました。私は，社会学の特徴の一つはここにあるのではないか，と考えます。そして社会学の意義を伝えることの難しさも，ここにあるのだと思っています。なにしろ，一般の方が学問に期待するのは専門的な知識ですから。

　社会学は，心理学や経済学といった近隣分野の学問と比べると，自分の土俵のようなものをはっきりと備えていません。いえ，正確に言えば，土俵を自前で作らないところが社会学の強みであるし，またそうであるべきなのです。

1　無数の専門知が発達した社会では，工学などの専門知に社会学や心理学などの専門知を組み合わせることで，隙間のない，精緻な製品が作られるようになっている。

2　社会学という学問には，独自の分野をはっきりと備えていないようにみられる特徴があり，一般の人々が期待する学問とは違うところがある。

3　少子化対策などを進める上で，「つながりの緩さ」が問題となり政策がうまく機能しなかったことがあるため，精密機械の分野を見習って，観察と検証の過程を少しでも増やすべき

である。

4 社会の成り立ちに伴って様々な「緩さ」が生じる中で，経済学や心理学はこの「緩さ」を
なくすための学問である一方，社会学はこの「緩さ」を観察する学問である。

5 社会学は，学問の対象が漠然としている上，現実の現象から距離を置いているため，自由
度が高い学問と思われがちである。

解　説

出典：筒井淳也『社会を知るためには』

　社会は，政治，経済などの専門知や専門システムの組み合わせによってできているが，自動
車などの精密機械の場合と異なり，組み合わせ方には「緩さ」が入り込む。社会学は近隣分野
の学問と比べ，独自の分野（土俵）がはっきりしておらず（専門化の度合いが小さく），一般
の人々が期待する学問とは違うが，それも社会学の強みである，と述べた文章。

1．精緻な製品として自動車が挙げられているが，自動車は材料工学，熱力学，電子工学など
の専門技術が組み合わされているとあり，それらの専門知に，「社会学や心理学などの専門
知を組み合わせる」という説明は本文中にはない。

2．妥当である。

3．前半は正しいが，社会における「つながりの緩さ」があるからといって，「精密機械の分
野を見習って，観察と検証の過程を少しでも増やすべき」という提言はなされていない。

4．社会学と，心理学や経済学との違いは，「専門化の度合い」であり，社会に生じる「緩さ」
に対しどのような対応をする学問であるかについては問題とされていない。

5．経済学が「現実の対象とかなり距離をとった土俵を持っている」のに対して，社会学は
「自分の土俵のようなものをはっきりと備えていません」としているので，社会学が現実の
現象から距離を置いている」とはいえない。また，社会学が「自由度が高い学問と思われが
ち」というようなことは述べられていない。

正答　**2**

次の文の内容と合致するものとして最も妥当なのはどれか。

　台所は，ヒトが，植物や動物を，みずからの胃や腸で消化しやすいように，火と水と刃物を用いて形態を変化させる場所である。田畑，牧場，畜舎，漁場，森林とならんで，ヒトが他の生物を制圧する主戦場にほかならない。刻々と複雑な化学的および物理的変化を遂げる植物や動物をまえに，ヒトは，別の動植物やその加工品を加えることで，味覚を刺激する消化しやすい食べものを作り上げる。無数の変数の存在するこの技術は，各家庭，各共同体で，代々，口頭で伝承されてきた。

　この技術は，調理術（コッホクンスト）と呼ばれ，しばしば別の芸術（クンスト）と並び称されることもある。つまり，生活と美の交点に位置するものでもあるのだ。視覚，嗅覚，味覚，聴覚，触覚という五感に快楽をもたらす調理術が美学的な課題であることは，なかなか意識されにくいが，けっして看過できないだろう。だが，調理は，絵画や音楽のように，数カ月，場合によっては数年かけて完成され，それから半永久的に鑑賞される芸術ではなく，一日二回から三回「製作」されては，すぐに消費される，反復の多い「芸術」であった。それゆえ，口伝の媒体となった共同体と家族のタガが産業の発展によって徐々にゆるみはじめ，文字社会が社会の隅々まで普及しはじめたとき，調理術のマニュアルであるレシピと，それをまとめたレシピ集が登場するのは，きわめて自然な流れだったといえよう。

　レシピは，人間の食欲を満たすために，自然から口に至る食の旅の最終段階で自然を制圧する——もっと言えば自然を消化する方法について書かれた食の設計図である。レシピに各食材の種類と量や火にかける時間を記すことによって，測定不可能な調理という芸術世界を，文字と数字で再現したものの，もちろんレシピだけでは，依然としてその世界の深遠さは表現できるものではなかった。

　この深遠さを表現するために，さまざまな科学者が実験し，考察を重ねた。化学者のリービッヒは，肉のエキスを抽出する過程で，うまみの成分が一定の化学物質に由来することを突き止めた。そこから，食は，化学式によっても表現されるようになる。調理術の世界において，栄養学が徐々に幅を利かせるようになっていくのである。

　とくに栄養学は，ヴィタミンという物質に並々ならぬ執着をみせた。体の調整にとって必要不可欠なヴィタミンの摂取は，ヴィタミンが不足する患者たちの治療にきわめて有効であり，そのことは必然的に肉食文化が栄える近代世界の住人にとっても朗報であったことは間違いない。食を偏った方向へと進めていく産業社会の力に直面した栄養学は，栄養素のバランスを考えよ，と訴え，それに抗おうとすることさえ可能であっただろう。この意味で，栄養学は，自然とのつながりを調理の芸術家たちに再び意識させるきわめて意義深いものであった。化学物質は，自然と人間が否応なくつながっていることを突き付けるための説明道具としては，極めて有効なものだからである。

1　ヒトは，刻々と変化を遂げる動植物を制圧するために台所を作り上げたが，こうした歴史的背景ゆえに，台所は，無駄な装飾が排除された調理のためだけの空間となった。

2　調理は，半永久的に鑑賞される絵画や音楽とは異なり，完成物がすぐに消費されてしまう「芸術」であるが，それゆえに，身近な「芸術」として親しまれてきた。

3 口伝により受け継がれてきた調理術は，次第にレシピ集にまとめられるようになったが，レシピだけでは，測定不可能な調理という芸術世界の深遠さを表現することはできなかった。

4 レシピ集の普及に伴い調理への関心が高まった結果，多種多様な調理術の画一的な表現が要請されるようになり，こうして注目を集めた栄養学が徐々に幅を利かせるようになった。

5 栄養学は，自然とのつながりを軽視する産業社会の圧力に抗うために，肉食を離れて栄養素のバランスを保つことが，患者の治療や体の調整に必要不可欠であることを強調した。

解説

出典：藤原辰史『ナチスのキッチン――「食べることの環境史（決定版）』

ヒトが火と水と刃物を用いて他の生物の形態を変化させ消化しやすい食べ物を作り上げる技術は調理術と呼ばれ，「製作」されてはすぐに消費される，反復の多い「芸術」であることから，調理という芸術世界を文字と数字で再現したレシピが登場するようになり，さらにその芸術世界の深遠さを表現するため現れた栄養学は，人間と自然とのつながりを再び意識させるのに有効であった，と述べた文章。

1. 台所は「ヒトが他の生物を制圧する主戦場にほかならない」とはあるが，台所についての一つの解釈であって，制圧することを目的として台所を作り上げたとは述べていない。また，「無駄な装飾が排除された調理のためだけの空間」という内容は本文中にはない。

2. 調理術が「別の芸術（クンスト）と並び称されることもある」として，調理を芸術になぞらえて表現してはいるが，一般に調理が「身近な『芸術』として親しまれてきた」というようなことは述べられていない。

3. 妥当である。

4. 「レシピ集の普及に伴い調理への関心が高まった結果，多種多様な調理術の画一的な表現が要請されるようになり」という内容は本文中に見られない。「栄養学が徐々に幅を利かせるようになった」のは，レシピでは表現できない料理の深遠さを表現するために，食を化学式で表現する栄養学が役立ったからである。

5. 栄養学は「自然とのつながりを調理の芸術家たちに再び意識させる」とあるが，「産業社会の圧力に抗うために」という内容は見られない。また，「患者の治療や体の調整に必要不可欠」なのは，肉食を離れることではなく，ヴィタミンの摂取とある。

正答 **3**

次の ☐☐☐☐ と ☐☐☐☐ の文の間のA～Eを並べ替えて続けると意味の通った文章になるが，その順序として最も妥当なのはどれか。

> この国*の国旗の色は，規定では最先端を行っている。赤と緑を光の波長で決めているのだ。ほかに，色彩学的に色調，明度，彩度の色の三要素で決めたり，具体的にインクのパーセントで表示したり，権威ある国際的な色票番号で規定している国旗の例もある。

A：布地や染め方でも違えば天候でも違うし，時間が経つと色が変化するというのもよくあること。

B：赤かオレンジか，で永年にわたって混迷が続いてきたオランダの赤白青の横三色旗も，三色は「国際照明委員会のCIE表色系」で色刺激値を厳密に決めている。このほかナイジェリア，ケニア，ザンビア，マラウイ，シエラレオネ，レソト，ボツワナ，バルバドス，モルディヴといった英連邦の国々の国旗は，色の三属性を英国色彩標準（British Colour Standard）で「この色」と規定している。また，バングラデシュはインクの掛け合わせの千分率で色を決めている。

C：ところが，ことはそんなに簡単ではない。たとえ色を数値で表示し，それに従って国旗を製作したとしても，物の色が光源で違って見えるのはもちろんだ。極端な例だが，高速道路のトンネルでオレンジ系の照明に照らされると，前を行く真っ赤な新車のスポーツ・カーが途端にくすんだポンコツ車に見えるのはしばしば経験することだ。

D：それでも各国の動きを話すと，すぐ「だから日の丸の色も法制化が必要だ」という声が聞こえてきそうだが，それは短絡的というものだ。

E：だから，数値さえ決めればよいというわけではないし，下手をすると自縄自縛で実際の旗の製作費が高くなってしまうことも考えられる。

> たしかに各国が真剣に検討して，自分たちの象徴として一番ふさわしい色を番号で規定したに違いないが，要はそこにおのずから許容範囲というものがあり，特に，他の国旗と併揚するような場合には，過敏になりすぎないようにしたほうがよいのではないだろうか。

（注）　*この国：アルジェリアを指す。

1　B→C→A→E→D

2　B→D→E→C→A

3　B→E→D→A→C

4　C→D→B→E→A

5 C→E→D→B→A

解説

出典：吹浦忠正『国旗で読む世界地図』／光文社新書

　国旗の色を数値などさまざまな方法で厳密に規定している国があるが，色を数値などにより規定することには問題点もあるため，過敏になりすぎないようにしたほうがよい，と述べた文章。

　つながりが見つけやすいものをグループ分けしたり，接続語や指示語を手掛かりに選択肢と比較したりして考える。冒頭の □□□□ の文は，国旗の色をさまざまな方法で規定しているという内容であり，同様に厳密に規定している例を挙げているのはBである。それに対して，色を数値などにより規定することの問題点を述べているのが，A，C，D，Eである。したがって，冒頭の □□□□ の文の次に来るのがBで，Bの後にA，C，D，Eが来るので，選択肢は**1**，**2**，**3**にしぼられる。Cの「ところが」に注目すると，Bまでに述べた国旗の色を規定することを，「そんなに簡単ではない」と否定し，以下の文で，色を規定しても，色は状況によって変わって見えるという内容を述べているため，B→Cとすると流れがよい。また，AはCで述べた状況の例として，天候や時間を挙げ内容を発展させており，Eは「だから」としてCとAの内容をまとめた結論を述べているので，C→A→Eとなる。さらに，Dで他国のように日本でも色の「法制化が必要」と考えるのは短絡的と述べ，最後の □□□□ の文でその理由を述べていることから，B→C→A→E→Dとなる。

　したがって，正答は**1**である。

正答　**1**

次の文の 　　　　　 に当てはまるものとして最も妥当なのはどれか。

　思想史，哲学史の専門家たちは，当然，過去の思想家の誰彼を取り上げて研究する。カント
の専門家があり，ヘーゲルの専門家がある。それが「学問」というものであるからには，誰も
それに文句を言う人はいない。しかし，そういう専門的研究家たちとは別に，自ら創造的に思
索しようとする思想家があって，この人たちも，研究者とは全然違う目的のために，過去の偉
大な哲学者たちの著作を読む。現在の思想文化が，過去の思想的遺産の地盤の上にのみ成立し
ているものである以上，これもまた当然のことだ。こうして現代の創造的思想家たちも，己れ
の哲学的視座の確立のために，あるいは少なくとも，強烈に独創的な思索のきっかけとなるで
あろうものを求めて，過去を探る。現代ヨーロッパの思想界ではこの傾向が特に目立つ。それ
をテクストの「読み」という。過去のテクストの「読み」を出発点として，その基盤の上に思
惟の創造性を求めることは，現代西洋哲学の一つの顕著な「戦略」である。

　厳密な文献学的方法による古典研究とは違って，こういう人達の古典の読み方は，あるいは
多分に恣意的，独断的であるかもしれない。結局は一種の誤読にすぎないでもあろう。だが，
このような「誤読」のプロセスを経ることによってこそ，過去の思想家たちは現在に生き返り，
彼らの思想は潑剌たる今の思想として，新しい生を生きはじめるのだ。ドゥルーズによって
「誤読」されたカントやニーチェは，専門家によって文献学的に描き出されたカントやニーチ
ェとはまるで違う。デリダの「戦略的」な解釈空間にたち現われてくるルソーやヘーゲルは，
もはや過去の思想家ではない。

　西洋思想界のこのような現状に比べれば，東洋思想，東洋哲学の世界は沈滞している，と言
わざるを得ない。勿論，研究者の数は多い。現に日本でも無数の専門家たちが，今も昔も変り
なく，東洋思想の貴重な文化的遺産を，孜々として研究している。だが，それらの思想文化の
遺産を，己れの真に創作的な思惟の原点として，現代という時代の知的要請に応じつつ，生き
た形で展開しているといえるような，つまり 　　　　　　　　　　　　　　　　 は，
残念ながら我々のまわりには見当らない。現代日本の知の最前線にある思想家たちが，自分の
思索のためのインスピレーションを求めて帰っていく古典は，例えばマルクスでありニーチェ
でありヘーゲルであって，東洋哲学の古典ではないのだ。

1 東洋思想の古典に精通し，それらの真の解釈を「戦略的」に創造する専門家

2 東洋哲学に伝統的な日常的自然的態度を現代的に再構築せしめんとする思想家

3 ドゥルーズやデリダを創作的に「誤読」し，彼らの遺産を「生きた現代の哲学」として現
代日本の知の最前線に蘇らせようとする思想家

4 西洋の思想的過去を東洋思想のコンテクストの現場に引き出して，その未来的可能性を創
造的に探らんとする知の先駆者

5 東洋哲学の古典を創造的に「誤読」して，そこに己れの思想を打ち建てつつあるような，
独創的な思想家

解説 ━━━━━━━━━━━━━━━━━━━━━━━━━━━━

出典：井筒俊彦『意味の深みへ──東洋哲学の水位』

　西洋思想界においては，厳密な文献学的方法による古典研究と異なり，独創的な思索のきっかけを求めて過去の哲学者の著作を読む現代の創造的思想家によって，過去の思想が今の思想として生き返るのに対し，東洋思想・東洋哲学を創造的に「誤読」するような独創的な思想家は現代日本には見当たらない，と述べた文章。

　空欄を含む段落の冒頭に，西洋思想界に比べ「東洋思想，東洋哲学の世界は沈滞している」とあり，空欄の後には「知の最前線にある思想家たちが」「帰っていく古典」は「東洋哲学の古典ではない」，とあることから，この段落では，東洋思想，東洋哲学において，東洋思想文化の遺産を創作的な思惟の原点として読み，今の思想として生き返らせるような「誤読」をしている思想家が「我々のまわりには見当たらない」という内容を述べていることがわかる。空欄には「つまり」の前の内容を言い換えた内容が入り，前の文の「それらの思想文化」とは，東洋の思想文化のことである。

1．現代の創造的思想家たちが行っているのは，西洋古典の「真の解釈」を「『戦略的に』創造」する」ことではなく，「己れの哲学的視座の確立のために」西洋古典を「誤読」することであり，その「誤読」のプロセスが東洋の古典に対しては行われていないと述べている。

2．「伝統的な日常的自然的態度」は本文中では言及されていないため，不適切。

3．「東洋の思想」ではなく「西洋の思想」を創造的に読むという内容であるため，不適切。

4．**3**と同様の理由で不適切。

5．妥当である。

正答　**5**

文章理解

判断推理

数的推理

資料解釈

時事

物理

化学

生物

次の文の内容と合致するものとして最も妥当なのはどれか。

　　The East African country of Kenya has been at the forefront of the global war on plastic since 2017, when officials outlawed plastic bags.　In June 2020, the government upped the ante with a ban on single-use plastics in protected areas.　Unfortunately, the preemptive measures have barely made a dent*1.　Hundreds of tons of industrial and consumer polymer waste continue to get dumped into landfills daily.　However, if 29-year-old Nzambi Matee has her way, the unsightly*2 plastic heaps will soon be transformed into colorful bricks*3.

　　The materials engineer's quest to find a feasible solution to curb plastic pollution began in 2017.　She quit her job as a data analyst at a local chemical factory and set up a small lab in her mother's backyard.　It took her nine months to produce the first brick and even longer to convince a partner to help build the machinery to make them.　But the determined eco-entrepreneur was confident in her idea and did not give up.

　　She says, "I wanted to use my education in applied physics and materials engineering to do something about the problem of plastic waste pollution.　But I was very clear that the solution had to be practical, sustainable, and affordable.　The best way to do this was by channeling the waste into the construction/building space and finding the most efficient and affordable material to build homes."

　　Her company, Gjenge Makers, now hires 112 people and produces over 1,500 bricks a day. The pavers are made using a mix of plastic products — ranging from empty shampoo bottles to buckets to flip-flops*4 — that cannot be reprocessed or recycled.　The polymer is obtained directly from factories or picked by hired locals from Nairobi's largest landfill, Dandora.

　　The collected plastic is mixed with sand, heated at very high temperatures, and compressed into bricks that vary in color and thickness.　The resulting product is stronger, lighter, and about 30 percent cheaper than concrete bricks.　More importantly, it helps repurpose the lowest quality of plastic.　"There is that waste they cannot process anymore; they cannot recycle.　That is what we get," Matee says.

　　（注）　*1 dent：効果，影響　　　　*2 unsightly：見苦しい
　　　　　　*3 brick：れんが状ブロック　*4 flip-flops：ビーチサンダル

1　ケニア政府は，保護地域での使い捨てプラスチック禁止などの措置を講じているが，これらの措置によるプラスチックごみの削減効果は小さい。

2　Matee 氏は，化学工場で得られたデータを活用・分析して，ブロックの製造やブロックを製造する機械に関する研究を行った。

3　Matee 氏は，プラスチックごみの問題を解決し，持続可能な社会を実現するために，応用物理や材料工学の教育を行うことが必要と考えている。

4　Matee 氏の会社で再利用されているシャンプーのボトルなどのプラスチック製品は，これらの製品を製造する工場がごみ処理場に廃棄したものに限定されている。

5　プラスチックごみから作られるブロックの品質は，コンクリート製のブロックより劣るが，

より低いコストで生産できることから，その生産量はコンクリート製のブロックを上回っている。

解説

出典：Daksha Morjaria "Enterprising Kenyan Engineer Finds An Innovative Solution To Use Plastic Waste"

全訳〈東アフリカにある国ケニアは，2017年に行政がポリ袋を違法化して以来，プラスチックに対する世界戦争の最前線にある。2020年6月，ケニア政府は保護地域での使い捨てプラスチック製品禁止の罰金をつり上げた。残念なことに，この先手を打った措置はほとんど効果をあげていない。何百トンもの産業由来，および消費者由来のポリマー（プラスチック）ごみが毎日埋め立て地に投棄され続けている。しかしながら，もし29歳のNzambi Matee氏が本領を発揮すれば，その見苦しいプラスチックの山はすぐにも色とりどりのれんが状ブロックに変わるであろう。

その材料技術者の，プラスチック汚染を抑制するための実行可能な解決策を見つけ出そうとする探求は，2017年に始まった。彼女は地元の化学工場の情報分析官としての仕事を辞め，母親の家の裏庭に小さな研究所を設立した。彼女が最初のれんが状ブロックを生み出すまでに9か月かかり，それらを作る機械を作るのを助けてくれるよう協力者を説得するまでにはさらに時間を要した。それでも，決心の固いこの環境起業家は自分のアイデアに自信を持っており，あきらめることはなかった。

彼女は語る。「私は，応用物理学や材料工学の分野で受けた教育を利用して，プラスチックごみ問題に関して何かをしたいと思っていました。でも，解決策は実用的で，持続可能で，しかも値段がかさまないものでなくてはならない，ということははっきりしていました。これを実行する最善の方法が，ごみを建設・建築現場に向けること，そして家を建てるのに最も効率的で手頃な素材を見つけることだったのです」

彼女の会社，Gjenge Makersは，現在112名を雇用し，1日に1,500個を超えるれんが状ブロックを生産している。その敷石は，再加工もリサイクルもできないプラスチック製品——空のシャンプーボトルからバケツやビーチサンダルにわたる——を混合したものを使って作られる。ポリマーは工場から直接もらってくるか，あるいは雇用した現地の人によって，ナイロビ最大のごみ処分場のダンドラから採集されている。

集められたプラスチックは，砂と混ぜられ，非常に高温で加熱され，圧縮されて，色や厚さの異なるれんが状ブロックへと変わる。出来上がった製品は，コンクリート製のれんが状ブロックよりも強くて軽く，30パーセントほど安上がりである。より重要なのは，それが最低品質のプラスチックの再利用に貢献しているという点である。「これ以上処理できず，リサイクルもできないごみがあります。それを私たちはいただくのです」とMatee氏は語る。〉

1. 妥当である。

2. Matee氏が化学工場に勤務していたことは述べられているが，そこで得られたデータを活用・分析したという記述はない。

3. 応用物理や材料工学の教育を行う必要性に関するMatee氏の考えは述べられていない。

4. 製造工場から直接調達する場合もあることが述べられている。

5. プラスチックごみから作られるブロックは，コンクリート製のブロックよりも強くて軽いと述べられている。また，生産量について両者を比較した記述はない。

正答 1

文章理解 判断推理 数的推理 資料解釈 時事 物理 化学 生物

文章理解
判断推理
数的推理
資料解釈
時事
物理
化学
生物

次の文の内容と合致するものとして最も妥当なのはどれか。

　　Sipping tea out of a red cup in the courtyard of the Museo Picasso Málaga, Pablo Picasso's grandson Bernard Ruiz-Picasso reflects on how these early influences shaped Picasso's art. Everything about this place is rich with history and sensuality, he says.　Civilizations collided on the soil Picasso inhabited: Phoenician, Roman, Jewish, Moorish, Christian, and Spanish.　Aromas filled the air.　Gesturing to a nearby orange tree, Bernard says Picasso drew inspiration from the color of the fruits, from the violet flowers that drape Spain's jacaranda trees, and from the beige and white stones of Málaga's 11th-century Alcazaba, set into Gibralfaro hill, steps from the museum.

　　"He kept in his mind all those senses, all those images, all those smells and colors, which nourished and enriched his brain," says Bernard, who established the museum — which opened in 2003 — with his mother, Christine Ruiz-Picasso, fulfilling his grandfather's wish.

　　Genius is almost always cultivated by parents and teachers who support and nurture the seeds of greatness.　Picasso's mother, María Picasso López, prayed for a son and revered[*1] her firstborn child.　"His mother was gaga about him," says Claude Picasso, who is the legal administrator of his father's artistic estate.　From the start, young Pablo communicated through art, drawing before he could speak.　His first word was "*piz*," short for *lápiz*, or pencil.　Like the composer Mozart, Picasso had a father in the business, José Ruiz Blasco, who was a painter and his son's first teacher. "He was the best student his father ever had," Claude says.　Picasso was still a child when his artistry began surpassing that of his father, who may have been "not only astonished but petrified[*2] by the talent of his son," Bernard says.

　　Such a mix of awe and fear is not uncommon when it comes to prodigies[*3].　The Latin *prodigium* carries the connotation[*4] of something that's unexpected but also "unwelcome and possibly dangerous," says David Henry Feldman, a longtime researcher in the field.　Prodigies perform at an advanced adult level before adolescence, playing Ludwig van Beethoven's piano sonatas or doing complex math problems while some of their peers are still learning to jump rope.　"It shakes your view of the world," Feldman says.

　　（注）　*1 revere：～を崇敬する　　*2 petrify：驚きや恐怖ですくませる
　　　　　　*3 prodigy：神童，天才児　　*4 connotation：言外の意味，含意

1　ピカソが晩年を過ごした場所は，裕福なローマ人やスペイン人などの宮廷文化が栄えた土地であり，ピカソが描いた絵画の題材にもなった。

2　天才には大抵，生まれもった偉大なる才能を支えてくれた親などがいる。ピカソには，彼のために祈ってくれた母親がいた。

3　ピカソは，言葉を話し始めた直後にスケッチを始め，最初に話した言葉はラテン語で鉛筆を意味する言葉だった。

4　ピカソの最初の教師は，作曲家であるモーツァルトに風貌が似た人物だった。また，ピカソの実力がつくにつれて，この教師は自身の指導力が追い付かなくなった。

5　神童は，同い年の子どもたちと一緒に縄跳びの練習をする一方で，経験を積んだ大人顔負けの高い技能を披露する。

解 説 ━━━━━━━━━━━━━━━━━━━━━━━━━━━━━━━━━━━━━

出典：“Intense provocative disturbing captivating genius PICASSO”, NATIONAL GEOGRAPHIC

全訳〈マラガ・ピカソ美術館の中庭で，赤いカップから紅茶をすすりながら，パブロ゠ピカソの孫であるベルナール゠ルイス゠ピカソ氏は，これら初期の影響がいかにピカソの芸術を形作ったのかについて考えをめぐらせている。この場所にまつわるあらゆるものが歴史と官能性に富んでいる，と彼は語る。ピカソが暮らしたのは，かつてフェニキア人，ローマ人，ユダヤ教徒，ムーア人，キリスト教徒，そしてスペイン人といった諸文明の衝突があった土地である。また，この地の空気には香りが満ちていた。近くにあるオレンジの木を身振りで示しながら，ベルナールは，ピカソがその果物の色から，スペイン特有のジャカランダの木を彩るすみれ色の花から，マラガのヒブラルファロの丘に築かれた，美術館から歩いて行ける距離にある11世紀建造のアルカサバ要塞のベージュ色や白色の石から，ひらめきを得ていたと語る。

「彼はそれらすべての感覚，それらすべての映像，それらすべての匂いと色を心にとどめ，そのことが彼の脳に養分を与え豊かにしたのです」とベルナールは語る。彼は母親であるクリスティーヌ゠ルイス゠ピカソとともに，2003年に開館したこの美術館を設立し，彼の祖父の望みをかなえた。

天才はほぼ常に，偉大な才能の芽を支え養ってくれる親や教師によって磨かれる。ピカソの母親マリア゠ピカソ゠ロペスは息子の誕生を祈り，最初に生まれたその子を崇敬した。「彼の母親は彼を溺愛していました」と，クロード゠ピカソ氏は語る。彼は父親の美術遺産の法的代理人を務めている。人生の始まりから，幼いパブロは美術を通して意思を伝え，話せるようになる前から絵を描いていた。彼が最初に発した言葉は「ピス」で，鉛筆を意味する「ラピス」を縮めたものであった。作曲家のモーツァルト同様，ピカソには同業の父親の存在があった。画家であり彼の最初の教師であったホセ゠ルイス゠ブラスコである。「彼は，彼の父親が得た中で最高の生徒でした」とクロード氏は語る。ピカソはまだ子どものうちから父親の美術の才能をしのぐようになり，父親は「息子の才能に驚かされたばかりでなく，身がすくんだ」かもしれない，とベルナール氏は語る。

そのような畏敬と恐怖が混ざった感情というのは，神童（prodigy）の逸話においては珍しいものではない。ラテン語の *prodigium* は，予期しないという意味のほかに「歓迎されない，ことによると危険な」という言外の意味を含んでいると，この分野の長年の研究者であるデイヴィッド゠ヘンリー゠フェルドマン氏は語る。神童は，同い年の子どもたちがまだ縄跳びの練習をしている間に，ルートヴィヒ゠ヴァン゠ベートーヴェンのピアノソナタを弾いたり，複雑な数学の問題を解いたりして，思春期に達する前から，経験を積んだ大人のレベルの技能を披露する。「一般人の世界観は揺らいでしまうのです」とフェルドマン氏は語る。〉

1．第1段落，第2段落では，マラガ（スペイン南部の都市）について述べられている。「これら初期の影響がいかにピカソの芸術を形作ったのか」などの記述から，ピカソが幼少期を過ごした土地であることがうかがわれ，「晩年を過ごした場所」と読み取れる記述はない。また，「裕福なローマ人やスペイン人などの宮廷文化が栄えた土地」といった内容の記述はない。

2．妥当である。

3．ピカソの幼少時については，「話せるようになる前から絵を描いていた」と述べられている。また，「彼が最初に発した言葉は『ピス』で，鉛筆を意味する『ラピス』を縮めたもの」との記述はあるが，それがラテン語であるとの記述はない。

4．ピカソの最初の教師は彼の父親だったと述べられており，「ピカソはまだ子どものうちから父親の美術の才能をしのぐように」なったとの記述から「自身の指導力が追い付かなくなった」とはいえるが，彼が作曲家のモーツァルトに風貌が似ていたとは述べられていない。

5．神童は，「同い年の子どもたちがまだ縄跳びの練習をしている間に」「経験を積んだ大人のレベルの技能を披露する」と述べられており，「同い年の子どもたちと一緒に縄跳びの練習をする」とは述べられていない。

正答　2

次の文の内容と合致するものとして最も妥当なのはどれか。

The modern world is currently organised politically into just over 200 nations, many of which are large and all of which enjoy substantial contact with one another. Is a nation the same as a society, and can it be said to have a culture? Ronald P. Rohner explored how best to answer these questions within a modern and changing world. He proposed that the essence of 'culture' lies in the shared way in which individuals interpret what goes on around them. These shared interpretations could cover both individual behaviours and the environment within which those behaviours occur. If you and I agree that a certain gesture indicates friendliness rather than aggression, or if we agree that that gesture is beautiful rather than ugly, we are interpreting the world around us in a similar manner. If those similarities are numerous, you and I can be said to share a culture.

Note that in principle this judgment could be applied at all levels of generality. We could identify the culture of a marriage, a nuclear family, a work team, an entire organisation, or a whole nation. In each case we should need to find a criterion against which to judge how much similarity was required before we could state that it was useful to say that a culture was present rather than absent. Given the various numbers of individuals involved, specifying a standard for consensus may be difficult. In deciding whether a family group had enough consensus to indicate that it had a shared culture, we would probably set the criterion higher than we would when deciding whether a nation has a culture.

1 現代世界は，現在，政治的に200程度の国々に体制化されており，この体制を今後も維持するために，大国どうしがお互いに実質的な接点を保つことが求められている。

2 Rohner氏は，国家に文化はあるかと問われた際，「文化」の本質に関わるその問いに対し，移り変わる現代世界において，最良の回答を見つけることは難しいと答えた。

3 自分と相手が，あるジェスチャーを見たとき，それが攻撃的か好意的か判断するよりも，それが美しいか醜いか判断する方が，自分と相手の判断は一致しやすいと考えられる。

4 自分と相手が，自分たちを取り巻く世界を類似した方法で解釈し，その類似点が多い場合，自分と相手は文化を共有しているといえる。

5 自分の家族集団内の文化を，その家族集団外の者と共有することは難しく，さらにその者が自分と違う国の家族集団に属する場合，共有することが一層難しくなる。

解　説

出典：Peter B. Smith 他 "Understanding Social Psychology Across Cultures (2nd Edition)"

　全訳〈現代世界は，現在，政治的に200を少し超える数の国々に体制化されているが，その多くは広大で，またそのすべてが互いに実質的な接点を保っている。国家は社会と同じであるのか，また国家は文化を持っているといえるのであろうか。Ronald P. Rohner 氏は，現代の変わりゆく世界の中にあってこうした問いにどう答えるのが最も適切なのかを探究した人物である。彼は，「文化」の本質は，私たちの周りで起こる出来事を各個人が解釈する，その方法の共有にこそあると提唱した。この解釈の共有の対象には，個人の振る舞いと，そうした振る舞いが起こる環境の両方が含まれるだろう。もし，あなたと私が，ある特定のジェスチャーが攻撃的態度ではなく好意を示すものだということで意見が一致すれば，あるいは，私たちがそのジェスチャーは醜くはなく美しいということで意見が一致すれば，私たちは周囲の世界を類似の方法で解釈していることになる。もしそうした類似点が数多くあれば，あなたと私は文化を共有しているということができる。

　この判断は，原則としてあらゆるレベルにおける一般論にも応用可能であることに注目しよう。私たちは結婚，核家族，仕事のチーム，組織全体，あるいは国家全体についても，その文化を特定することが可能になる。いずれの場合においても，一つの文化がないよりもあるということが有益であると私たちが明言できるにはどれほどの類似性が必要なのか，それを判断できる尺度を探し出す作業が私たちには当然必要になってくるだろう。そこに関わる個人の数はさまざまであることを考慮すれば，意見の一致の基準を定めるのは困難なことかもしれない。ある家族集団が文化を共有しているということを示すのに十分な意見の一致があるのか否かを判断するに当たって，私たちはおそらく，ある国家が文化を有しているか否かを判断するときに設定するであろう尺度よりも高い尺度を設定することになるであろう。〉

1．前半部分は正しいといえるが，後半部分については，「この体制を今後も維持するために，大国どうしがお互いに実質的な接点を保つことが求められている」といった主張は述べられていない。

2．Rohner 氏が実際に「国家に文化はあるか」と問われ，それに対して具体的な答えを述べたことを示す記述はない。本文では，Rohner 氏は「現代の変わりゆく世界の中にあってこうした問いにどう答えるのが最も適切なのかを探究した」「『文化』の本質は，私たちの周りで起こる出来事を各個人が解釈する，その方法の共有にこそあると提唱した」と述べられている。

3．あるジェスチャーを「攻撃的か好意的かで判断する」ことと「美しいか醜いかで判断する」ことを比較して，その優劣を論じた記述はない。本文では，この2つの判断基準は意見の一致を示す実例として述べられているにすぎない。

4．妥当である。

5．「自分の家族集団内の文化を，その家族集団外の者と共有すること」という内容や「その者が自分と違う国の家族集団に属する場合」といったケースについては，述べられていない。本文で述べられているのは，ある家族集団が文化を共有しているということを示すためには，ある国家が文化を有していると判断する際に用いられる尺度よりも高水準の尺度が必要になる，つまり家族内の文化を示すことは国家の文化を示すことよりも困難さを伴うという内容である。

正答　**4**

次の ☐☐☐☐ と ☐☐☐☐ の文の間のア～エを並べ替えて続けると意味の通った文章になるが，その順序として最も妥当なのはどれか。

> Near the end of a long lunch overlooking tranquil Lake Geneva, a senior vice president at a leading global company confessed to us: "We have a dozen committees on digital transformation; we have digital transformation initiatives; we are going full steam on digital transformation...but no one can explain to me what it actually means."

ア：But the point the SVP[1] was making is that it has become increasingly difficult for a company to translate that answer into an action plan.　Computers today can fit in your pocket or on your wrist, and the software applications that run on them increasingly enable the automation of tasks traditionally done by humans (such as managing expenses), the virtualization of hardware, and ever more targeted product and service customization.

イ：What's more, these apps[2] can reach people everywhere: Sensors embedded in devices and interfaces permit the real-time feed of data, allowing even more informed decision making and machine-driven recommendations.

ウ：This is not a new challenge — after all, computers and software have been around for decades and have brought changes both to products and services and to how we make and deliver them.

エ：At a very basic level, the answer is simple: The much-used term simply means adapting an organization's strategy and structure to capture opportunities enabled by digital technology.

> In short, digital technology is no longer in the cordoned-off domain of IT; it is being applied to almost every part of a company's value chain.　Thus it's entirely understandable that managers struggle to grasp what digital transformation actually means for them in terms of which opportunities to pursue and which initiatives to prioritize.

（注）　[1] SVP：senior vice president の略　　[2] app：application の略

1　ア→イ→エ→ウ
2　ア→ウ→イ→エ
3　ア→エ→イ→ウ
4　エ→イ→ア→ウ
5　エ→ウ→ア→イ

解説

出典：Nathan Furr and Andrew Shipilov "Digital Doesn't Have to Be Disruptive"
　全訳〈静かなジュネーブ湖を見渡せる場所での長時間のランチの終わり近くになって，ある大手の世界的企業の上席副社長が私たちに打ち明けた。「わが社にはデジタル・トランスフォーメーション（デジタル革命）に関する委員会が10いくつもあり，デジタル・トランスフォーメーション構想があり，デジタル・トランスフォーメーションに全力で取り組んでいます……しかし，それが実際に何を意味するのか，誰も私に説明できないんですよ」
ア：ごく基礎的なレベルの話では，その答えは単純である。頻繁に使われているその言葉は単に，デジタル技術によって可能になるチャンスを捕まえられるよう組織の戦略および構造を適合させることを意味する。

ウ：これは新しい課題ではない——なんといっても，コンピュータとソフトウェアは数十年にわたって存在しており，製品およびサービスと，それらを製造し流通させる方法の両方に変化をもたらしてきた。

ア：しかし，その上席副社長が言わんとしていたのは，会社がその答えを行動計画に移すことがますます難しくなったということだ。今日，コンピュータはポケットに入れたり腕に巻いたりすることもでき，そうしたコンピュータ上で動作するソフトウェア・アプリケーションは，伝統的に人間が行ってきた（たとえば出費の管理のような）作業を自動化し，ハードウェアを仮想化し，またこれまで以上に顧客ターゲットを絞った製品やサービスを提供することをますます可能にしている。

イ：さらに，こうしたアプリはあらゆる場所にいる人に働きかけることができる。装置やインターフェースに埋め込まれたセンサーがリアルタイムのデータ配信を可能にし，これまでよりいっそう多くの情報を得た上での意思決定やコンピュータ主導のおすすめ表示ができるようになっている。

　要するに，デジタル技術はもはやITの遮断された領域にとどまるものではなく，会社の価値連鎖のほぼすべての部分に応用されつつある。それゆえに，デジタル・トランスフォーメーションが経営者たちにとって実際のところ何を意味するのかを，彼らがどういったチャンスを追い求め，どういった構想を優先させるべきかという観点から把握しようと努めるのは，至極当然のことなのである。〉

　選択肢を見ると，アかエのいずれかで始まっている。冒頭の　　　　　の文は，筆者がある世界的大企業の経営者から聞いたエピソードで，「会社はデジタル・トランスフォーメーションに対応する取組みを続けているが，それが実際どういうことなのかを説明できる人は誰もいない」という内容の文。アは「しかし，その上席副社長が言わんとしていたのは」で始まり，「その上席副社長」は　　　　　の文の上席副社長を指し，アの「その答え」は彼の発言内容を指すことになるので，一見つながりは問題ない。一方，エは「ごく基礎的なレベルの話では，その答えは単純である」という文で始まり，「頻繁に使われているその言葉は〜を意味する」と続いている。これは，　　　　　の文の「それが実際に何を意味するのかを説明できる人は誰もいない」という内容に対する答えとなりうることから，こちらもスムーズにつながる内容である。したがって，その他の部分も含めて文章の流れを検討していく。

　イを見ると，「さらに，こうしたアプリは」と文が始まっているので，前にあるアプリに関する記述に続くと考えるのが適切である。アに「ソフトウェア・アプリケーション」とあることから，イはアの後にくると考えられる。また，ウは「これは新しい課題ではない。」という文で始まり，「これ」とは前文に含まれる内容を指すと考えられることから，何かの課題に触れた文に続くものと考えられる。

　以上を踏まえて各選択肢の並び順を考えると，**4**はイ→アとなっていることから不適切。**2**と**3**はアとイの間にウまたはエが入った形になっているが，ウ，エはいずれもアプリとは関係のない内容で，アとイのつながりが分断されてしまうため，いずれも不適切。

　残るは**1**と**5**であるが，**1**は冒頭の　　　　　の文にア→イと続く形で，世界的大企業の上席副社長が言おうとしていたことの真意は「会社がその答えを行動計画に移すことがますます難しくなったということ」であり，さらに近年のアプリの進化についての説明が続くという流れになる。その後にエが続くことになるが，これだとエの「その答えは単純である」が何に対する答えなのかが不明である。また，続く「頻繁に使われているその言葉」が何を指すかもやはり不明であり，イ→エのつながりが不自然である。一方，**5**は，エの「頻繁に使われているその言葉」が冒頭の　　　　　の文の「デジタル・トランスフォーメーション」を指すことになって意味が通り，「デジタル技術によって可能になるチャンスを捕まえられるよう組織の戦略および構造を適合させること」の部分を受けて，ウで「これは新しい課題ではない」と述べ，コンピュータやソフトウェアはすでに（デジタル・トランスフォーメーションの前から）変化をもたらしてきたという内容が続く自然な流れになる。さらに，続くアの第1文にある「その答え」はエの「その答え」の内容を指すことになり，上席副社長の真意は，今回のデジタル・トランスフォーメーションが意味する「デジタル技術によって可能になるチャンスを捕まえられるよう組織の戦略および構造を適合させること」を実際の行動計画に移すことが，これまでとは違って格段に難しくなったということである，と説明していることになるので，ウ→アのつながりも問題ない。また，ア→イの後に，末尾の　　　　　の文章で「要するに」と全体の要約が続く流れも自然である。

　したがって，正答は**5**である。

正答　**5**

国家一般職
[大卒]
No.
22
教養試験
文章理解　　英文（空欄補充）　　令和4年度

文章理解
判断推理
数的推理
資料解釈
時事
物理
化学
生物

次の文の　□□□　に当てはまるものとして最も妥当なのはどれか。

The pandemic forced us to adapt.　We found new ways to work, transcending borders and time zones through video conferencing, online broadcasts, and messaging tools.

《中　略》

How do we translate scaled human connection into tangible productivity? We redefine the idea of a "workplace" and a "meeting" (defined by location and time) with asynchronous*, placeless communication (defined by software that is accessible to all).　And we embrace media like video as a primary way to share knowledge and information at work.

Technology has reached the point where mass adoption of video can extend far beyond meetings and events — such that every time we send an email, collaborate on a project, host a training, demo a product or pitch a customer, that interaction is enhanced with engaging, professional-quality video.　Video that is then transcribable and searchable, so that the content housed within it can be made accessible across a company.

This allows us to unshackle complex, nuanced ideas from time-bound meetings, so knowledge can spread faster and be retained longer.　We can ensure that everyone　— no matter where they are or their personal responsibilities — has access to the same information. We can then build culture, promote collaboration and access talent in a truly global and inclusive way, breaking the limitations of "where" and "when" to greatly expand the "who" in our workforce.

For every business planning for the future: □□□□□□□□□□□□□□□.　Imagine how much more efficient and informed we will be when over 1 billion knowledge workers become content creators, able to learn, collaborate and connect, free from the constraints of time and place.

（注）　*asynchronous：同時に起こらない

1　it's time to adopt, not just adapt
2　it's time to see this chance as a crisis
3　it's time to break the boundary between office and school
4　it's time to enjoy different cultures
5　it's time to overcome difficulties in human relationship

解　説

出典：Anjali Sud "Technology Can Help Foster Inclusivity, Productivity at Work"

全訳〈パンデミック（感染の世界的流行）は，私たちに適応することを余儀なくさせた。私たちは新しい働き方を見いだし，ビデオ会議やオンライン放送やメッセージ用ツールを通じて，国境や時間帯を越えてやりとりした。

《中　略》

私たちは，拡張した人間のつながりをどのようにして目に見える生産性に変えるべきだろうか。私たちは「職場」や「ミーティング」（場所と時間によって規定される）の概念を，時と場所を選ばないコミュニケーション（皆がアクセス可能なソフトウェアによって規定される）という概念で定義し直すことになる。また，私たちは，動画のようなメディアを，仕事上で知識や情報を共有する主な手段として利用するようになる。

　今や科学技術の進歩は，動画の一斉採用がミーティングやイベントの域をはるかに超えて広がることが可能なレベルにまで達している。たとえば，私たちがeメールを送ったり，プロジェクトで共同作業をしたり，トレーニングを主催したり，商品の実演や顧客への売り込みをしたりするたびに，そのやりとりは魅力的でプロ並みに質が高い動画を使うことでよりよいものになる。動画はその後別の媒体に移したり検索したりすることも可能であり，その結果動画に盛り込まれたコンテンツは会社全体でアクセス可能になる。

　このことによって，私たちは複雑で含蓄に富む考えを時間に縛られたミーティングから解き放てるようになるため，知識はより速く広まり，より長く保持することが可能になる。私たちは誰もが――どこにいても，また個人の責任の所在にかかわらず――同じ情報に接する機会を確実に持つことができる。かくして私たちは，真の意味で全世界的かつ包括的な方法で文化を築き，共同作業を促進し，また才能ある人々に接することができるようになり，「いつ」「どこで」という制限を取り払うことで私たち従業員の中の「誰が」の部分の枠を大幅に広げることができる。

　あらゆる未来の経営計画にとって，今は適応するだけではなく，採用すべき時である。10億を超える知識労働者が時間と場所の制約から放たれてコンテンツの創造者となり，学びを得られ，共同作業をしてつながり合うようになるとき，私たちの仕事の能率と情報量がどれほど増大するかを想像してほしい。〉

　冒頭の2文は，新型コロナウイルスのパンデミックによって私たちの働き方が変化したという内容で，中略を挟んで以下の部分は，その変化の内容を具体的に述べた文章である。空欄補充問題なので，個々の文の内容を正確に理解する必要はなく，全体の主旨が正しく把握できているかがポイントである。

　空欄は最終段落第1文にあり，空欄の前の部分は「あらゆる未来の経営計画にとって」という意味である。最終段落の前の3つの段落では，全体として，従来の場所と時間に制約のある働き方から，オンライン技術の発達を利用した場所と時間に縛られない働き方への変化について述べられ，それにしっかりと適応することで仕事上の従来の制約が取り払われ，私たち個人だけでなく会社全体にとっても可能性が広がるという内容が述べられている。

　与えられた選択肢の意味はそれぞれ，**1**.「今は適応するだけではなく，採用すべき時である」，**2**.「今はこの機会を危機ととらえるべき時である」，**3**.「今は職場と学校の境界を取り払うべき時である」，**4**.「今はさまざまな文化を楽しむべき時である」，**5**.「今は人間関係の困難を克服すべき時である」で，このうち**1**は，「適応する」「採用する」という語が本文第1段落の「適応する」，第3段落の「採用」に対応し，文の意味も文脈に沿っている。その他の選択肢はいずれも本文のテーマや主旨から外れており，不適切。

　したがって，正答は**1**である。

正答　**1**

次の文の内容と合致するものとして最も妥当なのはどれか。

　現代国語が，英語的に大改造された日本語──「ロジカルな日本語」であることは，すでに述べました。重要なことは，それをつくった明治の知識人たちが，全面的なロジカル化を許していない，ということです。すなわち，彼らは，日本語の伝統的な「心の習慣」＝「国の個性」を保持したまま，「読む・書く・聞く・話す」のうち，「公」の部分にのみ，ロジックを閉じ込めたのです。

　よく現代文の講師が，「現代文は論理の科目だ」という言い方をします。これは，半分は正しく，半分は間違っています。現代国語において，論理的（ロジカル）に運用できるのは，そのごく一部──「公」の部分のみです。「知的な」部分と言ってもいいかもしれません。「読む・書く」ならば「評論文」であり（「現代文」とは「評論文」のことです），「聞く・話す」ならば「議論」であり「討論」，「演説」です。そもそも，もし日本語が完全にロジカル化しているのであれば，日本人が，ここまで英語の習得に苦労するはずがありません。現代国語の中に，日本語本来の「心の習慣」が残っているからこそ，永遠に英語の苦手な日本人が生まれることになったのです。

《中　略》

　二十世紀は，アメリカ文明という名の普遍的文明が世界を覆い，世界がアメリカ化していった時代でした。とりわけ，インターネットの普及により，今日，アメリカの言語（英語）が，事実上のリンガ・フランカ（世界共通語）となっています。英語と同じヨーロッパ言語を用いる国々は別として，ほとんどの国は，のきなみ伝統的な言語や文化を捨て，英語を公用語とすることで，これに対応しようとしています。日本も例外ではなく，あるいは二度目の明治維新に直面していると言っていいのかもしれません。「英語を公用語に」という動きは，僕が身を置く教育の世界でも，かつてないほど高まってきています。確かに，グローバリズムの勢いはまるでブルドーザーのようで，明治の知識人が用意した「和魂洋才」の現代国語では，もはや対応しきれないほどのものなのかもしれません。

　だからこそ，英語が支配するグローバル社会において，われわれ日本人が備えなければならない真に差し迫った課題は，英語そのものではなく，英語の「心の習慣」である「ロジック」を学び直すことです。明治の知識人たちの尊い遺産である「現代国語」を生かしながら，もう一度，いかに日本語をロジカルに運用すればよいかを，改めて考え直すことです。

1　現代国語は，英語的に大改造されたロジカルな日本語であり，日本人が日常生活のあらゆる場面で日本語を論理的に操ることを可能にした。

2　英語の習得に苦労する日本人が生まれたのは，現代国語から日本語本来の「心の習慣」を排除しようとしたもののそれができなかったからである。

3　インターネットの普及により，英語が事実上の世界共通語となった結果，明治の知識人が用意した和魂洋才の現代国語は既にその役割を終えた。

4　英語が支配するグローバル社会を生きるために，日本人は，日本語をロジカルに運用する術を考え直す必要がある。

5　日本人は，英語のロジックを学び直すことによって，現代国語をグローバル社会に適応するものに一刻も早く作り替えなければならない。

解説 ━━

出典：横山雅彦『「超」入門！論理トレーニング』

　現代国語は明治期に英語的に大改造された「ロジカルな日本語」だが，日本語の伝統的な「心の習慣」を保持したまま，「公」の部分だけをロジカルに運用できるようにしただけなので，インターネットの普及により英語が事実上の世界共通語になった現在のグローバル社会を生きるためには，現代国語を生かしながら日本語をロジカルに運用するにはどうしたらよいか考え直す必要がある，と述べた文章。

1．前半は正しいが，現代国語のうち「論理的に運用できるのは，そのごく一部」「『公』の部分のみ」とあるので，「日常生活のあらゆる場面で日本語を論理的に操る」ことができるとするのは誤り。

2．「日本語の伝統的な『心の習慣』」を保持したまま「『公』の部分にのみ，ロジックを閉じ込めた」とあり，「日本語本来の『心の習慣』を排除」しようとしたわけではないので，誤り。

3．前半は正しいが，グローバリズムの勢いは「現代国語では，もはや対応しきれないほどのもの」かもしれないとはあるものの，あくまで現代国語の限界を述べているだけで，「既にその役割を終えた」とまでは言っていない。

4．妥当である。

5．前半は正しいが，現代国語を「生かしながら」「いかに日本語をロジカルに運用すればよいか」考え直そうと述べているので，現代国語を「作り替えなければならない」と結論づけるのは不適切。

正答　**4**

次の文の内容と合致するものとして最も妥当なのはどれか。

　イノベーションは現代社会における金科玉条である。これに取り組まないものは無能，または悪である。好むと好まざるとにかかわらず，それが世界の職業人の常識となった時代に我々は生きている。イノベーションの要請は企業単位，産業単位，国家単位，行政単位，そして個人単位，これらすべてにおいて等しく起きており，日増しに大きくなる一方である。

　なぜか。その理由はテクノロジー発展スピードの近年における非連続な激化である。これを説明するにはまず，テクノロジーと人間の関係性の歴史を少し紐解かねばならない。

　そもそも人類の歴史は常に技術とともにある。技術史イコール人類史，そう言っても過言ではない。人間が石器という道具を生み出す前と後，「駆動源」を生み出した第一次産業革命の前と後，そして「電力」を生み出した第二次産業革命の前と後，それらのテクノロジー革新は人類に他の何にも増して圧倒的なインパクトを与えてきた。もっと具体的に言えば，テクノロジー革命によって人類は自らの生存の確率と期間を飛躍的に向上させ，また富の生産性を指数関数的に向上させてきた。そのことを端的に証明する二つの指標がある。人口とGDPである。世界の人口とGDPの推移を見るとこれら技術革命の前後で大きくその成長カーブが変わったことが一目瞭然である。

　しかしながら，それら過去の出来事と比べ物にならないインパクトのテクノロジーが近年になり登場した。コンピュータである。

　そこからの技術革新は，それ以前とは比べ物にならない指数関数的進化を人類にもたらした。人口もGDPの成長カーブも大きく変わり，文字通りホッケースティック・カーブを描いた。その結果，コンピューティング革命の後のたかだか70年の面積と，それ以前の数千年の面積がほとんど変わらない，というほどに人類の寿命が伸び，富が増えた。つまりはテクノロジーによる人類の進化の度合いと速度がそれまでとは非連続に，極端に変わったのである。

　これにより何が起きたか。マスメディア産業はITプラットフォーマー企業群にあっという間に斜陽産業に追いやられた。小売はEコマースによって，音楽・映像産業はオンライン配信企業によって，産業全体の大幅な規模縮小や再編を強いられることとなった。ところが，それはまだインターネットの中だけの話，つまりは序の口であった。コンピューティング・テクノロジーという非連続で劇的な発展が人類に対して迫る革新はそれで止まるはずもなく，いまやインターネットの外，つまりはあまねく全産業に染み出し，そして革新（デジタルトランスフォーメーション）を迫っている。

《中　略》

　このような世界においては，「社会の変化のスピードとインパクトよりも自らの革新が速く，大きければ勝ち，逆に遅く小さければ負け」，これがルールとなる。このルールがイノベーション至上主義という現代社会のドグマを生んだのである。

1　イノベーションは現代社会においてこそ至上のものと捉えられているが，変化を嫌う石器時代以前においてはむしろ歓迎されないものであった。

2　人類史におけるテクノロジー革新には道具の使用や産業革命などがあるが，富の生産性が指数関数的に上昇するようになったのはコンピューティング革命以降である。

3 技術史と人類史の関係を遡ってみると，人口と GDP の急激な増加をきっかけとして，産業革命などのテクノロジー革新が起こったことが分かる。

4 コンピュータの発明以降，技術の発展が社会にもたらす影響とその速度が格段に増加したため，現代社会では，これまでとは比べものにならない速さでの変化への適応や革新が求められている。

5 イノベーション至上主義という考え方が産業単位に広まったことで，コンピューティング・テクノロジーはインターネットの外にまでその恩恵をもたらすようになった。

解説

出典：蛯原 健『テクノロジー思考———技術の価値を理解するための「現代の教養」』

　人間の歴史はテクノロジーとともにあり，石器の発明，第一次・第二次産業革命が人類に大きな影響を与えたことは，それらのテクノロジー革新の前後で人口と GDP を飛躍的に増加させたことでわかるが，コンピュータによる技術革新は比べ物にならないほどの指数関数的進化をもたらし，その影響は全産業に染み出し革新を迫っている。テクノロジーが発展するスピードの激化により，現代社会ではイノベーションへの要請が大きくなり，イノベーション至上主義を生んだ，と述べた文章。

1．石器時代以前，人類が「変化を嫌」っていたかどうか，イノベーションは「歓迎されないもの」だったかどうかは，本文中に言及がない。石器の発明の前後で生存の確率と期間が飛躍的に向上したとあるので，変化があったことは確かである。

2．第 3 段落に，石器の発明や産業革命などのテクノロジー革命によって「富の生産性を指数関数的に向上させてきた」とあるので，「コンピューティング革命以降」とするのは誤り。

3．第 3 段落によれば，テクノロジー革新の結果として人口と GDP の急激な増加が生じたので，「人口と GDP の急激な増加をきっかけとして」「テクノロジー革新が起こった」とするのは，因果関係が逆である。

4．妥当である。

5．第 6，7 段落によれば，「コンピューティング・テクノロジー」が「インターネットの外」まで広がったような世界で，社会の変化より「自らの革新が速く，大きければ勝ち」というルールがイノベーション至上主義を生んだとあるので，「イノベーション至上主義という考え方」は，「コンピューティング・テクノロジー」が「インターネットの外にまでその恩恵をもたらす」より先に，産業の世界に広がったのではない。

正答 **4**

次の文の内容と合致するものとして最も妥当なのはどれか。

　ヤーコブソンは，さまざまな言語の音韻（発音）の構造を理論化したことで有名だが，彼の業績は詩論，文法論，失語症論，さらにはコミュニケーション理論まで多岐にわたっている。中でも興味深いのは，失語症の症例を分析して，患者にみられる発話能力の損傷パターンが，人間の言語が持つ本質的な二つの機能に対応しており，いずれか一方の機能の喪失として説明できるのだと論じた研究である。

　『言語の二つの面と失語症の二つのタイプ』という論文の中でヤーコブソンは，失語症の症状には，ある言葉と別の言葉が「似ているかどうか」を判断できなくなる「相似性異常」と，ある言葉と別の言葉が「文脈上の関連性を持つかどうか」を把握できなくなる「隣接性異常」という，二つの型があるのだと述べている。前者の異常を来すと，人はたとえば「望遠鏡」と「顕微鏡」の類似点や相違点が分からなくなり，後者の異常を患うと，たとえば「トースト」と「食べる」の間の関係を認識できなくなる。

《中　略》

　そして結論から言えば私は，相似性異常，つまり「選択」の能力を失った患者の症例分析を読みながら，ここに描写されているのは他ならぬ現代日本人の習性ではないかと感じずにはおれなかった。

　ヤーコブソンの分析によると，相似性異常に陥った患者は「ひとえに反応的」で，自分から主体的に会話を始めることができなくなる。他人が口火を切った後であれば，その具体的文脈に即して「隣接的」な言葉を継ぐことはできる。たとえば「ナイフが欲しい」という話に対して「フォークも必要ではないか」と応じる，という具合である。しかし自分から発話を開始するためには，どのような話題を取り上げるのか，どのような主語を用いるのかといったことについて，類似する表現を比較した上で「選択」をしなければならず，これができないのだ。

　また，相似性異常に陥った患者の発話からは，主語は省かれがちとなり，会話の内容は高度に文脈に依存したものとなる。「あれ」「やつ」「する」といった，文脈を共有していなければ具体的に何を指すのか分からないような，代名詞・代動詞的表現が多用される。言葉の意味を比較するための基準（コード）が話し相手との間で共有されているかどうかには無関心になり，目の前に広がる現実の状況を共有していることだけが，言葉の意味を伝えるための拠り所となる。言い換えると，この種の患者に可能なのは「私的」なコミュニケーションのみとなる。

　要するに，複数の表現の候補から何らかの価値基準に従って一つのものを選択するということができず，それゆえ自分から主体的に会話を始めることはなく，目の前の状況に埋没し，文脈を共有している相手にしか伝わらないような不鮮明な言葉を，私的な領域において吐き続けるだけになるというわけなのだが，これはまさに，我ら戦後日本人の情けない姿そのものではないだろうか。

1　ヤーコブソンは人間の言語が持つ本質的な二つの機能を，類似する表現を選択する能力と目の前に広がる現実の状況を共有する能力だと論じている。

2　相似性異常に陥った患者は，自分から発話を開始することが難しいが，他人が口火を切った後であれば無意識的な発話により主体的に会話を行うことができる。

3 隣接性異常に陥った患者は，ある言葉が他の言葉と文脈上の関連性を持つかどうかを把握できなくなるため，「フォーク」と「ナイフ」の区別ができなくなると考えられる。

4 失語症の患者は，目の前の状況に埋没するため，話し相手にのみ言葉の意味が共有される高度に文脈に依存した「私的」なコミュニケーションだけが可能となる。

5 筆者は，現代日本人の姿を，「選択」の能力を失い，主体的に会話を始めることはなく，不鮮明な言葉を，私的な領域で吐き続ける相似性異常の患者の症例に例えている。

解 説

出典：川端祐一郎「失語症の二つのタイプと現代日本人」(『表現者クライテリオン』2019年11月号所収)

　ヤーコブソンが，失語症の症状には「相似性異常」と「隣接性異常」の二つの型があると述べたことをもとに，「選択」能力を失い，主体的に会話を始めることができず，会話内容は高度に文脈に依存し，目の前の状況に埋没し，「私的」なコミュニケーションのみが可能だという「相似性異常」の特徴に，現代日本人の姿を見たとする文章。

1．言語の本質的な二つの機能とは，「類似する表現を選択する能力」と，「文脈上の関連性を持つかどうかを把握」する能力である。「目の前に広がる現実の状況を共有」することが拠り所となる点を，前者の能力を失った「相似性異常」の患者の症例として挙げている。

2．前半は正しいが，「相似性異常に陥った患者」が「無意識的な発話により主体的に会話を行う」かどうかについて言及はなく，「具体的文脈に即して『隣接的』な言葉を継ぐ」ことはできるが，「文脈を共有している相手にしか伝わらないような不鮮明な言葉を，私的な領域において吐き続ける」のは，「主体的に会話」することとは言い難い。

3．「隣接性異常」に陥った患者は，「フォーク」と「ナイフ」の区別ではなく，「フォーク」と「切る」の関係が認識できなくなる。「フォーク」と「ナイフ」の区別ができなくなるのは相似性異常の症例である。

4．述べられている特徴は，「相似性異常」の患者の特徴であって，「失語症の患者」すべてに関する特徴ではない。

5．妥当である。

正答　**5**

国家一般職
［大卒］
教養試験

No.
26
文章理解　　現代文（内容把握）　令和3年度

次の文の内容と合致するものとして最も妥当なのはどれか。

だれでも，個人としてのアイデンティティとは別に，「日本人」などとしてのアイデンティティを持っている。だが，自分が「X国人」であることはけっして自明なことではない。日本に生まれ，あるいはその出身者を親として持ち，日本語をしゃべり，などといったことによってそのひとが日本人になるわけではないのである。明治初年，ひとびとは「会津藩士」「長州人」といったアイデンティティは持っていても，「日本人」とは思っていなかった。「日本人」は，国民国家形成の必須条件として，統合・形成されなければならなかった。そのための装置として，現在でも身近なものが，国歌や国旗，あるいは，オリンピックやワールドカップのようなスポーツ競技などだ。

また一方には，国民意識を醸成する表象装置があった。明治天皇の全国行幸，閲兵式のようなセレモニー，肖像画の配布・掲揚は，「自分たちの統治者が誰なのか知らない」各地住人に，統治者の存在を刷り込む機能を果たした。さらに全国の地図，文学史，偉人伝，国史，思想史などによる「伝統文化」の構築によって，国民文化が構築される。

《中　略》

国民国家とは「一民族・一文化・一言語・一国家」という理念にもとづく「想像の共同体」（ベネディクト・アンダーソン）であり，さまざまな仕掛けが動員されてはじめてそれは形成される。

だからといって文化が純然たる虚構であり，各人が文化的真空状態で存在できるというわけではない。各人は，つねにすでに一定の文化を生きている。挨拶や意思伝達手法，場を共有して盛り上がるノウハウ，衣食住などの「生活形式」，視聴覚的表象（「文学」「絵画」「音楽」），身体技法（「職人技」「料理」「舞踊」）などが形成され，伝達・継承・更新される回路がそれだ。語られることなく現在に力を及ぼす「伝統」とも，それは言いかえうる。挨拶の仕方がどのようにして生まれたのかは語られないが，そのやり方を踏襲することなく円滑な他人との関係は生まれない。

それは，家庭や学校，地域，公的活動などにおいてひとびとが相互の行為を模倣し，あるいはそれに違反して制裁をうけなどするなかから，一定の行為の型が生まれるミクロの回路と，文書や稽古などの形で継承・伝達されて，ひとびとの行為の型を制御するマクロの回路からなる。ミクロの回路とマクロとの回路とのあいだには，後者によって前者が制御され，前者なくしては後者も存続しえないという関係がある。また，ミクロレベルでのわずかな偶然のゆらぎがマクロの秩序を変える。すべてを統御する主体はいない。つまりここには複雑適応系の原理が働いている。

1　自分が「日本人」であるという意識は，現在に至るまで伝達・継承・更新されてきた「伝統」を踏襲することで芽生える。

2　明治初年，ひとびとは個人としてのアイデンティティを持っておらず，「日本人」は国民国家形成の必須条件として形成・統合された。

3　国民国家の形成には国民文化が必要であるが，「国民」としてのアイデンティティの有無にかかわらず，ひとびとは一定の文化を生きている。

4 国民国家とは「想像の共同体」であり，ひとびとの個人としてのアイデンティティを失わせ，その代わりに「X国人」であるというアイデンティティを持たせる。

5 「伝統文化」においては，ミクロレベルでの秩序の変化がマクロの秩序を変えるが，マクロでの秩序の変化がミクロレベルの秩序を変えることはない。

解説

出典：貫 成人『哲学マップ』

　　国民国家意識と文化について述べた文章。国民国家は「想像の共同体」であり，国歌・国旗，スポーツ競技，さらには「伝統文化」の構築による国民文化の構築など，さまざまな装置・仕掛けが動員されてはじめて形成される。装置としての文化がある一方で，生活形式，視聴覚的表象，身体技法などとして形成，伝達・継承・更新される文化があり，これには，人々が相互の行為を模倣する中から一定の行為の型が生まれるミクロの回路と，文書や稽古などの形で継承・伝達されて，行為の型を制御するマクロの回路とがあり互いに関係しあっている，という内容。

1．「伝達・継承・更新されてきた『伝統』を踏襲」しているのは国民文化とは別の「一定の文化」であって，「日本人」という意識は「国歌や国旗」，スポーツ競技，さまざまな「国民意識を醸成する表象装置」によって形成された。

2．「だれでも，個人としてのアイデンティティとは別に」とあるので，明治初年であっても「個人としてのアイデンティティ」は持っていたと考えるのが妥当である。それとは別に「会津藩士」「長州人」などのアイデンティティはあったが，「日本人」としてのアイデンティティは持っていなかったので，「明治初年」に日本人が「形成・統合された」とするのは不適切。

3．妥当である。

4．「想像の共同体」である国民国家によって，「X国人」というアイデンティティを持たせることは正しいが，国民国家が「ひとびとの個人としてのアイデンティティを失わせ」るとは述べられていない。

5．ミクロレベルとマクロレベルの説明は，ひとびとが生きる「一定の文化」についてのものであるため，国民文化を構築するための「装置として」構築された「『伝統文化』においては」，とするのは不適切。また，「マクロの回路」によって「ミクロの回路」が「制御され」とあるので，「マクロでの秩序の変化がミクロレベルの秩序を変えることはない」と断定することはできない。

正答 **3**

次の 　　　　　 と 　　　　　 の文の間のA～Eを並べ替えて続けると意味の通った文章になるが，その順序として最も妥当なのはどれか。

> 「無常」は，通常は「世は無常」という形で語られることが多い。その意味は「一切の物は生滅・変化して常住でないこと」と『広辞苑』（第四版）では説明している。

A：それは変化を求めない感情であって，現在の事態がいつまでも続くことを望んでいるのである。周囲の人が突然死んでしまったときなど，「世は無常」などというのはこのような場合である。これらの感慨は受け身のものである。

B：人々はそのようなとき，自分の諦念の感情を「無常」という形で表現してきたのである。「世は無常」という形はその表現のひとつなのである。

C：しかし世の中の事物が常住でないことは極めて自然のことであって，それをわざわざ「無常を観じ」という形で言葉にするのは，その背後にある種の感情があるからであろう。

D：つまり世間や世の中のさまざまな掟に縛られている個々の人間としては，自分なりの生き方をしたいと思っても容易にはできない。

E：しかし無常にはそれだけでなく，もう少し積極的な意味がある場合もある。それは世間や世の中のあり方の中で解明すべきものなのである。

> 無常についてはこれまでさまざまな解釈がなされてきたが，それらは皆世間や世の中との関係をぬきにして論じられる傾向が強かった。しかし，世間という概念を対象化して初めて，無常についても解明することができるのである。

1　C→A→E→D→B
2　C→B→D→A→E
3　C→D→A→B→E
4　E→A→C→D→B
5　E→D→B→A→C

解説

出典：阿部謹也『世間とは何か』

「常住でない」という意味の「無常」の背後には変化を求めない感情があり，この場合は「無常」は受け身のものだが，「世間」との関係を取り入れて考えてみると，世間に縛られ自分なりの生き方ができない諦念の感情を「無常」と表現するように，「無常」にも積極的な意味がある場合もある，と述べた文章。

つながりが見つけやすいものをグループ分けしたり，接続語や指示語を手掛かりに選択肢と比較して考える。まず「世間」という言葉に注目すると，DとEに出ており，文章末の　　　　　にも「世間」が出てくるため，DとEから文章末の　　　　　への流れが予想できる。また，Eで無常の積極的意味を提示し，Dに「つまり」とあることからEの内容を言い換えて説明しているとわかるので，E→Dとなる。選択肢を見ると一番目はCかEになるが，上に述べた理由でEは不適切であるため，Cが一番目に来る。ここで選択肢は**1**に絞られる。**1**を見ると，Cで無常の背後にある感情について述べ，AではCの「ある感情」を受けた「それ」が，「変化を求めない感情」であり「受け身のもの」と述べる。Eの「しかし」以降で，「世間」という概念を挙げ，無常にはCまでで述べた「受け身なもの」だけではなく，「積極的な意味」があると指摘し，DとBでは，世間で自分なりの生き方ができない「諦念の感情を『無常』」で表現してきたとして，文章末の　　　　　につなげている。したがって，順序として最も妥当なのはC→A→E→D→Bで，正答は**1**である。

正答　**1**

次の文の　　　　　に当てはまるものとして最も妥当なのはどれか。

　時々、「分類学は主観的な側面が強いから、科学ではないのではないか？」という話を耳にする。その根拠は、「私がこう思うから新種」というような、その研究者の独断で種の分類が判断されているから、客観的ではないのではないか、という考えにあるようだ。

　私はそうは思わない。そもそも、自然科学に完全な客観性はありうるのだろうか。どの自然科学者も、自然現象の一部を切り取り、それに対して自分の思う実験を行い、そのデータをもって議論をしている。ある実験をしたから、こうだった、という議論を行っていくわけだが、その「ある実験」を自ら選んでいる時点で、主観的だと言わざるをえないのではないか。

《中　略》

　ある実験結果から、それがいくら99.9パーセント正しいと言えても、それを100パーセントと言い切ることはできない。論文に載せられた結果を基に主張されることは、あくまでも主張、仮説であって、厳密にいえば真実ではない。ある実験に基づく結果が発表されれば、当然他の研究者がそれを追究する、あるいは他の実験によって証明しようとする。その結果、過去の間違った解釈が修正され、より正しい解釈が加えられる。そのように（主観的な）研究成果を積み重ねて、人類は一つの真実に99.99999999……パーセントの精度で近づくのではないだろうか。そしてそれを客観性と呼ぶのだろう。

　分類学にも全くそれと同じ論理が当てはまる。ある科学者が新種として名前を付けるのは、その分類群に、その名前を新しく与えるのが正しいという「仮説」である。しかしその後、新たな形態観察や、DNA解析などによって新しい名前は不要であったことが判明し、その学名が無効になるというのは、とてもよくある話である。

　ところが研究者の少ない分類群では、100年前からあまり研究が進んでいなかったものだって存在する。種の分類が間違っている可能性が高いとしても、それを正す人がいないまま現在に至っているだけである。その場合、100年前のこのようないわゆる「古い分類」がいまだに行われているという点だけが切り取られれば、主観的と思われてしまうかもしれない。

　もし分類学者がもっと多ければ、このような間違いはあっという間に直されているだろう。したがって、「分類が主観的」と思われる原因は、私が思うにただただ分類学者が少ないことに尽きる。それゆえに、全ての古い問題をいまだに解決できていないだけなのである。分類学は、　　　　　　　　　　　　　において、他の学問分野となんら変わりはない。

1　論文を発表することで研究の結果が認められる点
2　仮説の検証を延々と続けている点
3　実験に主観的な立場を持ち込まないという点
4　研究者を育成する必要性が叫ばれている点
5　過去の研究成果が再評価されることがある点

解 説 ━━

出典：岡西政典『新種の発見』

　分類学は研究者の主観により分類が判断される側面があるから客観的な科学ではないという考えに対し，自然科学では，行う実験の主観的な選択や（主観的な）研究成果を積み重ねて真実に近づこうとしていることを客観性と呼ぶのと同様に，分類学でも新種として名づけることはあくまで「仮説」であり，間違っていても正されなかった場合，古い分類が残っていて「主観的」と思われてしまうかもしれないが，分類学者が少ないからすべての古い問題を解決できないだけで，仮説の検証を続けているという点では他の学問分野と変わらない，と述べた文章。

　本文中の空欄には，分類学が他の学問分野と変わらない点をまとめた内容が入る。自然科学自体が（主観的な）研究結果を積み重ねて真実に近づこうとすることを客観性と呼ぶことから，自然科学に完全な客観性があるとはいえない。また，自然科学と同様に分類学でも「仮説」を立て，それを検証しようとしているが，分類学は研究者が少ないために，仮説のまま残っている分類を主観的と思われてしまうという論旨に合致するものを選択肢から選ぶ。**1**，**4**，**5**は研究の主観性・客観性という論旨からかけ離れている内容なので不適切。**3**の「主観的な立場を持ち込まない」は論旨と反対であるため，不適切。よって，正答は**2**である。

正答 **2**

文章理解
判断推理
数的推理
資料解釈
時事
物理
化学
生物

次の文の内容と合致するものとして最も妥当なのはどれか。

　　In Africa around 275 million people don't have access to a decent reliable water supply. Many rural communities rely on handpumps for their daily water needs.　Yet in Africa, 1 in 4 handpumps are broken at any one time.　This can have a devastating effect on people's lives.

　　Long delays to repair out-of-action handpumps often force households to collect water from alternative distant or dirty water sources.　When a pump breaks in a school, clinic or community, it usually takes weeks or months to repair.　The health, education and economic costs, particularly for women and girls, are enormous but avoidable.

　　The Smart Handpumps project began as a DFID *-funded research project at the University of Oxford aiming to improve the sustainability of water supplies in rural Africa through innovative use of mobile data.　Many handpumps in the region were frequently left broken simply because the mechanics were not aware that repairs were needed.　The Smart Handpump technology, developed by Patrick Thomson of the Smith School of Enterprise and the Environment (SSEE), converts existing handpumps into 'Smart' handpumps, by installing a novel transmitter into their handles.　The data from these has allowed the team to design a new maintenance model that allows a team of mechanics to act quickly to repair them faster. A trial of Smart Handpumps across two counties in Kenya reduced the average downtime of a handpump to less than three days, a huge improvement on the 30 days that pumps had previously been out of order.

《中　略》

　　This interdisciplinary research project is now part of the wider SSEE Water Programme led by Rob Hope, and includes social science, natural science and engineering.　Findings have influenced water policy in Kenya at a national level, and the approach will now be tested by UNICEF in schools in Bangladesh.

　　（注）　＊DFID：英国国際開発省（Department for International Development）

1　アフリカの農村部では，手押しポンプにより水を確保する活動を母親の仕事とする慣習が残っているため，手押しポンプが故障した場合の影響は女性にとって非常に大きい。

2　アフリカでは，手押しポンプの故障は，修理に必要な部品の不足や専ら工員として働いている人がいないことから，しばしば放置されてきた。

3　今回のプロジェクトでは，手押しポンプが故障した場合に簡単に部品を取り替えられるよう設計するとともに，最新の材質を用いて手押しポンプを製造した。

4　今回のプロジェクトでは，改良された手押しポンプをケニアで試行したところ，故障により利用できない期間が以前に比べて短縮された。

5　今回のプロジェクトは，社会科学，自然科学，工学，公衆衛生にまたがるものとなっており，得られた成果は，アジアや中南米の各国政府の政策形成に影響を及ぼしている。

解説

出典：“Smart Handpumps”, University of Oxford

　全訳〈アフリカには，そこそこ頼りになる給水設備を利用できない人々がおよそ２億7,500万人いる。多くの農村地域では，日々必要な水を手押しポンプに頼っている。だがアフリカでは，いつの時点においても４台に１台の手押しポンプは故障した状態にある。このことは人々の生活に壊滅的な影響を及ぼしている。

　動かなくなった手押しポンプを修理するのに長期の遅延が生じると，しばしば家庭では，代わりに遠く離れたところにあるポンプか，汚れた水源から水をくんでくることを余儀なくされる。学校や診療所や地域社会でポンプが故障すると，たいていは修理するのに数週間から数か月かかる。健康や教育や経済に生じる損失は，特に女性や女の子たちにとって非常に大きいものになるが，これは避けられることでもある。

　「スマート手動ポンプ」のプロジェクトは，英国国際開発省が資金提供し，モバイルデータの革新的な利用を通じてアフリカ農村部における給水設備の持続可能性を改善するねらいを持った研究プロジェクトとして，オックスフォード大学で始まった。この地域の手押しポンプがしばしば壊れたままになっているのは，単に修理工が修理が必要なことに気づいていないからだ。（オックスフォード大学の）スミス企業環境大学院（SSEE）のパトリック＝トムソン氏が開発したこのスマート手動ポンプ技術は，取っ手部分に新型の送信機を装着することで，既存の手押しポンプを「スマートな（賢い）」手押しポンプに転換する。このスマート手動ポンプから送られるデータによって，研究チームは，修理工チームが即座に行動しポンプをより迅速に修理できるような新しい整備モデルの設計が可能になっている。ケニアの２つの県にまたがって行われた「スマート手動ポンプ」の試運転では，手押しポンプの平均故障期間が３日未満まで短縮され，それ以前のポンプの故障期間の30日から大幅な進歩となった。

〈中略〉

　この学際的な研究プロジェクトは現在，ロブ＝ホープ氏が主導するより広い枠組みの SSEE水プログラムの一環であり，社会科学，自然科学と工学にまたがるものになっている。これにより得られた知見はケニアの水政策に国レベルで影響を与えており，現在，ユニセフ（国連児童基金）によってバングラデシュの学校でテストされる予定になっている〉

1．手押しポンプの故障によって生じる損失は，特に女性や女の子たちにとって非常に大きいものになるという記述はあるが，その理由づけはなされておらず，「水を確保する活動を母親の仕事とする慣習」についてはまったく述べられていない。

2．手押しポンプの故障がしばしば放置されてきた理由は，「単に修理工が修理が必要なことに気づいていないから」と述べられており，部品や専門の工具の不足についてはまったく述べられていない。

3．今回の「スマート手動ポンプ」のプロジェクトについては，「モバイルデータの革新的な利用」「取っ手部分に新型の送信機を装着」「このスマート手動ポンプから送られるデータによって……」などと述べられていることから，単に簡単に部品を取り替えられるような設計や，最新の材質を使用しているといったこと以上に革新的なプロジェクトであることがわかる。

4．妥当である。

5．今回のプロジェクトが「社会科学，自然科学と工学にまたがるものになっている」という記述はあるが，公衆衛生については述べられていない。また，「アジアや中南米の各国政府の政策形成に影響を及ぼしている」といった内容はまったく述べられていない。

正答　**4**

次の文の内容と合致するものとして最も妥当なのはどれか。

These days, most researchers agree that perfectionism comes in many different forms, some of which may be more harmful than others.

One well-accepted definition splits perfectionists into three groups. You might be a "self-oriented perfectionist", who sets very high standards for just yourself; a "socially prescribed perfectionist", who believes that the acceptance of others is dependent on your own perfection; or an "other-oriented perfectionist", who expects flawlessness from those around them. Each type has their own strengths and weaknesses — and some are more harmful to a team dynamic than others.

A vast meta-analysis of 30 years of studies, conducted at the Georgia Institute of Technology, explored another commonly-used classification system: "excellence-seeking" and "failure-avoiding". The first kind of perfectionist fixates on achieving excessively high standards; the second is obsessed with not making mistakes. While both groups exhibited some of the downsides of perfectionism, including workaholism, anxiety and burnout, they were especially true of the "failure avoiding" perfectionists, who also were more likely not to be "agreeable".

Even though perfectionists may be undesirable colleagues, perhaps surprisingly, there was no relationship between perfectionism and job performance for either group, says researcher Dana Harari, who worked on the meta-analysis. "To me, the most important takeaway of this research is the null relationship between perfectionism and performance," she says. "It's not positive, it's not negative, it's just really null."

Your perfectionist colleague may be setting themselves up for failure — especially when it comes to getting along with others. Research suggests that by throwing all their weight at one task, they may inadvertently neglect others along the way, or miss the value of maintaining positive relationships with their co-workers. People who manage perfectionists, meanwhile, should encourage them to invest a little less in their work and a little more in their own wellbeing.

1 自分自身に非常に高い目標を課すような完璧主義者は，他の種類の完璧主義者より，仕事で高い成果を出す傾向を示した。

2 失敗を極端に避けようとする完璧主義者は，非常に高い完成度を求める完璧主義者より，同僚と比較的良好な関係を築きやすい。

3 完璧主義者は，仕事中毒や燃え尽き症候群など完璧主義の負の側面を示し，また，完璧主義と仕事の成果に関係はないことが分かった。

4 完璧主義者は，仕事だけではなく対人関係においても完璧主義を求めるため，完璧主義者どうしの信頼関係は強固なものになりやすい。

5 完璧主義者を部下にもつ上司は，部下が仕事でより高い成果を出すことができるように，体調管理に気を遣いつつも仕事に専念するよう促すとよい。

解説

出典：Natasha Frost,"The problem with perfectionists"

全訳〈近頃では大多数の研究者が，完璧主義には多種多様な形態があり，そのうちのいくつかは他よりも弊害が多い可能性がある，ということで意見が一致している。

広く受け入れられている，ある定義によれば，完璧主義者は3つのグループに分けられる。1つは「自己指向型完璧主義者」，これは自分自身だけのために非常に高い目標を課す人のことで，もう1つは「社会規定型完璧主義者」，これは自分自身が完璧であることで人は自分を認めてくれると信じている人のこと，さらにもう1つは「他者指向型完璧主義者」，これは周囲の人々に完璧を求める人のことだ。どの型にもそれぞれ長所と短所があり，いくつかは他のものよりも，チームの力学に弊害をより多くもたらす。

ジョージア工科大学が行った，30年間の研究についての膨大な広範囲に及ぶメタ分析（複数の研究結果を総合的に再解析する手法）が探り出したものに，別のよく用いられる分類法がある。それが「卓越性追求型」と「失敗回避型」で，前者の種類の完璧主義者は過度に高い水準を達成することに執着する。また後者は失敗をしないことに異常にこだわる。どちらのグループにも，仕事中毒，不安症や燃え尽き症候群などのマイナス面がいくつか表れていたが，特に当てはまっていたのは，より「感じがよくない」傾向も見られる「失敗回避型」の完璧主義者のほうだった。

完璧主義者が同僚にいるのは望ましくないとしても，驚くかもしれないが，どちらのグループであっても完璧主義は仕事の業績とは関係がないと，前述のメタ分析に取り組んだ研究者のダナ＝ハラリ氏は語る。「私にとっては，この研究の最も重要な留意点は，完璧主義と業績はまったく無関係というところです」と彼女は語る。「正の相関も負の相関もなく，ただ，関係がまったくゼロということなのです」

あなたの完璧主義の同僚は，自分で失敗のお膳立てをしているということなのかもしれない。特に，他者とうまくやっていくという点においてはそうだ。研究が示すところでは，ある1つの課題に全力を注ぐことで，彼らは仕事の過程でうっかり他者を無視したり，同僚とよい関係を維持することの価値をないがしろにしたりする可能性がある。そのようなとき，完璧主義者を管理する立場にある人は，自分の仕事につぎ込む労力を少し減らして自分自身の心身の健康につぎ込む労力を少し増やすよう奨励するべきだろう〉

1. 第2段落では，完璧主義者を「自分自身に非常に高い目標を課すような完璧主義者」を含む3つのグループに分け，それぞれに長所と短所があることが述べられているが，仕事の面で，どの種類の完璧主義者が「高い成果を出す」かを比較した記述はない。

2. これらの分類による完璧主義者については第3段落に述べられているが，同僚との「良好な関係の築きやすさ」について両者を比較した記述はない。

3. 妥当である。

4. 「他者指向型完璧主義者」が周囲の人々にも完璧を求めるという記述はあるが，「仕事だけではなく対人関係においても完璧主義を求める」という内容の記述は本文中にない。また「完璧主義者どうしの信頼関係」についてもまったく述べられていない。

5. むしろ，「自分の仕事につぎ込む労力を少し減らして自分自身の心身の健康につぎ込む労力を少し増やす」よう奨励するべきと述べられている。

正答 **3**

次の文の内容と合致するものとして最も妥当なのはどれか。

A new global study found the health and environmental benefits of transforming the way we farm would outweigh heavily the cost of doing so, with the authors urging governments to do more to support sustainable agriculture. "A small disruption in supply really can do a lot of damage and leads to huge price increases," said Per Pharo of the Food and Land Use Coalition, the global alliance of economists and scientists behind the study. "That creates suffering and social unrest. And it will highly likely also lead to hunger and instability," he said. Global over-dependence on a relatively small number of staple foods leaves populations vulnerable to crop failures, with climate change adding to the strain, the report said.

《中　略》

The damage the modern food industry does to human health, development and the environment costs the world $12 trillion a year — equivalent to China's GDP — the study found. It proposes a series of solutions, from encouraging more diverse diets to improve health and reduce dependency on specific crops, to giving more support to the types of farming that can restore forests, a key tool in fighting climate change.

In Costa Rica, for example, the government has reversed deforestation by eliminating cattle subsidies and introducing payments to farmers who manage their land sustainably. As a result, the amount of forest cover has risen from a quarter of the country's land in 1983 to more than half today, the report said.

The cost of the reforms it lays out are estimated to be up to $350 billion a year. But that would create business opportunities worth up to $4.5 trillion — a 15-fold return. The study said the reforms could also free up 1.2 billion hectares of agricultural land for restoration, an integral part of efforts to curb climate change and halt biodiversity loss. That is more than twice the size of the Amazon rainforest, which spans seven nations. "What we're saying is realistic if the reform agenda is implemented," said Pharo, adding that under the proposed changes, consumers would actually get slightly more affordable food.

1 報告書によれば，農作物の深刻な供給の混乱を防ぐために必要な予算は莫大であることから，先進国は発展途上国の持続可能な農業に対して積極的に支援するべきである。

2 現代においては，あらゆる国の人々が様々な農作物に依存していることから，主食の穀物に限らずどのような農作物も，わずかな供給の混乱が価格高騰につながり得る。

3 中国において，近代的な食品産業がGDPに占める割合は高く，同産業が中国の人々の健康や環境に及ぼす損害額は年間12兆ドルに達している。

4 報告書が提言する改革が実行されれば，経済的な便益が大きい上，アマゾンの熱帯雨林の2倍以上に当たる面積の森林が回復すると期待できる。

5 報告書が提言する改革は，大規模なビジネスチャンスを生むとされているが，その効果が出るのは何年後か分からず，効果の検証が難しいという課題がある。

解　説 ━━━━━━━━━━━━━━━━━━━━━━━━━━━━━━━━━━

出典：“Change agriculture and save the planet”, REUTERS（The Japan Times September 17, 2019）

全訳〈新たな世界規模の研究の成果によると，私たちが行っている農法を変革することでもたらされる健康面および環境面での恩恵は，そのために生じるコストを大幅に上回り，著者たちは各国政府に対し，持続可能な農業への支援をより一層行うように強く促している。「わずかな供給の混乱が大きな悪影響をもたらし，価格の大幅な高騰につながる可能性が実際にあるのです」と，この研究の後ろ盾となった，経済学者と科学者からなる世界規模の連合団体である「食糧と土地利用連盟」のペル＝ファーロ氏は語り，さらに「それによって生活難と社会不安が生まれ，さらには飢餓や政情不安にもつながる可能性が非常に高いでしょう」と述べた。世界が比較的少数の主食品に過度に依存していることで，各国の住民は穀物の不作に対して脆弱な状態にさらされており，気候変動がその状態にさらに負荷をかけている，と報告書は語っている。

〈中略〉

研究成果によれば，現代の食品産業が人間の健康，開発や発展，そして環境に与えている悪影響は，世界で年間12兆ドルにのぼり，これは中国のGDPに相当する額である。研究では一連の解決策が提案されており，健康状態を改善し特定の作物への依存を減らすために多様な食事を奨励するといったことから，気候変動に立ち向かう重要手段である森林を復活させるような種類の農法により手厚い支援をするといったことにまでわたっている。

たとえばコスタリカでは，政府が畜産業への補助金を削減し，持続可能な方法で自分の土地を管理する農家への支援金を導入することで，森林破壊の流れを反転させた。その結果，報告書によると，1983年に国土の4分の1だった森林資源量は，現在では半分超に上昇した。

研究が描く改革のコストは，年間で最大3,500億ドルと見積もられている。しかし，改革によって最大4.5兆ドルに相当するビジネスチャンスが生み出されることが見込まれ，15倍の見返りがある計算だ。研究はまた，改革によって12億ヘクタールの農地を修復に回せる可能性も述べており，これは気候変動を抑制し生物多様性の喪失を止める努力の欠かせない一要素である，としている。12億ヘクタールというのは，7か国にまたがるアマゾン熱帯雨林の規模の2倍を超える面積だ。「改革の予定表が実行されれば，私たちが言っていることは現実のものになります」とファーロ氏は語り，さらに，提言されている変革がなされれば，消費者が入手できる食糧は実際にわずかながら増えることになるだろう，と語った〉

1. 本文で述べられているのは，農作物の供給の混乱が深刻な事態を招くのを防ぐために改革が必要であり，改革による恩恵は必要なコストを大幅に上回るという内容である。必要な予算が莫大（ばくだい）であるとは述べられておらず，また先進国が発展途上国を積極的に支援すべきといった内容も述べられていない。

2. 本文で述べられているのは，世界が比較的少数の主食品に過度に依存しているため，わずかな供給の混乱が価格の大幅な高騰につながる可能性がある，という内容である。

3. 中国については，年間12兆ドルという金額が中国のGDPに相当すると述べられているのみで，中国の食品産業や，それが及ぼす人々や環境への影響についてはまったく述べられていない。

4. 妥当である。

5. 前半部分は正しいが，後半部分のような内容はまったく述べられていない。

正答　**4**

次の□□□□と□□□□の文の間のア～エを並べ替えて続けると意味の通った文章になるが，その順序として最も妥当なのはどれか。

There is no doubt pirate ships did not instill[1] the same rigid discipline as merchant ships or the navy, partly because the work could be shared among a larger crew, so they had free time for drinking, gambling, and music.

ア：Such rules were often approved by the entire crew who, in turn, elected their captains.　This organization is strikingly different from the hierarchical arrangements on naval vessels.

イ：There were frequent fights, as was only natural among crews that were united by a desire for sacking[2] and looting rather than national loyalties.

ウ：Even so, other witnesses say pirate ships were not just a free-for-all.　To maintain the crew and ship, they had to organize guard duties, assign sailing tasks, and administer provisions.

エ：Some crews had codes of conduct: gambling, fighting, and belowdecks drinking were banned, and each man's share of provisions, clothes, and, of course, loot, was assigned in advance.　Captains also had absolute authority during pirate attacks.

At their best, pirate crews were often highly meritocratic.　The best qualified members — those with nautical knowledge or the strong personality needed to maintain order among natural rebels in an undisciplined setting — quickly rose through the ranks, regardless of social rank.

（注）　[1]instill：染み込ませる　　[2]sacking：略奪

1　イ→ウ→エ→ア
2　イ→エ→ウ→ア
3　エ→ア→ウ→イ
4　エ→イ→ア→ウ
5　エ→ウ→イ→ア

解説 ━━━━━━━━━━━━━━━━━━━━━━━━━━━━━━━━━

出典：Maria Lara Martinez, "Ahoy! It's the real pirates of the Caribbean and the Carolinas"
　　全訳〈海賊船には，商船や海軍の艦船ほどには同一の厳格な規律が浸透していなかったこと

は疑いがないが、その理由の一つには、乗組員の数がより多く仕事の分担が可能だったことがある。それゆえ、彼らは酒を飲んだり賭け事をしたり音楽を楽しんだりする自由な時間があったのだ。

イ：けんかはしょっちゅうだったが、それは、国家への忠誠心よりも略奪や強盗への欲望によって団結している乗組員の間ではごく自然なことだった。

ウ：そうではあっても、別の見方によれば、海賊船はなんでもやりたい放題の場というわけではなかった。乗組員と船を維持するために、見張り役を配置し、航海の作業を割り当て、食料を管理する必要があったのだ。

エ：一部の乗組員には行動規範があり、賭け事やけんか、甲板下での飲酒は禁止されていた。また乗組員一人ひとりの食糧、衣服、もちろん戦利品もだが、それらは前もって割り当てられていた。また船長には、海賊行為の間は全権が委ねられていた。

ア：そのようなルールはしばしば全乗組員によって承認され、代わりに彼らは船長を選出した。この組織のあり方は、海軍艦艇における階級制度的な取り決めとは著しく異なるものだ。

その最良の状態においては、海賊の乗組員は非常に能力主義的であることが多かった。最も資質を備えた船員、すなわちそれは、航海の知識を備えている者、あるいは規律のない状況の中で、根っからの荒くれ者たちの間で秩序を維持するために必要とされる強い性格の持ち主のことだが、そうした船員は社会階層に関係なく、すぐに出世を遂げた〉

選択肢を見ると、イかエのいずれかで始まっている。冒頭の▢▢▢▢の文は、海賊船には商船や海軍の艦船ほど厳格な規律がなかったという主旨の文。イは「けんかが頻繁にあった」という文で始まっており、規律の緩い海賊船で起こる出来事として自然につながる内容である。一方、エは「一部の乗組員には行動規範があった」という文で始まっている。文頭に逆接を表す明確な語句はないものの、「……厳格な規律がなかった。ただし、一部の乗組員には規範が存在した」という流れで読むことはできるので、不自然とは言い切れない。したがって、それ以外のア、ウの内容を踏まえて適切な順序を考える。

アは Such rules「そのようなルール」で始まっているので、その前にルールについて説明する文がなければならない。また、ウは Even so「そうではあっても」という〈譲歩〉の表現で始まり、海賊船はなんでもありの場というわけではなく、一定の規律が存在したという内容が続いている。

以上の内容から、ウはイに続く内容としてふさわしいことがわかる。また、ウの第2文はルールについて説明しており、エの文章もルールについての説明といえる。したがって、イ→ウという順序を含み、アの前にウまたはエが置かれているものを選択肢から探すと、**1**のみがこれに該当する。

1はイ→ウ→エ→アという順序になっているので、改めて全体を通して読むと、ウからエに続く流れ、またアから最後の▢▢▢▢の文へと続く流れも不自然さはなく、全体が違和感なくつながる。したがって、正答は**1**である。

正答 **1**

文章理解　判断推理　数的推理　資料解釈　時事　物理　化学　生物

次の文の　□　に当てはまるものとして最も妥当なのはどれか。

For as long as Seemay Chou can remember, she has gone to bed at midnight and woken around 4:30 a.m.　Chou long assumed that meant she was a bad sleeper.　Not that she felt bad. In fact, sleeping just four hours a night left her feeling full of energy and with free time to get more done at her job leading a research lab that studies bacteria.　"It feels really good for me to sleep four hours," she says.　"When I'm in that rhythm, that's when I feel my best."

Still, in an effort to match the slumber schedules of the rest of the world, she would sometimes drug herself — with melatonin or alcohol — into getting more sleep.　It backfired. "If I sleep seven or eight hours, I feel way worse," she says.　"Hung over, almost."

Although the federal government recommends that Americans sleep seven or more hours per night for optimal health and functioning, new research is challenging the assumption that 　□　.　Scientists have found that our internal body clocks vary so greatly that they could form the next frontiers of personalized medicine.　By listening more closely to the ticking of our internal clocks, researchers expect to uncover novel ways to help everybody get more out of their sleeping and waking lives.

1 fruitful daily activities bring longer sleep
2 lack of sleep is correlated with lack of exercise
3 older people can fall asleep easily
4 sleep patterns can be traceable by using a clock
5 sleep is a one-size-fits-all phenomenon

解 説

出典：Mandy Oaklander,"The next frontier of personalized medicine : your inner clock"

全訳〈シーメイ＝チョウは，自分が覚えていないくらい前からずっと，夜中の12時に床について朝の4時半頃に起きるという生活をしている。チョウは長い間，自分は眠りが浅いと思い込んでいた。だが，それが悪いと思っていたわけではない。実際，夜に4時間しか眠らなくても，彼女は気力が満ちているように感じていたし，細菌研究を行う研究所のリーダーを務める彼女の仕事においても，より多くのことがこなせる自由な時間が持てていたのだ。「私には4時間睡眠がとても合っている感じがします」と彼女は語る。「そのリズムで生活しているときが，自分が絶好調だと感じるときなんです」

とはいえ，世間一般の眠りのスケジュールに合わせようと，ときにはメラトニン（訳注：体内で分泌される，睡眠に関係するホルモン。ここではその分泌を促すサプリメントのことと思われる）やアルコールのような睡眠剤の力を借りて，もっと睡眠を取ろうとしたこともあった。だがそれは逆効果だった。「7，8時間も眠ると，ずっと気分が悪いんです」と彼女は語る。「ほとんど二日酔いのような感じね」

アメリカ政府は，国民が申し分なく健康で正常に活動するためには毎晩7時間以上眠ること

を推奨しているが、新しい研究は、睡眠は万人に共通の現象であるとの想定に異を唱えるものになっている。科学者が知りえたことは、私たちの体内時計は人によって非常に異なっており、それは個別化医療の次の最先端を担う可能性もあるほどだということだ。私たちの体内時計が刻む音にもっと耳を傾けることで、科学者たちは、誰もが自分の睡眠時間と起きている時間からより多くを得るために活用できる、革新的な方法を見つけ出すことを期待している〉

　第1、2段落より、睡眠時間が話題になっていることがわかる。最初の2つの段落はある女性の睡眠傾向が、本人の発言とともに述べられており、この女性は普段の睡眠時間がかなり人より少ないが、そのほうが元気に生活できると感じていることが読み取れる。これに続く第3段落は特定の人物の発言は含まれておらず、一般論が述べられていることがわかる。本文中の空欄を含む第1文は Although「～であるが」で始まり、コンマの前の functioning までが従属節、new research から空欄部分までが主節である。従属節は「アメリカ政府は、国民が申し分なく健康で正常に活動するためには毎晩7時間以上眠ることを推奨しているが」という意味なので、主節は逆接的につながる内容になることがわかる。new research is challenging the assumption that ......は「新しい研究は、……という想定に異を唱えている」という意味で、動詞 challenge は「異議を唱える、疑問視する」の意味であることに注意。that はいわゆる「同格の that」で、ここでは空欄部分が the assumption「仮定、想定」の内容を表すことになる。

　以上より、新しい研究が異議を唱えている想定とは、従来の一般的な考え、すなわち文前半の「毎晩7時間以上の睡眠が必要」と相通じる内容になることが予測できる。また、空欄に続く第3段落第2文では、「私たちの体内時計は人によって非常に異なる」という研究成果が述べられているので、空欄はそれと反対の、「誰でも同程度の睡眠時間が必要」といった内容になることが予測できる。

　与えられた選択肢の意味はそれぞれ、**1**「日々の実りある活動はより長い睡眠をもたらす」、**2**「睡眠不足は運動不足と関連がある」、**3**「年配の人は簡単に眠りにつくことができる」、**4**「睡眠のパターンは時計を活用することで追跡できる」、**5**「睡眠は万人に共通の現象である」で、このうち文脈に合うのは**5**のみで、正答は**5**である。

　なお、one-size-fits-all は One size fits all.「1つのサイズが皆にフィットする」から、「フリーサイズの、万人共通の、さまざまな場面に対応できる」という意味で使われる形容詞である。

正答　5

国家一般職
[大卒]
No.
34
教養試験
文章理解　　現代文（内容把握）　　令和2年度

文章理解

判断推理

数的推理

資料解釈

時事

物理

化学

生物

次の文の内容と合致するものとして最も妥当なのはどれか。

　現代とは，137億年の時空で，宇宙，地球，生命，文明を語ることができる時代です。137億年の時空という視点に立つことで，我々が知らない領域がどこにあるのか，我々は何を分かっていないのかを，ようやく知ることができるようになった時代に，我々は生きているということです。

　我々は他と関わることで自らの世界を築いてきました。ホモ・サピエンスの歴史がそのことを物語っています。常にその時々の生活空間，あるいは自らの内部モデルの境界線を踏み越え，その外に出て，関わっていくことで，自らの時空を拡げてきたのです。

　その営みは，知の世界でいえば「辺境に普遍を探り続けてきた」ということになります。普遍を探るとは，拡大する時空の中で，自らの知の限界を問い直すという行為です。それは，他との関わりの中で我という存在の意味を問うことでもありました。人間圏の拡大を振り返れば，むしろ，そのことのために，我々は拡大を繰り返してきたのではないかとさえ思えます。

　「我々はどこから来たのか　我々は何者か　我々はどこへ行くのか」

　人間圏がひとつの岐路に立っていた19世紀の終わり，ゴーギャンが絵画を通して投げかけた問いに対して，21世紀に生きる我々は，こう答えたいと思います。すべての答えは，「我々がどこに行こうとしているのか」の中にある，と。地球を俯瞰する視点を持った人類として，我々は，こう答えるべきなのです。

　もちろん，それは，新たな岐路に立つ人間圏の未来に対する答えでもあります。「我々はどのような人間圏を築こうとしているのか」

　文明に関するすべての問いかけの答えは，すべてここに行き着きます。

　今，我々は，時空の境界とどのように関わろうとしているかを問われています。その時空とは137億年の時空です。その時空との関わりの中で普遍を探り続けること，すなわち我々とは何かを問い続けることこそ，我々が存在することの意味なのではないでしょうか。

　「我関わる，ゆえに我あり」――。

　人間は，人間が存在することの意味を，他との関わりの中で問うていく存在です。人間とは何か。それに対する答えは，我々が普遍を探る，自らの思索と行動の中にこそあるのです。

1　人間は，137億年の時空の中で，宇宙，地球，生命を解明できる存在として歴史を刻んでおり，知の世界の普遍を探ることで，原理原則を発見してきた。

2　我々は，活動範囲を広げて自らの知の限界を問い直すことで，他と関わり自らの世界を築いていくことができるようになってきた。

3　地球を俯瞰する視点を持つホモ・サピエンスは，他との関わりの中でこそ，自らの存在意義を見いだすことができる。

4　19世紀は，不確実性の時代であり，ゴーギャンが「我々はどこへ行くのか」などの問題提起をしたが，そこには21世紀になって登場する時空との関わりという観点は含まれていなかった。

5　人間圏が肥大化すれば，自らの内部モデルの境界線を越えた外側にも大きな影響を及ぼすことになり，自らの知の限界を問い直す活動が徐々に困難となっていく。

解説

出典：松井孝典『我関わる、ゆえに我あり』

人間は，境界線を踏み越え外に出て他と関わることで自らの世界を築き，我々という存在の意味を探り続けてきた。137億年の時空の境界にいる現在，その時空の境界とどのように関わるか，そして我々とは何かを問い続ける思索と行動こそが，人間が存在する意味ではないか，と述べた文章。

1．「地球を俯瞰（ふかん）する視点を持った人類」とはあるが，「俯瞰（ものごとの全体像をとらえる）する」ことと，宇宙や地球を「解明」することとは別の問題である。また，人類が「原理原則を発見してきた」という記述は本文中には見られない。

2．「他と関わり自らの世界」を築くという営みが「知の世界」で行われると，「自らの知の限界を問い直す」という行為になるのだから，「知の限界を問い直す」ことで「自らの世界を築いていくことができるように」なったという方向性を示すのは誤り。

3．妥当である。

4．19世紀の終わりは「人間圏がひとつの岐路に立っていた」とはあるものの，19世紀が「不確実性の時代」だったかどうかは本文中で明確に言及されていない。また，ホモ・サピエンスの歴史として常に「時空を拡げてきた」ことから，「時空との関わり」は「21世紀になって登場」したわけではない。21世紀の現代になって，「137億年の時空」や「地球を俯瞰する視点」を持つことができるようになったというだけである。

5．境界線を越えた外にかかわっていくことで，「自らの知の限界を問い直」し「人間が存在することの意味を」問うという営みが議論の対象であり，外側への影響は問題として取り上げられていない。また，人間圏が拡大しても，「普遍を探り続ける」とあるため，「徐々に困難となっていく」とするのは誤り。

正答　**3**

次の文の内容と合致するものとして最も妥当なのはどれか。

　T氏やS氏の写真を見ていると「シャーマンとしての写真家」という存在のあり方がほのかに見えてくるような気がする。いうまでもなく，古代世界におけるシャーマンは，神話的な空間においてその感受性をさまざまなやり方で研ぎ澄まし，高度に磨き上げていった。彼らは歌や，踊りや，占いや，楽器の演奏や，絵を描くことなどを通じて，向こう側とこちら側，夢の世界と現実世界とを媒介し，結びあわせようとしてきたのだ。

　写真家もまた，カメラを呪具として用いて未知の世界に踏み込み，そこに渦巻いている統御不能な力の源泉に触れ，そのメッセージを受けとって，われわれに「写真的思考」の形で伝えようとしているのではないだろうか。かけ離れたもの同士を互いに結びつけ，特殊なものに普遍性を付与し，偶然を必然化し，見えないものを感知していくような神話的な想像力が，その有力な武器になることはあらためていうまでもないだろう。

　未開社会のシャーマンは，驚きと奇蹟に満ちた自然と人間の社会とを媒介する重要な役目を果たしていたのだが，国家が成立し，宗教が誕生してからはむしろ社会の片隅に追いやられていった。だがその末裔は，目立たぬ形で活動を続けていた。中世以降，鉱脈や水脈を探るために杖を手に山の中を歩き回っていた鉱山師，すなわちダウザー（dowser）たちもその系譜に位置づけられるだろう。

《中　略》

　ダウザーたちは杖を通じて鉱脈や水脈が発する見えないエネルギーの波動を感じとり，それを自らの深層意識と照応させて，杖の動きとして発現させようとする。むろんそれは誰にでもできるわけではなく，一人前のダウザーとして認められるには，厳しい修行（ダウジングの前に唱える呪文や杖の操作法の習得など）とともに，もともと彼らの中に内在する資質が必要だった。

　科学と魔術が一体化した鉱山師たちのダウジングの行為は，形を変えて写真撮影の行為の中に受け継がれているのではないだろうか。杖の先に感じる微かな気配，不可視の生命力の身じろぎを，写真家たちはシャッターを押す指の感触に変えて，受けとめようとしているのだ。写真家にとっての水脈とは，いうまでもなく心を揺さぶる「決定的瞬間」のイメージであろう。どうやら優れた写真家たちには，必ずそのような水脈を感知する，ダウザーとしての高度な能力が備わっているようだ。

　神話的想像力に裏打ちされた「写真的思考」の水脈が枯渇する時，写真という表現の媒体の命脈も尽きる。だが，それほど心配する必要はないかもしれない。多くの現代写真家たちの中に，シャーマン＝ダウザーの資質を色濃く受け継ぐ者たちが次々にあらわれてきているからだ。社会が混乱を極め，バランスを失い，あらゆる場所に不均衡な歪みが広がりつつあるいま，逆にその補償作用のように「シャーマンとしての写真家」の存在意義が高まりつつあるのではないか。

　希望を失うことはない。写真という鳥はまだ高く，風を切って飛び続けている。

1　古代世界におけるシャーマンは，現代の写真家のように驚きと奇蹟に満ちた自然と人間の社会とを媒介することを通じて，未開の夢の世界と現実世界との橋渡しをしてきた。

2　ダウザーは，社会で存在感が薄れたシャーマンに代わり，経験的に獲得した資質を用いて，自然界に渦巻く統御不能な力を杖の動きとして発現させようとする。

3　写真家は，シャーマンとダウザーから直に受け継いだ，偶然を必然化し，エネルギーの波

動と深層意識を照応することで科学と魔術を一体化する技術の伝承者である。

4 シャーマン＝ダウザーとしての資質を有する写真家は，不可視のものを捉える高度な感受性と共に，カメラを呪術的な媒体として用いることで決定的瞬間を表現しているといえる。

5 社会の不均衡が目立ち，写真的思考の命脈がむしろ存続せざるを得ないことにより，優れた現代の写真家には補償作用として神話的想像力が宿る。

解説

出典：飯沢耕太郎『写真的思考』

　写真家はカメラを呪具として用いて，神話的想像力に裏打ちされた写真的思考の形で，未知の世界の心揺さぶる「決定的瞬間」をわれわれに伝えようとしている。自然と人間の社会を媒介するシャーマンや，杖を通じて鉱脈や水脈を発見するダウザーの行為が，形を変えて写真家の写真撮影の行為に受け継がれており，バランスを失った現代社会では「シャーマンとしての写真家」の存在意義は高まりつつあるかもしれないと述べた文章。

1.「自然と人間の社会とを媒介する」ことと，「夢の世界と現実世界との橋渡し」をすることは，シャーマンの役目として同内容を言い換えたものであるから，前者を「通じて」後者を行うとするのは不適切。

2. 第4段落に，「もともと彼らの中に内在する資質」とあり，資質を「経験的に獲得した」とすると「内在する」という記述と矛盾する。

3. 筆者は，写真家の写真撮影の行為をシャーマンやダウザーにたとえて「受け継がれている」と述べているだけなので，「直に受け継いだ」「技術の伝承者」とするのは，本文の趣旨から外れている。

4. 妥当である。

5. 優れた写真家の神話的想像力とは，「水脈を感知する，ダウザーとしての高度な能力」であって，「内在する資質」と考えられるから，社会が不均衡化したことの補償作用として宿るものではない。

正答 **4**

文章理解　判断推理　数的推理　資料解釈　時事　物理　化学　生物

文章理解
判断推理
数的推理
資料解釈
時事
物理
化学
生物

次の文の内容と合致するものとして最も妥当なのはどれか。

　構造という概念は一般にはいろいろな場面で用いられる。解釈学的な，あるいは存在論的な哲学においても構造ということは語られる。しかし，レヴィ＝ストロースに発する現代の構造主義や，また今日広く流布している常識に準拠して言えば，構造は通常，とりわけ近代科学，しかも近代の自然科学の精神によって，「科学的法則」という形で見出され認識されてくるところの，諸事象の「客観的」「必然的」な仕組みのことと解されることが多く，またそれは必至でもある。何しろ，私たちは，17世紀に生じた科学革命以来，近代科学を学問の理想と考え，その発展を推進し，またそれの技術的享受を今日大規模な形で目の当たりにしているからである。構造と言えば，科学の，しかも近代の自然科学の観点に立って捉えられた構造のみが有効であり，他の見方もこれを範としなければならない，とする考え方は，今日濃厚に人々の脳裡に浸透しているように思う。しかし，この近代科学的な認識における構造概念は，どのような特色を持つのであろうか。またそれは絶対的なものであろうか。むしろそこには重大な問題点が潜んでいないであろうか。私たちは今，この枢要かつ困難な大問題の前に立っている。

　一般に，科学的認識は，いかにそれが華々しい成果を生み出そうとも，根本的には二つの限界を持っている。一つには，科学は必ずある方法的道具立てにおいて問題事象に接近し，おのれの角度によって当該事象を切り取り，重要な側面のみを「抽き出し」，他の側面は捨象する。科学は，本質的に，「抽象的」であり，一面的であらざるをえない。したがって科学が進歩すれば，必ず「細分化」が起こり，科学は「個別諸科学」としてしか存在しえない。そのために，近時のようにいかに「学際的」研究の必要が叫ばれようとも，しかし科学の上記の本質性格は払拭しえない。したがって，科学は事象の「全体性」への見通しをどうしても欠きやすい。ここに全体性というのは，単なる諸部分の総和のことではなく，自己と世界の生きた全体性の「原理的」考察の意味において言われている事柄である。そしてこのこととも結び付いて，二つには，科学は，「客観的」な事実の確認に終始し，そうした事実に対して人間が「主体」としていかにかかわるべきかという価値や行為，さらには自己と世界の存在の意味といった問題局面には，何の指示をも与えてくれない。こうして，科学とは別の知が，私たち人間にはどうしても必要になる。それは，自己と世界の存在の原理的全体を見通しつつ，その中に生きる主体としての人間の在り方を熟慮する知恵の営みである。これが本当の意味における「哲学」なのである。

1　解釈学的な哲学における構造とは，近代科学の観点から捉えられた諸事象の客観的な仕組みのことであり，このため，私たちは近代科学を学問の理想と考え，その発展を推進している。

2　科学が有する限界が認識された今，諸構造の中に解体され個別諸科学となった科学には，科学とは別の哲学が必要であり，科学はやがて哲学に統合されねばならない。

3　科学は，本質的に抽象的で一面的であらざるを得ないため，学際的研究の必要が叫ばれた結果，科学の細分化が起こり，事象の全体性への見通しを欠きやすくなった。

4　科学は，本質的には自己と世界の原理的全体を見通すことができず，自己と世界の存在の意味を導くことができないため，私たちには「哲学」が必要である。

5 人間は，科学的認識を獲得し哲学的に熟慮することで，人間が事実に対して主体としていかに関わるべきかという価値や行為を科学的認識により与えられるようになる。

解 説 ━━━━━━━━━━━━━━━━━━━━━━━━━━━━━━━━━

出典：渡邊二郎「構造と解釈」（『渡邊二郎著作集 第9巻 解釈・構造・言語』所収）

　近代科学的な認識における構造とは「科学的法則」という形で認識される諸事象の「客観的」「必然的」な仕組みのことであるが，こうした構造概念には重大な問題点が潜んでおり，それは，そもそも「科学的認識」に，全体性への見通しを欠きやすいという限界と，「主体」としての人間の在り方は論じないという限界があることから生じている，と述べた文章。

1．「近代科学の観点から捉えられた諸事象の客観的な仕組み」は，現代の構造主義や今日の常識における構造のとらえ方であり，「解釈学的な哲学における構造」とするのは，誤り。

2．前半は正しいが，科学とは別に必要とされる知として「哲学」が挙げられているのであり，科学が「やがて哲学に統合される」べきかどうかについては，本文中になんら言及はない。

3．「科学の細分化」は，科学の進歩とともに必然的に起こったのであり，「学際的研究の必要が叫ばれた結果」ではない。

4．妥当である。

5．科学は，客観的な事実の確認に終始するため，「人間が『主体』としていかにかかわるべきか」という問題には「何の指示をも与えてくれない」とあり，それらが「科学的認識により与えられるようになる」とするのは誤り。

正答 **4**

文章理解

判断推理

数的推理

資料解釈

時事

物理

化学

生物

国家一般職
[大卒] No.
37 教養試験

文章理解　現代文（内容把握）　令和2年度

次の文の内容と合致するものとして最も妥当なのはどれか。

本書執筆の動機となった原風景は，ここまで何度も触れてきた私たちの姿だ。

それは道路を歩いているとき，駅のホームで電車を待っているとき，満員電車で立っているとき，友達とお茶をしているときなど，隣にどのような他者がいるのかほとんど気にすることなく，一心にスマホの画面を眺めている，私たちの姿だ。

至便のメディアであるスマホを通して自由に多様な情報を入手し，遠くにいる知り合いと言葉をかわし，退屈な時間を過ごすためにゲームに熱中する。それぞれが別のことに専心し，異なる時間や意味を生きている瞬間だろう。

こうした多様性が達成されているはずの光景に対して，私は何ともいえない気持ち悪い"均質さ"を感じてしまうのだ。

スマホの画面に集中し，画面からあふれる情報とだけ交信する姿。この不気味な一様さ，均質さはいったい何だろうか。

《中　略》

考えてみれば，スマホは単なる便利な情報機器にすぎない。しかしこの機器が私たちの身体に対して，「このように生きなさい」といわんばかりの規範や規律を押しつけ，私たちは，その強制する力をとくにあやういとも感じないままに，従順に従っているように思える。

もしそうした規律や規範のなかに，「私（スマホのこと）を通して初めて世界が理解できるし，他者ともつながることができるのだから，私の言うことはすべて正しく，それに従いなさい」とでもいうような中身が醸成されていくとすれば，これはもう不気味で恐ろしい近未来のSF的日常が，私たちの前に出現することになるだろう。

そんな心配はしなくてもいいよ，過剰な心配にすぎないよ，という声が聞こえてきそうだが，私は別にスマホを拒絶しているのではない。そうではなく，なんらかの〈外〉からの力に対して，すぐに許容し，順応し，従順に従ってしまう私たちの身体こそが問題ではないだろうかと，危惧しているのだ。

1　現代は誰もがスマホを通して情報と交信することができるが，むしろ自由に多様な情報を入手することができなくなっている。

2　多様性が受け入れられ，達成された結果，皆が他者との関わりを一切断って，一心にスマホの画面を眺める均質さが生まれたという本末転倒な現象が起きている。

3　今後，スマホが自律的に進化していき，いずれスマホが人類を支配するような，近未来のSF的日常が出現するだろう。

4　スマホは単なる情報機器にすぎないと意識することが，〈外〉からの力にすぐに順応しないための第一歩である。

5　不気味な一様さや均質さに何の違和感も持たず，与えられた規範や規律をすぐに許容し，順応してしまうことが問題である。

解　説

出典：好井裕明『違和感から始まる社会学　日常性のフィールドワークへの招待』

　　隣の他者を気にせず一心にスマホの画面を眺めている私たちの姿は，多様な情報を入手し，それぞれが別のことに専心し，異なる時間や意味を生きているという意味で多様性を達成しているはずなのに，不気味な均質さが感じられるのは，スマホが私たちに規範や規律を押しつけ，その強制力を疑問に思わず従順に従っていることが不気味だからと，外からの力に従順に従ってしまう私たちの身体を問題視した文章。

1．第3段落に「スマホを通して自由に多様な情報を入手し」とあるため，「入手することができなくなっている」とするのは誤り。

2．「隣にどのような他者がいるのかほとんど気にすることなく」とはあるが，第3段落にスマホを通して「遠くにいる知り合いと言葉をかわし」とあるため，「他者との関わりを一切断って」とまではいえない。

3．第7段落で，スマホに支配される近未来のSF的日常が出現する可能性は述べられているが，スマホが「自律的に進化」するという記述はないので，不適切。

4．第8段落で，私たちの身体が〈外〉からの力に従順に従ってしまうことが危惧されているが，スマホに対しどう対処するかまでは言及されていない。

5．妥当である。

正答　**5**

次の文のA，Bに当てはまるものの組合せとして最も妥当なのはどれか。

　現在，脳神経科学やそれに影響を受けた分野では，行為における意志の役割に強い疑いの目が向けられている。とはいえ，意志を行為の原動力と見なす考え方が否定されたのはこれがはじめてではない。哲学において，意志なるものの格下げをもっとも強く押し進めたのは，17世紀オランダの哲学者，スピノザである。

　意志概念に対するスピノザのアプローチを理解するうえで忘れてならないのは，彼が，しばしばその主張として紹介される「自由意志の否定」には留まらなかったということである。

　たしかにスピノザは，「自由な意志」という概念を斥け，この世界とわれわれの心身を貫く必然性に則って生きることをよしとした。スピノザによれば，意志は「自由な原因」ではない。それは「強制された原因」である。すなわち，私が何ごとかをなすのは，何ごとからも自由な自発的意志によってではない。いかなる物事にも，それに対して作用してくる原因があるのだから，意志についてもそれを決定し，　　A　　がある。人々がそのことを認めようとしないとすれば，それは，彼らが自分の行為は意識しても，　　B　　のことは意識していないからに過ぎない。

　こうしてスピノザは簡潔かつ説得的に，「行為は意志を原因とする」という考えを斥けた。

　だが，スピノザの考察は「自由意志の否定」をもって終わるのではない。スピノザは，にもかかわらずなぜわれわれは，「行為は意志を原因とする」と思ってしまうのか，と問うことを怠らない。

	A	B
1	何ごとかを志向するよう強制する原因	行為へと決定する原因
2	何ごとかを志向するよう強制する原因	行為がもたらす結果
3	何ごとからも制約を受けない条件	自由意志が行為に働きかける作用
4	何ごとからも制約を受けない条件	行為がもたらす結果
5	自由意志が行為に働きかける作用	行為へと決定する原因

解 説

出典：國分功一郎『中動態の世界───意志と責任の考古学』

　スピノザは，人が何かをするのは何ごとからも自由な意志からではなく，意志にも意志を決定し強制する原因があると考え，「行為は意志を原因とする」という考えを斥(しりぞ)け，さらにはなぜ人が「行為は意志を原因とする」と思うのかまで問うた，と述べた文章。

　Aの前までで，スピノザによれば，人が何かをするのは「何ごとからも自由な自発的意志によってではない」とあるので，Aを含む文も同様の内容になる。Aの直前で「いかなる物事」にも「作用してくる原因があるのだから」と述べているので，意志についても「物事」と同様に「作用してくる原因がある」という内容が入る。したがって，「何ごとかを志向するよう強制する原因」が入る。「何ごとからも制約を受けない条件」は，むしろ「自由な」「自発的」意志に近い意味なので不適切。「自由意志が行為に働きかける作用」は，そもそもスピノザは自由意志を否定しているので不適切。ここで，正答は**1**か**2**となる。Bには人が意識しないものが入る。本文全体で行為と行為の原因との関係が論じられており，Bの直前で「行為」については「意識」しているとあることから，Bは「行為へと決定する原因」が入るのが妥当である。「行為がもたらす結果」については，本文になんら言及がないため，不適切。

　よって，正答は**1**である。

正答 **1**

文章理解
判断推理
数的推理
資料解釈
時事
物理
化学
生物

次の文の内容と合致するものとして最も妥当なのはどれか。

UNHCR, the UN Refugee Agency, is today calling on European governments to allow the immediate disembarkation of 507 people recently rescued on the Central Mediterranean who remain stranded[*1] at sea. Many are reportedly survivors of appalling abuses in Libya and are from refugee-producing countries. They are in need of humanitarian assistance and some have already expressed an intention to seek international protection.

"This is a race against time," said Vincent Cochetel, UNHCR Special Envoy for the Central Mediterranean. "Storms are coming and conditions are only going to get worse. To leave people who have fled war and violence in Libya on the high seas in this weather would be to inflict suffering upon suffering. They must be immediately allowed to dock, and allowed to receive much-needed humanitarian aid."

151 people remain on board an NGO's boat while 356 people more have been rescued in recent days by a rescue ship of another NGO. A port of safety should be immediately provided and responsibility shared amongst States for hosting them after they have disembarked.

Many European leaders expressed their shock at the events last month when more than 50 people died in an airstrike on a detention centre in Tajoura, Libya, and as many as 150 others died in the largest Mediterranean shipwreck[*2] of 2019. These sentiments must now be translated in to meaningful solidarity with people fleeing from Libya. This includes providing access to territory and asylum procedures to people seeking international protection.

Nearly 600 people have died or gone missing on the Central Mediterranean in 2019. In comparison to the Central Mediterranean, far more people are arriving, and far fewer people dying, on the Western and Eastern Mediterranean routes.

（注）　[*1]strand：立ち往生する　　　[*2]shipwreck：難破

1 UNHCR は，ヨーロッパ各国政府と協力して中央地中海で遭難していた人々を救助したが，507人はまだ海上に取り残されている。

2 Cochetel 氏は，暴力から逃れてきた人々を悪天候の中で海上に留めておくことは，更なる苦痛を与えることになるため，人道的援助が必要であるとしている。

3 UNHCR は，リビアで国内避難民のための保護センターを運営しており，空爆を逃れた多数の人々を保護している。

4 ヨーロッパ各国の指導者達は，国内世論の反発が大きいため，リビアから逃れてきた人々に上陸の許可を与えることや難民として受け入れることは困難であると表明した。

5 難民がリビアからヨーロッパに渡るに当たっては，西地中海を通るルートの方が，中央地中海を通るルートよりも命を落とす危険性が高い。

解説

出典："UNHCR urgent Europe to allow 507 rescued passengers to disembark", UNHCR Website, News Release on 13 August 2019

全訳〈国連の難民機関であるUNHCR（国連難民高等弁務官事務所）は今日，ヨーロッパ各国政府に対し，このたび中央地中海で救助されたまま海上で立ち往生している507人の即時の下船を許可するよう，要請を行っている。報告によれば，多くがリビアにおける不当で劣悪な扱いから逃れてきた人たちであり，難民を生み出している国々から出国した人たちである。彼らは人道支援を必要としており，一部はすでに国際的な保護を求める意志を表明している。

「これは時間との闘いです」とヴァンサン＝コシュテル中央地中海担当特使は語った。「嵐が近づいており，状況は悪化する一方です。リビアでの内戦や暴力から逃れてきた人たちをこの天候で公海上に留め置くことは，苦難の上にさらに苦難を課すことになります。彼らは直ちに港に停泊し，至急必要な人道的援助を受けることを許されなければなりません」

151名がNGOの救命艇に乗ったままであり，一方でここ数日の間にさらに356名が，別のNGOの救難船によって救出されている。直ちに安全な港を提供し，彼らが下船した後の受入れに各国が責任を分担する必要がある。

先月リビアの（首都トリポリ郊外の）タジューラにある移民収容センターへの空爆で50名超が死亡し，さらに150名もの人が地中海で起こった2019年最大の難破事故で亡くなった一連の出来事については，多くのヨーロッパの指導者がその衝撃を言葉にした。こうした所感は今，リビアから逃れてきている人々との意味ある連帯の言葉へと変換されなければならない。これには，国際的な保護を求める人たちへ上陸の許可を与えたり亡命の手続きをとったりすることが含まれる。

中央地中海では，2019年に600名近くが亡くなるか行方不明となっている。中央地中海に比べ，西地中海あるいは東地中海経由でははるかに多くの人々が到着しており，死者ははるかに少ない〉

1．海上に取り残されているのは507人ではなく151人で，一方，356人はすでに救出されていると述べられている。また，救助はNGOの活動によって行われたものであり，UNHCRがヨーロッパ各国政府と協力して救助したとは述べられていない。

2．妥当である。

3．このような内容はまったく述べられていない。本文にある，リビアのタジューラにある移民収容センターとは，欧州に渡る中継地としてのリビアにアフリカ各国から集まってくる人々が収容されていた施設であり，リビア内戦に巻き込まれる形で空爆の犠牲となった。本文ではそこまでの背景は説明されていないが，本肢のように，UNHCRが運営する国内避難民の保護センターであり，空爆を逃れた人々を保護していると読み取れる記述は一切ない。

4．上陸の許可や難民の受け入れの必要性をUNHCRや筆者が主張していることは述べられているが，ヨーロッパ各国指導者の否定的な反応については述べられていない。

5．西地中海ルートと中央地中海ルートについて，リビアからヨーロッパに渡る難民に限ってその安全性を比較した記述はない。地中海経由で（アフリカ大陸から）ヨーロッパに渡る人々について，中央地中海に比べて西地中海および東地中海経由のほうがはるかに人数が多く死者も少ないと述べられている。

正答 **2**

文章理解
判断推理
数的推理
資料解釈
時事
物理
化学
生物

次の文の内容と合致するものとして最も妥当なのはどれか。

Fictional British detective Sherlock Holmes is probably one of the most popular and well-known detectives in literary history. Known for his brilliant analytical skills and ability to decipher complicated clues, the consulting sleuth* has been depicted on screen 254 times and even holds the Guinness World Record for the most portrayed literary human character in film & TV. Hence, it is not surprising to hear that the Royal Mint, responsible for producing coins in the United Kingdom, has honored the iconic detective with a commemorative coin.

Released on May 22, 2019, in honor of creator Sir Arthur Conan Doyle's 160th birthday, the 50 pence (75 cent) coin features a silhouette of Holmes, complete with the detective's famous deerstalker hat and calabash pipe, on one side and Queen Elizabeth II on the other. Surrounding Holmes' image are some of his most popular mysteries including, *The Hound of the Baskervilles*, *The Sign of the Four*, *The Valley of Fear*, as well as the sleuth's debut novel — *A Study in Scarlet.*

The tiny lettering of the titles, which require a magnifying glass to read, may seem like a mistake caused by the attempt to cram in too much in a small space. However, the coin's designer, Steve Raw, says he deliberately put them all there to bring out the "inner detective" in fans. He explains, "Naturally, the only way to solve 'the mystery of the text' is by using that essential piece of equipment always carried by the intrepid sleuth: a magnifying glass."

《中　略》

Born in Edinburgh, Scotland on May 22, 1859, Doyle was a trained doctor running a clinic, before discovering his passion for writing. Holmes' character was based on Dr. Joseph Bell, a renowned forensic scientist at Edinburgh University, whom Doyle studied under. Following the tremendous success of *A Study in Scarlet*, which was published in 1887, the imaginative author penned four novels and 56 short stories, the last in 1927, starring the detective and his sidekick, Dr. Watson. In addition to the screen adaptations, Holmes, whose mysteries continue to entertain and fascinate fans young and old, has been featured on radio dramas, live stage, and even computer games.

The United Kingdom's fun tradition of featuring fictional characters on currency began in 2016, when the Royal Mint celebrated Beatrix Potter's 150th birthday with limited edition coins featuring characters from the author's iconic children's story, *The Tale of Peter Rabbit*. In 2018, to mark his 60th birthday, the adorable Paddington Bear appeared on a set of commemorative coins available for purchase on the government agency's website. We wonder who will be next!

（注）　*sleuth：探偵

1 Sherlock Holmes は，作者の Arthur Conan Doyle の生誕160周年に当たる2019年，登場した作品の発行部数が最も多かったキャラクターとしてギネス世界記録に認定された。

2 Sherlock Holmes の記念硬貨には，彼の小道具でもあった虫眼鏡と共に，彼が登場する代表作の一節が刻まれている。

3 Arthur Conan Doyle は，医師として診療所を開業していた時期があり，師事していた法医学者を基に Sherlock Holmes のキャラクターを作った。

4 Sherlock Holmes が登場する最初の作品は，*A Study in Scarlet* であり，出版された当時，本の売行きはよくなかったが，その後の映画は大ヒットした。

5 英国において，記念硬貨に架空のキャラクターを刻むのは，それまで Peter Rabbit などの企画はあったが，実際に発行されたのは Sherlock Holmes が初めてであった。

解説 ●━━━━━━━━━━━━━━━━━━━━━━━━━━━━━━

出典：“Popular British Detective Sherlock Holmes Honored On The Royal Mint's New Commemorative Coin”, DAKSHA MORJARIA

全訳〈イギリス生まれの架空の探偵シャーロック＝ホームズは，文学史の中でおそらく最も人気があり，よく知られた探偵の一人である。卓越した分析力と，複雑な手がかりを解き明かす能力で知られるこの顧問探偵は，これまで254回映画に登場し，映画やテレビで最も多く取り上げられた文学上の人物として，ギネス世界記録までも持っている。それゆえ，イギリスで硬貨を発行する権限を持つ王立造幣局が，国を象徴するようなこの探偵に記念硬貨で敬意を表したと聞いても，驚くには当たらない。

作家のアーサー＝コナン＝ドイル卿の生誕160年を記念して2019年5月22日に発行されたこの50ペンス（75セント）硬貨は，この探偵につきものである鳥打帽とカラバッシュ（ひょうたん）製のパイプも描かれたシャーロック＝ホームズの姿を片面に，もう一方の面には女王エリザベス2世を配している。ホームズの肖像の周囲に記されているのは，彼の推理小説の中でも非常に人気の高い作品である「バスカヴィル家の犬」「四つの署名」「恐怖の谷」，そしてこの探偵のデビュー作である「緋色の研究」などのタイトル群である。

このタイトル群のごく小さな文字を読むためには拡大鏡が必要であり，狭いスペースに多くを詰め込もうとした失敗のように思えるかもしれない。だが，硬貨のデザインを担当したスティーブ＝ロー氏は，ファンの心の中にある「内なる探偵」を引き出そうと意図的にそれらを配置したのだと語る。彼は，「言わずもがなですが，『文書の謎』を解く唯一の手段は，あの大胆不敵な探偵がいつも身に着けていた不可欠の道具，つまり虫眼鏡（拡大鏡）を使うことですから」と説明している。

〈中略〉

1859年5月22日にスコットランドのエディンバラで生まれたドイルは，診療所を開業する熟練した医師だったが，後に書くことへの情熱を見いだした。ホームズの性格は，ドイルが師事したエディンバラ大学の有名な法医学者であるジョセフ＝ベル博士をもとにしている。1887年に発表された「緋色の研究」が大成功を収めたのをきっかけに，この想像力豊かな作家は，探偵とその相棒であるワトソン博士が登場する4つの長編小説と56の短編小説を執筆し，最後の作品は1927年に書かれた。その推理小説群は今も老若男女のファンを楽しませ，魅了し続けており，ホームズは映画版のほかにも，ラジオドラマや舞台，さらにはコンピュータゲームにまで取り上げられている。

架空の人物を通貨に登場させるという，イギリスの遊び心ある伝統は2016年に始まったものだ。この年，王立造幣局はビアトリクス＝ポターの生誕150年を祝って，この作家の代表作である童話「ピーターラビットのおはなし」のキャラクターたちを配した限定版の硬貨を発行した。2018年には，その生誕60周年を祝って，愛らしい熊のパディントンが記念硬貨セットに登場し，造幣局のウェブサイトで購入することができた。いったい次は誰が登場するのだろう！〉

1. シャーロック＝ホームズがギネス世界記録に認定されていることは述べられているが，それは「映画やテレビで最も多く取り上げられた文学上の人物として」であり，作品の発行部数の多さが理由ではない。また，2019年は彼の記念硬貨が発行された年として述べられており，ギネス世界記録に認定された年は述べられていない。

2. 記念硬貨に刻まれているのは，ホームズが登場する代表作の「タイトル」であり，作品の一節ではない。また，それらを読むためには拡大鏡（虫眼鏡）が必要と述べられており，虫眼鏡が硬貨に刻まれているとは述べられていない。

3. 妥当である。

4. 前半部分は正しいが，後半部分が誤り。最初に発表された「緋色の研究」は大成功を収めたと述べられている。

5. 記念硬貨に架空のキャラクターを刻む試みは2016年に始まり，その最初がピーターラビットだったと述べられている。企画段階の話に終わらず，実際に限定版の硬貨が発行されたことが述べられている。

正答 **3**

次の文の内容と合致するものとして最も妥当なのはどれか。

　Unseen to most of us, almost all plants form below-ground interactions with beneficial soil microbes[*1]. One of the most important of these partnerships is an interaction between plant roots and a type of soil fungi[*2] called arbuscular mycorrhizal fungi.

　The fungi form a network in the soil and provide the plant with soil minerals, such as phosphorus[*3] and nitrogen. In return, the fungi receive sugars from the plant. This cooperation between plants and fungi is crucial for plant growth, including of many crops. Plants sometimes even get up to 90% of their phosphorus from these soil fungi.

　In collaboration with a team of international researchers, we set out to better understand plant cooperation. We wanted to know why some relationships of plants with soil fungi flourish and others collapse.

　This involved analysing a large database of plant-fungal interactions containing thousands of species and using computer models to reconstruct the evolutionary history of the partnership. We found that despite having successfully cooperated for over 350 million of years, partnerships among plants and soil fungi can break down completely.

　Once we knew that that plant-fungus[*2] cooperation could fail, we wanted to understand how and why the relationship breaks down. We found that in most cases the plants were replacing the fungi with another cooperative partner who did the same job, either different fungi or bacteria. In the other cases, plants had evolved an entirely different way of obtaining the required minerals — for instance, they had become carnivorous plants which trap and eat insects.

　Our study shows that despite the great potential benefits of the relationship, cooperation between plants and fungi has been lost about 25 times. It is quite crazy that such an important and ancient collaboration has been abandoned so many times. So why did this happen?

　One explanation is that in some environments, other partners or strategies are more efficient sources of nitrogen or phosphorus, driving a breakdown of previously successful cooperation between plants and fungi.

　For instance, carnivorous plants are often found in very nutrient-poor bogs. Even an ancient beneficial fungus, specialised in efficiently shuttling nutrients to their partner plants simply cannot get the job done there. So, plants evolve a different way to get their nutrients: trapping insects.

　（注）　[*1]microbe：微生物　　[*2]fungi：（fungus の複数形）菌類　　[*3]phosphorus：リン

1　植物は，土壌の菌類からミネラルを受け取る一方，土壌の菌類に対して水や酸素を与えている。

2　国際的な研究チームは，植物と土壌の菌類との協力関係や，食虫植物が昆虫を捕まえるメカニズムを明らかにした。

3　植物と土壌の菌類の協力関係は，3億5千万年以上続いており，これまで，その関係が解消されたことはない。

4　食虫植物は，土壌の菌類との協力関係に加えて，昆虫を捕まえる機能を進化させたと考えられている。

5　植物は，環境に応じて，より効率的に栄養を得るための方法を採ってきたと考えられている。

解説

出典：“Plant relationships breakdown when they meet new 'fungi'”, University of Oxford Science Blog, 1 May 2018

全訳〈私たちの大多数には見えないが，ほぼすべての植物は，有益な土壌微生物（善玉菌）と地中で作用し合う関係にある。こうした協力関係の中で最も重要なものの一つに，植物の根と，アーバスキュラー菌根菌と呼ばれる土壌菌類の一種の間で行われるやり取りがある。

この菌は土壌にネットワークを形成し，植物にリンや窒素など土壌のミネラルを供給する。そのお返しに，菌は植物から糖を受け取る。植物と菌のこの協力関係は，多くの作物を含む植物の成長にとって不可欠のものである。ときに植物は，そのリンの最大90％をこうした土壌菌類から得ている。

国際的な研究者チームとの共同作業により，私たちは植物の協力関係をもっと理解しようと試みた。私たちは，ある種の植物と土壌菌類との関係は成果を上げ，ほかの場合は関係が崩れてしまうのはなぜかを知りたいと思った。

その作業には，何千種もの植物と菌類の相互作用についての大量のデータを分析し，コンピュータモデルを使ってこの協力関係の進化上の歴史を再構成する必要があった。私たちがわかったのは，3億5千万年以上にわたって協力が成功を続けているにもかかわらず，植物と土壌の協力関係は完全に崩れてしまう可能性もあるということだった。

植物と菌類の協力関係が失敗に終わる可能性があると知ると，今度は私たちは，なぜ，またどのように関係が崩れるのかを理解したいと思った。私たちがわかったのは，ほとんどの場合，植物が菌類の代わりに，同じ仕事をする別の協力的な提携者，具体的には他の菌類またはバクテリアに乗り換えているということだった。そのほかの事例では，植物は必要なミネラルを得るまったく別の方法を発達させていた。たとえば，昆虫を捕まえて食べる食虫植物になっていたのだ。

私たちの研究が示すところでは，両者の関係が大きな利益をもたらす可能性があるにもかかわらず，植物と菌類の協力関係はこれまでおよそ25回失われてきた。こんなにも大事で昔からある共同作業がそれほど何度も放棄されてきたとは，まったく正気の沙汰とは思えない。ならばなぜそれが起こったのだろうか。

一つの説明は，ある種の環境においては，他の協力相手や戦略のほうが窒素やリンの供給源としてより効率的であり，結果として，以前はうまくいっていた植物と菌類の協力関係が破綻してしまったというものだ。

たとえば，非常に栄養分に乏しい沼地では，しばしば食虫植物が見られる。協力相手の植物に栄養分を効率的に運ぶことに特化した，昔からある善玉菌ですらも，そこではまったく役割を果たすことができない。そこで，植物は栄養分を得る別の方法，つまり虫を捕まえるという手段を発達させたのだ〉

1. 土壌の菌類は，植物から糖を受け取ると述べられている。

2.「食虫植物が昆虫を捕まえるメカニズム」については述べられていない。

3. 前半部分は正しいが，後半部分については，これまで25回ほど関係が解消されてきたという研究結果が述べられている。

4. 食虫植物は，ある種の環境の下で土壌の菌類との協力関係を解消した植物が進化したものであると述べられている。

5. 妥当である。

正答　**5**

文章理解　判断推理　数的推理　資料解釈　時事　物理　化学　生物

次の ◻︎◻︎◻︎ と ◻︎◻︎◻︎ の文の間のア〜オを並べ替えて続けると意味の通った文章になるが，その順序として最も妥当なのはどれか。

Work four days a week, but get paid for five?

ア：Many organizations in Europe are cutting workweeks, though not wages, from 36 hours (five days) to 28 hours (four days) to reduce burnout and make workers happier, more productive, and more committed to their employers.

イ：The measure is still heavily debated, with proponents saying it created jobs and preserves work-life balance and critics saying it reduces the competitiveness of French firms.

ウ：Leading today's trend is the Netherlands, where the average weekly working time (taking into account both full-time and part-time workers) is about 29 hours — the lowest of any industrialized nation, according to the OECD.

エ：It sounds too good to be true, but this debate is front and center within numerous European economies, not only because of a culture shift toward accommodating flexible working but also because some evidence suggests it's good for business.

オ：The four-day workweek is not a new idea: France implemented a reduction of working hours (*les 35 heures*) almost 20 years ago to create better work-life balance for the nation.

Dutch laws passed in 2000 to protect and promote work-life balance entitle all workers to fully paid vacation days and maternity and paternity leave.

---

1 ア→イ→オ→エ→ウ
2 ウ→ア→オ→イ→エ
3 ウ→エ→イ→ア→オ
4 エ→ア→オ→イ→ウ
5 エ→ウ→イ→ア→オ

解説

出典："Will the 4-Day Workweek Take Hold in Europe?", Ben Laker and Thomas Roulet
　全訳〈週4日働いて，でも給料は5日分？
エ：うますぎる話に聞こえるかもしれないが，これは数多くのヨーロッパの国内で最も注目されている議論だ。それは柔軟な働き方を受け入れる方向へ向かう文化的変化だからというだ

けでなく，それが事業のためにもよいことを示す証拠があるからだ。

ア：ヨーロッパの多くの組織が，働きすぎを減らして従業員をより幸せにし，生産性を高め，より雇用主に貢献できるよう，賃金を減らさずに週の労働を36時間（5日）から28時間（4日）に減らしつつある。

オ：週4日労働というのは何も新しい考え方ではない。フランスではほぼ20年前に，この国にとってよりよいワークライフバランス（仕事と余暇のバランス）を生み出そうとして，労働時間の削減（週35時間）を実施している。

イ：この措置は今も激しい論争の的となっている。支持者はそれによって雇用が創出されワークライフバランスが保たれていると言い，批判者はフランスの会社の競争力が減退していると言っている。

ウ：現在のトレンドを先導しているのはオランダで，OECD（経済協力開発機構）によると，そこでは週平均労働時間は（フルタイムとパートタイムの両方を入れて）約29時間と，先進各国の中では最少である。

ワークライフバランスを保護し促進するために2000年に可決されたオランダの法は，すべての労働者に減額なしの有給休暇と出産育児休暇をとる権利を与えている〉

　選択肢を見るとア，ウ，エのいずれかで始まっている。冒頭の囲みの文は，「1週間に4日働くが，5日分の給料が支払われる？」という意味であり，エの It sounds too good to be true は「それはうますぎて本当のこととは思われない」という意味なので，It が前文の内容をさしていると考えれば，冒頭の文にスムーズにつながる。また，アも「ヨーロッパの多くの組織が……週の労働を36時間（5日）から28時間（4日）に減らしつつある」というのが文の骨格で，コンマで挿入された though not wages は though they are not cutting wages「賃金は削減していないが」の意味ととれるので，冒頭の文につながる内容である。一方，ウは「現在のトレンドを先導しているのはオランダで…」で始まり，1週間の平均労働時間が約29時間という記述はあるが，5日分の賃金への言及はなく，冒頭の文に続けるには唐突な感じがある。また，末尾の囲みの文にある Dutch は「オランダの」の意味を表す形容詞なので，ウはむしろ並べ替えの最後に置くのが自然ではないかと推測できる。したがって，この時点で**2**と**3**，および**5**もウの位置が不自然であることから，正答の候補から外れる。

　その他の文を見ると，イとオの文は French，France という語があることから，フランスの事例が紹介されていることがわかる。イの主語 The measure は「その対策」という意味なので，オ→イと並べるのが妥当であると推測できる。

　1は，アの文が「ヨーロッパの多くの組織が……」で始まるのに対して，フランスに限定した話であるイが続くのは不自然である。さらにイ→オの後にエを続けるのも，this debate「この議論」がさすものが不明であり，またここで再びヨーロッパ各国の話になっているのは不自然である。したがって**1**も正答の候補から外れる。

　残る**4**は，エを最初に置くことで，this debate は主語 It とともに冒頭の文をさすことになり，続くアにも違和感なくつながる。そして，オの「週4日労働は新しい考えではない」で，ここまでの話題を受けて具体的にフランスの事例を紹介するという流れになる。さらに，オ→イからウと続けることで，フランスの事例からオランダの事例に話題が移って末尾の囲みの文に自然につながり，全体の流れが自然に通る。

　したがって，正答はエ→ア→オ→イ→ウと続く**4**である。

正答　**4**

文章理解
判断推理
数的推理
資料解釈
時事
物理
化学
生物

次の文の　　　　に当てはまるものとして最も妥当なのはどれか。

　The idea that there were once "pure" populations of ancestral Europeans, there since the days of woolly mammoths, has inspired ideologues since well before the Nazis. It has long nourished white racism, and in recent years it has stoked fears about the impact of immigrants: fears that have threatened to rip apart the European Union and roiled politics in the United States.

　Now scientists are delivering new answers to the question of 　　　　　　　　　. Their findings suggest that the continent has been a melting pot since the Ice Age. Europeans living today, in whatever country, are a varying mix of ancient bloodlines hailing from Africa, the Middle East, and the Russian steppe.

　The evidence comes from archaeological artifacts, from the analysis of ancient teeth and bones, and from linguistics. But above all it comes from the new field of paleogenetics*. During the past decade it has become possible to sequence the entire genome of humans who lived tens of millennia ago. Technical advances in just the past few years have made it cheap and efficient to do so; a well-preserved bit of skeleton can now be sequenced for around $500.

　（注）　*paleogenetics：古遺伝学

1 who Europeans really are and where they came from

2 why woolly mammoths went extinct

3 why ancient Europeans migrated repeatedly

4 what causes the new discrimination

5 how far "pure" Europeans have traveled

解説

出典：“The Birth of Europe：Genetic Tools Tell What's in the Melting Pot”, Andrew Curry

　全訳〈かつてマンモスの時代からヨーロッパの地には，祖先となる「純粋な」ヨーロッパ人たちがいたという考えは，ナチスが登場するずっと以前から特定のイデオロギーの信奉者を刺激する発想となってきた。それは長い間白人至上主義をはぐくみ，近年では移民の影響に関して恐怖感をかき立てている。それは欧州連合（EU）を引き裂くほどの脅威となり，アメリカの政治的混乱のもととなっている。

　現在科学者たちは，ヨーロッパ人とはいったい何者か，そして彼らはどこから来たのかという問いへの新たな解答を出そうとしている。彼らの知見が示すところでは，この大陸は氷河時代から人種のるつぼであった。そして，どの国であれ，今日居住しているヨーロッパ人は，アフリカ，中東，そしてロシアのステップ（大草原）地帯に出自を持つ古い血筋のさまざまな混合種であるとのことだ。

　その証拠は，考古学上の人工遺物，祖先の歯や骨の分析，そして言語学に由来するものだが，とりわけ新しい分野である古遺伝学に負うところが大きい。この10年の間に，何万年も前に暮らしていた人間の全ゲノム配列を決定することが可能になった。わずかここ数年の技術の進歩により，それがより安価で効率的にできるようになった。保存状態のよい骨格の断片があれば，今では500ドル前後で全ゲノム配列を決定することが可能だ〉

　第1段落第1文で，昔からヨーロッパの地には，祖先となる「純粋な」ヨーロッパ人たちがいたという考えがあり，それが歴史的に特定のイデオロギーの信奉者を刺激する発想となってきたという，本文の主題が述べられている。続く第2文では，このような考えが昔から白人至上主義思想をはぐくむ土壌となってきたこと，また現在では欧米で移民排斥運動の背景となっていることが述べられている。

　これに対して，空所を含む第2段落第1文は「現在科学者たちは，＿＿＿＿＿という問いへの新たな解答を出そうとしている」という意味で，続く第2文以降では，ヨーロッパ大陸が氷河時代から人種のるつぼであったこと，また，今日居住しているヨーロッパ人は，アフリカや中東やロシアの草原地帯に出自を持つ古い血筋のさまざまな混合種であるという，科学者の知見が示されている。

　さらに第3段落では，科学者がこのような結論に至った証拠について，特に古遺伝学という新しい分野からのアプローチを取り上げて述べられている。

　以上のことから，空所に入る内容は，第1段落で述べられる内容のうち社会問題的な部分ではなく，今日いるさまざまなヨーロッパ人のルーツとなる「『純粋な』ヨーロッパ人」の部分に関するものであることが推測できる。

　選択肢の意味はそれぞれ，**1**「ヨーロッパ人とはいったい何者か，そして彼らはどこから来たのか」，**2**「なぜマンモスは絶滅したのか」，**3**「なぜ古代のヨーロッパ人は繰り返し移住したのか」，**4**「何が新たな差別を引き起こすのか」，**5**「『純粋な』ヨーロッパ人はどれくらい遠くまで移動したのか」で，このうち第2段落第2文以降の内容に自然につながるものは**1**のみ。

　よって正答は**1**である。

正答　**1**

次の文の内容と合致するものとして最も妥当なのはどれか。

社会学における「理論」とは，それなしには理解不可能な現実を理解するための道具であり，調査した事実によっていつも試され，更新されていく。逆にどんな調査にも「理論」が不可欠であり，調査を計画するさいにも，調査結果からなにかを導き出すにも，物差しで筋道立てて考えてみる，という「理論」が必要だ。社会学は「調査」と「理論」のあいだをいつも往復する運動である。

「調査」と「理論」を往復するというのはなんだか面倒で，現場で調べることと，それをもとに考えることのベクトルは異なるから，矛盾するように思ったり引き裂かれるように感じたりすることがある。だから「調査か理論か」と考える立場もあるが，むしろ「調査も理論も」と考えてその「あいだ」を往復するとき，社会学はいちばん生産的なものになるだろう。これは，社会学をめぐるほかの「あいだ」についてもいえる。

社会学には，一方で「科学」をめざすベクトルがある。自然科学（たとえば「空気」や「重力」を対象とする）が自然を外部から観察し，数量化し，法則を発見しようとするのと同じように，人間と社会を観察し，数量化し，法則化しようとする。そのために「調査」をし，「理論」をつくることの価値は，コントがいうように，社会の「法則」を見つけて制御可能なものにすることをめざすならば，じつに大きい。自然科学としての医学が，人体を観察してその「法則」を発見し，それによって治療を行えるようになるのと同じだ。

と同時に，社会学は社会のなかで生きる人々が「物語」を紡ぎ出していること，その物語なしには人間も社会も存立できないことにつねに注目している。家族でも会社でも国家でも，そこに生きるひとりひとりが，自分が生きていることや他人と一緒に生きることについてなんらかの物語を自分に語りかけ，共同して物語を制作している。私の物語，家族の物語，国家の物語。ほかの社会科学がそれほど重視しない社会と人間がもつこの側面は，たとえば文学が鋭敏にとらえてきたものだ。だが，文学は「物語」の水準にとどまり，自然科学的なベクトルはもたない。これに対して，社会学は「科学」へのベクトルと「物語」へのベクトルの双方をもち，「科学か物語か」ではなく「科学も物語も」という二重焦点を往復するとき豊穣なものとなるだろう。

1 社会学では，「調査」と「理論」の両方を考えることが求められ，その研究の軸足は，研究ごとに「調査」と「理論」の「あいだ」のどこかに置かれることになる。

2 「調査」と「理論」を分業することは，有用な情報を選び出すのには時間がかかるが，多くの情報を集められるので，社会の「法則」を見つけることに寄与する。

3 社会の「法則」を見つけて制御可能なものにすることと，個人や集団が生きている「物語」を見いだすことは，それぞれ社会学にとって重要である。

4 「科学」を優先しようとすると正確性を，「物語」を優先しようとすると一般性を犠牲にしなければならず，これら双方に折り合いをつけようとする過程が社会学に価値を与える。

5 社会学においては，「科学」と「物語」のどちらからアプローチすることも許容されるが，生きている人間を扱う学問なので，「物語」を起点とする研究が高い評価を受けやすい。

解説 ━━

出典：奥村 隆「社会と社会学」（奥村隆編『はじまりの社会学―問いつづけるためのレッスン―』所収）

　社会学の性質について述べた文章。第3段落第1文の「社会学には，一方で」という表現に着眼して，文章構成をつかみ，第2段落後半の「調査も理論も」，第4段落末の「科学も物語も」という主張を押さえて解く。

1．社会学は「『調査』と『理論』のあいだをいつも往復する運動である」（第1段落）と述べており，研究の軸足が「研究ごとに『調査』と『理論』の『あいだ』のどこかに置かれることになる」という言及はない（第1～2段落）。

2．調査と理論を「分業する」ことについては述べていない。

3．妥当である（第3～4段落）。

4．社会学は「科学」へのベクトルと「物語」へのベクトルの「双方」を持つと述べているが，「正確性」や「一般性」を「犠牲」にする，などの言及はない（第3～4段落）。

5．「社会学は『科学も物語も』という二重焦点を往復するとき豊穣なものとなるだろう」（第4段落）という記述はあるが，「『物語』を起点とする研究が高い評価を受けやすい」という観点は示されていない。

正答　**3**

国家一般職
[大卒]
No.
45
教養試験
文章理解　　現代文（内容把握）　令和元年度

文章理解

判断推理

数的推理

資料解釈

時事

物理

化学

生物

次の文の内容と合致するものとして最も妥当なのはどれか。

　進化論的な道徳起源論によれば，アリやハチの本能的行動と同様，人間の道徳という営みも進化の産物である。ただし，同じく進化の産物である優れた脳を有する人間は，社会生活を支える道徳のために独特の道具立てを獲得した。すなわち，ルースが言うところの「中道的」な方策——行動の細目までは本能的に規定されていないが，ある程度の利他的・協調的な傾向性を備え，その傾向性を発揮するためには特有の感情による拘束力を伴う規則をもってみずからの行動を規制するという方策——である。また，ダーウィンは，人間の社会的本能から発する欲求は，場合によれば他の一時的な欲求より強度が弱いかもしれないが，社会的本能の永続性ゆえに特有の印象を生み出し，それが「良心」を支える道徳感情になると主張した。このように，いずれの見解によっても「道徳性」の核心には特有の道徳感情が認められている。したがって，単なる好き嫌いという欲求と道徳感情を伴う欲求とは，普通の人々にあっては主観的にみて質的な区別があると認められて当然である。ただし，進化の産物についてはいつもそうであるように，道徳的資質や道徳感情には個人によって少しずつの違いがあることは銘記しておかなければならない。場合によれば，道徳感情がきわめて希薄である人がいても不思議ではないし，同一個人でも，あるときは利他性が強く働き，あるときは利己性が強く働くことが当然ありうる。

　かくして，道徳的な価値や規範と非 - 道徳的な価値や規範とは，それらのもととなる欲求や規範自体に道徳感情が伴うか伴わないかという基準で大まかに区別される。そこで，同じような基準で，道徳的規範の正当化とその他の規範の正当化とが区別できるはずである。骨子のみを述べるなら，道徳感情の裏づけを持つ欲求に基づいてある規範がホッブズ流の論法により正当化できるなら，この規範は道徳的規範として正当化可能である。この特徴づけは粗筋のみのものであり，複雑さを生み出すいくつかの要因を考慮に入れた作業をまだ行なう必要がある。例えば，われわれは道徳感情を伴う欲求も伴わない欲求も持ち，場合によってはそれらが対立するなかで行為決定をしなければならないのだから，これらの欲求の強弱によって，正当化される行為は変わるかもしれない。また，自分の欲求だけでなく他者の欲求も考慮しなければならないところに道徳のポイントがあることは，進化論的知見によっても裏づけられている。

1　道徳感情は，道徳的な価値を共有した者どうしで社会を形成してきた人間の進化の産物であり，利他的・協調的な社会的本能がもたらす良心によって支えられている。

2　人間は進化の過程において，道徳のための具体的行動を本能的に規定するのではなく，個人差はあるとしても，道徳感情に支えられた規範によって行動を律する方策を獲得した。

3　進化論的な道徳起源論の立場に立てば，人間は，より道徳性の高い者が生き残って進化を続けてきていることから，他者の欲求を考慮できる利他性が強くなっていくことが予想される。

4　道徳的な価値や規範は，人間の進化の過程で行われてきた道徳感情を伴う欲求と伴わない欲求の狭間での意思決定を経て，時代背景に応じて変化し，進化してきた。

5　人間は道徳性により本能的に拘束されていることから，その行動は概ね道徳的規範として正当化できるものの，他者の欲求も考慮に入れなければ，真の意味で道徳的とはいえない。

解 説 ━━━━━━━━━━━━━━━━━━━━━━━━━━━

出典：内井惣七『進化論と倫理』

　進化論的な道徳起源論では，「道徳性」の核心に「特有の道徳感情」が認められており，道徳感情を伴うか伴わないかという基準で，道徳的規範と非－道徳規範とを区別することができると述べた文章。「また」「このように」「したがって」「かくして」「そこで」などの接続詞や副詞に注目し，要点をつかんで解きたい。

1. 道徳感情を「道徳的な価値を共有した者どうしで社会を形成してきた人間の進化の産物」とする言及は本文にない。また，「利他的・協調的な社会的本能がもたらす良心」という部分も誤り。ルースの「中道的」な方策は「ある程度の利他的・協調的な傾向性を備え」たものだが，「社会的本能」や「良心」はダーウィンの用語であり，二者の理論が混同されている。

2. 妥当である（第1段落～2段落第1文）。

3. 「より道徳性の高い者が生き残って進化を続けてきている」という淘汰の観点や，「他者の欲求を考慮できる利他性が強くなっていく」という獲得形質の観点は，示されていない。

4. 道徳的な価値や規範が「時代背景に応じて変化し，進化してきた」という話題は，本文にはなく，「道徳感情を伴う欲求と伴わない欲求の狭間での意思決定を経て」という部分も誤り。

5. 人間の欲求には道徳感情を伴う欲求も伴わない欲求もあり，行動規範には道徳的なものも非－道徳的なものもある（第2段落）から，人間の行動が「概ね道徳的規範として正当化できる」とはいえない。

正答 **2**

次の文の内容と合致するものとして最も妥当なのはどれか。

　本能寺の変以降，秀吉による氏姓授与は本格化する。授与は豊臣姓ではなく羽柴名字からはじめられるが，名字は「家」の称号であるから，羽柴名字授与者の出現は，秀吉と擬制的一族関係を有する羽柴「家中」の形成を意味する。

　豊臣大名の羽柴名字呼称は天正10年10月堀秀政を初例とし，以降同13年中頃までには丹羽・細川・前田・蒲生といった旧織田系の有力大名が秀吉から羽柴名字を与えられる。彼らは秀吉にとっては「此以前御傍輩又は御存知之者共」という存在で，いわば秀吉とは同格であったが，羽柴名字を与えられることによって秀吉の「御一家」と位置づけられた。秀吉は「傍輩」であった旧織田系有力大名を新たに「家」論理によって再編したのであり，これによって織田期における「傍輩」関係を解消，自身を「羽柴家」の家父長に据えた新体制構築への道を踏み出したと言える。

《中　略》

　先述したように，羽柴名字授与によって秀吉の擬制的一族である「羽柴侍従」が誕生したわけだが，では豊臣姓創出以前において彼らの姓はどうであったか。擬制的一族関係構築の上で名字の同化は重要な条件だが，姓は名字よりさらに根本的なものであり，その同化なくして擬制的一族体制は完全なものとは言えまい。秀吉は関白任官時には藤原姓，それ以前は平姓を称していたが，秀吉と異なる姓を称する武家が羽柴名字を授与された場合，秀吉との関係は「異姓同名字」になってしまう。これは擬制的一族体制を大名編成の根幹とする豊臣政権にとっては，解消せねばならない大きな問題であったのではないか。実際，豊臣姓創出以前においては，秀吉と異姓同名字の関係にある者が多く存在したのであり，名字のみでなく姓をも同化することにより擬制的一族体制をより完全なものにしようと秀吉が考えたとしても不思議ではないであろう。

《中　略》

　なぜ秀吉は新姓を創出する必要があったのか，関白任官時の藤原姓にとどまって「藤原姓羽柴秀吉」として，藤原姓羽柴名字の大名を創出してもよかったのではないかという疑問も生じるであろう。しかしそれでは，藤原姓の武家集団を大量に生み出すことになる。近衛家の養子として藤原へ改姓し，さらには藤原氏長者ともなった秀吉ではあるが，「摂関家」としては同格の存在である藤原五摂家はなおも健在であり，その総領たる氏長者の地位を秀吉の血統が独占していける根拠は全くなかった。したがって藤原姓を称し官位を有する武家集団を創出してしまうと，藤原摂関家の権威上昇にもつながる可能性すらあったと言える。秀吉にとって，自己の権威のみを確実に向上させるためには新姓の創出こそが最善の方策だったのであり，豊臣姓創出の理由はその点からも説明できよう。

1　秀吉は，本能寺の変以降，従来は自らと同格であった旧織田系大名に名字を授与することで，自らを擬似的な織田家当主とする主従関係を構築した。

2　羽柴名字を授与された大名は擬制的に一族とされたが，以前より従者であった大名は資格に欠けるとして名字が授与されず，郎党的存在にとどまった。

3　名字より根本的なものである姓の同化を通じて血縁関係を強固にすることにより，秀吉が姓を藤原姓や豊臣姓に改める際に生じた「異姓同名字」の問題の解決が図られた。

4 豊臣政権による大名への豊臣姓の授与は，羽柴名字の授与により形成しようとした家父長制原理に基づく擬制的一族関係を補完するものであった。

5 藤原姓羽柴名字大名の創出は，武家集団をも影響下に置いた藤原摂関家による政権奪取につながる懸念があることから，藤原姓内部での格差を固定化するため，豊臣姓が新たに創出された。

解説 ━━━━━━━━━━━━━━━━━━━━━━━━━━━━━━━━━━━━━━━

出典：堀越祐一『豊臣政権の権力構造』

　秀吉による氏姓授与について述べた文章。秀吉自身を家父長に据えた擬制的一族体制は，羽柴名字の授与だけでは完全なものとはならず，豊臣姓を創出する必要があったという事情について論じている。第3段落の第2文の「その同化なくして……」と，第5文の「姓をも同化することにより……」という反復内容を捉えて解きたい。

1．「自らを擬似的な織田家当主とする」という部分が誤り。「自身を『羽柴家』の家父長に据えた」とあり（第2段落），旧織田系の有力大名は，羽柴名字を与えられることにより，「秀吉の『御一家』と位置づけられた」のである。

2．「以前より従者であった大名」が「（羽柴）名字を授与されず，郎党的存在にとどまった」という記述はない。

3．「血縁関係を強固にすることにより」という部分が誤り。秀吉は，氏姓授与により，「家」の論理による擬制的一族体制の構築を企てたのであり，これは，血縁関係にない者をも一族とするための方策といえる。

4．妥当である（第3段落）。

5．藤原摂関家が「武家集団をも影響下に置い」ていたという記述は本文にない。また，「藤原姓内部での格差を固定化するため」という部分も誤り。秀吉自身の権威のみを確実に向上させるために，豊臣姓の創出が必要となったのである。

正答　**4**

次の文の内容と合致するものとして最も妥当なのはどれか。

　スミスの『道徳感情論』は，ハチスン，ヒュームの思想を敷衍して，共感（sympathy）という概念を導入し，人間性の社会的本質を明らかにしようとしたのであった。人間性のもっとも基本的な表現は，人々が生き，喜び，悲しむというすぐれて人間的な感情であって，この人間的な感情を素直に，自由に表現することができるような社会が新しい市民社会の基本原理でなければならないと考えた。しかし，このような人間的感情は個々の個人に特有なもの，あるいはその人だけにしかわからないという性格のものではなく，他の人々にとっても共通のものであって，お互いに分かち合うことができるようなものである。このような共感の可能性をもっているということが人間的感情の特質であって，人間存在の社会性を表現するものでもある。

　この，人間的な感情を素直に，自由に表現することができるような社会が，新しい市民社会の基本原理でなければならない。しかし，このような市民社会を形成し，維持するためには，経済的な面である程度ゆたかになっていなければならない。健康で文化的な生活を営むことが可能になるような物質的生産の基盤がつくられていなければならないとスミスは考えて，それから20年の歳月を費やして，『国富論』を書き上げたのである。

　スミスの『国富論』に始まる古典派経済学の本質を極めて明快に解き明かしたのが，1848年に刊行されたジョン・スチュアート・ミルの『経済学原理』（*Principles of Political Economy*）である。その結論的な章の一つに定常状態（Stationary State）という章がある。ミルのいう定常状態とは，マクロ的に見たとき，すべての変数は一定で，時間を通じて不変に保たれるが，ひとたび社会のなかに入ってみたとき，そこには，華やかな人間的活動が展開され，スミスの『道徳感情論』に描かれているような人間的な営みが繰り広げられている。新しい製品がつぎからつぎに創り出され，文化的活動が活発におこなわれながら，すべての市民の人間的尊厳が保たれ，その魂の自立が保たれ，市民的権利が最大限に保障されているような社会が持続的（sustainable）に維持されている。このようなユートピア的な定常状態を古典派経済学は分析の対象としたのだとミルは考えたのである。

　国民所得，消費，投資，物価水準などというマクロ的諸変数が一定に保たれながら，ミクロ的にみたとき，華やかな人間的活動が展開されているというミルの定常状態は果たして，現実に実現可能であろうか。この設問に答えたのが，ソースティン・ヴェブレンの制度主義の経済学である。それは，さまざまな社会的共通資本（social common capital）を社会的な観点から最適な形に建設し，そのサービスの供給を社会的な基準にしたがっておこなうことによって，ミルの定常状態が実現可能になるというように理解することができる。

1　スミスが提唱した共感という概念は，各人固有の人間的感情の中から共通のものを見いだし，人々が協調することで市民社会の形成・維持の基盤となるものである。

2　古典派経済学では，人間的な感情を自由に表現できるという基本原理を実践することで，経済的な豊かさが維持されるような社会が理想とされている。

3　古典派経済学における定常状態とは，経済活動が一定の割合で拡大を続けながら，『道徳感情論』で理想とされた華やかな人間的活動が展開される状態である。

4　社会的共通資本の最適化は，活発な経済的・文化的活動の下，市民的権利を最大限に保障する社会の持続的な維持に寄与するものとされている。

5 ソースティン・ヴェブレンの制度主義の経済学は，社会的な観点から，実現可能な定常状態を定義し，国民所得などの諸変数に従って社会的共通資本を建設・供給するための学問である。

解説

出典：宇沢弘文『経済学は人びとを幸福にできるか』

　古典派経済学の観点を説明する文章。スミスの「共感」，ミルの「定常状態」，ヴェブレンの「社会的共通資本」などの用語について，言葉の入れ替えや因果関係の転倒がないかどうかをチェックして解く。

1．「共感」という概念は，それだけでは，「市民社会の形成・維持の基盤」といえる要件を満たしていない。「共感の可能性を持っているということが人間的感情の特質であって，人間存在の社会性を表現するもの」（第1段落）であり，「市民社会」の形成・維持のためには，「物質的生産の基盤」がつくられていなければならない（第2段落）。また，「各人固有の人間感情の中から共通のものを見いだし」という部分も正確ではない。各人に固有なものの中から共通のものを見いだすという経緯をたどる必要性はなく，「他の人々にとっても共通のものであって，お互いに分かち合うことができるような」（第1段落）人間的感情が想定されている。

2．因果関係が逆である。スミスに始まる古典派経済学では，人間的な感情を自由に表現できるという市民社会の基本原理を形成し，維持するためには，経済的な面である程度豊かになっていなければならないのである（第2段落）。

3．「定常状態」は，「すべての変数は一定で，時間を通じて不変に保たれる」状態であり，「一定の割合で拡大を続け」るとは述べていない（第3，4段落）。

4．妥当である（第3，4段落）。

5．ヴェブレンの制度主義の経済学は，「社会的共通資本を社会的な観点から最適な形に建設し，そのサービスの供給を社会的な基準にしたがっておこなうことによって，ミルの定常状態が実現可能になる」とする理論であり，社会的共通資本を「国民所得などの諸変数に従って」建設・供給するとは述べていない（第4段落）。

正答　**4**

次の □□□□□ の文の後に，A〜D を並べ替えて続けると意味の通った文章になるが，その順序として最も妥当なのはどれか。

> 哲学はまぎれもなく一つの行為である。が，それをことさらに哲学の実践というからには，それはなにかある目的ないしは志向性をもった活動であるということである。

A：理論と実践，この二分法に深く囚われるところがあったからである。

B：けれども，哲学をことさらに実践として捉えるときには，そこにはややねじれた背景がある。

C：そういう意味ではすべての学問が実践であるということができるはずである。

D：哲学は，理論のなかの理論，つまりテオーリア（観想）といういとなみであって，なにか具体的な目的の実現や効用をめざすプラークシス（実践）からはもっとも遠いものであるという了解が，これまで哲学を志向する者たちのあいだで共有されてきたからである。

1　B → C → A → D

2　C → A → B → D

3　C → B → D → A

4　D → A → B → C

5　D → B → A → C

解説 ▬▬▬▬▬▬▬▬▬▬▬▬▬▬▬▬▬▬▬▬▬▬▬▬▬

出典：鷲田清一『哲学の使い方』

　冒頭の文章では，哲学をことさらに「実践（プラークシス）」としてとらえることについて述べている。

　A～Dにざっと目を通し，話の方向性や二項対比などの図式の有無を確認すると，Aでは「理論と実践」の二分法を挙げており，この対比の図式は，Dの，哲学は「理論のなかの理論，つまりテオーリア（観想）」であり，「プラークシス（実践）からはもっとも遠いもの」という図式と重なる。これに対して，Bの「哲学をことさら実践として捉えるときには……」やCの「すべての学問が実践」という記述は，「実践」に焦点が合わせられている。

　AとDは「理論と実践」という対比で話題を同じくしており，一つのまとまりをなしているから，A→DあるいはD→Aとつながると考えられる。

　また，文章展開を考えると，逆接の接続詞がBの「けれども」しかないことから，本文全体は，「哲学（学問）は，実践」⇒「理論と実践の対立」という流れになると考えられる。

　そこで，冒頭の文章→ C「すべての学問が実践」→B「けれども，哲学をことさらに実践として捉えるときには，……ややねじれた背景がある」とつなぐと，一まとまりの内容となり，後に「ややねじれた背景」の説明としてAとDを置くことができる。

　選択肢を見ると，**3**のC→B→D→Aは，前半と後半のまとまりもよく，破綻のない展開となっている。

　よって，正答は**3**である。

正答　**3**

次の文の　　　　　に当てはまるものとして最も妥当なのはどれか。

　史料は必ずしも　　　　　　　　　　　　　のである。活字史料に欠けるこうした類の情報があって，初めて解明できることがらも多いのである。とすれば，活字史料は簡便ではあるが，より詳細な情報を必要とする場合には充分ではないということになる。

　ちなみに，活字より豊富な情報をもつものとして，史料の写真が挙げられる。写真なら筆跡も字配りもわかるし，色の再現が正確なら墨色も印色もわかる。が，それでも原本と比較すると，やはり再現することのできない部分がある。紙の質感，微妙な裏面の文字写りなどは原本でなくてはわからない。破損も虫喰い穴や大きな破れなどはわかるが，紙質の劣化はわかりにくい。かつてある史料所蔵者の方が，「写真かコピーをとっておけば，原本は捨ててしまってもかまわないでしょう」と言うのを聞いたことがある。だが，やはりそういうわけにはいかない。本物でなければわからないことがらは多いし，何よりも実物であることの価値は何物にも代え難い。活字史料には内容情報を手軽に扱える便利さがあるし，写真史料にはより多くの情報が含まれてはいるけれども，やはりとうてい実物のもつ価値や迫力には敵わないのである。

1　文字内容だけが重要なのではない

2　求めている情報が書かれているとはかぎらない

3　活字化されるとはかぎらない

4　写真では代替することができない

5　すべてが現代まで伝わっているわけではない

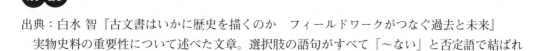

解説

出典：白水 智『古文書はいかに歴史を描くのか　フィールドワークがつなぐ過去と未来』

　実物史料の重要性について述べた文章。選択肢の語句がすべて「～ない」と否定語で結ばれているので，対比の図式を作り，本文の趣旨と合うものを選ぶ。

　空欄のある第1文は，「史料は必ずしも ┌──────┐ のである」というもの。続いて，「活字史料に欠けるこうした類の情報があって，初めて解明できることがらも多いのである。とすれば，活字史料は簡便ではあるが，より詳細な情報を必要とする場合には充分ではないということになる」と述べており，「活字史料に欠けるこうした類の情報」，活字史料は「充分ではない」など，活字史料に欠ける情報について述べていることがわかるが，前の文の空欄に入る語句が「～ない」と否定語で終わっているため，「こうした類の情報」の指示内容が見つからず，第1文と第2文との間には飛躍があると考えられる。そこで，第2段落にも目を通し，本文の趣旨と合うものを考えることにする。

　第2段落では，活字より豊富な情報を持つものとして「史料の写真」を挙げているが，「写真かコピーをとっておけば，原本は捨ててしまってもかまわない」というわけにはいかないと述べ，活字史料も写真史料も「とうてい実物のもつ価値や迫力には敵わないのである」と結論づけている。「活字史料には内容情報を手軽に扱える便利さがある」が「実物」には敵わないという内容が，第1段落の内容を補足するものとなっており，空欄部に入るものとしては，**1** の「文字内容だけが重要なのではない」が，最もふさわしい。

1. 妥当である（上記の解説参照）。

2. 本文では，「活字」（＝書かれている内容）と「実物」とが対比されており，内容情報の範囲については問題とされていない。

3. 活字化されるか否かという論点は本文にない。

4. 写真については，第2段落冒頭に「ちなみに」とあり，活字史料との類比で取り上げられているにすぎず，空欄のある第1段落を埋めるものとしては話題が異なる。

5. 「現代まで伝わっている」こととそうでないことという時間軸における対比では，本文の「活字」と「実物」との対比を捉えられず，焦点が合わない。

正答　**1**

文章理解　判断推理　数的推理　資料解釈　時事　物理　化学　生物

次の文の内容と合致するものとして最も妥当なのはどれか。

As several studies have pointed out, diversity is a multidimensional concept. Stirling's definition of diversity includes a combination of three components: variety, balance and disparity. Variety refers to the number of different categories defined; specifically for films, we may ask, how many languages can be identified in the cinematographic production of a country? Balance refers to the extent to which these categories are represented: what percentages of each language are used in films? And disparity refers to the degree of dissimilarity that exists between the different categories: how different are the languages used? Thus, the larger the number of categories and the more balanced and disparate the categories, the more diverse the system.

Data on 54 and 52 countries for 2012 and 2013, respectively, show that several countries have produced feature films in several languages (e.g. Spain, Morocco, South Africa and Switzerland) catering to[*1] the diversity of their social and linguistic constituents. In other cases, production companies in countries with small populations and minority languages seek a wider dissemination[*2] of their products by producing films in languages other than the local one (e.g. Sweden and Slovakia).

《中　略》

Taking into consideration both the variety of languages and the degree of their presence (or balance) (while leaving aside the complex parameter of disparity), India — with 22 official languages and approximately 2,000 unofficial languages — has the world's highest linguistic diversity in its cinematographic production. The films are mainly monolingual, produced in Chennai, Hyderabad, Mumbai and Thiruvananthapuram.

In spite of its large linguistic diversity, four languages accounted for 59% of India's film production during the 2012-2013 biennium[*3]: Tamil, Telugu, Hindi and Malayalam. However, no one language in India had a share of more than 17 percentage points, which reveals a balance among the languages with a strong presence in film production. In foreign language production, only 19 movies were made in English over the same period.

(注)　*1cater to：要求を満たす　　*2dissemination：普及　　*3biennium：2年間

1 Stirling による定義では多様性は3段階で構成されており，映画における言語の多様性については，そこで使用される言語の種類の多さが最も重要である。

2 スウェーデンやスロバキアなどでは，社会的背景や言語の異なる国民の多様性を反映した映画が複数の言語で製作されている。

3 国内に多くの言語を抱える大国で，話者が少ない言語の映画を製作している会社は，作品が広く普及するよう，映画を複数の言語で製作している。

4 インドは，映画製作において，使用言語数やその均衡の点から世界で最も言語の多様性に富み，どの言語で製作された映画も国内で製作された映画全体に占める割合は2割を超えない。

5 インドで製作される映画の約6割は公用語で製作され，いずれの作品も四つの公用語で鑑賞することができる一方，外国語に翻訳された作品の本数は少ない。

解　説

出典：UNESCO institute for Statistics, "Diversity and the film industry（An analysis of the 2014 UIS Survey on Feature Film Statistics）"

全訳〈いくつかの研究が指摘しているように，多様性とは多次元にわたる概念である。スターリングによる多様性の定義は，3つの構成要素を含んでいる。すなわち，種類（の多さ），バランス，そして不均衡である。種類とは，定義されている異なるカテゴリー（範疇）の数を表す。映画に特定していえば，ある国における映画製作にいくつの言語を確認することができるだろうか，と私たちは問えるだろう。バランスとは，これらのカテゴリーが表現されている程度を表す。すなわち，映画の中で

それぞれの言語が使われている割合は何パーセントか，というのがこれに当たる。そして不均衡とは，異なるカテゴリー間に存在する相違の度合いを表す。すなわち，使われている言語は互いにどのくらい異なっているのか，というのがこれに当たる。このように見ると，異なるカテゴリーの数が多く，よりバランスがとれ，より不均衡度が高いほど，その組織体系はより多様であるといえる。

2012年および2013年における，それぞれ54例と52例のデータが示すところによると，国内の社会的および言語的に多様な構成員の要求を満たすよう，長編映画をいくつかの言語で製作している国は数か国ある（たとえばスペイン，モロッコ，南アフリカ，スイスなど）。他の事例では，人口が小規模で複数の少数言語を持つ国の製作会社が，地元の言語以外でも映画製作を行うことで製作物のより広い普及を図っている（たとえばスウェーデンやスロバキアなど）。

《中略》

言語の種類の多さとその存在の度合い（つまりバランス）を考慮すれば（複雑な要素である不均衡は別として），22の公用言語とおよそ2,000の非公用言語を抱えるインドが，映画製作において世界で最高の言語多様性を有しているといえる。インドの映画は主としてチェンナイ，ハイデラバード，ムンバイ，ティルバナンタプラムで，単独の言語で製作されている。

その言語多様性の幅広さにもかかわらず，2012～2013年の2年間におけるインド国内の映画製作では，4つの言語で59パーセントを占めていた。すなわち，タミル語，テルグ語，ヒンディー語，マラヤーラム語である。しかしながら，インドにおいては17パーセントを超える数字の割合を占めた言語は1つもなく，このことは，言語間のバランスが映画製作において強く作用していることを明らかにしている。外国語による製作では，同じ期間に英語で作られた映画はたった19作品だった〉

1. 映画における言語の多様性について，種類（の多さ），バランス，不均衡という多様性の3要素のうちどれが最も重要かを論じる記述は見られない。

2. 「社会的背景や言語の異なる国民の多様性を反映した映画が複数の言語で製作されている」国の例として本文で挙げられているのは，スペイン，モロッコ，南アフリカ，スイスである。スウェーデンやスロバキアは，国内の映画製作会社が，自社の地元の言語だけでなく他の国内の少数言語でも製作を行っている国の例として挙げられている。

3. 本文では，スウェーデンやスロバキアなど，「国内に多くの言語を抱える大国」ではなく「人口が小規模で複数の少数言語を持つ国」について，製作会社が作品が広く普及するよう，映画を複数の言語で製作していると述べられている。

4. 妥当である。

5. 本文で述べられているのは，インド国内で製作された映画の約6割（59パーセント）が，タミル語，テルグ語，ヒンディー語，マラヤーラム語の4つの公用語で占められているという内容で，約6割の作品のいずれもが4つの公用語で鑑賞できるという記述はない。外国語である英語で作られた映画の本数の少なさは述べられているが，「外国語に翻訳された作品」については述べられていない。

正答　**4**

文章理解
判断推理
数的推理
資料解釈
時事
物理
化学
生物

次の文の内容と合致するものとして最も妥当なのはどれか。

A great deal of evidence suggests that it is more difficult to learn a new language as an adult than as a child, which has led scientists to propose that there is a "critical period" for language learning. However, the length of this period and its underlying causes remain unknown.

A new study performed at Massachusetts Institute of Technology (MIT) suggests that children remain very skilled at learning the grammar of a new language much longer than expected — up to the age of 17 or 18. However, the study also found that it is nearly impossible for people to achieve proficiency similar to that of a native speaker unless they start learning a language by the age of 10.

"If you want to have native-like knowledge of English grammar you should start by about 10 years old. We don't see very much difference between people who start at birth and people who start at 10, but we start seeing a decline after that," says Joshua Hartshorne, an assistant professor of psychology at Boston College, who conducted this study as a postdoc at MIT.

People who start learning a language between 10 and 18 will still learn quickly, but since they have a shorter window before their learning ability declines, they do not achieve the proficiency of native speakers, the researchers found. The findings are based on an analysis of a grammar quiz taken by nearly 670,000 people, which is by far the largest dataset that anyone has assembled for a study of language-learning ability.

"It's been very difficult until now to get all the data you would need to answer this question of how long the critical period lasts," says Josh Tenenbaum, an MIT professor of brain and cognitive sciences and an author of the paper. "This is one of those rare opportunities in science where we could work on a question that is very old, that many smart people have thought about and written about, and take a new perspective and see something that maybe other people haven't."

《中　略》

Still unknown is what causes the critical period to end around age 18. The researchers suggest that cultural factors may play a role, but there may also be changes in brain plasticity that occur around that age.

"It's possible that there's a biological change. It's also possible that it's something social or cultural," Tenenbaum says. "There's roughly a period of being a minor that goes up to about age 17 or 18 in many societies. After that, you leave your home, maybe you work full time, or you become a specialized university student. All of those might impact your learning rate for any language."

1 今回の調査研究により，ネイティブスピーカーと同様の言語能力を習得できる期間は，以前の研究で明らかになっていた期間に比べて短いことが分かった。

2 言語学習能力が衰えるまでに十分な時間を確保することが言語学習にとって重要であり，ネイティブスピーカーと同様の言語能力を習得するためには，言語学習を始める時期は早ければ早いほどよい。

3 言語学習にとって重要な時期がどれくらい続くかは，今回初めて実施した文法，スピーキング，ライティングを組み合わせた試験によって，明らかになった。

4 Tenenbaum 教授によれば，先人達が取り組み続けてきた課題に新しい視点や新しい発見を得ることができたので，今回の調査研究は，科学においてまれな機会であった。

5 今回の調査研究により，言語学習にとって重要な時期が18歳頃に終わる原因として，社会生活の変化が脳に与える影響があることが分かった。

解 説

出典：Ann Trafton, "Cognitive scientists define critical period for learning language"

全訳〈大人になって新しい言語を学ぶことは子どもの頃に学ぶのに比べてより難しい，ということが大量の証拠によって示されており，それによって科学者は，言語学習には「臨界期」があると提唱するようになっている。しかしながら，この期間の長さと根底にある原因については，いまだにわかっていない。

マサチューセッツ工科大学（MIT）によって行われた新たな研究では，子どもが新しい言語の文法を学ぶのに非常に優れた才能を示す時期は17歳あるいは18歳までという，考えられていたよりもずっと長い期間続くことが示されている。しかし，その研究によって同時にわかったことは，言語学習は10歳までに始めなければ，ネイティブスピーカー並みに堪能なレベルに達するのは不可能であるということだ。

「ネイティブ並みの英語の文法の知識を持ちたいと思うなら，10歳頃までに始めたほうがよいです。生まれたときから始める人と10歳で始める人の間では，あまり違いは見られないのですが，それより後では落差が見られるようになります」と，MITの博士研究員だったときにこの研究を行い，現在はボストン大学の心理学准教授であるジョシュア＝ハーツホーン氏は語る。

10歳から18歳の間に言語を学び始める人は，飲み込みはまだ早いものの，学習能力が衰えるまでの期間がより短いため，ネイティブスピーカーの堪能さを身につけることはない，ということが研究者たちによってわかった。この研究結果は，67万人近くの人々が受けた文法テストの分析に基づいたものであり，これは，言語学習能力の研究を目的に集められたまとまったデータとしては，これまでをはるかにしのぐ最大の規模である。

「この，臨界期がどの時点まで続くのかという疑問に答えるのに必要となるデータをそろえるのが，これまでは非常に難しかったのです」と，MITで脳科学および認知科学の教授を務め，この論文の著者でもあるジョッシュ＝テネンバウム氏は語る。「これは，非常に古くからあって多くの優秀な方々が考え著述してきた疑問に私たちが取り組み，新たな視点でこれまで誰も見てこなかった面を見ることのできるような，科学におけるめったにない機会です」

《中略》

いまだに不明なのは，臨界期が18歳頃に終わる原因は何か，ということだ。文化的な要因が作用しているのではないかと研究者たちは述べているが，その年齢の辺りで起こる脳の柔軟性の変化も関係があるのかもしれない。

「生物学的な変化があるという可能性はあります。また，それが社会的あるいは文化的な変化であるという可能性もあります」とテネンバウム氏は語る。「おおざっぱに言って，多くの社会では，だいたい17，8歳までが未成年という期間です。それが過ぎると家を離れたり，あるいはフルタイムで働いたり，大学生となって専門の道に進んだりします。そういったことがみな，人が言語を学べる度合いに影響を与えているのかもしれません」〉

1．「言語学習は10歳までに始めなければ，ネイティブスピーカー並みに堪能なレベルに達するのは不可能であるということだ」という記述はあるが，「以前の研究で明らかになっていた期間」に関する記述はないので，「10歳まで」という期間が従来考えられていたよりも短いのかどうかは判断できない。

2．「ネイティブ並みの英語の文法の知識を持ちたいと思うなら，10歳頃までに始めたほうがよい」という提言は述べられているが，「早ければ早いほどよい」という記述はなく，また「言語学習能力が衰えるまでに十分な時間を確保することが言語学習にとって重要」といった内容の主張は述べられていない。

3．今回の研究のもととなった試験については「67万人近くの人々が受けた文法テスト」と述べられているのみで，スピーキングやライティングについてはまったく言及がない。

4．妥当である。

5．今回の研究論文の一著者である大学教授の発言の中に，原因の可能性として脳の柔軟性などの生物学的変化，社会的変化，文化的変化が挙げられているが，「社会生活の変化が脳に与える影響」については言及がない。また，これらはあくまで教授の考える可能性を述べているのであって，今回の調査研究によって原因がわかったという記述は本文中にない。

正答 **4**

次の文の内容と合致するものとして最も妥当なのはどれか。

Builders in California will be required to fit solar panels on most new homes from 2020 under new construction standards adopted on Wednesday — the first such move in the United States — that could provide a big boost to the solar industry.

The decision, adopted unanimously by the five-member California Energy Commission, is part of the state's efforts to fight global climate change. It came despite estimates it would raise the upfront cost of a new home by nearly $10,000.

The commission estimated this will add about $40 to monthly mortgage payments but will compensate for that by saving residents $80 a month on energy bills.

"We cannot let Californians be in homes that are essentially the residential equivalent of gas guzzlers[*1]," Commissioner David Hochschild said ahead of the vote.

The new codes include updates to building ventilation[*2] and lighting standards. They are collectively expected to reduce the state's greenhouse gas emissions by 700,000 tons over three years, a level equal to taking 115,000 cars off the road.

The vote was a major win for the solar installation industry, which already counts California as its biggest market. Demand for solar equipment in the state could rise by 10 percent to 15 percent because of the new standards.

California has one of the most ambitious mandates for renewable energy in the country, with a goal of sourcing half of its electricity needs from renewable sources by 2030. At the end of 2017, it had reached about 30 percent, according to the commission.

(注)　[*1]gas guzzler：燃費の悪い自動車　　[*2]ventilation：換気

1　カリフォルニア州は再生可能エネルギーの導入に最も積極的な州の一つであり，2020年以降に新築される住宅の多くに太陽光パネルの設置を求める新しい建築基準は，全米初のものである。

2　新しい建築基準が施行されれば，太陽光パネルの需要は10〜15％増加する一方，建築費が増加することで住宅を新築する人は減少するので，景気が悪くなると考えられている。

3　既存の住宅では，太陽光パネルの設置に約1万ドル掛かるが，毎月約80ドルの売電収入が見込めるので，長期的には太陽光パネルの設置費用を十分に回収できると試算されている。

4　エネルギー委員会は，換気や照明の基準を見直して温室効果ガスの排出量を削減することに成功し，次の気候変動対策として，燃費の悪い自動車の台数を削減することを検討している。

5　2030年までに電力需要の半分を再生可能エネルギーで賄うという，全米共通の目標を達成する見込みの州は，カリフォルニア州を含めて，2017年末時点で約3割に達している。

解説

出典："California first state to require solar on new homes", (2018/5/21 Japan Times) Reuters
　全訳〈水曜日に採択された新しい建築基準により，カリフォルニア州の建築業者は，2020年

以降に新築される大半の住宅に太陽光パネルの設置を求められることになる。これは，そのような決定としては全米初のものであり，太陽光発電産業にとっては大きな後押しとなるだろう。

5名から成るカリフォルニア州エネルギー委員会の満場一致で採択されたこの決定は，世界的な気候変動に立ち向かおうという州の取組みの一環である。これにより新築住宅の初期費用は1万ドル近く増加するという試算にもかかわらず，決定は採択された。

エネルギー委員会の試算では，これにより住宅ローンの支払いが月約40ドル増えることになるが，居住者はエネルギー代（電気代）が月80ドル節約できることで十分に補える，とのことだった。

「私たちはカリフォルニアの市民を，実質的に燃費の悪い自動車の住宅版といっていい家に住まわせておくわけにはいきません」と，採決に先立ってデイビッド＝ホックスチャイルド委員は語った。

新しい規則には，建物の換気と照明の基準の見直しも含まれている。これにより，全体で今後3年の間に州内の温室効果ガス排出量を70万トン削減できると見込まれている。これは路上から11万5,000台の車がなくなった場合の削減量に相当する。

すでにカリフォルニア州を最大の市場と見込んでいる太陽光パネル設置関連業界にとっては，この採決は大きな勝利だった。新しい基準のおかげで，州内の太陽光発電装置への需要は10パーセントから15パーセント増える可能性がある。

カリフォルニア州は2030年までに電力需要の半分を再生可能なエネルギー源からの供給で賄うという目標を掲げており，再生可能エネルギーに最も果敢に取り組む義務を負っている州の一つだ。委員会によれば，2017年末にはその率は約30パーセントに達していたとのことだ〉

1. 妥当である。
2. 前半については正しいといえるが，後半について，「住宅を新築する人は減少する」「景気が悪くなる」といった予測は述べられていない。費用については，新築住宅の初期費用の増加により住宅ローンの支払い額は増えるが，電気代が安くなるので十分カバーできるだろうと述べられている。
3. 本文で述べられているのは新築住宅に太陽光パネルを設置した場合の費用の試算であり，初期費用は1万ドル近く増加するが電気代は月80ドル節約できるため，設置費用は十分に回収できると述べられている。既存の住宅の太陽光パネル設置費用や，「売電収入」については述べられていない。
4. 本文では，換気や照明の基準の見直しを含む新しい規則により，今後3年間で自動車11万5,000台分の排出量に相当する温室効果ガスが削減できるという見込みが述べられている。よって基準の見直しによる削減効果が出るのはこれからであり，また本文中の「燃費の悪い自動車」は既存の住宅の比喩表現にすぎず，自動車の台数の削減に関する記述もないため不適。
5. カリフォルニア州が2030年までに電力需要の半分を再生可能エネルギーで賄うという目標を持っていることは正しいが，「全米共通の目標」との記述はなく，そこまでの大きな割合を目標として掲げている州は少数であることが読み取れる。また，本文に「2017年末には約30パーセント」とあるのは，カリフォルニア州が掲げた「2030年までに半分（5割）」という目標について，すでに約3割までは達成しているということであり，全州の約3割という意味ではない。

正答 1

文章理解
判断推理
数的推理
資料解釈
時事
物理
化学
生物

次の ▢▢▢▢ と ▢▢▢▢ の文の間のア～エを並べ替えて続けると意味の通った文章になるが，その順序として最も妥当なのはどれか。

> It is a common saying that thought is free.　A man can never be hindered from thinking whatever he chooses so long as he conceals what he thinks.　The working of his mind is limited only by the bounds of his experience and the power of his imagination.

ア：If a man's thinking leads him to call in question ideas and customs which regulate the behaviour of those about him, to reject beliefs which they hold, to see better ways of life than those they follow, it is almost impossible for him, if he is convinced of the truth of his own reasoning, not to betray by silence, chance words, or general attitude that he is different from them and does not share their opinions.

イ：Moreover it is extremely difficult to hide thoughts that have any power over the mind.

ウ：But this natural liberty of private thinking is of little value.　It is unsatisfactory and even painful to the thinker himself, if he is not permitted to communicate his thoughts to others, and it is obviously of no value to his neighbours.

エ：Some have preferred, like Socrates, some would prefer today, to face death rather than conceal their thoughts.

> Thus freedom of thought, in any valuable sense, includes freedom of speech.

1　ア→エ→ウ→イ
2　イ→ア→ウ→エ
3　イ→エ→ア→ウ
4　ウ→ア→エ→イ
5　ウ→イ→ア→エ

解 説

出典：J. B. Burry, "A HISTORY OF FREEDOM OF THOUGHT", International Debate Education Association

全訳〈よく知られたことわざに「考えるのは自由だ」というものがある。自分が考えている内容を胸に秘めている限り，人はなんであろうと，自分が考えたいことを考えるのを妨げられることはありえない。人の思考作用は，その人の経験の幅と想像力によってのみ制限される。

ウ：しかしこの，個人の思考が本来持っている自由は，それ自体ではほとんど価値のないものである。その自由は，もし考えている人が自分の考えを他者に伝えることを許されていなければ，その人自身にとって満足できるものではなく，苦痛ですらあるし，周囲の人間にとっては明らかにまったく価値のないものだ。

イ：加えて，頭から離れないほどの強い思いを隠しておくことは極めて困難である。

ア：もしある人がその考えによって，自分の周囲の人々の行動を規定している発想や慣習に疑念を抱き，彼らの持っている信念を拒否し，彼らが従っている生き方よりもよい生き方を思い描くまでに至っているならば，自分の考え方が理にかなっていると確信している限り，彼が口をつぐんだり，うっかり思いを言葉にしたり，あるいは自分は彼らとは違う人間なので彼らの意見は共有しない，といった態度を普段からとることで考えを暴露したりせずにいられることはほとんど不可能である。

エ：かつてソクラテスのように，自分の考えを胸に秘めておくくらいなら死をも受け入れるという人たちが存在し，また今日もそのような人たちは存在している。

このように，思想の自由というものは，何かの価値があるという意味においては，言論の自由をも含んでいるのである〉

選択肢を見るとア，イ，ウのいずれかで始まっている。アは条件を表す If で始まる長い一文で，前後関係を判定する手がかりとなる接続詞や指示語が見当たらないため，とりあえず後回しとし，イとウを読み比べる。イの Moreover は「さらに，そのうえ」という意味で，前述の内容を支持する情報を追加するときに用いられる副詞。これに対してウの But は逆接の接続詞である。冒頭の囲みの段落は，「考えるのは自由〔無料〕だ」ということわざに始まり，人の考えは自分の胸に秘めておく限りは何物にも妨げられないという内容が述べられている。これに逆接の But で始まるウを続けると，「しかしこの本来の自由は……ほとんど価値のない」となって，以下の内容に自然につながる。これに対して，イは「頭から離れないほどの強い思いを隠しておくことは極めて困難である」という内容で，前述の内容を支持するような追加情報とはいえないので，Moreover でつなぐのは不自然である。よって，**2**および**3**は候補から外して，先を読み進む。

ウの第2文は，It is unsatisfactory and even painful ... , and it is obviously of no value ～「それ（＝個人の思考が本来持っている自由）は……満足できるものではなく，苦痛ですらあるし，～明らかにまったく価値のないものだ」という構造である。これに対してイの it is extremely difficult to ...「……することは極めて困難である」は，文頭の Moreover を介してウに自然につながる内容になっている。一方，アは複雑な構造の一文だが，主節となる文の骨組みは it is almost impossible for him ... not to ～「彼が～しないことはほとんど不可能である」の部分で，文全体の主旨は「もしある人がその考えによって『自分は周囲とは違う』という確信に至っているなら，それを（胸に秘めたまま）外に明かさずにいることはほとんど不可能である」という内容である。これは，イの「頭から離れないほどの強い思いを隠しておくことは極めて困難である」という内容を具体的説明で言い換えたものと考えられるので，ウ→イ→アと並べると文章の流れが自然になる。**4**および**1**の順番では，イの Moreover が前と自然につながらず，またイとアが分断されてアのほうが先にくるため，流れが不自然である。

以上より**5**が残るが，最後までの流れを確認すると，アに続く内容としてエの「自分の考えを胸に秘めておくくらいなら死をも受け入れるという人たちが存在し，また今日もそのような人たちは存在している」は妥当で，最後の囲みの文「このように，思想の自由は……言論の自由をも含んでいる」にも自然につながる。

したがって，正答はウ→イ→ア→エと続く**5**である。

正答 **5**

次の文のア，イに当てはまるものの組合せとして最も妥当なのはどれか。

Running and walking are both excellent forms of exercise. Those who regularly do either typically have healthier hearts, stronger bones and lower body weights than their sedentary counterparts.

The Physical Activity Guidelines issued by the Department of Health and Human Services call for a minimum of 150 to 300 minutes per week of moderate activity or 75 to 150 minutes of vigorous activity.

So does it matter whether you get those minutes walking or running? Arguments can be made for both — and which is right for you depends on your goals and your current fitness level.

"The key difference between running and walking is how many calories you are burning — 　ア　 of exercise," says Paul D. Thompson, chief of cardiology at Hartford Hospital and a professor of medicine and preventive cardiology at the University of Connecticut.

For a 160-pound person, walking at a brisk, 3.5-mph (mile per hour) pace for 30 minutes will burn about 156 calories. But running at a 6-mph pace for that same 30 minutes will burn more than twice as many calories (about 356).

"Running is a less-efficient movement and it's more demanding on the body, so it burns more calories per minute," Thompson says. "But if you've got the time to walk long enough to burn the equivalent calories, then walking is fine."

That said, if your ultimate goal is to lose weight, chances are that neither running nor walking alone is going to do the trick. "Exercise on its own is not the best way to lose weight," Thompson says. "Research has shown that it needs to be done 　イ　 ."

	ア	イ
1	not per mile, but per minute	along with calorie restriction
2	not per mile, but per minute	with a focus on whole body exercise
3	not per mile, but per minute	with your strong will at home continuously
4	not per minute, but per mile	along with calorie restriction
5	not per minute, but per mile	with your strong will at home continuously

解説

出典："Is running better than walking？It depends on your goals.", The Washington Post, September 10, 2018

全訳〈ランニングとウォーキングは，ともに優れた運動の形である。定期的に行う人たちは，座っていることの多い同類の人たちに比べると往々にしてより心臓が健康で骨が強く，また体重が少ない。

（アメリカ）保健福祉省が発行する身体活動ガイドラインによると，週に最低で150分から300分の適度な運動と，75分から150分の激しい運動が必要とされている。

では，その時間ウォーキングをするのとランニングをするのとで違いはあるのだろうか。どちらについても議論の余地があり，どちらが適切なのかはあなたの目的や現在の健康レベルによって異なる。

「ランニングとウォーキングの重要な違いは，運動の_ア距離1マイル当たりではなく，1分当たりにどれだけのカロリーを消費しているかです」と，ハートフォード病院の心臓医療部長であり，コネティカット大学で医学および予防心臓病学の教授も務めるポール＝D＝トンプソン氏は語る。

160ポンド（約73キログラム）の人の場合，時速3.5マイル（約5.6キロメートル）のペースで30分間早足で歩くと，約156カロリーを消費する。しかし同じ30分間を時速6マイル（約9.7キロメートル）のペースで走ると，その2倍以上のカロリーを消費する（約356カロリー）。

「ランニングはより効率の悪い動きであり，体により負荷がかかるため，1分当たりのカロリー消費量が多いのです」とトンプソン氏は語る。「ただ，同等量のカロリーを消費するのに十分な距離を歩くだけの時間があるのでしたら，歩いてもかまいません」

とはいえ，もしあなたの最終的な目的が減量であるなら，ランニングだけでもウォーキングだけでも効果が表れない可能性がある。「運動だけというのは，減量する最善の方法ではありません」とトンプソン氏は語る。「研究の結果，運動は_イカロリー制限とともに行われる必要があるということがわかっています」〉

空欄までの3段落では，ランニングとウォーキングが優れた運動であることを述べたうえで，両者のうちどちらをするのがよいのかは，各人の目的や現在の健康レベルによって異なると述べられている。

そのうえで，空欄アを含む第4段落は，「ランニングとウォーキングの重要な違いは，運動の　ア　……どれだけのカロリーを消費しているかだ」という発言で始まっており，選択肢の候補は not per mile, but per minute「1マイル当たりではなく，1分当たり（に）」，not per minute, but per mile「1分当たりではなく，1マイル当たり（に）」の2つである。続く第5段落には，「160ポンド（約73キログラム）の人の場合，時速3.5マイル（約5.6キロメートル）のペースで30分間早足で歩くと，約156カロリーを消費する。しかし同じ30分間を時速6マイル（約9.7キロメートル）のペースで走ると，その2倍以上のカロリーを消費する（約356カロリー）」とあり，これは前段落の具体例だと考えられる。ここでは，30分という同じ単位時間でのウォーキングとランニングのカロリー消費量の違いが述べられているので，空欄には前者の not per mile, but per minute が適切である。

この違いを踏まえて，第6段落では「ランニングのほうがカロリー消費量は多いが，長い距離を歩く時間があるのならウォーキングでもよい」，つまり，時間が限られているならランニング，時間の余裕があるのならウォーキングでより長い時間を歩けば，カロリー消費の点では同様の効果が得られることが示唆されている。

空欄イを含む最終段落は That said,「そうはいっても，とはいえ」で始まり，もし最終的な目的が減量なら，ランニングにしろウォーキングにしろ，運動だけでは十分ではないと述べられている。空欄を含む最終文は「研究の結果，運動は　イ　行われる必要があるということがわかっている」という意味で，選択肢の候補は along with calorie restriction「カロリー制限とともに」，with a focus on whole body exercise「全身の運動に重点を置いて」，with your strong will at home continuously「強い意志を持って，家庭で継続的に」の3つである。このうち文脈に合うのは along with calorie restriction のみで，ほかの2つは第2文の発言「運動だけでは十分ではない」と矛盾する内容になるため不適切。

よって，空欄に当てはまる語句は，ア：not per mile, but per minute，イ：along with calorie restriction となり，正答は**1**である。

正答　**1**

次の文の内容と合致するものとして最も妥当なのはどれか。

　株式会社制度の発展により所有と経営が分離されると，会社の業務運営を行う経営者は株式を所有する出資者に対してアカウンタビリティを負うことになり，受託資本の管理運用責任を果たすことが求められる。このため，会計報告に資本がどの程度増加し，出資者に分配するかの情報を提供する機能が必要になる。会計学や簿記論で資本取引と損益取引の区分が強調されるのは，株主持ち分たる資本が維持されているか，当期において利益が生じているかを明らかにすることが株主に対する経営者のアカウンタビリティの基本になるからである。

　つまり，企業における経営者の株主に対する責任は，受託財産の記録，計算，報告を正確に行う簿記上の責任と，実質資本維持がなされているかの資本運用責任から構成される。前者は会計担当者の経営者への財務会計上の責任，つまり財務報告の作成者の利用者に対する責任であり，後者は経営者が株主に負う責任であって，両者を合わせて財務的アカウンタビリティといってよい。

《中　　略》

　企業は利益極大化を図るかどうかはともかく，利益という財務的な尺度で業績を把握することができるから，財務的アカウンタビリティを果たしたかが基本である。複式簿記による記録・測定がアカウンタビリティの確保でも重要な役割を担っている。

　他方，政府等の公的部門では納税者・国民から調達した資源をどのように使用したかを正確に記帳し，その記録の正確性を保証するだけでは，納税者や国民に対するアカウンタビリティを果たすことにならない。財務的な利益をあげることが目的でなく，国民福祉や公共価値を増進することが目的であるからである。管理的及びプログラム・アカウンタビリティを果たすことがより重要な責務となる。公的部門で利益を確保するには，支出を抑え，収入を増やせばよいから，必要な事業を実施せず増税や使用料値上げをすれば可能である。こうした利益＝財政黒字状態が公的部門の本来の成果を示していないことは明らかであろう。また，企業の社会や経済における役割が高まるに従い，株主や債権者以外に顧客，地域住民，政府等多くの利害関係者を有し，社会的責任を負うようになる。こうした企業の社会的影響や貢献度を測定し，伝達することが会計的にも求められ，アカウンタビリティも企業単独のコーポレートなものから社会的・公共的なものに拡大する。

1　所有と経営が分離されると，経営者は出資者に対して，管理的アカウンタビリティよりも，受託資本の管理運用責任を果たす財務的アカウンタビリティの方を負うことが求められる。

2　企業に利益が生じていれば，資本運用責任が果たされているため，経営者の出資者に対する財務的アカウンタビリティは果たされている。

3　会計担当者が経営者に対して負う責任は，経営者が株主に対して負う責任と異なり，社会的・公共的なものを含むようになってきた。

4　公的部門では，記録の正確性を保証するのみでは国民に対するアカウンタビリティを果たすことにならず，管理的及びプログラム・アカウンタビリティを果たすことが必要になる。

5　公的部門におけるアカウンタビリティとは，地域住民などの利害関係者への社会的影響や貢献度を測定し，伝達することである。

解説 ━━━━━━━━━━━━━━━━━━━━━━━━━━━━━━━━━━━━

出典：山本 清『アカウンタビリティを考える――どうして「説明責任」になったのか』

　企業と政府等の公的部門におけるアカウンタビリティについて述べた文章。第4段落はじめの「他方」に着眼して，企業と公的部門において重要となるアカウンタビリティの相違をとらえてから選択肢を吟味したい。

1. 企業は，もとより「財務的アカウンタビリティを果たしたかが基本」であり（第3段落），「管理的アカウンタビリティ」は，政府等の公的部門における重要な責務として挙げられている（第4段落）から，所有と経営の分離に伴い，後者より前者のほうを負うことが求められるとはいえない。

2. 全体的に誤り。アカウンタビリティは説明責任であり，「利益が生じている」だけではこれを果たしたことにはならない。また，経営者の出資者に対する財務的アカウンタビリティは，簿記上の責任と資本運用責任から構成されると述べており（第2段落），資本運用責任が果たされているだけでは，財務的アカウンタビリティが果たされているとはいえない。また，株主に対する経営者のアカウンタビリティとしては，「利益が生じている」かという点だけでなく「資本が維持されているか」という点を明らかにする必要がある（第1～2段落）。

3. 「会計担当者が経営者に対して負う責任」については，「財務会計上の責任」が挙げられているが，これは，「受託財産の記録，計算，報告を正確に行う簿記上の責任」であり（第2段落），「経営者に対して負う責任」として「社会的・公共的なものを含む」とはいえない。第4段落で，企業の社会や経済における役割が高まるに従い，「企業の社会的影響や貢献度を測定し，伝達することが会計的にも求められ，アカウンタビリティも企業単独のコーポレートなものから社会的・公共的なものに拡大する」と述べているが，これは企業の社会的責任である。

4. 妥当である（第4段落）。

5. 全体的に誤り。「地域住民などの利害関係者への社会的影響や貢献度を測定し，伝達すること」は，企業の社会的責任であり（第4段落末），政府等の「公的部門におけるアカウンタビリティ」については，資源の使用についての正確な記録と「管理的及びプログラム・アカウンタビリティ」とを挙げる必要がある（第4段落）。

正答　**4**

次の文の内容と合致するものとして最も妥当なのはどれか。

　懐石を支えた茶の文化は，チャという植物や木，紙，タケなどモンスーンの気候帯に固有の植生に支えられた文化でもある。茶室というしつらえそのものが木の文化の産物である。木の椀，箸，膳などの什器類も木の文化の産物であるといってよい。このようにみれば，和食の文化が，日本列島の気候風土やそれに育まれた文化によって支えられてきたことは明白である。

　和食の背景の一番奥にある思想の底流にも，輪廻の思想はじめ東洋の思想が流れている。そして，これらの思想体系自身がモンスーンの風土に育まれた多様な生物群に支えられてきたことを考えれば，和食の文化は日本の「風土」に支えられてきたというべきであろう。無形文化遺産に登録された和食のこころとは，日本の風土の，食というかたちでの発現にほかならないのである。そしてなによりも大切なことは，「文化遺産」つまり放置すればやがては消失してしまう危険性があるという認識を持つことなのではないだろうか。

　世界文化遺産の登録をめぐって，和食とはなにか，たとえば，カレーライスやラーメンは和食かそうでないかという議論があった。さらには，和食の大きな要素が出汁にあるということで，出汁，うま味をめぐる議論もある。しかし，登録されたのは和食のメニューなのでもなければ，出汁や特定の食品なのでもない。登録されたのは文化なのだ。しかもそれが文化として根づいてきたのは，和食の文化が環境にもやさしく日本の風土にマッチしてきたからにほかならない。いくら和食がヘルシーだからといって，海の向こうの人びとから金にもの言わせて世界中から食材を買いあさって調理したところで，それはもはや文化としての和食でも何でもない。和食の再認識は，じつは日本の風土の再認識でなければならない。これがわたしの出した結論である。同時に，日本に限らず，それぞれの地域の食文化と風土の再認識でなければならない。

　このように，食とは，地球システムのなかでの人類の営みなのであって，いくら技術が進んだところでこの根本原則が変わることはない。これを都合よく制御しようという現代社会の試みは，いったん動きだせばあとは永遠に動きつづける「永久機関」を作ろうという試みと何ら変わるところはなく，破綻は目に見えている。

1　木の文化は，地域の気候帯に固有の植生に支えられて形成されており，日本では，木の文化の産物である什器類が懐石を支えた。

2　和食の底流に流れる東洋の思想は，輪廻の思想とモンスーンの風土に育まれた多様な生物群への敬意とが混ざり合って生まれた。

3　和食の文化の大きな要素は出汁やうま味にあり，無形文化遺産に登録されず放置されれば，和食の文化は消失するという危機意識があった。

4　和食は日本の風土に支えられて文化として根付いており，和食の再認識には日本の風土の再認識が必要とされる。

5　和食は環境に優しく，海外でも受け入れられているが，地域の食文化を消失させないように制御しようとする試みは，現代においても困難である。

解 説

出典：佐藤洋一郎『食の人類史』

　和食の文化と日本の風土との結びつきについて述べた文章。第2段落後半の「和食の文化は日本の『風土』に支えられてきたというべきであろう。無形文化遺産に登録された和食のこころとは，日本の風土の，食というかたちでの発現にほかならない」，第3段落後半の「和食の再認識は，じつは日本の風土の再認識でなければならない」などの主張を読み取って正答の選択肢を探したい。

1.「地域の気候帯に固有の植生に支えられ」たというのは，「茶の文化」についての説明である。それの証左として，茶室や木の碗，箸，膳などの什器類が木の文化の産物であることを指摘している（第1段落）のであり，「茶の文化」と「木の文化」をそのまま入れ替えることはできない。また，「懐石を支えた」のは「茶の文化」であり（第1段落），木の文化の産物である什器類は，茶の文化を構成するものとして述べられているので，これらの什器類が，「茶の文化」という枠組みをとばして直接「懐石を支えた」とするのはおかしい。

2. 和食の思想の底流に東洋の文化が流れているという指摘はあるが（第2段落），その東洋の思想がどのように生まれたかという点については言及がない。

3. 文化遺産の登録を巡っては，「和食の大きな要素が出汁にあるということで，出汁，うま味をめぐる議論もある」（第3段落）とあるが，第2段落に「なによりも大切なことは，……放置すればやがては消失してしまう危険性があるという認識を持つことなのではないだろうか」と筆者の主張を述べており，一部の議論と筆者の意見提示を一つながりのものとして述べている点が誤り。

4. 妥当である（第2〜3段落）。

5.「和食は環境にもやさし」いという主張はあるが（第3段落），「海外でも受け入れられている」という言及はない。また，「制御しようとする試み」については，「食とは，地球システムのなかでの人類の営み」であるのに，これを「都合よく制御しようという現代社会の試み」では「破綻は目に見えている」と述べており（第4段落），選択肢の「地域の食文化を消失させないように制御しようとする試み」は，挙げられていない。

正答 **4**

次の文の内容と合致するものとして最も妥当なのはどれか。

「労働者のあり方」という観点からしたら，近代工業社会は，生まれ続ける失業者をすくい上げるために「新しい産業」を作って来たという面もある。つまり，労働者の安定が帝国主義の発展を支えて来たという一面もあるけれど，でもその「発展の形」は飽和状態に来た。

かつて産業とは「物を作ること」だった。物を大量に作って売る——そうすれば利益を得ることが出来る。そういうことが可能だった時代には，市場というものが無限に近い広さを持っているもののように思われた。でも当然，それは無限ではない。

需要を生み出すマーケットが無限に近い広大さを持っていると思われた時期には，物を作り出すための資源の有限が言われた。つまり，エネルギー資源の確保ということだが，これは「需要は無限にある」ということを前提にしている。その時代には「石油の枯渇」が心配されて，まさか現在のような「石油のだぶつきと値下がり」が起きるとは思わなかった。

人が「需要」と考えるものは往々にして「欲望」のことで，「人の欲望が無限である以上，需要もまた無限に存在して，であればこそ"物"を作り出す産業も不滅だ」と考えられていた。それは，実は「物が足りなくて困ることがある」という「それ以前の時代」の考え方で，「物が余ってしまう未来」のことを頭に置いていない。だから，「人の需要は無限に存在し続けて，マーケットもまた無限に近く続いて広大だ」ということが，うっかり信じられてしまう。

「それは飢餓の時代の世界観である」と言ってしまうと，「世界にはまだ飢餓が存在している」と言われてしまうかもしれない。しかし，産業は「需要」と向かい合うもので，「飢餓」と向かい合うものではない。飢餓と向かい合ったって一銭の得にもならないのだから，利潤を求める「産業」というものは，飢餓なんかには向き合わない。飢餓と向かい合って「なんとかしなければ」と考えるのは「人の善意」で，産業なんかではない。そこに「メリット」を発見しない限り，産業は飢餓と向かい合わない。そして，一方に飢餓と窮乏があったとしても，「無限の需要」を習慣的に夢見てしまう産業は，知らない間に「物が余ってしまう社会」を作り出してしまう。

1 かつて産業とは物を作って市場で売ることであり，その市場は無限の広さを持っていたが，資源の有限が言われると，市場の広さは無限ではなくなった。

2 石油の枯渇が回避された結果，需要が無限にあることを前提としたエネルギー資源の確保が行われ，物が余ってしまう社会が作り出された。

3 飢餓の時代の世界観に基づくと，人の需要は無限に存在するので物を作り出す産業も不滅であるという考え方となる。

4 産業は，飢餓とは向き合わないが，一度飢餓にメリットを発見すると，何とかしなければと考え，そこに人の善意が生まれる。

5 かつては，労働者の安定のために新しい産業が作られてきたが，物が余ってしまう未来では，世界に存在する飢餓を求めて新しい産業が作られる。

出典：橋本　治『知性の顚覆<ruby>顚覆<rt>てんぷく</rt></ruby>――日本人がバカになってしまう構造』

　近代の産業観について述べた文章。需要は無限であり，市場は無限に近い広さを持っているというのは，物が足りなかった時代の考え方であり，現実には市場は無限ではなく，「無限の需要」を求める産業は知らない間に「物が余ってしまう社会」を作り出してしまうと論じている。

1. 2点誤り。まず，市場が「無限の広さを持っていたが」「無限ではなくなった」と，実際上の変化としてとらえている点が誤り。「無限に近い広さを持っているもののように思われた。でも当然，それは無限ではない」（第2段落末），「うっかり信じられてしまう」（第4段落末）などの言明がある。また，「資源の有限」は，市場が無限に近い広さを持っていると思われた時期に言われたのであり，「資源の有限が言われると，市場の広さが無限ではなくなった」としている点も誤り。

2. 需要が無限にあることを前提としたエネルギー資源の確保は，「石油の枯渇が回避された結果」行われたわけではなく，「物が足りなくて困ることがある」という考え方によるものである（第3～4段落）。

3. 妥当である。

4. 産業は「飢餓とは向き合わない」という部分は第5段落の内容に合致するが，「なんとかしなければ」と考えるのは飢餓と向き合う「人の善意」であり，「産業」ではないと述べている（第5段落）。

5. 前半の「労働者の安定のために新しい産業が作られてきた」という部分は，第1段落の近代工業社会の特性と合致するが，後半の「物が余ってしまう未来」で「世界に存在する飢餓を求めて新しい産業が作られる」という言及は本文にはない（第4～5段落）。

正答　**3**

次の文の内容と合致するものとして最も妥当なのはどれか。

　技術は社会に受け入れられることによって普及する。その意味では社会が技術を選択していることになるが，普及の程度やあり方によっては，逆に技術が社会を支配する要因ともなりうる。

　選択と支配という関係性の逆転をもたらしている要因は技術の作動条件である。あらゆる技術には作動条件というものが存在し，単独では機能を発揮できない。たとえば刃物のような原始的な道具であっても，それを使いこなす身体能力が作動条件となる。原始的な道具と近代技術の違いを指摘するとすれば，後者が生身の人間の身体能力に依存しない方向で進化していることである。その結果として個人の身体能力や感覚などに依存しない形で技術は機能を発揮できるようになっている。その一方で高度化する技術の作動条件は複雑化し，これ自体が社会の一部を構成し始める。

　技術が社会に普及した結果，逆に社会が技術に依存するような現象もある。電気に即して考えてみよう。現在の日本では明かりが必要な時には照明をつけるだけで用が足りる。そのために必要なのはスイッチ一つであり，単純な操作で誰でも使えるようになっている。操作の手軽さと機能の多様性という点において，技術による人工的環境は人類史上まれな水準に達しているといってよいだろう。その背景に存在するのは様々な技術群であり，これが消費者の利便性を支えている。社会基盤としての電気の作動条件となっているのが発電所や送電網などであり，これらが整えられてはじめて電気を簡便に利用することが可能になる。また化石燃料や原子力といった高密度のエネルギー源を使用する発電技術によって，電気は時間帯を問わずに利用することが容易になった。その結果，電気は他のエネルギー媒体よりも優位性を持つようになり，様々な技術が電気の供給を前提とするものへと置き換わってきた。当初の用途は熱や光であったが，家電製品のようにしだいに社会基盤としての電気を前提とする新たな商品やサービスが生み出されてきた。これらを前提として私たちの生活やライフスタイルがある。

　このように技術が普及するにしたがって，社会基盤としての重要性も高まってきた。その一方で技術の利用に必要な作動条件も複雑化してきた。道具の段階における作動条件は使用者の身体能力が多くを占めており，道具が利用者の発達を促すような関係性もあった。また道具そのものも単純であったため，比較的容易に再現することが可能であった。

1　複雑化した技術の作動条件を前提とする人工的環境の下で人間が生活することは，選択と支配という関係性の逆転をもたらす要因となっている。

2　電気を前提とする新たな商品は，手軽な操作を提供することで，人間が電気を簡便に利用することを可能にし，原始的な道具よりも優位性を持つ。

3　人間は，個人の身体能力や感覚に依存しないライフスタイルを確立したことで，電気を前提とする新たな商品やサービスを生み出してきた。

4　消費者の利便性を追求した結果，電気の作動条件が発電所や送電網などであるように，あらゆる技術の作動条件が複雑化してきた。

5　技術には，普及の程度や在り方により，社会を支配する要因となる可能性があるほか，社会に依存される現象も存在し，技術の社会基盤としての重要性も高まっている。

解説 ━━━━━━━━━━━━━━━━━━━━━━━━━━━━━━━━━━━

出典：丸山康司『再生可能エネルギーの社会化──社会的受容性から問いなおす』

　技術と社会の関係について述べた文章。技術の普及と作動条件の複雑化の関係を取り上げて論じている。**1**～**4**は因果関係について述べているが，細かい吟味に入る前に，第1段落と第2段落以降の各段落の冒頭に目を通し，議論の大枠をつかむと速く解ける。

1．第2段落で，「選択と支配という関係性の逆転をもたらしている要因」は「技術の作動条件である」と述べており，「複雑化した技術の作動条件を前提とする人工的環境の下で人間が生活すること」を要因とするのは，飛躍がある。

2．人間が電気を簡便に利用することが可能になるのは，「社会基盤としての電気の作動条件となっている発電所や送電網など」が整えられてからであり，「電気を前提とする新たな商品」が生み出されるようになったのは，電気が社会基盤となってからである（第3段落）。また，電気は他のエネルギー媒体よりも優位性を持つようにな」ったという記述はあるが，「電気を前提とする新たな商品」が「原始的な道具よりも優位性を持つ」とは述べていない（第2～4段落）。

3．順序が逆である。「電気を前提とする新たな商品やサービス」が生み出されてきたのは，電気が社会基盤となってからであり，「これらを前提として私たちのライフスタイルがある」と論じている（第3段落）。

4．「消費者の利便性」は「様々な技術群」に支えられている（第3段落）が，消費者の利便性の追求は，本文には「あらゆる技術の作動条件が複雑化してきた」原因としては挙げられていない。

5．妥当である（第1，第3～4段落）。

正答　**5**

次の文の内容と合致するものとして最も妥当なのはどれか。

　近代的自我の文学の到達点であるプルーストの小説は，あの目ざめの「最初の瞬間」，「自分が誰であるかを知らず，何者でもなく，新しく，何にでもなれる状態にあり，脳はそれまで生きてきたあの過去というものを含まず空虚になっている」そのような瞬間からくりかえしはじまっている。

　　死への抵抗，長い，毎日の，必死の抵抗……しかもその死は，断片的，継起的な死であって，われわれの一生の全持続にわりこむ。〔『花咲く乙女たちのかげに』〕

　われわれの人生の持続にわりこむ死，「断片的，継起的な」死とはどういう死なのだろうか。それは瞬間ごとにわれわれの実存を帰無し，次の瞬間には見知らぬ他者をわれわれの内に生みだすかもしれないような死だ。

　「われ信ず」「われ思う」「われ感ず」ということは近代世界の熟成してゆくそれぞれの世紀において，人間が自分自身の存在感，実存のリアリティをとりもどすために要請し，発見してきた条件法であった。それらはけっして観念の中の小理屈ではなく，それぞれの時代の人びとにとって，なまなましく強迫的な条件法であったということが，まず理解されねばならない。これらの生きられる条件法の基礎にあるものは，カルヴァンからデカルトを経てプルーストに至る近代的自我の全歴史につきまとってきたひとつの〈おびえ〉，ひとつの不信，ひとつの喪失，あるいは疎外の感覚である。

　彼らの存在感は，たえずあらたに風を送らねば消えはててしまう炎のように不安定なものだ。信仰や思惟や感覚は，このような炎をたえずよみがえらせる生命の風のさまざまなかたちに他ならない。これらの時代の内部の人びとが自己の存在証明のために，これらさまざまな条件法をその主題として追求してきたことは当然であるが，近代をその総体として問題とするわれわれにとって，主題は反転されねばならない。それぞれの世紀の〈解決形態〉の底にある問いそのものの場を問いかえすということ，すなわち，これらの条件法なしには主体が持続する実在感をもちえぬという，時間と自我との双対的な解体感自体がまず主題化されねばならない。

1　プルーストの小説は，近代の人々が何者でもないという目覚めの瞬間を繰り返し，それまで生きてきた過去を捨て去るという状態を描いたことで，近代的自我の文学の到達点となった。

2　人生の持続に割り込もうとする死に対し，人々が必死に抵抗するのは，死によって自分が永遠に実存しなくなり，見知らぬ他者に取って代わられるというおびえがあるためである。

3　近代世界の人々は，不安定な自分自身の存在感を取り戻すため，それぞれの時代において自分の存在を証明するような信仰・思惟・感覚における条件法を求めてきた。

4　「われ信ず」という信仰上の強迫的な教えは，近代世界が熟成するとともに疎外の感覚を募らせた人々によって否定され，「われ感ず」という感覚上の解決形態に置き換えられた。

5　主体が持続するための条件法が，それぞれの時代において観念の中の小理屈ではないことを理解することによって，我々は近代をその総体として問題とすることができる。

解説 ━━━━━━━━━━━━━━━━━━━━━━━━━━━━━━

出典：真木悠介『時間の比較社会学』

　近代人の存在感の不安定さについて述べた文章。プルーストの小説に記された「断片的，継起的な死」について解釈し，筆者の問題意識を提示している。「条件法」などの難しいことばが出てくるが，「……とはどういう死なのだろうか」という問いが掲げられており，文章構成はシンプルである。この問いに対する解釈を読み取って解くことが肝要となる。

1．プルーストの小説が「近代的自我の文学の到達点である」という点は，本文冒頭に記されており，その小説の中で，近代人である「自分」が「何者でもないという目覚めの瞬間を繰り返し」描いたという点も第1文の内容に合致するが，「脳はそれまで生きてきたあの過去というものを含まず空虚になっている」目ざめの瞬間を描いたのであり，「それまで生きてきた過去を捨て去るという状態を描いた」とは述べていない。

2．「死によって自分が永遠に実存しなくなり，見知らぬ他者に取って代わられるというおびえがある」という部分が誤り。本文で取り上げられている「死」は，「われわれの人生の持続にわりこむ死」「断片的，継起的な死」であり，それは「瞬間ごとにわれわれの実存を帰無し，次の瞬間には見知らぬ他者をわれわれの内に生み出すかもしれないような死だ」と述べている（第1〜3段落）。

3．妥当である（第4〜5段落参照）。

4．「われ信ず」と「われ感ず」は，本文では並列されており，一方が否定されて他方の形態に「置き換えられた」という関係性は記されていない。また，「われ信ず」は，「われ思う」「われ感ず」と並列されて「人間が自分自身の存在感，実存のリアリティをとりもどすために要請し，発見してきた条件法」であり，「なまなましく強迫的な条件法であった」とは述べられているが，「信仰上の強迫的な教え」のようなものとはされていない（第4〜5段落）。

5．「主体が持続するための条件法が，それぞれの時代において観念の中の小理屈ではない」という部分は第4〜5段落の内容に合致するが，本文にはこのことが「まず理解されねばならない」と記されており，これを理解するだけでは「近代をその総体として問題とすることができる」とまではいえず，飛躍がある。第5段落で，「近代をその総体として問題とするわれわれにとって，主題は反転されねばならない」と述べており，筆者の問題意識は，「これらの条件法なしには主体が持続する実在感をもちえぬという，時間と自我との双対的な解体感自体がまず主題化されねばならないという点にある。

正答 **3**

次の文の 　　　　　 に当てはまるものとして最も妥当なのはどれか。

　われわれは道徳的な問題や政治的判断に関しても，科学的な問題と同じようなアプローチが可能であるといわれれば，そうした考えには相当に抵抗感があり，不信感をもつにちがいない。というのも，道徳的な善や悪，法的な正義や不正は，科学が自然のなかに見出す法則とはまったく別の意味での，道徳的原則や法的原理によって，判定されているように思われるからである。道徳の原理などが神的な起源をもつのか，人間理性のうちにあるのか。このことはもちろん道徳哲学・法哲学の重大な問題ではある。しかし，それが自然界の法則とはまったく別のものであるのは，はじめから自明なことではないのか。

　デューイはこのような発想に対して，それは自明どころか，反対にまったく誤っているのだと主張する。というのも，彼の理解では自然の内なる法則や規則というものも，実際には探究の現時点での「保証つきの言明可能性」に従ったものでしかないのであるから，それ自体として永遠的かつ客観的に存在するものではない。

　それとまったく同様に，道徳や社会の規則もまた，　　　　　　　　　　　　　　有効性が確かめられている，人間どうしの社会的な活動のルール，人々の結びつきの規則にすぎないからである。道徳や法的正義などの価値判断に関して，理性であれ神であれ，何らかの絶対的な根拠や源泉を求めようとすることは，科学についての認識論的反省の場合と同様に，「傍観者的知識観」にもとづいた伝統的哲学がひきずってきた，誤った保守主義，無益な「確実性の追求」という誤謬に陥る，ということに他ならないのである。

1　古いパラダイムの破棄と新しいパラダイムの形成による累積的な進歩によって
2　あらゆる社会に永遠に妥当する真理ではなくて，この時代，この社会において
3　自然界の法則が永遠的かつ客観的であるのとは異なり，認識論的反省をふまえて
4　民主主義など政治的体制の形態にかかわらず，確実性を追求する伝統的哲学にもとづいて
5　神的な起源をもとうとも，人間理性のうちにあろうとも，別の意味での原理によって

解説

出典：伊藤邦武『プラグマティズム入門』

　道徳や社会の規則と科学が自然界に見いだす法則との共通点を取り上げた文章。

　空欄のある第3段落の第1文は，「それとまったく同様に，道徳や社会の規則もまた，□□□□□□有効性が確かめられている，人間どうしの社会的な活動のルール，人々の結びつきの規則にすぎないからである」というもので，その主語は「道徳や社会の規則」であり，「それとまったく同様に」「もまた」とあるのだから，前段落と共通する内容のものを選ぶ必要がある。後の説明を読むと，続く第2文には，「何らかの絶対的な根拠や源泉を求めようとすることは，……誤った保守主義，無益な『確実性の追求』という誤謬に陥る，ということに他ならないのである」と述べており，この段落の趣旨は，道徳や社会の規則にも「絶対的な根拠や源泉」は求められないというものであることがわかる。

　前の第2段落では，デューイの主張を挙げており，「自然の内なる法則や規則というものも，実際には探求の現時点での『保証つきの言明可能性』に従ったものでしかないのであるから，それ自体として永遠的かつ客観的に存在するものではない」と述べている。「現時点での『保証つきの言明可能性』に従ったものでしかない」という要点を押さえて，選択肢を吟味したい。

1. 「古い」パラダイムか「新しい」パラダイムかという論点は，提示されていない。

2. 妥当である。「あらゆる社会に永遠に妥当する真理ではなくて，この時代，この社会において」有効性が確かめられているものとすると，第2～3段落の趣旨に合致する。（上記の解説参照）

3. 自然界の法則と異なる点を指摘しているのではないから，誤りである。

4. 「確実性を追求する伝統的哲学にもとづいて」という観点が誤り。本文では「伝統的哲学がひきずってきた，……，無益な『確実性の追求』」を「誤謬」と断じている。

5. 「神的な起源をもつのか，人間理性のうちにあるのか」という問題は，第1段落で取り上げられている観点であり，第2段落以降では，このような「原理」を求める発想を否定しているのだから，第2～3段落の趣旨と反対の内容になってしまう。第3段落では，「絶対的な根拠や源泉を求めようとすること」を「無益な『確実性の追求』という誤謬」と呼んでいる。

正答　2

文章理解
判断推理
数的推理
資料解釈
時事
物理
化学
生物

国家一般職
［大卒］
No.
61
教養試験
文章理解　　英文（内容把握）　平成30年度

次の文の内容と合致するものとして最も妥当なのはどれか。

　　Atop Earth's largest active volcano, an alarm bell has tolled unheeded for six decades.　In 1958, Scripps Institution climatologist Charles Keeling began making precise measurements of atmospheric carbon dioxide concentrations at Mauna Loa Observatory.　Back then, Earth's atmosphere clocked roughly 310 parts per million（ppm）of carbon dioxide.　It took just a year for Keeling to spot a now-familiar upward trend.

　　"You can think of it as taking planetary vital signs," says Ralph Keeling, who continues his father's work at Scripps today.　The news isn't good.　In April 2017, carbon dioxide hit 410 ppm, a 50 percent increase from pre-Industrial Revolution levels.　And it's been increasing roughly 3 ppm per year, a record rate.　Last year, 175 countries agreed to reduce emissions via the Paris Agreement, which — optimistically — could hold global temperatures to an increase of 1.5 degrees Celsius since pre-industrial levels.

　　"We are almost there already," says glaciologist[*1] Eric Rignot of the University of California, Irvine.　"I think at some point, people will realize we've already passed it."

　　Our current emissions trajectory[*2] locks Earth into a carbon dioxide level of at least 450 ppm, Ralph Keeling says.　And burning fossil fuels at the same increasing rates through 2050 would drive those levels to their highest point in 50 million years, according to an April study in *Nature Communications*.　Add a few more centuries of similar emissions, and carbon dioxide levels rise to those not seen in 420 million years, causing unprecedented sea level rise.

　　Keeling doesn't think it'll come to that.　New efficiency standards and cleaner energy are already reducing emissions in the U.S. and other countries.　If such efforts register at Mauna Loa, it could show humans still have some control.　"It's been an alarm bell so far　— the curve," Keeling says. "But if we start to take positive steps, it can become a sign of progress and hope."

　　（注）　*1 glaciologist：雪氷学者　　*2 trajectory：軌跡

1　大気中の二酸化炭素の濃度は，1958年に正確な測定が始められたが，その頃には既に，濃度は産業革命以前の水準の1.5倍となっていた。

2　Charles Keeling がマウナ・ロア観測所で二酸化炭素の濃度測定を始めた目的は，地球上の新たな生命の兆候を発見するためであった。

3　パリ協定では，地球の気温上昇を産業革命以前の水準から1.5℃高い水準までにとどめることとされたが，同協定の発効の５年後には，初めてこの水準を超える見込みである。

4　化石燃料の使用量は2050年まで同じ割合で増加し続けるが，地球の二酸化炭素の濃度は，今後減少が見込まれ，現在の水準がこの5,000万年で最大と予想されている。

5　Ralph Keeling によれば，米国等では，新しい効率基準と，よりクリーンなエネルギーのお陰で，温室効果ガス排出量が既に減少している。

出典：Eric Betz，"What Carbon Really Costs"

全訳〈世界最大の活火山の頂上では，非常ベルが顧みられないままに60年間鳴り続けてきた。1958年，スクリプス研究所（訳注：アメリカで生物医療科学の研究と教育を行っている，非営利の医療研究施設）の気候学者であるチャールズ＝キーリング氏は，（ハワイの）マウナ＝ロア観測所で大気中の二酸化炭素濃度の詳細な計測をし始めた。当時，大気中の二酸化炭素濃度はおよそ310ppm（＝0.031％）を記録していた。今ではなじみのある上昇傾向をキーリング氏が発見するまでには，ちょうど1年を要した。

「それは，惑星のバイタルサイン（生命徴候。人間の場合は脈拍，呼吸，体温，血圧をさす）を測っているようなものとお考えください」と，現在スクリプスで父親の仕事を引き継いでいる，ラルフ＝キーリング氏は語る。最新の状況は芳しくない。2017年4月，二酸化炭素濃度は410ppmを記録し，産業革命以前の水準から50％の増加となった。そして，1年ではおよそ3ppmの増加と，過去最大の割合となった。昨年，175か国がパリ協定に沿って排出量を減らすことに合意した。それにより，楽観的見通しでは，地球の気温を産業革命以前の水準から1.5℃高い水準までにとどめられることになる。

「私たちは，すでにほぼその水準まで来ています」と，カリフォルニア大学アーバイン校に所属する雪氷学者のエリック＝リグノット氏は語る。「おそらくどこかの時点で，私たちは人類がその水準をすでに超えてしまったことに気づくことになると思います」

私たちの現在の排出量をもとに軌跡を描くと，地球が少なくとも450ppmの二酸化炭素濃度となることは逃れられない，とラルフ＝キーリング氏は語る。また，（オンライン誌の）「ネイチャー・コミュニケーションズ」に4月に掲載された研究によると，化石燃料を今と同じ増加割合で2050年まで燃やし続けると，その水準は過去5000万年での最高点にまで達するだろうとのことだ。同様の排出量があと何百年分か加われば，二酸化炭素濃度は過去4億2000万年なかったほどの高い水準にまで上昇し，結果として過去に例を見ないほどの海面上昇が起こることになる。

キーリング氏は，そこまでの事態に至るとは考えていない。新しい（車の燃費などの）効率基準と，よりクリーンなエネルギーによって，すでにアメリカや他の国々では排出量が減少している。そのような努力がマウナ＝ロアで記録となって現れれば，人間にはまだ制御可能であることが示されることになる。「これまでのところ，この曲線は非常ベルでしたが」とキーリング氏は語る。「もし私たちが前向きな措置を講じることを始めるなら，それは進歩や希望のしるしにもなるのです」〉

1. 前半部分は正しいが，その頃すでに濃度が産業革命以前の水準の1.5倍となっていたのではなく，2017年4月に，産業革命以前の水準から50％の増加，つまり1.5倍になったと述べられている。

2. チャールズ＝キーリング氏が測定を始めた目的については述べられていない。息子のラルフ＝キーリング氏の発言にvital signsとあるが，これは「地球上の新たな生命の兆候」という意味ではなく，また目的を述べた文でもない。

3. 前半部分については，楽観的見通しの場合として本文でも述べられているが，後半部分について，「発効の5年後」という具体的な文言は本文中にはなく，「（将来）どこかの時点で……その水準をすでに超えてしまったことに気づく」ことになるだろうとの発言が引用されている。

4. 本文で述べられているのは，「（仮に）化石燃料を今と同じ増加割合で2050年まで燃やし続けると」「その（＝2050年時点の）水準は過去5000万年での最高点にまで達することになる」という予想である。また，現在多くの国で排出量が減少していることは最終段落で述べられているが，地球の二酸化炭素濃度について「今後減少が見込まれ」るという予想は述べられていない。

5. 妥当である。

正答　**5**

次の文の内容と合致するものとして最も妥当なのはどれか。

　　　The first thing that catches the eye at the Coal Heritage Museum in Madison is a small but striking image of a miner hovering over a city. With his arms rested on his waist, the deity-like miner uses his helmet lantern to illuminate the city.

　　　The message isn't meant to be subtle. "A lot of miners take pride in it," says Carl Dunlap, who spent 40 years as a coal miner and now mans the front desk of the museum.

　　　He's right. Coal was discovered in West Virginia in 1742, just a few miles from where the museum sits, and it became central to the state's economy in the 19th century when the Industrial Revolution sent demand soaring. Eventually, all but two of the state's 55 counties became a source for the black rock. Coal powered the nation through World War II and was critical during the energy crisis in the 1970s, when Middle Eastern sheiks[1] embargoed[2] the sale of oil. Demand peaked in 1988, when coal provided nearly 60% of U.S. electricity.

　　　There were ups and downs in the decades that followed, but in the past 10 years the decline began to resemble a death spiral. West Virginia produces 60% of the coal that it did a decade ago and employs about 12,000 people as coal miners — down from more than 64,000 in the 1970s. The effects extend far beyond the people working directly in the industry. Revenue from a state tax on coal production — a key source of funding for local communities — is expected to decline from more than $420 million in 2012 to $151 million by 2018.

　　　It's market forces that make this moment the most challenging time in the coal industry's long history — and a key reason why energy analysts are skeptical of any promise to bring it back. The development of fracking opened up once unreachable reserves of natural gas and has slashed its price by two-thirds since 2008.

　（注）　*1 sheik：首長　　*2 embargo：〜の貿易を禁止する

1　石炭産業は街に大きな利益をもたらしたが，産業が衰退した現在では，イルミネーションが美しい博物館に多くの観光客が訪れるなど，観光業が栄えている。

2　19世紀に産業革命が起こり，石炭の需要が急上昇したため，ウェストヴァージニア州の55の郡の全てで採掘が開始され，同州全域で石炭が産出された。

3　中東諸国による石油の禁輸によって石油が不足したため，石炭が米国の電力の約60％を賄っていた1970年代に，その需要はピークを迎えた。

4　ウェストヴァージニア州の石炭産業は，ここ10年の衰退は甚だしく，生産量と炭鉱労働者が減少し，税収を減少させ，様々な人々に影響を及ぼしている。

5　専門家によると，天然ガスの価格は石炭の価格の3分の2まで低下しており，今後石炭産業が復活することは難しいと予想される。

解 説 ━━━

出典：Justin Worland, "Coal's Rocky Road"

　全訳〈マディソンにある石炭文化遺産博物館でまず最初に目を引くものは，上空に漂いながら市を見下ろす，小さいが人目を引く1人の鉱夫の像である。両手を腰の脇に置いたその神々しい姿の鉱夫は，ランタン付きのヘルメットで市を明るく照らしている。

　込められたメッセージにそれほど奥深い意図があるわけではない。「多くの炭鉱労働者が仕事に誇りを持っているということです」と，カール＝ダンラップ氏は語る。彼は炭鉱労働者として40年を過ごし，今は博物館のフロント係を務めている。

　彼の言うことは正しい。ウェストヴァージニア州では，石炭は1742年に，博物館のある場所からほんの数マイルのところで発見され，産業革命で需要がうなぎ登りだった19世紀には州の経済の中心となった。最終的に，州内の郡のうち2つを除いたすべての郡が，その黒い石の産地となった。石炭は第二次世界大戦の期間を通じて国の動力資源となり，中東の首長らが石油を禁輸した1970年代のエネルギー危機の期間にも重要な役割を果たした。需要がピークを迎えた1988年には，アメリカの電気の60％近くが石炭（による火力発電）によって供給されていた。

　その後の数十年間は何度かの浮き沈みがあったが，この10年の間に，衰退が負の連鎖（悪循環）の様相を呈し始めた。ウェストヴァージニア州では石炭の生産量が10年前の60％に減り，炭鉱労働者として雇用される人の数も，1970年代の6万4千人超から約1万2千人にまで減少した。その影響は，石炭産業で直接働く人をはるかに越えて広がっている。石炭の生産に課される州税から得られる税収は，地域経済にとって重要な資金源だが，2012年の4億2,000万ドル超から，2018年には1億5,100万ドルにまで減少する見込みだ。

　石炭業界の長い歴史の中で，いま現在が最も厳しい時代となっているのも，この業界が盛り返すどんな見込みにもエネルギー専門家が懐疑的である主たる理由も，市場原理というものである。フラッキング（水圧破砕法。圧力をかけて岩盤に裂け目を生じさせ，シェールガスやシェールオイルを採掘する）の発達によって，かつては到達不可能だった場所に蓄えられた天然ガスが開発され，そのため天然ガスの価格は2008年以降で3分の2も下落したのだ〉

1．石炭産業が衰退した現在，観光業が栄えているという記述は，まったくない。博物館についても，「イルミネーションが美しい」「多くの観光客が訪れる」とは述べられていない。

2．石炭について「産業革命で需要がうなぎ登りだった19世紀」と述べられているが，これは19世紀に産業革命が起こったということを必ずしも意味しない。また，ウェストヴァージニア州の55の郡のすべてではなく，「2つの郡を除くすべての郡」が石炭の産地となったと述べられている。

3．前半部分については正しいが，後半部分について，石炭の需要のピークは1988年，また石炭がアメリカの電力の約60％を賄ったのもその年のこととして述べられており，1970年代のことではない。

4．妥当である。

5．天然ガスの価格は「2008年以降で3分の2」下落した，つまり約10年前の天然ガスの価格の3分の1にまで下落したと述べられている。石炭の価格との比較は述べられていない。

正答　**4**

次の文の内容と合致するものとして最も妥当なのはどれか。

　　　Evidence shows that opening of economies to trade, especially in the late 20th century, boosted incomes and living standards across advanced and developing countries.　Since the early 2000's, however, the pace of opening has largely stalled[*1], with too many existing trade barriers and other policies that favor chosen domestic industries over the broader economy remaining in place, and new barriers being created.　Such policies can cause a chain reaction, as other countries adopt similar measures with the effect of lowering overall growth, reducing output, and harming workers.

　　　Reinvigorating[*2] trade, packaged with domestic policies to share gains from trade widely, needs to be a key priority.　One part of this is to remove trade barriers and reduce subsidies and other measures that distort trade.　Stepping up trade reform is essential to reinvigorate productivity and income growth, both in advanced and in developing countries.

　　　But these reforms also require thinking in advance and during implementation about those workers and communities that are being negatively affected by structural economic changes.　Even though job losses in certain sectors or regions have resulted to a larger extent from technology than from trade, thinking in advance about the policy package that shares trade gains widely is critical for the success of trade reforms.　Without the right supporting policies, adjustment to structural changes can bring a human and economic downside that is often concentrated, sometimes harsh, and has too often become prolonged.

　　　This is why governments must find better ways of supporting workers.　Each country needs to find its own mix of policies that is right for their circumstances.　Approaches such as a greater emphasis on job search assistance, retraining, and vocational training can help those negatively affected by technology or trade to change jobs and industries.　Unemployment insurance and other social safety nets give workers the chance to retool.

　　（注）　*1stall：停滞する　　*2reinvigorate：～を再び活気付ける

1　20世紀後半，先進国と発展途上国の間で貿易が活発になったことで，先進国と発展途上国の間の所得と生活水準の格差は，ますます拡大した。

2　国内産業の保護と経済成長は両立できるので，両者を追求することで，経済成長を低下させ，生産高を減らし，労働者を害する現在の連鎖反応を断ち切ることができる。

3　生産性と所得の伸びを回復させるには，貿易改革が不可欠であり，貿易障壁を取り除くことや，貿易をゆがめる補助金などを削減することが考えられる。

4　ある特定の分野や地域での雇用の喪失は，貿易ではなく技術発展によってもたらされているので，貿易改革と雇用に関する政策は，切り離して考える必要がある。

5　各国政府は，求職援助や職業訓練を行い，セーフティネットを用意することで，国民が現在の仕事を辞めることなく，同じ産業内で生産性を高められるようにすべきである。

解説

出典：Joint Statement by the Heads of the IMF, World Bank and WTO on the Need to Reinvigorate Trade to Boost Global Economic, IMF PRESS RELEASE No.17/264

全訳〈証拠が示すところによると，特に20世紀後半において，経済を開放し貿易をすることで，先進国でも発展途上国でも所得と生活水準が大きく向上している。しかしながら，2000年代前半以降，開放のペースは概して停滞しており，その要因としては既存の貿易障壁が多すぎること，またほかにも，選ばれた国内産業をより開かれた経済よりも優遇する政策が残存していること，そして新たな障壁が築かれつつあることが挙げられる。そのような政策は連鎖反応を引き起こしかねない。というのは，他国も同様の手段を採用し，結果として全体の成長は低下し，生産高は減少し，労働者に害を及ぼすからである。

国内政策とセットで貿易の再活性化を行い，貿易からの収益を幅広く共有するようにする政策が主要優先事項となるべきだ。その一環として，貿易障壁を取り除き，また貿易をゆがめる補助金その他の措置は削減する必要がある。貿易改革の推進は，先進国においても発展途上国においても，生産性を再び活性化させ所得を伸ばすうえで不可欠なものである。

だが同時に，これらの改革は，行う前および実施している間，経済の構造改革によって負の影響を被っている労働者や地域のことも考えながら行う必要がある。ある特定の分野や地域での雇用の喪失は，貿易というよりは技術（の発展）に負う部分が大きいものだが，貿易による収益を幅広く共有するような総合的政策を事前に考えておくことは，貿易改革を成功させるための重要な要素である。適切な支援政策がなければ，構造改革への適応によって人的および経済的なマイナス面がもたらされる可能性がある。そのしわ寄せはしばしば一部に集中し，ときに過酷であり，また長期にわたる例がこれまであまりに多かった。

だからこそ，政府は労働者支援のよりよい方策を見いださなければならない。それぞれの国が，自国の状況に適した独自の政策の組合せを見いだす必要がある。求職援助や再研修，職業訓練などにより重点を置いた手法をとることで，技術の発展や貿易の負の影響を受けた人々が仕事を変えたり他産業に移ったりするのを助けることができる。失業保険その他の社会的セーフティネットは，労働者が自己変革をする機会を与える〉

1. 本文で述べられているのは，「特に20世紀後半において，経済を開放し貿易をすることで，先進国でも発展途上国でも所得と生活水準が大きく向上している」という内容である。先進国と発展途上国の間の所得と生活水準の格差に触れた記述はない。

2. 本肢後半のような事象は，貿易障壁など国内産業保護の政策を各国が追求した結果起きることとして述べられており，それを防ぐための自由貿易の重要性を述べている。「国内産業の保護と経済成長は両立できる」という趣旨の記述は本文中にない。

3. 妥当である。

4. 本文では，「ある特定の分野や地域での雇用の喪失は，貿易というよりは技術（の発展）に負う部分が大きい」と述べられており，貿易の影響を否定してはいない。ゆえに，「求職援助や再研修，職業訓練などにより重点を置いた手法をとることで，技術の発展や貿易の負の影響を受けた人々が仕事を変えたり他産業に移ったりするのを助けることができる」と述べられており，貿易改革と雇用に関する政策を切り離して考えるべきとの記述はない。

5. 4の解説で述べた部分，および本文最終文より，政府の政策については「……人々が仕事を変えたり他産業に移ったりするのを助ける」「労働者が自己変革をする機会を与える」ようにすべきものと述べられており，「現在の仕事を辞めることなく，同じ産業内で……」という趣旨の記述はない。

正答　**3**

文章理解 判断推理 数的推理 資料解釈 時事 物理 化学 生物

次の ☐☐☐☐ の文の後に，ア〜オを並べ替えて続けると意味の通った文章になるが，その順序として最も妥当なのはどれか。

> Most people seal the envelope before posting a letter. If asked why, then some immediate responses would probably include comments like 'I don't know really', 'habit', 'why not?' or 'because everyone else does'.

ア：Clearly anyone wanting to send confidential, or maybe even just personal, messages via email needs to find some other means of protecting them. One common solution is to use cryptography[*1] and to encrypt[*2] the message.

イ：If we sent our letters in unsealed envelopes then anyone who gained possession of the envelope would be able to read its contents. Whether or not they would actually do so is a different issue.

ウ：It is a fast means of communication but, of course, there are no envelopes to protect the messages. In fact it is often said that sending email messages is like posting a letter without an envelope.

エ：More reasoned responses might include 'to stop the letter falling out' or 'to stop people reading it'. Even if the letters do not contain any sensitive or highly personal information, many of us like to think that the contents of our personal correspondence are private and that sealing the envelope protects them from everyone except the intended recipient.

オ：The point is that there is no denying that they would be able to if they wanted to. Furthermore, if they replaced the letter in the envelope then we would not know they had done so. For many people the use of email is now an alternative to sending letters through the post.

（注） [*1] cryptography：暗号法 　　[*2] encrypt：〜を暗号化する

1 エ→イ→オ→ウ→ア
2 エ→ウ→イ→ア→オ
3 エ→オ→ウ→ア→イ
4 オ→イ→ア→ウ→エ
5 オ→エ→イ→ア→ウ

解説

出典：Fred C. Piper, Sean Murphy, "Cryptography : A Very Short Introduction"

全訳〈たいていの人は手紙を投函する前に封筒に封をする。理由を尋ねられれば，とっさに出てくる反応はおそらく「なんとなく」「習慣で」「いけないの？」あるいは「みんなやってるから」という類の発言だろう。

エ：それよりは考えたうえでの反応は，「手紙が落ちるのを防ぐため」あるいは「人に読まれるのを防ぐため」といったものかもしれない。たとえ手紙の内容に内密にすべきことや重大な個人情報が含まれていなくても，私たちの多くは，自分の私信の中身は私的なものであり，封筒に封をすることは宛名の相手以外の誰にも読めないようにすることだと考えたがる。

イ：仮に私たちが封筒に封をしないで手紙を送れば，その封筒を手にした人は誰でも，その中身を読むことができるだろう。その人が実際にそうするかどうかは，また別の問題だ。

オ：大事なことは，彼らがそうしたいと思えばそうすることができることは否定できない，ということだ。

さらには，仮に彼らが封筒の中の手紙を入れ替えても，彼らがそうしたことを私たちは知りようがないだろう。多くの人にとって，Ｅメールの使用は今ではポストを通じて手紙を送ることに代わる手段だ。

ウ：それは意思疎通が速くできる手段ではあるが，当然のこと，そのメッセージを保護する封筒は存在しない。実際，Ｅメールでメッセージを送ることは封筒なしで手紙を投函するようなものだ，とよくいわれる。

ア：たとえ秘密のメッセージであれ，単なる個人的な私信であれ，Ｅメールを通じて送りたいと思うならば，それを保護する何かほかの手段を見つける必要があるのは明らかだ。よく行われる１つの解決策は，暗号技術を使ってメッセージを暗号化することだ〉

選択肢を見るとエカオのいずれかで始まっているため，冒頭の段落に続くものとしてまずこの２つを読み比べる。冒頭の段落は，たいていの人は手紙を投函する前に封筒に封をするが，理由を尋ねれば，とっさの反応はおそらく「なんとなく」「習慣で」といったものだろう，という内容である。エは More reasoned responses might include …「より考えられた反応は，……といったものを含むかもしれない」と始まっており，名詞 responses や動詞 include が冒頭の段落第２文と共通していること，また以下に続く２つの〈to＋動詞の原形〉が「～するため」と「目的」を表すことから，冒頭の段落を受けて，「より考えられた反応」として目的を述べる文が挙げられている，と考えれば自然につながる内容である。これに対して，オは The point is that …「ポイントは……ということである」と始まっており，続く there is no denying that …「……ということは否定できない」以降の that 節，they would be able to if they wanted to「彼らはそうしたいと思えばそうすることができるだろう」が具体的にどんな行動をさしているのかが問題になる。もしこの文が冒頭の段落に続くとすると，they は第１文の Most people をさし，be able to や wanted to の後には seal the envelope が省略されていると考えるしかない。ところが，これだと「たいていの人は封筒に封をしようと思えばできるだろう」という文になってしまい，冒頭の段落第１文の「たいていの人は手紙を投函する前に封筒に封をする」という事実を述べた文と矛盾する。したがって，冒頭の段落にはエを続けるのが自然で，**4**と**5**は候補から外れる。

次に，残った選択肢を見ると，エの後にはイ，ウ，オのいずれかが続いている。エの第２文は，「たとえ手紙の内容に内密にすべきことや重大な個人情報が含まれていなくても，私たちの多くは，自分の私信の中身は私的なものであり，封筒に封をすることは宛名の相手以外の誰にも読めないようにすることだと考えたがる」という意味である。一方，イの第１文は「仮に私たちが封筒に封をしないで手紙を送れば，その封筒を手にした人は誰でも，その中身を読むことができるだろう」という意味なので，エに自然につながる内容である。これに対して，ウは「それは意思疎通が速くできる手段ではあるが……」と始まっており，エに続けると It が何をさしているのか不明であるし，内容的にも関連がないので不自然である。また，オの第１文は，上述のように「ポイントは，彼らがそうしたいと思えばそうすることができることは否定できないということだ」という意味で，これをエに続けると，they は many of us をさすと考えられるが，「そうしたい」「そうする」の内容が「封筒に封をする」をさすと考えても「考えたがる」をさすと考えても話のつじつまが合わない。したがって，エの後にはイが続くと考えられ，**2**と**3**が候補から外れる。

残った**1**をさらに吟味していくと，イの第２文「その人が実際にそうする（＝封のしていない封筒を開けて中の手紙を読む）かどうかは，また別の問題だ」の後にオが続くことで，オの第１文は「ポイントは，彼らが封筒を開けて手紙を読みたいと思えば読めることは否定できないということだ」となって意味が自然につながる。さらに，オの第３文の email を受けて，ウの It is a fast means of communication …へと続くことになるので，「それ（＝Ｅメール）は意思疎通が速くできる手段ではあるが……」となってやはり意味が自然につながる。そして，ウの「Ｅメールには，メッセージを保護する封筒は存在しない」という問題提起を受けて，最後にアの暗号化の話が続くことになるので，全体の意味が通ることがわかる。

よって，正答はエ→イ→オ→ウ→アと続く**1**である。

正答　**1**

文章理解
判断推理
数的推理
資料解釈
時事
物理
化学
生物

次の文の _____ に当てはまるものとして最も妥当なのはどれか。

　　Deep learning builds a "neural network", loosely modelled on the human brain. This is composed of hundreds of thousands of neurons organised in different layers. Each layer transforms the input, for example a facial image, into a higher level of abstraction, such as a set of edges at certain orientations and locations. This automatically emphasises the features that are most relevant to performing a given task.

　　Given the success of deep learning, it is not surprising that artificial neural networks can distinguish criminals from non-criminals — if there really are facial features that can discriminate between them. The research suggests there are three. One is the angle between the tip of the nose and the corners of the mouth, which was on average 19.6 per cent smaller for criminals. The upper lip curvature was also on average 23.4 per cent larger for criminals while the distance between the inner corners of the eyes was on average 5.6 per cent narrower.

　　At first glance, this analysis seems to suggest that outdated views _____ are not entirely wrong. However, it may not be the full story. It is interesting that two of the most relevant features are related to the lips, which are our most expressive facial features. ID photos such as the ones used in the study are required to have neutral facial expression, but it could be that the AI managed to find hidden emotions in those photos.

1 that computers can surpass human in intelligence
2 that criminals can be identified by physical attributes
3 that deep learning can be used to recognize faces
4 that facial expressions can be read by human brains
5 that neural networks can distinguish criminals from non-criminals

解説

出典：Leandro Minku, "Will AI ever understand human emotions?"

　　全訳〈ディープラーニング（深層学習）は，おおよそ人間の脳を模した「ニューラルネットワーク」を築くものである。このネットワークは，異なる層に分かれて組織化された何十万というニューロン（神経単位）から成り立っている。それぞれの層は，たとえば顔の像のような入力情報を，より抽象度の高いもの，たとえば特定の位置と方向性を持つ一辺の集合のようなものへと変換する。これにより，ある与えられた課題を実行するのに最も関連のある特徴が，自動的に強調されることになる。

　　ディープラーニングの成功を思えば，人工のニューラルネットワークが犯罪者と犯罪者でない人を識別することができる――もし本当に彼らを区別する顔の特徴があるのならば，だが――というのは驚きではない。研究によると，特徴の差は3点あることが示されている。1つは，鼻先と口の両端とが作る角度で，犯罪者の場合は平均して19.6％狭かったという。また，上唇の湾曲部分が犯罪者の場合は平均して23.4％大きく，他方，両目の内側の端どうしの間の距離は平均して5.6％狭かったという。

　　一見するとこの分析は，犯罪者は身体的特徴によって見分けることができるという古くさい物の見方が，あながち間違いではなかったことを示しているかのように思える。だがしかし，話はそれだけにとどまらないかもしれない。興味深いことに，最も関連のある特徴のうち2つは唇に関するものであり，唇は私たちの顔の特徴の中で最も表現にかかわる部位である。研究でも使われたような身分証

明写真は，感情を表に出さない表情をすることが求められるが，AI（人工知能）はそうした写真の中に，どうにかして隠された感情を読み取ることができたかもしれないのだ〉

空欄を含む第3段落第1文の主語は this analysis「この分析」なので，まずはこれが何をさしているかに気をつけながら，前の2つの段落の要点を押さえていく。第1段落は Deep learning「ディープラーニング」で始まっている。ディープラーニング（深層学習）とは，狭義には「4層以上の多層ニューラルネットワークによる機械学習手法」と定義されている。ニューラルネットワークとは，人間の脳の神経細胞をモデルとした情報処理システムのことだが，多層構造のニューラルネットワークに大量の画像・音声・テキストデータなどを入力することで，コンピュータがデータに含まれる特徴を各層で自動的に学習していく，その手法がディープラーニングである。本文では，顔の画像認識を例に挙げて，ディープラーニングとはどのようなものかの概略が説明されている。

第2段落第1文は，Given the success of deep learning「ディープラーニングの成功を思えば」で始まり，このディープラーニングによって，ニューラルネットワークは犯罪者と犯罪者でない人の顔の特徴を識別することができるという研究成果が，話題として提示される。続く第2文は「研究によると，特徴の差は3点あることが示されている」という意味で，以下の文章で，この研究が明らかにした「犯罪者に特有な顔の特徴」が3点，具体的に述べられている。

以上を踏まえると，第3段落第1文の主語 this analysis とは，第2段落第2文から最終文までの研究成果をさしていることがわかる。次に，この文全体の構造を考えると，述語となる動詞句は seems to suggest「示唆しているように思われる」，目的語は続く接続詞 that 以下，空所を含んで文末までだと考えられる。that 節中では，are が述語動詞であることから，空所は前の outdated views「時代遅れの見解」とともに節中の主語を形成することになる。選択肢がいずれも that で始まっていることに着目すると，この that はいわゆる「同格の that」で，「□□□□□□という時代遅れの見解」という意味になると考えられる。文全体では，「一見したところ，この分析は，□□□□□□という時代遅れの見解が，完全に誤りではないということを示唆しているように思われる」という意味になる。

5つの選択肢の意味はそれぞれ，**1**.「コンピュータは知性において人間を越えることができる」，**2**.「犯罪者は身体的特徴によって特定することができる」，**3**.「ディープラーニングは顔を認識するのに利用することができる」，**4**.「顔の表情は人間の脳が読むことができる」，**5**.「ニューラルネットワークは犯罪者と犯罪者でない人を識別することができる」。このうち，**1**，**3**，**5**は「時代遅れの見解」といえるような内容ではないので，**2**と**4**が残るが，**2**を入れると，犯罪者は身体的特徴によって特定できる（見分けることができる）という昔ながらの考えは，分析結果と同じ結論を示しているため誤りとはいえない，となって意味が通る。**4**は「人間の脳」の部分が第2段落の研究結果とは関係がないため，「この分析が示唆していること」として意味が通らない。

よって，正答は**2**である。

正答 **2**

次の文の内容と合致するものとして最も妥当なのはどれか。

　現在の日本社会は，社会保障制度の議論のなかで，さまざまな難問に直面しています。そこには二つの要素が存在しています。ひとつは，「利用者とサービス提供者の間で，費用負担とサービス提供における循環がきちんと成り立っているか」「そうした循環について，国民や社会が共通の理解をしているのか」ということです。そこで理解が得られなければ，循環の輪は切れてしまい，いくら高邁な理想を掲げても成り立たなくなってしまうのです。

　もうひとつは，「循環が成り立つために必要な財源が確保できているのか」ということです。そこでの議論としては，「総体としての費用がより必要ならば，制度による負担を増やすべきではないか」という意見もあるし，「総体の費用を抑えなければ，循環そのものが成り立たなくなってしまう」といった意見もあるでしょう。

　しかしながら，制度はただ単に循環を成り立たせるために存在しているわけではありません。利用者に対するサービスの提供を成り立たせるために制度が活用されて初めて，利用者と提供者の間の循環が生まれるのです。この循環が成り立たなくなれば，制度が成り立たなくなる可能性もあります。そして，制度が成り立たなくなれば，福祉サービスそのものが担えなくなってしまうのです。

　換言すれば，制度を成り立たせるためには，利用者とサービス提供者との間の循環を成り立たせるしかありません。しかしながら，社会に暮らすすべての人がこのことに納得しているのでしょうか。ひょっとしたら，誰一人として納得していないかもしれません。そうしたときに，循環をつぶすのではなく，どうしたら循環が成り立つよう納得してもらえるのか。そこで生まれてくる命題は，「皆が仲間だ」と思えるような社会にしていかなければならないということです。

　「皆が仲間だと思える社会」を実現すること，その下支えとしての制度がきちんと設計され運用されていることは，筆者の願望であり希望でもあります。これは，"実践から生まれた哲学"であり，いま，まさに求められていることだろうと思います。従来の社会福祉の分野は，"困ったときは相身互い"といった環境のなかで循環を保とうとしてきました。しかし，現在では，その循環を成り立たせるために，制度そのものがきちんと構築されていなければならないのです。

1　従来の福祉サービスでは，利用者とサービス提供者との間で費用とサービス内容の契約を結ぶことによって，福祉サービスを維持することが重視されていた。

2　社会保障制度は，掲げられる理想が高ければ高いほど，制度による負担について国民や社会からの理解を得やすいため，制度の維持が可能になる。

3　高齢化が著しい現在の日本では，社会保障制度について，全体の費用を抑えることで費用負担とサービス提供における循環を保つ考え方が主流である。

4　利用者がサービスを受けられるようにするために社会保障制度が活用されなければ，費用負担とサービス提供における循環が成り立たず，制度も成り立たない可能性がある。

5　皆が仲間だと思える社会を実現するためには，社会の構成員全員が納得するサービスに焦点を絞ることによって成り立っている循環を保つよう，制度が構築される必要がある。

解 説

出典：阿部志郎・河 幹夫『人と社会』

　現在の日本の社会保障制度に関する議論を取り上げた文章。福祉サービスを維持していくためには制度を成り立たせる必要があり，このためには，国民や社会から理解を得て「費用負担とサービス提供の循環」を成り立たせていく必要があると論じている。第1段落と第2段落の論点を区別したうえで，「循環」と「制度」の連関をつかみ，選択肢を検討しながら因果関係をチェックするという手順で解くとよい。

1．従来の福祉分野については，第5段落で「"困ったときは相身互い"といった環境のなかで循環を保とうとしてきました」と述べている。「契約」による福祉サービス維持が重視されていたという言及はない。

2．制度による負担についての，国民や社会の理解に関する直接的な言及はなく，全体的に誤り。なお，第1段落で，費用負担とサービス提供における循環について，国民や社会の共通の理解を得られなければ「循環の輪は切れてしまい，いくら高邁な理想を掲げても成り立たなくなってしまうのです」（第1段落）と述べ，第3段落以降で，「この循環が成り立たなくなれば，制度が成り立たなくなる可能性もあります」として，循環を成り立たせるために国民や社会に納得してもらう方策について論じている。

3．「全体の費用を抑える」必要があるという意見は第2段落で取り上げているが，この考え方が主流であるとは述べていない。また，本文では「高齢化」には触れていない。

4．妥当である（第3段落）。

5．手段と目的の関係が逆になっている。「皆が仲間だと思える社会を実現する」必要があるのは，循環が成り立つように，社会に暮らすすべての人に納得してもらうため（第4段落）であり，そうしなければ，制度そのものも成り立たなくなるから（第3〜5段落）である。

　　　　　　　　　　　　　　　　　　　　　　　　　　　　　　　正答　**4**

文章理解

判断推理

数的推理

資料解釈

時事

物理

化学

生物

次の文の内容と合致するものとして最も妥当なのはどれか。

　芸術は独創的なものだ，という。独創的でなければならぬ，ともいう。

　が，絵でも彫刻でも音楽でも舞踊でも演劇でも，なにからなにまですべて独創的だということはありえない。独創的なところが目につきやすいからそう思えるだけで，独創の反対概念が模倣だとすれば，独創は模倣のうえにしかなりたたない。模倣に徹しきることで既存のものを超えるような作品もまた，独創的と呼ぶに値する。伝統のおそろしさは，そういう模倣を強制し，また可能にするところにある。伝統を生かすということは，伝統を超えるというまさにその努力において伝統にふかく交わり，その交わりのなかであらたな伝統をつくりだしていくということとべつのことではない。いい加減な模倣からはいい加減な独創しか生まれず，いい加減な独創はいい加減な模倣に満足する，というのが古今に変わらぬ芸術上の真理で，そういう独創や模倣は，伝統を支えることもつくりかえることもなく，伝統のなかに埋もれていくだけだ。もっとも反伝統的に見えるものがもっとも伝統的であるという逆説は，芸術の世界ではめずらしいものではない。後期セザンヌの連作「サント・ヴィクトワール山」における独創は，印象派に一定の集約を見た絵画の伝統に身を浸し，それを技術的にも思想的にもくぐりぬけることによってはじめて得られたものだ。人間が時代の子だというヘーゲルの名言は，芸術にも，いや芸術だからこそいっそうよく，当てはまる。

　詩や小説など，言語の芸術についても事情は変わらない。時代を超える詩や小説は時代にふかくかかわることによってしか生まれない。既存のものを真に超克するには，これを単純に否定するのではなく，自己のうちに否定的に生かしつつさらなる高次の段階にむかわねばならない，と力説したのはヘーゲルだったが，詩や小説は既往の文学的現実にたいし，まさにこれを否定的に生かしつつ，さらなる高次の段階にむかうことによって芸術的な自立性を獲得するのである。

　芸術的な自立を志向する文学者たちは，みずからの言語表現のありようをふかく省察せざるをえない。現実を文学的に克服するとは，なによりもまず，表現にかかわる問題なのだから。言語表現が，ひろい意味での現実世界を超えた独自の価値を提起しうるか否か，もっといえば，独自の価値として存在しうるか否かが，文学が文学として自立しうるか否かの基本条件だといってよい。

1　独創は模倣の上に成り立つものであり，独創的と呼ぶに値する芸術作品は，模倣しきれなかった部分を新たに創作することで生み出される。

2　伝統を超えるためには，伝統を徹底的に模倣し，その中から新たな伝統を作り出すことが必要であり，その方法によってのみ伝統が生かされる。

3　いい加減な模倣からはいい加減な独創しか生まれないのは芸術上の普遍的な真理であるが，そのような独創や模倣であっても，伝統を作り替えることができる。

4　時代を超える詩や小説は，時代に深く関わることによってのみ生まれ，既存のものを超えるためには，これを否定的に生かしつつ高次の段階に向かう必要がある。

5　文学者たちは，芸術的な自立を目指して，現実とかけ離れた空想的な世界で，自らの言語表現が独自の価値として存在し得るか否かを深く省察している。

解説 ━━━━━━━━━━━━━━━━━━━━━━━━━━━━━━

出典：長谷川 宏『ことばへの道』

　芸術における独創と文学における自立の条件について述べた文章。既存のものを真に超克するには，その現実と深く関わり，これを否定的に生かしつつさらなる高次の段階へと向かわねばならないと論じている。「～のうえにしかなりたたない」「～に徹しきることで…」「まさに」「ふかく交わり」「ふかくかかわることによってしか生まれない」「～しうるか否かの基本条件」などの目印となる表現に着目しながら，論旨をつかみたい。

1．「模倣しきれなかった部分を新たに創作する」という部分が誤り。筆者は「独創は模倣のうえにしかなりたたない」（第2段落）と述べており，「独創的と呼ぶに値する」作品については，「模倣に徹しきることで既存のものを超えるような作品」も「独創的と呼ぶに値する作品」として挙げている。

2．既存のものを超克するには，「自己のうちに否定的に生かしつつさらなる高次の段階にむかわねばならない」（第3段落）という論旨をとらえておらず，要点を欠いている。第2段落に「伝統を生かすということは，伝統を超えるというまさにその努力において伝統にふかく交わり，その交わりのなかであらたな伝統をつくりだしていくこととべつのことではない」とあり，単に，模倣したもの中から新たな伝統を作り出すというのでは足りない。

3．前段は正しいが後段が誤り。いい加減な独創や模倣は，「伝統を支えることもつくりかえることもなく，伝統のなかに埋もれていくだけだ」と論じている（第2段落）。

4．妥当である（第3段落）。

5．第4段落で，「芸術的な自立を思考する文学者たちは，みずからの言語表現のありようをふかく省察せざるをえない」と述べているが，文学者たちが実際にこのように「省察している」とは述べていない。また，「現実とかけ離れた空想的な世界で」という部分も誤り。「ひろい意味での現実世界を超えた独自の価値を提起しうるか否か」（第4段落）とあるが，第3段落で「詩や小説は既往の文学的現実にたいし，まさにこれを否定的に生かしつつ，さらなる高次の段階にむかうことによって芸術的な自立性を獲得するのである」と述べており，現実と深く関わる必要がある。

正答　**4**

次の文の内容と合致するものとして最も妥当なのはどれか。

　建築や都市を計画し，設計する過程では，あらゆる場面に「数」が介在している。数えること，計測すること，計算を行うことは，数なしに成り立たない行為である。人類は数を手段とすることで齟齬のない計画をつくり上げ，壮大な規模をもつとともに精緻な建築群を生みつづけてきた。数は手段にすぎないが，数のふるまいをよく理解することなしには，都市や建築を計画し，つくり続けることは不可能であった。しかし遺構のなかに，それらを生み出した設計の方法を探ろうとするとき，方法の特質を，数を扱う技法の一種であるとみて，あらためて検討されたことは皆無である。その原因は，古代の数を扱う世界といえども，私たちと同じ数学——素朴なものであるにしても——を用いていたという，疑われることのない前提があり，検討すべき問題として認識されることがなかったためである。つまり数学は普遍性をもち，時空間を超えた存在と捉えられてきたためである。

　しかし数の捉え方，扱い方は，文明や文化，時代によって少しずつ異なっていた可能性がある。たとえば古代では，数はただちに自然数，正の整数だけを意味しており，私たちが当然のことと考えている分数や小数の概念は，独特なものであり，限られた地域にしか存在しなかった。小数はメソポタミア以外では見られず，ピタゴラス学派の「数学」は分数を認めようとしなかったのである。もっとも，メソポタミアの「小数」は，私たちが考える小数と同じものとみるのにためらいを感ずるものであるし，古代ギリシアの「数学」が認めなかった「分数」も，私たちの一般分数とは異なるエジプト風の「単位分数」であった。

　数の概念すら，私たちと異質なものであったのだから，これを扱う態度や考え方に，私たちの常識と異なる性格が含まれていたとしても不思議ではない。そればかりでなく，私たちが当然と思えるような現実と数の関係，つまり対象を数として捉えるという行為のなかに，大きな違いが含まれていることも予想される。これらは数に注目しているだけでは理解できず，行為の文脈，つまり技術の様相を俯瞰しつつ判断すべきものである。

1　建築計画や都市計画に基づく設計に当たり，精緻な建築群を生み続けるためには，数学に普遍性を持たせなければならないという認識があった。

2　遺構が建築された古代においては，小数や分数といった数の概念が文明や文化によって異なっていたが，設計方法は共通していた。

3　遺構が建築された当時の設計方法がこれまで検討されてこなかったのは，現代と異なる数の概念が古代の建築や都市の計画時に用いられていたためである。

4　古代の遺構の設計技術の様相を俯瞰するには，数の捉え方や対象の捉え方について，現代と比較し，相違点を見付ける必要がある。

5　遺構が建築された当時の数の概念は，現代のそれとは異質であり，数を扱う態度や考え方も現代の常識と異なる性格を持つことが推測できる。

解　説 ━━━━━━━━━━━━━━━━━━━━━━━━━━━━━━━━━━━

出典：溝口明則『数と建築』（鹿島出版会）

　　古代の設計技術における数の扱い方を探る文章。古代の遺構の設計方法を，数を扱う技法という観点からとらえ，数の扱い方の相違について考えている。設計の方法がこれまで数を扱う技法としてとらえられてこなかったのは，「私たちと同じ数学」を用いていたという前提があるからだという第1段落後半の指摘をとらえて解くことが肝要となる。

1．「数学に普遍性を持たせなければならないという認識があった」という指摘はない。

2．「設計方法は共通していた」という部分が誤り。筆者は，設計の方法の特質を，数を扱う技法として見ているから，数の扱い方が異なれば，設計方法にも相違が生じることになる（第1〜2段落）。

3．遺構が建築された当時の設計方法が数を扱う技法の一種としてこれまで検討されてこなかったのは，当時「現代と異なる数の概念」が用いられていたためではなく，「私たちと同じ数学」を用いていたという前提があったからである（第1段落）。

4．「古代の遺構の設計技術の様相を俯瞰するには」どうする必要があるかという視点は示されていない。

5．妥当である（第2〜3段落）。

正答　**5**

国家一般職
[大卒]
No.
69 文章理解　　**現代文（内容把握）** 　平成29年度

教養試験

文章理解

判断推理

数的推理

資料解釈

時事

物理

化学

生物

次の文の内容と合致するものとして最も妥当なのはどれか。

　物語は，言語がしばしばそう言われてきたのと同様，小説の素材です。ただし，言語が発話者の意のままにひねり回されることを拒絶するのと同様，物語も好きな形に捏ね上げられる訳ではありません。物語の展開もそうですし，そこから引き出される記述も同様です。

　創作という行為は，蝋の上に印を押して形を刻むように，頭の中の観念（アイデア）を素材に押し付けて形作ることだ，という勘違いは，実作者には何の役にも立ちません。というより，これは創作という行為と接点を持たない人間の空想だと言ってもいいでしょう。素材には性質があり，方向性があります。ごく通常の創作においても，まず観念があり，それから素材を見繕って，観念に沿うよう形作る，ということはほとんどないでしょう。おそらく，素材に直面した瞬間，観念は調整を余儀なくされるでしょうし，それに続く作業の間も，形成されつつある形と素材を見ながら，観念は調整され続ける筈です。もっとありそうなのは，素材の出現と観念の出現が同時に起ることです。その場合でも，素材の声を聞き，素材の要求に耳を傾け，素材の反応を確かめながらでなければ，何一つ完成することはできません。

　ただしこれは，素材の言いなりになる，ということではありません。小説の場合は特に顕著ですが，怪しげな言霊信仰，お筆先信仰で物語を野放しにして，ろくな作品ができた例はありません。無意識を信奉するのもどうかと思います。無意識とは言語の廃棄物の投棄現場なりとする心理学が正しいとしたら，そんなところから出て来るものがどうしようもなく紋切り型で凡庸なのは，結果を見るまでもなく明らかです。ただ，言語や概念が人間の頭の中に，配管工事業者の倉庫のように詰まっているとすると，棚の間に転げ落ちたジョイントやパイプが，夜中に勝手に転げ回っては無意味な配管を組み上げていると想像することは，ある妥当性を持っているような気がします。かつて耳にした言葉や，目にした物や，偶発的な事物の連鎖や，生まれて以来流し込まれ続けたフィクションの型などが，頭の中で勝手に動き回り，合うというだけの理由で繋がって，半分水に浸かったまま錆びている訳です。使えるか，といえば，使えはしません。が，この種の惰性で動くだけのものは，素材や観念に投影されて見えることがしばしばです。採用するか，排除するか——これは純審美的に判断されるべき問題でしょうし，その上で，なかなかいいし，可能だ，ということになれば，用心しいしい使えばいいのです。

1　物語は好きな形に捏ね上げられるわけではないが，素材の持つ性質や方向性に無意識に従えば，実作者の観念のままに形作ることができるようになる。

2　創作とは，創作という行為と接点を持たない人間にとっては，素材を観念に押し付けて形作ることであるが，実作者にとっては，観念を素材に押し付けて形作ることである。

3　小説の創作においては，素材の言いなりになることで別の観念が生み出されるが，それを採用するか否かは，実作者によって純審美的に判断されるべき問題である。

4　頭の片隅に投棄物のように転げ落ちた言語や概念が，勝手に転げ回っているうちに紋切り型でない物語へ生まれ変わると想像することは，妥当性を持っている。

5　かつて耳にした言葉や目にした物などが合体し，素材や観念に投影されて見えることがあるが，そのようなものも判断によっては創作に使用される。

解説

出典：佐藤亜紀『小説のストラテジー』

　小説の創作過程について述べた文章。創作は「頭の中の観念(アイデア)を素材に押し付けて形作ることだ」というのは「勘違い」だとして，実作者が向き合う素材と観念の関係について論じている。筆者が否定している考え方をとらえると，誤りの選択肢を消去できる。

1．第3段落で「無意識を信奉するのもどうかと思います」と述べており，本肢の「……に無意識に従えば，……できるようになる」という論調は，筆者の主張に反する。また，筆者は「形成されつつある形と素材を見ながら，観念は調整され続ける筈です」と論じており，「実作者の観念のままに形作る」という考えに異議を唱えている。

2．創作を「観念を素材に押し付けて形作ること」とするのは，「創作という行為と接点を持たない人間の空想」であり，実作者のものではない。同時に，「創作という行為と接点を持たない人間にとっては，素材を観念に押し付けて形作ることである」という部分も誤り。

3．「素材の言いなりになることで別の観念が生み出される」としている点が誤り。創作においては「素材の声を聞き，素材の要求に耳を傾け，素材の反応を確かめながら」進める必要があるが（第2段落），「ただしこれは，素材の言いなりになる，ということではありません」と述べている（第3段落第1文）。

4．第3段落に「言語や概念が人間の頭の中に，配管工事業者の倉庫のように詰まっているとすると，棚の間に転げ落ちたジョイントやパイプが，夜中に勝手に転げ回っては無意味な配管を組み上げていると想像することは，ある妥当性を持っているような気がします」とあるが，「紋切り型でない物語へ生まれ変わる」とは述べていない。「無意識とは言語の廃棄物の投棄現場なりとする心理学が正しいとしたら，そんなところから出て来るものがどうしようもなく紋切り型で凡庸なのは，結果を見るまでもなく明らかです」（第3段落）と述べている。

5．妥当である（第3段落後半）。

正答　**5**

次の [＿＿＿＿] の文の後に，A～Fを並べ替えて続けると意味の通った文章になるが，その順序として最も妥当なのはどれか。

> 　トレードオフの関係とは，「両立しない関係」のことを指す。通常，ある利益を得ようとすれば，別の利益を犠牲にしなければならない。

A：すなわち，ただ乗りを禁じて発明による利益を発明者に帰属させるしくみである。発明に向けた活動が行われれば，発明者その人にとっても利益になるばかりでなく，産業の発展にも寄与するだろう。

B：このトレードオフの概念は，法律家にとっては決して馴染みのない概念ではない。そう意識しているにせよいないにせよ，法律家は長らくトレードオフの問題と闘ってきている。

C：そのように考えると，法制度の多くはトレードオフに対処するための試みと位置づけられる。特許法を例にして簡単に説明しておこう。特許法は，発明者の権利を保護することを通じ，発明へのインセンティブを人々に与える制度だ，と一般に言われる。

D：法理論にもトレードオフは登場する。いわゆる「利益衡量」の考え方は，対立する諸利益を比較したうえでより大きい利益をもたらす選択肢を支持するアプローチであり，実質的にはトレードオフの話と同じである。不可侵の価値や通約不可能な価値を認めない限りは，事あるごとにトレードオフの関係とつきあうことになろう。

E：もしかすると，他の分野に従事している人たちよりもずっと多様な種類のトレードオフの問題に悩まされてきたのかもしれない。裁判官は，原告と被告のどちらを勝たせるかというトレードオフに直面する。弁護士は，相手方に対してなしうる主張のうちのいずれを展開するかというトレードオフに直面する。

F：たとえば，引っ越しのアルバイトでお金を稼ごうとすると，同じ時間帯に勉強することは放棄せざるをえなくなる。トレードオフの関係においては，一方の目標値を上げると別の目標値は下がる。

1　C→A→B→E→F→D

2　C→D→A→F→E→B

3　F→B→E→D→C→A

4　F→C→A→D→E→B

5　F→C→B→A→D→E

解説

出典：飯田 高『法と社会科学をつなぐ』

「トレードオフ」の関係について述べた文章。選択肢を見ると，1番目はCかFである。冒頭の文章では「トレードオフの関係とは，『両立しない関係』のことを指す」と述べており，「たとえば……」と始まるFでは，冒頭の趣旨に合致する例が挙げられ，「一方の目標値を上げると別の目標値は下がる」とまとめている。これに対してCは「そのように考えると，法制度の多くは……」と，冒頭文では取り上げていない法律の話題へと話を進めており，飛躍があって1番目として適当ではない。したがって，1番目はFである。

次に，Fから始まる**3**，**4**，**5**を見ると，2番目にくるのはBかCである。そこでBとCを読むと，どちらも法律に関する話題が取り上げられているが，Bでは「このトレードオフの概念は，法律家にとっては……」と，冒頭文→Fでの「トレードオフ」という言葉の説明を受けて新たな話題へと発展させているのに対し，CはFで出てきていない法律の話題を前提として発展させており，ここでも飛躍がある。F→Bとしたほうが話の運びが丁寧なので，**3**に沿って読んでみる。

3（F→B→E→D→C→A）のB→Eは，Eが主語のない文で始まっているが，裁判官と弁護士の例が挙げられており，法律家について述べていることがわかる。内容も，B「法律家にとっては決して馴染みのない概念ではない。……法律家は長らくトレードオフの問題と闘ってきている」→E「もしかすると，他の分野に従事している人たちよりもずっと多様な種類のトレードオフの問題に悩まされてきたのかもしれない。裁判官は，……。弁護士は，……」と，EはBを受けてこれを説明するものとなっており，B→Eはしっかりとつながっている。

3の後半については，Dで「法理論にもトレードオフは登場する」として「利益衡量」を取り上げており，B→Eの法律家の仕事の話から，今度は法理論へと話題を移している。

次のCの「そのように考えると，法制度の多くはトレードオフに対処するための試みと位置づけられる」という文中の「法制度の多くは」という部分も，B→E→Dを受けた内容となっており，今度は飛躍がない。C→Aは，「発明者の権利」→「発明者」の利益という共通語があり，Aは，Cの例示の「特許法」について言い換えて説明するパートとなっている。

3は，冒頭文→F→B「トレードオフの概念」，B→E「法律家は……トレードオフの問題と闘ってきている」→D「法理論にもトレードオフは登場する」→C「法制度の多くはトレードオフに対処するための試み」，C→A「特許法」と，破たんのない運びとなっていることが確認できる。

4，**5**は，EとBがつながっておらず，話の展開の順序が整っていないから，妥当な順序とはいえない。したがって，**3**が最も妥当である。

なお，一番目を特定した後，B→EとC→Aのまとまりを見つけてから**3**を確認していくという手順で解くこともできる。

正答 3

（右側タブ）文章理解／判断推理／数的推理／資料解釈／時事／物理／化学／生物

文章理解

判断推理

数的推理

資料解釈

時事

物理

化学

生物

次の文の□□□□□に当てはまるものとして最も妥当なのはどれか。

　「世間」と社会の違いは、「世間」が日本人にとっては変えられないものとされ、所与とされている点である。社会は改革が可能であり、変革しうるものとされているが、「世間」を変えるという発想はない。近代的システムのもとでは社会改革の思想が語られるが、他方で「なにも変わりはしない」という諦念が人々を支配しているのは、歴史的・伝統的システムのもとで変えられないものとしての「世間」が支配しているためである。

　「世間」が日本人にとってもっている意味は以上で尽きるわけではない。「世間」は日本人にとってある意味で所与と考えられていたから、「世間」を変えるという発想は全く見られなかった。明治以降わが国に導入された社会という概念においては、西欧ですでに個人との関係が確立されていたから、個人の意志が結集されれば社会を変えることができるという道筋は示されていた。しかし「世間」については、そのような道筋は全く示されたことがなく、□□□□□□□□□□□と受けとめられていた。

　したがって「世間」を変えるという発想は生まれず、改革や革命という発想も生まれえなかった。日本人が社会科学的思考を長い間もてなかった背景にはこのような「世間」意識が働いていたからなのであり、わが国の社会科学の歴史を描くにはこの「世間」意識の影響を無視してはならない。日本の歴史の中で、大化の改新と明治維新、そして第二次世界大戦の敗北とその後の改革は、すべて外圧から始まった改革であり、自ら社会改革の理想に燃えた努力の結果ではなかった。わが国の社会科学が自らの明治以降の展開を十分に描くことができなかったのは、まさに歴史的・伝統的なシステムを無視して近代史を描こうとしたところから生じている。

1　社会という概念もないため、個人の意志を結集することはできないもの

2　西欧からの外圧をもってしても日本人の中では「なにも変わりはしない」

3　独自に社会を変えることで「世間」を変えることもできるのではないか

4　「近代的システム」と同様に人工的に構築され、社会とともに変革されるべきもの

5　「世間」は天から与えられたもののごとく個人の意志ではどうにもならないもの

解 説

出典：阿部謹也『学問と「世間」』

「世間」と社会の違いを取り上げた文章。文脈をとらえながら焦点を考えていく。

第1段落では，「世間」は「日本人にとっては変えられないものとされ，所与とされている」と指摘し，「社会は改革が可能であり，変革しうるものとされているが，『世間』を変えるという発想はない」と述べている。

第2段落では，「所与と考えられていたために，『世間』を変えるという発想は全く見られなかった」としたうえで，明治以降導入された「社会」という概念においては，「個人の意志が結集されれば社会を変えることができるという道筋は示されていた」という点を挙げ，「しかし『世間』については，そのような道筋は全く示されたことがなく，　　　　　と受けとめられていた」と続けている。「しかし」という逆接の接続詞で始まっているから，選択肢のうち，前の文との対比をなす考え方となるものを選ぶ必要がある。

第3段落は，「したがって『世間』を変えるという発想は生まれず，改革や革命という発想も生まれえなかった」と始まっており，空欄部には，「世間」を変えるという発想が生まれなかった理由となる考え方が入ることになる。

1．「社会という概念もないため」という部分が誤り。わが国に導入された「社会」という概念については第2段落に記されている。

2．「外圧」については第3段落に言及があるが，空欄のある第2段落の文脈には当てはまらない。

3．方向性が誤り。「『世間』を変える」という発想は生まれなかったのである。

4．3と同様，方向性が誤り。「変革されるべきもの」とは考えられていなかった。

5．妥当である。直前の文で取り上げている「個人の意志」という視点が入っており，「個人の意志ではどうにもならないもの」とすると，文脈にきちんと当てはまる。

正答　**5**

国家一般職
[大卒]
No.
72
教養試験
文章理解　　英文（内容把握）　　平成29年度

文章理解
判断推理
数的推理
資料解釈
時事
物理
化学
生物

次の文の内容と合致するものとして最も妥当なのはどれか。

They don't require yoga pants or a shower, but the research is clear: Walking meetings count as exercise.

"If corporations were to adopt this ubiquitously, you just start to think of those health benefits adding up," says James Levine, co-director of obesity solutions at the Mayo Clinic and Arizona State University. "It's an amazingly simple thing and it costs nothing."

Walking meetings are typically held with two or three people over a set route and period — often 30 minutes. They can take place at a nearby park or even in office hallways. Some people are using walking meetings to boost their daily step counts. Others are spurred by mounting research on the physical and mental benefits of being more mobile at work.

One of the few studies on walking meetings demonstrated their potential. The three-week study, co-written by Dr. Alberto J. Caban-Martinez, a physician and scientist at the University of Miami, showed a 10-minute gain among the 17 participants in weekly physical activity after they added walking meetings.

The more participants engaged in moderate physical activity at work, the less likely they were to miss work for health reasons, according to the study, published in the journal Preventing Chronic Disease. Being sedentary[1] for long stretches is linked with obesity, Type 2 diabetes[2] and a range of other conditions.

Most Americans get less than the recommended 150 minutes a week of moderate-intensity aerobic activity, such as brisk walking. Previous studies have shown that walking for as little as 15 minutes a day can add up to three years of life expectancy. The 2015 federal dietary guidelines suggested people use walking meetings to increase physical activity.

Meetings, phone calls and email have come to consume more than 90% of the working time of managers and some other workers, such as consultants. Many of those meetings and calls could be conducted while walking, experts say.

Although standing desks have received attention in recent years, standing burns scarcely more calories than sitting, according to a study of 74 people by researchers at the University of Pittsburgh. The study found that walking for 15 minutes burns an average of 56 calories, compared with 20 calories for sitting at a laptop computer and 22 for standing.

（注）　*1 sedentary：座りっぱなしの　　*2 diabetes：糖尿病

1　運動を兼ねて歩きながら会議を行うと，コストをかけずに，立ったまま作業を行うのと同程度のカロリーを消費する。

2　歩きながら行う会議は，一般的に2，3人で行われ，これを会社で導入すれば，健康上の利益の増加につながるという意見がある。

3　研究によると，座ったままストレッチをするよりも，近くの公園や社内の廊下で運動する方が，肉体的にも精神的にも健康に良いことが分かった。

4　研究によると，歩きながら行う会議を1日15分以上行うと肥満や糖尿病などになりにくいことが分かった。

5　仕事中に歩きながら会議や電話を行っている者の9割が，経営者やコンサルタントのような職種の者である。

解説

出典：“The Office Walk-and-Talk Really Works”，THE WALL STREET JOURNAL

　全訳〈対象者はヨガパンツを履く必要もシャワーを浴びる必要もないのだが，調査の結果は明らかだ。つまり，歩きながらの会議は運動といえるというものだ。

　「もし仮に会社が至るところでこれを採用するようなことになれば，それが健康上の利益の増加につながるときっと思うようになりますよ」と，メイヨー・クリニック（訳注：米国ミネソタ州を本拠とする総合病院）とアリゾナ州立大学が取り組む肥満解消プログラムの共同責任者を務めるジェームズ＝レヴィーン氏は語る。「驚くほど単純なことで，一切お金はかからないのですから」

　歩きながらの会議は，2, 3人で一定のルートを一定時間── 30分のことが多い──をかけて行われるのが典型的だ。近所の公園で，あるいはオフィスの廊下ですらも行うことができる。ある人たちは，毎日の歩く歩数を増加させるために歩く会議を利用している。またある人たちは，職場でより動くようにすることは肉体的精神的な恩恵をもたらすという調査結果が徐々に増えていることに促されて取り入れている。

　歩きながらの会議に関する数少ない研究の一つが，それに秘められた可能性を明らかにした。マイアミ大学に所属する内科医で科学者のアルベルト・J・カバン＝マルティネス博士らが3週間にわたる研究を記した論文では，17人の参加者が歩きながらの会議を取り入れたところ，週の身体活動の時間は10分増加した。

　『慢性病予防』という雑誌に掲載されたこの研究によると，参加者が職場で適度な身体活動を行う時間を増やすほど，健康上の理由で欠勤する頻度は低下する傾向が見られた。長い時間座りっぱなしでいることが，肥満や2型糖尿病その他一連の病状につながっているということだ。

　推奨されているのは，早歩きのような中程度の有酸素運動を1週間に150分行うことだが，ほとんどのアメリカ人の運動量はこれを下回っている。これまでの研究では，1日たった15分のウォーキングを行うだけでも寿命を3年延ばすという可能性が示されている。2015年版の国の食生活ガイドラインでは，身体活動を増加させる手段として歩きながらの会議の活用が提言された。

　管理職やそれ以外のコンサルタントなどの就業者の労働時間の90％以上が，会議と電話とEメールに費やされるようになっている。そうした会議や電話の多くは歩きながら行うことも可能である，と専門家は語る。

　近年ではスタンディングデスク（立ち机）が注目を集めてきたが，ピッツバーグ大学の研究者たちによる74名を対象とした研究によれば，立っていることで消費されるカロリーは座っている場合とほとんど変わらない。この研究の結果わかったことは，15分間のウォーキングで平均56カロリーを消費するのに対して，座ったままノートパソコンを使う場合は20カロリー，立ったままノートパソコンを使う場合は22カロリーの消費にとどまるということだ〉

1.「コストをかけずに」の部分は正しいが，カロリー消費に関する部分は誤り。最終段落に，立ったままの作業はウォーキングと比べて半分以下にとどまることが述べられている。

2. 妥当である。

3.「座ったままストレッチをする」ことについてはまったく述べられていない。本文中の for long stretches（of time）は「長時間」の意味。また，近くの公園や社内の廊下であっても，歩きながらの会議を行えば肉体的にも精神的にも健康によいということは述べられているが，そうした場所での「運動」とほかの何かを比較した記述はない。

4.「1日15分のウォーキングを行うだけでも寿命を3年延ばす可能性がある」「長い時間座りっぱなしでいることが，肥満や2型糖尿病その他一連の病状につながっている」という記述はあるが，「歩きながら行う会議を1日15分以上行う」ことと，その効果に関する記述はない。

5.「管理職やそれ以外のコンサルタントなどの就業者の労働時間の90％以上が，会議と電話とEメールに費やされるようになっている」という記述はあるが，本肢のような内容はまったく述べられていない。

正答　**2**

次の文の内容と合致するものとして最も妥当なのはどれか。

Grayson Barnes had just started working at his father's law firm a year and a half ago when a message popped up on one of his computer screens: all the files on the firm's network had been encrypted* and were being held hostage. If Barnes ever wanted to see them again, he'd have to pay $500 in the Internet currency Bitcoin within a few days. If he didn't, everything would be destroyed. "It wasn't just a day's worth of work," Barnes says. "It was the entire library of documents."

Barnes called the police and then the FBI, but the investigators he spoke to told him there was nothing they could do. If he paid, there was no guarantee he'd get the files back. If he didn't, there was little chance of pressing criminal charges, since many hackers live abroad. Two days later, his firm paid up and the files were unlocked.

This, says Juan Guerrero, a senior security researcher, is why so-called ransomware attacks have become ubiquitous in the past two years. From a criminal's perspective, they're low budget and have a high success rate. Instead of going after high-value, heavily fortified systems, like those of banks or other corporations, ransomware allows even low-skill hackers to go after easy targets: small businesses, schools, hospitals and average PC users.

Cybersecurity experts estimate that there are now several million such attacks per year on American computers. The House of Representatives was targeted in May, and in recent months ransomware has shut down at least three health care centers, including a Los Angeles hospital that ultimately paid roughly $17,000 to regain access to its patients' records. School districts and even police departments are increasingly being hit.

While law-enforcement officials have the tools to remove some ransomware, in most cases, users like Barnes find themselves stuck between two bad options. Barnes says he and his colleagues are now better prepared. "Everything is backed up now," he adds. "It's not happening again."

（注） ＊ encrypt：（データ）を暗号化する

1 Barnesの勤務先のコンピュータネットワークに侵入し，ファイルを消去するような攻撃を加えた者の目的は，コンピュータ内の個人情報を盗み取ることであった。

2 Barnesの勤務先はランサムウェアによる攻撃を受けたとき，犯人の要求に応じたが，今では，Barnesたちはデータのバックアップを取っており，攻撃に対して備えができている。

3 犯罪者にとって，ランサムウェアを使った攻撃は，高額の費用や高いハッキングの技術を必要とするが，攻撃を高い確率で成功させることができる。

4 上級セキュリティ研究者によれば，ランサムウェアによる攻撃は，銀行や小規模事業者，個人などよりも，学校や病院，警察といった公的機関が対象になりやすいという。

5 警察はランサムウェアを取り除くソフトウェアを開発し，ランサムウェアによる事件を解決できるようになったが，多くの場合，被害者はハッカーの要求に従ってしまう。

出典：“Why thieving hackers are fans of the classic ransom note”, TIME

全訳〈グレイソン＝バーンズが父親の法律事務所で働き始めてからまだ1年半しかたっていなかったが，彼はあるときコンピュータの画面にメッセージが表示されるのを目にした。それは，会社のネットワーク上のすべてのファイルが暗号化され，人質状態に置かれているというものだった。再びそれらのファイルを見たいと思うなら，バーンズは数日以内にインターネット通貨のビットコインで500ドルを支払わなくてはならない。もし支払わなければ，すべて消滅するだろうというのだ。「1日もあれば作れるような資料なんかじゃありません」とバーンズは語る。「書類を保存した書庫の全部だったのです」

バーンズは警察に電話し，それからFBI（連邦捜査局）にも電話したが，彼が話した捜査官たちからは何もできることはないと言われた。仮にお金を支払ってもファイルを取り戻せる保証はない。取り戻せないからといって，多くのハッカーは海外に住んでいるため刑事告訴はほとんど困難だ。2日後，彼の会社は全額の支払いに応じ，ファイルは暗号化を解除された。

こんな具合なので，いわゆるランサムウェアによる攻撃はここ2年で至るところで見られるようになっている，と上級セキュリティ研究者のフアン＝ゲレーロ氏は語る。犯罪者から見れば，低予算で成功率の高い方法なのだ。銀行や他の大企業にあるような高価で防御の固いシステムを攻撃することはせず，ランサムウェアはスキルの低いハッカーであっても簡単な標的を攻撃することを可能にしている。標的は小規模事業者や学校，病院，そして個人のパソコンユーザーなどだ。

サイバーセキュリティの専門家は，現在アメリカにあるコンピュータにはその種の攻撃が年間数百万件あると概算している。5月には下院議会が標的となり，ここ数か月ではランサムウェアによって少なくとも3か所の地域医療センターが一時休業している。そのうち，ロサンゼルスのある病院では患者の記録へのアクセスを回復するため，最終的におよそ1万7,000ドルを支払った。地域の学校や警察までもが攻撃されるケースが増加している。

捜査当局は一部のランサムウェアを取り除くツールを持っているが，ほとんどの場合，バーンズのようなユーザーは2つの悪い選択肢の間で板挟みになってしまう。バーンズは，自分も同僚も今はきちんと備えができていると語る。「資料はすべてバックアップ済みです。もう二度とあのようなことは起こしません」〉

1. バーンズの勤務先のコンピュータネットワークに侵入し，攻撃を加えた者の目的については，述べられていない。また，ファイルを暗号化して見られないようにしたという記述はあるが，「消去した」とは述べられていない。

2. 妥当である。

3. ランサムウェアを使った攻撃は，犯罪者にとっては「低予算で成功率の高い方法」であると述べられている。また，スキルの低いハッカーであっても攻撃が可能であると述べられていることから，「高額の費用や高いハッキングの技術を必要とする」の部分が誤り。

4. 上級セキュリティ研究者に言及した段落では，ランサムウェアによる攻撃の対象について，防御の固いシステムを持つ銀行や大企業ではなく，小規模事業者や学校，病院，個人が標的になっていると述べられている。別の段落では，地域の学校や警察も標的になっていることも述べられてはいるが，公的機関のほうが私企業や個人よりも対象になりやすいとはいえず，そのような区分による比較もされていない。

5. 警察が一部のランサムウェアを取り除くツールを持っていることは言及されているが，警察がそのような「ソフトウェアを開発し，ランサムウェアによる事件を解決できるようになった」とは述べられていない。また，被害者は「2つの悪い選択肢」，すなわち身代金を支払うか膨大なデータファイルを失う危険を冒すかという選択肢の間で板挟みになることが述べられ，バーンズの事例や，またハッカーの要求に従ってお金を支払ったロサンゼルスの病院の事例が述べられているが，他の被害者のとった行動については言及がなく，従わなかったケースがどれほどあるかはわからない。したがって，上記2例をもって「多くの場合，被害者はハッカーの要求に従ってしまう」とはいえない。

正答 **2**

次の文の内容と合致するものとして最も妥当なのはどれか。

The share of people living in poverty around the world has dropped in the past three decades, but over a quarter of the world's population still doesn't earn enough to have reliable access to food.　And a billion people are extremely poor, earning less than $1.25 a day.

That's according to the United Nations' Food and Agriculture Organization's (FAO) 2015 State of Food and Agriculture report.　The report finds marked improvements in some areas — including parts of Asia, where urbanization and economic growth have been significant in recent decades.　But it also shows that poverty persists across the developing world, and sub-Saharan Africa, where almost half the population is extremely poor, continues to struggle.

《中　略》

The Zambia Child Grant program is one example of successful social assistance.　In areas with the highest rates of extreme poverty and child mortality, the program gives money to households with children under five years old.　This measure has improved food security throughout the country, since beneficiaries have expanded agricultural production on their lands.

Targeting rural areas for social protections is strategic, since most of the world's poor live in rural areas where a majority of people work in agriculture.　The poor rely on agriculture for their livelihoods and spend a large portion of their incomes on food, says FAO economist André Croppenstedt.　That's why investing in agriculture is key to addressing poverty and hunger.

Other economic growth spurs agricultural development, too, Croppenstedt says.　As incomes and food demand rise in rapidly growing cities, so too does agricultural productivity.　More infrastructure investments in rural areas help improve output too.

1　貧困で苦しむ人々の割合は，過去30年で急増しており，世界のおよそ４分の１以上の国において，十分な食料を買うための収入がない人々に対する支援が課題となっている。

2　2015年の国連食糧農業機関（FAO）報告書によれば，現在，急激な経済成長に伴う所得格差が広がっているアジアや，発展途上国のサハラ以南のアフリカにおいて，貧困層が拡大している。

3　ザンビアでは，５歳以下の子どもが住む農家に対し，子どもの養育係を雇用するための手当を支給したことで，農家が農業に専念できるようになり，農業生産性が向上した。

4　世界の貧困層の多くは，人々の大半が農業に従事している地域に住んでいるため，農村を支援することが重要であり，農業への投資は貧困対策や飢餓対策への鍵となる。

5　農村を発展させ，貧困をなくすためには，公共事業を行うことによって農村に住む人々の収入を向上させ，農村の人口を増加させることが重要である。

解説

出典：“Four Charts That Illustrate The Extent Of World Poverty”，NATIONAL GEOGRAPHIC

　全訳〈世界の貧困状態で生活している人々の割合は過去30年で減少しているが，世界の人口の4分の1を超える人々が，今なお食料の調達を確保できるほど十分な収入を得ていない。そして10億人が極度の貧困，つまり収入が1日1.25ドルを下回る状態にある。

　これは国連の食糧農業機関（FAO）が発行した，2015年の「国連食糧農業機関（FAO）報告書」によるものだ。この報告書からは，ここ数十年で都市化と経済成長が顕著なアジアの一部地域のように，目立った改善を見せた地域がいくつかあることがわかる。だが同時に，発展途上の国々では今も貧困が継続しており，サハラ砂漠以南の地域では人口のほぼ半数が極貧状態にあって苦しみ続けていることも報告書は示している。

《中略》

　ザンビア子ども助成金プログラムは，社会援助がうまくいっている一例だ。極貧状態と子どもの死亡率が最も高い地域において，このプログラムは5歳未満の子どものいる家庭に現金を支給している。この措置によって，受益者は自分の土地で農業生産を拡大したために国全体の食糧安全保障は向上した。

　社会保護に当たって農村地帯にねらいを定めるのは，戦略的な方策だ。というのは，世界の貧困層のほとんどは，大半が農業に従事する農村地帯に住んでいるからだ。貧困層は生計手段を農業に依存しており，収入の大部分を食料に費やす，とFAOのエコノミストであるアンドレ＝クロッペンシュテット氏は語る。それゆえ，農業への投資は貧困と飢餓の問題に対処するうえでの鍵となるのだ。

　他の分野での経済成長は農業の発展をも促す，とクロッペンシュテット氏は語る。急速に成長する都市で所得と食料需要が高くなると，農業生産性も上昇する。農村へのインフラ投資を増やすことで，生産高の向上にも貢献できるのだ〉

1. 世界の貧困で苦しむ人々の割合は，過去30年で減少していると述べられている。また，「世界の人口の4分の1を超える人々」についての記述はあるが，「世界のおよそ4分の1以上の国」について，本肢のような記述は本文中にない。

2. 2015年のFAO報告書に関する記述としては，都市化と経済成長が顕著なアジアの一部地域においては貧困が改善したと述べられている。また，サハラ以南のアフリカについては，「人口のほぼ半数が極貧状態にあって苦しみ続けている」と述べられているが，貧困層が拡大しているという記述はない。

3. 本肢のような内容は，本文中にはまったく述べられていない。ザンビアでは，「5歳未満の子どものいる家庭」に現金を支給したことで，農地を持つ人々は農業生産を拡大する余裕が生まれ，結果として「食糧安全保障」が向上したと述べられている。

4. 妥当である。

5. 本文で述べられているのは，世界の貧困層のほとんどが農村地帯に住んでいるという実情から，農村地帯に支援の手を差し伸べたり農業に投資することが，貧困と飢餓の問題を解決する鍵となるということである。農村へのインフラ投資によって生産高を向上させるという記述はあるが，「公共事業を行うことによって農村に住む人々の収入を向上させ，農村の人口を増加させることが重要」といった内容は述べられていない。

正答　**4**

次の ☐ の文の後に，ア～オを並べ替えて続けると意味の通った文章になるが，その順序として最も妥当なのはどれか。

In face-to-face conversations, in the absence of pencil and paper, the Japanese resort to pantomime: they use the right index finger as a 'pencil' to 'write' the kanji in the air or on the palm of the left hand.　But often this too fails, and a person must use an appropriate common word as a label for the kanji.

ア：No wonder, then, that in 1928 George Sansom, an authority on Japan, remarked of its writing system: 'There is no doubt that it provides for a fascinating field of study, but as a practical instrument it is surely without inferiors.'

イ：For example, of the dozens of kanji that can be read *to*, only one can also stand for the noun '*higashi*' ('east') ; this character is then readily labelled as *higashi to iu ji*, 'the character *higashi*'.

ウ：When, however, a kanji has only one reading, and you wish to describe it, you have a problem. To identify the kanji that stands for *to* in 'sato' ('sugar'), you cannot do much more than to say something like, 'It's the one used in the last syllable of the word for sugar.'

エ：A modern authority, J. Marshall Unger, added recently: 'In a broad sense, over the centuries, Japanese script has "worked".　Japanese culture has not flourished *because of* the complexities of its writing system, but it has undeniably flourished in spite of them.'

オ：If that does not trigger the memory of the person you are talking to, you must go back to the shape: 'It's the kanji with the "rice" radical on the left, and the tang of "Tang* dynasty" on the right.'

（注）　* Tang：唐（中国の王朝）

1　ア→イ→オ→ウ→エ
2　ア→エ→ウ→オ→イ
3　イ→ウ→オ→ア→エ
4　イ→オ→ア→エ→ウ
5　イ→オ→ウ→エ→ア

解説

出典：Andrew Robinson, "Writing and Script"

全訳〈面と向かっての会話の中で，鉛筆と紙がない場合，日本人は手まねという手段に頼る。右手の人差し指を「鉛筆」とし，漢字を空中あるいは左手の手のひらに「書く」のだ。だがしばしばこうしてもうまくいかず，その漢字のラベルとして適切な汎用語を使わなければならなくなる。

イ：たとえば，「トウ」と読める何十もの漢字の中で，「ひがし」（東）という名詞をも表せる漢字は１つしかない。そこで，この漢字は自然の成り行きで「『ひがし』という字」というラベルが貼られることになる。

ウ：だが，ある漢字に１つの読みしかなく，それを言葉で説明したいと思う場合は，問題が生じる。「サトウ」（砂糖）の「トウ」を表す漢字を特定するには，たとえば「砂糖という言葉の後のほうに使われている漢字」などと言う以外にない。

オ：もしそうしても話し相手の記憶を呼び起こすことにならなければ，漢字の形に戻って説明しなければならない。「左側は『米へん』で，右側は中国の王朝にある『唐』という字」といった具合だ。

ア：日本についての権威であるジョージ＝サンソムが，1928年に日本語の書記法を評して「間違いなく魅力的な研究分野を与えてくれるものだが，実用的な手段としてはこれに劣るものはないことは確かだ」と言ったのも無理はない。

エ：現代の権威であるJ.マーシャル＝アンガーは，近年これに付言して次のように語った。「広い意味で言えば，何世紀もの間日本語の書き文字はうまく機能してきた。日本文化は，その書記法の複雑さ『ゆえに』繁栄したわけではないが，その複雑さ『にもかかわらず』繁栄したといえることに疑いの余地はない」〉

選択肢を見るとアかイのいずれかで始まっているため，冒頭の段落に続くものとしてまずこの２つを読み比べる。冒頭の段落では，日本人は会話で人に漢字を説明するときにpantomime「パントマイム，無言劇」を使うということがまず述べられる。コロン（：）以下の具体的説明から，pantomimeとはここでは漢字を指でなぞって書くことをさしていることがわかる。続く文では，それで相手にわかってもらえない場合，その漢字を表す「ラベル」として適切な言葉を使って説明する必要があることが述べられる。

アの文は，日本についての権威と称されている学者が日本語の書記法を評して語った言葉が引用されており，冒頭のNo wonder, ...は「……なのは不思議ではない」という意味。一方，イの文はFor example「たとえば」で始まり，続く内容は冒頭の段落第２文の具体例として自然につながるものであることがわかる。この時点でまだ断定はできないが，アよりはイを最初に置くのがよさそうである。

次に，イが最初にくる選択肢を見ると，イに続くものはウかオのいずれかである。イの「『トウ』と読める数ある漢字の中で，『東』のように別の独自の読みがある漢字は，読みを説明すればよい」という内容に対して，ウは逆接のhowever「しかしながら」を挟んで，「漢字に１つの読みしかない場合，たとえば『糖』の字は『砂糖のトウ』のように説明しなければならない」という内容なので，うまくつながる。一方，オは「それでもうまく伝わらなければ，漢字の形に戻って『米へんに中国の王朝の唐という字』のように説明しなければならない」という内容で，これは「糖」の字の説明の方法であるから，オはウの後にこなければならない。したがってイ→ウ→オとなるのが自然であり，**4**と**5**は正答の候補から外れる。

残った**3**を見ると，オの後にはアの日本についての権威がかつて語った言葉が続き，最後にエが置かれている。エはA modern authority ...... added recently「現代の権威……が最近付け加えた」と始まっているので，これはアに続くものとしてふさわしい。したがって，イ→ウ→オ→ア→エと続く流れはいずれも問題なく，自然につながる。他方，**1**はオ→ウの部分が上述の理由で不適切であり，また**2**はエ→ウおよびオ→イのつながりが明らかにおかしいので，自然な流れにはならない。

よって，正答は**3**である。

正答　**3**

次の文のア，イに当てはまるものの組合せとして最も妥当なのはどれか。

The world's population is becoming increasingly urban. Sometime in 2007 is usually reckoned to be the turning point when city dwellers formed 　ア　 for the first time in history. Today, the trend toward urbanisation continues: as of 2014, it's thought that 54% of the world's population lives in cities — and it's expected to reach 66% by 2050. Migration forms a significant, and often controversial, part of this urban population growth.

In fact, cities grow in three ways, which can be difficult to distinguish: through migration (whether it's internal migration from rural to urban areas, or international migration between countries); the natural growth of the city's population; and the reclassification of nearby non-urban districts. Although migration is only responsible for one share of this growth, it varies widely from country to country.

In some places, particularly in poorer countries, migration is the main driver of urbanisation. In 2009, UN Habitat estimated that three million people were moving to cities every week. In global gateway cities such as Sydney, London and New York, migrants make up over a third of the population. The proportion in Brussels and Dubai is 　イ　 .

The 2015 World Migration Report (WMR) by the International Organisation for Migration argued that this mass movement of people is widely overlooked amid the global concern about urbanisation. And the report considers the widespread challenges, in terms of service provision, for the growing numbers of people moving into cities around the world.

	ア	イ
1	the majority of the global population	even greater, with migrants accounting for more than half of the population
2	the majority of the global population	even greater, with children accounting for more than half of the population
3	the majority of the global population	extremely small, with tourists accounting for less than a tenth of the population
4	the minority of the global population	even greater, with tourists accounting for more than half of the population
5	the minority of the global population	extremely small, with migrants accounting for less than a tenth of the population

解 説

出典：“The world's urban population is growing”, THE CONVERSATION

全訳〈世界の人口はますます都市に集まるようになっている。通例では，2007年のある時点が，歴史上初めて都市居住者が<u>（ア）世界人口の過半数</u>を形成するに至った転換点と考えられている。今日，都市化の傾向は続いている。2014年時点で，世界人口の54％が都市に住んでいると考えられており，2050年までにその数字は66％に達すると予測されている。この都市の人口増加の見逃せない要因であり，しばしば議論の的となっているのが移民の問題である。

実際のところ，都市の人口が増加する過程には3つの形態があるが，それらを明確に分けることは難しい。それらはすなわち，移民を通じて（農村地帯から都会への国内の移動と，国家間の国をまたぐ移動を含む），都市人口の自然増を通じて，そして近隣の都市でない地域の再区分を通じてである。移民はこの増加の一翼を担っているにすぎないが，そのありようは国ごとに大きく異なる。

一部の地域，特により貧困の度合いが高い国においては，移民は都市化の主要因である。2009年，国連ハビタット（訳注：国際連合人間居住計画。1978年，国連総会によってケニアのナイロビに設立された，都市化と居住の問題に取り組む国連機関）は，週ごとに300万人が都市に移動していると概算した。シドニーやロンドン，ニューヨークのような世界的な玄関口となっている都市では，移民の占める割合が人口の3分の1を超えている。ブリュッセルやドバイではその割合は<u>（イ）さらに大きく</u>，移民が人口の半数を超えている。

国際移住機関による「2015年版世界移住報告書（WMR）」の主張によれば，この大規模な人の移動は，都市化の問題への懸念が世界的に広がる中，多くの人によって黙認状態にある。そして報告書では，世界中で増加している都市へ移動する人たちにとっての，サービスの提供という観点から見た，広範囲に及ぶ諸課題を検討している〉

2か所の空欄について当てはまるフレーズの組合せを問う問題だが，選択肢を見ると空欄アについては実質2択となっていることをまず押さえる。

まず第1段落では，第1文で「世界の人口はますます都市に住むようになっている（＝都市に集中している）」という，本文のテーマが述べられている。空欄アを含む第2文は，Sometime in 2007（「2007年のいつか」）が主語で，the turning pointまでが主節を構成する受け身の文になっている。when以下は，ここでは主語のSometime in 2007を先行詞とする関係副詞節で，「都市居住者が歴史上で初めて ア を形成した（2007年のいつか）」という意味になる。2つの選択肢の意味はそれぞれ，the majority of the global population「世界人口の過半数〔大多数〕」，the minority of the global population「世界人口の少数派」で，第1文の内容を踏まえれば，前者が適切であるとわかる。

第2段落では，世界人口の都市化の重要な要因が移民であることが述べられている。そして続く第3段落にかけて，移民が都市化にどの程度寄与しているかは国ごとに異なるとして，第3段落第2，3文で国連ハビタットがはじき出した数字を引用し，シドニー，ロンドン，ニューヨークといった都市では移民の占める割合が人口の3分の1を超えていると述べられる。空欄イを含む第4文は，「ブリュッセルやドバイでは，その割合は イ である」という意味で，5つの選択肢はそれぞれ，**1**. even greater, with migrants accounting for more than half of the population「さらに大きく，移民が人口の半数を超える状態で」，**2**. even greater, with children accounting for more than half of the population「さらに大きく，子どもが人口の半数を超える状態で」，**3**. extremely small, with tourists accounting for less than a tenth of the population「極めて小さく，観光客が人口の10分の1を下回る状態で」，**4**. even greater, with tourists accounting for more than half of the population「さらに大きく，観光客が人口の半数を超える状態で」，**5**. extremely small, with migrants accounting for less than a tenth of the population「極めて小さく，移民が人口の10分の1を下回る状態で」という意味である（いずれもwith以下は「付帯状況」を表す分詞構文）。このうち，子どもや観光客の割合に言及している**2**～**4**は，前文の第3文と対照的な内容にならないので不適切。残るは**1**と**5**だが，どちらが適切であるかは，ブリュッセルとドバイが国際都市であることを考慮すれば前者が妥当ではないかと推察できるものの，本文の内容だけでは決定打に欠ける。ただし，**5**は，アの部分が前述のように不適切であるため正答とはなりえず，結果として**5**が消え**1**が残ることになる。

よって，ア＝the majority of the global population，イ＝even greater, with migrants accounting for more than half of the population で，正答は**1**である。

正答　1

次の文の内容と合致するものとして最も妥当なのはどれか。

　詩は言葉の芸術であるといわれています。そういえば音楽は音の芸術であり，絵画は色彩と線の芸術です。言葉が詩という芸術をつくる唯一の素材であることにおいては，全く絵画や音楽における色や音の場合と同じですが，その素材そのものの機能や在り方においては本質的にちがうものです。絵画や音楽の素材は，それ自体なんの「意味」ももちませんが，詩の素材は「意味」をもっているということです。いいかえれば，絵画や音楽においては意味のない素材によって，芸術という意味の一宇宙を創るのですが，詩においては，それを形成する素材の一つ一つが，既にことごとく意味の一小宇宙をもっているということです。

　そういう点で，詩の創造の手続はきわめて複雑です。音楽や造型美術の創造と，詩の創造と，どちらがむずかしいかということは別問題ですが，その方法に全く異なった配慮が必要とされねばならないのはこのためです。

　絵をかく場合と，詩を書く場合，そのやり方に全く勝手のちがったものを感じさせられるのは，一つに，こうした素材の本質的な相違によるものです。詩の造型には感覚ばかりでなく，各素材の小宇宙をつづり合わせる論理が必要とされるからです。いずれにもせよ，色彩や音に無関心である人に，ロクな絵や音楽が出来ないと同様に，言葉に無関心であったり，鈍感である人にロクな詩が書けないことはいうまでもありませんが，詩の素材である言葉の在り方には，このように他芸術の素材とは根本的な相違があることを，まずその配慮の根底におく必要があると考えられます。

　さて，人々は誰でも毎日の日常生活の中で，意志や感情を伝えるための実用的な道具として，言葉をきわめて無関心に，そして習慣的にとりあつかっています。この場合の言葉のもつ意味は極端に単純化されています。いや単純であればある程生活上の用をたす道具としては便利で理想的であるといえます。一つの言葉がただ一つの意味しかもたないことが，生活の用を便ずるには，もっとも能率的だからです。こうした日常生活上の便宜主義は，言葉のもっている複雑微妙で，本質的な性格を知らず知らずのうちに単一化しているのです。つまり言葉のもっている機能の一つの面だけが，その習慣性によって異常に発達し，手ずれして，言葉が本来的にもっていた他の複雑な機能は，ことごとく退化してしまっているといってよいでしょう。

1　詩の素材となる言葉の一つ一つは既に意味の小宇宙を持っており，詩の創造には，感覚のみならず，それらの小宇宙をつづり合わせる論理が求められる。

2　詩の創造の手続は極めて複雑で，音楽や造型美術の創造よりもはるかに多くの困難が伴うが，これは言葉が詩という芸術をつくる唯一の素材であるということに起因している。

3　詩の創造では，絵や音楽の場合とは異なり，まず素材への関心を持つことが重要であり，言葉に無関心であったり鈍感である人にロクな詩は書けない。

4　言葉は意志や感情を伝えるための実用的な道具でもあることから，人々は，日常生活上の便宜のために，言葉の持っている本質的な性格を意図的に単一化している。

5　言葉は本来的に複雑微妙な機能を有しているが，日常生活においてその機能は退化してしまっており，そのことが詩の創造を困難なものにしている。

解説

出典：村野四郎『現代詩を求めて』

　詩の創造の特殊性を取り上げた文章。絵画や音楽などとの相違点を挙げ，詩の素材である言葉の機能の複雑さを指摘している。詩の素材である言葉は「意味」を持っており，「詩においては，それを形成する素材の一つ一つが，既にことごとく意味の一小宇宙をもっている」（第1段落末）という点を押さえてから解答に当たりたい。

1. 妥当である。第1，第3段落に合致する。

2. 「詩の創造の手続は極めて複雑で」あるという点は正しいが，「音楽や造形美術の創造よりもはるかに多くの困難が伴う」という点が誤り。第2段落で，「どちらがむずかしいかということは別問題」としている。選択肢の前段が誤りである以上，この原因について述べた後段は意味をなさないが，後段の「言葉が詩という芸術をつくる唯一の素材である」という点は正しい（第1段落）。

3. 「絵や音楽の場合とは異なり」という部分が誤り。第3段落で「色彩や音に無関心である人に，ロクな絵や音楽が出来ないと同様に，言葉に無関心であったり，鈍感である人にロクな詩が書けないことはいうまでもありませんが」と述べており，「素材への関心を持つこと」の重要性においては，他の芸術との相違は認めていない。

4. 「意図的に」という点が誤り。言葉の「意志や感情を伝えるための実用的な道具でもある」という側面については，第4段落で述べているが，「こうした日常生活上の便宜主義は，言葉のもっている複雑精妙で，本質的な性格を知らず知らずのうちに単一化しているのです」と述べている。

5. 「そのことが詩の創造を困難なものにしている」という部分が誤り。言葉の持つ「複雑微妙な機能」と，日常生活においてその機能が「退化してしまって」いることについては第4段落で述べているが，このことと「詩の創造」における「困難」との関わりについての言及はない。本文では，「詩の創造」においては，その素材である「言葉」について他の芸術の素材とは異なった「配慮」が必要とされる（第2～第3段落）と述べるにとどまっている。

正答　**1**

文章理解

判断推理

数的推理

資料解釈

時事

物理

化学

生物

次の文の内容と合致するものとして最も妥当なのはどれか。

　教室にはたいてい黒板の類がある。その近くには，ほとんどの場合，教卓が置かれている。こちらが，この部屋の「前方」である。そこに立つ人（すなわち「教師」）が，「前を向きなさい」と指示した場合，どちらを向けばよいのか。このような問いかけに，ほとんど自動的にそこにいる人びとの身体が反応するほど，教室という空間の特徴は，空間の向きを自明のものとして特定している。

　このようにして部屋の向きが決まる。その部屋にいる「教師」以外の他の多数の人びと（すなわち「生徒」）は，「前」を向いて，「教師」に対面する。黒板，教卓，机，椅子，そして壁という物理的な資源の並び方，置かれ方に特定の形式をもつ教室空間の特徴は，そこにいる人びとに対して，どこが自分の占めるべき場所なのかを，暗黙のうちに示し，そこにいることを強制している。

　このような配置は，そこで行われるコミュニケーションが，前方から後方へという流れを中心に行われることを前提にしている。いいかえれば，黒板の前に立つ人が，メッセージを発する中心であり，その人物に向かい合う複数の人びとは，その受け手である。こうした関係は，教室の空間的な特徴によってあらかじめ決められている。

　「前を向きなさい」という発話が，〈教師の話を聞きなさい〉とか，〈黒板に書いたことに注目しなさい〉といった特定の意味を帯びるのも，このような教室空間の特徴によっている。「前」に立つ人が発するメッセージを，「後」にすわっている人びとが受け取る。教室空間の特徴は，そこでどのようなスタイルのコミュニケーションが行われるのかを前提につくられているのであり，逆にいえば，教室の空間的特徴によって，そこに置かれた人びとのコミュニケーションのあり方に特定のかたちが与えられるということである。

　一人の大人が，複数の子どもを相手にメッセージを発し，そのメッセージを子どもたちは，集団として一斉に受け取る。このようなコミュニケーション・スタイルは，多少のバリエーションをもちながらも，私たちが通常慣れ親しんでいる教育という営みの基本的な形式を示している。ひとつの社会がつぎの世代に継承すべき文化を伝達する。若い世代が将来社会の成員として必要になる知識や行動の様式を身に付けさせる。このような目的で行われる，世代間のコミュニケーションのあり方のひとつの様式として，学校の教室という空間では，先に述べたような形式のコミュニケーションが遂行される。

1　教師が「前を向きなさい」と指示した場合に，生徒が黒板の方を向くのは，教師が教室の「前方」にいることが暗黙の前提となっているからである。

2　黒板，教卓，机，椅子などの並び方や置かれ方によって，教室の空間的な特徴は様々なスタイルを持ち，特定の意味を帯びてくる。

3　「前を向きなさい」という教師の発話は，教室以外では，〈教師の話を聞きなさい〉や〈黒板に書いたことに注目しなさい〉といった意味を持たない。

4　教室で行われるコミュニケーションが，前方にいる教師から後方にいる生徒へという特定の形を持つのは，教室の空間的な特徴によっている。

5　教育は，世代間コミュニケーションの一つの様式であり，子どもと大人が向かい合うという教室の空間的特徴によって，文化を伝達しやすくなっている。

解 説

出典：苅谷剛彦「教育過程と教室空間・学校空間」（天野郁夫，藤田英典，苅谷剛彦著『教育社会学』所収）

　教室空間の特徴について述べた文章。教室は，黒板，教卓，机，椅子などの配置によりあらかじめ「向き」が特定されており，黒板や教卓が置かれているほうが「前方」と了解されている。このような空間は，「前」に立つ人が発するメッセージを，「後」にすわっている人が受け取るというスタイルのコミュニケーションが行われることを前提につくられており，このスタイルは「教育」の基本的な形式を示している，と論じている。

1．教師の「前を向きなさい」という指示に生徒が黒板のほうを向くのは，黒板や教卓が置かれているほうが「前方」と了解されており，「教室という空間の特徴」が「空間の向きを自明のものとして特定している」（第1段落）からである。第2段落に「……教室空間の特徴は，そこにいる人びとに対して，どこが自分の占めるべき場所なのかを，暗黙のうちに示し，そこにいることを強制している」とあり，どちらが「前」かは，教室空間の特徴によってあらかじめ決められている（第4段第1文も参照）。

2．「黒板，教卓，机，椅子などの並び方や置かれ方によって，……様々なスタイルを持」つとしている点が誤り。本文は，「黒板，教卓，机，椅子，そして壁という物理的な資源の並び方，置かれ方に特定の形式をもつ教室空間の特徴」（第2段落）を取り上げており，教室空間の多様性を挙げるものではない。

3．「『前を向きなさい』という教師の発話」は，第2段落と第4段落で取り上げられているが，「教室以外」についての言及はない。

4．妥当である（第2〜4段落）。

5．教室の空間的特徴は，子どもと大人が単に「向かい合う」のではなく，「『前』に立つ人が発するメッセージを，『後』にすわっている人びとが受け取る」（第4段落）というところにある。

正答　**4**

文章理解
判断推理
数的推理
資料解釈
時事
物理
化学
生物

国家一般職
[大卒]
No.
79
教養試験
文章理解　現代文（内容把握）　平成28年度

次の文の内容と合致するものとして最も妥当なのはどれか。

　広告をもっとも一般的な条件において規定するなら，それは「商品についての言説（discours）」であるということになろう。この規定には二重の意味がある。一つは，広告が需要喚起の観点から「商品」について訴求しており，経済資本の活動に相関していることである。二つは，広告が「言説」であり，さまざまな媒体を通じて，言葉や映像や音楽などの記号により何かを表現し，語っており，社会的なコミュニケーションの活動に相関していることである。重要なのは，広告において経済資本の活動と言説の活動という二つの過程が密接に結びついていることである。広告の言説は資本の活動を通じて人びとの欲望の流れに浸透する。広告の言説は，(a)人びとの欲望の対象として商品を記号化し，意味づけると同時に，(b)そのような記号活動を通じて分節された欲望の〈場〉を，一つの社会的な現実として構成していくのである。

　しかしながら，広告が最初からこのような社会現象であったわけではない。広告が顕著に社会性を帯びた現象となるのは，資本と言説という二つの力が合成して「消費社会」という欲望の領域が生み出されるときである。欲望は単なる必要の形式ではない。必要の限度を超え，新しい現実を生み出すのが欲望である。資本の力がこのような欲望の流れを触発し，消費の領域をひらいていくとき，そして言説が十分な密度で人びとの欲望のゲームを表現するとき，広告は深い意味で社会的な現象になる。このように欲望のゲームが解き放たれるのは，資本の活動が高度化し，ある「過剰の次元」に到達したときである。資本の営みが単に利潤獲得という合目的性に支配されているとき，欲望は生産の機能的な関数にとどまるからである。

　資本の活動を個別的に見れば，そこには利潤の獲得・極大化という目的が設定されている。また，社会全体の富という見地からみれば，生産される価値の増大ということが要請されるのかもしれない。だが，現代社会では合理的な基準では測りがたい価値の膨脹や収縮がみられる。また，増殖すべき価値の実体というのも，人間の欲望や労働，倫理とかかわりのないものであったりする。人間学的な基準を超えたシステム全体の膨脹のなかで，資本の活動は一定の合目的性によって規定できず，ゲームと呼ぶしかない過剰な現実性として大きくせりだしているのである。

1　広告は，もともと需要喚起の観点から単にある商品について訴求するものであったが，人々の欲望に触発され，商品を記号化するものとなった。

2　広告は，経済資本の活動と言説の活動とに相関しており，資本と言説の力が合わさって，欲望の領域が生み出されることで，社会性を帯びた現象となる。

3　資本の営みが利潤の獲得・極大化という合目的性に支配されると，広告は深い意味で社会的な現象となり，資本の活動が過剰な次元に到達する。

4　社会全体の富という見地から資本の活動を見ると，人々の欲望は生産の機能的な関数にとどまっており，生産されるべき価値が不明瞭となっている。

5　資本の活動が，人間の欲望や労働，倫理と関わりのない価値の実体を増殖させ，広告を社会的なコミュニケーション活動に結び付けた。

解 説

出典：内田隆三「資本のゲームと社会変容」（山之内 靖［ほか］編『ゆらぎのなかの社会科学』所収）

　広告と消費社会について論じた文章。資本と言説とが密接に結びついて「消費社会」が生まれるとき，広告は「顕著に社会性を帯びた現象」となると述べ，人々の「欲望のゲーム」が解き放たれ，資本の活動がある「過剰な次元」に到達した現代社会の特徴を取り上げている。資本の活動が「言説の活動」と結びつくことで，欲望が新しい現実を生み出していく，という点をとらえることが肝要である。

1. 全体的に誤り。本文では，広告が「欲望に触発され」るとは述べていない。また，「商品を記号化」するという点については，「広告の言説」に言及する必要がある（第1段落）。

2. 妥当である（第2段落）。

3. 前半は「消費社会」が生み出される前の段階であり，「消費社会」成立の段階について述べた後半と結びつかない。広告が「深い意味で社会的な現象」となるのは，「資本と言説という二つの力が合成して『消費社会』という欲望の領域が生み出されるとき」であり，まだ「資本の営みが利潤の獲得・極大化という合目的性に支配され」ている段階では，「欲望は生産の機能的な関数にとどま」り（第2段落末），資本の活動は「過剰の次元」に到達していない（第2段落）。

4. 「社会全体の富」という見地が，資本の活動を個別的に見る視点と混同されている。人々の欲望が「生産の機能的な関数にとどま」るのは，「資本の営みが単に利潤獲得という合目的性に支配されているとき」（第2段落末）である。「社会全体の富という見地」を挙げた第3段落第2文は並立の接続詞「また」で始まっており，「利潤獲得」と「生産される価値」は，別々の観点から取り上げられたものである。

5. 「言説」の活動を挙げていない点が誤り。広告と「社会的なコミュニケーション活動」との結びつきは，広告が「言説」であるところから生じており（第1段落），「増殖すべき価値の実体」が「人間の欲望や労働，倫理とかかわりのないものであったりする」（第3段落）のも，「資本の活動」のみでは説明できない（第1〜3段落）。

正答　**2**

文章理解
判断推理
数的推理
資料解釈
時事
物理
化学
生物

国家一般職
［大卒］
No.
80
教養試験
文章理解　　現代文（内容把握）　　平成28年度

次の文の内容と合致するものとして最も妥当なのはどれか。

　非線形世界をくまなく探るには限界がある。二点間を結ぶ曲線は無数にあるから，いったん非線形性を許容してしまうと無限の可能性があり，それを全部調べ尽くさないと理解できたことにはならないからだ。しかし，人間が研究を行えるのは部分であり，それだけですべてを代表させることができないのも事実である。私たちは，非線形世界に足を踏み入れられるようになったが，その広大さ，奥深さに圧倒されている状態と言えるだろう。従来から推し進めてきた科学の方法に大きな限界を感じざるを得ない，というのが現状なのではないだろうか。

　従来から推し進めてきた科学の方法とは「要素還元主義」のことである。ある現象を目の前にしたとき，その系（システム）を部分（要素）に分け，あるいはより根源的な物質を想定し，それらの反応性や振る舞いを調べて足し合わせれば全体像が明らかになるという手法のことだ。部分の和が全体であり，より根源的な世界では法則はより純粋で単純に立ち現れると考えてきた。そして，原因と結果は一直線で結ばれる，とも。この方法は見事に成功し，ほとんどの科学はこの方法に準拠していると言っても過言ではない。実際，近代科学が成立して以後，科学は要素還元主義でわが世の春を謳歌した。科学は因果関係について明快な答えを出してくれる，という現代の科学信仰の源泉はここにある。

　要素還元主義が成功したのは，すべての過程を線形に帰着させることによって問題を簡明化し，その範囲で威力を発揮できたためである。別の言い方をすれば，線形として扱える範囲の問題に限り，非線形の問題は「複雑系」として後回し（当面は取り扱わない）としてきたのだ。科学は成功した顔だけ見せて，成功しない部分は頬かむりしたとも言えよう。しかし，現実に私たちが当面する問題の多くは非線形が重要な役割を果たしている。とはいえ，それはなかなか解けないから，脇においておくしかない。ここにおいて，万能ではない科学をどう考えるのかが問われることになった。

1　非線形世界をくまなく探るには，根源的な物質を想定し，それらの反応性や振る舞いを調べて足し合わせることで全体像を明らかにしていく必要がある。

2　ある現象の系（システム）を部分（要素）に分けていく科学の方法は，人間が研究を行えるという点において，非線形世界を探る方法とは異なる。

3　私たちが当面する問題の多くは非線形が重要な役割を果たしており，全ての過程を線形に帰着させてきた要素還元主義には，大きな限界があるように感じられる。

4　原因と結果が一直線で結ばれると考える要素還元主義は，私たちが科学に対して，因果関係について明快な答えを出すことを期待したために成功した。

5　非線形の問題を後回しにしてきた科学は，非線形が重要な役割を果たしていることが明らかになったことで，私たちの信仰を失った。

解説 ━━━━━━━━━━━━━━━━━━━━━━━━━━━━━━━

出典：池内 了『科学の限界』

　科学の限界について論じた文章。従来から推し進めてきた要素還元主義の成功の裏で後回しにされてきた「複雑系」の問題を扱う難しさを取り上げている。要素還元主義は，原因と結果を一直線で結び，線形として扱うことによって成功したが，「現実に私たちが当面する問題の多くは非線形が重要な役割を果たしている」。しかし，無限の可能性のある「非線形」の世界をくまなく探るには限界があるため，「万能ではない科学をどう考えるのかが問われることになった」と論じている。「非線形」の問題の重要性と難しさ（第1，第3段落）に注目し，これと対比される要素還元主義の特徴（第2～3段落）をとらえて解く必要がある。

1. これは，非線形世界を探る方法ではなく，要素還元主義の手法について述べたものである（第2段落）。

2. 「人間が研究を行えるという点において」が誤り。「人間が研究を行えるのは部分であり」（第1段落），無限の可能性がある非線形世界をくまなく探るには限界があるが，「私たちは，非線形世界に足を踏み入れられるようになった」とあり，人間が「非線形世界を探る」研究を行えないわけではない。

3. 妥当である。本文全体で論じているテーマであり，第3段落にまとめられている。

4. 要素還元主義が成功したのは，「すべての過程を線形に帰着させることによって問題を簡明化し，その範囲で威力を発揮できたため」である（第3段落）。

5. 「私たちの信仰を失った」という部分が誤り。筆者は，「現実に私たちが当面する問題の多くは非線形が重要な役割を果たしている。とはいえ，それはなかなか解けないから，脇においておくしかない。ここにおいて，万能ではない科学をどう考えるのかが問われることになった」（第3段落）と，議題として取り上げており，「現代の科学信仰」（第2段落末）が失われたとはしていない。

正答　**3**

次の文の 　　　　 に当てはまるものとして最も妥当なのはどれか。

　正しい直感が生まれるためにはまず，　　　　　　　　　　　　が必要である。科学者がある問題を長い間にわたって集中的に考えていて，散歩に出かけたときなどに，ふとインスピレーションが湧くことがあるが，これが正しい直感になる場合が多い。よく知らない問題に対する単なる思いつきは幼稚であり，ほとんどの場合に間違える。このような思いつきを奨励することは，発想法の一つとして必ずしも馬鹿げたことではないと思うが，直感とは無縁のものであることを強調しておきたい。

　専門の科学者ではなくても，たとえば経験を積んだ開業医が患者の顔色や表情を見ただけでどこが悪いか見通すとか，将棋のプロが一目で難しい局面の優劣を判断したり，敏腕な刑事が何かちょっとしたことが気にかかり，これが端緒となって事件が解決するということがよくある。この場合は，長年月の経験から"第六感"が働き，何かが手がかりになって"臭い"と感じたわけである。これらの比較的単純な直感は，明らかに帰納や推定，あるいはアナロジーを使っている。

　特別な知識に精通することは，その知識が無意識化され，直感の基礎になるのだと思われる。ちょうどスポーツの鍛錬によって，筋肉の運動が自動化・無意識化されるように，知能の鍛錬は思考を自動化・無意識化すると考えられる。

1　その問題に関わる知識に精通していること
2　帰納や推定の手法を正しく理解しておくこと
3　あらゆる思考を自動化・無意識化しておくこと
4　思考を一たび停止して周囲に目を向けてみること
5　単に知っているだけでなく実際に経験を積んでいること

解 説

出典：高辻正基『知の総合化への思考法』

　空欄部が第1文にあるので，第2文以下の説明に合致するものを選ぶ。

　空欄のある一文は，「正しい直感が生まれるためにはまず，　　　　　が必要である」というもので，空欄部には「正しい直感」が生まれるための条件として第一に挙げられるものが入ることになる。

　第2文では「科学者がある問題を長い間にわたって集中的に考えていて」「ふとインスピレーションが湧くことがあるが，これが正しい直感になる場合が多い」と述べており，第3～4文では，「よく知らない問題に対する単なる思いつきは幼稚であり，ほとんどの場合に間違える」と述べ，このような思いつきは「直観とは無縁のものである」と断じている。ここでは，科学者などの専門家が「ある問題を長い間にわたって集中的に考えていて」浮かんだものと，「よく知らない問題に対する」思いつきとが対比されているから，この図式に当てはまる選択肢を選ぶ必要がある。

　第2～3段落を確認すると，第2段落では，「経験を積んだ開業医」「将棋のプロ」「敏腕な刑事」などの例を挙げて，「長年月の経験から"第六感"が働」いたとしている。第3段落では「特別な知識に精通すること」が「直観の基礎になるのだと思われる」と述べ，「知能の鍛錬」が「思考を自動化・無意識化すると考えられる」と加えている。いずれも，第1段落で述べた「長い間にわたって集中的に考えていて」「ふとインスピレーションが湧くことがあり，これが正しい直感になる場合が多い」という見解を補強する内容となっており，第2～3段落の趣旨を踏まえると，筆者は，「正しい直感が生まれるため」にはまず，特別な知識に精通することが必要だと主張していることがわかる。

　以上より，空欄に当てはまるものとしては，**1**「その問題に関わる知識に精通していること」が最も妥当である。

1. 妥当である。

2. 第2段落末で「これらの比較的単純な直感は，明らかに帰納や推定，あるいはアナロジーを使っている」と述べているが，この前には「長年月の経験から"第六感"が働き，何かが手がかりになって"臭い"と感じたわけである」とある。筆者は，「帰納や推定」に用いられる知見のほうに注目しているのであって，その「手法」の「理解」については述べていない。

3. 「特別な知識に精通することは，その知識が無意識化され，直感の基礎になるのだと思われる」「知能の鍛錬は思考を自動化・無意識化すると考えられる」（第3段落）と述べているが，「あらゆる思考」を「自動化・無意識化しておく」必要があるとは述べていない。

4. 「思考を一たび停止して周囲に目を向けてみること」は，「散歩に出かけたときなどに，ふとインスピレーションが湧くことがある」（第1段落）という例に符合するが，本文ではこのような行動や環境の変化については重ねて述べておらず，「正しい直感」が生まれるための条件として重視されていない。「よく知らない問題に対する単なる思いつき」では「正しい直感」にはならないから，それ以前にある問題についてよく知っていることが重要となる。

5. 「単に知っているだけ」か「実際に経験を積んでいる」かについては，本文では対比されておらず，これらを分けている点が誤り。

正答　**1**

国家一般職
[大卒]

No.
82

教養試験

文章理解　現代文（文章整序）　平成28年度

次の □□□□□ の文の後にA〜Fを並べ替えて続けると意味の通った文章になるが，その順序として最も妥当なのはどれか。

> カフカの描き出す世界を一言で形容するとすれば，なるほど不条理という言葉が最も適しているかもしれない。だがカフカは，不条理を単に不条理として描出しようとしたわけではない。《中　略》身に覚えのないことを，当たり前のことのように思わされてしまうことの不条理なのだ。

A：ところが，人間の記憶のきわめて興味深いところは，それが完全ではないということなのだ。人間は忘れる。

B：人間は一秒一秒，ただ時間のなかを進みながら生きていくだけではない。記憶という特殊な能力を発達させているため，生きた時間を記憶しながら生きていくというひどくややこしいことをする。

C：このように，記憶という危なっかしい能力に頼る人間には，身に覚えのないことでも認めてしまうということが，いくらでもありうるのである。

D：だから，身に覚えのないようなことを言われても，自分の記憶にはないけれども，単に自分が忘れただけのことで，本当はそうなのかもしれない，と考えてしまう。

E：ではどうして身に覚えのないことが，当たり前のことのように思えてしまうのか。それは人間に記憶というものが備わっているからである。

F：たとえば自分の周囲の人全員に，酔っぱらったときの自分の醜態を聞かせられたら，絶対にそんなことはしていないといつまでも言い張ることはできないだろう。

1　B→A→D→E→F→C
2　D→C→B→A→F→E
3　E→B→A→D→F→C
4　E→D→C→A→B→F
5　F→C→E→D→B→A

解説

出典：根本美作子『眠りと文学』

　冒頭に置かれた文章では，カフカの描き出す世界の「不条理」について，「身に覚えのないことを，当たり前のことのように思わされてしまうことの不条理なのだ」と述べている。

　選択肢を見ると，Eで始まるものが2つ，Cで終わるものが2つあり，これらの位置が正しいかどうかを考えながら，検討していく。

　A～Fをざっと見ていくと，全体として「記憶」が話題に挙げられており，C，D，Eで，「身に覚えのない（ような）こと」について述べている。「記憶」が新しい話題として取り上げられているパートを探すと，Eで，「ではどうして身に覚えのないことが，当たり前のことのように思えてしまうのか。それは人間に記憶というものが備わっているからである」と述べ，冒頭部分の文章の「身に覚えのないこと」の話題から「記憶」へと発展させている。E以外のパートでは，「記憶」は新しい話題ではなく既知情報として取り上げられており，冒頭の文章からつながらない。したがって，1番目にくるものとしては，Eが最も適当である。

　次に，逆接の接続詞「ところが」で始まるAと，まとめの接続詞「このように」で始まるCを確認すると，Aでは，「（人間の記憶が）完全ではない」「人間は忘れる」という点を取り上げている。Cでは，「このように，記憶という危なっかしい能力に頼る人間には，身に覚えのないことでも認めてしまうということが，いくらでもありうるのである」と，Eで提起された問題を，Aと同様の観点からまとめている。文章の大きな流れは，E→A→Cという順序になっているから，C→Aという順序になっている選択肢は誤りであり，3が残る。

　そこで，E→A→Cという順序になっている3を確認していくと，Bでは，Eで新たに取り上げられた「人間に記憶というものが備わっている」という点について説明している。そして，Aで「ところが，……完全ではない」と転換し，Dで「だから，身に覚えのないようなことを言われても，……，本当はそうなのかもしれない，と考えてしまう」と，Aの帰結を述べている。「たとえば……」と始まるFは，「酔っぱらったとき」を例に挙げて「そんなことはしていないといつまでも言い張ることはできないだろう」と述べ，Dを説明する内容となっている。Cで，Eからの話題をまとめ，E→B→A→D→F→Cで，冒頭の文章で取り上げられたテーマについてひとまとまりの論考が示されており，3は，文章全体の流れが整っている。

　よって，正答は3である。

正答　3

次の文の内容と合致するものとして最も妥当なのはどれか。

The "science communication problem" has yielded abundant new research into how people decide what to believe — and why they so often don't accept the expert consensus. It's not that they can't grasp it, according to Dan Kahan of Yale University. In one study he asked 1,540 Americans, a representative sample, to rate the threat of climate change on a scale of zero to 10. Then he correlated that with the subjects' science literacy. He found that higher literacy was associated with stronger views — at both ends of the spectrum. Science literacy promoted polarization[*1] on climate, not consensus. According to Kahan, that's because people tend to use scientific knowledge to reinforce their worldviews.

Americans fall into two basic camps, Kahan says. Those with a more "egalitarian[*2]" and "communitarian" mind-set are generally suspicious of industry and apt to think it's up to something dangerous that calls for government regulation; they're likely to see the risks of climate change. In contrast, people with a "hierarchical" and "individualistic" mind-set respect leaders of industry and don't like government interfering in their affairs; they're apt to reject warnings about climate change, because they know what accepting them could lead to — some kind of tax or regulation to limit emissions.

In the United States, climate change has become a litmus test that identifies you as belonging to one or the other of these two antagonistic[*3] tribes. When we argue about it, Kahan says, we're actually arguing about who we are, what our crowd is. We're thinking: People like us believe this. People like that do not believe this.

Science appeals to our rational brain, but our beliefs are motivated largely by emotion, and the biggest motivation is remaining tight with our peers. "We're all in high school. We've never left high school," says Marcia McNutt. "People still have a need to fit in, and that need to fit in is so strong that local values and local opinions are always trumping[*4] science. And they will continue to trump science, especially when there is no clear downside to ignoring science."

(注)　*1 polarization：二極化　　*2 egalitarian：平等主義の　　*3 antagonistic：対立する
　　　*4 trump：〜を負かす

1　科学的な問題について，専門家の間で一致した意見が人々にすぐに受け入れられないのは，その内容が高度であり，理解し難いからである。

2　科学に関する知識が豊富である人ほど，平等主義的な考え方に疑問を持っており，政府による規制が行き過ぎていると感じている。

3　調査によれば，米国人には個人主義的な考え方に基づいて行動する人が多く，気候変動に関心を持たない傾向がある。

4　米国では，気候変動をどのように考えるかによって，考え方が対立している二つの集団のどちらに属しているかが分かる。

5　科学は，私たちの合理的な精神に訴えかけるため，感情によって信念が左右されたとしても，最終的には，非科学的な意見は排除される。

 解　説

出典："Why science is so hard to believe", The Washington Post

全訳〈「科学コミュニケーション問題」というテーマは，人は何を信じるかをどのようにして決めるのか，そしてさらには，なぜ人は往々にして専門家の一致した結論を受け入れることをしないのか，ということに関する新たな研究を数多く生み出してきた。イェール大学のダン＝カハン教授によると，それは理解力がないということではない，という。ある研究において，彼は代表サンプルである1,540人のアメリカ人に対して，気候変動の脅威を0から10の段階で格付けするよう求めた。それから彼は，その結果と被験者の科学リテラシーとを関連づけた。彼が見いだした結果は，リテラシーが高いほど，より強い見解につながる，つまり見解が両極端に分かれるということだった。気候に関しては，科学リテラシーは意見が一致する方向へではなく，意見を二極化させる方向へと作用したのだ。カハン氏によると，人は自分の世界観を強化するために科学知識を用いる傾向があることがその理由だという。

アメリカ人は基本的に2つのグループに分かれる，とカハン氏は語る。より「平等主義的」で「共産社会主義的」な物の考え方をする人たちは，総じて産業界に対して懐疑的であり，政府の規制が必要となるような何か危険なことをたくらんでいるのだと考える傾向にある。そうした人たちは，気候変動のリスク面を見ようとしがちだ。これに対して，「階級主義的」で「個人主義的」な物の考え方をする人たちは，産業界のリーダーたちを尊敬し，彼らの業務活動に政府が介入するのを好まない。そうした人たちは，気候変動に関する警告を拒絶する傾向にある。なぜなら，警告を受け入れることでどんなことにつながるかを彼らは知っているからだ。それは，何かの形の税金や，排出を制限する規制といったことである。

アメリカ合衆国においては，気候変動の問題は，ある人が対立するこれら2つの集団のどちらに属するかを見定めるリトマス試験のようになっている。その問題を議論するとき，私たちは自分が誰であるのか，どういう連中とつながっているのかについて議論しているに等しい，とカハン氏は語る。私たちは「自分のような人たちはこれを信じている」「ああいう人たちはこれを信じていない」といった考え方をしているのだ。

科学は私たちの理性ある頭脳に働きかけるが，私たちの信念は主として感情が動機となって形づくられる。そしてその動機となる最大の要因は，同質集団と密接に関わり続けることだ。「私たちはみな高校生のままで，高校を卒業してなどいないのです」と，マルシア＝マクナット氏（訳注：「サイエンス」誌編集長で，2016年7月より米国科学アカデミー（NAS）会長）は語る。「相変わらず仲間とうまく調和する必要があって，その調和の要求が強すぎるために，局所的な価値観や意見が常に科学に打ち勝ってしまうのです。そうした人たちはこれからも，科学を無視することの明らかなマイナス面が特段ない場合は，科学を負かし続けるでしょう〉

1. 現代のアメリカにおいては，人々の科学リテラシーが高いほど，専門家の一致した意見の評価において（重視する人と無視する人の）両極端に分かれる傾向にあるという研究結果が述べられていることから，「内容が高度であり，理解しがたい」ことが理由ではない。

2. 科学に関する知識が豊富である人ほど，平等主義的な考え方をする人と，政府による規制を嫌うような（階級主義的・個人主義的な）考え方をする人の二極に分かれやすいと述べられている。

3. 平等主義的な考え方に基づいて気候変動を重視する人と，個人主義的な考え方に基づいて気候変動を無視する人の2つのグループに大きく分かれることが述べられているが，後者のほうが割合が多いことをうかがわせる記述はない。

4. 妥当である。

5. 科学は合理的な精神に訴えかけるという部分は正しいが，後半部分については，信念は感情によって左右されるために，信念を形づくる最大の要因となる同質集団との関わりが強すぎると，局所的な価値観や意見が科学に打ち勝ってしまうと述べられている。

正答　**4**

文章理解
判断推理
数的推理
資料解釈
時事
物理
化学
生物

次の文の内容と合致するものとして最も妥当なのはどれか。

The culture of "time macho" — a relentless competition to work harder, stay later, pull more all-nighters, travel around the world and bill the extra hours that the international date line affords you — remains astonishingly prevalent among professionals today. Nothing captures the belief that more time equals more value better than the cult of billable hours afflicting[*1] large law firms across the country and providing exactly the wrong incentives for employees who hope to integrate work and family. Yet even in industries that don't explicitly reward sheer quantity of hours spent on the job, the pressure to arrive early, stay late, and be available, always, for in-person meetings at 11 a.m. on Saturdays can be intense. Indeed, by some measures, the problem has gotten worse over time: a study by the Center for American Progress reports that nationwide, the share of all professionals — women and men — working more than 50 hours a week has increased since the late 1970s. 《中　略》

Long hours are one thing, and realistically, they are often unavoidable. But do they really need to be spent at the office? To be sure, being in the office *some* of the time is beneficial. In-person meetings can be far more efficient than phone or e-mail tag; trust and collegiality[*2] are much more easily built up around the same physical table; and spontaneous conversations often generate good ideas and lasting relationships. Still, armed with e-mail, instant messaging, phones, and videoconferencing technology, we should be able to move to a culture where the office is a base of operations more than the required locus[*3] of work.

Being able to work from home — in the evening after children are put to bed, or during their sick days or snow days, and at least some of the time on weekends — can be the key, for mothers, to carrying your full load versus letting a team down at crucial moments. State-of-the-art videoconferencing facilities can dramatically reduce the need for long business trips. These technologies are making inroads, and allowing easier integration of work and family life. Yet our work culture still remains more office-centered than it needs to be, especially in light of technological advances. One way to change that is by changing the "default rules" that govern office work — the baseline expectations about when, where, and how work will be done.

(注)　*1 afflict：〜を悩ます　　*2 collegiality：同僚間の協調・協力関係
　　　*3 locus：場所，位置

1　職場に遅くまで残って長時間働くことを評価する傾向は，最近は大幅に改善されているものの，大企業には依然として見られる。

2　研究によれば，労働時間に見合った報酬が支払われていないという問題は，1970年代後半から深刻化している。

3　対面形式の会議では，雑談して会議が長引いてしまうことがあるが，メールのやりとりは，効率的で，良いアイディアを生むこともある。

4　育児中の者は，重要な仕事で責任を果たせるよう，日頃から仕事の量を調整しておく必要がある。

5　仕事と家庭の両立は，最新のテレビ会議の設備等により行いやすくなっているが，職場にいることがいまだに重視されている。

解 説

出典："Why Women Still Can't Have It All", THE ATLANTIC

全訳〈「時間のマッチョ」，つまり，より懸命に働き，遅くまで居残り，何日も徹夜をし，世界中を飛び回り，日付変更線がもたらしてくれる追加の時間をも支払い請求に乗せるといったことをどこまでも競うような文化は，今もなお知的職業に従事する人の間で驚くほど広範囲に見受けられる。かける時間が多いほど生み出す価値は増大するという信念が最も如実に表れているのが，この時間を支払い請求可能なものとして崇（あが）める文化であり，全国の大手法律事務所を悩ませ，仕事と家庭を両立させようと望む被雇用者たちに完全に間違った発奮材料を与えているものだ。だが，純粋に仕事に費やした時間の長さに応じて報酬が支払われることが明確でないような業界においてすら，早く出社し，遅くまで居残り，毎週土曜の午前 11 時に行われる対面形式の会議に常に備えるよう迫られる重圧は並大抵ではない。それどころか，見方によってはこの問題は時代を経て悪化しているともいえる。というのは，アメリカ進歩センター（訳注：米国民主党系のシンクタンク）の調査研究によると，全国で男女を問わず，週に 50 時間を超えて働くあらゆる知的職業従事者の割合は，1970 年代後半以降増加しているのだ。《中　略》

労働時間の長さは，それ自体一つの問題であり，現実的にはなかなか避けられないものだ。だが，本当にそれだけの時間をオフィスで費やす必要があるのだろうか。確かに，「ある程度」の時間をオフィスで過ごすことは有益である。対面形式の会議は電話やメールのやり取りよりもずっと効率的であり，物理的に同じテーブルを囲んだほうが同僚間の信頼や協力関係もはるかに容易に築かれる。また，自然発生的な会話からはしばしば名案や長続きする関係が生まれるものだ。それでもなお，e メールやインスタントメッセージ，電話，テレビ会議の技術などを駆使して，私たちはオフィスが必須の仕事場所ではなく業務の拠点であるような文化への移行を可能にすべきなのだ。

家庭からの勤務，たとえば子どもを寝かしつけた後の夜間や，病気の日や雪の日，あるいは週末の一部の時間だけでも家での仕事が可能になることが，働く母親にとっては，大事なときに周囲に迷惑をかけずに自分の仕事をすべてこなせる鍵となるだろう。最新のテレビ会議の設備は，出張で遠出する必要性を劇的に減少させるだろう。こうした技術は浸透しつつあり，仕事と家庭の両立が楽になることを可能にしている。とはいえ，技術の進歩を考慮してもなお，私たちの仕事文化は必要以上にオフィスが中心になったままである。これを変える一つの方法は，オフィスの仕事をつかさどる「デフォルトルール」，すなわちいつ，どこで，どのように仕事がなされるのかについて，求められる最低水準を変更することから始めることだ〉

1．職場に遅くまで残って長時間働くことを評価する傾向が，最近は大幅に改善されているという記述はない。また，その傾向が依然として見られることは述べられているが，「大企業」に限定する記述はない。

2．「労働時間に見合った報酬が支払われていないという問題」についてはまったく述べられていない。むしろ，働く側が目いっぱいまで働いて報酬の支払い請求をすることの問題点が述べられている。

3．会議の形式については，むしろ対面形式のほうが電話やメールのやり取りよりも効率的であり，他の利点もあることが述べられている。

4．「育児中の者」について限定した記述はない。働く母親にとっては，在宅勤務の時間を増やせることが重要な仕事で責任を果たせる鍵になると述べられているが，「責任を果たせるよう，日頃から仕事の量を調整しておく必要がある」とは述べられていない。

5．妥当である。

正答　**5**

文章理解
判断推理
数的推理
資料解釈
時事
物理
化学
生物

次の文の内容と合致するものとして最も妥当なのはどれか。

　I sit writing this on a bank holiday, one of nine such public holidays we have in Ireland every year. Many of them coincide with religious holidays, such as Christmas Day, but most are bonus holidays that have their origins in the 1870s, when the government — then British — decided banks should close on specific days of the year. This meant businesses would shut too and overworked Victorian labourers would get some well-earned rest. 《中　略》

　Sadly, the bank holiday is one of only a few things we have to be grateful for when it comes to the banks, especially in Ireland where people are still counting the cost of the near-collapse of our banking system in 2008.

　There are many idioms around banking and finance in English. Many of them get across the idea of trust and security — which is why you put your money in the bank in the first place. When you are "banking on" something, you are depending on it. "You can take that to the bank," you might be told when being assured of something. Credit itself means trust and when you find something "incredible" it means you don't believe it — you don't credit it to be true. Credit in finance is the trust placed in you to pay back money that you've borrowed.

　Banks borrow money from one another as well, of course, but all that ground to a halt with the "credit crunch" of 2007-2008, when the banks suddenly stopped trusting each other. Much of the banking vocabulary that has crept into English since the global financial crisis centres around mistrust and fear. 《中　略》

　Financial institutions were facing huge losses and these "zombie banks" were kept on artificial life support by governments. Many were considered "too big to fail" and what we all believed to be the rules of capitalism were suspended as billions in public funds were pumped into private companies in taxpayer-backed "bailouts."

　The €64 billion rescue of the Irish banks has cost every Irish citizen €9,000 in wage cuts and tax hikes. It's enough to ruin your bank holiday.

1 1870年代のアイルランドにおいて，当時の政府は，宗教的な祝日とは別に銀行を休業にする特別な日を設けるべきだとして，年に9日のバンクホリデーを定めた。

2 アイルランドでは，2008年に銀行システムが崩壊寸前となり，銀行の救済のため，公的資金が投入され，それは今も国民の負担となっている。

3 銀行にまつわる英語のイディオムは信用を表すものが多いが，それらは，世界金融危機により生じた銀行に対する不信や恐れを払拭しようとする動きから生まれた。

4 世界金融危機による莫大な損失を埋めるため，アイルランドでは，私企業から集めた資金をつぎ込んで新しい銀行システムを構築するという措置が採られた。

5 世界金融危機以降，多くの銀行が実質破綻し，アイルランド国民は今も預金を自由に引き出すことができないため，せっかくのバンクホリデーも台無しになっている。

解　説

出典：Mike Dwane, "Bank holidays and bailouts", The Japan Times ST：August 28, 2015
　全訳〈私はこれを，バンクホリデー（祝日）に腰を落ち着けて書いている。アイルランドでは毎年9日ある，そのような公休日の中の1日だ。それらのうちの多くがクリスマスのような宗教的な祝日

と重なっているが，大半は1870年代，当時はイギリス領であったのだが，時の政府が1年のうちの特定の日に銀行を休業にすべきだと決定したときに端を発する，特別に設けられた休日である。このことは事務所や店も休業となるということを意味し，働きすぎのビクトリア朝の労働者たちも，もらって当然の休みを取れたのだった。《中　略》

　悲しいことだが，銀行のこととなると，私たちが感謝しなければならないことは，バンクホリデーくらいしかない。とりわけ，2008年に銀行制度が崩壊寸前にまで至った痛手を人々が今なお受けているアイルランドにおいてはそういえる。

　英語には銀行および金融業にまつわるイディオムが数多くある。それらの多くは，信用と安心感という概念が伝わるものだ。それがあるからこそ，そもそもあなたは銀行にお金を預けるわけだが。あなたが何かを「当てにして（banking）」いるとき，あなたはそれを頼りにしているということだ。あなたが何かを保証されているとき，「銀行のお墨付きだ」と言われるかもしれない。クレジット（credit）は，それ自身では信用を意味するため，あなたが何かを「信じられない（incredible）」と感じるときは，あなたがそれを信じていないということだ。つまり，あなたはそれが真実だということに信用を置けないのだ。金融におけるクレジットとは，あなたが借りたお金を返すという，あなたに置かれた信用のことだ。

　銀行は銀行どうしで互いにお金の貸し借りを行うこともあるのはもちろんだが，2007年から08年にかけての信用収縮の際には，銀行が突如として互いを信用しなくなったことでその機能がすべて停止してしまった。世界金融危機以降に英語で次第に使われるようになった銀行に関する語彙の多くが，不信と恐れの感情を中心とするものとなっている。《中　略》

　（当時）金融機関は巨額の損失に直面しており，これらの「ゾンビ銀行」は政府によって人工救命装置につながれた状態になった。多くの銀行が「大きすぎてつぶせない」と見なされ，納税者が支援する「救済措置」によって何十億もの公的資金が私企業に注ぎ込まれる中，私たちが皆資本主義のルールと信じていたものが一時無効状態になった。

　この640億ユーロに上るアイルランドの銀行群を救済する措置によって，アイルランドの市民は1人当たり9,000ユーロを賃金カットや増税によって負担することとなった。これはあなたのバンクホリデーを台無しにするには十分な額だ〉

1. 1870年代のアイルランドにおいて，当時の（イギリス）政府がバンクホリデーを定めたことは正しいが，現在あると述べられている年に9日のバンクホリデーのうちの「大半が」と述べられていることから，9日すべてが当時定められたのではないことが読み取れる。また，「多くが……宗教的な祝日と重なっている」と述べられていることから，「宗教的な祝日とは別に」年に9日というのも誤りであることがわかる。

2. 妥当である。

3. 銀行にまつわる英語のイディオムについては，従来は信用を表すものが多かったが，世界金融危機以降は不信や恐れを表すものが多くなったと述べられている。

4. 「私企業から集めた資金をつぎ込んで新しい銀行システムを構築するという措置」ではなく，「（納税者から集めた資金である）公的資金をつぎ込んで破綻寸前の銀行群を救済するという措置（＝旧来の銀行システムを維持する措置）」がとられたと述べられている。

5. アイルランド国民が今も預金を自由に引き出すことができないという記述はまったくない。銀行を救済するためにとられた措置によって，アイルランド市民1人当たり9,000ユーロの負担が生じたために，最終段落ではその額をさして「バンクホリデーを台無しにするには十分な額」と述べているのである。

正答　**2**

文章理解

判断推理

数的推理

資料解釈

時事

物理

化学

生物

次の [____] と [____] の文の間に，ア～エを並べ替えて続けると意味の通った文章になるが，その順序として最も妥当なのはどれか。

> Penguins, like other birds that live in a cold climate, have adaptations to avoid losing too much heat and to preserve a central body temperature of about 40℃.

ア：However, penguins also have 'counter-current heat exchangers' at the top of the legs. Arteries[*1] supplying warm blood to the feet break up into many small vessels[*2] that are closely allied to similar numbers of venous[*3] vessels bringing cold blood back from the feet.

イ：Humans can do this too, which is why our hands and feet become white when we are cold and pink when warm.　Control is very sophisticated and involves the hypothalamus[*4] and various nervous and hormonal systems.

ウ：The feet pose particular problems since they cannot be covered with insulation in the form of feathers or blubber, yet have a big surface area (similar considerations apply to cold-climate mammals such as polar bears).

エ：Two mechanisms are at work.　First, the penguin can control the rate of blood flow to the feet by varying the diameter of arterial vessels supplying the blood.　In cold conditions the flow is reduced, when it is warm the flow increases.

> Heat flows from the warm blood to the cold blood, so little of it is carried down the feet.

(注)　*1 artery：動脈　*2 vessel：（血液などを通す）管　*3 venous：静脈の
　　　*4 hypothalamus：視床下部

1　ア→イ→ウ→エ
2　ア→ウ→イ→エ
3　ア→ウ→エ→イ
4　ウ→エ→ア→イ
5　ウ→エ→イ→ア

解説

出典：Mick O'Hare, "Why Don't Penguin's Feet Freeze ?"

全訳〈ペンギンは寒い気候の土地で生きる他の鳥類同様，体の熱を失いすぎることを避け，中心部の体温をほぼ40度に保つような適応能力を持っている。

ウ：ペンギンの足は羽や脂肪のような断熱効果を持つもので覆われておらず，しかも表面積が広いために，特有の問題を引き起こす（ホッキョクグマのような寒冷気候に生きる哺乳類においても同様のことが考えられる）。

エ：（そのために）2つのメカニズムが働いている。第一に，ペンギンは血液の供給路である動脈管の直径を変化させることで足へと向かう血流の割合を制御する能力を持っている。寒冷下では血流の量が減少し，暖かいときは量が増加するのだ。

イ：これは人間も行うことができ，私たちの手や足が寒いときは白くなり，暖かいときはほの赤くなるのはそのためだ。この制御のメカニズムは非常に精緻なもので，視床下部とさまざまな神経とホルモンの仕組みに関わっている。

ア：しかしながら，ペンギンには両脚の最上部に「対向流熱交換器」もある。温かい血を足に供給する動脈は多くの細い血管に枝分かれしており，それらは足から冷たい血を戻す役割を担う，ほぼ同数の静脈管と緊密に絡み合っている。

温かい血から冷たい血へと熱が流れるため，足まで運ばれる熱はほとんどなくなる（訳注：ゆえに，体から失われる熱量は少なくて済む）のだ〉

選択肢を見るとアかウのいずれかで始まっているため，冒頭の文に続くものとして，まずこの2つを読み比べる。冒頭の文は，ペンギンの体は中心部の体温が約40度に保たれるよう，寒冷地に適応しているという内容。アは逆接を表す副詞 however「しかしながら」で始まっており，続く文章はやや専門的な内容なのでわかりにくいが，脚の動脈が温かい血を下の足へと送り，静脈は反対に足からの冷たい血を上へと送るというのがおおよその主旨。これだけでは冒頭の文と逆接でつながる内容かどうか決め手に欠ける。一方ウは，ペンギンの足へと話題が移っており，文頭に接続語句がないため冒頭の文に続けるとやや唐突にも感じられるが，やはり決め手に欠ける。そこで残りのイ，エも合わせた全体の流れで改めて判断することになる。

イ，エの中に手がかりになりそうな語句を探すと，イの冒頭に Humans can do this, too「人間もこれをすることができる」とあり，その後に関係代名詞 which で始まる「私たちの手や足が寒いときは白くなり，暖かいときはほの赤くなるのはそのためだ」という内容が続いている。which の先行詞は前のコンマまでの文全体と考えられるので，冒頭の this がさすものは which 以下と類似した内容で，かつ「ペンギンがすることができる」事柄であり，それがイの前で説明されていると推測できる。一方エでは，冒頭に Two mechanisms「2つのメカニズム」とあり，第2文で First, the penguin can ......「第1に，ペンギンは……することができる」と説明されているので，エはイの前にくること，また「2つ目のメカニズム」に関する説明がエの後に続くことが推測できる。そこで改めてアとウを検討すると，アの第1文の penguins also have ...... 以下が「2つ目のメカニズム」に当たると判断できる。

以上を踏まえてエ→イ→アという流れにすれば，イの this はエの第2，3文をさすものとして自然につながり，またアの However は「1つ目のメカニズムは人間にもある。しかしながら，ペンギンには……もある」というつながりを示す逆接語となって，やはり自然な流れになる。アの第2文と与えられた最終文とのつながりも問題ない。

したがって，この流れを含む選択肢は5のみであり，冒頭の文にはウが続くことになる。ペンギンの体は寒冷地に適応している（冒頭の文），だが足には特有の問題があり（ウ），それを解消するために2つのメカニズムが働いている（エ），というのが前半の流れであり，下線のように補って考えれば論理的な整合性もはっきりする。

よって正答は**5**である。

正答　**5**

文章理解
判断推理
数的推理
資料解釈
時事
物理
化学
生物

国家一般職
[大卒]
No.
87
教養試験
文章理解　英文（空欄補充）　平成28年度

次の文のア，イに当てはまるものの組合せとして最も妥当なのはどれか。

　Consider your current consumption of milk and wine.　Now imagine that two new taxes will be introduced tomorrow.　One will cut the price of wine by 50 percent, and the other will increase the price of milk by 100 percent.　What do you think will happen?　These price changes will surely affect consumption, and many people will walk around slightly happier and with less calcium.　But now imagine this.　What if the new taxes are accompanied by induced amnesia* for the previous prices of wine and milk?　What if the prices change in the same way, but you do not remember what you paid for these two products in the past?

　I suspect that the price changes would [　ア　] on demand if people remembered the previous prices and noticed the price increases; but I also suspect that without a memory for past prices, these price changes would have a trivial effect, if any, on demand.　If people had no memory of past prices, the consumption of milk and wine would [　イ　], as if the prices had not changed.　In other words, the sensitivity we show to price changes might in fact be largely a result of our memory for the prices we have paid in the past and our desire for coherence with our past decisions　── not at all a reflection of our true preferences or our level of demand.

（注）　* amnesia：記憶喪失

	ア	イ
1	have a tiny influence	increase gradually in number
2	have a tiny influence	remain essentially the same
3	make a huge impact	become exceptionally different
4	make a huge impact	increase gradually in number
5	make a huge impact	remain essentially the same

解説

出典：Dan Ariely, "Predictably Irrational"

　全訳〈現在のあなたの牛乳とワインの消費量を考えてほしい。さて，明日２つの新しい税が導入されるとしよう。１つはワインの価格を50パーセント低下させ，もう１つは牛乳の価格を100パーセント上昇させることになる。あなたは何が起こると思うだろうか。これらの価格の変化は確実に消費に影響を与え，多くの人が以前より少々幸せな気分と，カルシウムが不足した状態で歩き回ることになるだろう。だが，ここで次のことを考えてほしい。その新税が，以前の牛乳とワインの価格の記憶を消し去る作用を伴っていたらどうだろう。価格がこのように変化しても，過去にこれら２つの商品にいくら払っていたかを覚えていないとしたら？

　私は，もし人々が以前の価格を覚えていて価格の上昇に気がつくならば，価格の変化は需要に莫大な影響を与えるのだろうと思う。しかし同時に私は，過去の価格についての記憶がないならば，これらの価格の変化は需要に対して，あったとしてもささいな影響しか与えないのだ

ろうと思う。もし人々に過去の価格の記憶がなければ，あたかも価格が変わっていないかのように，牛乳とワインの消費量は基本的に同じままだろう。つまり，私たちが価格の変化に示す敏感さは，実際のところ大部分は過去に私たちが支払ってきた価格の記憶や，私たちの過去の意思決定と一貫性を持たせたいという願望の結果であるかもしれないということだ。それは私たちの本当の好みや，私たちの必要のレベルではまったくないということだ〉

　2か所の空欄について当てはまる動詞句の組合せを問う問題だが，選択肢を見ると空欄アについては2つ，空欄イについては3つの動詞句からの選択になっていることをまず押さえる。

　まず第1段落の内容を概観すると，牛乳とワインを例に，両者の価格が変化した場合に予想される消費行動の変化を述べ，最後の2文で「もし，この2つの商品に価格変化の前はいくら払っていたかを覚えていないとしたらどうだろう」と問題提起している。これを受けて第2段落では，提起した問題に対する筆者の予測を述べている。

　空欄アを含む第1文の前半は，that の後の the price changes 以下が仮定法過去（「もし～なら，……だろう」）になっていることを押さえる。選択肢は have a tiny influence「ごく小さな影響を与える」，make a huge impact「莫大な影響を与える」の2つであるが，セミコロン（；）以下の第1文後半の内容が「過去の価格についての記憶がないならば，これらの価格の変化は需要に対して，あったとしてもささいな影響しか与えないのだろうと思う」となっていることから，前半は対照的な内容，すなわち「もし人々が以前の価格を覚えていて価格の上昇に気がつくならば，価格の変化は需要に莫大な影響を与えるのだろう」という文になると考えられる。したがって，make a huge impact が適切である。

　空欄イを含む第2文は，空欄までがやはり仮定法過去の文になっている。条件節（If ～の部分）は「もし人々に過去の価格の記憶がなければ」という意味なので，主節は第1文の後半と同じ内容の言い換え表現になることが予測できる。選択肢は increase gradually in number「次第に増大する」，remain essentially the same「基本的に同じままである」，become exceptionally different「例外的に違ったものになる」の3つであるが，空欄の後の as if 以下が「あたかも価格が変わっていないかのように」という意味であることを考え合わせると，「もし人々に過去の価格の記憶がなければ，牛乳とワインの消費量は基本的に同じままだろう」という文になると考えられる。したがって，remain essentially the same が適切。

　よって，ア＝make a huge impact，イ＝remain essentially the same となり，正答は**5**である。

正答　**5**

文章理解

判断推理

数的推理

資料解釈

時事

物理

化学

生物

次の文の内容と合致するものとして最も妥当なのはどれか。

　未来は，やって来るだろうか。もちろん，ある意味では「未来はやって来る」。たとえば，一週間後に友人と会う約束をする。その未来は一日一日と近づいてきて，実際にその日になり，友人と会っていっしょに食事をする。同じように，数分先の未来も，何年も先の未来も，刻々と近づいてきて，実際にその瞬間が訪れる。たしかに，「未来はやって来る」。

　しかし，別の意味では「未来はやって来ない」。いや，「やって来ないということに，未来としての未来の核心がある」。未来は，やって来てしまうと現在に変わってしまって，もう未来ではなくなってしまう。そこでは，未来性は失われる。その代わり，まだやって来ない時点が，新たな未来となる。そして，「まだ……ない」という未来性は，次々と新たな未来へと受け渡されていく。その受け渡しを通じて，「未来としての未来」は残り続ける。そのような意味で，「未来はいつまでもやって来ない」。いや，「いつまでもやって来ないということに，未来としての未来の核心がある」。

《中　略》

　「未来としての未来」であっても，それに思いを馳せることはできるのではないか。一週間後に友人と会うところを思い描く。何年も先の未来を予測する。地球滅亡の日を想像する。あるいは，予想もつかないようなまったく新しい未来が訪れることを期待する。そのように思いを馳せるとき，未来は未来のまま思い描かれていて，現在に変わってはいない。こうして，「未来としての未来」も，思い描くことはできるのではないか。

　たしかに，そのように未来に思いを馳せることはできるし，実際にそうしている。しかし，そのように思い描かれた未来は，その未来性の核心部分を失ってしまう。というのも，未来の未来性の中には，「現在のどんな思いもけっして及びようがない」ということが，含まれているからである。

　思い描き・予想・想像・期待・計算などによって表象される未来は，すべて「現在の思い」である。その表象どおりの未来が訪れている限りは，現在と未来はすんなり連続しているように見える。しかし，往々にして「現在の思い」は裏切られる。裏切られてはじめて，「未来についての表象」は，その現在の時点のものにすぎなかったのであり，けっして未来には触れえていなかったことを思い知らされる。

1　誰かと実際にある経験を共有することによって，未来が事前に想像したとおりのものであったかを確認することができる。

2　未来をどのような意味で捉えるかは様々であっても，未来がやって来るかどうかという問いに対する回答に違いは見られない。

3　やって来ないということに，未来としての未来の核心があり，それが次々と新たな未来へと受け渡されていくことで，「未来としての未来」は残り続ける。

4　「未来としての未来」であれば何年も先の未来であっても，現在との連続性を失うことなく思いを馳せることができる。

5　現時点での知識や想像力を用いれば未来の姿を表象することができるため，「未来としての未来」が「現在の思い」を裏切ることはけっしてない。

解 説 ━━

出典：入不二基義『足の裏に影はあるか？ないか？』

　「未来」の未来性について述べた文章。「未来」は，そのとらえ方により，「やって来る」とも「やって来ない」ともいえるが，「やって来ない」というところに「未来としての未来」の核心があり，未来への想像はすべて「現在の思い」にすぎないと論じている。抽象的な内容だが，「未来性」の「核心」をとらえれば，解答は容易である。

1．他者との経験の共有によって可能になる事柄については，記されていない。第1段落で「友人と会う約束」をしてその友人と会うという例が挙げられているが，「実際にその瞬間が訪れる」例にすぎない。

2．「未来がやって来るかどうか」という問いには，「未来」のとらえ方により，「未来はやって来る」（第1段落）という答えと，「未来はやって来ない」（第2段落）という答えがあり，「回答に違いは見られない」というのは誤りである。

3．妥当である。第2段落に合致する。

4．「未来としての未来」とは，「やって来ない」という性質を持つものであり，いつにおいても，「現在との連続性」はない（第2～5段落）。

5．現時点で表象された未来は「現在の思い」にすぎず，「（現在のどんな思いもけっして及びようがない）未来としての未来」と「現在の思い」はそもそも接点がないため，前段と後段の因果関係が成り立たない（第4～5段落）。

正答 **3**

国家一般職
［大卒］
No.
89
教養試験
文章理解　　現代文（内容把握）　　平成27年度

文章理解

判断推理

数的推理

資料解釈

時事

物理

化学

生物

次の文の内容と合致するものとして最も妥当なのはどれか。

　衰亡論には，不思議に人を惹きつけるものがある。昔から今まで人々は，過去の文明について，あるいは現在の文明について，種々の角度から衰亡を論じて来た。代表的な題材であるローマについて言うなら，それはくり返し研究の対象になって来たし，またローマの衰亡との類推で，そのときの文明の運命が論じられて来た。それに，ローマが存在していたときに提出されたローマ衰亡論をあわせ考えるなら，ローマ衰亡論はほぼ二千年にわたって人々の関心を集めて来たことになる。その他の文明についての衰亡論も多い。実際，衰亡論のなかった文明や時代というものは存在しないと言ってよい。

　それは衰亡論が人間のもっとも基本的な関心事に触れているからである。すなわち，衰亡論はわれわれに運命を考えさせる。人間はだれでも未来への不安と期待の二つを持っている。それはわれわれが有限な存在だからであろう。人間はだれでも，自分の死んだ後，自分のしたことはどうなるだろう，と考える。そして，自分のしたことが受け継がれ，世の中がよくなることを期待しながら，他方よいものはこわれるのではないかという不安をぬぐい去ることはできない。

　文明の衰亡の物語はこうした心情あるいは関心に訴える。秀れた強力な文明は，その最盛期において永遠に続きそうにさえ見える。しかし，その文明が徐々に綻びを見せ，力を弱め，衰頽（すい）して行く。どうしてそうなったのかは，われわれの関心をかき立てずにはいない。

　そして，衰亡の原因を探求して行けば，われわれは成功のなかに衰亡の種子があるということに気づく。多くの衰亡論の主題はそうしたものであった。たとえば，豊かになることが，人々を傲慢にし，かつ柔弱にするので文明を衰頽に向わせるということは，何回も何回も論じられて来た。『国富論』の著者アダム・スミスでさえ「野蛮国民の民兵」が「文明国民の民兵」に対して「不可抗的な優越性」を持つと書いた。それは今日の人々の多くにとって意外であるだろう。しかし，富の衰頽効果はそれほど広く認められて来たことなのである。同様に，スミスのやや先輩のディヴィット・ヒュームは，芸術や科学について，それらは完成すれば衰頽に向うと論じた。一旦完成されれば，次の世代はより秀れたものを作りうるという自信を失い，公衆も新しいものに関心を示さなくなるからである。

　だから，衰亡論は，なによりもまず，成功した者を謙虚にするであろう。

1　衰亡論には不思議に人を惹きつけるものがあるが，それは，衰亡論が，われわれが有限な存在であるがゆえに抱く未来への関心をかき立てずにはいないからである。

2　衰亡論は，人間のもっとも基本的な関心事に触れる論であり，われわれに運命を考えさせることにより，世の中がよくなることを期待させるものである。

3　秀れた強力な文明の中に生きるわれわれは，成功のなかに衰亡の種子があるということに気づいており，より秀れたものや新しいものを作り出すことに関心を示さなくなって来ている。

4　豊かになることで，人々が傲慢かつ柔弱になり，文明が衰頽して行くという考え方は，芸術についても当てはまり，富を得た人ほど秀れた作品を作りにくくなる。

5　アダム・スミスは，「野蛮国民の民兵」が「文明国民の民兵」に対して「不可抗的な優越性」を持つとして，衰亡論は，なによりもまず，成功した者を謙虚にすると論じた。

解説 ━━━━━━━━━━━━━━━━━━━━━━━━━━━━━━━━━━

出典：高坂正堯『文明が衰亡するとき』

　衰亡論について述べた文章。第1～3段落で，衰亡論が古くから人を惹きつけてきたのは，未来への不安と期待を持つ人間の関心に訴えるからだと論じ，第4～5段落で，衰亡の原因について，「成功のなかに衰亡の種子がある」という見方を取り上げている。各段落の第1文に目を通して全体の論調をつかみ，筆者の人間観が示されている第2段落に注目して解きたい。

1. 妥当である。第1～3段落の内容に合致する。

2. 衰亡論は，「世の中がよくなることを期待させる」のではなく，未来への期待と同時に「よいものはこわれるのではないかという不安」（第2段落）を持ち合わせている人間の関心に訴え，「成功した者を謙虚にする」（第5段落）のである。「人間のもっとも基本的な関心事に触れる論であり，われわれに運命を考えさせる」という部分は正しい（第2段落）。

3. 本文における「われわれ」は，人間全般をさしており，「秀れた強力な文明の中に生きる」現代人をさすものではない（第2～4段落）。また，「より秀れたものや新しいものを作り出すことに関心を示さなく」なるというのはヒュームの議論であり（第4段落），本文では現代人の傾向については論じていない。

4. 「豊かになることで，人々が傲慢かつ柔弱になり，文明が衰退して行くという考え方」は例として挙げられているが，芸術に関しては，完成すれば次世代がより秀れたものを作りうるという自信を失い衰退に向かうというヒュームの議論を挙げており，衰退の原因が合致しない。また，「富を得た人ほど秀れた作品を作りにくくなる」という見方は示されていない（第4段落）。

5. 前段は正しいが（第4段落），後段は，スミスの論ではなく，筆者の見解である（第5段落）。

正答　**1**

次の文の内容と合致するものとして最も妥当なのはどれか。

　教養に関することを何か書くようにとの依頼があったが，私ども自然科学を専門とする人間にとっては，教養などという漠然たる題目は大変苦手である。今日の自然科学中でも理論物理学のごときはちょっと見ると非常に抽象的で，数学や哲学などとたいした逕庭*がないようであるが，実際物理学者が理論を構成していく際には，具体的な自然現象の一群が絶えず念頭を去来しているのである。空に物を考えることは，物理学者にとって苦痛であると同時に危険でもある。

　ところで教養という言葉も，やはり何か定まった対象に関する知識の修得を意味しているではあろうが，その対象が何であるかはむしろ従であって，知識の修得によって，個々の知識以外に何かよきものを得る，自分自身の中によき変化をもたらし得るというところに主眼点があるのであろう。元来自然科学に関する書物は，「何」という対象の闡明に重きを置き，読者がこれを通読することによって必要な知識を得ることが出来れば，それで目的の大半は達せられたことになる。この意味でそれらが多かれ少なかれ教科書ふうに書かれているのは当然の事であるが，特別の必要がなく，単に教養を得ようという漠然たる気持で読む人々にとっては，それが必ずしも適当でない場合が多いのである。とくに邦文の自然科学書では，教科書の程度を超えて個性の著しいものは，わりあいに少ないように思われる。これは一つには科学知識の普及がまだじゅうぶんでないために，読者に多くの予備知識を要求することが困難で，いきおい初等的な部分に多くのページ数を費やさねばならなくなるというような事情によるであろう。しかし同じ程度の類似した内容を有する書物でも，著者の態度いかんによって，読者の受ける感銘に非常な差を生ずることも珍しくないのである。とくに著者自身が研究した部門に関する知識は，著者の人間の中にじゅうぶんに浸透しているから，読者もまた書物に書かれている言葉を通じて，知らず知らずの間に著者の人間に接し得るであろう。これに反して，著者自身言わんと欲するところがあるわけでなく，ただ他の学者の研究の紹介に止まっているような場合には，読者は同じ言葉に対しても，単にこれを知識として受け取るに過ぎないことになりやすい。この意味において，ある自然科学書が真に一般人の教養に役立つか否かは，主として著者の心構えとか気魄とかが，その内容を通じて感得せられるか否かにあると思われる。

（注）　*逕庭：二つのものの間にある隔たり

1　物理学者が理論を構成していく際には，具体的な自然現象の一群が絶えず念頭を去来しており，このことは，教養のような漠然とした題目について考える際にも当てはまる。

2　教養は知識の修得を意味する言葉であり，しかも実用性が求められることから，知識の修得の対象が何であるかというところに主眼点がある。

3　自然科学に関する書物は多かれ少なかれ教科書ふうに書かれているため，予備知識のない読者が漠然と読むことで，教養を修得することができる。

4　同じ程度の類似した内容を有する書物でも，読者の受ける感銘に非常な差が生じるのは，著者の人間性よりも伝えるべき知識が分かりやすい言葉で伝えられているかどうかによる。

5　自然科学書の中でも，著者自身の研究分野に関する著作は，その内容を通じて著者の心構えや気魄が感得せられ，一般人の教養に役立つだろう。

解説

出典：湯川秀樹『目に見えないもの』

　自然科学における「教養」について述べた文章。「教養」とは，対象に関する知識の習得を通して，「個々の知識以外に何かよきものを得る，自分自身の中によき変化をもたらし得る」ものだと論じ，「ある自然科学書が真に一般人の教養に役立つか否かは，主として著者の心構えとか気魄とかが，その内容を通じて感得せられるか否かにある」と述べている。「ところで」で始まる第2段落の第1文と最終文に目を通し，単なる知識の習得よりも，それを通じて「著者の人間に接し得る」ところに「教養」としての価値を見いだしている点をとらえて解く必要がある。

1. 前段の内容は，「教養などという漠然たる題目は大変苦手である」理由を述べるものであり，「教養のような漠然とした題目について考える際にも当てはまる」とはいえない（第1段落）。

2. 筆者は「教養」という言葉が「知識の習得」につながることを認めつつも，それを通じて得られるもののほうに主眼点があると見ており，「知識の習得の対象が何であるかはむしろ従」であるとしている。（第2段落）。

3. 自然科学に関する書物は多かれ少なかれ教科書ふうに書かれている」という点は正しいが，後段が誤り。「単に教養を得ようという漠然たる気持で読む人々にとっては，それが必ずしも適当でない場合が多い」のである（第2段落）。

4. 筆者は，「同じ程度の類似した内容を有する書物でも，著者の態度いかんによって，読者の受ける感銘に非常な差を生ずることも珍しくない」と述べ，単に知識として受け取ることよりも，「著者の人間」に接し得ることを重視している（第2段落）。

5. 妥当である。第2段落の内容に合致する。

正答　**5**

国家一般職
［大卒］
No.
91
教養試験
文章理解　　現代文（内容把握）　　平成27年度

文章理解
判断推理
数的推理
資料解釈
時事
物理
化学
生物

次の文の内容と合致するものとして最も妥当なのはどれか。

　人生の最後に臨み，死を覚悟するとき，人は否応なく，おのれの人生の究極の意味とその「生きがい」を直視せざるをえない。死に臨んで，カントは「これでよい」と言ったと伝えられ，ゲーテは「もっと光を」と語ったと言われている。もっともゲーテの場合，ほんとうは下男に，「部屋の二番目の窓をあけてくれ。もっと光が入るように」と言ったというのが真相らしい。しかし，それにしても，「もっと光を」の一句は，象徴的である。

　おのれの人生の究極の意味とその「生きがい」については，私たちは，生の真っ只中にあるかぎりは，最終的な形では誰も明確に摑み取ってはいない。けれども，それは潜在的には，誰にでも知られているはずでなければならない。この朧に意識されている人生の意味を問い直すことこそは，「生きがいはどこにあるか」と問う問いである。そして，その問いを主題化する内省的な知こそは，哲学の知であると言わねばならない。私たち誰もが，哲学者の要素を持っているのであり，逆に言えば，哲学は，人間の存するところ，必ずや出現せざるをえない，人生の意味への問いにほかならない。

　現代において，このような哲学の持つ人生知の性格を否定するような哲学観が跳梁跋扈しているのは，甚だ遺憾である。その種の主張によれば，人生の意味を問うようなこうした哲学的形而上学的問いは，答えの出しようのない空虚な問い，経験的に検証しえない真でも偽でもない無意味な問いであるとされる。けれども，感覚的経験によって検証されるもののみを真か偽とすること自体が，そもそも誤謬であり，感覚的に経験されないが，しかし，疑いようもなく人間的経験に属する重要な出来事が，人生にはたくさんある。愛や正義，人生の「生きがい」等は，まさにそうした問題に属する。しかも，こうした問題は，答えの出しようのない問いではなく，人間において死の意識と裏腹になって，この上なく切実に迫ってくる最も重要な問いである。たしかにそれは，簡単には一語でもっては答えられない問いではあろう。ある意味では，その問いを抱えて人間は一生迷い続け，遍歴を閲し，そうした人生の歩みそのものが，そのまま閉じられぬありさまのままで，その問いへの答えになっているとさえ言ってもよい。算数の足し算のように，簡単に一義的な答えの出しうるものだけが，私たちの真実の知を構成しているのではないのである。

1　おのれの人生の究極の意味とその「生きがい」は，人が人生の最後に臨み，死を覚悟したときに，感覚的に経験される。

2　おのれの人生の究極の意味とその「生きがい」については，私たちが潜在的に知っていることであり，それを経験的に検証しようとするような哲学観が跳梁跋扈しているのは，甚だ遺憾である。

3　人生の「生きがい」等は，死の意識と裏腹になって切実に迫ってくる最も重要な問いであり，その問いを主題化する内省的な知こそ，哲学の知である。

4　答えの出しようのない問いである人生の「生きがい」等は，人生の意味を問う哲学的形而上学的問いではあるが，感覚的経験によって検証されるものである。

5　私たちの真実の知は，簡単には一語でもっては答えられない問いによって構成されているのであり，愛や正義のように感覚的経験によって検証されるものではない。

出典：渡邊二郎『現代文明と人間』

　人生の意味や「生きがい」への問いについて述べた文章。死の意識とともに迫りくる「おのれの人生の究極の意味とその『生きがい』」は、「潜在的には，誰にでも知られているはず」であり，これを主題化する内省的な知こそは哲学の知であると説き，「感覚的には経験されない」が「人間的経験に属する」問題の重要さを指摘している。逆接の接続詞や強調語に着目して第2段落と第3段落の要点をつかめば，誤肢消去も容易である。

1．人生の意味や「生きがい」は，「感覚的に経験されない」（第3段落）が，「潜在的には，誰にでも知られているはずでなければならない」（第2段落）ものとされており，「人が人生の最後に臨み，死を覚悟したときに，感覚的に経験される」のではない。

2．後段の「経験的に検証しようとするような」という部分が誤り。本文では，「生きがい」などの問題は，「疑いようもなく人間的経験に属する」とされており，このような人生知に関する問題を「経験的に検証しえない」ものとして否定するような風潮を「甚だ遺憾」と述べているのである。

3．妥当である。第2～3段落に合致する。

4．「感覚的経験によって検証される」という部分が誤り。**1**の解説参照。

5．「私たちの真実の知」を構成しているのは，算数の足し算のように「簡単に一義的な答えの出しうるもの」とそうでないものとがあると述べているのであり，「簡単には一語でもっては答えられない問いによって構成されている」とはいえない。また，「愛や正義」を「感覚的経験によって検証されるもの」の例として挙げている点も誤り（第3段落）。

正答　**3**

国家一般職［大卒］
No.92 教養試験

文章理解　現代文（空欄補充） 平成**27**年度

次の文の □□□□□ に当てはまるものとして最も妥当なのはどれか。

　自由・平等・博愛の理念は政治形態としての民主制を生み出し科学を生んだ。科学は技術と共進化して科学技術となり今日に観る科学技術文明の基軸となった。しかし，その理念も米国独立とフランス革命から数えて二百有余年を経た。自由が生み出した進化の過程の負の面が顕著になってきたとすれば，人類存続の視点から見直してよい時期にある。

　自由が現代文明を生み進化の呪縛を創り出したとすれば，進化の呪縛を解くことは自由の否定につながる。これはラディカルに響くが，有限の地球に棲み人口増と活動の拡大発展を続ける人類が，他の天体に植民地をもたない限り，もったとしてもそこで，いつかは必然的に遭遇する状況である。

　満員電車に乗っている人にとって身体行動の自由はない。満員という状況に適応して，自分と他の人々の不快が最小になるように穏やかに身動きする以外に方法はない。これが我慢できるのは □□□□□□□□□□□□ からである。このとき誰かが広い空間を占有して自由勝手に振る舞うことは許されない。満員電車の中では「不満が平等であること」が集団秩序の基盤にある。近年見られる混雑時間帯に座席を収納して使えなくする車両は，不満の平等を推し進めたものである。

　このことを社会に敷延して，過密になった有限な世界の中で平等と博愛を保障するのは自由ではなく「不満の平等」であるとすれば，これは社会秩序の維持と人類の共存に必要な理念となり得る。ホモサピエンスが「自由・平等・博愛」に代わる理念として採るべき行動原理は「不満平等・博愛」である，ということは理念として筋が通っている。

1 周囲の人々に関心を払う余裕はない

2 自分の不快が相対的に小さいと信じられる

3 不快は一時的なものにすぎない

4 少なくとも精神の自由は保障されている

5 すべての人が等しく窮屈である

解説

出典：市川惇信『進化論的世界観』

　人類存続の観点から，「自由」に代わる行動原理を探る文章。「自由が生み出した進化の過程の負の面が顕著になってきた」という問題を取り上げ，「自由」という理念を見直すべき機運にあると論じている。

　空欄のある第3段落前半では，満員電車に乗っている人に身体行動の自由はなく，「自分と他の人々の不快が最小になるように穏やかに身動きする」しかないが，「これが我慢できるのは□□□□□□からである」と述べている。これを説明する第4〜6文では，「誰かが……自由勝手に振る舞うことは許されない」と述べ，「『不満が平等であること』が集団秩序の基盤にある」と指摘して，「不満の平等」を推し進めた例を挙げている。後の説明から，空欄のある第3段落第3文の趣旨は，「これが我慢できるのは，自分だけでなく，ほかの人たちも不自由だからである」というものであることがわかる。第4段落でも「不満の平等」について述べており，この観点が入っていないものは，文脈に合致しない。

1．ほかの人も不自由だから我慢できるという文脈であるから，周囲の人々への関心がないとするのは誤り。

2．「不満が平等であること」が基盤にあると述べており，「自分の不快が相対的に小さい」と考えているのではない。

3．「一時的」か否かという観点は，本文にはない。

4．身体の自由と「精神の自由」との対比はされておらず，「精神の自由が保障されている」という言及はない。

5．「不満の平等」について述べており，妥当である。

正答　**5**

次の □□□□ と □□□□ の文の間のA～Fを並べ替えて続けると意味の通った文章になるが，その順序として最も妥当なのはどれか。

中生代，巨大ハチュウ類である恐竜が地上をのし歩いていた頃，ホニュウ類はネズミくらいの大きさで，洞穴の中でブルブル震えている哀れな存在にすぎなかった。夜行性なのは，昼間地上に出ると恐竜に食べられてしまうからである。

A：視覚情報はたしかに一つの環境世界イメージを一瞬かたちづくりはするが，それによって引き起こされる行動は情けないほど反射的・刹那的なものである。

B：だが艱難汝を玉にす。このおそろしく長い屈辱的な歳月が，ホニュウ類の体内に〈情動〉をつくりこんだのだ。

C：多くのハチュウ類は視覚にたよっている。注目に値するのは，その視覚情報処理が脳ではなく，おもに網膜の神経回路でなされることだ。

D：一方，夜行性のホニュウ類は視覚にたよるわけにはいかなかった。それで嗅覚と聴覚とを発達させたのである。

E：肝心なのはこれらの情報処理が脳で行われるようになった点なのである。ホニュウ類の鼻や耳はたんなるセンサーで，匂いを嗅ぎ音を聞く中枢は脳なのだ。

F：空腹時に獲物が視野に入れば飛びかかるが，見えなくなれば忘れてしまう。ピーターパンのフック船長はおびえているが，ほんとうは執念深いワニなどは居ないのだ。

つまりホニュウ類は，匂いや音をもとにして，時空にまたがる複雑な環境世界イメージを形成する能力を身につけ始めたわけである。

1　B→C→A→F→D→E
2　B→F→C→E→A→D
3　C→D→B→F→A→E
4　C→E→B→A→F→D
5　C→F→A→D→B→E

解説

出典：西垣 通『マルチメディア』

　ホニュウ類の進化について述べた文章。初めと終わりに置かれた文章に目を通すと，本文は，「洞穴の中でブルブル震えている哀れな存在にすぎなかった」ホニュウ類が，「匂いや音をもとにして，時空にまたがる複雑な環境世界イメージを形成する能力を身につけ始めた」経緯を述べた文章であることがわかる。

　選択肢から，A〜Fは，BかCで始まり，DかEで終わる。「だが」で始まるBには，「このおそろしく長い屈辱的な歳月が，ホニュウ類の体内に〈情動〉をつくりこんだのだ」とあり，冒頭の文章を受けて展開するものとなっているが，Cの「ハチュウ類は視覚にたよっている」という内容は，冒頭の文章からはつながらない。

　終わりに来るものとしては，Dは「一方，……ホニュウ類は視覚にたよるわけにはいかなかった。それで嗅覚と聴覚とを発達させたのである」と，嗅覚と聴覚に言及するにとどまっており，終わりの文章の「つまり……，時空にまたがる複雑な環境世界イメージを形成する能力を身につけ始めた」という内容との間に飛躍が生じる。Eでは，「これらの情報処理が脳で行われるようになった」と指摘して，ホニュウ類の「匂いを嗅ぎ音を聞く中枢は脳なのだ」と述べており，Dを受けて，終わりの文章との飛躍を埋める内容となっている。

　そこで，Bで始まり，D→Eで終わる**1**を確認していく。Bで「ホニュウ類の体内に〈情動〉をつくりこんだ」という話題を提示した後，C→A→Fで，ハチュウ類の視覚情報処理は「脳ではなく，おもに網膜の神経回路でなされる」（C）ことについて述べており，視覚情報は「環境世界イメージを一瞬かたちづくりはするが，それによって引き起こされる行動は……反射的・刹那的なもの」にすぎず（A），「執念深いワニなどは居ない」（F）と続いている。

　そして，D→E→終わりの文章で，視覚に頼るわけにはいかなかったホニュウ類の情報処理が脳で行われるようになった経緯が記されており，B→C→A→F→D→Eは，ホニュウ類の進化について段取りよく説明するものとなっている。

　よって，**1**が妥当である。

　なお，「一方」で始まるDに着眼して，（ハチュウ類の情報処理）[C→A→F] →（ホニュウ類の情報処理）[D→E]と，グルーピングして解くこともできる。

正答　1

国家一般職
[大卒]
No.
94
教養試験
文章理解　　英文（内容把握）　　平成27年度

文章理解

判断推理

数的推理

資料解釈

時事

物理

化学

生物

次の文の内容と合致するものとして最も妥当なのはどれか。

Homework is the bane* of schoolchildren worldwide, but is still pushed on kids by parents and educators.　Is the battle really necessary?

Kids around the world are still racking up plenty of hours on homework.　According to a recent study by the Organization for Economic Cooperation and Development, kids in Shanghai top the global study league with an average of 13.8 hours per week, nearly three times the OECD average of 4.9 hours.　Children in Australia and the United States did around six hours a week of homework set by teachers, while those in Japan reported a surprisingly low 3.8 hours.　However, Japanese kids do a lot more extra work in juku (cram) tuition, which helps prepare for future school entrance examinations.

Does all that extra work pay off?　Based on the latest 2012 Program for International Student Assessment (PISA) survey of 15-year-old students, Asian teens outperformed the rest of the world, with those in Shanghai, Singapore, Hong Kong, Taiwan, South Korea, Macau and Japan the top performers.　Among the OECD countries that took part in PISA, Japan ranked first in reading and science and second in mathematics performance, continuing its strong record.　By contrast, Australian students ranked 17th in maths, 10th in reading and eighth in science, falling further behind its Asian neighbours.　And when it comes to our kids' future, studying more pays off in the long run.　A tertiary-educated worker in Japan typically earns around 52 percent more over the course of his or her working life than someone whose highest qualification is high school.

But all work and no play makes Jack (or Taro) a dull boy.　Researchers advise parents to spend time on physical activity with their kids, to ensure children lead healthy lifestyles.　So next time your kids complain about homework, just remind them it is for their ultimate benefit.　But also spend time having a walk, run or swim, because kids need all the power they can get to rule the world.

（注）　＊bane：悩みの種

1　上海のトップレベルの学校に通う子どもの自宅学習時間は週に13.8時間で，OECD加盟国の平均より4.9時間も長かった。

2　日本の子どもは学習塾でたくさん勉強している一方で，学校の宿題をする時間はオーストラリアや米国の子どもより短かった。

3　2012年のPISAの調査結果によると，日本はアジアの中では上位の成績だったが，欧米諸国には後れをとっていることが分かった。

4　日本では，高等教育を受けた労働者の52％は，自らの生涯給与が長時間の労働に見合っていないと感じている。

5　遊びに費やす時間を勉強に振り向けることが，結局は子ども自身の利益になるということを，親は子どもに思い出させる必要がある。

解説

出典：Anthony Fenson, "Loving homework"

全訳〈宿題は世界中の子どもの悩みの種であるが、いまだに親や教育者によって押し付けられている。このバトルは本当に必要なのだろうか。

世界中の子どもが今でもたくさんの時間を宿題に積み重ねている。経済協力開発機構（OECD）による最近の研究によると、この世界規模の勉強リーグでトップの位置を占めるのは、週平均 13.8 時間を費やしている上海の子どもで、これは OECD 加盟国平均の 4.9 時間のほぼ 3 倍である。オーストラリアと米国の子どもが週に約 6 時間、教師が与えた宿題をこなした一方で、日本の子どもの場合は 3.8 時間と驚くほど短いことが報告された。しかし、日本の子どもは塾の授業でもっと多くの課外学習をしており、これが将来進学する学校の入学試験に備える助けとなっている。

こうした多くの課外学習は報われるものなのだろうか。国際学習到達度調査（PISA）が 15 歳の生徒を調査した 2012 年の最新版によると、アジアの子どもが世界の他の地域よりも成績がよく、上海、シンガポール、香港、台湾、韓国、マカオ、日本の子どもが最上位の成績を収めた。PISA の調査に参加した OECD 加盟国中では、日本は読解および科学では 1 位、数学では 2 位にランクされる成果を出し、好成績を続けている。対照的に、オーストラリアの生徒は数学では 17 位、読解では 10 位、科学では 8 位にランクされ、近隣のアジア諸国に比べてさらに後れを取っている。そしてわれわれの子どもたちの将来ということになると、より多く勉強することは、長い目で見れば報われるものとなっている。日本の高等教育を受けた典型的な労働者は、最高学歴が高校である労働者と比べて生涯給与がおよそ 52％高い。

だが、勉強ばかりで遊びがなくては、ジャック（または太郎）をだめな子にしてしまう。研究者たちは親に対して、子どもたちが健康的な生活をきちんと送れるように、自分の子どもと一緒に体を動かす活動をして過ごすようアドバイスしている。だから、今度子どもが宿題のことで不平を言ったら、最終的には自分自身の利益になるのだとだけ言っておくことだ。だが、同時に散歩やジョギングや水泳といったことにも時間を割くこと。なぜなら、自分の思うがままの人生を歩むために、子どもにはありったけの力が必要だからだ〉

1. 本文で「週平均 13.8 時間」と述べられているのは、上海の子どもが宿題に費やす時間である。これが OECD 加盟国平均の 4.9 時間のほぼ 3 倍に当たり、調査に参加した国および地域の中でトップである、というのが本文の趣旨であるから、「トップレベルの学校」「4.9 時間長い」の部分が明確な誤り。

2. 妥当である。

3. この調査における日本の成績について、OECD 加盟国中の順位は述べられているが、アジアの中での比較については言及されていない。また、アジア諸国は日本も含めて総じて欧米諸国より上だったと述べられているので、「後れをとっている」の部分が誤り。（本文では明確に述べられていないが、2012 年の調査で、OECD 非加盟国および地域を含めた順位では、日本は決してアジアの中で上位とは言いきれない）。

4. 本文で述べられている内容は、日本の高等教育を受けた典型的な労働者は、最高学歴が高校である労働者と比べて生涯給与がおよそ 52％高いということである。その給与が労働時間に見合っているか否かについての感想は述べられていない。

5. 逆に、遊びや運動も勉強に劣らず大切であり、それらに割く時間をきちんと確保することを勧めている。

正答 **2**

文章理解
判断推理
数的推理
資料解釈
時事
物理
化学
生物

次の文の内容と合致するものとして最も妥当なのはどれか。

The financial rewards of avoiding such activities as movies, plays, theater, opera, concerts, and nightclubs are obvious.　The personal rewards may not be so apparent at first.　After all, we've been compelled in recent years to go, to do, to be on the move, to experience all that money can buy. Oftentimes, in the process, the things we really *like* to do have been overlooked.

I was recently in a meeting with a dozen high-powered professional people.　We started talking about our goals for our leisure time, and how seldom we allow ourselves to truly enjoy our own quiet moments.　We each decided to make a list of the things we really liked to do.

The lists included things like:

Watching a sunset.　Watching a sunrise.　Taking a walk on the beach or through a park or along a mountain trail.　Having a chat with a friend.　Browsing in a bookstore.《中　略》Sitting quietly in a favorite chair and doing *nothing*.

We were surprised and delighted to see most of the things we listed required little or no money, no expensive equipment, and were available for anyone who wants to take advantage of them.　For the most part, our favorite pleasures were the simple pleasures.

I don't pretend that this small group represents a major sampling.　But as I travel around the country talking to people about simplifying their lives, I hear the same stories over and over again. People are tired of being driven by entertainment market forces.　They're coming to realize the best things in life *are* free, and that doing less can mean having more — more serenity, more happiness, more peace of mind.

I urge you to make your own list of the things you and your family really love to do.　And then arrange your life so that each day you have time to do as many of the things you like to do as possible.

1 　一般に，お金の掛かる娯楽は楽しいものだが，現代の私たちは，お金を掛けることそのものに価値があると考えてしまいがちである。

2 　私がある会合に出たとき，私たちが自分の静かな時間を心から楽しむ機会がいかに少ないかといったことが話題になった。

3 　私たちの「本当にやりたいこと」は，ほとんどお金を掛けずにできるが，望めば誰にでもできるというものではない。

4 　娯楽に疲れた人々は，束縛のない生活，何もしないでいられることが，人生において最も大切なのだと気付き始めた。

5 　将来お金と時間ができたときに好きなことをできるだけたくさん行えるように，あらかじめリストを作っておくとよい。

解説

出典：Elaine St. James, "Simplify Your Life"

全訳〈映画や芝居，演劇，オペラ，コンサート，ナイトクラブのような活動を避けることの金銭的な見返りは明白である。個人的な見返りは，最初はそれほど目立って感じられないかもしれない。なんだかんだ言って，私たちは近年，どこかへ出かけなければ，何かをしなければ，お金を出してできることならなんでも経験しなければ，という思いに駆られてきた。その過程で，しばしば私たちが本当に「したい」と思っていることがずっと見過ごされてきたのだ。

私は最近，十数人の有能な職業人と会合をともにする機会があった。私たちはそれぞれの余暇時間における目標について話し始めたのだが，自分の静かな時間を心から楽しむことに身を任せる機会がいかに少ないか，という話になった。私たちはそれぞれ，自分が本当にしたいことのリストを作ることにした。

そのリストの内容は以下のようなものだった。

夕日を眺めること。日の出を眺めること。海岸や公園内，あるいは山道を散歩すること。友人と気兼ねなく話すこと。書店の中をあれこれ見て回ること。《中略》お気に入りの椅子に身を沈めて，「何事も」せずに静かに座っていること。

こうしてリストに挙げたことのほとんどが，ほとんどまたはまったくお金を必要とせず，高価な装備もいらず，機会に乗じてやろうと思えば誰にでもできることであることに私たちは驚き，同時に喜ばしくも思った。だいたいにおいて，私たちのお気に入りの娯楽とは，ささやかな娯楽だったのだ。

私はこの小人数のグループの意見をもって，大規模なサンプリング調査の結果に代わるものだというつもりはない。だが，私が国中を旅して，人々に自分の人生を簡素にすることについて話しかけると，同じような話を何度も繰り返し耳にする。みんな，娯楽マーケットの力によって動かされることにうんざりしているのだ。人生で最良の物事は（ことわざに言われるだけでなく）実際にお金の掛からないものであり，やることを減らすことで得るものを増やせるということに皆が気づきつつある。その増えるものとは，静穏であり，幸福であり，また心の安らぎである。

私はあなたに，自分と自分の家族が本当にしたいと思ってやまないことのリストを独自に作ることをぜひお勧めする。そうした後に，毎日リストに挙げたことをできるだけたくさんする時間が取れるよう，あなたの人生を組み替えるのだ〉

1. 「お金の掛かる娯楽は楽しい」「お金を掛けることそのものに価値があると考えてしまいがち」といった感想や論評は述べられていない。むしろ，現代の私たちがお金の掛かる娯楽にうんざりしており，お金の掛からないことにこそ価値があることを再発見しつつあることを述べた文章である。

2. 妥当である。

3. ほとんどお金を掛けずにでき，また望めば誰にでもできることだと述べられている。

4. 本文では，人々が「娯楽マーケットの力によって動かされることにうんざりして」（be tired of 〜は「〜に飽きる」という意味）いて，人生で最良の物事は実際にお金の掛からないものであり，やることを減らすことで得るものを増やせるということに皆が気づきつつある，と述べられている。その一例として，静かに椅子に座って何もしないこと，という行動が挙げられているのであって，「娯楽に疲れた人々」が，「束縛のない生活，何もしないでいられることが，……大切なのだと気付き始めた」といった記述はない。

5. お金がかからず，心が安らぐような活動の大切さを述べた文章であるから，「将来お金と時間ができたときに」の部分が誤り。時間については，受け身の姿勢ではなく，自発的に自分の好きなことをする時間を確保することを勧めている。

正答 **2**

次の　　　　　と　　　　　の文の間のア〜オを並び替えて続けると意味の通った文章になるが，その順序として最も妥当なのはどれか。

> Interference from electronics and AM radio signals can disrupt the internal magnetic compasses of migratory birds[1], researchers report today in *Nature*.

ア：Like most biologists studying magnetoreception[2], report co-author Henrik Mouritsen used to work at rural field sites far from cities teeming with electromagnetic noise. But in 2002, he moved to the University of Oldenburg, in a German city of around 160,000 people.

イ：The work raises the possibility that cities have significant effects on bird migration patterns. Decades of experiments have shown that migratory birds can orient themselves on migration paths using internal compasses guided by Earth's magnetic field.

ウ：As part of work to identify the part of the brain in which compass information is processed, he kept migratory European robins[3] inside wooden huts — a standard procedure that allows researchers to investigate magnetic navigation while being sure that the birds are not getting cues from the Sun or stars.

エ：But he found that on the city campus, the birds could not orient themselves in their proper migratory direction. "I tried all kinds of stuff to make it work, and I couldn't make it work," he says, "until one day we screened the wooden hut with aluminium."

オ：But until now, there has been little evidence that electromagnetic radiation created by humans affects the process.

> He and his colleagues covered the huts with aluminium plates and electrically grounded them to cut out electromagnetic noise which includes the range used for AM radio transmissions. The shielding reduced the intensity of the noise by about two orders of magnitude. Under those conditions, the birds were able to orient themselves.

（注）　[1]migratory bird：渡り鳥　[2]magnetoreception：磁気受容
　　　　[3]European robin：ヨーロッパコマドリ

1　イ→ア→ウ→エ→オ
2　イ→ウ→エ→ア→オ
3　イ→オ→ア→ウ→エ
4　オ→ア→イ→エ→ウ
5　オ→エ→ウ→ア→イ

解 説

出典：Jessica Morrison, "Electronics' noise disorients migratory birds"

　全訳〈電子機器やAMラジオの信号による干渉が，渡り鳥の体内磁気コンパスを狂わせている可能性がある，と今日発売の「ネイチャー」誌で研究者たちが報告している。

　イ：この研究は，都市のありさまが渡り鳥の渡りのパターンに見逃せない影響を与えている可能性を提起している。数十年にわたる実験によって，渡り鳥は地球の磁場によって導かれる体内コン

パスを使って，渡りの経路における方角を定める能力があることが証明されている。

オ：だがこれまでのところ，人間の作り出す電磁放射線がそのプロセスに影響を与えているという証拠はほとんどなかった。

ア：磁気受容を研究している大多数の生物学者と同様に，報告の共著者であるヘンリック＝モウリットセン氏は，電磁波によるノイズに満ちた都会からは遠く隔たった田舎の現場でかつては作業していた。しかし2002年，彼はドイツの人口約16万人の都市にあるオルデンブルク大学に異動することになった。

ウ：コンパスの情報が形成される脳の部位をつきとめる作業の一環として，彼は渡り鳥のヨーロッパコマドリを木製の小屋の中に飼っていた。これは，鳥が太陽や恒星から手がかりを得ていないことを前提に，研究者が磁力を利用した飛行を調査できる標準的な手順である。

エ：だが，その都市のキャンパスでは，鳥たちが適切な渡りの方角を定めることができないことを彼は発見した。「うまくいかせようと，私はあらゆることを試したのですが，うまくいきませんでした」と彼は語る。「そうしてある日，私たちは木の小屋をアルミニウムで覆ってみたのです」

　彼と同僚たちは小屋をアルミニウムの板で覆い，AMラジオ放送の送信に使われる帯域も含めた電磁波ノイズを遮断するために板をアースした。この遮蔽によって，ノイズの強さは2ケタ軽減した。そうした条件の下では，鳥たちは方角を定めることができたのだ〉

　選択肢を見ると，イ，オのいずれかで始まっている。冒頭の囲みの文にイが続くとすると，主語のThe work は「研究者たちが報告した研究」を意味することになり，オが続くとすると，文末の the process は「電子機器やAMラジオの信号による干渉が，渡り鳥の体内磁気コンパスを狂わせる」，そのプロセス〔過程〕をさしていることになる。どちらを続けても一読してわかるような不自然さは感じられないので，残りの部分のつながりと併せて判断することになる。

　並べ替えの手がかりをそれぞれの出だしの部分に探すと，エの最初に代名詞 he があるので，これに注目する。he はアとウにも登場し，冒頭の囲みの文にある researchers は複数形であることから，he のさすものはアに出てくる Henrik Mouritsen しかないことがわかる。したがってアはウおよびエよりも前に来ることになり，**2**および**5**は候補から外れる。

　次に，ウとエはどちらが先に来るかを考えると，ウには wooden huts「木製の鳥小屋」とあるのに対して，エでは the wooden hut と定冠詞の the が付いていることから，ウはエの前に来ることが推測できる。したがって**4**は候補から外れる。

　残る候補の**1**と**3**を比べると，冒頭の文にイが続くこと，またア→ウ→エという流れの部分は共通であり，オの位置のみが異なる。オはイと同様に，代名詞 he を含まず事実を述べた文になっていること，また一番下にある囲みの文章も He で始まり，エの文末にある with aluminium や the huts という語句が出てくることから，**3**のようにオの後にア→ウ→エを持ってきたほうが，文章の流れが自然に感じられる。オの the process は，イの第2文にある「渡り鳥が渡りの経路における方角を定めるプロセス」をさすことになる。一方，**1**のようにオを最後に置いた場合，ア→ウ→エの流れと一番下の囲みの文章とのつながりが分断される形になり，なおかつ the process のさす内容が不明である（モウリットセン氏が試行錯誤した経緯をさしているように読めるが，それでは文意が明らかに不自然）。

　よって，イ→オ→ア→ウ→エの順序となり，正答は**3**である。

正答　**3**

次の文のア，イに当てはまるものの組合せとして最も妥当なのはどれか。

A country's "carbon intensity" is a measure of the efficiency of its economic output with respect to its carbon dioxide (CO_2) emissions. Countries with a low carbon intensity release relatively little carbon dioxide into the atmosphere when compared with their economic output. Their economies are considered to be comparatively "clean".

Industrialization has tended initially to develop through industries with high carbon dioxide emissions, such as shipping, steel and manufacturing. Only as an economy matured, with the growth of hi-tech industries, and the use of more efficient technology to process natural resources, has high economic output become associated with less pollution.

［　　　　　　ア　　　　　　］, however. Economic growth can be achieved with lower greenhouse gas emissions. A growing awareness about greenhouse gases, and the implementation of policies to force corporations to be environmentally responsive are essential. Emerging economies such as India and China, with carbon intensities five and seven times that of the UK, need to find ways of breaking the current link between ［　　　イ　　　］. China is currently being pressed to make energy and infrastructure investment, as its economy is set to quadruple in size by 2020.

If emissions are to be reduced even while economies grow, more efficient technology needs to be introduced. A key policy to achieve this is the Clean Development Mechanism, part of the Kyoto Protocol, which increases foreign investment in efficient technologies in emerging economies.

	ア	イ
1	Newly industrializing countries have shifted this responsibility to other countries	the growth of hi-tech industries and efficient technology
2	Newly industrializing countries have shifted this responsibility to other countries	high emissions and economic growth
3	This historic pathway need not be taken by newly industrializing countries	the growth of hi-tech industries and efficient technology
4	This historic pathway need not be taken by newly industrializing countries	high emissions and economic growth
5	This historic pathway need not be taken by newly industrializing countries	energy and infrastructure investment

解説

出典：“The Atlas of ClIMATE CHANGE”, Carbon Dioxide and Economic Growth

　全訳〈ある国の「炭素強度」とは，その国の二酸化炭素（CO_2）の排出量に関して経済生産高（国内総生産）の効率を測る尺度である。炭素強度が低い国は，その国の経済生産高に比した大気中への二酸化炭素放出量が比較的少ない。そうした国の経済は，他と比べて「クリーンである」とみなされる。

　これまでは，工業化の初期段階には運送業，鉄鋼業，製造業など二酸化炭素を多く排出する産業を通じて発展がなされる傾向があった。ハイテク産業の成長や，天然資源の加工を効率的に行う技術の活用の増加とともに，経済が成熟した段階で初めて，経済生産高の高さが汚染の低さと結び付くよう

になるのが通常だった。

　しかしながら，ァこの歴史的な道筋を新興工業国もたどらなければならない必然性はない。経済成長は，温室効果ガスの排出量を少なくしても達成可能である。温室効果ガスについての意識の高まり，および企業が環境に敏感になるような強制力を持った政策の施行が，そのためには必要不可欠である。インドや中国のような新興経済国は，炭素強度がイギリスの５倍ないし７倍であり，現存するィ排出量の多さと経済成長のつながりを断ち切る手段を模索する必要がある。目下のところ中国は，2020年までに経済規模が４倍になると予想されるため，エネルギーとインフラ投資の必要に迫られている。

　経済が成長する間も排出量が減るようにするには，より効率の高い技術の導入が必要である。これを達成する鍵となる政策が，京都議定書に盛り込まれている「クリーン開発メカニズム」である。これは，新興経済国において効率の高い技術に対する海外投資を増やす仕組みである〉

　選択肢を見ると，それぞれの空所に当てはまる文ないしは語句は，アは２つ，イは３つの候補に限られていることがわかる。

　冒頭の段落では，「炭素強度」という用語の定義とともに，二酸化炭素放出量が比較的少ない国の経済は他と比べて「クリーンである」と見なされる，という本論への導入が述べられている。続く第２段落では，従来の傾向として，工業化の初期段階には二酸化炭素を多く排出する産業が発展し，その国の経済が成熟して初めて，（大気）汚染の低減が図られるようになるという内容が述べられている。これに続くのが，空所アを含む第３段落第１文であるが，空所直後の文末にhowever「しかしながら」という副詞があることに着目する。これは逆接の接続詞と同じ役割を果たす語であるから，空所には第２段落の内容とは対照的な文が来ることが推測できる。空所アの２つの候補はそれぞれ，Newly industrializing countries have shifted this responsibility to other countries「新興工業国の諸国は，この責任を他の諸国に転嫁してきた」，This historic pathway need not be taken by newly industrializing countries「この歴史的な道筋は，新興工業国によってたどられる必要はない〔新興工業国も同じ道筋をたどらなければならない必然性はない〕」という意味である。第２段落と逆接でつながる内容としては後者のほうが適切であり，続く第２文の「経済成長は，温室効果ガスの排出量を少なくしても達成可能である」という内容にも自然につながる。したがって **1**，**2** は候補から外れる。

　空所イを含む第３段落第４文は，「インドや中国のような新興経済国は，炭素強度がイギリスの５倍ないし７倍であり，現存する　　イ　　の間のつながりを断ち切る手段を模索する必要がある」という意味。「つながりを断ち切る」ことで炭素強度が低下する，というのがこの文の趣旨であることがわかるので，空所には炭素強度が高くなるような二者の組合せが入ることになる。空所イの３つの候補はそれぞれ，the growth of high-tech industries and efficient technology「ハイテク産業の成長と効率の高い技術」，high emissions and economic growth「（二酸化炭素）排出量の多さと経済成長」，energy and infrastructure investment「エネルギーとインフラ投資」という意味である。このうち文脈に合うのは，これまでの歴史的な傾向である，high emissions and economic growth の二者の結びつきである。

　よって，ア＝This historic pathway need not be taken by newly industrializing countries，イ＝high emissions and economic growth となり，正答は **4** である。

正答　**4**

国家一般職
[大卒]
No.
98
教養試験
文章理解　　現代文（内容把握）　　平成 26 年度
文章理解
判断推理
数的推理
資料解釈
時事
物理
化学
生物

次の文の内容と合致するものとして最も妥当なのはどれか。

「他者」。それは原理的に私たちの統制や支配が及ばず，私たちの理解や共感を絶しているもののことである。「他者」は名づけえず，分類しえず，私たちの知的射程の限界として，私たちの眼前に圧倒的な具体性を伴って立ち現れる。

他者に対して，私たちは「中立的」あるいは「学術的」なまなざしを向けることができない。というのも，「中立的」であったり「学術的」であったりするためには，「私」と他者を同時に包摂する「パラダイム」の存在が前提になるからだ。そのような包括的な視座を想定してはじめて「中立性」という考え方は成立するのだが，他者の「他者」を構成するのは，「他者は『私』と同じパラダイムには属さない」という事実なのである。「私」と他者のあいだには「共通分母」がない。

さて，「中立的」でないということは，言い換えれば，はじめから「私」は他者に対して「党派的」だということである。「私」が他者に向ける視線は，そのつどすでに「私」の分泌する情動性を帯びており，そのつどすでに「私」の予断によって歪められている。いわば，私たちは「接続法」のモードで他者を記述するのであり，他者は「直説法」では記述できないということである。

「接続法」におかれた動詞がそうであるように，他者は私たちのうちに相反する二つの情動性を同時に呼び起こす。

私たちを恐怖させ，突き放す斥力の情動と，私たちを魅惑し，惹きつける引力の情動である。他者は恐怖させ同時に誘惑する。他者は嫌悪の対象であり同時に渇仰（かつごう）の対象である。

1　私たちの知的射程を超えるような，統制や支配が及ばない他者であっても，包括的な視座を想定すれば，理解をすることができる。

2　他者に対して「中立的」あるいは「学術的」なまなざしを向けることができないのは，「私」と他者のあいだに「共通分母」が存在しないからである。

3　他者に対してはじめから「党派的」に接する態度により，相反する二つの情動性が同時に呼び起こされるため，他者は圧倒的な具体性を伴った存在となる。

4　「私」と他者のあいだに同じ「パラダイム」が存在すれば，「接続法」のモードでも他者を「中立的」に記述できる。

5　他者を「直説法」で記述することにより，他者に対する恐怖と誘惑，嫌悪と渇仰という相反する二つの情動が呼び起こされる。

解説 ━━

出典：内田 樹『ためらいの倫理学』

　「他者」の他者性について述べた文章。他者は「私」と同じパラダイムに属さず，「直説法」では記述できないと指摘している。内容的には難解な点もあるかもしれないが，他者は「原理的に」理解や共感を絶しているという点を押さえ，「（他者は）そのつどすでに『私』の予断によって歪められている」＝「『私』たちは『接続法』のモードで他者を記述する」という関係をつかめば，容易に解答できる。

1.「他者」とは「原理的に私たちの統制や支配が及ばず，私たちの理解や共感を絶しているもののこと」（第1段落）であり，「理解をすること」はできない。また，他者の「他者性」を構成するのは，「他者は『私』と同じパラダイムには属さない」という事実であり，「包括的な視座を想定」することはできない（第2段落）。

2. 妥当である（第2段落）。

3. 本文で述べる「他者」は，「接する態度」とは無関係に「圧倒的な具体性を伴っ」て立ち現れるのであり，因果関係が妥当でない（第1，3段落）。

4. 第2段落からも，「他者は『私』と同じパラダイムには属さない」という事実が「他者の『他者』を構成する」とあり，同じ「パラダイム」があればそれは「他者」とはいえなくなるので，この仮定は前提として成り立たない。また，「接続法」のモードにおいては，「『私』が他者に向ける視線は，そのつどすでに『私』の分泌する情動性を帯びており，そのつどすでに『私』の予断によって歪められている」のであり，そもそも「中立的」でない（第3段落）。

5.「他者に対する恐怖と誘惑，嫌悪と渇仰という相反する二つの情動が呼び起こされる」のは，他者が「直説法では記述できない」あり方で存在するからである（第3，4段落）。

正答　2

次の文の内容と合致するものとして最も妥当なのはどれか。

　一般に方法が議論の対象となるとき，「どんな方法が用いられているか」が問われることはあっても，「方法とは何か」が問われることはほとんどない。なぜか。答えは簡単である。われわれが方法という語に慣れ親しんでしまっているからだ。われわれは方法という語を用いるとき，なんらかの共通了解のうえに立ってしまっているのに，この語があまりに身近であるため，それを意識することがない。そして「どんな方法が用いられているか」というこのありふれた問いこそは，方法をめぐるこの共通了解をわかりやすく表現したものであるだろう。それによれば方法とは用いるものである。だから，内容の研究と史的研究が終わった後で行われるべきは方法の研究であると断言できるのである。あたかも，あらゆる哲学者は歴史的影響を背景としながらおのれの思想内容を，あらかじめ用意された一定の方法を用いて取り扱っていると考えるのが当然であるかのごとくに。「どんな方法が用いられているか」という問いを発した時点で，われわれはすでに方法に関するひとつのイメージを受け入れてしまっている。このような「通俗的理性のひそかな判断」（カント）こそが問い直されなければならない。

1　われわれは，「どんな方法が用いられているか」という問いを発した時点で，方法についてなんらかの共通了解のうえに立ってしまい，「方法とは何か」を問うことはほとんどない。

2　一般に方法が議論の対象となるとき，「方法とは何か」という問いは，「どんな方法が用いられているか」という問いに常に優先する。

3　「方法とは何か」という問いは，われわれが方法に関してひとつのイメージを共通了解として受け入れてしまっていることをわかりやすく表現したものである。

4　「どんな方法が用いられているか」というありふれた問いは，われわれが方法について完全に一致した共通了解を有し，それを意識していることを示すものである。

5　われわれが「どんな方法が用いられているか」を意識して研究を行うためには，「通俗的理性のひそかな判断」を問い直す必要がある。

解 説 ━━━━━━━━━━━━━━━━━━━━━━━━━━━━━━

出典：國分功一郎『スピノザの方法』

　「方法」の本質を問い返そうとする文章。われわれは方法という語に慣れ親しんでしまっており，この語を用いるときにすでにある共通了解を有していると指摘し，「通俗的理性のひそかな判断」を問い直そうとしている。解答に当たっては，「方法とは何か」という問いと，「どんな方法が用いられているか」という問いとの違いを明確に読み取ることが肝要である。

1．妥当である。

2．逆に「一般に方法が議論の対象となるとき」には，「『どんな方法が用いられているか』が問われることはあっても，『方法とは何か』が問われることはほとんどない」のである。

3．「方法とは何か」という問いではなく，「どんな方法が用いられているか」という問いについての記述である。

4．「どんな方法が用いられているか」という問いは，われわれが「方法という語を用いるとき，なんらかの共通了解のうえに立って」いることを示すものだが，われわれはそのことを「意識することがない」のである。また，この問いには「方法とは用いるものである」という共通了解が示されているが，「ひとつのイメージを受け入れて」いるにすぎず，「完全に一致した共通了解を有し」ているとはいえない。

5．「どんな方法が用いられているか」ではなく，「方法とは何か」を考えるために，「通俗的理性のひそかな判断」が問い直されなければならないのである。

正答　1

次の文の内容と合致するものとして最も妥当なのはどれか。

　近年，政治が「決められない」ことが問題になっています。あるいは，決めたとしてもうまく効果が出ないことが問題とされている。その要因はいろいろありますが，最大のものがグローバル化した市場にあると言っていいでしょう。経済のグローバル化が進む中で，主権国家の有効性が相対化されているのです。なぜなら，経済については国際的な取り決めが多く，一国で勝手に決められる範囲がほとんどないのです。また，一国内で何らかの制度をつくって市場を規制しようとしても，その効果は限られています。カネやモノの流れをとどめることはできません。それぞれの国が主権によって通貨をつくっているわけですが，通貨の価値はグローバル市場で決まり，各国の中央銀行が左右することはほとんどできません。

　そもそも市場は国境に制限されるものではなく，交換は地表全体に広がりうるものです。産業化が始まったときからすでに潜在的には経済はグローバル化していましたが，誰の目にも明らかになったのは冷戦終結後です。近代においては国民国家ごとの経済単位，つまり国民経済が想定されていましたが，もはやその中で経済が完結することはなくなりました。国境を越えた交換活動のほうが主要になってしまったのです。そのため，ある国の主権的な決定が大きな意味をもたなくなりました。

　主権国家の権力は，かなりの程度，陳腐化しています。これはいいとか悪いとかいうことではなく，現にそうなっているということであり，まずはそのことを意識すべきだと思います。しかし，それを受け止めきれず，権力はあくまでも主権的な中心から放出されるものである，あるいはそうであるべきだという考え方は非常に根強い。権力といえば国家権力であり，経済より何より法が優先するという考えにしがみついているために，主権国家が相対化されつつある現状が正しくとらえられていません。

　もし，あらゆる問題を国境線の中に閉じ込めて，主権的な権力で左右できるようになれば，物事がすっきりするでしょう。実際，そのことへの欲望は非常に強まっていますが，それは所詮，無理な願望なのです。経済が国境線を越えてしまう以上，経済ナショナリズム，つまり国民という群れの中に市場を閉じ込めようとすることも現実的ではありません。

1　近年，政治が「決められない」ことの要因の一つは，国家権力は他の何よりも優先されるべきだという考え方が根強く残っていることである。

2　国の主権的な決定が大きな意味をもたなくなったため，通貨の価値はグローバル市場で決まるようになり，各国の中央銀行により左右できる余地が広がった。

3　市場は国境に制限されるものではなく，経済が国境線を越えてしまう以上，一国内で何らかの制度をつくって市場を規制しようとしてもその効果は限られている。

4　経済についての国際的な取り決め全てを把握することで初めて，主権国家が相対化されつつある現状を正しくとらえることができる。

5　あらゆる問題を国境線の中に閉じ込めて，主権的な権力で左右できるようにすれば，経済のグローバル化を止めることができるが，これは現実的ではない。

出典：杉田 敦『政治的思考』

　経済のグローバル化により主権国家が相対化されつつある現状について説いた文章。経済が国境線を越えてしまうため，もはや一国の中で経済が完結することはなく，一国の決定は限定的にならざるをえないという事情を述べ，意識の刷新を促している。選択肢はすべて因果関係を取り上げており，市場経済の性質とその帰結について正確に読み取ることが解答のポイントとなる。

1．政治が「決められない」のは，経済のグローバル化が進み，「一国で勝手に決められる範囲がほとんどない」ためである（第1段落）。国家権力に関する旧来の考え方は，現状を把握するうえでの阻害要因にすぎない（第3段落）。

2．「通貨の価値はグローバル市場で決まるようにな」ったのは，経済のグローバル化が進んだためであり，「国の主権的な決定が大きな意味をもたなくなったため」ではない。また，「各国の中央銀行により左右」することはほとんどできなくなったのである（第1段落末）。

3．妥当である（第1，2，4段落）。

4．「経済についての国際的な取り決め」については第1段落に言及があるが，これらの「全てを把握する」必要があるとは述べていない。「主権国家が相対化されつつある現状」が「正しくとらえ」られていないのは，「権力といえば国家権力であり，経済より何より法が優先するという考えにしがみついているため」である（第3段落）。

5．「グローバル化を止めることができる」という見解は示されていない。「あらゆる問題を国境線の中に閉じ込めて，主権的な権力で左右できるように」なれば，「物事がすっきりする」と述べているにすぎない（第4段落）。

正答　**3**

次の文の　　　　　に当てはまるものとして最も妥当なのはどれか。

　物語や小説を読む楽しさは今も昔も変わらない。『更級日記』の作者は「昼は日ぐらし，夜は目のさめたるかぎり，灯を近くともして，これを見る」と述べている。その孝標の女が憧れた『源氏物語』の「蛍」の巻には，物語の内容が嘘か本当かという問いに対して，光源氏は語られる内容はいろいろあるが人間の真実を語ろうとしていると説き明かしている。

　作り物語であれ，告白であれ，また歴史小説であれ，作品世界に没入し深い共感を覚えることは変わりない。未知の世界に接していろいろな考え方や生き方のあることを知り，そこからまた新しい自分が呼び起こされてくる。小説を読む感動の意味はそこにある。感動を呼び起こす根源は書き手の志にある。時代の流れを先導したり，時流を拒否したりする志の高さによって，小説は時代の索引となりまた時代への警鐘ともなる。

　読み手にとっては時代と自分との関わりを考え，生きる意味を考えるきっかけとなる文学もあれば，時として今という時間を忘れさせてくれたり，現実を超越した神秘と幻想の世界に自分を誘ってくれる文学もある。だから小説は　　　　　　　　　　　　　　　　ものである。それから自分が感じたり感動したことの根拠を自分で反芻し，他の読み手の意見と比較するところから研究の地平が開かれる。

　その研究の第一歩はまず文章に注目するところからはじまる。言葉の鋭さは考えの鋭さによるものであり，表現の豊かさは考えの豊かさにつながっている。文章の流れの中で輝いている言葉を取り出し，さらに文脈の底に沈んでいる隠れた光を感じ取ることのできる読み手が作品のよい読者となる。

1　まず楽しむところからはじまり，楽しみながら考えていく

2　作品世界に安易に共感することなく，深く考察を加えていく

3　その内容が嘘か本当か，世間の常識と照らし合わせていく

4　他の読み手の意見を踏まえ，重要な部分を効率よく読み進めていく

5　作者の生い立ちや志を調べ，時代の警鐘となる作品かどうか見極めていく

出典：浅井 清「鑑賞から研究へ」（堤 精二・島内裕子『国文学入門』所収）

　筆者の小説観を述べた文章。空欄は，「だから小説は▢▢▢▢▢ものである」という文（第3段落第2文）にあり，空欄部では，この直前の文の内容から導き出せる小説の特性を述べていることがわかる。また，次の文では，「それから……研究の地平が開かれる」と展開されており，空欄部では，「研究の地平」が開かれる前のことを述べていることになる。

　空欄直前の第3段落第1文では，「読み手にとっては時代と自分との関わりを考え，生きる意味を考えるきっかけとなる文学もあれば，時として今という時間を忘れさせてくれたり，現実を超越した神秘と幻想の世界に自分を誘ってくれる文学もある」と述べており，冒頭に接続詞がないことから，前段落の文脈に連なるものであることがわかる。

　第1～2段落では，物語や小説についての筆者の見方が示されており，これらの内容と齟齬をきたすものは，空欄には当てはまらない。

　また第4段落は，第3段落第3文の「研究」の話題を引き継いでおり，ここからは空欄に当てはまる内容は導けない。

1. 妥当である。

2. 「作品世界に安易に共感することなく」という部分が，筆者の小説観に当てはまらず，誤りである。第2段落で「作品世界に没入し深い共感を覚えることは変わりない」と述べている。

3. 物語や小説の内容が「嘘か本当か」という点については，第1段落で，光源氏の「語られる内容はいろいろあるが人間の真実を語ろうとしている」という言葉が援用されており，物語や小説における「真実」が「世間の常識」に収れんされるものとは考えられていない。したがって，「世間の常識と照らし合わせていく」という内容は，本文からは導けない。

4. 「他の読み手の意見を踏まえ，重要な部分を効率よく読み進めていく」という読み方では，「作品世界に没入し深い共感を覚える」（第2段落）という前提に当てはまらず，「今という時間を忘れさせてくれたり，現実を超越した神秘と幻想の世界に自分を誘ってくれる」（第3段落）という性質と相いれない。また，他の読み手について考慮することは，空欄の後に続く，次の段階の話である。

5. 「作者の生い立ちや志を調べ，時代の警鐘となる作品かどうか見極めていく」ことは，空欄の後の「それから……」以降で述べられている「研究」に属することであり，「作品世界に没入」する態度ではない（第1段落）。

正答　**1**

国家一般職
［大卒］

文章理解

判断推理

数的推理

資料解釈

時事

物理

化学

生物

No.
102
教養試験

文章理解　現代文（文章整序）　平成26年度

次の　　　　　と　　　　　の文の間のA～Eを並べ替えて続けると意味の通った文章になるが，その順序として最も妥当なのはどれか。

> 今でこそ，当たり前になっているが，明治になって日本に輸入された様々な概念の中でも，「個人 individual」というのは，最初，特によくわからないものだった。その理由は，日本が近代化に遅れていたから，というより，この概念の発想自体が，西洋文化に独特のものだったからである。ここでは二つのことだけを押さえておいてもらいたい。

A：しかし，机は机で，もうそれ以上は分けられず，椅子は椅子で分けられない。つまり，この分けられない最小単位こそが「個体」だというのが，分析好きな西洋人の基本的な考え方である。

B：だからこそ，元々は「分けられない」という意味しかなかった individual という言葉に，「個人」という意味が生じることとなる。

C：もう一つは，論理学である。椅子と机があるのを思い浮かべてもらいたい。それらは，それぞれ椅子と机とに分けられる。

D：動物というカテゴリーが，更に小さく哺乳類に分けられ，ヒトに分けられ，人種に分けられ，男女に分けられ，一人一人にまで分けられる。もうこれ以上は分けようがない，一個の肉体を備えた存在が，「個体」としての人間，つまりは「個人」だ。

E：一つは，一神教であるキリスト教の信仰である。「誰も，二人の主人に仕えることは出来ない」というのがイエスの教えだった。人間には，幾つもの顔があってはならない。常にただ一つの「本当の自分」で，一なる神を信仰していなければならない。

> 国家があり，都市があり，何丁目何番地の家族があり，親があり，子があり，もうそれ以上細かくは分けようがないのが，あなたという「個人」である。

1　D→B→E→C→A

2　D→E→C→A→B

3　E→A→C→B→D

4　E→B→C→A→D

5　E→C→D→B→A

解説

出典：平野啓一郎『私とは何か ——「個人」から「分人」へ』

「個人 individual」という発想について述べた文章。冒頭の文章では，「個人 individual」という概念は，日本に輸入された当初「よくわからないものだった」が，それは，この概念の発想が「西洋文化に独特のものだったからである」と述べており，A以下で「二つのこと」を挙げて，この概念の発想を説明していくことがわかる。また，終わりの文では，「もうそれ以上細かくは分けようがないのが，あなたという『個人』である」とまとめられている。

A〜Eの冒頭に目を通すと，E「一つは，……キリスト教の信仰」→C「もう一つは，論理学」という順序に並べることができ，選択肢もすべてE→Cという順序になっている。

次に，A，B，Dを読んで位置を考えていくと，「机」と「椅子」について述べているAは，Cの例示に続く内容となっているから，C→Aという順序が妥当であり，A→Cという順序になっている**3**は正答ではない。

Bは「だからこそ，……『個人』という意味が生じることとなる」と述べており，CやAの話題に続けると飛躍が生じるため，これらの直後に置くことはできない。したがって，**2**が消去され，**3**は，この観点からも誤りであることがわかる。

また，Dの後半では「もうこれ以上は分けようがない，一個の肉体を備えた存在が，『個体』としての人間，つまりは『個人』だ」と結ばれており，この後にBを置くと前後関係が逆になってしまい，前提と帰結の関係が成り立たないから，D→Bとするのは誤り。したがって，**1**，**5**は誤りである。

残っている**4**では，E→Bとなっており，Eの「常にただ一つの『本当の自分』で，一なる神を信仰していなければならない」という内容から，Bの帰結を導くことは可能である。また，E→B→C→Aの後にDを置くと，E→Bで「個人」という意味の発生を説明し，C→Aで「最小単位」こそが「個体」だと述べ，Dでこれを人間の場合に当てはめ，「個体」としての「個人」に言及し，終わりに置かれている文でこれを言い換えるという構成になっており，話の運びが整う。

よって，妥当な順序はE→B→C→A→Dであり，**4**が正答である。

なお，冒頭の文章の「二つのことだけを押さえておいてもらいたい」という結びに続いてEを置くことができ，Dを1番目に置くのが不自然なことから**1**，**2**を消去し，Eから始まる**3**，**4**，**5**に注目して解いてもよい。

正答 **4**

次の文の内容と合致するものとして最も妥当なのはどれか。

What then can a man do who is unhappy because he is encased in self? So long as he continues to think about the causes of his unhappiness, he continues to be self-centered and therefore does not get outside the vicious circle; if he is to get outside it, it must be by genuine interests, not by simulated interests adopted merely as a medicine. Although this difficulty is real, there is nevertheless much that he can do if he has rightly diagnosed his trouble.

If, for example, his trouble is due to a sense of sin, conscious or unconscious, he can first persuade his conscious mind that he has no reason to feel sinful, and then proceed to plant this rational conviction in his unconscious mind, concerning himself meanwhile with some more or less neutral activity. If he succeeds in dispelling the sense of sin, it is probable that genuinely objective interests will arise spontaneously.

If his trouble is self-pity, he can deal with it in the same manner after first persuading himself that there is nothing extraordinarily unfortunate in his circumstances.

If fear is his trouble, let him practice exercises designed to give courage. Courage in war has been recognized from time immemorial as an important virtue, and a great part of the training of boys and young men has been devoted to producing a type of character capable of fearlessness in battle. But moral courage and intellectual courage have been much less studied; they also, however, have their technique. Admit to yourself every day at least one painful truth; you will find this quite as useful as the Boy Scout's daily kind action. Teach yourself to feel that life would still be worth living even if you were not, as of course you are, immeasurably superior to all your friends in virtue and in intelligence. Exercises of this sort prolonged through several years will at last enable you to admit facts without flinching, and will, in so doing, free you from the empire of fear over a very large field.

1 自分の殻に閉じこもっている者も，思い切って外に出てみれば，何かを得ることができる。

2 自分の殻に閉じこもっている者は，意識的にしろ，無意識のうちにしろ，罪悪感を抱いている。

3 当たり障りのない活動によっては，合理的な信念を，無意識の中に植え付けることは難しい。

4 勇気は，太古の昔より，道徳としても知性としても，生きる上での重要な美徳とされてきた。

5 勇気を養うような訓練をすれば，やがて広範囲にわたる恐怖から逃れることができるようになる。

解 説

出典：Bertrand Russell, "The Couquest of Happiness"

全訳〈それでは，自分の殻に閉じこもっているがゆえに不幸であるという人には，何ができるのであろうか。彼が自分の不幸の原因について考え続ける限り，彼は自己中心的であり続け，それゆえに悪循環から抜け出すことはない。彼がそこから抜け出すとすれば，それは単に治療薬として取り入れた見せかけの関心によってではなく，本物の関心によらなければならない。彼の困難は現実のものだが，それでも問題の原因を正しく分析しているならば，彼にできることはたくさんある。

たとえば，もし彼の問題が，意識的にしろ無意識のうちにしろ，罪悪感によるものであるなら，彼はまず自分の顕在意識に対して罪悪感を持つ理由はまったくないと言い聞かせ，次に潜在意識の中にこの合理的な信念を植え付けることができる。そうしている間，自分自身の関心は多少とも中立的な活動に向けるようにするのだ。彼が罪悪感を振り払うことに成功すれば，おそらく本当の意味で客観的な関心が自然にわき上がってくるだろう。

もし彼の問題が自己憐憫（れんびん）であるなら，まず自分自身に対して，自分を取り巻く状況に特段に不運なことは何もないと言い聞かせ，あとは同様のやり方で対処することができる。

もし恐怖が彼の問題であるなら，勇気を養うことを目的とした訓練を実践してもらうのがよい。戦争における勇気は太古の昔より重要な美徳と見なされており，これまで青少年に対する訓練の大部分が，戦闘において物おじすることのないような性格を養成することに充てられてきた。だが道徳における勇気や知性における勇気については，それに比べてはるかに研究対象になることが少なかった。とはいえ，これらにもやはり技術がある。毎日最低１つ，痛みを伴う事実を自分で認めることだ。このことはボーイスカウトの日々の親切な行いと同じくらいに有益であることがわかるだろう。仮にあなたがあなたの友人すべてと比較して，道徳や知性において格段に優れているわけではないとしても，もちろん実際に優れている場合もだが，人生はなお生きる価値があるものだと感じるよう，自分に教え込むのだ。この種の訓練を数年にわたって継続すれば，しまいにはあなたはひるむことなく事実を認めることができるようになり，またそうすることによって，非常に広範囲にわたる領域を支配する恐怖から解放されることになるだろう〉

1. 単に「思い切って外に出てみれば」何かを得ることができると言っているのではなく，自分の殻に閉じこもっていることから生じる悪循環から外に抜け出すためにはどうすればよいかを，具体的に論じている。

2. 罪悪感を抱いている人は，自分の殻に閉じこもっている人の一例として挙げられたもので，ほかにも自己憐憫を抱えている人，恐怖にとらわれている人が例示されているため，自分の殻に閉じこもっている人が皆，罪悪感を抱いているとはいえない。

3. 「当たり障りのない活動」については，合理的な信念を無意識の中に植え付ける作業の過程で，同時にそのような中立的な活動に自分の関心を向けるのがよいと述べているのであり，当たり障りない活動はむしろ合理的信念の獲得のために行うべきことであるといえる。

4. 太古の昔より重要な美徳とされてきたと述べられているのは「戦争における勇気」であり，それ以外にも「道徳における勇気」や「知性における勇気」があるが，これらについてはこれまでほとんど重視されてこなかったことが述べられている。

5. 妥当である。

正答 5

次の文の内容と合致するものとして最も妥当なのはどれか。

　The family provides our children with their first experience of living and working together in a community.　Even within the family, differences abound.　What pleases one may upset another.　Developing respect for one another and learning to accept, and even appreciate, our differences, takes a lot of time and patience.　But in accepting our differences, and learning to work together as a team we can find much of what is truly enjoyable about being in a family.

　The amount of patience needed to be a good parent is phenomenal.　It is natural for children to constantly challenge their parents.　It is a struggle for parents to be patient when they are constantly being challenged, are overwhelmed with other responsibilities, and are frequently in a state of fatigue.　There's good reason why it is said that parenting is the most difficult of all jobs!

　However, it is also one of the most rewarding.　When we are able to keep our "eyes on the prize" — to realize that there is nothing more important in our lives than loving our children and helping them grow up to be happy, secure, kind, and responsible adults, it becomes a little easier to cope.　There will still be times when we lose our patience.　But we can get it back again.　There may even be times when we find ourselves apologizing to our children several times in a single day for being impatient with them.　Fortunately, our children are very forgiving.　They may not have much patience for tying their shoes or waiting for their turn, but the amount of tolerance they have for a parent whose heart is in the right place, and who is trying to do her best, is impressive.

　We want our children to develop the capacity to calmly accept and successfully cope with whatever aggravations they encounter in their lives.　By finding — and holding on to — the serenity within ourselves that we need to be patient with our children, we can create a home in which the daily struggles of life may be challenging but are not overwhelming.　Such a home, where tolerance for others makes it possible for us to enjoy each other in small but important ways even in the midst of the daily rush, will give our children an example to aspire to, and the strength they will need to draw on for the rest of their lives.

1　親は子どもに対して，人生で直面する悩みを冷静に受け止めて，うまく対処する力を身につけて欲しいと願うものだ。

2　子育てに疲れてしまった親は，イライラを子どもにぶつけてしまうことがあるが，一度失ってしまった子どもの信頼は，簡単には取り戻すことはできない。

3　子育てには忍耐が必要であり，子どもが親の期待した結果を出すことができなかったとしても，親は子どもに対して厳しく叱るのではなく，励ます方がよい。

4　絶対にうまくいく子育ての方法は存在しないため，親は不安な気持ちで育てがちであるが，それは子どもを不安な気持ちにさせてしまうことがある。

5　子育ては人生で最も価値のある仕事の一つであるが，親がそれに気付くことができるのは，子育てが一段落してからになることが多い。

解 説

出典：Dorothy Law Nolte, Rachel Harris, "Children Learn What They Live"

　全訳〈家族は子どもたちに，地域社会の中でともに生活し働く初めての体験をもたらしてくれる。家族内においても，違いはたくさんある。ある人を喜ばせるようなことが，別の人にとっては心を乱すことであるかもしれない。互いに対して敬意を払うことを身につけ，違いを受け入れ，さらには違うことのよさがわかるようになるまでには，多くの時間と忍耐が必要である。だが，違いを受け入れ，１つのチームとしてともに働くようになる中で，私たちは家族の一員であることから得られる真の楽しみの多くを発見することができる。

　よき親となるために必要な忍耐の量は驚くほど多い。子どもが親に絶えず反抗するのは自然なことだ。親にとっては，自分が絶えず反抗され，他の（親としての）責任の多さに圧倒され，常に疲労した状態にあるときに忍耐強くあることは大変な苦労である。子育てはあらゆる仕事の中で最も困難な仕事だといわれることには十分な理由があるのだ！

　しかしながら，それは同時に最も価値のある仕事の一つでもある。私たちがその「価値あるものを見据え」続ける，すなわち子どもたちを愛し，彼らが成長して幸せで不安のない，優しく責任感ある大人になるのを手助けすることほど大切なことは人生でほかにないと自覚することができれば，対処はやや容易になる。それでもなお，ときには忍耐を失ってしまうことがあるだろう。だが，それをまた取り戻せばよい。子どもにイライラをぶつけてしまったことで，１日のうちに何度も彼らに謝るはめになることもあるかもしれない。幸いなことに，子どもはとても寛大である。彼らは靴ひもを結ぶときや自分の順番を待つときはあまり忍耐強くないかもしれないが，根が優しく最善を尽くしている親に対して見せる忍耐強さには並々ならぬものがある。

　私たちは子どもに，人生で遭遇するどんな悩みの種をも静かに受け入れ，うまく対処する能力を伸ばしてほしいと思っている。子どもに対して忍耐強くあるために必要とされる，内なる平静を見いだし，また持ち続けることで，私たちは日常の苦労がきつくはあっても圧倒されてしまうほどではないと感じられる家庭を作り出すことができる。そのような家庭では，他者への寛容を示すことで，私たちが日々のごたごたの中にあっても，ちょっとしたことだが大事なこととして互い（の違い）を楽しむことができるようになり，子どもたちには憧れの対象となる手本が与えられ，同時に彼らがこれからの人生で頼る必要が出てくるであろう力も与えられることになるだろう〉

1．妥当である。

2．「子育てに疲れてしまった親は」イライラを子どもにぶつけてしまうことがある，という直接的な因果関係は述べられていない。また，ときに親が忍耐を失ってイライラを子どもにぶつけてしまっても，子どもというものは寛大であると述べられている。

3．子どもに対して「厳しく叱るのではなく，励ます方がよい」といった内容はまったく述べられていない。

4．「絶対にうまくいく子育ての方法」の有無に関する記述はない。また，親の不安な気持ちが子どもに伝わるといった内容もまったく述べられていない。

5．子育てが人生で最も価値のある仕事の一つであるという記述はあるが，親がそれに気づく時期に関する記述はまったくない。

正答　**1**

国家一般職
[大卒]
No.
105
教養試験
文章理解　　英文（文章整序）
平成26年度

文章理解
判断推理
数的推理
資料解釈
時事
物理
化学
生物

次の ▢▢▢▢▢ と ▢▢▢▢▢ の文の間のア〜オを並べ替えて続けると意味の通った文章になるが，その順序として最も妥当なのはどれか。

> Books are composed of words, and words have two functions to perform: they give information or they create an atmosphere.

ア：Atmosphere is created.　Who can see those words without a slight sinking feeling at the heart?　All the people around look so honest and nice, but they are not, some of them are pickpockets, male or female.

イ：It is an example of pure information.　It creates no atmosphere — at least, not in my mind.　I stand close to the label and wait and wait for the tram.　If the tram comes, the information is correct; if it doesn't come, the information is incorrect; but in either case it remains information, and the notice is an excellent instance of one of the uses of words.

ウ：They hustle old gentlemen, the old gentleman glances down, his watch is gone.　They steal up behind an old lady and cut out the back breadth of her beautiful sealskin jacket with sharp and noiseless pairs of scissors.　Observe that happy little child running to buy sweets.　Why does he suddenly burst into tears.　A pickpocket, male or female, has jerked his halfpenny out of his hand.

エ：Often they do both, for the two functions are not incompatible, but our enquiry shall keep them distinct.　Let us turn for an example to Public Notices.　There is a word that is sometimes hung up at the edge of a tramline: the word 'Stop.'　Written on a metal label by the side of the line, it means that a tram should stop here presently.

オ：Compare it with another public notice which is sometimes exhibited in the darker cities of England: 'Beware of pickpockets, male and female.'　Here, again, there is information.　A pickpocket may come along presently, just like a tram, and we take our measures accordingly.　But there is something else besides.

> All this, and perhaps much more, occurs to us when we read the notice in question.We suspect our fellows of dishonesty, we observe them suspecting us.

1　ア→イ→エ→オ→ウ
2　ア→ウ→オ→エ→イ
3　エ→イ→オ→ア→ウ
4　エ→オ→イ→ア→ウ
5　オ→ア→ウ→エ→イ

解説

出典：E. M. Foster, "Anonymity：An Enquiry"

全訳〈本は言葉で構成されているが，言葉が果たす機能には2つある。すなわち，言葉は情報を与え，あるいは雰囲気を創り出す。

エ：多くの場合，言葉は双方の機能を果たしている。それは，2つの機能が相いれないものではないことによるものだが，ここでは私たちの探究のために，両者を切り離して扱う。例として公共の掲示を取り上げてみよう。市街電車の線路の端にはときどき，ある言葉が掲げられている。「止まれ」と

いう言葉である。線路の脇にある金属の標識に書かれているこの言葉は，電車はほどなくここで止まるべきであるということを意味している。

　イ：これは純粋な情報の例である。なんの雰囲気を創り出すこともない。少なくとも私の頭の中では。私はその標識の近くに立ち，電車が来るのを今か今かと待つ。もし電車が来ればその情報は正しく，来なければその情報は間違っている。だがいずれの場合も，その言葉は情報であることに変わりない。ゆえにこの掲示は言葉の用法の一つを示す格好の例といえる。

　オ：これを，イングランドの都市の暗部でときどき掲げられているもう一つの公共の掲示と比較してみよう。「スリに注意。男女を問わず」というものである。ここにもまた，情報がある。電車とまったく同様に，スリがほどなく現れるかもしれず，私たちはそれに応じた対策を講じる。だがそれに何かほかのものが加わる。

　ア：雰囲気が創り出されるのである。この言葉を見て，心の中にちょっとした気分の落ち込みを感じない人はいるだろうか。周りの人は皆とても正直で親切に見えるのに，その中にはスリがいるのだと。男女を問わず。

　ウ：やつらは老紳士に体を押し当て，老紳士が下に目をやると，腕時計がなくなっている。やつらは老婦人の背後に忍び寄り，婦人が着ている美しいアザラシ革のジャケットの背中の部分を，鋭く音のしないハサミで切り取る。あの幸せそうな，お菓子を買いに駆け出している幼子を見ているがよい。彼はどうして突然泣きだすのだろう。スリが，男もしくは女のスリが，その男の子の手から半ペニー硬貨をひったくったのだ。

　こうしたことすべてが，あるいはもっと多くのことが，問題のその掲示を私たちが読むときに浮かんでくる。私たちは仲間のことを不誠実なのではと疑い，また彼らが私たちのことを疑っているのを目の当たりにするのだ〉

　選択肢を見るとア，エ，オのいずれかで始まっている。冒頭の囲みの文の「言葉が果たす機能には２つある。すなわち，言葉は情報を与え，あるいは雰囲気を創り出す」から，以下の文章では言葉の持つこの２つの機能について詳しく説明されることが推察される。アは「雰囲気が創り出される」という文で始まっており，冒頭の文の最後 create an atmosphere が単に形を変えて繰り返されることになることから，冒頭の文の直後に置くのは不自然である。エは，Often they do both の both が冒頭の文の「言葉の持つ２つの機能」をさすと考えれば，内容がスムーズにつながる。オを冒頭の文に続けると，Compare it の it が何をさすか不明であるし，another public notice「もう一つの公共の掲示」に対応するものが前にないことになるので，内容がつながらない。よってエから始まると推測され，選択肢は**3**と**4**に絞られる。エの後半では，電車の線路脇にある「止まれ」という掲示が例に出されている。これにイの「これは純粋な情報の例である。なんの雰囲気を創り出すこともない。」を続けると，It が「『止まれ』という掲示」をさすことになり，後に続く内容も違和感がない。イの後にさらにオ→アと続けると，オで「スリに注意」という別の掲示の例が出され，オの最終文の there is something else besides「それに何かほかのものが加わる」に対応するものとして，アの最初の文「雰囲気が創り出される」がスムーズにつながる。また最後のウに続く流れも妥当である。これに対して，エの後にオを続けると，Compare it の it が「『止まれ』という掲示」をさすことになり，一つ目の例の後にすぐ二つ目の例を挙げる形となって，ここまでは違和感がない。しかしオの後にイを続けると，二つ目の「スリに注意」という掲示が「純粋な情報の例」ということになり，さらに電車の説明が続くことから，おかしな流れになる。さらに，イの後に続くものとしてアの「雰囲気が創り出される」は唐突であることから，**4**の順序は不適切であると判断できる。

　よって，妥当な順序はエ→イ→オ→ア→ウとなり，正答は**3**である。

正答　**3**

文章理解
判断推理
数的推理
資料解釈
時事
物理
化学
生物

次の文のア，イに当てはまるものの組合せとして最も妥当なのはどれか。

It is the task of management to help ensure that effective organizational performance is achieved. Toward that end, managers bring together material resources and personnel, coordinate and direct their utilization, and set policies and procedures to enhance productive activity. Of course, this focus on performance rests on the presumption that superior and inferior performance will be recognized when they occur. Management's ability to move an organization toward optimal productivity will certainly be obstructed if satisfactory and unsatisfactory levels of performance cannot be identified. But for that to take place, an adequate means of measuring performance is necessary. In some instances it may be possible to identify 　　ア　　 and assess organizational productivity or performance comprehensively, or if that is not an option, the productivity of specific organizational sub-units might be scrutinized. More often, however, attention is focused on the productivity or performance of individual employees, and an assumption is made that greater individual productivity will lead to greater organizational performance. Obviously, there is no perfect relationship between 　　　イ　　　. A host of factors, including changes in organizational environments and technology, may intervene to mediate that relationship. But employees can make a difference and it is true that one key to improving productivity and quality services in the public sector is accurately measuring and controlling the performance of each worker.

	ア	イ
1	inferior individual performance	the effectiveness of individual employees and organizational productivity
2	inferior individual performance	optimal productivity and utilization of material resources and personnel
3	inferior individual performance	satisfactory levels of performance and means of measuring performance
4	organizational goals	the effectiveness of individual employees and organizational productivity
5	organizational goals	satisfactory levels of performance and means of measuring performance

解説

出典：J.Edward Kellough, "Public Personnel Management"

　全訳〈組織の業績が効果的に達成されることを確実なものにするために一役買うことが，経営の仕事である。その目標に向けて，経営者は物的資源と人材を集め，それらの活用に向けて調整および指揮を行い，生産活動の向上のために方針および手順を定める。もちろん，この業績の重視は，より優れた業績，より劣った業績というものが実現したときにそれと認識される

という推定の上に成り立つものだ。満足の行く，あるいは行かない業績の水準をはっきりと見定めることができなければ，組織の生産性を最大限にまで高める経営側の能力は確実に阻害されることになるだろう。だがそれが行われるためには，業績を評価する適切な手段がなくてはならない。場合によっては，ァ組織の目標を見定め，組織としての生産性や業績を包括的に評価することが可能なこともあろう。あるいは，その方法を取りえなくても，組織の特定の部課などの単位でその生産性を検証することが可能であるかもしれない。しかしより一般的には，個々の従業員の生産性や業績に注目して，個人の生産性が高まれば組織の業績が高まることにつながるという想定がなされる。言わずもがなだが，ィ個々の従業員の貢献力と組織としての生産性の間に完全な関連性があるわけではない。組織を取り巻く環境や技術の変化など，両者の関連の間に割って入る多くの要因があるかもしれない。それでも従業員が違いを示すことは可能であり，それゆえに，公共部門において生産性および品質サービスを改善する一つの鍵は，各従業員の業績を正確に評定し管理することであるというのはその通りなのである〉

　冒頭の文から，組織の業績を効果的に達成させることが経営の仕事であるという本文の主題を読み取る。第3文および第4文では，そのためにはまずよい業績や悪い業績をきちんと見定めることが必要だと述べている。続く第5文の for that to take place「それが行われるためには」は「業績の水準をきちんと見定められるためには」という意味で，そのためには業績の評価基準をきちんと定めることが大切だという主張が述べられる。空欄アを含む第6文はそれを受けて，In some instances「いくつかの事例では」といっている。選択肢を見ると，空欄アに入るのは inferior individual performance「より劣った個々（人）の業績」，organizational goals「組織の目標」のどちらかである。上に述べた文脈と，空欄の後の organizational productivity or performance「組織としての生産性や業績」，comprehensively「包括的に」といった語句から，空欄アには organizational goals が当てはまる。文全体では，組織としての目標設定と，組織全体の，あるいは部課といった単位ごとの生産性や業績の評価が可能な場合もあるだろう，という意味になる。第7文には逆接の however「しかしながら」が含まれ，第6文とは対照的に，個々の従業員の生産性や業績に注目し，その向上を図ることが組織全体の業績の向上につながると想定する場合のほうが現実には多いことが述べられる。空欄イを含む第8文はそれを受けて，「言わずもがなだが，　　イ　　の間に完全な関連性があるわけではない」と述べる文である。選択肢は，the effectiveness of individual employees and organizational productivity「個々の従業員の有効性（＝貢献力）と組織としての生産性」，optimal productivity and utilization of material resources and personnel「最大限の生産性と物的資源および人材の活用」，satisfactory levels of performance and means of measuring performance「満足の行く業績の水準と業績評価の手段」のいずれかである。第6文からの流れと，本文最終文の「各従業員の業績の正確な評定と管理が，公共部門の業績改善の鍵であることは確かだ」という内容から，空欄イには the effectiveness of individual employees and organizational productivity が当てはまる。第8文全体は「……の間に完全な関連性があるわけではない」という「譲歩」を表す文になり，「とはいえ，十分な関連性はある」という意味合いの最終文のまとめにつながる流れになる。

　よって，ア＝organizational goals，イ＝the effectiveness of individual employees and organizational productivity となり，正答は**4**である。

正答　4

次の文の内容と合致するものとして最も妥当なのはどれか。

スミスは，真の幸福は心が平静であることだと信じた。そして，人間が真の幸福を得るためには，それほど多くのものを必要としないと考えた。エピルスの王の逸話が示すように，たいていの人にとって，真の幸福を得るための手段は，手近に用意されているのだ。与えられた仕事や義務，家族との生活，友人との語らい，親戚や近所の人びととのつきあい，適度な趣味や娯楽。これら手近にあるものを大切にし，それらに満足することによって，私たちは十分幸せな生活を送ることができる。また，木の義足をつけた人の話が示すように，たとえ人生の中で何か大きな不運に見舞われたとしても，私たちには，やがて心の平静を取り戻し，再び普通に生活していくだけの強さが与えられている。

多くの人間が陥る本当の不幸は，真の幸福を実現するための手段が手近にあることを忘れ，遠くにある富や地位や名誉に心を奪われ，静坐し満足しているべきときに動くことにある。そのような時宜を得ない行動は，本人を不幸にするだけでなく，時として社会の平和を乱すことがある。富や地位や名誉は求められてもよい。そして，個人がそれらを求めることによって社会は繁栄する。しかし，富や地位や名誉は，手近にある幸福の手段を犠牲にしてまで追求される価値はない。私たちは，社会的成功の大志を抱きつつも，自分の心の平静にとって本当は何があれば足りるのかを心の奥底で知っていなければならない。

諸個人の間に配分される幸運と不運は，人間の力の及ぶ事柄ではない。私たちは，受けるに値しない幸運と受けるに値しない不運を受け取るしかない存在なのだ。そうであるならば，私たちは，幸運の中で傲慢になることなく，また不運の中で絶望することなく，自分を平静な状態に引き戻してくれる強さが自分の中にあることを信じて生きていかなければならない。私は，スミスが到達したこのような境地こそ，現代の私たちひとりひとりに遺された最も貴重な財産であると思う。

1 幸運や不運は個人の意思にかかわらず受け取るしかないが，手近な手段を用いて個人は自ら真の幸福を得ることができる。

2 時宜を得ずに富や地位や名誉を追求することは本人を不幸にすることもあるが，そうすることによって社会が繁栄する。

3 真の幸福を得るための手段は手近に用意されているものの，大きな不運を受け取ることも必然であり，真の幸福を得ることはたやすいことではない。

4 自分の心の平静に必要なものを知り，自分を平静な状態に引き戻す強さがない人間は，配分される幸運を受けるに値しない。

5 絶望するような不運を受け取ったとしても，静坐して，いつか幸運を受け取ることを待っていることが，真の幸福を実現することになる。

解 説

出典：堂目卓生『アダム・スミス—「道徳感情論」と「国富論」の世界』

スミスの幸福論について述べた文章。真の幸福を実現するための手段が手近にあることを忘れず，大きな不運に見舞われても，心の平静を取り戻す強さが自分の中にあることを信じて生きていかなければならない，というスミスの考えを紹介している。第1段落に述べた主張について，第2〜3段落で補足している。

1. 妥当である（第1，第3段落）。

2. 富や地位や名誉の追求自体は，社会を繁栄させるものとされているが，時宜を得ない行動については，社会を繁栄させるとは述べていない。社会の平和を乱すこともあるのである（第2段落）。

3. 「真の幸福を得ることはたやすいことではない」という部分が誤り。手近に用意されている真の幸福を得るための手段を大切にし，それらに満足することによって，「私たちは十分幸せな生活を送ることができる」（第1段落）と述べている。

4. 諸個人の間に配分される幸運は，「人間の力の及ぶ事柄ではな」く，私たちは，受けるに値しない幸運をも「受け取るしかない存在」だと述べており，どういう人間が「配分される幸運を受けるに値しない」かについて述べてはいない（第3段落）。

5. 真の幸福を実現するには，手近にあるその手段を大切にし，それらに満足する必要があり，ただ「静坐して，いつか幸運を受け取ることを待っている」だけでは実現できない（第1，第2段落）。また，大きな不運に見舞われたときには，その中で絶望することなく，自分を平静な状態に引き戻してくれる強さが自分の中にあることを信じて生きていくことが大事なのである（第3段落）。

正答 **1**

文章理解

判断推理

数的推理

資料解釈

時事

物理

化学

生物

次の文の内容と合致するものとして最も妥当なのはどれか。

　僕たちが生活する環境を形づくるもの，つまり家や床や風呂桶，そして歯ブラシといったようなものは，すべてが色や形やテクスチャーといった基本的な要素から構成されていて，それらの造形はオーガニゼーションへと向かう明晰で合理的な意識にゆだねられるべきである。そういう発想がいわゆるモダニズムの基本であった。そしてそういう合理的なものづくりを通して人間の精神の普遍的なバランスや調和を探ろうとすることが，広い意味でのデザインの考え方である。言い換えれば，人間が暮らすことや生きることの意味を，ものづくりのプロセスを通して解釈していこうという意欲がデザインなのである。一方，アートもまた，新しい人間の精神の発見のための営みであるといわれる。両者とも，感覚器官でキャッチできる対象物をあれこれと操作するいわゆる「造形」という方法を用いる。したがってアートとデザインはどこが違うのかという質問をよく受けることになる。《中　略》

　アートは個人が社会に向き合う個人的な意志表明であって，その発生の根源はとても個的なものだ。だからアーティスト本人にしかその発生の根源を把握することができない。そこがアートの孤高でかっこいいところである。もちろん，生み出された表現を解釈する仕方はたくさんある。それを面白く解釈し，鑑賞する，あるいは論評する，さらに展覧会のようなものに再編集して，知的資源として活用していくというようなことがアーティストではない第三者のアートとのつきあい方である。

　一方，デザインは基本的には個人の自己表出が動機ではなく，その発端は社会の側にある。社会の多くの人々と共有できる問題を発見し，それを解決していくプロセスにデザインの本質がある。問題の発端を社会の側に置いているのでその計画やプロセスは誰もがそれを理解し，デザイナーと同じ視点でそれを辿ることができる。そのプロセスの中に，人類が共感できる価値観や精神性が生み出され，それを共有する中に感動が発生するというのがデザインの魅力なのだ。

1　アートもデザインもいわゆる「造形」という方法を用いるが，造形はオーガニゼーションへと向かう明晰で合理的な意識にゆだねられるべきである。

2　アートもデザインも感覚器官でキャッチできる対象物を操作することで生み出されるものであるが，前者はその発生の根源が個的なものであり，後者はその発端が社会的なものである。

3　デザインとは，人間が暮らすことや生きることの意味をものづくりを通して表現することであり，そこに個人的な意志表示を入れるべきではない。

4　アートを面白く解釈し，鑑賞あるいは論評するためには，アーティストがどのように社会と向き合ってきたかなど，そのアートが生まれた背景を把握する必要がある。

5　デザイナーは，人類が共感し，感動できるような価値観や精神性をデザインのプロセスにおいて表現しなければならない。

解説 ━━━━━━━━━━━━━━━━━━━━━━━━━━━━━━

出典：原研哉『デザインのデザイン』

　デザインの本質について述べた文章。アートの発生の根源が「個的なもの」であるのに対し，デザインは「問題の発端を社会の側に置いて」おり，「社会の多くの人々と共有できる問題を発見し，それを解決していくプロセス」にその本質があると述べ，デザインの魅力に言及している。第1段落で，デザインの考え方を確認しつつ，新しい人間の精神の発見のための営みであり，「造形」という方法を用いる，というアートとの共通性を挙げ，第2，第3段落で両者の相違を明らかにしており，その共通点と違いをつかむ必要がある。

1．「造形はオーガニゼーションへと向かう明晰で合理的な意識にゆだねられるべきである」というのはモダニズムの発想であり，デザインの考え方に通じるものとして挙げられているが，筆者自身の主張ではない（第1段落）。

2．妥当である（第1～第3段落）。

3．デザインは，アートに比べ「基本的には個人の自己表出が動機ではなく，その発端は社会の側にある」（第3段落）と述べているにすぎず，「個人的な意志表示を入れるべきではない」とは主張していない。

4．アートの解釈・鑑賞・論評については，第三者とのつきあい方の例として挙げられているにすぎず，どのようにする必要があるかという点への言及はない。

5．デザインのプロセスは，「社会の多くの人々と共有できる問題を発見し，それを解決していく」というものであり，「人類が共感できる価値観や精神性」は，この中から「生み出される」のであって，デザイナーが「プロセスにおいて表現しなければならない」とするのは誤り。

正答　**2**

次の文の内容と合致するものとして最も妥当なのはどれか。

　精神が何であるかは身体によって知られる。私は動きながら喜ぶことができる，喜びは私の運動を活溌にしさえするであろう。私は動きながら怒ることができる，怒は私の運動を激烈にしさえするであろう。しかるに感傷の場合，私は立ち停まる，少くとも静止に近い状態が私に必要であるように思われる。動き始めるや否や，感傷はやむか，もしくは他のものに変ってゆく。故に人を感傷から脱しさせようとするには，先ず彼を立たせ，彼に動くことを強要するのである。かくの如きことが感傷の心理的性質そのものを示している。日本人は特別に感傷的であるということが正しいとすれば，それは我々の久しい間の生活様式に関係があると考えられないであろうか。

　感傷の場合，私は坐って眺めている，起ってそこまで動いてゆくのではない。いな，私はほんとには眺めてさえいないであろう。感傷は，何について感傷するにしても，結局自分自身に止(とど)まっているのであって，物の中に入ってゆかない。批評といい，懐疑というも，物の中に入ってゆかない限り，一個の感傷に過ぎぬ。真の批評は，真の懐疑は，物の中に入ってゆくのである。

　感傷は愛，憎(にく)み，悲しみ，等，他の情念から区別されてそれと並ぶ情念の一つの種類ではない。むしろ感傷はあらゆる情念のとり得る一つの形式である。すべての情念は，最も粗野なものから最も知的なものに至るまで，感傷の形式において存在し乃至(ないし)作用することができる。愛も感傷となることができるし，憎しみも感傷となることができる。簡単にいうと，感傷は情念の一つの普遍的な形式である。それが何か実体のないもののように思われるのも，それが情念の一つの種類でなくて一つの存在様相であるためである。

　感傷はすべての情念のいわば表面にある。かようなものとしてそれはすべての情念の入口であると共に出口である。先ず後の場合が注意される。ひとつの情念はその活動をやめるとき，感傷としてあとを引き，感傷として終る。泣くことが情念を鎮(しず)めることである理由もそこにある。泣くことは激しい情念の活動を感傷に変えるための手近な手段である。

1　喜びや怒などのあらゆる情念も感傷も，それを起こすためには立ち停まり，静止した状態が必要となる。

2　喜びや怒などのあらゆる情念の表面には感傷があり，すべての情念は感傷になることができる。

3　日本人が特別に感傷的であるとするならば，それは立ち停まり，深く物の中に入ってゆこうとする日本人のもつ生活様式に関係がある。

4　感傷は情念そのものではないが，情念が高じたとき感傷があらわれ，感傷を伴った情念はより強く活動する。

5　感傷は情念の一つの普遍的な形式であり，情念の中でも愛や悲しみといった高度なものは感傷に変化しやすい。

解 説

出典：三木清『人生論ノート』

　感傷について論じた文章。感傷は，他の情念と並列されるものではなく，あらゆる情念の「表面」にあり，「静止」という様態を持つと指摘している。

1. 喜びや怒りは，動きながらも生じうるものであり，「立ち停まり，静止した状態が必要となる」ものではない（第1段落）。感傷は，「他の情念から区別されてそれと並ぶ情念の一つの種類ではない」（第3段落）。

2. 妥当である（第3，4段落）。

3. 「日本人が特別に感傷的である」とすれば「日本人のもつ生活様式に関係がある」と考えられるという見解は示されている（第1段落）が，感傷は「物の中に入ってゆかない」（第2段落）のであるから，「深く物の中に入ってゆこうとする」生活様式とは結びつかない。

4. 感傷は「すべての情念の入口であると共に出口」であり，「ひとつの情念はその活動をやめるとき，感傷としてあとを引き，感傷として終る」（第4段落）のであるから，「情念が高じたとき」に表れるのではなく，また「感傷を伴った情念はより強く活動する」のではない（第4段落）。

5. 「感傷は情念の一つの普遍的な形式である」（第3段落）が，「愛や悲しみ」が「高度なもの」であるという言及はなく，「すべての情念は，最も粗野なものから最も知的なものに至るまで，感傷の形式において存在し乃至作用することができる」（第3段階）と論じられている。

正答　**2**

国家一般職
［大卒］
No.
110
教養試験
文章理解　　現代文（空欄補充）　　平成25年度

文章理解

判断推理

数的推理

資料解釈

時事

物理

化学

生物

次の文の　□□□　に当てはまるものとして最も妥当なのはどれか。

　イデオロギーは虚偽ですが，真実であると信じられている虚偽です。ただ，それが真実であると受け取られてしまう原因がある。つまり，イデオロギーの担い手の社会構造上の位置，階級的な位置に規定されて，それが真実に見えてしまうのです。イデオロギーを批判するには，その虚偽性を暴露して，それが当事者には真実に見えてしまう社会的な原因まで示してやればよい。つまり，古典的なイデオロギーまでの三つの虚偽意識に対しては，啓蒙の戦略にのっとった批判が有効です。

　それに対して，シニシズムは，いわば一段前に進んだイデオロギーです。メタ的な視点にたったイデオロギーだと言ってもよい。シニシズムというのは，□□□□虚偽意識なんです。啓蒙された虚偽意識だと言ってもよい。それは，「そんなこと嘘だとわかっているけれども，わざとそうしているんだよ」という態度をとるのです。こういう態度には，啓蒙の戦略にのっとった批判は効かない。啓蒙してやっても，はじめから，虚偽だとわかっているので意味がないのです。別に真実だと思って信じているわけではない。嘘だとわかっているけれども，そうしているのです。これがスローターダイクがいうところのシニシズムです。

　こういうのは一体どういうことかというと，何かちょっと変だなと思ったりするかもしれないけれども，考えてみれば，僕らの世界の中にこのシニシズムというのは蔓延しています。典型的には，たとえば，広告，特に商品の広告がそうですね。商品の広告，ヒットする広告は，大抵ふざけているんです。つまり，「こんなの嘘だ」と書いてあるわけです。しかし，広告は一定の効果を上げるわけです。つまり，嘘であると送り手はもとより受け手側だってわかっているのに，それがまるで真であったかのような行動が喚起されるんです。

1　自己自身の虚偽性を自覚した
2　自己の虚偽性を隠した
3　自己の虚偽性を誇張した
4　イデオロギーを批判した
5　イデオロギーを排他的に認識した

解説

出典：大澤真幸『戦後の思想空間』

　スローターダイクのいう「シニシズム」について解説した文章。「シニシズム」が，どのような虚偽意識であるのかを，文中から読み取って解く。空欄のある文は，「それに対して，シニシズムは，いわば一段前に進んだイデオロギーです。メタ的な視点にたったイデオロギーだと言ってもよい」とあり，後では，「啓蒙された虚偽意識だと言ってもよい。それは，」と説明が続いているから，第1段落で述べているイデオロギーよりも「一段前に進んだ」＝すでに「啓蒙された」虚偽意識ということになる。

　第1段落のイデオロギーと対比し，その相違点を考えると，「イデオロギー」は，「真実だと信じられている虚偽」であり，それを批判するには「その虚偽性を暴露」してやるという，「啓蒙の戦略にのっとった批判」が有効であるのに対し，シニシズムは，「『そんなこと嘘だとわかっているけれども，わざとそうしているんだよ』という態度をとる」ため，「啓蒙の戦略（にのっとった批判）は効かない」「はじめから，虚偽だとわかっているので意味がない」「嘘だとわかっているけれども，そうしている」のである。したがって，シニシズムにおいて「イデオロギー」よりも一段前に進み，啓蒙されているのは，すでに虚偽性が自覚されているという点であるから，**1**の「自己自身の虚偽性を自覚した」が妥当である。**2**の「自己の虚偽性を隠した」は逆であるし，**3**の「自己の虚偽性を誇張した」とまではいえず，**4**の「イデオロギーを批判した」，**5**の「イデオロギーを排他的に認識した」は，シニシズムも「イデオロギー」の一つとして述べられているので誤り。

　また，**2**については，第3段落で，シニシズムの例として取り上げられている広告について，「『こんなの嘘だ』と書いてある」「嘘であると送り手はもとより受け手側だってわかっている」と記されており，これらの点からも，自己の虚偽性を「隠した」ものとはいえない。

　よって，正答は**1**である。

正答　**1**

文章理解 | 判断推理 | 数的推理 | 資料解釈 | 時事 | 物理 | 化学 | 生物

次の ☐☐☐☐ と ☐☐☐☐ の文の間のA～Fを並べ替えて続けると意味の通った文章になるが，その順序として最も妥当なのはどれか。

　たとえば，狩猟や農耕は，大がかりなものになればなるほど，人間が一人で手がけられるものではなくなります。

A：このような事情によって，農耕に際しては，誰の意見によって物事を進めるのかが，大事なことになります。

B：農耕の場合，意見が優先される人々の基準は，「経験」や「年季」といったものでした。

C：日本を含め農耕を中心としてできあがった社会で，「亀の甲より年の功」という言葉に表されるように「年功序列」が強調されているのは，その「経験」や「年季」を備えているのが年長の人々であったからです。

D：その際，人々の中で意見が対立して種蒔き，除草，刈入れの時機を逸するならば，収穫できるものもできずに結果として飢餓が生じ，その社会の崩壊を招くことになります。

E：そして，文字の発明や筆記によって記録を残せるようになった後では，その記録を書いたり読んだりできることが，その社会で重きをなす条件になっていきます。

F：農耕に際しては，どのようなタイミングで種を蒔き，草を刈り，収穫するかが，何よりも大事になります。

　記録を読めるということは，「他人の経験」を参照できるということです。自分だけの「経験」よりも，「他人の経験」の集積である記録を参照できるほうが，物事の的確な判断を裏づけることがあります。古今東西，学者と称される人々が相応の尊敬を集めたのは，そのような理由によります。

1　B→C→F→D→A→E

2　B→D→A→E→F→C

3　B→F→C→E→D→A

4　F→B→D→A→C→E

5　F→D→A→B→C→E

解説

出典：櫻田淳『国家の役割とは何か』

　まず前後の文を確認すると，冒頭の文では「狩猟や農耕は，大がかりになればなるほど，人間が一人で手がけられるものではなくなります」と述べており，終わりに置かれている文章では「記録を読めるということ」について述べていることから，文章全体は，［一人ではできない⇒他人の経験を参照する］という展開になっていることがわかる。

　選択肢を見ると，**1**〜**3**はB，**4**・**5**はFが1番目に置かれているが，Bは「意見が優先される人々の基準」について述べており，冒頭の文からは飛躍がある。Fは農耕に際しての種蒔き・草刈り・収穫について述べており，同じ話題でつながるDを後に置くと，大がかりな農耕について述べていることがわかり，冒頭の文に続く内容になるから，**5**に注目することができる。

　また，後半にくるものを考えると，〈添加〉の「そして」で始まっているEは「記録を残せるようになった後」について述べており，他の文に「記録」に関して取り上げているものはないことから，Eが最後に置かれている**1**，**4**，**5**に着目することができる。

　これらの観点から［F→D］で始まりEで終わる**5**に注目し，間の［A→B→C］を確認すると，「このような事情によって，……誰の意見によって物事を進めるのかが，大事なことになります」と述べているAは，Dの「人々の中で意見が対立して」しまうと「飢餓が生じ，その社会の崩壊を招く」という問題を受けた内容となっている。また，Aを受けたBでは「経験」や「年季」が取り上げられており，Cにつながる。さらに，CからEへの「そして，……記録を残せるようになった後では，……」という展開にも不自然な点がない。

　以上より，妥当な順序はF→D→A→B→C→Eであり，正答は**5**である。

正答　**5**

文章理解
判断推理
数的推理
資料解釈
時事
物理
化学
生物

次の文の内容と合致するものとして最も妥当なのはどれか。

　Gratitude works. Feelings of gratitude enhance well-being and deepen one's sense of meaning. That's why Martin Seligman advocates "the gratitude visit." It works like this: You think of a person in your life who has been kind or generous to you but whom you've never properly thanked. You write a detailed "gratitude letter" to that person, explaining in concrete terms why you're grateful. Then you visit that person and read the letter aloud. According to Seligman, the ritual is quite powerful. "Everyone cries when you do a gratitude visit. It's very moving for both people."

　Seligman's research, as well as the work of the growing ranks of scholars who study positive psychology, suggests that gratitude is a key component of personal happiness. People who are grateful about specific things in their past, who dwell on the sweet triumphs instead of the bitter disappointments, tend to be more satisfied about the present. The gratitude visit, Seligman says, can be an effective way to "increase the intensity, duration and frequency of positive memory."

　One reason to give the gratitude visit a try is that it can generate a momentum of its own. Those who are thanked often then start to consider who in their lives they never thanked. So they make their own pilgrimage, as eventually do the recipients of their thanks, resulting in a daisy chain of gratitude and contentment.

　Two variations on this theme are the birthday gratitude list and the gratitude one-a-day. The birthday gratitude list is simple. Once a year, on your birthday, make a list of the things for which you're grateful — with the number of items equaling the number of years you're turning that day. Your list will grow by one each year — the theory being that the older you get, the more you have to be thankful for. Keep your lists and review them each birthday. It will bring a sense of satisfaction that can soothe* the anxiety of time's passage. The gratitude one-a-day is a way to weave thankfulness into your daily routine. Each day, at a certain moment, think of one thing for which you're grateful. Some people do this when they're about to go to sleep. Others do it to accompany some existing routine — when they drink a cup of coffee in the morning, when they make their bed, when they take their first step outside.

　（注）＊soothe：和らげる

1 Seligman の調査結果は，心理学の分野における他の研究者の調査結果とは違っていた。

2 あなたからの感謝の手紙を受け取った人は，あなたのことを一生忘れないだろう。

3 感謝の訪問を受けた人たちは，たいてい，今まで誰に対して感謝の気持ちを伝えていないかを考え始める。

4 誕生日の感謝リストをプレゼントされた人は，年齢を重ねることへの不安を和らげることができる。

5 感謝の気持ちを日常生活に一つ盛り込むことによって，いろいろな人に感謝すべきだったことに気付くようになる。

解 説

出典：Daniel H. Pink, "A WHOLE NEW MIND"

全訳〈感謝の気持ちを表すことは効果がある。感謝の念を感じることで心の安らぎは増し，自己の存在意義に対する感覚は深まる。そのことから，マーティン゠セリグマン氏は「感謝の訪問」という考えを唱えている。その方法は次のようなものだ。あなたは，あなたの人生の中で自分に優しく親切にしてくれた人で，あなたが今まできちんと感謝の気持ちを表していなかった人を思い浮かべる。あなたはその人に，詳細に及ぶ「感謝の手紙」を書き，なぜ感謝しているのかをはっきりとした言葉で説明する。それからあなたはその人を訪問し，手紙を声に出して読み上げるのだ。セリグマン氏によると，この儀式はかなり強力だ。「あなたが感謝の訪問を実行すると，誰もが涙を流します。双方にとって，とても心を揺さぶられることなのです」。

セリグマン氏の調査が示していることは，ポジティヴ心理学を研究する新進気鋭の学者たちの調査結果と同様，感謝は人が幸福を感じる重要な要素であるということだ。過去の特定の出来事をありがたいと思う人，苦い失望よりも甘い成功体験にひたる人は，現状により満足している傾向がある。感謝の訪問は，「肯定的な記憶をよりしっかりと，長期にわたって根付かせ，呼び起こす頻度を高める」ための効果的な方法として使えるだろう，とセリグマン氏は語る。

感謝の訪問を実行してみる一つの理由は，その行為自体に他を動かせる力が備わっているということだ。感謝された人はしばしばその後，自分自身が人生の中で一度も感謝の気持ちを表していなかった人は誰だろうと考え始める。そこで彼らは自分たちの巡礼の旅を行い，彼らの感謝を受け取った人もゆくゆくは同じことを行い，結果としてヒナギクの花輪のように感謝と満足の輪が連鎖していくことになる。

これとテーマが同じ２つのバリエーションに，誕生日の感謝リストと，１日１感謝がある。誕生日の感謝リストは単純だ。１年に１度，あなたの誕生日に，あなたが感謝しているものごとのリストを作るのだ。リストの項目数は，あなたがその日になる年齢の数と同数とする。あなたのリストは毎年１項目ぶんずつ長くなる。あなたが年をとればとるほど，感謝しなければならないものごとが増えるというのがミソだ。毎年作ったリストは取っておき，誕生日ごとに読み返すようにする。そうすることで，年齢を重ねることへの不安を和らげてくれるような，ある種の満足感がもたらされるだろう。１日１感謝は，感謝するという行為をあなたの日課に組み入れてしまう方法だ。毎日，ある一定の時間に，あなたが感謝しているものごとを１つ思い浮かべるのだ。なかには，これから寝ようとするときにこれをする人もいる。また，朝に１杯のコーヒーを飲むとき，ベッドを整えるとき，あるいはその日初めて外へ出るときなど，いつも行っている何かの日課とともに行う人もいる〉

1. セリグマン氏の調査結果は，ポジティヴ心理学の研究者たちの調査結果と同様であったと述べられている。

2. 「感謝の手紙」に関しては，それを相手に送る，あるいは渡すとは述べられておらず，「感謝の訪問」の際に持参して，相手の前で読み上げるためのものであることが述べられている。また，「あなたのことを一生忘れないだろう」といった記述はない。

3. 妥当である。

4. 「誕生日の感謝リスト」に関しては，それを誰かにプレゼントするとは述べられておらず，自分自身のために作成するものであることが述べられている。

5. 毎日決まった時間に，自分が感謝しているものごとを１つ思い浮かべることを習慣にする方法については述べられているが，それによって「いろいろな人に感謝すべきだったことに気づくようになる」とは述べられていない。最初の３段落の中には，「感謝の訪問」に関して，訪問を受けた人が自分もしかるべき人に感謝を示そうと思うようになるという記述があるが，第４段落の「誕生日の感謝リスト」と「１日１感謝」については，あくまでも対象は「ものごと」であり，感謝の対象を思い浮かべることで満足感がもたらされるというのが主旨である。

正答 3

文章理解

判断推理

数的推理

資料解釈

時事

物理

化学

生物

国家一般職［大卒］＜教養＞過去問500●**225**

次の文の内容と合致するものとして最も妥当なのはどれか。

The oceans have risen and fallen throughout Earth's history, following the planet's natural temperature cycles. Twenty thousand years ago, what is now New York City was at the edge of a giant ice sheet, and the sea was roughly 400 feet lower. But as the last ice age thawed, the sea rose to where it is today.

Now we are in a new warming phase, and the oceans are rising again after thousands of years of stability. As scientists who study sea level change and storm surge, we fear that Hurricane Sandy gave only a modest preview of the dangers to come, as we continue to power our global economy by burning fuels that pollute the air with heat-trapping gases.

This past summer, a disconcerting new scientific study by the climate scientist Michiel Schaeffer and colleagues suggested that no matter how quickly we cut this pollution, we are unlikely to keep the seas from climbing less than five feet.

More than six million Americans live on land less than five feet above the local high tide. Worse, rising seas raise the launching pad for storm surge, the thick wall of water that the wind can drive ahead of a storm. In a world with oceans that are five feet higher, our calculations show that New York City would average one flood as high as Hurricane Sandy's about every 15 years, even without accounting for the stronger storms and bigger surges that are likely to result from warming.

Floods reaching five feet above the current high tide line will become increasingly common along the nation's coastlines well before the seas climb by five feet. Over the last century, the nearly eight-inch rise of the world's seas has already doubled the chance of "once in a century" floods for many seaside communities.

We hope that with enough time, most of our great coastal cities and regions will be able to prepare for a five-foot increase. Some will not. Barriers that might work in Manhattan would be futile in South Florida, where water would pass underneath them by pushing through porous bedrock.

1 地球の温度変化に応じて海面水位は変動しており，2万年前には，現在のニューヨーク市がある場所は海の中にあった。

2 海面水位の上昇はハリケーンの発生頻度を増大させ，将来的には全米で毎年600万人以上の人たちが影響を受けるという研究結果が最近発表された。

3 海面水位の上昇は，過去数千年かけて8インチ程度であったが，ここ100年間でみると海面水位は大幅に上昇した。

4 海面水位が5フィート上昇するよりも先に，現在の満潮線より5フィート上にまで達する洪水が米国の海岸線に沿ってますますよく起こるようになる。

5 今後の海面水位の上昇に備えて，マンハッタンや南部フロリダにおいては，浸水被害を防ぐために強固な防護壁を設けることが効果的であるとされている。

解説

出　典：BENJAMIN STRAUSS, ROBERT KOPP, "Rising Seas, Vanishing Coastlines" NY Times (November 24, 2012)

全訳〈地球の歴史を通じて，海面は地球の自然の気温サイクルに従って上昇したり下降したりしてきた。2万年前，現在のニューヨーク市は巨大な氷床の周辺部にあり，海面はおよそ400フィート低い所にあった。だが最後の氷河期の氷が溶けると，海面は上昇し現在の高さになった。

現在，私たちは新たな温暖化の局面にあり，海面は過去数千年の安定期を経て再び上昇しつつある。海面水位の変化と高潮を研究する科学者として私たちが危惧するのは，私たちが温室効果ガスで空気を汚すような燃料を燃やすことで世界経済にエネルギーを供給し続けている現在，ハリケーン・サンディーがもたらしたものはこれからやって来る危機のほんのちょっとした序章にすぎないのではないかということだ。

この夏，気象学者のミヒエル＝シェーファー氏とその同僚たちによる，人を不安にさせるような新たな学術研究が示された。それによると，私たちがこの汚染をどれだけ迅速に減らしても，海面の上昇を5フィート未満には抑えられない可能性が高いというのだ。

600万人を超えるアメリカ人が，現地の満潮時の水位よりも5フィート未満の高さの土地に住んでいる。さらに悪いことに，嵐の際にその先駆けとして，風が高潮と呼ばれる分厚い水の壁を巻き起こすことがあるが，海面の上昇は高潮が巻き上がる地点も上昇させるのだ。海面が今より5フィート上昇した世界では，私たちの試算結果によると，ニューヨーク市は平均するとおよそ15年に1度，ハリケーン・サンディー級の高さの洪水に見舞われることになるだろう。しかもこれは，温暖化の結果として今以上に強力な嵐や大規模な高潮が起こる可能性を差し引いての数字である。

現在の満潮線よりも5フィートの高さまで達する洪水は，海面が実際に5フィート上昇するかなり以前から，この国の沿岸部でますますよく起こるようになるだろう。前世紀の間，世界の海面が8インチ近く上昇したことにより，多くの海沿いの地域で「100年に1度」の洪水が起こる確率がすでに倍増している。

私たちは，十分時間の余裕があれば，わが国のほとんどの沿岸の大都市および地域で5フィートの上昇への対策が可能であることを願っている。なかには対策が不可能な所もあるだろう。マンハッタンでは役に立つかもしれない防護壁も，水が多孔質の岩盤を通り抜けることで防護壁の下を通過してしまうような南部フロリダでは，徒労に終わるだろう〉

1. 前半部分については正しいが，現在のニューヨーク市がある場所は，2万年前には巨大な氷床の周辺部にあったと述べられている。

2. 最近発表された研究結果については，温暖化によって海面水位は今後少なくとも5フィート上昇する可能性が高いという内容が述べられている。ハリケーンの発生頻度の増大や，将来的な影響については別段落で触れられているが，これらは科学者である筆者の主張であり，最近発表された研究結果との関係性は明らかではない。また，600万人を超えるアメリカ人が，現地の満潮時の水位よりも5フィート未満の高さの土地に住んでいることが述べられており，彼らが将来的にハリケーンなどの影響を受けやすいということは本文の主旨に合致しているが，「全米で毎年600万人以上の人が影響を受ける」という記述はない。述べられているのは，「ニューヨーク市は平均するとおよそ15年に1度，ハリケーン・サンディー級の高さの洪水に見舞われることになるだろう」という試算結果である。

3. 海面水位の上昇については，「過去数千年の安定期を経て上昇しつつある」「前世紀の間，世界の海面が8インチ近く上昇した」と述べられている。つまり，過去数千年の間はほぼ水位が一定し，ここ100年間で8インチ程度上昇したことがわかる。

4. 妥当である。

5. 防護壁については，マンハッタンでは効果的かもしれないが，南部フロリダは岩盤が多孔質，すなわち小穴が多く水が通り抜けやすい土地であるため，防護壁が意味をなさないだろうと述べられている。

正答　**4**

次の ☐ と ☐ の文の間のア～オを並べ替えて続けると意味の通った文章になるが，その順序として最も妥当なのはどれか。

> More than one hundred thousand international students will spend this summer working and traveling in the United States.

ア：Also, the majority of their work hours cannot fall between ten at night and six in the morning. The students are also barred from jobs in workplaces that the federal Labor Department says are unsafe. More jobs will be banned in the fall. These include most construction, manufacturing and food processing jobs.

イ：The students complained about having to lift heavy boxes and to work overnight. They and other workers protested conditions at the plant in Palmyra, Pennsylvania. The students also complained about being underpaid as a result of deductions from their earnings.

ウ：They are participating in the Summer Work Travel program through the State Department. They receive J-1 exchange visitor visas. The idea is for students to work for up to three months and earn enough money to then spend a month traveling before they return home. The Summer Work Travel program has existed for years. This year there are some changes. The State Department recently amended the employment rules.

エ：These changes follow a strike last summer by foreign students working at a distribution center for ABC company. The State Department said the students were put to work for long hours in jobs that provided little or no contact with the outside world.

オ：Some of their pay had to go to subcontractors involved in the operations. The State Department has now banned the use of Summer Work Travel students in warehouses or packaging plants.

> Summer Work Travel students will also not be allowed to work in most mining and agricultural jobs.

1 イ→エ→ウ→オ→ア
2 イ→オ→エ→ウ→ア
3 ウ→イ→オ→エ→ア
4 ウ→エ→ア→オ→イ
5 ウ→エ→イ→オ→ア

解説

出典："New Rules on US Summer Jobs For Foreign Students" VOA News（September 26, 2012)

全訳〈アメリカではこの夏，10万人を超える留学生が仕事と旅行をして過ごす。

ウ：彼らは国務省を通じて行われる夏期勤労旅行プログラムに参加していて，彼らには交換留学生ビザが交付される。このプログラムの発想は，学生たちが最長３か月間働いて，その後の帰国前の１か月を旅行に費やすためのお金を稼ぐというものだ。夏期勤労旅行プログラムは何年も前から存在しているが，今年はいくつか変更点がある。国務省が最近，雇用ルールを改正したのだ。

エ：今回の改正は，昨年の夏に ABC 社の流通センターで働いていた留学生が起こしたストライキを受けてなされた。国務省によると，学生たちは外の世界とほとんどあるいはまったく接触のない職場で長時間労働を強いられたとのことだった。

イ：学生たちは，重い箱を運んで夜通し働かなければならないことに苦情を言い，それに他の労働者たちも加わって，ペンシルバニア州のパルミラ工場における労働条件に対して抗議の意思を示したのだ。学生たちはまた，賃金からいろいろ差し引かれた結果，給料が過少支払いになっている点についても苦情を言った。

オ：彼らの給与の一部は，その業務に関わっている下請業者に支払われる決まりになっていたのだった。国務省は現在では，夏期勤労旅行プログラムの学生を倉庫や梱包工場で使用することを禁じている。

ア：また，彼らの労働時間の大部分は，夜10時から朝６時の間にかかることがあってはならないと定められた。さらに，連邦労働省が安全ではないとする職場環境で学生を職に就かせることは禁じられた。この秋には禁止対象の職場がさらに増える予定だ。その中には，大多数の建設，製造および食品加工の職場が含まれる。

　夏期勤労旅行プログラムの学生はまた，大多数の採鉱および農業の職場で働くことも認められなくなるだろう〉

　選択肢を見ると，イかウのいずれかで始まっている。冒頭の囲みの文で「10万人を超える留学生」が話題として提示されており，イの The students，ウの They ともに，この学生たちを受けていると考えられるが，ウの文章の内容が冒頭の文の具体的な説明としてスムーズにつながるのに対し，イは「学生たちが職場の状況に苦情を述べた」という内容になっており，これを冒頭の文に続けると唐突な印象になる。したがって，まず１と２が正答の候補から外れる。残った選択肢から，ウの後にはイかエが続くことになるが，エの These changes が，ウの最後の２文の内容「ルールの変更」を説明するものとしてうまくつながるのに対し，イの内容はやはり唐突な感じになる。したがって３も正答にならない。残るのは４と５だが，エで述べられた「ルールの変更の原因」，つまり昨年の夏に勤労留学生たちが起こしたストライキについて，その実情を説明したものとしてイの内容がうまくつながり，さらにオにもスムーズにつながる。アは Also で始まっているが，これはオで述べた，連邦労働省が新たに禁じた内容を追加的に述べたものであり，オの後に続けるものとしてふさわしい。一方，４のようにエの後にアを続けると，「学生たちが長時間労働を強いられた」という事実と，「学生たちが過酷な労働から保護される」という内容が Also で結ばれることになり，不自然である。したがって４も正答にならない。

　よって，正答は**5**である。

正答　**5**

次の文のア，イに当てはまるものの組合せとして最も妥当なのはどれか。

You know the scene: high season, and today the famous historic site is drawing visitors by the hundreds, maybe thousands.　Tourists trail after guides holding aloft their colourful umbrellas like so many homing beacons.　You hear rote explanations about kings, battles, artists and architecture delivered in English, Japanese, French, Italian, Arabic.　In some not-too-distant parking lot, ranks of tour buses slumber in the sun.

A minister of tourism might look at such a scene and smile :　　ア　　.　Preservationists might look at the scene and fret*: can the site withstand all this traffic?　Many residents simply avoid the area, while other more entrepreneurial types rush in to capitalize on the crowds with wares in hand or scams in mind.　And many affluent and educated visitors take one look and hasten elsewhere.　Too touristy!

How to handle all this?　Back when the World Heritage Convention was conceived in the early 1970s, the impact of tourism was not really on the founders' minds.　They were focused on protecting sites of 'outstanding universal value' to humanity.

Since then, humanity has grown — a lot.　We are more numerous and more affluent, and we want to see these places.　Tourism's unanticipated growth confronts World Heritage Sites with both 　　イ　　.　When the Convention was signed, annual international arrivals worldwide totalled about 180 million.　Now five times that volume of traffic moves around the globe, and that is only a fraction compared with domestic tourism, which has soared recently in countries with fast-growing middle classes such as China, Mexico, India and Brazil...

（注）＊fret：悩む

	ア	イ
1	business is good	money and employment
2	business is good	opportunity and stress
3	good explanations	money and employment
4	good explanations	pollution and conflict
5	how colourful	pollution and conflict

解 説

出典："Tourism's unanticipated growth confronts World Heritage sites with both opportunity and stress." (World Heritage No.58，UNESCO)

　全訳〈今ではおなじみの光景だろう。観光シーズンの真っ盛り，その有名な史跡には今日では何百，あるいは何千という観光客が訪れている。観光客は，あちらこちらで色とりどりの傘を誘導標識のように高く掲げたガイドたちの後をついて回る。王や戦争，芸術家や建築物についての丸暗記されたような説明が，英語，日本語，フランス語，イタリア語，アラビア語で話されるのが聞こえてくる。そこからさほど離れていない駐車場では，ツアーバスの列が太陽の下でまどろんでいる。

　観光担当の大臣なら，そのような光景を見てほほ笑むかもしれない。ア事業はうまくいっている，と。環境保護論者なら，その光景を見て思い悩むかもしれない。こんなにたくさん人や車が往来して，

史跡が無事に保たれるだろうか，と。土地の多くの住民はただ単にこの地域を避け，一方で他の成り上がりタイプの人間はその場に駆けつけ，手に売り物を持ったり頭で一計を案じたりして，群衆を相手に一もうけたくらむだろう。そして多くの裕福で教養のある訪問者たちは，ひととおり見ると別の場所へと急ぐ。いかにも観光スポットにありがちだ！

　こういったことにどう対処したらよいだろうか。かつて1970年代に世界遺産条約が考え出されたとき，観光業のもたらす影響のことは条約の創設者たちの頭にはあまりなかった。彼らは，人類にとって「傑出した普遍的価値を持つ」遺跡を保護することに専念していた。

　それ以来，人類は成長を遂げた。ずいぶんと。私たちはより人口を増やし，より裕福になり，そしてこういった場所を見たがるようになっている。観光業の予期せぬ成長によって，各地の世界遺産の遺跡は ィ 好機と重圧の両方に直面している。条約が締結された当時，世界全体での年間の外国からの訪問者数は総計約1億8,000万人だった。現在ではその5倍の人の流れが世界中を駆け巡っている。しかもこれは国内観光に比べればほんのわずかな数にすぎない。中国，メキシコ，インド，ブラジルのような中産階級が急速に成長している国では，国内の観光者数が近年うなぎ登りに増えているのだ〉

　空所アの直前にある「：」（コロン）は，「つまり，すなわち」のような意味で，前で述べたことの具体的内容を表すときに用いられる。ここでは選択肢から，前文の主語である A minister of tourism「観光担当の大臣」の発言内容，もしくは心の中で思った内容が入ることがわかる。選択肢の意味はそれぞれ，business is good「事業はうまくいっている」，good explanations「いい説明だ」，how colourful「実に色とりどりだね」。前段落では，観光客でにぎわう有名な史跡の光景が描写されている。その中に colourful umbrellas という表現は出てくるが，全体の描写の一つの断片にすぎず，この部分を受けて「実に色とりどりだね」というのは本題から外れている。空所に続く文で，「環境保護論者なら，その光景を見て思い悩むかもしれない」と述べられていることから，空所には，それと対照を成す観光担当の大臣の発言として「事業はうまくいっている」が適切である。「いい説明だ」は，第1段落の内容を筆者が観光担当大臣に対して説明したわけではないので，何をさして言っているのかわからず不適切。

　空所イを含む文は，「観光業の予期せぬ成長は，各地の世界遺産の遺跡を ┌ イ ┐ の両方に直面させている」という意味。confront A with B で「A を B に直面させる」，また空所直前の both は both A and B で「A と B の両方」という意味になるので，観光客が増えたことで世界遺産が直面している2つのことは何かを考える。選択肢の意味はそれぞれ，money and employment「お金と雇用」，opportunity and stress「好機と重圧」，pollution and conflict「汚染と対立」。空所が含まれる段落全体では，世界遺産条約が締結されて以来，現在までに世界各地の遺産登録地で観光客が大幅に増加していることが述べられている。観光客の訪問滞在で「お金」がもたらされたり，あるいは遺跡保存の費用がかかるといったことは考えられるが，それらについての具体的な記述はなく，また「雇用」についても記述がないので，「お金と雇用」は不適切。また，「対立」については，前述の観光担当大臣と環境保護論者の感覚の違いを対立と見ることはできるが，「汚染」については具体的な記述がないので「汚染と対立」も不適切。残る「好機と重圧」も抽象的ではあるが，「好機」は観光地として人気スポットになるチャンス，「重圧」は環境保護論者の懸念に見られるような，観光客の殺到によって世界遺産が劣化したりトラブルが発生することへの心配と考えれば文脈に合うし，both A and B の A，B が対照的な語になることで，他の選択肢と比べて論点のはっきりした文になる。

よって，ア＝business is good，イ＝opportunity and stress となり，正答は**2**である。

正答 **2**

文章理解

判断推理

数的推理

資料解釈

時事

物理

化学

生物

あるクラスで国語、数学、英語、理科、社会の 5 科目のテストが行われ、全ての生徒が全科目のテストを受けた。テストの結果に関して次のことが分かっているとき、論理的に確実にいえるのはどれか。

ただし、それぞれの科目の満点は100点である。

○　国語の得点が50点未満ならば、理科の得点は50点未満である。

○　英語と社会の得点の合計が150点未満ならば、国語の得点は50点未満である。

○　理科の得点が50点未満ならば、数学の得点は50点以上である。

1　数学の得点が50点未満ならば、国語の得点は50点未満である。

2　国語と数学と社会の得点の合計が250点以上ならば、数学の得点は50点未満である。

3　理科の得点が50点以上ならば、英語の得点は50点以上である。

4　国語の得点が50点以上ならば、数学の得点は50点未満である。

5　社会の得点が50点未満ならば、理科の得点は50点以上である。

次のようなベン図を作成して検討していけばよい。

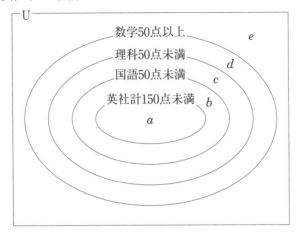

1. 数学の得点が50点未満は e の部分であるが、国語の得点が50点未満は a、b の部分であり、e の部分に生徒がいれば、その生徒は国語の得点が50点以上である。

2. 各科目100点満点であるので、数学の得点が50点未満であると、国語と数学と社会の得点の合計が250点以上となることはない。

3. 妥当である。理科の得点が50点以上であるのは、d、e の部分である。英語の得点が50点未満であると必ず a の部分となるので、理科の得点が50点以上ならば、英語の得点は50点以上である。

4. c、d の部分に生徒がいれば、その生徒は国語が50点以上、数学も50点以上である。

5. 社会の得点が50点未満ならば、その生徒は a の部分にいる。したがって、理科の得点は50点未満である。

正答　**3**

赤色、青色、黄色、緑色の4色のビー玉が2個ずつ、計8個ある。これをA～Dの4人が2個ずつもらったところ、各人は他の3人のうち2人と同じ色のビー玉を持っていた。AとBが赤色のビー玉をもらい、Cが青色と黄色のビー玉をもらったことが分かっているとき、確実にいえるのはどれか。

1 Aは、青色のビー玉をもらった。
2 Aは、黄色のビー玉をもらった。
3 Bは、Dと同じ色のビー玉をもらった。
4 Bは、青色のビー玉をもらった。
5 Dは、緑色のビー玉をもらった。

解 説

「各人は他の3人のうち2人と同じ色のビー玉を持っていた」ので、もらった2個のビー玉が同色であることはない。また、2人が同じ色の組合せとなることもない。したがって、AとBが赤色のビー玉をもらい、Cが青色と黄色のビー玉をもらったことから、Cは緑色のビー玉をもらっておらず、A、Bの2人がともに緑色のビー玉をもらうこともない、これにより、Dがもらったビー玉のうち1個は緑色である（表Ⅰ。この段階で正答は**5**と決まる）。

表Ⅰ

	赤色	青色	黄色	緑色
A	○			
B	○			
C	×	○	○	×
D	×			○

ここで、Aが緑色のビー玉をもらったとすると、B、Dの一方が青色、他方が黄色のビー玉をもらったことになる（表Ⅱ、表Ⅲ）。

表Ⅱ

	赤色	青色	黄色	緑色
A	○	×	×	○
B	○	○	×	×
C	×	○	○	×
D	×	×	○	○

表Ⅲ

	赤色	青色	黄色	緑色
A	○	×	×	○
B	○	×	○	×
C	×	○	○	×
D	×	○	×	○

Bが緑色のビー玉をもらったとすると、A、Dの一方が青色、他方が黄色のビー玉をもらったことになる（表Ⅳ、表Ⅴ）。以上から、**1**～**4**は確実とはいえず、確実にいえるのは**5**のみである。

表Ⅳ

	赤色	青色	黄色	緑色
A	○	○	×	×
B	○	×	×	○
C	×	○	○	×
D	×	×	○	○

表Ⅴ

	赤色	青色	黄色	緑色
A	○	×	○	×
B	○	×	×	○
C	×	○	○	×
D	×	○	×	○

正答 **5**

国家一般職
[大卒]
教養試験
No.
118
判断推理
対応関係
令和 5 年度

ある自動車保険には、保険期間1年間（毎年1月1日契約開始）の事故の有無により、翌年の契約更新時の保険料が変わる等級制度が導入されており、次のような仕組みとなっている。

> [保険の仕組み]
> ・等級は、等級1〜4までの4段階あり、等級が上がる（等級数が大きくなる）ほど保険料は低くなる。
> ・保険期間1年のうちに事故を起こさなかった契約者の翌年の等級は、一つ上がる。
> ・等級4で保険期間1年のうちに事故を起こさなかった契約者の翌年の等級は、等級4のままである。
> ・保険期間1年のうちに事故を起こした契約者の翌年の等級は、事故1件につき一つ下がる。ただし、等級1で1件以上、等級2で2件以上、等級3で3件以上、等級4で4件以上の事故を起こした契約者の翌年の等級は、等級1となる。

　この自動車保険に2020年以前から継続して加入しているA〜Dの契約者4人について、次のことが分かっているとき、確実にいえるのはどれか。
　○　Aは、2021年に2件事故を起こし、2022年は等級1であった。
　○　BとCの2022年の等級は、いずれも等級4であった。
　○　Bは、2022年に事故を起こした。
　○　Dの2023年の等級は、等級3である。
　○　2021年の等級は、4人とも異なっていた。

1　2021年と2022年の等級が同じ契約者はいない。
2　2022年に無事故だったのは、CとDのみである。
3　2023年の等級が4人とも異なる場合、Aの等級は等級2である。
4　Dは、2022年と2023年のいずれも前年から等級が変わった。
5　2024年も4人全員が契約を更新し、全員の等級が同じになる場合、その等級は等級2である。

BとCの2022年の等級は、いずれも等級4であり、2021年の等級は、4人とも異なっている。つまり、2021年において、B、Cのうちの一方は等級4、他方は等級3である。そうすると、2021年において、A、Dのうちの一方は等級2、他方は等級1ということになる（表Ⅰ～表Ⅳ）。しかし、2023年のDは等級3であるので、表Ⅰ、表Ⅱは可能性があるが、表Ⅲ、表Ⅳは可能性がない。Dが、（2021、2022、2023）＝（等級2、等級2、等級3）、（等級2、等級3、等級3）となることはない。等級2または等級3の場合、1年間無事故なら等級が上がり、事故を起こせば等級が下がるからである。なお、2022年にBが起こした事故の件数が不明であるので、2023年におけるBの等級は不明である（事故が1件なら等級3、2件なら等級2、3件以上なら等級1となる）。以上から、**1**は誤りで、**4**は確実にいえる。**2**は、2022年にAとCが無事故だったかどうかわからないので、確実にはいえない。**3**は、2023年の等級が4人とも異なる場合、Cは等級4と決まるが、AとBはどちらか一方が等級1で他方が等級2で確定しないので、確実にはいえない。**5**は、2024年の全員の等級が同じである場合、その等級は等級2である可能性はあるが、等級1である可能性もあるので、確実にはいえない。

したがって、正答は**4**である。

表Ⅰ

	2021	2022	2023
A	2	1	
B	3	4	
C	4	4	
D	1	2	3

表Ⅱ

	2021	2022	2023
A	2	1	
B	4	4	
C	3	4	
D	1	2	3

表Ⅲ

	2021	2022	2023
A	1	1	
B	3	4	
C	4	4	
D	2		3

表Ⅳ

	2021	2022	2023
A	1	1	
B	4	4	
C	3	4	
D	2		3

正答　**4**

A～Dの4人がじゃんけんの大会を、図のようなトーナメント戦で行った。次のことが分かっているとき、確実にいえるのはどれか。

ただし、全てのじゃんけんにおいて「あいこ」はなく、一回のじゃんけんは一つの手で勝ち負けが決まったものとする。

○　Aは、Dとじゃんけんを行わなかった。

○　Bは、Cとじゃんけんを行わなかった。

○　Bは、優勝しなかった。

○　1回目のじゃんけんで、Aはグーを、Bはパーを、Cはチョキを出した。

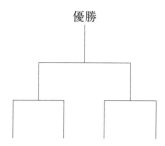

優勝

1　Aは、1回目のじゃんけんで勝った。

2　Aは、Cとじゃんけんを行わなかった。

3　Bは、Dとのじゃんけんに勝った。

4　Cは、Dとじゃんけんを行った。

5　Dは、1回目のじゃんけんでグーを出した。

Aは、Dとじゃんけんを行わなかったので、Aが1回目にじゃんけんをした相手はBまたはCである。

　Aが1回目にじゃんけんをした相手がBの場合、図Ⅰのようになる。1回目にAはグー、Bはパーを出しているので、Bが勝っている。そして、Bは、Cとじゃんけんを行わなかったので、CとDのじゃんけんはDが勝ち（Dはグー）、さらに、Bは優勝しなかったので、優勝したのはDとなる。

　Aが1回目にじゃんけんをした相手がCの場合は、図Ⅱのようになる。1回目にAはグー、Cはチョキを出しているので、Aが勝っている。そして、Aは、Dとじゃんけんを行わなかったので、BとDのじゃんけんはBの勝ちである（Dはグー）。さらに、Bは優勝しなかったので、優勝したのはAとなる。

　以上より、**1**〜**4**は確実とはいえず、正答は**5**である。

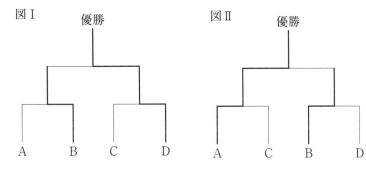

5×5のマスの盤に、片方の面が白色、もう一方の面が灰色の丸い駒がいくつか置かれている。
A、B、Cの3人が、ある順番で1回ずつ操作を行った結果、盤上の駒は以下の図のとおりと
なった。

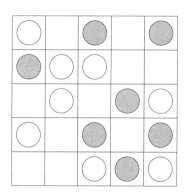

A、B、Cの3人の操作が次のとおりであるとき、確実にいえるのはどれか。

ただし、操作で示す駒の位置は回転させず、また、一つのマスに2枚以上の駒を置くことは
できない。

○ Aは、⬤⬤◯ の駒を取り去った後、◯◯ の駒をひっくり返した。

○ Bは、 の駒をひっくり返した後、駒が置かれていない ⬚⬚ の位置に駒を

のように置いた。

○ Cは、駒が置かれていない ⬚⬚ の位置に駒を ⬚⬤ のように置いた後、

 の駒を取り去った。

1 1番目に操作したのは、Aである。

2 2番目に操作したのは、Aである。

3 2人が操作した後に置かれていた ◯ の駒は、6枚である。

4 A、B、Cの3人が操作する前に置かれていた ◯ の駒は、7枚である。

5 A、B、Cの3人が操作する前に置かれていた ⦿ の駒は、9枚である。

解説 ━━

問題の図において、横に3枚駒の置かれていない箇所はなく、灰色の駒が横に2枚並んでいる箇所もない。したがって、3番目に操作したのはAではない。また、Cが取り去った部分に該当する箇所もないので、Cも3番目ではない。つまり、3番目に操作したのはBであり、操作した箇所は図Ⅰの太線部分である。2番目が操作した後の状態が図Ⅱであるが、ここでも横に3枚駒の置かれていない箇所がないので、2番目に操作したのはAではなく、Cということになる。Cが操作をしたのは、図Ⅱの太線部分である。1番目のAが操作した後の状態が図Ⅲであり、Aが操作した箇所は図Ⅲの太線部分である。つまり、最初の状態は図Ⅳで、ここから1番目にAが操作して図Ⅲとなり、2番目にCが操作して図Ⅱとなり、3番目にBが操作して図Ⅰの状態になったということである。

したがって、正答は**1**である。

図Ⅰ 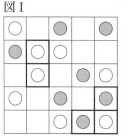　図Ⅱ 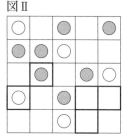　図Ⅲ 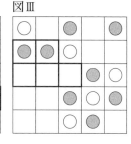　図Ⅳ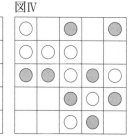

国家一般職［大卒］

No. 121

教養試験

判断推理

順序関係

令和 5 年度

5チームの各走者が、第1区～第3区をタスキでつなぐ駅伝競走大会において、第2区の走者であるA～Eの5人の順位や走行タイム（走行に掛かった時間）などの状況が次のとおりであったとき、確実にいえるのはどれか。

なお、第2区の走者（A～E）は、それぞれ、自分のチームの第1区の走者からタスキを受け取り、第2区を走行し、自分のチームの第3区の走者にタスキを渡した。また、2チーム以上が同時にタスキを受け渡すことはなかった。

○　Aが第1区の走者からタスキを受け取ったとき、BとEの2人だけが、まだタスキを受け取っていなかった。

○　Bの第2区の走行タイムは、Cよりも速かったが、Aよりも遅かった。

○　Cが第3区の走者にタスキを渡したときの順位は、5チームの中で2位であった。

○　Dは第2区を走行中にCとEの2人だけに抜かれたが、誰も抜かなかった。

1　Aは、5チームの中で3位でタスキを渡した。

2　Bは、タスキを受け取ったときも渡したときも、5チームの中で4位であった。

3　Cは、5チームの中で1位でタスキを受け取った。

4　Dの第2区の走行タイムは、5人の中で3番目に速かった。

5　Eの第2区の走行タイムは、5人の中で最も速かった。

解説 ━━━━━━━━━━━━━━━━━━━━━━━━━━━━━━━━━━━━

タスキを受け取ったときの順位は、Aが3位で、BとEが4位か5位、CとDが1位か2位である。また、Cがタスキを渡したときは2位である。そして、Dは第2区を走行中にCとEの2人だけに抜かれたが、誰も抜かなかったので、タスキを受け取ったときは、Dが1位、Cが2位で、タスキを渡したときはEが1位、Cが2位、Dは3位である。そうすると、Cは2位でタスキを渡しているので、Bの走行タイムはAより遅いので、タスキを渡したときにAは4位、Bは5位ということになる。EはA、C、Dを抜いているのでこの3人より速く、Aより速いのであるから、Bよりも速い。また、DはCに抜かれているので、走行タイムはCより遅い。したがって、第2区の走行タイムはE−A−B−C−Dの順となり、最も速かったのはEであるから、正答は**5**である。

順位	1	2	3	4	5
受	D	C	A	B、E	
渡	E	C	D	A	B

正答　**5**

図のような、道路により 5 × 5 のマス目状に区切られた町がある。マス目の各辺は道路を表しており、長さは 1 である。また、● は道路が交差する地点にあるポストを表している。

いま、マス目の頂点にある ★ の地点を配達人が出発し、道路のみを通って移動する場合、移動した距離が 6 となったときにちょうど到達し得るポストの数は、全部でいくつか。

ただし、配達人は距離 1 ずつ移動し、道路が交差する地点以外で進む向きを変えることはなく、★ の地点にポストはないものとする。

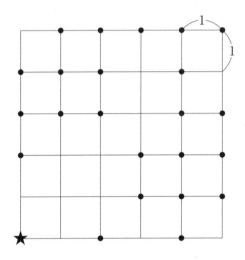

1   9個
2 10個
3 11個
4 12個
5 13個

「移動した距離が6となったときにちょうど到達し得るポスト」であるから、★の位置から道路を移動して距離が6となったとき、そこにあるポストということである。次の図に示すように（途中の経路は図に示したもの以外のものもある）、全部で10個あるので、正答は**2**である。

最短経路で移動したときに距離が2、距離が4、距離が6のいずれかとなる●が、条件に当てはまることになる。

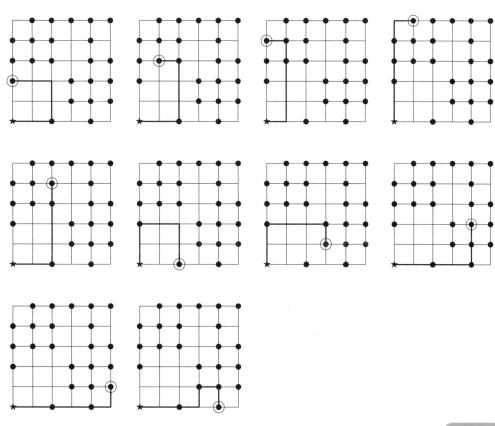

正答　**2**

文章理解

判断推理

数的推理

資料解釈

時事

物理

化学

生物

図のような立方体 ABCD － EFGH があり、点 X と点 Y は、それぞれ辺 AB と辺 AD の中点である。この立方体を平面 XYHF で切断してできた、頂点Aを含む立体について、辺 AE を軸として一回転させるとき、できる回転体の形状として最も妥当なのはどれか。

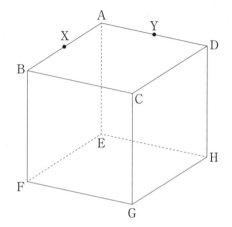

1

2

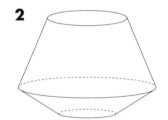

3

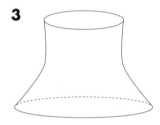

4

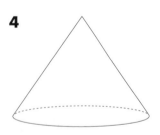

5

立方体 ABCD － EFGH を平面 XYHF で切断すると、切断面は次の図のようになる。頂点 A を含む立体について、辺 AE を軸として一回転させると、できる回転体は、上面が AX＝AY を半径とする円、底面が EF＝EH を半径とする円である円錐台となるので、正答は **1** である。

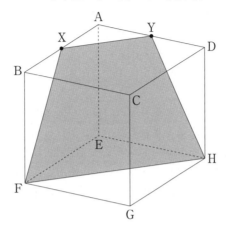

正答　**1**

あるコーヒーショップは，1週間のうち，月曜日，水曜日，金曜日の3日間営業しており，各営業日には，2種類以上のコーヒー豆を使用したブレンドコーヒーのみを販売している。コーヒー豆にはA〜Gの7種類があり，ある曜日に使用したコーヒー豆は，別の曜日には使用されていない。ブレンドコーヒーに使用するコーヒー豆と，3日間の営業日について，次のことが分かっており，各コーヒー豆の良さが打ち消されず，その良さが引き出されるように，この3日間でA〜Gの7種類全てのコーヒー豆を使用するとき，Aについて確実にいえることとして最も妥当なのはどれか。

○　BとCは，一緒に使用されるとそれぞれの良さが引き出される。
○　DとEは，一緒に使用されるとそれぞれの良さが打ち消される。
○　Eは，金曜日に販売されるブレンドコーヒーに使用されている。
○　Fは，水曜日に販売されるブレンドコーヒーに使用されていない。
○　Gは，他の2種類以上と一緒に使用されると，その良さが引き出される。

1　Dと一緒に使用されている。
2　Fとは一緒に使用されていない。
3　水曜日に販売されるブレンドコーヒーに使用されている。
4　金曜日に販売されるブレンドコーヒーには使用されていない。
5　他の2種類と一緒に使用されている。

解説

週に３日営業し，各営業日に７種類のコーヒー豆のうち２種類以上をブレンドし，同じ種類の豆を週に２回以上使用することはないのであるから，３日のうち２種類を使用する日が２回，３種類を使用する日が１回である。「Ｇは，他の２種類以上と一緒に使用されると，その良さが引き出される」ので，Ｇを使用する日が３種類となる。「ＢとＣは，一緒に使用されるとそれぞれの良さが引き出される」ので，ＢとＣは同じ日に使用する。Ｅは金曜日に使用するが，「ＤとＥは，一緒に使用されるとそれぞれの良さが打ち消される」ので，Ｄは金曜日には使用しない。Ｆは水曜日に使用しない。Ｄ，Ｅ，Ｆに関して判明している部分をまとめると，表Ⅰとなる。

表Ⅰ

	月曜日	水曜日	金曜日
A			
B			
C			
D			×
E	×	×	○
F		×	
G			

　ここで，ＢとＣを使用する日を考える。これが金曜日だと，Ｂ，Ｃ，Ｅの３種類ということになるが，３種類使用するのはＧを使用する日なので，条件に合わない。ＢとＣを月曜日に使用する場合，Ｇを使用するのが月曜日だと表Ⅱ－１，水曜日だと表Ⅱ－２，金曜日だと表Ⅱ－３のようになる。

表Ⅱ－１

	月曜日	水曜日	金曜日
A	×	○	×
B	○	×	×
C	○	×	×
D	×	○	×
E	×	×	○
F	×	×	○
G	○	×	×

表Ⅱ－２

	月曜日	水曜日	金曜日
A	×	○	×
B	○	×	×
C	○	×	×
D	×	○	×
E	×	×	○
F	×	×	○
G	×	○	×

表Ⅱ－３

	月曜日	水曜日	金曜日
A	×	○	×
B	○	×	×
C	○	×	×
D	×	○	×
E	×	×	○
F	×	×	○
G	×	×	○

　ＢとＣを水曜日に使用する場合，Ｇを使用するのが月曜日だと表Ⅲ－１，水曜日だと表Ⅲ－２，金曜日だと表Ⅲ－３のようになる。

表Ⅲ－１

	月曜日	水曜日	金曜日
A		×	
B	×	○	×
C	×	○	×
D	○	×	×
E	×	×	○
F		×	
G	○	×	×

表Ⅲ－２

	月曜日	水曜日	金曜日
A		×	
B	×	○	×
C	×	○	×
D	○	×	×
E	×	×	○
F		×	
G	×	○	×

表Ⅲ－３

	月曜日	水曜日	金曜日
A		×	
B	×	○	×
C	×	○	×
D	○	×	×
E	×	×	○
F		×	
G	×	×	○

　このとき，ＡとＦの一方を月曜日，他方を金曜日に使用することになるが，この点は確定しない。いずれにしても，ＡとＦを一緒に使用することはなく，正答は**2**である。

正答　2

国家一般職
[大卒]
No.
125
教養試験
判断推理
順序関係
令和 **4**年度

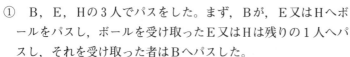

図のようにA〜Iの9人が中心を向いて円形に並び，次の①，②の順序でサッカーボールのパスをした。

① B，E，Hの3人でパスをした。まず，Bが，E又はHへボールをパスし，ボールを受け取ったE又はHは残りの1人へパスし，それを受け取った者はBへパスした。

② B，E，H以外の6人でパスをした。Bの右隣に位置するAが最初にパスし，A以外の5人が1回ずつボールを受け取った後，最後にAがボールを受け取った。

パスした相手について次のことが分かっているとき，確実にいえることとして最も妥当なのはどれか。

○ ①においてBからボールを受け取った者の右隣は，②においてAへパスした者であった。

○ ②において，Aからボールを受け取った者とAへパスした者は，隣どうしであった。

○ ②において，パスした者とボールを受け取った者は，常に，左右どちらについても2人分以上間隔が空いていた。（例えば，AがB，C，I，Hへパスしたということはなかった。）

1 Cは，Gへパスした。

2 Dは，Aへパスした。

3 Eは，Hへパスした。

4 Fは，Cへパスした。

5 Gは，Dへパスした。

解説 ━━━━━━━━━━━━━━━━━━━━━━━━━━━━━━━━━━━━━━━

①の場合，（ア）B→E→H→B，（イ）B→H→E→Bという順のどちらかになる。（ア）の場合は，②でDからAに，AからCにパスをしたことになるが（図Ⅰ），AからCへのパスは2人分以上の間隔が空いていないので，条件に反する。

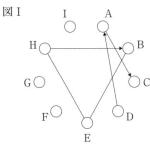

図Ⅰ

（イ）の場合は，GからA，AからFへとパスが行われている（図Ⅱ）。

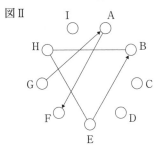

図Ⅱ

ここから条件に合致するようにパスの順序を考えると，A→F→C→I→D→G→Aとなる（図Ⅲ）。

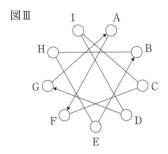

図Ⅲ

この図Ⅲより，正答は**4**である。

正答 4

国家一般職
[大卒]

No.
126

教養試験

判断推理

対応関係

令和
4年度

ある動物病院で，受付に向かってA〜Eの5人が縦一列に並んでいた。5人は赤，青，黒，白，茶のいずれかの色の服を着て，犬，猫，ウサギ，ハムスター，カメのいずれかの動物を連れていた。5人の並び順，服の色，連れていた動物について，A〜Eがそれぞれ次のように発言しているとき，確実にいえることとして最も妥当なのはどれか。

なお，同じ色の服を着ていた者，同じ動物を連れていた者はいずれもいなかったものとし，受付にはA〜Eのみが並んでいたものとする。

A：私のすぐ前に並んでいた人は犬を，すぐ後ろに並んでいた人は猫を連れていた。

B：私は一番前に並んでいた。私のすぐ後ろに並んでいた人は白い服を着ていた。

C：一番後ろに並んでいた人は赤い服を着ていた。私は黒い服を着ていた。

D：私のすぐ前に並んでいた人は青い服を着ていた。私はカメを連れていた。

E：私は一番後ろではなかった。

1 Aはハムスターを連れており，すぐ後ろにはCが並んでいた。

2 Bは青い服を着ており，犬を連れていた。

3 Cは前から三番目に並んでおり，猫を連れていた。

4 Dのすぐ前にはEが並んでおり，Eはウサギを連れていた。

5 Eは茶色の服を着ており，Eの2人前にはAが並んでいた。

解 説

まず，A～Eの発言について，判明する範囲でそれぞれまとめると表Ⅰとなる。

表Ⅰ

順番	1	2	3	4	5
		B			
服の色		白		赤	
動物					

	A		C		D
			黒	青	
	犬	猫			カメ

この表Ⅰから，Aを2番目，Cを3番目とすると，Eが4番目，Dが5番目で，表Ⅱ－1となる。

表Ⅱ－1

順番	1	2	3	4	5
	B	A	C	E	D
服の色	茶	白	黒	青	赤
動物	犬		猫		カメ

ただし，A，Eが連れている動物は確定しない。Aを2番目，Eを3番目とすると，Cに関して矛盾が生じる（表Ⅱ－2）。

表Ⅱ－2

順番	1	2	3	4	5
	B	A	E	D	
服の色		白	青		赤
動物	犬		猫	カメ	

Aを3番目とすると，表Ⅲとなるが，C，D，Eに関して矛盾が生じる。

表Ⅲ

順番	1	2	3	4	5
	B		A		
服の色		白			赤
動物		犬	猫		

Aを4番目とすると，表Ⅳとなるが，この場合はD，Eに関して矛盾が生じる。

表Ⅳ

順番	1	2	3	4	5
	B		C	A	
服の色		白	黒		赤
動物			犬		猫

結局，成り立つのは表Ⅱ－1だけであり，この表Ⅱ－1より，正答は**3**である。

正答　3

文章理解

判断推理

数的推理

資料解釈

時事

物理

化学

生物

国家一般職
［大卒］
No.
127
教養試験
判断推理　　対応関係　　令和4年度

作物A～Dを、5年間、区画ア～オの5区画に、毎年、作物Aは2区画、作物B、C、Dはそれぞれ1区画ずつ植えて栽培した。このうち、表のように、一部の区画は栽培した作物が分かっている。

	区画ア	区画イ	区画ウ	区画エ	区画オ
1年目	作物A	作物A	作物B	作物C	作物D
2年目				作物C	
3年目					
4年目		作物A			作物D
5年目	作物A				

作物A～Dは、同じ区画に毎年植え続けると生育が悪くなるため、次の栽培条件がある。

栽培条件
作物A　同じ区画で栽培するためには、1年間空ける必要がある。（例：1年目に栽培した場合、次に栽培できるのは3年目である。）
作物B　同じ区画で栽培するためには、3年間空ける必要がある。
作物C　同じ区画で2年連続して栽培できるが、3年連続して栽培はできない。同じ区画で2年連続して栽培した場合は、その区画で栽培するためには、2年間空ける必要がある。
作物D　同じ区画で栽培するためには、3年間空ける必要がある。ただし、この3年の間にその同じ区画で作物Cを栽培した場合は、翌年にその区画で作物Dを栽培できる。

このとき、作物A～Dの栽培に関して確実にいえることとして最も妥当なのはどれか。
ただし、1年目より前の3年間は、区画ア～オの全てで、作物A～Dのいずれも栽培していないものとする。

1　作物Aは、5年間に2回、区画エで栽培された。
2　作物Bは、5年間に一度も区画アで栽培されなかった。
3　作物Cは、5年目に区画イで栽培された。
4　区画イでは、5年間に一度も作物Dが栽培されなかった。
5　区画ウでは、5年目に作物Dが栽培された。

解 説

まず，2年目に作物Aを栽培するのは区画ウ，区画オである。区画オは1年目と4年目に作物Dを栽培しているので，3年目に栽培するのは作物Cである。2年目に作物Bを区画ア，作物Dを区画イで栽培すると，3年目は作物Aを区画ア，区画エ，作物Bを区画イ，作物Dを区画ウで栽培することになり，4年目，5年目も表Iのように決まる。

表I

	区画ア	区画イ	区画ウ	区画エ	区画オ
1年目	作物A	作物A	作物B	作物C	作物D
2年目	作物B	作物D	作物A	作物C	作物A
3年目	作物A	作物B	作物D	作物A	作物C
4年目	作物C	作物A	作物A	作物B	作物D
5年目	作物A	作物C	作物B	作物D	作物A

2年目に作物Bを区画イ，作物Dを区画アで栽培するとした場合，3年目に作物Aは区画ア，区画エとなるので，3年目に作物Bを栽培する区画がなくなってしまう（表II）。

表II

	区画ア	区画イ	区画ウ	区画エ	区画オ
1年目	作物A	作物A	作物B	作物C	作物D
2年目	作物D	作物B	作物A	作物C	作物A
3年目	作物A			作物A	作物C
4年目		作物A			作物D
5年目	作物A				

したがって，成り立つのは表Iの場合であり，この表Iより，正答は**3**である。

正答　**3**

3種類の異なる菓子A，B，Cがあり，製菓工場で次のようにそれぞれ別に袋詰めされている。

○　菓子Aは，1個当たり10円であり，1袋に1個の菓子が入っている。

○　菓子Bは，1個当たり30円であり，1袋に決まった個数が入っているが，その数は不明である。

○　菓子Cは，1個当たり20円であり，1袋に決まった個数が入っているが，その数は不明である。

これらについて，次の①と②のような状況が生じた。

①　製菓工場は，顧客に対して菓子A200袋と菓子B8袋をまとめて発送した。顧客は，到着後開封したところ，菓子AとBの総数は，300個を超えていた。そこで顧客はこのうち300個の菓子だけ手元に残し，300個を超えた分の菓子を製菓工場に返送した。返送した菓子は全て菓子Aであった。

②　製菓工場は，顧客に対して菓子A200袋と菓子C20袋をまとめて発送した。顧客は，到着後開封したところ，菓子AとCの総数は，300個を超えていた。そこで顧客はこのうち300個の菓子だけ手元に残し，300個を超えた分の菓子を製菓工場に返送した。返送した菓子は全て菓子Aであった。

いま，①で返送された菓子の数が，②で返送された菓子の数のちょうど3分の1であり，①で顧客が手元に残した300個の菓子の金額の合計は，②で顧客が手元に残した300個の菓子の金額の合計より800円高かった。このとき，菓子B1袋と菓子C1袋に入っている菓子の金額の合計はいくらか。

1　520円

2　610円

3　700円

4　790円

5　880円

解 説

②で菓子Cは20袋発送されているので，菓子Cの個数は20の倍数である。そして，返送された個数も20の倍数となるが，①で返送された個数の3倍なので，②で返送された個数は60（＝20×3）の倍数となる。返送されたのはすべて菓子Aなので，その個数は200個以下であり，ここから，②で返送された個数は，60，120，180のいずれかである。しかし，120個返送された場合（発送されたのは220個），①で返送されたのは40個となるが（発送されたのは140個），発送された菓子Bの個数は8の倍数なので，140個発送されることはない。したがって，可能性があるのは表Ⅰ，表Ⅱの場合となるが，「①で顧客が手元に残した300個の菓子の金額の合計は，②で顧客が手元に残した300個の菓子の金額の合計より800円高かった」という条件を満たすのは表Ⅰの場合だけである。

表Ⅰ

	①		②	
	A	B	A	C
発送	200	120	200	160
返送	20	0	60	0
返送後	180	120	140	160
金額	1,800	3,600	1,400	3,200
計	5,400		4,600	

表Ⅱ

	①		②	
	A	B	A	C
発送	200	160	200	280
返送	60	0	180	0
返送後	140	160	20	280
金額	1,400	4,800	200	5,600
計	6,200		5,800	

　この表Ⅰから，菓子Bは8袋で120個なので，1袋に15個（＝120÷8），菓子Cは20袋で160個なので，1袋に8個（＝160÷20）となる。したがって，菓子B1袋と菓子C1袋に入っている菓子の金額の合計は，30×15＋20×8＝450＋160＝610より，610円である。以上から，正答は**2**である。

正答　**2**

図のように，A～Kの各地点を通る道路があり，丸で示された家に荷物を配達することを考える。丸の中の数字は，その家に配達する荷物の個数であり，同じ道路を1回だけ通過し，できるだけ多くの荷物を配達するものとする。

いま，スタート地点とゴール地点をAとするとき，配達できる荷物の個数の最大値はいくらか。

ただし，同じ道路を2回以上通過することはできないが，同じ地点を2回以上通過することはできるものとする。また，全ての荷物の個数は，194個である。

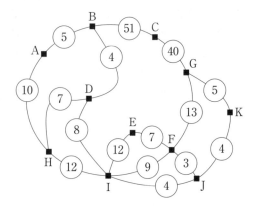

1 155個
2 159個
3 165個
4 169個
5 171個

一筆書きできるルートで配達できる荷物の最大個数を数えることになる。一筆書きができる条件は，(1) 偶点のみ＝奇点が0個，(2) 奇点が2個，のどちらかである（偶点は線が偶数本出ている点で，奇点は線が奇数本出ている点）。このうち，(2) の場合は一方の奇点が始点，他方の奇点が終点となる。(1) の場合は始点＝終点となるので，スタート地点とゴール地点をAとするならば，偶点のみの一筆書きを考えることになる。A～Kの各地点のうち，奇点となっているのはB，D，G，H，I，Jである。したがって，これらの地点は，そこから出ている道路のうちの1本は通らないことになる。配達されない荷物の個数ができるだけ少なくなるように通らない道路を決めると次の図のようになり，配達されない荷物の個数は，12＋4＋5＋4＝25より，25個である。

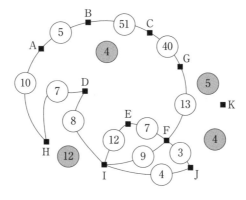

　したがって，配達できる荷物の個数の最大値は，194－25＝169（個）であり，正答は**4**である。

正答　**4**

図のような辺の長さが AB＝4，AD＝3，AE＝2の直方体 ABCD ― EFGH がある。点Pは
辺 DH の中点，点Qは辺 BF 上（点B，Fを含む）の点となっている。いま，3点E，P，Q
を通る平面でこの直方体を切断してできる切断面を考える。次のア～カのうち，切断面の形状
となり得るもののみを含んでいるものとして最も妥当なのはどれか。

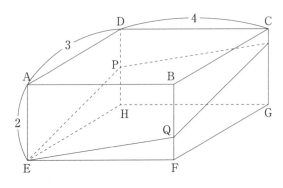

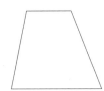

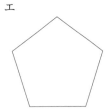

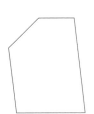

1 ア，ウ

2 ア，エ，カ

3 イ，エ

4 イ，オ，カ

5 ウ，オ

解説 ━━━━━━━━━━━━━━━━━━━━━━━━━━━

$EP=\sqrt{1^2+3^2}=\sqrt{10}$，EQ の長さは最小でも 4 なので，EP＝EQ となることはなく，ここから，ア（正三角形），イ（菱形），エ（正五角形）が切断面となることはない。また，頂点Eを通る場合，切断面が直方体のすべての面（6面）を切断することはないので，カ（六角形）も可能性がない。ウについては図Ⅰを考えればよい。

図Ⅰ

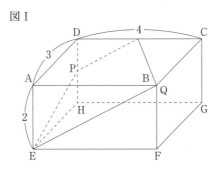

　この場合，平行な面の切断線は平行なので，台形となる。オについては，図Ⅱのように BQ ＜FQ とすれば，2組の平行な辺を持つ五角形となる。

図Ⅱ

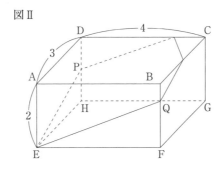

したがって，正答は **5** である。

正答　**5**

あるクラスで水泳，バレーボール，テニス，野球，弓道，サッカーの 6 種類のスポーツについてアンケートをとった。次のことが分かっているとき，確実にいえることとして最も妥当なのはどれか。

- ○　バレーボールが好きではない人は，野球が好きである。
- ○　テニスが好きな人は，水泳が好きではない。
- ○　サッカー又はバレーボールが好きな人は，テニスが好きである。
- ○　サッカーが好きではない人は，弓道が好きである。

1　水泳が好きな人は，弓道が好きである。
2　バレーボールが好きな人は，弓道が好きである。
3　テニスが好きな人は，野球が好きである。
4　野球が好きな人は，水泳が好きである。
5　サッカーが好きな人は，水泳が好きである。

解説

与えられた 4 命題をそれぞれ A〜D として，次のように論理式で表す。

A：「バレーボール→野球」
B：「テニス→水泳」
C：「(サッカー∨バレーボール) →テニス」
D：「サッカー→弓道」

ここで，命題 C は次のように分割可能である。

C₁：「サッカー→テニス」
C₂：「バレーボール→テニス」

次に，これら命題 A〜D の対偶を，E〜H とする。

E：「野球→バレーボール」
F：「水泳→テニス」
G：「テニス→ (サッカー∧バレーボール)」
H：「弓道→サッカー」

ここでも，命題 G は分割可能である。

G₁：「テニス→サッカー」
G₂：「テニス→バレーボール」

これら命題 A〜H により，三段論法が成り立つかどうかを，選択肢ごとに検討していけばよい。

1．正しい。命題 F，G₁，D より，「水泳→テニス→サッカー→弓道」となる。したがって，「水泳が好きな人は，弓道が好きである。」は確実に推論できる。
2．命題 C₂，B より，「バレーボール→テニス→水泳→？」となるが，その先が推論できない。
3．命題 B より，「テニス→水泳→？」となるが，その先が推論できない。
4．「野球→？」となる命題が与えられていないので，判断できない。
5．命題 C₁，B より，「サッカー→テニス→水泳→？」となるが，その先が推論できない。

正答　**1**

A～Eの5人は，放課後にそれぞれ習い事をしている。5人は，生け花教室，茶道教室，書道教室，そろばん教室，バレエ教室，ピアノ教室の六つの習い事のうち，Eは二つ，それ以外の人は三つの教室に通っている。次のことが分かっているとき，確実にいえることとして最も妥当なのはどれか。

○ 生け花教室に通っているのは4人，茶道教室は3人，書道教室は1人である。
○ AとCが共に通っている教室はない。
○ BとDが共に通っている教室は一つ，AとBが共に通っている教室は二つである。
○ BとEが共に通っている教室は一つ，AとEが共に通っている教室は二つである。
○ Cは，バレエ教室には通っていない。
○ Dは，そろばん教室に通っているが，ピアノ教室には通っていない。

1 Aは，生け花教室とそろばん教室に通っている。
2 Bは，茶道教室と書道教室に通っている。
3 Cは，そろばん教室とピアノ教室に通っている。
4 Dは，茶道教室とバレエ教室に通っている。
5 Eは，生け花教室とバレエ教室に通っている。

解説

AとCに共通する習い事がなく，AとCは3つずつの習い事をしているので，AとCの習い事を合わせると，生け花教室，茶道教室，書道教室，そろばん教室，バレエ教室，ピアノ教室の6つが揃うことになる。生け花教室に通っているのは4人（通っていないのは1人）だから，通っていないのはAまたはCのどちらかで，B，D，Eは生け花教室に通っている。反対に，書道教室に通っている1人はAまたはCだから，B，D，Eは書道教室に通っていない。これと，「Cはバレエ教室に通っていない（＝Aはバレエ教室に通っている）」，「Dはそろばん教室に通っているが，ピアノ教室には通っていない」までをまとめると，**表Ⅰ**となる。

次に，茶道教室に通っている3人を考える。BとD，BとEに共通する教室はそれぞれ1つで，これは生け花教室である。茶道教室にBが通っているとすると，残りの2人はA，Cの一方およびD，Eの一方となり，条件を満たせない。ここから，茶道教室に通っているのはA，Cの一方とDおよびEである。また，Bはそろばん教室に通っていない。そして，AとEがともに通っている教室は2つで，これはEが通っている生け花教室と茶道教室ということになるから，Aは生け花教室と茶道教室に通っている。これにより，Cが通っているのは書道教室，そろばん教室，ピアノ教室の3つである。最後に，Bが通っている残りの1つはバレエ教室，ピアノ教室となり，**表Ⅱ**のようにすべて確定する。この**表Ⅱ**より，正答は**3**である。

表Ⅰ

	生け花	茶道	書道	そろばん	バレエ	ピアノ	
A					○		3
B	○		×				3
C					×		3
D	○		×	○		×	3
E	○		×				2
	4	3	1				14

表Ⅱ

	生け花	茶道	書道	そろばん	バレエ	ピアノ	
A	○	○	×	×	○	×	3
B	○	×	×	×	○	○	3
C	×	×	○	○	×	○	3
D	○	○	×	○	×	×	3
E	○	○	×	×	×	×	2
	4	3	1	2	2	2	14

正答 **3**

第1ビル～第9ビルの九つのビルが立ち並ぶビル街を，A，B，Cの3人がそれぞれ北駅，東駅，南駅のいずれかを出発点として歩いた。ビルが図のア～ケのように並んでいるとすると，3人の次の発言から確実にいえることとして最も妥当なのはどれか。

A：まず，第4ビルと第6ビルの間を進み，二つ目の交差点を右折すると，通り沿いの右側に第8ビルがあった。

B：まず，第3ビルと第5ビルの間を進んだ。一つ目の交差点を右折し，次の交差点を左折すると，通り沿いの右側に第6ビルがあった。

C：まず，ビルとビルの間をまっすぐ進み，二つ目の交差点を右折すると，第1ビルに面した通りに出た。

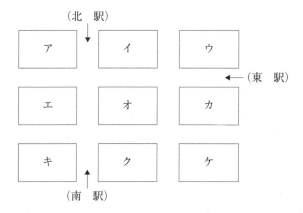

1 アは第2ビルである。
2 イは第8ビルである。
3 エは第6ビルである。
4 キは第3ビルである。
5 ケは第1ビルである。

解説 ━━━

まず，Ｂの発言から，Ｂの出発点は南駅である。そうすると，キ，クが第3ビルと第5ビル（順不同），カが第6ビルである。カが第6ビルであることから，Ａの出発点は東駅ということになり，ウが第4ビル，イが第8ビルである。これにより，Ｃの出発点は北駅で，エが第1ビルとなる。ア，オ，ケについては判断できない。以上から，正答は**2**である。

```
            (北 駅)
             ↓
   ┌─────┐ ┌─────┐ ┌─────┐
   │  ア  │ │ イ 8 │ │ ウ 4 │
   └─────┘ └─────┘ └─────┘
   ┄┄┄┄┄┄┄┄┄┄ A ┄┄┄┄┄┄┄ ← (東 駅)
   ┌─────┐ ┌─────┐ ┌─────┐
   │ エ 1 │C│  オ  │ │ カ 6 │
   └─────┘ └─────┘ └─────┘
             B
   ┌─────┐ ┌─────┐ ┌─────┐
   │ キ 3 │ │ ク 3 │ │  ケ  │
   │ or  │ │ or  │ │     │
   │  5  │ │  5  │ │     │
   └─────┘ └─────┘ └─────┘
             ↑
          (南 駅)
```

正答 **2**

A～Eの5人で，短距離走とハードル走から成るレースを行った。この一連のレースの短距離走の部分とハードル走の部分について，A～Eが次の発言をしているとき，Aの**最終順位**とCの**短距離走を終えたときの順位**の和はいくらか。

ただし，レースは短距離走，ハードル走の順で連続して行うものとし，短距離走とハードル走を終えるとき，それぞれ同着はなく，途中で棄権することはないものとする。

A：ハードル走の間，Bには1回だけ抜かれたが，1回抜き返した。

B：ハードル走の間，3人のランナーを抜いたが，2人のランナーに抜かれた。

C：ハードル走の間，1回だけ順位が変わったが，1位になることはなかった。

D：先頭で短距離走を終えたが，ハードル走で転んで一気に最下位になり，そのままゴールした。

E：ハードル走の間，常にAより前を走っていた。

1 3

2 4

3 5

4 6

5 7

解説

短距離走終了時，EはAより上位，AはBより上位であり，この関係はハードル走終了時も同様である。そして，Cはハードル走で1位になることはなく，Dはハードル走で最下位となっている。これにより，最終順位の1位はEである。Bはハードル走の間で3人を抜いているので，短距離走終了時に4位または5位である。しかし，Bが短距離走終了時に5位だと，Cはハードル走の間に1回だけ順位が変わった（これは，Dが転んで最下位になったことにより順位が1つ上った）ことと矛盾する（CはBに抜かれ，Dを抜いて2回順位が変わったことになる）。したがって，短距離走終了時にBは4位（Eが2位，Aが3位），Cは5位である。そして，Bはハードル走でD，E，Aの3人を抜いたが，E，Aの2人に抜かれ，最終順位はAが2位，Bが3位で，表のように全員の順位が確定する。これにより，Aの**最終順位**は2，Cの**短距離走を終えたときの順位**は5となり，2+5=7より，正答は**5**である。

	1	2	3	4	5
短距離走順位	D	E	A	B	C
最終順位	E	A	B	C	D

正答 **5**

文章理解 判断推理 数的推理 資料解釈 時事 物理 化学 生物

ある家の地域では，消費電力（kW：キロワット）に応じた電気代は表のようになっている。この家には，四つの電化製品A～Dがあり，Aのみを使用した場合は1,000円/月，Bのみの場合には2,000円/月，Cのみの場合には3,000円/月の電気代がかかり，A～Dを同時に使用した場合は4,500円/月の電気代がかかる。

このとき，A～Dを使用した場合の電気代に関する記述として，最も妥当なのはどれか。

ただし，A～Dの消費電力は全て1kWの正の整数倍である。

消費電力	電気代
1～3kW	1,000円/月
4～6kW	2,000円/月
7～10kW	2,500円/月
11～15kW	3,000円/月
16～20kW	4,000円/月
21～25kW	4,500円/月
26～31kW	5,000円/月

1 Aの消費電力が2kWであるとすると，AとBを使用した場合の電気代は2,500円/月となる。

2 Aの消費電力が3kWであるとすると，BとCとDを使用した場合の電気代は4,000円/月となる。

3 Bの消費電力が5kWであるとすると，AとCを使用した場合の電気代は4,000円/月となる。

4 Cの消費電力が15kWであるとすると，AとCを使用した場合の電気代は3,000円/月となる。

5 Dの消費電力が5kWであるとすると，AとBとCを使用した場合の電気代は4,000円/月となる。

解説

1. Bの消費電力が4kWであれば，AとBを使用した場合の消費電力は6kWで，電気代は2,000円/月である。

2. Aの消費電力が3kWのとき，A～Dで21～25kWなので，BとCとDでは18～22kWとなる。したがってB～Dで22kW（たとえば，B：6kW，C：15kW，D：1kW）のとき，電気代は4,500円/月である。

3. Aの消費電力が1kW，Cの消費電力が11kWであれば，AとCを使用した場合の電気代は3,000円/月である。

4. Aの消費電力が3kWであれば，AとCを使用した場合の電気代は4,000円/月である。

5. 妥当である。AとBとCを使用した場合の消費電力は，16～24kWである。そして，A～Dを同時に使用した場合の消費電力は21～25kWである（Dの消費電力は1～9kW）。Dの消費電力が5kWであるとすると，AとBとCを使用した場合の消費電力は，16～20kWとなるので，その電気代は4,000円/月である。

正答 **5**

国家一般職［大卒］ No. 136 教養試験

判断推理　数量相互の関係　令和３年度

図Ｉのような３×３の中央が塞がった八つのマス目があり，ここにボールを収納していくことを考える。次の条件を満たすようにボールを収納するとき，八つのマス目全体で収納できるボールの個数の最大値と最小値の差はいくらか。

○　いずれのマスにも最低１個のボールが入っている。

○　図Ⅱのように，一直線に並んだ三つのマスには，いずれも計９個のボールが入っている。

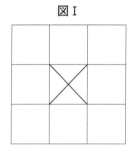

図Ｉ

図Ⅱ

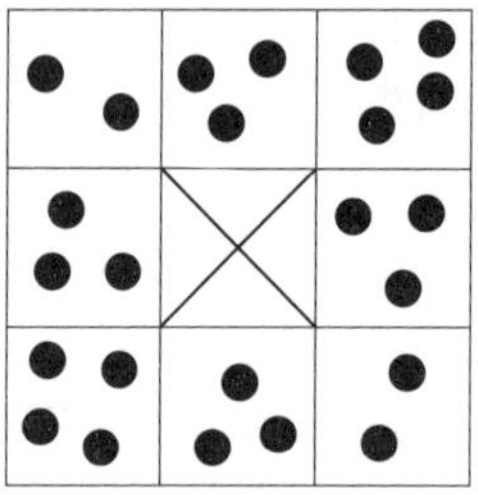

1　6
2　8
3　10
4　12
5　14

解説

条件を満たすように各マス目にボールを入れる場合，その個数が最も少なくなるのは**図１**の場合で20個，最も多くなるのは**図２**の場合で32個である。したがって，８つのマス目全体で収納できるボールの個数の最大値と最小値の差は，32－20＝12より，12個であり，正答は**4**である。

図１

7	1	1
1	×	1
1	1	7

図２

1	7	1
7	×	7
1	7	1

正答　4

次のＡ～Ｄのうち，右の図形を五つ隙間なく並べることによって作ることができるもののみを挙げているのはどれか。

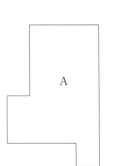

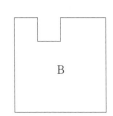

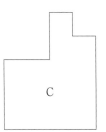

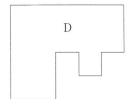

1 Ａ，Ｂ
2 Ａ，Ｃ
3 Ｂ，Ｃ
4 Ｂ，Ｄ
5 Ｃ，Ｄ

解説

次の図のように，Ｂ，ＣはＬ字型の図形５枚を隙間なく並べることにより，作成することが可能である。Ｂに５枚必要なので，Ｂより面積の大きいＡは，少なくとも５枚より多く必要になる（６枚必要）。Ｄについては，右側下部の突起を２通りのどちらで構成しても不可能である。

　以上から，正答は**3**である。

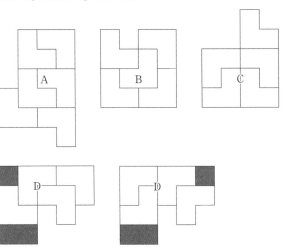

正答 **3**

国家一般職
［大卒］

No.
138

教養試験

判断推理

空間図形

令和 ３年度

図Ⅰの正二十面体の各辺を３等分して，図Ⅱのように灰色で塗られた各頂点を含む部分（正五角錐）を全て取り除くと，図Ⅲのような多面体ができる。

正二十面体の面は20個，頂点は12個，辺は30本である。このとき，図Ⅲの多面体の面，頂点，辺の数の組合せとして妥当なのはどれか。

図Ⅰ

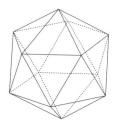

図Ⅱ

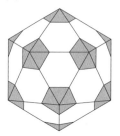

図Ⅲ

	面（個）	頂点（個）	辺（本）
1	32	50	80
2	32	60	90
3	32	72	100
4	36	48	90
5	36	60	100

正二十面体の頂点は12個あり，問題の**図Ⅲ**ではその12個の頂点がすべて正五角形の面に置き換わっている。そして，元の正二十面体の面は「正三角形→正六角形」となって，すべて残っている。つまり，**図Ⅲ**における面の数は，20＋12＝32より，32枚である。頂点は，元の正二十面体の頂点12個がなくなり，12枚の正五角形面ができるので，5×12＝60より，60個である。辺の数は，(6×20＋5×12)÷2＝90より，90本であり，正答は**2**である。

正答　2

ある会社における，英語，ドイツ語，フランス語，スペイン語，中国語，ロシア語を通訳できる者の在籍状況について次のことが分かっているとき，論理的に確実にいえるのはどれか。

　○　ドイツ語を通訳できる者は，フランス語を通訳できる。
　○　スペイン語を通訳できる者は，中国語を通訳できる。
　○　フランス語を通訳できる者は，中国語を通訳でき，かつ，ロシア語を通訳できる。
　○　英語を通訳できない者は，ロシア語を通訳できない。

1　英語を通訳できる者は，フランス語を通訳できる。
2　ドイツ語を通訳できる者は，英語を通訳できる。
3　フランス語を通訳できない者は，スペイン語を通訳できない。
4　スペイン語を通訳できない者は，中国語を通訳できない。
5　ロシア語を通訳できない者は，英語を通訳できない。

解説

与えられている 4 命題を論理式で表すと，
　A：「ドイツ語→フランス語」
　B：「スペイン語→中国語」
　C：「フランス語→（中国語∧ロシア語）」
　D：「英語→ロシア語」
である。これら A〜D の対偶をそれぞれ E〜H とすると，
　E：「フランス語→ドイツ語」
　F：「中国語→スペイン語」
　G：「（中国語∨ロシア語）→フランス語」
　H：「ロシア語→英語」
となる。また，命題 C を分割すると，
　C_1：「フランス語→中国語」
　C_2：「フランス語→ロシア語」
となり，それぞれの対偶は
　G_1：「中国語→フランス語」
　G_2：「ロシア語→フランス語」
である。各選択肢について，これら A〜H による三段論法の成立を検討すればよい。

1．「英語→」となる命題が存在しないので，推論することができない。
2．正しい。命題 A，C_2，H より，「ドイツ語→フランス語→ロシア語→英語」となり，「ドイツ語を通訳できる者は，英語を通訳できる」は確実に推論できる。
3．命題 E より，「フランス語→ドイツ語→」となるが，その先が推論できない。
4．「スペイン語→」となる命題が存在しないので，推論することができない。
5．命題 G_2，E より，「ロシア語→フランス語→ドイツ語→」となるが，その先が推論できない。

正答　**2**

国家一般職
［大卒］
No.
140
教養試験
判断推理
対応関係
令和2年度

ある会社は，総務部，企画部，営業部，調査部の四つの部から成り，A～Hの8人が，四つの部のいずれかに配属されている。A～Hの8人の配属について次のことが分かっているとき，確実にいえるのはどれか。

○　現在，総務部及び企画部にそれぞれ2人ずつ，営業部に3人，調査部に1人が配属されており，Cは総務部，D及びEは企画部，Hは調査部にそれぞれ配属されている。

○　現在営業部に配属されている3人のうち，直近の人事異動で営業部に異動してきたのは，1人のみであった。

○　直近の人事異動の前には，各部にそれぞれ2人ずつが配属されており，A及びCは，同じ部に配属されていた。

○　直近の人事異動で異動したのは，A，C，F，Hの4人のみであった。

1 Aは，現在，営業部に配属されている。
2 Cは，直近の人事異動の前には，営業部に配属されていた。
3 Fは，直近の人事異動の前には，総務部に配属されていた。
4 Gは，現在，総務部に配属されている。
5 Hは，直近の人事異動の前には，営業部に配属されていた。

解説

現在，Cは総務部，DおよびEは企画部，Hは調査部にそれぞれ配属されているが，直近の人事異動で異動したのはA，C，F，Hの4人のみである。ここから，D，Eは人事異動前も企画部に配属されていたことになる。また，現在営業部に配属されている3人のうち，直近の人事異動で営業部に異動してきたのは1人のみなので，2人は人事異動前も異動後も営業部であるが，これはB，G以外にいない。人事異動前にCが配属されていたのは総務部ではなく，営業部（B，G）でもなく，企画部（D，E）でもないので調査部である。同様に，人事異動前にHが配属されていたのは総務部である。ここまでが次の**表I**である。人事異動前にAとCは同じ部に配属されていたので，Aは調査部に配属されており，Fは総務部に配属されていたことになる。そうすると，人事異動によりFは営業部に配属され，Aは総務部に配属されている（**表II**）。この**表II**より，正答は**3**である。

表I

	異動前	異動後	異動
A			○
B	営業部	営業部	
C	調査部	総務部	○
D	企画部	企画部	
E	企画部	企画部	
F			○
G	営業部	営業部	
H	総務部	調査部	○

表II

	異動前	異動後	異動
A	調査部	総務部	○
B	営業部	営業部	
C	調査部	総務部	○
D	企画部	企画部	
E	企画部	企画部	
F	総務部	営業部	○
G	営業部	営業部	
H	総務部	調査部	○

正答　**3**

図のように，共に1階〜10階まである本館と別館から成る
ホテルがある。ホテルの各階は階段でつながっており，本
館と別館の3階どうし，9階どうしをつなぐ連絡通路があ
るが，現在，別館の4階と5階をつなぐ階段が閉鎖されて
いる。

本館の互いに異なる階にいるA〜Eの5人の従業員は，
階段と連絡通路のみを使って，最短経路で別館の互いに異
なる階に移動した。次のことが分かっているとき，確実に
いえるのはどれか。

ただし，階段の数は，1階と2階のように，上下の階を
つなぐものを1階段と数えるものとする。

○　Aが使った階段の数の合計は，ホテルの本館から別
　　館への移動としてあり得る中で最も多いものであった。
○　Bが使った階段の数は，上りも下りも共に3階段分
　　であった。
○　Cは上り階段も下り階段も使ったが，上り階段の数
　　は下り階段の数の3倍であった。
○　Dが移動前にいた階とCが移動後にいた階は同じ階であったが，DはCよりも使った下
　　り階段の数が3階段分多かった。
○　Eが使った階段は本館も別館も下りで，その数は合計で3階段分であった。

本館		別館
10F		10F
9F	連絡通路	9F
8F		8F
7F		7F
6F		6F
5F		5F
4F		（閉鎖）×
3F	連絡通路	4F
2F		3F
1F		2F
		1F

1　Aは，本館の10階から移動した。
2　Bは，別館の5階に移動した。
3　Cは，本館の4階から移動した。
4　Dは，別館の8階に移動した。
5　Eは，別館の1階に移動した。

解説

「Aが使った階段の数の合計は，ホテルの本館から別館への移動としてあり得る中で最も多い」ので，これは，「本館1F→9F連絡通路→別館5F」である。「Bが使った階段の数は，上りも下りも共に3階段分」であるが，これを3F連絡通路を使って行うことは不可能である。したがって，Bは「本館6F→9F連絡通路→別館6F」である。「Cは上り階段も下り階段も使ったが，上り階段の数は下り階段の数の3倍」なので，使った連絡通路は9Fでなければならない。上りが3階段だと本館6Fからとなり，Bと同じ階からの移動となってしまう。1Fから9Fまででも8階段しかないので，上り6階段，下り2階段ということになり，Cは「本館3F→9F連絡通路→別館7F」である。「Dが移動前にいた階とCが移動後にいた階は同じ階であったが，DはCよりも使った下り階段の数が3階段分多かった」ので，Dが移動前にいたのは本館7Fである。また，Dは使った下り階段がCより3階段多い5階段である。そうすると，Dは「本館7F→3F連絡通路→別館2F」である。「Eが使った階段は本館も別館も下りで，その数は合計で3階段分」であるが，別館7FはC，別館2FはDなので，Eは「本館4F→3F連絡通路→別館1F」でなければならない。

　よって，正答は **5** である。

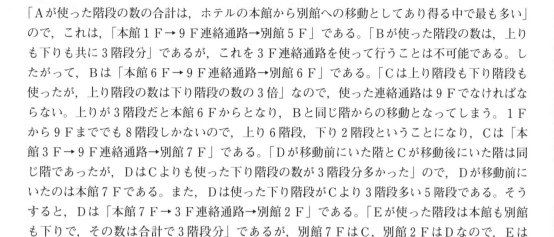

A～Eの5人は，友人からもらったお土産のクッキーを分け合うことにした。クッキーは，図のように，三つの区画に5種類ずつ計15枚あり，それぞれの区画に上からチョコ，バニラ，ミント，モカ，ストロベリーの並び順で入っている。5人は，順番に1人3枚ずつクッキーを取ることにした。次のことが分かっているとき，確実にいえるのはどれか。

ただし，クッキーを取る際には，三つの区画のどこから取っても，二つ以上の区画から取ってもよいが，常に各区画の1番上のものから取るものとする。また，5人はクッキーの種類の並び順をあらかじめ知っているものとする。

　○　Bは，ミントを2枚選ぶこともできたが，ミントが苦手なので1枚も選ばなかった。
　○　Dは，Aの直前にクッキーを取り，チョコを1枚，バニラを1枚，ミントを1枚選んだ。
　○　Eはミントを2枚，モカを1枚選んだ。
　○　Eの直前にクッキーを取った者と，直後に取った者は，ストロベリーを選んだ。

1　1番目にクッキーを取った者はCであった。
2　1番目にクッキーを取った者はチョコを2枚選んだ。
3　2番目にクッキーを取った者はモカを1枚選んだ。
4　3番目にクッキーを取った者はAであった。
5　3番目にクッキーを取った者はバニラを1枚選んだ。

解 説

Dはチョコを1枚，バニラを1枚，ミントを1枚選んでいるので，Dがクッキーを取った状態は次の**図Ⅰ**のようになる（どの区画でもよい）。「Bは，ミントを2枚選ぶこともできたが，ミントが苦手なので1枚も選ばなかった」とあるので，Bがクッキーを取る直前の状態は**図Ⅱ**のようになっている。この状態でBはミントを1枚も選ばないので，Bが選んだのはバニラ1枚，モカ1枚，ストロベリー1枚である（**図Ⅲ**）。Eはミントを2枚，モカを1枚選んでいるので，**図Ⅳ**となる。AはDの次に選んでいるので，チョコ2枚，バニラ1枚でなければならず，この結果，Cはモカ1枚，ストロベリー2枚である（**図Ⅴ**）。これにより，クッキーを選んだ順は，「D→A→B→E→C」と決まる。

　よって，正答は**5**である。

図Ⅰ

図Ⅱ

図Ⅲ

図Ⅳ

図Ⅴ

正答　5

文章理解
判断推理
数的推理
資料解釈
時事
物理
化学
生物

A〜Jの10人は，将棋のトーナメント戦を行った。トーナメントの形式は図のとおりであり，空欄にはG〜Jのいずれかが入る。次のことが分かっているとき，確実にいえるのはどれか。

　　○　ちょうど2勝したのは3人であった。
　　○　BとIは準決勝で対戦し，その勝者は優勝した。
　　○　Fは，EともJとも対戦しなかった。
　　○　GとHはそれぞれ1試合目で負けたが，Hはその試合で勝っていたら次は準決勝であった。

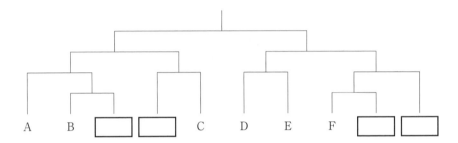

1　ちょうど1勝したのは1人であった。
2　GはCに負けた。
3　Fは準優勝であった。
4　IはDと対戦した。
5　Jは1試合目で勝った。

解説

まず，BとIは準決勝で対戦しているので，IはCと対戦して勝っている。Hは1試合目で負けているが，その試合で勝っていたら，次は準決勝だったので，Hはトーナメント表の右端である。そうすると，Fの1回戦の対戦相手はJではないのでGということになり，Fは1回戦でG，2回戦でHに勝っている。また，Jは1回戦でBに負けている。そして，FはEと対戦していないので，Fが準決勝で対戦したのはDである。1勝もしていないのは，A，J，C，E，G，Hの6人である。優勝したのはBかIのどちらかであるが，Bが優勝したとすると，Iが1勝しかしていないことになり，2勝したのが3人という条件を満たせない。Iが優勝したとすると，準決勝でDがFに勝てばB，D，Fの3人が2勝ということになり，条件を満たす。これにより，トーナメント戦の結果は次図のようになり，正答は**4**である。

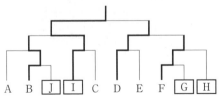

正答　**4**

ある課にはW～Zの四つのプロジェクトがあり，それぞれのプロジェクトにはA～Gの7人のうちの何人かが所属している。次のことが分かっているとき，確実にいえるのはどれか。

ただし，A～Gは，所属しているプロジェクトの会議が同時に行われた場合，そのうちの一つにのみ出席したものとし，また，所属している別のプロジェクトの会議が同時に行われる以外の理由で会議を欠席した者はいないものとする。

○ A～Gのうち，1人は全てのプロジェクトに所属しており，他の6人は二つのプロジェクトに所属している。

○ ある日の午前にW，Xのプロジェクトの会議が同時に行われたとき，Wのプロジェクトの会議の出席者はA，B，Gであり，Xのプロジェクトの会議の出席者はC，Dであった。

○ 同日の午後にY，Zのプロジェクトの会議が同時に行われたとき，Yのプロジェクトの会議の出席者はE，F，Gであり，Zのプロジェクトの会議の出席者はB，Cであった。

○ この日，所属する全員が会議に出席したプロジェクトは一つのみであった。

1 Bは，全てのプロジェクトに所属している。
2 Dは，全てのプロジェクトに所属している。
3 Gは，全てのプロジェクトに所属している。
4 Wのプロジェクトに所属しているのは，A，B，C，Gの4人である。
5 Yのプロジェクトに所属しているのは，D，E，F，Gの4人である。

解説

まず，W，X，Y，Zそれぞれの会議の出席者は次の**表Ⅰ**のとおりである。A，Dは，午後の会議Y，Zのどちらにも出席していないので，A，DはY，Zのプロジェクトに所属していない。つまり，AはW，Xのプロジェクトに所属しており，Xの会議を欠席している。そして，DはW，Xのプロジェクトに所属しており，Wの会議を欠席している。また，E，Fは午前の会議W，Xのどちらにも出席していない。つまり，E，FはW，Xのプロジェクトに所属していない。これにより，E，FはY，Zのプロジェクトに所属しており，Zの会議を欠席している。ここまでで，W，X，Zの会議には欠席者がいるので，所属する全員が会議に出席したプロジェクトはYである（**表Ⅱ**）。B，CはYのプロジェクトに所属していないので，所属しているプロジェクトは2つであり，BはXのプロジェクトに所属しておらず，CはWのプロジェクトに所属していない。この結果，すべてのプロジェクトに所属しているのはGである（**表Ⅲ**）。

よって，正答は**3**である。

表Ⅰ

	W	X	Y	Z
A	○			
B	○			○
C		○		○
D		○		
E			○	
F			○	
G	○		○	

表Ⅱ

	W	X	Y	Z
A	○	△	×	×
B	○		×	○
C		○	×	○
D	△	○	×	×
E	×	×	○	△
F	×	×	○	△
G	○		○	

表Ⅲ

	W	X	Y	Z
A	○	△	×	×
B	○	×	×	○
C	×	○	×	○
D	△	○	×	×
E	×	×	○	△
F	×	×	○	△
G	○	△	○	△

○：出席
△：欠席
×：所属していない

正答 **3**

文章理解

判断推理

数的推理

資料解釈

時事

物理

化学

生物

国家一般職
[大卒]
No.
145
教養試験
判断推理
折り紙
令和2年度

図のように，正方形の紙を破線部分で2回折った後，袋を開いて潰すように折ることを表裏両方で行ったものから，黒塗りの部分を切り取って除いた。残った部分を広げたときの形として最も妥当なのはどれか。

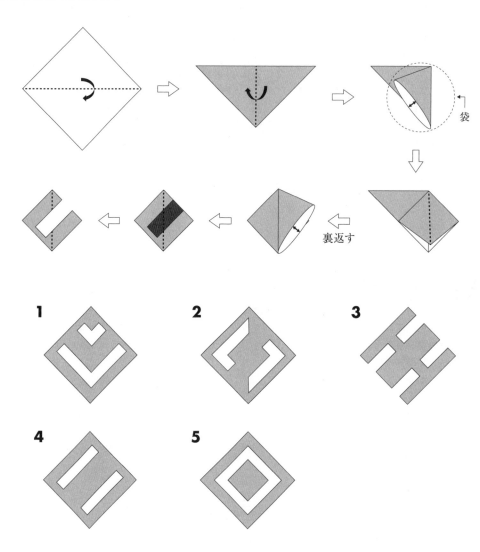

解 説

折り紙の問題では，折った状態から次の a 〜 f のように順次開いていくのが基本である。この問題では，袋状に開いてこれを潰すという作業があるが，最終的に折った状態からそのまま開いていけばよい。大きなV字部分が存在することが把握できれば，解答には困らないであろう。

　よって，正答は **1** である。

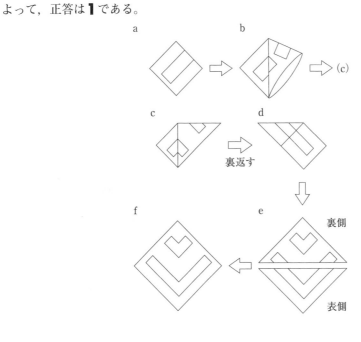

正答　**1**

国家一般職
[大卒]

No.
146

教養試験

判断推理

立体構成

令和 2 年度

図Ⅰのように，4か所で直角に折れ曲がった筒があり，それぞれの角に，図Ⅱのように壁面に対して45°の角度で鏡が設置されている。いま，図Ⅲのような紙に描かれた図形を，●印が左上になるようにして筒の一方の端Aに置き，もう一方の端Bから筒の内部を見たとき，鏡に反射した後の図形が見えた。このとき見えた図形として最も妥当なのはどれか。

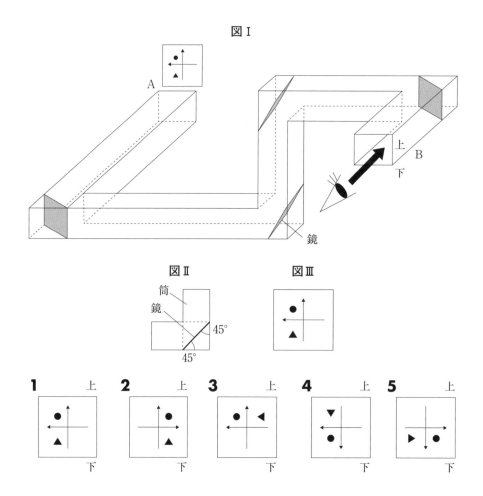

解 説

1枚目の鏡に映るのは，左右が反転した像である（選択肢**2**の図が該当する）。2枚目の鏡では，1枚目の鏡と左右が反転するので，2枚目の鏡に映るのは，2枚の鏡を介さずに見た場合と同様に見えることになる（元に戻って，**1**の図が該当する）。このように，常に左右が反転した状態で映るので，3枚目の鏡は1枚目の鏡と同様に映り，4枚目の鏡は2枚目の鏡と同様に映る。この4枚目の鏡に映る像を見れば，4枚の鏡を介さずに見た場合と同様に見えるので，見える図形は●印が左上にある。

よって，正答は**1**である。

正答 **1**

ある研究室の学生について，次のことが分かっているとき，論理的に確実にいえるのはどれか。

○　パソコンを持っていない人は，スマートフォンを持っている。
○　デジタルカメラを持っている人は，プリンターを持っている。
○　プリンターを持っている人は，パソコンを持っており，かつ，腕時計を持っている。
○　スマートフォンを持っている人は，腕時計を持っていない。

1　スマートフォンを持っている人は，デジタルカメラを持っていない。
2　デジタルカメラを持っていない人は，パソコンを持っている。
3　パソコンを持っている人は，腕時計を持っている。
4　腕時計を持っている人は，プリンターを持っている。
5　プリンターを持っている人は，スマートフォンを持っている。

解説

まず，与えられた命題を上から順に次のA～Dのように論理式で表してみる。

A：「$\overline{パソコン}$→スマートフォン」
B：「デジタルカメラ→プリンター」
C：「プリンター→（パソコン∧腕時計）」
D：「スマートフォン→$\overline{腕時計}$」

ここで，命題Cは次のC₁，C₂に分割可能である。

C₁：「プリンター→パソコン」
C₂：「プリンター→腕時計」

次に，これらの命題A～Dの対偶をE～Hとする（C₁，C₂の対偶はG₁，G₂とする）。

E：「$\overline{スマートフォン}$→パソコン」
F：「$\overline{プリンター}$→$\overline{デジタルカメラ}$」
G：「$\overline{（パソコン∨腕時計）}$→$\overline{プリンター}$」
H：「腕時計→$\overline{スマートフォン}$」
G₁：「$\overline{パソコン}$→$\overline{プリンター}$」
G₂：「$\overline{腕時計}$→$\overline{プリンター}$」

このA～Hにより，各選択肢についてその三段論法の成否を検討していけばよい。

1．正しい。D，G₂，Fより，「スマートフォン→$\overline{腕時計}$→$\overline{プリンター}$→$\overline{デジタルカメラ}$」となり，「スマートフォンを持っている人は，デジタルカメラを持っていない」は確実にいえる。

2．「$\overline{デジタルカメラ}$→」となる命題が存在しないので，判断できない。

3．「パソコン→」となる命題が存在しないので，判断できない。

4．H，Eより，「腕時計→$\overline{スマートフォン}$→パソコン→」となるが，その先が推論できない。

5．C₂，Hより，「プリンター→腕時計→$\overline{スマートフォン}$」であり，「プリンターを持っている人は，スマートフォンを持っていない」となる。

正答　**1**

A～Eの５人が，ある週の月曜日から金曜日までの５日間のみ，書店でアルバイトを行った。A～Eのアルバイトの日程について次のことが分かっているとき，確実にいえるのはどれか。

- ○ 各曜日とも２人ずつが勤務し，A～Eはそれぞれ２日ずつ勤務した。
- ○ A，B，Dは男性であり，C，Eは女性である。
- ○ 月曜日と火曜日に勤務したのは男性のみであった。
- ○ Aが勤務した前日には必ずBが勤務していた。
- ○ Aは火曜日に勤務した。また，Cは２日連続では勤務しなかった。

1 Aは，２日連続で勤務した。
2 Bは，火曜日に勤務した。
3 Cは，ある曜日にAと共に勤務した。
4 Dは，ある曜日に女性と共に勤務した。
5 Eは，木曜日に勤務した。

解説

Aは火曜日に勤務し，Aが勤務した前日にはBが必ず勤務しているので，Bは月曜日に勤務している。また，Aは月曜日に勤務していない。C，Eは女性なので月曜日，火曜日には勤務しておらず，Cは２日連続では勤務していないので，Cが勤務したのは水曜日と金曜日である。ここまでをまとめると，次の表Ⅰとなる。A，Bが勤務したもう１日を考えると，（A，B）＝（水曜日，火曜日），（木曜日，水曜日），（金曜日，木曜日）の３通りあり，それぞれ表Ⅱ～表Ⅳのようになる（A，Bの勤務日が決まれば，D，Eの勤務日も決まる関係にある）。この表Ⅱ～表Ⅳより，確実にいえるのは，「Eは，木曜日に勤務した」だけなので，正答は**5**である。

表Ⅰ

		月	火	水	木	金
A	男性	×	○			
B	男性	○				
C	女性	×	×	○	×	○
D	男性					
E	女性	×	×			

表Ⅱ

		月	火	水	木	金
A	男性	×	○	○	×	×
B	男性	○	○	×	×	×
C	女性	×	×	○	×	○
D	男性	○	×	×	○	×
E	女性	×	×	×	○	○

表Ⅲ

		月	火	水	木	金
A	男性	×	○	×	○	×
B	男性	○	×	○	×	×
C	女性	×	×	○	×	○
D	男性	○	○	×	×	×
E	女性	×	×	×	○	○

表Ⅳ

		月	火	水	木	金
A	男性	×	○	×	×	○
B	男性	○	×	×	○	×
C	女性	×	×	○	×	○
D	男性	○	○	×	×	×
E	女性	×	×	○	○	×

正答 **5**

国家一般職
[大卒]
No.
149
教養試験
判断推理
集　合
令和元年度

文章理解

判断推理

数的推理

資料解釈

時事

物理

化学

生物

ある会社で社員の生活習慣について調査を行った。次のことが分かっているとき，確実にいえるのはどれか。

○ 睡眠時間の平均が6時間以上の者は72人であり，6時間未満の者は48人である。

○ 朝食を食べる習慣がない者は51人である。

○ 朝食を食べる習慣があり，運動する習慣がなく，睡眠時間の平均が6時間未満の者は20人である。

○ 朝食を食べる習慣がなく，睡眠時間の平均が6時間未満の者のうち，運動する習慣がある者は，そうでない者より2人多い。

○ 運動する習慣がなく，睡眠時間の平均が6時間未満の者は25人である。

○ 運動する習慣があり，睡眠時間の平均が6時間以上の者のうち，朝食を食べる習慣がある者は15人であり，そうでない者より5人少ない。

1 運動する習慣がある者は55人である。

2 睡眠時間の平均が6時間以上で，朝食を食べる習慣があり，運動する習慣がない者は15人である。

3 睡眠時間の平均が6時間未満で，朝食を食べる習慣があり，運動する習慣がある者は20人である。

4 睡眠時間の平均が6時間以上の者のうち，朝食を食べる習慣がある者は，そうでない者より少ない。

5 朝食を食べる習慣がない者のうち，運動する習慣がある者は，そうでない者より少ない。

解 説

キャロル表を利用して検討すればよい。まず，与えられている条件を記入していくと次の表Ⅰ
となる。「睡眠時間の平均が6時間以上の者は72人，6時間未満の者は48人」であることから，
全体で120人と決まるので，朝食を食べる習慣がある者は69人である。この表Ⅰより，睡眠時
間の平均が6時間未満で運動する習慣がない25人のうち，朝食を食べる習慣のある者が20人な
ので，朝食を食べる習慣がない者は5人となる。したがって，朝食を食べる習慣がなく，睡眠
時間の平均が6時間未満の者のうち，運動する習慣がある者は7人である。ここから，朝食を
食べる習慣がない者のうち，睡眠時間の平均が6時間以上である者は39人，朝食を食べる習慣
がある者のうち，睡眠時間の平均が6時間未満であるのは36人，睡眠時間の平均が6時間以上
であるのは33人となる。この結果，表Ⅱのように，すべてのパターンの人数が確定する。この
表Ⅱより，正しい記述は，「睡眠時間の平均が6時間以上の者のうち，朝食を食べる習慣があ
る者は，そうでない者より少ない」だけであり，正答は**4**である。

表Ⅰ

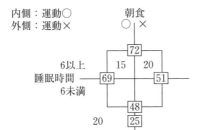

表Ⅱ

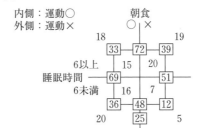

正答　**4**

文章理解

判断推理

数的推理

資料解釈

時事

物理

化学

生物

図のような16の部屋から成る4階建てのワンルームマンションがある。A～Hの8人がいずれかの部屋に1人ずつ住んでおり，A～Hの8人が住んでいる部屋以外は空室である。また，各階とも東側から西側に向かって1号室，2号室，3号室，4号室の部屋番号である。このワンルームマンションについて次のことが分かっているとき，確実にいえるのはどれか。

○　Aは1階の1号室に住んでいる。また，他の階で1号室に住んでいるのは，Hのみである。

○　Bは2階に住んでいる。また，Bの隣の部屋は両方とも空室である。

○　Cは，Dの一つ真下の部屋に住んでおり，かつEの一つ真上の部屋に住んでいる。また，Eの隣の部屋にはGが住んでいる。

○　Fは2号室に住んでおり，Cより上の階に住んでいる。

○　F，G，Hの3人はそれぞれ異なる階に住んでいる。

1　BとCは異なる階に住んでいる。

2　DとFは同じ階に住んでいる。

3　Hの隣の部屋は空室である。

4　1階に住んでいるのは2人である。

5　全ての部屋が空室である階がある。

解 説

Aは1階の1号室に住んでおり，2階に住んでいるBについては，両隣が空室であることから，2階の2号室（図Ⅰ），または2階の3号室（図Ⅱ）のいずれかである。しかし，Bが2階の3号室に住んでいる図Ⅱの場合，C，D，Eが住んでいる部屋についての条件を満たすことができない。したがって，Bが住んでいるのは2階の2号室（図Ⅰ）である。このとき，Cは2階の4号室，Dは3階の4号室，Eは1階の4号室，Gが1階の3号室となる。そして，FとHの部屋は，図Ⅲおよび図Ⅳの2通りが考えられる。この図Ⅲおよび図Ⅳより，**1**，**4**，**5**は誤り，**2**は不確実で，確実にいえるのは「Hの隣の部屋は空室である」だけである。

　よって，正答は**3**である。

図Ⅰ

×	B	×	
A			

東側　　　　　　　　　西側
1号室 2号室 3号室 4号室

図Ⅱ

	×	B	×
A			

東側　　　　　　　　　西側
1号室 2号室 3号室 4号室

図Ⅲ

H	×	×	×
×	F	×	D
×	B	×	C
A	×	G	E

東側　　　　　　　　　西側
1号室 2号室 3号室 4号室

図Ⅳ

×	F	×	×
H	×	×	D
×	B	×	C
A	×	G	E

東側　　　　　　　　　西側
1号室 2号室 3号室 4号室

正答　**3**

国家一般職
[大卒]
No.
151 判断推理

教養試験

対応関係

令和 **元年度**

文章理解

判断推理

数的推理

資料解釈

時事

物理

化学

生物

ある会社は，12月1日～9日までの9日間について，トラック，バス，乗用車の各1台計3台の乗り物をA，B，Cの3社に貸し出すため，次の方針のとおり，計画を立てた。

〔方針〕

・　いずれの乗り物も，1日単位で貸し出し，複数の日数を連続して貸し出してもよい。

・　いずれの乗り物も，各社間を移動する際には移動日を設け，A-C間は2日間，A-B間及びB-C間は1日間とする。これらの移動日にはどの会社にも貸し出すことができない。

・　いずれの乗り物も，常に貸出し日又は移動日となるよう貸し出し，Cには連続する2日間だけ貸し出す。

・　いずれの乗り物も，12月1日は全てAに貸し出し，6日は全てCに貸し出し，9日は全てBに貸し出す。また，4日はBに乗用車を，5日はCにバスを貸し出すのみとする。

　12月1日～6日までは計画どおり貸し出したが，6日にCが使用した後，乗り物のうち一つが故障したため，7日以降，その乗り物の貸出しができなくなった。そこで，7日にCが使用する予定であった乗り物の一つについて，7日を移動日とし，8日から2日間Bに貸し出すよう変更したところ，全ての乗り物が2日間ずつBに貸し出されたことが分かった。このとき，確実にいえるのはどれか。

1　12月2日，バスは移動日であった。

2　12月3日，乗用車はBに貸し出された。

3　12月7日，トラックは計画どおりCに貸し出された。

4　12月8日，バスは計画では移動日であったが，Bに貸し出された。

5　12月8日，乗用車は計画どおり移動日であった。

解説 ━━━━━━━━━━━━━━━━━━━━━━━━━━━━━━━

まず，〔方針〕で示されている内容をまとめると，次の表Ⅰのようになる。トラックについては，4日，5日が移動日なので，1日～3日はAが使用し，8日がCからBへの移動日となる。バスについては，最終的にBに2日貸し出されているので，7日が移動日で8日，9日がB，また，1日，2日にAへ貸し出され，3日，4日が移動日である。バスが2日，3日にBへ貸し出されることはないので，バスは当初の予定どおりにBに貸し出されていなければならず，故障したのはバスではない。これに，4日以降の乗用車の貸し出し予定も加えると，当初の計画として，表Ⅱまでが判明する。この表Ⅱの状態から，すべての乗り物が2日間ずつBに貸し出されたという条件を満たすには，トラックおよびバスは8日と9日にBへ貸し出されていなければならない。つまり，7日にCが使用する予定であったトラックを，7日が移動日，8日，9日にBが使用するように変更したことになる。これは乗用車が故障したからであり，乗用車は7日以降貸し出しができなくなっている。そうすると，乗用車をBが2日間使用したのは3日，4日となり，表Ⅲのように確定する。

よって，**1**，**3**，**4**，**5**は誤りで，正答は**2**である。

表Ⅰ

	1日	2日	3日	4日	5日	6日	7日	8日	9日
トラック	A			→	→	C	C		B
バス	A			→	C	C			B
乗用車	A			B	→	C	C		B

表Ⅱ

	1日	2日	3日	4日	5日	6日	7日	8日	9日
トラック	A	A	A	→	→	C	C	→	B
バス	A	A	→	→	C	C	→	B	B
乗用車	A			B	→	C	C	→	B

表Ⅲ

	1日	2日	3日	4日	5日	6日	7日	8日	9日
トラック	A	A	A	→	→	C	→	B	B
バス	A	A	→	→	C	C	→	B	B
乗用車	A	→	B	B	→	C			B

正答 **2**

A～Gの7人は，Xの子，孫，ひ孫に当たる血族であり，次のことが分かっているとき，A～Gの関係としてあり得るのは次のうちではどれか。

ただし，Xの子孫は全員生存しており，A～G以外にいないものとする。なお，血族とは血がつながった者どうしのことであり，配偶者は含まれない。

- ○　AはDのおじである。
- ○　BはGの祖母である。
- ○　CはEのいとこである。
- ○　GはFのおいである。

1　CはAの親である。

2　DはBのきょうだいである。

3　EはAの孫である。

4　FはCの子である。

5　FはEのきょうだいである。

解説

まず，BはGの祖母なので，BはXの子，GはXのひ孫である。AはDのおじなので，AはXのひ孫ではなく，DはXの子ではない。そして，CはEのいとこなので，C，EはXの子ではなく，GはFのおいなので，FはBの子（Xの孫）である（表I）。この段階で，CがAの親である可能性はなく，BとDが兄弟である可能性もなく，FがCの子である可能性もない。AがXの子であり，DがXの孫である場合（表II），AとBは兄弟となるので，DはBの子である。このとき，Bの孫であるGはFのおいなので，DとFは兄弟である。CとEはいとこなので，一方がDの子で，他方がFの子である場合と，一方がAの子で，他方がBの子である場合が考えられる。後者において，EがBの子である場合，EとFは兄弟となり，**5**は可能性がある。AがXの孫である場合（表III），AとFは兄弟で，Bの子ということになり，DはFの子，GはAの子である。また，CとEは，一方がAの子，他方がFの子である。

ここで，**3**の「EはAの孫である」場合の可能性を考えると，AとBが兄弟，DとFがBの子で，GはDの子である。ここまでで5人の血族関係が決定しているが，CとEはいとこなので，EがAの孫であるならば，CもAの孫ということになり，Aの子どもが2人（C，Eの親）いなければならない。これだと，Xの子孫として，A～Gのほかにさらに2人いなければならず，条件を満たせない。つまり，EがAの孫である可能性はなく，可能性があるのは，「FはEの兄弟である」だけである。

よって，正答は**5**である。

表I

	子	孫	ひ孫
A			×
B	○	×	×
C	×		
D	×		
E	×		
F	×	○	×
G	×	×	○

表II

	子	孫	ひ孫
A	○	×	×
B	○	×	×
C	×		
D	×	○	×
E	×		
F	×	○	×
G	×	×	○

表III

	子	孫	ひ孫
A	×	○	×
B	○	×	×
C	×	×	
D	×	×	○
E	×	×	
F	×	○	×
G	×	×	○

正答 **5**

図のように，円の内側に一辺の長さが円の半径に等しい正方形 ABCD がある。この正方形 ABCD が円の内側に沿って矢印の方向に滑ることなく回転しながら移動するとき，頂点 A の描く軌跡として最も妥当なのはどれか。

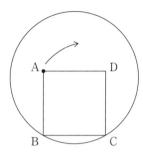

1

2

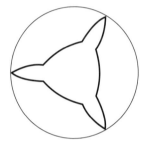

3

4

5

円の内周に沿って，1辺の長さが円の半径に等しい正方形を滑ることなく回転させると，正方形の頂点（問題図の頂点A）は次の図1〜9のような軌跡を描く。実際には，1〜3程度までの軌跡が理解できれば，正解するのは難しくないであろう。

　　よって，正答は**2**である。

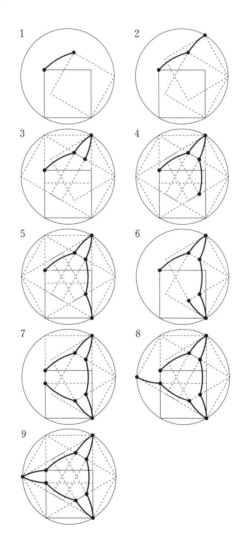

正答　**2**

図Ⅰのように，幅が一定の紙テープを用いて同じ大きさの輪を二つ作り，図Ⅱのように，二つの輪が直交するようにこれらを面で接着した。この接着した二つの輪を，その中央線（図Ⅱの点線）に沿って切り開いたとき，できる図形として最も妥当なのはどれか。

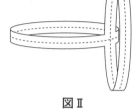

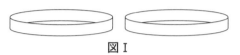

図Ⅰ　　　　　　　　　　　図Ⅱ

1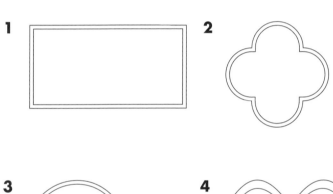

2

3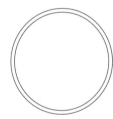

4

5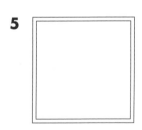

解説 ━━━━━━━━━━━━━━━━━━━━━━━━━━━━━━━━━━━━━━━

紙テープを直交するように接着した部分（次の図における○印の部分）に着目する。点線に沿って切り開くと，この部分で直角が4か所にできることになる。紙テープの長さは等しいので，4つの角がすべて直角で，辺の長さの等しい四角形，つまり，正方形が出来上がる。

　よって，正答は**5**である。

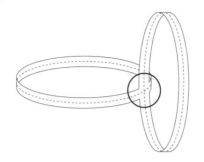

正答　**5**

ある市町村の各地区について調査したところ，次のことが分かった。これから論理的に確実に
いえるのはどれか。

　　○　公民館を有する，又は，図書館を有しない地区は，診療所を有しない，又は，面積が
　　　　1.0km²以上である。

　　○　人口が1,000人以上，又は，面積が1.5km²以上である地区は，診療所を有する。

　　○　人口が1,200人未満である地区は，公民館を有しない。

1　公民館を有する地区は，面積が1.0km²以上である。

2　診療所を有する地区は，面積が1.5km²以上である。

3　図書館を有しない地区は，人口が1,200人以上である。

4　面積が1.5km²以上である地区は，図書館を有する。

5　人口が1,200人未満である地区は，面積が1.0km²以上である。

文章理解

判断推理

数的推理

資料解釈

時事

物理

化学

生物

解説

まず，与えられた命題を，上から順に次のA～Cのように論理式で表してみる。

 A：（公民館∨図書館）→（診療所∨ 1.0km² 以上）

 B：（1,000 人以上∨ 1.5km² 以上）→診療所

 C：1,200 人未満→公民館

命題A，Bの前半部分は分割可能なので，これを分割すると次の A₁～B₂ のようになる（命題Aの後半部分は分割できない）。

 A₁：公民館→（診療所∨ 1.0km² 以上）

 A₂：図書館→（診療所∨ 1.0km² 以上）

 B₁：1,000 人以上→診療所

 B₂：1.5km² 以上→診療所

次に，各命題の対偶を考えると次のD～Fのようになる。

 D：（診療所∧ 1.0km² 以上）→（公民館∧図書館）

 D₁：（診療所∧ 1.0km² 以上）→公民館

 D₂：（診療所∧ 1.0km² 以上）→図書館

 E：診療所→（1,000 人以上∧ 1.5km² 以上）

 E₁：診療所→1,000 人以上

 E₂：診療所→1.5km² 以上

 F：公民館→1,200 人未満

この命題A～Fから考えると，**1**について，Fより「公民館→1,200 人未満」，つまり，「公民館→1,200 人以上」であるから，「公民館→1,000 人以上」が成り立つ。そうすると，B₁ より「1,000 人以上→診療所」なので，「公民館→1,000 人以上→診療所」となる。A₁ は「公民館→（診療所∨ 1.0km² 以上）」，つまり，「公民館を有する地区は診療所を有しない，または，面積が 1.0km² 以上」であるが，FおよびB₁ より「公民館を有する地区は，診療所を有する」なので，「公民館→（診療所∨ 1.0km² 以上）」のうち，診療所は成り立たず，「公民館→ 1.0km² 以上」となり，「公民館を有する地区は，面積が 1.0km² 以上である」が成り立つ。**2～5**については，いずれも命題A～Fから確実に推論することはできない。

 よって，正答は**1**である。

正答 **1**

文章理解 / 判断推理 / 数的推理 / 資料解釈 / 時事 / 物理 / 化学 / 生物

A～Eの5人は，借り物競走を3回行うこととした。各回の競走では，傘，靴，携帯電話，財布，時計の5種類の中から，競走に参加した者がそれぞれ一つずつ異なる種類の借り物をすることとし，各自の借り物は，1回の競走を開始するたびにくじで決めることとした。次のことが分かっているとき，確実にいえるのはどれか。

○ 1回目と2回目の競走は5人で行われ，3回目の競走は3人で行われた。
○ 同じ種類の借り物を2回以上借りることとなったのは，AとDのみであり，Aは傘を2回，Dは時計を2回借りた。
○ BとEは同じ回数参加した。また，Bの1回目の借り物とEの2回目の借り物，Bの2回目の借り物とEの1回目の借り物は同じ種類であった。
○ Cの1回目の借り物は傘であり，2回目の借り物は携帯電話であった。
○ 3回目の競走で借りられた物のうち二つは，靴と携帯電話であった。

1 Aは携帯電話を借りなかった。
2 Bは3回目の競走に参加した。
3 Cは3回目の競走に参加しなかった。
4 Dの3回目の借り物は携帯電話であった。
5 Eの2回目の借り物は財布であった。

解説

まず，「Cの1回目の借り物は傘で，2回目の借り物は携帯電話」，「Bの1回目の借り物とEの2回目の借り物，Bの2回目の借り物とEの1回目の借り物は同じ種類」である。Aは傘を2回借りているが，1回目にCが傘を借りているので，Aは2回目と3回目に傘を借りたことになる。ここまでが次の表Ⅰである。

Dは1回目か2回目の少なくともどちらか一方で時計を借りているので，BとEが1回目，2回目に借りた物は傘，携帯電話，時計のいずれでもなく，靴と財布ということになる。そうすると，BまたはEが3回目に靴を借りることはなく（同じ種類を2回以上借りたのはAとDのみ），BとEは同じ回数の参加なので，2人とも2回の参加となる。したがって，3回目に靴を借りたのはC（Cは2回目に携帯電話を借りている），携帯電話を借りたのはDである。これにより，Dは1回目と2回目に時計を借りているので，Aが1回目に借りたのは携帯電話である。BとEの1回目と2回目は確定できないので，次の表Ⅱ，表Ⅲの2通りとなる。

以上から，確実にいえるのは「Dの3回目の借り物は携帯電話」だけで，正答は**4**である。

表Ⅰ

	1回目	2回目	3回目
A		傘	傘
B	p	q	
C	傘	携帯電話	
D			
E	q	p	

表Ⅱ

	1回目	2回目	3回目
A	携帯電話	傘	傘
B	財布	靴	×
C	傘	携帯電話	靴
D	時計	時計	携帯電話
E	靴	財布	×

表Ⅲ

	1回目	2回目	3回目
A	携帯電話	傘	傘
B	靴	財布	×
C	傘	携帯電話	靴
D	時計	時計	携帯電話
E	財布	靴	×

正答 **4**

文章理解　判断推理　数的推理　資料解釈　時事　物理　化学　生物

A～Fの6人は，図書館でそれぞれ1冊の本を読んだ。AとDは同時に本を読み始め，その10分後にBとEが同時に本を読み始め，さらに，その10分後にCとFが同時に本を読み始めた。次のことが分かっているとき，A～Fがそれぞれ本を読み始めてから読み終わるまでに要した時間について確実にいえるのはどれか。

ただし，6人とも，本を読み始めてから読み終わるまで，本を読むことを中断することはなかったものとする。

　○　AとEが本を読み始めてから読み終わるまでに要した時間は，同じであった。
　○　Bが本を読み始めてから読み終わるまでに要した時間は，Eのそれよりも4分短かった。
　○　Cは，Bよりも先に本を読み終わり，Aよりも後に本を読み終わった。
　○　Dは，Bが本を読み終わって1分後に本を読み終わった。
　○　Eは，Fが本を読み終わって4分後に本を読み終わった。

1　Aは，6人の中で3番目に短かった。
2　Bは，6人の中で2番目に短かった。
3　Cは，6人の中で最も短かった。
4　Dは，6人の中で4番目に短かった。
5　Fは，6人の中で3番目に短かった。

解説

各人が本を読むのに要した時間について，次のように図で表す。明確な条件が与えられていないので，仮に，Aが本を読むのに要した時間を30分としてみる。そうすると，Eが本を読むのに要した時間も30分である（Aが読み終わった10分後に読み終わる）。Bが本を読むのに要した時間は26分で，Aが読み終わった6分後に読み終わる。Dが本を読むのに要した時間は37分（Bの1分後に読み終わっている），Fは16分（Eの4分前に読み終わっている）である。Cは，Bよりも先，Aよりも後に読み終わっているので，Cが本を読むのに要した時間は11～15分となる。ここまでで，各人が本を読むのに要した時間は，短いほうから，C＝11～15分，F＝16分，B＝26分，A，E＝30分，D＝37分となる。

　よって，正答は**3**である。

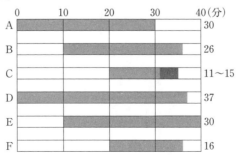

Aは，月～土曜日の6日間，毎日，近所のレストランで昼食をとった。メニュー及び価格は表のとおりであり，次のことが分かっているとき，確実にいえるのはどれか。

	メニュー	価格
主食・主菜	カレーライス	900 円
	ハンバーグ（ライス付）	800 円
副菜	サラダ	300 円
	スープ	200 円
デザート	ケーキ	200 円
	ゼリー	100 円

○　Aの毎日の昼食は，表に掲げられた主食・主菜，副菜，デザートの中から，それぞれ一つずつ，計三つのメニューの組合せであり，それらの組合せは6日間，互いに異なっていた。

○　月，火，金曜日の副菜は同じであった。

○　火曜日と水曜日のデザートは同じであり，また，木曜日と金曜日のデザートも同じであった。

○　組み合わせたメニューの合計金額についてみると，木曜日と金曜日は同額であった。また，木曜日と金曜日よりも，月，火，水曜日の方が多く，土曜日の方が少なかった。

1　月曜日のデザートはケーキであった。
2　火曜日の副菜はスープであった。
3　火曜日のデザートはゼリーであった。
4　木曜日の主食・主菜はカレーライスであった。
5　木曜日の副菜はサラダであった。

主食・主菜，副菜，デザートのそれぞれが2種類ずつあるので，その組合せは8通り（＝2³）ある（表Ⅰ）。木曜日と金曜日の合計金額は同額で，月，火，水曜日はこれより高く，土曜日は安い。したがって，月，火，水曜日は1,300円または1,400円，木，金曜日は1,200円，土曜日は1,100円である。これにより，土曜日は「ハンバーグ（ライス付），スープ，ゼリー」である。月，火，金曜日の副菜は同じ，火，水曜日のデザートは同じ，木，金曜日のデザートも同じであるが，木，金曜日の合計金額が1,200円となるためには，デザートをゼリー（100円）にする必要がある。そうすると，次の表Ⅱ，表Ⅲのような2通りの可能性が考えられる。しかし，表Ⅲの場合は月曜日と火曜日で異なる組合せとすることができない。表Ⅱの場合は表Ⅳのように組めば6日間をすべて異なる組合せとすることが可能であり，さらに，月～水曜日の中の1日について，合計金額が1,400円となる組合せであってもよい。ここから，**1**は確実とはいえず，**2**，**3**，**5**は誤り。確実なのは**4**の「木曜日の主食・主菜はカレーライス」だけである。

　よって，正答は**4**である。

表Ⅰ

主食・主菜	900	900	900	900	800	800	800	800
副菜	300	300	200	200	300	300	200	200
デザート	200	100	200	100	200	100	200	100
合計金額	1,400	1,300	1,300	1,200	1,300	1,200	1,200	1,100 |(円)

表Ⅱ

	月曜日	火曜日	水曜日	木曜日	金曜日	土曜日
主食・主菜				900	800	800
副菜	300	300		200	300	200
デザート		200	200	100	100	100
合計金額				1,200	1,200	1,100 |(円)

表Ⅲ

	月曜日	火曜日	水曜日	木曜日	金曜日	土曜日
主食・主菜				800	900	800
副菜	200	200		300	200	200
デザート		200	200	100	100	100
合計金額				1,200	1,200	1,100 |(円)

表Ⅳ

	月曜日	火曜日	水曜日	木曜日	金曜日	土曜日
主食・主菜	900	800	900	900	800	800
副菜	300	300	200	200	300	200
デザート	100	200	200	100	100	100
合計金額	1,300	1,300	1,300	1,200	1,200	1,100 |(円)

正答　**4**

ある遊園地は，園内の遊具（観覧車，ジェットコースター，ゴーカート）の乗車券，軽食（焼きそば，ポテト，たこ焼き）の引換券，土産品（ぬいぐるみ，キーホルダー）の引換券をセットにしたセット券Aを170組，セット券Bを130組用意している。次のことが分かっているとき，確実にいえるのはどれか。

○ セット券Aは，観覧車又はジェットコースターのいずれか1種類の乗車券，軽食のうちいずれか1種類の引換券，ぬいぐるみの引換券のセットである。

○ セット券Aのうち，観覧車の乗車券とたこ焼きの引換券の両方を含むセットは，45組である。

○ セット券Aのうち，観覧車の乗車券を含むセットは120組，たこ焼きの引換券を含むセットは90組であり，ジェットコースターの乗車券を含むセットは，ポテトの引換券を含むセットと同じ組数である。

○ セット券Bは，遊具のうちいずれか1種類の乗車券，焼きそば又はポテトのいずれか1種類の引換券，キーホルダーの引換券のセットである。

○ セット券Bのうち，ジェットコースターの乗車券と焼きそばの引換券の両方を含むセットは，55組である。

○ セット券Bのうち，ジェットコースターの乗車券を含むセットは60組，焼きそばの引換券を含むセットは75組であり，ゴーカートの乗車券とポテトの引換券の両方を含むセットは，観覧車の乗車券とポテトの引換券の両方を含むセットより10組多い。

1 セット券Aのうち観覧車の乗車券と焼きそばの引換券の両方を含むセットは，セット券Bのうち観覧車の乗車券と焼きそばの引換券の両方を含むセットの組数より少ない。

2 セット券Aのうちジェットコースターの乗車券を含むセットは，セット券Bのうちポテトの引換券を含むセットより10組少ない。

3 セット券Aのうち焼きそばの引換券を含むセットは，セット券Bのうちゴーカートの乗車券を含むセットの組数以下である。

4 セット券Aのうちポテトの引換券を含むセットは，セット券Bのうちゴーカートの乗車券を含むセットの組数より少ない。

5 セット券Aのうちジェットコースターの乗車券と焼きそばの引換券の両方を含むセットは，5組以上である。

解説

セット券A，Bはいずれも土産品は1種類と決まっているので，遊具と軽食の組合せを考えればよい。セット券Aについては，「観覧車の乗車券とたこ焼きの引換券の両方を含むセット」＝45組，「観覧車の乗車券を含むセット」＝120組，「たこ焼きの引換券を含むセット」＝90組が判明している。セット券Bについては，「ジェットコースターの乗車券と焼きそばの引換券の両方を含むセット」＝55組，「ジェットコースターの乗車券を含むセット」＝60組，「焼きそばの引換券を含むセット」＝75組である。ここまでをまとめると次の表Ⅰとなる。

表Ⅰ

A（ぬいぐるみ）	焼きそば	ポテト	たこ焼き	計
観覧車			45	120
ジェットコースター				
計			90	170

B（キーホルダー）	焼きそば	ポテト	計
観覧車			
ジェットコースター	55		60
ゴーカート			
計	75		130

　表Ⅰより，セット券Aについて，「ジェットコースターの乗車券を含むセット」＝50組，「ジェットコースターの乗車券とたこ焼きの引換券を含むセット」＝45組である。また，「ジェットコースターの乗車券を含むセット」＝「ポテトの引換券を含むセット」＝50組，したがって「焼きそばの引換券を含むセット」＝30組である。セット券Bについては，ゴーカートの乗車券とポテトの引換券の両方を含むセットは，観覧車の乗車券とポテトの引換券の両方を含むセットより10組多いので，「ゴーカートの乗車券とポテトの引換券の両方を含むセット」＝30組，「観覧車の乗車券とポテトの引換券の両方を含むセット」＝20組となる（表Ⅱ）。

表Ⅱ

A	焼きそば	ポテト	たこ焼き	計
観覧車			45	120
ジェットコースター			45	50
計	30	50	90	170

B	焼きそば	ポテト	計
観覧車		20	
ジェットコースター	55	5	60
ゴーカート		30	
計	75	55	130

　ここまでを前提として，各選択肢を検討していく。

1．セット券Aの「観覧車の乗車券と焼きそばの引換券の両方を含むセット」は，セット券Bの「観覧車の乗車券と焼きそばの引換券の両方を含むセット」より多い可能性もある。

2．セット券Aの「ジェットコースターの乗車券を含むセット」は，セット券Bの「ポテトの引換券の両方を含むセット」より，5組少ない。

3．正しい。セット券Aの「焼きそばの引換券を含むセット」は30組以下，セット券Bの「ゴーカートの乗車券を含むセット」は30組以上となる。したがって，セット券Aの「焼きそばの引換券を含むセット」は，セット券Bの「ゴーカートの乗車券を含むセット」の組数以下である。

4．セット券Aの「ポテトの引換券を含むセット」は50組，セット券Bの「ゴーカートの乗車券を含むセット」の組数は50組以下である。

5．セット券Aの「ジェットコースターの乗車券と焼きそばの引換券の両方を含むセット」は5組以下である。

正答　**3**

国家一般職［大卒］ No. 160 教養試験

判断推理 位置関係 平成30年度

図のような６室から成るアパートがあり，2018年６月の時点でＡ～Ｆの６人がいずれかの部屋に１人ずつ入居している。このアパートでは共用部分の管理のため，毎月１日にその月の当番を１人割り当てている。割当ての順番は，１～６号室の順であり，６号室の次は１号室に戻る。次のことが分かっているとき，2018年６月の当番は誰か。

ただし，当番を割り当てる際に，その部屋に住人が入居していない場合には，次の番号の部屋の住人に当番を割り当てることとする。また，このアパートでは，2018年に退居した住人や入居する部屋を移った住人はいないものとする。

左	１号室	２号室	３号室	４号室	５号室	６号室	右

○　Ａの両隣の部屋の住人及びＥは，2017年から入居している。
○　Ｂの右隣の部屋の住人は，2018年３月中旬から入居している。
○　Ｃの右隣の部屋の住人はＡであり，また，Ｃの左隣の部屋の住人はＥである。
○　Ｄは2018年のある月に入居したが，その月の当番は，２号室の住人であった。
○　Ｆの左隣の部屋の住人は，2018年４月中旬から入居している。
○　2018年に新たに入居したのは２人だった。

1　Ａ
2　Ｂ
3　Ｃ
4　Ｄ
5　Ｅ

解 説

A，C，E，およびBに関する条件をまとめると，それぞれの部屋の配置と入居年の組合せは次の図Iのようになる。

図I

E	C	A		B	
2017	2017		2017	B	2018/3

図Iから，Aの右隣の部屋をBとすると（図II−1），Fに関する条件を満たせない。また，Bの部屋を左端（1号室）とすると（図II−2），Dは2号室とならざるをえないが，Dが入居した月の当番が2号室の住人であることと矛盾する。

図II−1

E	C	A	B	
2017	2017		2017	2018/3

図II−2

B		E	C	A	
	2018/3	2017	2017		2017

この結果，与えられた条件と矛盾のない部屋配置は，Aの右隣がF，Fの右隣がB，Bの右隣がDという図III（最下段は当番月）になり，Dが2018年3月に入居している（Bに関しては2017年以前に入居している可能性もある）。したがって，Cが2018年3月の当番である。Aは2018年4月中旬に入居した住人となるので，4月の当番は4号室のF，6月の当番は6号室のDである。

よって，正答は**4**である。

図III

1号室	2号室	3号室	4号室	5号室	6号室
E	C	A	F	B	D
2017	2017	2018/4	2017	2017	2018/3
2月	3月	—	4月	5月	6月

正答 **4**

国家一般職
[大卒]
No.
161
教養試験
判断推理
軌　跡
平成 **30年度**

図Ⅰのような棒状の図形があり，一部が灰色になっている。この図形を一辺の長さが 4 cm の正方形の周りを滑ることなく回転させることで，灰色の部分の軌跡を考えることとする。

　いま，ある長さの棒状の図形で軌跡を描いたとき，図Ⅱのようになったが，このとき，回転させた図形として最も妥当なのは次のうちではどれか。

　ただし，棒状の図形の太さは無視できるものとする。

図Ⅰ

図Ⅱ

1
5 cm

2
6 cm

3
6 cm

4
7 cm

5
7 cm

次の図Ⅰのように、軌跡の内部に1辺4cmの正方形を置いて検討してみる。そうすると、軌跡についてA～G7か所の部分から成り立っており、それぞれO～Uが各軌跡の回転の中心となっていることがわかる。

図Ⅰ

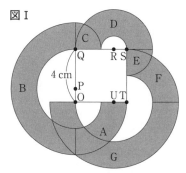

　そこで、次の図Ⅱに示すように、軌跡を分割してみる。まず、Aの部分では点Oが回転の中心で、棒状の図形に関しては、灰色の部分が2cm、その左側に白い部分が少なくとも2cmあることになる。点Oでの回転角度は90°なので、図における点Oの左側に棒状の図形が伸びていることは確実である。そこで軌跡のBの部分を考えると、点Pを中心として180°回転しているので、棒状の図形について、3cmの白い部分がなければならないことになる。さらに、軌跡のCの部分は点Qを中心に90°回転し、そこから軌跡のDの部分が点Rを中心にして180°回転している。この点Rを中心に回転してできる軌跡のDの部分から、棒状の図形において、灰色の部分を挟んで3cmの白い部分と反対側に1cmの白い部分がなければならないことになる。つまり、棒状の図形は「1cmの白い部分＋2cmの灰色の部分＋3cmの白い部分」から成り立っている。

　よって、正答は**2**である。

図Ⅱ

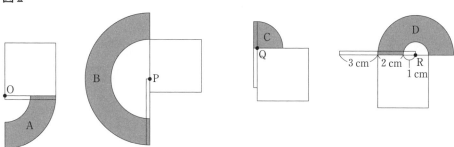

正答　**2**

図Ⅰに示すように，正八面体と立方体は，正八面体の隣り合う面（一辺で接する面）の中心を結んでできる立体は立方体に，また，立方体の隣り合う面の中心を結んでできる立体は正八面体になるという関係にある。

このとき，図Ⅱのような切頂二十面体（いわゆるサッカーボール型の立体）の隣り合う面の中心を結んでできる立体として最も妥当なのはどれか。

図Ⅰ

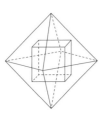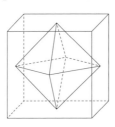

図Ⅱ

1

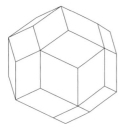

2

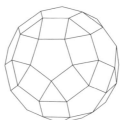

3

4

5

切頂二十面体とは，正二十面体の各頂点に集まる 5 本の辺について，頂点からの距離が辺の長さの $\frac{1}{3}$ となる点を通る平面で切断してできる立体で，正六角形 20 枚，正五角形 12 枚で構成されている。この切頂二十面体では，各頂点に正五角形 1 枚，正六角形 2 枚が集まっているので，隣り合う面の中心（重心）を結んでできる図形はすべて二等辺三角形となる。したがって，出来上がる立体は合同な二等辺三角形だけで構成されることになり，正答は **5** である。

図Ⅰのような正八面体と正六面体（立方体）の関係を正多面体の双対性と呼び，正十二面体と正二十面体との間でも成り立つ。正四面体は正四面体と双対なので自己双対である。図Ⅱの切頂二十面体は，13 種類ある半正多面体（頂点形状が合同で，2 種類以上の正多角形で構成される立体）のうちの一つで，すべての半正多面体にそれぞれ双対となる多面体が存在する。切頂二十面体と双対となるのは **5** の立体であり，これは正十二面体の各面の重心を持ち上げて，各面を 5 つの二等辺三角形に分けて（全部で 60 枚）できた立体で，五方十二面体と呼ばれる。

正答　**5**

次の推論A〜Dのうち，論理的に正しいもののみを挙げているのはどれか。

　A：ある会社の売店は，梅干し，昆布，明太子の3種類のおにぎりを，客1人につき2個選択させる方法で販売し，計180個を完売した。梅干しを購入した客のうち56人が昆布を購入しており，かつ，昆布を購入した客のうち20人が明太子を購入しているとき，同じ種類のおにぎりを2個購入した客は14人である。

　B：ある会社の社員100人にリンゴ，ブドウ，ミカンのうち好きな果物を挙げさせたところ，リンゴを挙げた者が60人，ブドウを挙げた者が40人，ミカンを挙げた者が30人いた。3種類全てを挙げた者が10人，ちょうど2種類を挙げた者が20人いるとき，1種類も挙げなかった者は10人である。

　C：ある会社の食堂のメニューは日替わりである。カレーライスとうどんの両方がある日にはオムライスもあり，焼きそばがない日にはうどんがない。さらに，魚定食がある日にはカレーライスがない。このとき，魚定食がある日には，うどんと焼きそばの両方がある，又は，オムライスがない。

　D：ある会社の社員に対して終業後の習慣について尋ねたところ，終業後に買物をしている者は，終業後に運動をしていないが，終業後に社内で行われる勉強会に参加していない者は，終業後に運動をしていることが分かった。このとき，終業後に買物をしている者は，終業後に社内で行われる勉強会に参加している。

1　A，B
2　A，C
3　B，C
4　B，D
5　C，D

解説

A：梅干しと昆布の2種類を購入した客が56人（112個），昆布と明太子の2種類を購入した客が20人（40個）である。残りの28個（＝180−112−40）については14人の客が購入したことになるが，その中には梅干しと明太子の2種類を購入した客がいる可能性がある。したがって，同じ種類のおにぎりを2個購入した客は14人以下であり，その人数を確定することはできない。

B：正しい。次のようなキャロル表を利用して考える。まず，リンゴを挙げたのが60人，ブドウを挙げた者が40人，ミカンを挙げた者が30人，3種類を挙げた者が10人なので，これを表中に記入する。ここで，リンゴとブドウの2種類のみを挙げた人数をa，リンゴとミカンの2種類のみを挙げた人数をb，ブドウとミカンの2種類のみを挙げた人数をc，リンゴのみを挙げた人数をx，ブドウのみを挙げた人数をy，ミカンのみを挙げた人数をz，1種類も挙げなかった人数をmとしてみる。そうすると，$a+b+x+10=60$，$a+b+x=50$……①，$a+c+y+10=40$，$a+c+y=30$……②，$b+c+z+10=30$，$b+c+z=20$……③となり，①+②+③とすると，$(a+b+x)+(a+c+y)+(b+c+z)=50+30+20$，$2(a+b+c)+(x+y+z)=100$となる。$a+b+c=20$だから，$20×2+(x+y+z)=100$，$x+y+z=60$である。$(a+b+c)+(x+y+z)+10+m=100$より，$20+60+10+m=100$，$m=10$となる。したがって，1種類も挙げなかった者は10人である。

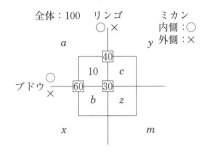

C：ここでは真偽分類表を利用するとよい。カレーライスがあることをA，ないことをaとし，同様にうどん（B, b），オムライス（C, c），焼きそば（D, d），魚定食（E, e）とする。このとき，全部で32通り（$=2^5$）の組合せが考えられるが，これを一覧表にしてしまう。そうすると，「カレーライスとうどんの両方がある日にはオムライスもある」ので，「$ABC**$」でなければならず，「$ABc**$」である⑤～⑧は可能性がない（表Ⅰ）。また，「焼きそばがない日にはうどんがない」ので，「$*B*d*$」となる③，④，⑲，⑳，㉓，㉔も可能性がない（表Ⅱ）。さらに，「魚定食がある日にはカレーライスがない」ので，「$A***E$」となる①，⑪，⑬，⑮も可能性がない（表Ⅲ）。これ以外の組合せは可能性があることになる。ここで，「$****E$」を考えると，たとえば㉗は「魚定食はあるが，うどんも焼きそばもなく，オムライスがある」ことになる（「$****E$」となる⑰，㉑，㉕，㉗，㉙，㉛のうち，㉕，㉗は当てはまらない）。

表Ⅰ

	A					a			
①	B	C	D	E	⑰	B	C	D	E
②	B	C	D	e	⑱	B	C	D	e
③	B	C	d	E	⑲	B	C	d	E
④	B	C	d	e	⑳	B	C	d	e
⑤	B	c	D	E	㉑	B	c	D	E
⑥	B	c	D	e	㉒	B	c	D	e
⑦	B	c	d	E	㉓	B	c	d	E
⑧	B	c	d	e	㉔	B	c	d	e
⑨	b	C	D	E	㉕	b	C	D	E
⑩	b	C	D	e	㉖	b	C	D	e
⑪	b	C	d	E	㉗	b	C	d	E
⑫	b	C	d	e	㉘	b	C	d	e
⑬	b	c	D	E	㉙	b	c	D	E
⑭	b	c	D	e	㉚	b	c	D	e
⑮	b	c	d	E	㉛	b	c	d	E
⑯	b	c	d	e	㉜	b	c	d	e

表Ⅱ

	A					a			
①	B	C	D	E	⑰	B	C	D	E
②	B	C	D	e	⑱	B	C	D	e
③	B	C	d	E	⑲	B	C	d	E
④	B	C	d	e	⑳	B	C	d	e
⑤	B	c	D	E	㉑	B	c	D	E
⑥	B	c	D	e	㉒	B	c	D	e
⑦	B	c	d	E	㉓	B	c	d	E
⑧	B	c	d	e	㉔	B	c	d	e
⑨	b	C	D	E	㉕	b	C	D	E
⑩	b	C	D	e	㉖	b	C	D	e
⑪	b	C	d	E	㉗	b	C	d	E
⑫	b	C	d	e	㉘	b	C	d	e
⑬	b	c	D	E	㉙	b	c	D	E
⑭	b	c	D	e	㉚	b	c	D	e
⑮	b	c	d	E	㉛	b	c	d	E
⑯	b	c	d	e	㉜	b	c	d	e

表Ⅲ

	A					a			
①	B	C	D	E	⑰	B	C	D	E
②	B	C	D	e	⑱	B	C	D	e
③	B	C	d	E	⑲	B	C	d	E
④	B	C	d	e	⑳	B	C	d	e
⑤	B	c	D	E	㉑	B	c	D	E
⑥	B	c	D	e	㉒	B	c	D	e
⑦	B	c	d	E	㉓	B	c	d	E
⑧	B	c	d	e	㉔	B	c	d	e
⑨	b	C	D	E	㉕	b	C	D	E
⑩	b	C	D	e	㉖	b	C	D	e
⑪	b	C	d	E	㉗	b	C	d	E
⑫	b	C	d	e	㉘	b	C	d	e
⑬	b	c	D	E	㉙	b	c	D	E
⑭	b	c	D	e	㉚	b	c	D	e
⑮	b	c	d	E	㉛	b	c	d	E
⑯	b	c	d	e	㉜	b	c	d	e

D：正しい。論理式で表すと，ア「買物→$\overline{運動}$」，イ「$\overline{勉強会}$→運動」となる。イの対偶を考えると，ウ「$\overline{運動}$→勉強会」となるので，アおよびウより「買物→$\overline{運動}$→勉強会」となり，「終業後に買物をしている者は，終業後に社内で行われる勉強会に参加している」は成り立つ。

　　以上から，論理的に正しい推論はBおよびDであり，正答は**4**である。

正答　**4**

国家一般職 [大卒]
教養試験
No. **164** 判断推理　　**順序関係**　　平成**29**年度

ある高校の文化祭では，各クラスが，ホール，体育館，中庭のいずれかの場所で1回のみ発表を行った。また，複数のクラスが同じ場所で同時に発表を行うことはなかった。この文化祭に参加したA〜Eの5人が，次のように述べているとき，確実にいえるのはどれか。

ただし，A〜Eが各クラスの発表を見るときには，そのクラスの発表を最初から最後まで見るものとする。

A：「ホールで1年3組の発表を見た後，中庭で3年2組の発表を見た。」

B：「中庭で2年1組の発表を見た後，体育館で1年1組と3年3組の発表を1年1組，3年3組の順に見た。その後，ホールで2年2組の発表を見た。」

C：「ホールで3年1組と1年3組の発表を3年1組，1年3組の順に見た後，体育館で3年3組の発表を見た。」

D：「体育館で2年3組の発表を見た後，中庭で1年2組の発表を見た。その後，ホールで3年1組の発表を見た。」

E：「中庭で3年2組の発表を見た後，ホールで2年2組の発表を見た。」

1　1年2組の発表は，2年1組の発表より前に行われた。
2　1年2組の発表は，3年2組の発表より前に行われた。
3　2年1組の発表は，1年3組の発表より前に行われた。
4　2年1組の発表は，3年2組の発表より前に行われた。
5　3年3組の発表は，3年2組の発表より前に行われた。

解説

A〜Eの5人が発表を見た順序を図にまとめると次のようになる（左側が先）。この図において，矢印でつながっているクラス間は先後関係が明らかであるが，たとえば2年1組と1年2組，1年1組と3年2組のように，矢印でつながっていないクラス間ではその先後関係が明らかではない。そうすると，1年2組の後に3年1組，3年1組の後に1年3組，1年3組の後に3年2組が発表しているので，「1年2組の発表は，3年2組の発表より前に行われた」という**2**は確実であるが，それ以外の**1**，**3**，**4**，**5**は確実とはいえない。

したがって，正答は**2**である。

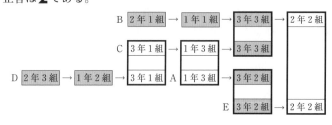

正答　**2**

国家一般職
［大卒］

No.
165

教養試験

判断推理　　**発言からの推理**　　平成**29**年度

A～Eの五つの箱があり，それぞれの箱にはラベルが1枚貼られている。箱とその箱に貼られているラベルの記述について調べてみると，空箱でないときは，ラベルの記述が正しく，事実と整合しており，空箱であるときは，ラベルの記述が誤っており，事実に反することが分かった。ラベルが次のとおりであるとき，A～Eのうち，空箱であると確実にいえるのはどれか。

　Aのラベル：「C又はDは空箱である。」

　Bのラベル：「Aが空箱であるならば，Cも空箱である。」

　Cのラベル：「Dは空箱である。」

　Dのラベル：「A及びBは空箱である。」

　Eのラベル：「Dが空箱であるならば，Eは空箱でない。」

1　A
2　B
3　C
4　D
5　E

解説

　まず，CとDの箱について考えてみる。Cが空箱でないとき，Cのラベルの記述は正しいので，Dは空箱である。Cが空箱であるとき，Cのラベルの記述は誤りで，Dは空箱でない。つまり，この段階でCまたはDのどちらかは空箱ということになるので，Aのラベルの記述は正しい（Aは空箱ではない）。そうすると，Dのラベルの記述「A及びBは空箱である」は誤りで，Dは空箱である。Bのラベルについては，Aは空箱ではないので，「Aが空箱であるならば」という誤り（＝偽）の仮定を立てれば，結論がどのようであっても，全体としての記述は誤り（＝偽）とはならない。これに対し，Eのラベルの記述については，「Dが空箱であるならば」という部分は正しい（真）ので，Eが空箱でなければ記述全体が正しい（真），空箱であれば記述全体が誤り（偽）ということになって，どちらの可能性もある。

　以上から，空箱であると確実にいえるのはDであり，正答は**4**である。

正答　**4**

図のように家具等（タンス，戸棚，洗濯桶，ベッド，テーブル，柱時計，暖炉）が配置されている2部屋から成る家で，7匹の子ヤギの兄弟が暮らしている。

　ある日，この家にオオカミがやって来たので，7匹の子ヤギの兄弟は家具等に隠れたが，うち6匹はオオカミに見付かってしまった。次のことが分かっているとき，確実にいえるのはどれか。

　ただし，家具等一つにつき子ヤギは1匹しか隠れることができないものとする。

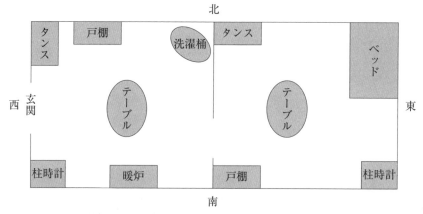

○　2部屋に共通して置かれている家具等のそれぞれについて，一方の部屋の家具等に子ヤギが隠れている場合は，もう一方の部屋の家具等に子ヤギは隠れていなかった。
○　長男は，テーブルの下に隠れた。
○　次男は，東側の部屋で隠れた。
○　三男と四男は，それぞれ別の部屋で隠れた。
○　五男は，テーブルよりも南側にある家具等に隠れた。
○　末っ子は，柱時計に隠れており，オオカミには見付からなかった。
○　オオカミは，西側の部屋で4匹の子ヤギを，東側の部屋で2匹の子ヤギを見付けた。

1　長男は，東側の部屋のテーブルの下に隠れた。
2　次男は，東側の部屋のタンスに隠れた。
3　三男は東側の部屋で，四男は西側の部屋で，それぞれ隠れた。
4　五男は，西側の部屋の暖炉に隠れた。
5　末っ子は，西側の部屋の柱時計に隠れた。

解説

　まず，与えられた条件である，「長男はテーブルの下に隠れた」「次男は東側の部屋で隠れた」「五男はテーブルよりも南側にある家具等に隠れた」「末っ子は柱時計に隠れた」および「2部屋に共通して置かれている家具等のそれぞれについて，一方の部屋の家具等に子ヤギが隠れている場合は，もう一方の部屋の家具等には子ヤギは隠れていなかった」という条件をまとめると，次の表Ⅰ－1，表Ⅰ－2のようになる。

　ここで，タンス，戸棚，テーブル，柱時計については東西の部屋のどちらかにしか隠れないので，そこに4匹が隠れたことになる。つまり，洗濯桶，ベッド，暖炉に1匹ずつ隠れている。

　また，西側の部屋で4匹が見つかっているが，三男と四男は別の部屋に隠れたので，長男，五男，六男は西側の部屋に隠れたことになる。そうすると，長男が隠れたのは西側の部屋のテーブル，テーブルよりも南側の家具等という条件がある五男は暖炉に隠れたことになる（表Ⅱ－1）。したがって，**4**は確実にいえる内容である。表Ⅱ－1，表Ⅱ－2以降は確定しないので，それ以上は判断できない。

　よって，**1**は誤り，**2**，**3**，**5**は判断できない。以上から，正答は**4**である。

表Ⅰ－1

	西側の部屋					
	タンス	戸棚	洗濯桶	テーブル	柱時計	暖炉
長男	×	×	×		×	×
次男	×	×		×	×	
三男				×	×	
四男				×	×	
五男	×	×	×		×	
六男				×	×	
末っ子	×	×	×	×		×

表Ⅰ－2

	東側の部屋				
	タンス	ベッド	テーブル	戸棚	柱時計
長男	×	×		×	×
次男			×		×
三男			×		×
四男			×		×
五男	×	×	×		×
六男			×		×
末っ子	×	×	×	×	

表Ⅱ－1

	西側の部屋					
	タンス	戸棚	洗濯桶	テーブル	柱時計	暖炉
長男	×	×	×	○	×	×
次男	×	×	×	×	×	×
三男				×	×	×
四男				×	×	×
五男	×	×	×	×	×	○
六男				×	×	×
末っ子	×	×	×	×		×

表Ⅱ－2

	東側の部屋				
	タンス	ベッド	テーブル	戸棚	柱時計
長男	×	×	×	×	×
次男			×		×
三男			×		×
四男			×		×
五男	×	×	×	×	×
六男			×		×
末っ子	×	×	×	×	

正答　**4**

国家一般職 [大卒]

No. 167

教養試験

判断推理

対応関係

平成29年度

ある小学校では，月～金曜日の夜間，校庭を地域の五つの団体A～Eに貸し出すこととなった。A～Eは借りる曜日の希望調査に対して，順位を付けずに二つの曜日を回答したところ，希望した二つの曜日のうちいずれかの曜日に借りることができた。次のことが分かっているとき，確実にいえるのはどれか。

ただし，同じ曜日に複数の団体に貸し出すことはなかったものとする。

○　月～金曜日のうち，四つの曜日は，希望した団体が複数あった。

○　Aは，二つの曜日とも，Dと同じ曜日を希望した。

○　Bは，水曜日と金曜日を希望した。

○　Cは，希望した曜日のうち，火曜日には借りることができなかった。

○　Dは，水曜日に借りることができた。

○　Eは，希望した曜日が，B及びCとそれぞれ一つずつ同じであった。

1　Aは，木曜日に借りることができた。

2　Dは，月曜日と水曜日を希望した。

3　Eは，火曜日と金曜日を希望した。

4　水曜日を希望した団体は，A，B，D，Eであった。

5　木曜日を希望した団体は，一つのみであった。

解 説

「月〜金曜日のうち，4つの曜日は，希望した団体が複数あった」という条件から，2つの団体が希望した曜日が3日，3つの団体が希望した曜日が1日あることになる（1日だけ1つの団体が希望した）。まず，水曜日に関しては，BとDが希望し，Dが借りている。そして，Aは2つの曜日ともDと同じ曜日を希望しているので，Aも水曜日を希望しており，3つの団体が希望したのは水曜日である。Bは水曜日と金曜日を希望して水曜日には借りられなかったので，金曜日に借りられたことになる。EはBと同じ曜日を希望したのが1日あるが，それは水曜日ではない（水曜日はA，B，Dの3団体が希望）ので，金曜日である。もう1日はCが希望した曜日と同じであるが，これはEが借りられた日でなければならないので，Cが借りられなかった火曜日にEは借りられたことになる。ここまでが表Ⅰである（○：希望して借りられた，△：希望したが借りられなかった）。

表Ⅰ

	月	火	水	木	金
A			△		
B			△		○
C		△			
D			○		
E		○			△

　A，C，Dが希望したもう1日（AとDは同じ曜日）については，表Ⅱ，表Ⅲの2通りの可能性がある。この表Ⅱ，表Ⅲより，**1**，**2**，**5**は不確定，**4**は誤りで，正答は**3**である。

表Ⅱ

	月	火	水	木	金
A	○		△		
B			△		○
C		△		○	
D	△		○		
E		○			△

表Ⅲ

	月	火	水	木	金
A			△	○	
B			△		○
C	○	△			
D			○	△	
E		○			△

正答　**3**

図のように，正六角形の人工池の周囲にA〜Fの六つの花壇があり，Bのみ位置が明らかにされている。六つの花壇には異なる色のバラがそれぞれ植えられており，色は赤，オレンジ，黄，白，ピンク，紫である。また，バラが咲く時期は色によって異なっており，さらに，バラの咲き方は色によって一重咲き又は八重咲きのいずれか一方となっている。次のことが分かっているとき，確実にいえるのはどれか。

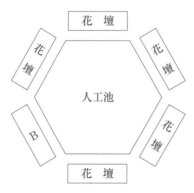

○　Bは黄のバラ，人工池に向かってBの右隣の花壇は紫のバラ，更にその右隣の花壇は白のバラであった。

○　人工池に向かってDの右隣の花壇は，オレンジのバラであった。

○　人工池に向かって紫のバラの花壇の対岸にある花壇は，赤のバラであった。

○　最初にバラが咲いた花壇はA，4番目はD，5番目はEであり，また，最後に咲いたバラの色は赤であった。

○　黄のバラの直後に紫のバラが，更にその直後に白のバラが咲いた。

○　オレンジのバラは，白のバラより後に咲いた。

○　いずれの花壇も両隣の花壇と咲き方が異なっており，また，Bは一重咲きであった。

1　最初に，Aにピンクの一重咲きのバラが咲いた。

2　3番目に，Cにオレンジの八重咲きのバラが咲いた。

3　4番目に，Dに白の一重咲きのバラが咲いた。

4　5番目に，Eにピンクの八重咲きのバラが咲いた。

5　最後に，Fに赤の八重咲きのバラが咲いた。

まず，バラの色はBが黄，その右隣は紫，さらにその右隣は白，紫の対岸は赤である。赤は最後に咲くのでDではなく，したがって，オレンジは白の右隣で，Dが白である。そうすると，黄のバラの直後に紫のバラが，さらにその直後に白のバラが咲いているので，B（黄）は2番目，紫は3番目，オレンジは白より後なので5番目（E）である。ここから，1番目はBの左隣でピンクとなる。Bは一重咲きで，両隣の花壇はいずれも咲き方が異なるので，一重咲きと八重咲きが交互に並ぶことになり，次の図のようになる（6つの花壇を示すワク内は，咲く順番，花壇，バラの色，咲き方を示す）。ただし，CとFについては確定しない。

以上から，**1**，**4**は誤り，**2**，**5**はCとFの順番が確定しないことから不確実（ただし，どちらも順番以外の内容に誤りを含む）で，正答は**3**である。

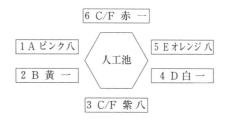

正答　**3**

国家一般職
[大卒]

No.
169

教養試験

判断推理

折り紙

平成29年度

正方形の透明なシートに，いくつかの直線が描かれている。③の形になるよう，このシートを，図のように①→②→③の順で破線部分で2回谷折りしたところ，④の模様が見えた。このとき，シートに描かれていた直線を表す図として最も妥当なのは，次のうちではどれか。

　ただし，シートは裏返さないものとする。

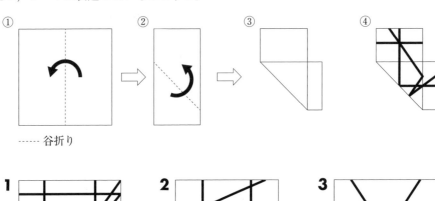

----- 谷折り

1
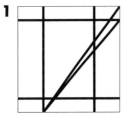

2
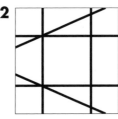

3
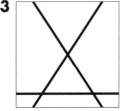

4
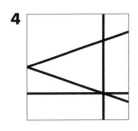

5
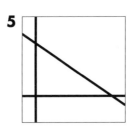

解　説

次の図のように，④の状態から逆順で開いて①の状態に戻してみればよい。その際，シートに描かれた直線は折り目により線対称になることに注意する。**5**の図を $90°$ 回転させて②，③の順に折ればよいことがわかる。

　以上から，正答は**5**である。

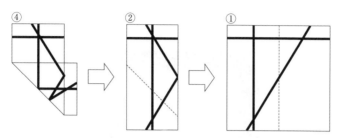

正答　5

国家一般職
［大卒］
No.
170 判断推理
教養試験
立体構成
平成29年度

一辺の長さが1で黒色の複数の小立方体を面と面とが合わさるように組み合わせてできる一つの立体に，十分遠くにある光源からの光を当てて，光に垂直な平面にできる影を観察したところ，立体を構成するいずれかの面に垂直な向きであればどの向きからの光であっても，図のような影ができることが分かった。このとき，A〜Dのうち，確実にいえるもののみを全て挙げているのはどれか。

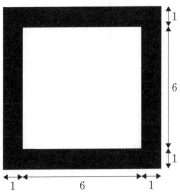

A：条件を満たす立体のうち，少なくとも一つは，42個の小立方体を組み合わせて作ることができる。

B：条件を満たす立体のうち，少なくとも一つは，82個の小立方体を組み合わせて作ることができる。

C：条件を満たす立体のうち，少なくとも一つは，ある素数個の小立方体を組み合わせて作ることができる。

D：条件を満たす立体は，どの立体も，偶数個の小立方体を組み合わせて作る必要がある。

1 A

2 A，C

3 B

4 B，D

5 D

解説

立体を構成するいずれかの面に垂直な向きであれば，どの向きからの光であっても問題図のような影ができる立体としては，次の図Ⅰのように組んだ立体（立方体の各辺の部分に小立方体を並べる）が最も一般的で，このとき，用いる小立方体の個数は最多となる。立方体の辺は12本あり，その各辺の頂点以外の部分に小立方体はそれぞれ6個ずつ，頂点部分にそれぞれ1個ずつあるから，6×12＋8＝80より，小立方体の個数は最多で80個である。つまり，82個の小立方体を組み合わせて作ることはできない（Bは誤り）。しかし，問題図のような影ができるためには，影として重なる辺はなくても可能なので，図Ⅱのような立体でもよい。このときの小立方体の個数は，6×6＋6＝42より，42個となる（Aは正しい）。また，次の図Ⅲのように，図Ⅱの状態に小立方体Aを1個加えて43個としても，影の見え方は変わらない。つまり，小立方体の個数は42個〜80個の範囲であればよい。そして，43は素数なのでCは正しい（Dは誤り）。

以上から，確実にいえるのはAとCで，正答は**2**である。

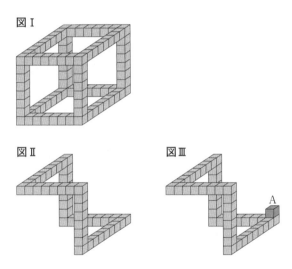

図Ⅰ

図Ⅱ　　図Ⅲ

A

正答　**2**

男性2人，女性3人のA〜Eの5人の学生が，W〜Zの4社がそれぞれ行う採用説明会のいくつかに参加した。5人の学生の参加状況について，各社の採用担当者及び学生が次のように述べているとき，確実にいえるのはどれか。

　W社：「弊社の説明会に参加したのは2人だった。それらの学生は2人とも男性だった。」

　X社：「弊社の説明会に参加したのはA，B，Eだった。」

　Y社：「弊社の説明会に参加した男性は1人だった。」

　Z社：「弊社の説明会に参加しなかったのは1人だった。その学生は男性だった。」

　A：「W社の説明会には参加しなかった。」

　B：「4社全ての説明会に参加した。」

　C：「Y社の説明会には参加した。」

　D：「1社の説明会にのみ参加した。」

　E：「3社の説明会に参加した。」

1　X社の説明会には男性が2人参加した。

2　Y社の説明会に参加したのは3人だった。

3　Cは1社の説明会にのみ参加した。

4　DはZ社の説明会に参加した。

5　Eは女性だった。

解説

まず，W～Z社の担当者が述べていることをまとめると，次の表Ⅰとなる。これにA～Eが述べていることを加えると，表Ⅱとなる。

　W社の説明会に参加したBは男性，参加しなかったAは女性であり，Y社の説明会に参加した男性は1人（これはBである）だから，Cは女性である（女性であるA，CはZ社の説明会に参加している）。ここで，DとEの性別に関して場合分けしてみる。Dが男性，Eが女性の場合は表Ⅲのようになり，DはW社，EはX，Y，Z社の説明会に参加している。ただし，AがY社の説明会に参加したかどうかは確定できない。Dが女性，Eが男性だとすると（表Ⅳ），EはY社にもZ社にも参加していないことになるので，3社の説明会に参加したというEの発言と矛盾する。

　したがって，成り立つのは表Ⅲの場合だけである。この表Ⅲより，**1**，**3**，**4**は誤り，**2**は不確実で，正答は**5**である。

表Ⅰ

	男性	女性	W	X	Y	Z
A				○		
B				○		
C				×		
D				×		
E				○		

2人　3人　男性2人　　　男性=1人　男性1人女性3人

表Ⅱ

	男性	女性	W	X	Y	Z	
A		○	×	○			
B	○		○	○	○	○	
C		○	×	×	○	○	
D				×			1社
E				○			3社

2人　3人　男性2人　　　男性=1人　男性1人女性3人

表Ⅲ

	男性	女性	W	X	Y	Z	
A		○	×	○		○	
B	○		○	○	○	○	
C		○	×	×	○	○	
D	○		○	×	×	×	1社
E		○	×	○	○	○	3社

2人　3人　男性2人　　　男性=1人　男性1人女性3人

表Ⅳ

	男性	女性	W	X	Y	Z	
A		○	×	○		○	
B	○		○	○	○	○	
C		○	×	×	○	○	
D		○	×	×	×	○	1社
E	○		○	○			3社

2人　3人　男性2人　　　男性=1人　男性1人女性3人

正答　5

ある学級の生徒の日々の生活について，次のことが分かっているとき，論理的に確実にいえるのはどれか。

- ○ 夜10時以降に就寝している生徒は，自宅学習をしている。
- ○ 遅刻したことがある生徒は，夜11時以降に就寝し，かつ朝7時以降に起床している。
- ○ 遅刻したことがない生徒は，朝7時より前に起床している。

1 朝7時以降に起床している生徒は，自宅学習をしている。
2 朝7時より前に起床している生徒は，夜11時より前に就寝している。
3 自宅学習をしている生徒は，遅刻したことがある。
4 自宅学習をしていない生徒は，朝7時以降に起床している。
5 遅刻したことがない生徒は，夜10時より前に就寝している。

解説

与えられた命題を，上から順に次のA〜Cのように論理式として表してみる。

A：夜10時以降就寝→自宅学習
B：遅刻→（夜11時以降就寝∧朝7時以降起床）
C：$\overline{遅刻}$→朝7時以前起床
　　ここで，Bについては次のように分割することが可能である。
B₁：遅刻→夜11時以降就寝
B₂：遅刻→朝7時以降起床
　　このA〜Cの対偶を考えると，次のD〜Fのようになる。
D：$\overline{自宅学習}$→夜10時以前就寝
E：（夜11時以前就寝∨朝7時以前起床）→$\overline{遅刻}$
E₁：夜11時以前就寝→$\overline{遅刻}$
E₂：朝7時以前起床→$\overline{遅刻}$
F：朝7時以降起床→遅刻
　　このA〜Fにより，**1**〜**5**を検討する。

1．正しい。F，B₁より，「朝7時以降起床→遅刻→夜11時以降就寝」となるが，夜11時以降就寝ならば，夜10時以降就寝であることが確実なので，さらに，Aの「夜10時以降就寝→自宅学習」がいえる。つまり，「朝7時以降に起床している生徒は，自宅学習をしている」ことは確実である。

2．E₂より，「朝7時以前起床→$\overline{遅刻}$」となるが，夜11時以前に就寝しているかどうかは判断できない。E₂にCと続けても，「朝7時以前起床→$\overline{遅刻}$→朝7時以前起床」となるだけである。

3．「自宅学習→」となる命題が存在しないので，その先を判断できない。

4．Dより，「$\overline{自宅学習}$→夜10時以前就寝」となる。そうすると，夜10時以前就寝だから夜11時以前就寝であり，ここから，E₁，Cより，「夜11時以前就寝→$\overline{遅刻}$→朝7時以前起床」となり，朝7時以前に起床している。

5．これもC，E₂より，「$\overline{遅刻}$→朝7時以前起床→$\overline{遅刻}$」となるだけで，夜10時以前に就寝しているかどうかは判断できない。

正答 **1**

ある地域の運動会で，赤，白，青，黄，桃の五つの異なる組にそれぞれ所属しているA〜Eの5人が，借り物競走に出場した。5人は同時にスタートし，途中の地点で，借り物を指示する5枚のカードから1枚ずつ選び，指示された物を借りてきてゴールに向かった。借り物を指示するカードには，「軍手」「たすき」「なわとび」「マイク」「帽子」の5種類が1枚ずつあった。5人が次のように述べているとき，確実にいえるのはどれか。なお，同時にゴールした者はいなかった。

A：「私がゴールしたときにまだゴールしていなかったのは，白組と桃組の走者の2人だった。」

B：「私の2人前にゴールしたのは赤組の走者で，軍手を借りていた。」

C：「私の直後にゴールした走者は，たすきを借りていた。」

D：「私の直前にゴールしたのは黄組の走者で，帽子を借りていた。」

E：「指示されたなわとびを探すうちに，2人以上の走者が先にゴールしたが，私がゴールしたのは最後ではなかった。」

1　Aは帽子を借りた。

2　Bはたすきを借りた。

3　Cは軍手を借りた。

4　Dは青組だった。

5　Eは桃組だった。

解説

まず，Aは3位でゴールしている。次に，Eの発言から，Eはなわとびを借りて3位または4位でゴールしているが，3位はAなのでEは4位である。Bの2人前にゴールした者がいるので，Bも3位以下であるが，3位はA，4位はEだから，Bは5位で，ここから，Aが赤組で借りたのは軍手である。そうすると，C，Dの発言から，1位は黄組のCで帽子を借りており，2位はDでたすきを借りている。そして，4位，5位が白組と桃組なので，Dは青組である。さらに，Bが借りたのはマイクと決まるが，4位と5位のE，Bに関して，白組，桃組を決定することはできない。

以上をまとめると次の表のようになり，正答は**4**である。

1	2	3	4	5
C	D	A	E	B
黄	青	赤		
帽子	たすき	軍手	なわとび	マイク

正答　**4**

文章理解

判断推理

数的推理

資料解釈

時事

物理

化学

生物

図のように，1階に西口，3階に東口を有する地下1階，地上7階のオフィスビルがある。A〜Gの7人は，このオフィスビルの異なる階にそれぞれ勤務しており，出勤時，退勤時には，東口，西口のいずれかを利用する。次のことが分かっているとき，確実にいえるのはどれか。

○　A〜Gは，3階分以上昇るとき，又は，4階分以上降りるときはエレベーターを使い，それ以外の昇降には階段を使う。また，出勤時に東口を利用する人は3人，退勤時に東口を利用する人は4人いる。

○　Aは，出勤時，退勤時共に西口を利用し，いずれもエレベーターを使う。また，Aは，Cより下の階で勤務している。

○　Bは，出勤時，退勤時共に同じ出入口を利用し，いずれもエレベーターは使わない。

○　Cは，退勤時に東口を利用し，出勤時にはエレベーター，退勤時には階段を使う。

○　Dは，出勤時，退勤時に異なる出入口を利用し，出勤時には階段，退勤時にはエレベーターを使う。

○　Eは，出勤時，退勤時共に西口を利用し，出勤時にはエレベーター，退勤時には階段を使う。

○　Fは，出勤時，退勤時共に東口を利用し，いずれも階段，エレベーターは使わない。

○　Gは，出勤時に東口を利用し，出勤時には階段を使うが，退勤時には階段もエレベーターも使わない。

1　Aは6階で勤務している。

2　BはFより上の階で勤務している。

3　CはEの一つ上の階で勤務している。

4　Dは地下1階で勤務している。

5　2階には，A〜Gのいずれも勤務していない。

| 7 階 |
| 6 階 |
| 5 階 |
| 4 階 |
| 3 階　　東口 |
| 2 階 |
| 1 階　　西口 |
| 地下 1 階 |

解説

A：出勤時，退勤時ともに西口を利用し，いずれもエレベーターを使うので，5階以上であるが，Cより下の階なので7階ではない（5〜6階）。

B：出勤時，退勤時ともに同じ出入口を利用し，いずれもエレベーターは使わないので，6階，7階ではない。

C：Aより上の階なので6階以上であるが，退勤時に東口を利用し，階段を使うので，7階ではない（5〜6階）。したがって，Cは6階，そしてAは5階である。

D：出勤時，退勤時に異なる出入口を利用し，出勤時には階段，退勤時にはエレベーターを使うので，1〜4階および6〜7階ではない。そうすると，Aが5階と決まっているので，Dは地下1階である。

E：出勤時，退勤時ともに西口を利用し，出勤時にはエレベーター，退勤時には階段を使うので，4階である。

F：出勤時，退勤時ともに東口を利用し，いずれも階段，エレベーターは使わないのだから，Fは3階である。

G：出勤時に東口を利用し，出勤時には階段を使うが，退勤時には階段もエレベーターも使わないのだから，Gは1階である（退勤時には西口を利用する）。

ここまでの結果から，Bは2階となる。

そして，出勤時に東口を利用する人は3人，退勤時に東口を利用する人は4人だから，BとDは退勤時に東口を利用し，Bは出勤時も東口を利用するから，C，Dが出勤時に利用するのは西口である。

以上から次の表のように確定し，正答は**4**である。

	出勤時	退勤時	地下1階	1階	2階	3階	4階	5階	6階	7階
A	西口	西口	×	×	×	×	×	○	×	×
B	東口	東口	×	×	○	×	×	×	×	×
C	西口	東口	×	×	×	×	×	×	○	×
D	西口	東口	○	×	×	×	×	×	×	×
E	西口	西口	×	×	×	×	○	×	×	×
F	東口	東口	×	×	×	○	×	×	×	×
G	東口	西口	×	○	×	×	×	×	×	×

（西口：1階，2階／東口：3階，4階）

正答　4

国家一般職
［大卒］
No.
175
教養試験
判断推理　　対応関係　　平成28年度

A～Fの6人は友人どうしで，カイロ，デリー，バンコク，ブエノスアイレス，ベルリン，ロンドンの6か所の異なる都市にそれぞれ住んでいる。この6人の居住地や，ある期間におけるこの6人の間でのメールの送受信の状況について，次のことが分かっているとき，確実にいえるのはどれか。

○　AとBはヨーロッパに，DとEはアジアに住んでいる。

○　Aは，Aにメールを送信した友人以外の全員にメールを送信した。

○　Bは，カイロに住んでいる友人を含め計3人にメールを送信した。また，Bがメールを送信した友人のうち，Dのみからメールを受信した。

○　Cは，アジアに住んでいる友人1人にメールを送信した。また，ヨーロッパに住んでいる友人1人からメールを受信した。

○　Dは，ヨーロッパに住んでいる友人2人とアジアに住んでいる友人1人の計3人にメールを送信した。また，ベルリンに住んでいる友人を含め，計2人からメールを受信した。

○　Eは誰にもメールを送信しなかった。また，C以外の全員からメールを受信した。

○　Fは，ロンドンに住んでいる友人とバンコクに住んでいる友人の計2人にメールを送信した。また，ベルリンに住んでいる友人からメールを受信した。

1　Aはロンドンに住んでおり，Bからメールを受信した。

2　Bはベルリンに住んでおり，Fにメールを送信した。

3　Cはカイロに住んでおり，Bからメールを受信した。

4　Dはバンコクに住んでおり，Eにメールを送信した。

5　Fはブエノスアイレスに住んでおり，Aからメールを受信した。

解説

まず，居住地に関しては，AとBはヨーロッパに，DとEはアジアに住んでいるので，次の表Iのようになる。

表I

	アジア				ヨーロッパ	
	カイロ	デリー	バンコク	ブエノスアイレス	ベルリン	ロンドン
A	×	×	×	×		
B	×	×	×	×		
C		×	×		×	×
D	×			×	×	×
E	×			×	×	×
F		×	×		×	×

　次に6人の間でのメールのやり取りを考える。Eは誰にもメールを送信せず，C以外の全員からメールを受信しているので，A，B，D，Fの4人はEにメールを送信している。Cはアジアに住んでいる友人1人にメールを送信しているが，これはEではないのでDである。Cがメールを送信したのはD1人なので，AはCにメールを送信しており，Cが受信したメールは

この1通である。Dは，ヨーロッパに住んでいる友人2人とアジアに住んでいる友人1人の計3人にメールを送信しているので，A，B，Eの3人にメールを送信している。Bは，カイロに住んでいる友人を含め計3人にメールを送信しているが，Cには送信していない。このことから，カイロに住んでいるのはFである。つまり，BはD，E，Fの3人にメールを送信している。Fはロンドンに住んでいる友人にメールを送信しているが，Bには送信していないので（BはFに送信したが受信していない），ロンドンに住んでいるのはA，ベルリンに住んでいるのはBということになる。また，Fはバンコクに住んでいる友人にメールを送っているが，これはEということになり，Dが住んでいるのはデリーである。そして，カイロに住んでいるのはFだから，Cはブエノスアイレスに住んでいる。

ここまでで居住地に関しては表Ⅱ，およびメールの送受信の状況については図Ⅰのように確定し，正答は**2**である。

表Ⅱ

	アジア				ヨーロッパ	
	カイロ	デリー	バンコク	ブエノスアイレス	ベルリン	ロンドン
A	×	×	×	×	×	○
B	×	×	×	×	○	×
C	×	×	×	○	×	×
D	×	○	×	×	×	×
E	×	×	○	×	×	×
F	○	×	×	×	×	×

図Ⅰ

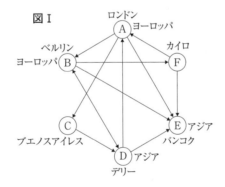

正答　**2**

国家一般職
[大卒]
No.
176
教養試験
判断推理
対応関係
平成28年度

文章理解

判断推理

数的推理

資料解釈

時事

物理

化学

生物

A～Gの7人が8kmのハイキングコースを歩いた。このコースには，スタート地点から1km ごとに1番目から7番目までの休憩の取れる地点が設置されていた。各人の休憩を取った状況 について，次のことが分かっているとき，確実にいえるのはどれか。

ただし，A～Gはコースを戻ることはなかったものとする。

○　各人はちょうど三つの地点で休憩を取った。7人のうち，いずれの2人をみても，休憩 を取った三つの地点のうち，一つの地点だけが一致した。

○　休憩を取った地点が三つ連続したのはAのみであった。

○　AとBが最初に休憩を取った地点は1番目であった。また，Bが最後に休憩を取った地 点は5番目であった。

○　Cが休憩を取った地点は一つ置きであった。また，Cが最後に休憩を取った地点は6番 目で，Fもその地点で休憩を取った。

○　Dが最初に休憩を取った地点と次に休憩を取った地点とは連続していた。

○　Eが休憩を取った地点は，いずれも連続していなかった。

1　Cは3番目の地点で休憩を取った。

2　Dは5番目の地点で休憩を取った。

3　Eは4番目の地点で休憩を取った。

4　Fは1番目の地点で休憩を取った。

5　Gは6番目の地点で休憩を取った。

解説

A～Gの各人はそれぞれ3か所で休憩を取り，7人のうち，いずれの2人を見ても，休憩を取った3か所のうち1か所だけが一致している。このことから考えると，1番目から7番目までの各休憩所で3人ずつ休憩していなければならない。ある休憩所で4人が休憩したとすると，4人のそれ以外の休憩所（1人につき2か所）はすべて異なるので，さらに8か所の休憩所が必要となる。そして，7人で延べ21回休憩しているのだから，各休憩所で3人ずつ休憩していなければならないのである（2人しか利用しない休憩所があれば，4人が利用する休憩所がどうしても必要になってしまう）。このことを前提にして検討していく。

Aは1，2，3番目の休憩所を利用し，Bも1番目で休憩している。Bが最後に休憩したのは5番目で，2，3番目では休憩していない（Aと一緒になってしまう）ので，Bは1，4，5番目で休憩している。Cは1つ置きの休憩所を利用し，最後が6番目なので，Cが休憩したのは2，4，6番目である。また，Fも6番目で休憩している。ここまでが次の表Ⅰである。

表Ⅰ

	1	2	3	4	5	6	7
A	○	○	○	×	×	×	×
B	○	×	×	○	○	×	×
C	×	○	×	○	×	○	×
D							
E							
F						○	
G							

Dが最初に休憩を取った地点と次に休憩を取った地点とは連続しているが，これはAとの関係で，1，2番目でも2，3番目でもない。また，Bとの関係で，4，5番目でもない。そして3か所連続しているのはAだけなので，5，6，7番目ということもない。つまり，Dが休憩したのは，3，4，7番目である（Cとの関係で，3，4，6番目ということはない）。Eが利用した休憩所は連続していないので，1，2，3番目から1か所，4，5番目から1か所，6，7番目から1か所となるが，A～Dとの関係から，2，5，7番目でなければならない。ここまでで，F，Gともに2，4番目の利用はなく（すでに3人の利用が確定している），また，Gは6番目を利用している。F，Gに関して，残りの2か所に利用状況は判明しないが，Aとの関係で1，3番目の一方，Eとの関係で5，7番目の一方，という組合せとなる。

以上から表Ⅱとなり，正答は**5**である。

表Ⅱ

	1	2	3	4	5	6	7
A	○	○	○	×	×	×	×
B	○	×	×	○	○	×	×
C	×	○	×	○	×	○	×
D	×	×	○	○	×	×	○
E	×	○	×	×	○	×	○
F		×		×		○	
G		×		×		○	

正答 **5**

図のように，正方形の紙を破線部分で4回折り，⑤の着色部分を切り取って除いた。残った部分を広げたときの形として最も妥当なのはどれか。

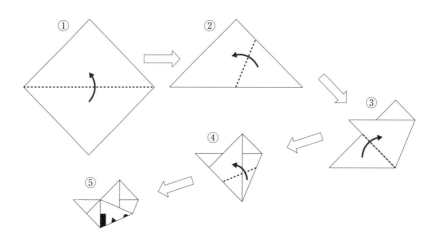

1
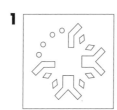

2
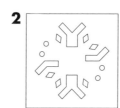

3
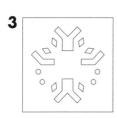

4
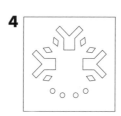

5
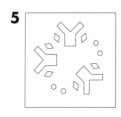

解 説

折り紙の場合は，折った状態から順次開いていけばよい。このとき，切り取った部分について
は折り目に対して線対称になることに注意する。条件に従って開いていくと次の図のようにな
り，正答は**5**である。

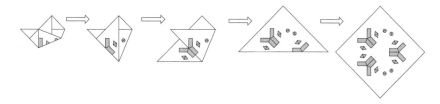

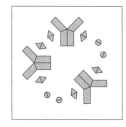

正答　**5**

国家一般職
[大卒]
No.
178
教養試験
判断推理
正多面体
平成28年度

図Ⅰのような底面にのみ模様のある正四面体があり，また，図Ⅱのような正四面体の一面と同じ大きさのタイルが敷き詰められた床がある。この床のA～Eのいずれかの場所に，模様のある面を底面としてタイルと底面とが合わさるように正四面体を置いた。正四面体の辺を軸として床の上を滑ることなく回転させ，これを繰り返すと，Xで正四面体の模様のある面が底面となった。このとき，最初に正四面体を置いた場所として最も妥当なのはどれか。

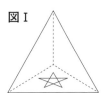

図Ⅰ

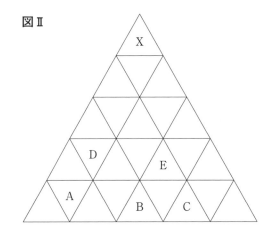

図Ⅱ

1 A
2 B
3 C
4 D
5 E

解　説

次の図1の正四面体 PQRS について，その展開図を考えると，図2のような1列型の展開図では，辺に沿ってその延長上に2個の頂点が交互に並ぶことになる。このことを利用すると，図3のように正四面体 PQRS の面 QRS を X の位置とすれば，それぞれの位置に対応する面がすべて決まる。A～E のうち，面 QRS が接しているのは B であり，この B の位置が最初に正四面体を置いた位置である。

　よって，正答は **2** である。

図1

図2

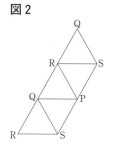

図3

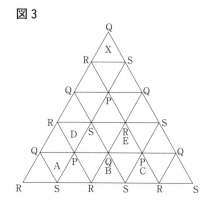

図のような環状線があり，以下のルールで列車が運行している。Aは，1丁目駅を午前6時00分発の普通列車に乗って出発し4丁目駅に向かったが，乗り過ごしてしまい気付いたときには，Aの乗った列車が最初に5丁目駅を過ぎたところだった。この後，Aが4丁目駅に向かうとすると，4丁目駅に最も早く着くのはいつか。

　ただし，乗換えの時間は考慮しないものとする。

〔ルール〕
　○　環状線は1周100kmで，図のように1丁目駅～10丁目駅の10駅が等間隔にある。
　○　環状線は，普通列車，急行列車がそれぞれ独立に専用の線路を時計回りにのみ走行している。
　○　普通列車は時速60kmで走行し，各駅に停車する。
　○　急行列車は時速120kmで走行し，1丁目駅，3丁目駅，5丁目駅，7丁目駅，9丁目駅にのみ停車する。
　○　各列車の速さは停車時を除き常に一定であり，駅での停車時間はいずれの列車も2分間である。
　○　普通列車は5分ごと，急行列車は20分ごとに運行しており，午前5時00分にそれぞれの始発列車が1丁目駅を同時に出発する。

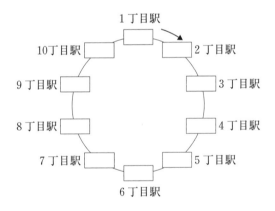

1　午前7時48分
2　午前7時52分
3　午前7時56分
4　午前8時00分
5　午前8時04分

環状線は1周100kmで，1丁目駅〜10丁目駅の10駅が等間隔にあり，普通列車は時速60km
で走行するので，駅間に10分かかり，駅で2分停車する。そうすると，午前6:00に1丁目
駅を発車した普通列車は，2丁目駅を午前6:12，3丁目駅を午前6:24，4丁目駅を午前
6:36，5丁目駅を6:48に発車し，1周して2回目に1丁目駅を発車するのは午前8:00とな
る。

　一方，急行列車は時速120kmで走行するので，停車駅間を10分で走行し，駅で2分停車す
る。つまり，午前6:00に1丁目駅を発車した急行列車は，3丁目駅を午前6:12，5丁目駅を
午前6:24，7丁目駅を午前6:36，9丁目駅を午前6:48に発車し，1周して2回目に1丁目駅
を発車するのは午前7:00となる。列車は時計回りにのみ走行しているので，乗り過ごした場
合は1周余計に回らなければならない。Aの乗った列車が5丁目駅を発車したのは午前6:48
である。このまま普通列車に乗って4丁目駅まで行こうとすると，到着するのは午前8:34と
なる。

　そこで，7丁目で急行列車に乗り換えて3丁目駅まで行き，改めて普通列車に乗り換えるこ
とを考えてみる。Aが7丁目駅に到着するのは午前7:10である。午前6:40に1丁目駅を発
車した急行列車が7丁目駅を午前7:16に発車するので，これに乗り換えることが可能である
（1本前の急行列車はその20分前の午前6:56に7丁目駅を発車するので乗れない）。この急行
列車が3丁目駅に到着するのは午前7:50である。このとき，午前7:30に1丁目駅を発車し
た普通列車が午前7:54に3丁目駅を発車するのでこれに乗り換えることが可能である。この
普通列車が4丁目駅に到着するのは午前8:04であり，正答は**5**である。

	1丁目駅	2丁目駅	3丁目駅	4丁目駅	5丁目駅	6丁目駅	7丁目駅	8丁目駅	9丁目駅	10丁目駅
普通列車	6:00	6:12	6:24	6:36	6:48	7:00	7:10着			
急行列車	6:40		6:52		7:04		7:16		7:28	
	7:40		7:50着							
普通列車	7:30	7:42	7:54	8:04着						

正答　5

ある書店には，A～Gの7人が毎日2人ずつ交替で勤務している。ある週（日曜日～土曜日）の勤務状況等について次のことが分かっているとき，確実にいえるのはどれか。

- ○ どの人も2日ずつ勤務したが，いずれの日も勤務した2人の組合せは異なっていた。
- ○ AとFの組合せの日があった。
- ○ 1日だけ女性どうしの組合せがあり，それ以外は男女の組合せであった。
- ○ Bは男性であり，D，E，Gは女性である。
- ○ Cは火曜日に，Dは木曜日に，Gは金曜日に勤務した。また，Fは土曜日に勤務しなかった。
- ○ A，Eは共に中4日おいて勤務した。また，F，Gは中2日おいて勤務した。
- ○ 2日続けて勤務したのはBのみだった。

1 Aは男性である。
2 Bは月曜日に勤務した。
3 CとDの組合せの日があった。
4 Eは日曜日に勤務した。
5 Fは男性である。

解説

まず，「Bは男性，D，E，Gは女性」，「Cは火曜日に，Dは木曜日に，Gは金曜日に勤務し，Fは土曜日に勤務しなかった」，「Gは中2日おいて勤務した」という条件をまとめると，次の表Ⅰのようになる。このとき，「2日続けて勤務したのはBのみ＝B以外に2日続けて勤務した者はいなかった」ので，Cは月曜日と水曜日，Dは水曜日と金曜日には勤務していないことも明らかにしておく。

表Ⅰ

	男性	女性	日	月	火	水	木	金	土	日数
A					×					2
B	○	×			×					2
C				×	○	×				2
D	×	○			×	×	○	×		2
E	×	○			×					2
F					×			×	×	2
G	×	○	×	×	○	×	×	○	×	2
人数			2	2	2	2	2	2	2	14

次に，「A，Eは中4日おいて勤務した」という条件を考える。中4日おいての勤務は，日曜日と金曜日，月曜日と土曜日のどちらかであり，いずれの日も「勤務した2人の組合せは異なっていた」ので，A，Eの一方が日曜日と金曜日，他方が月曜日と土曜日となる。そこで，次の表Ⅱ，表Ⅲの2通りが考えられる。

表Ⅱ

	男性	女性	日	月	火	水	木	金	土	日数
A			○	×	×	×	×	○	×	2
B	○	×	×		×			×		2
C			×	×	○	×		×		2
D	×	○	×		×	×	○	×		2
E	×	○	×	○	×	×	×	×	○	2
F			○	×			×	×	×	2
G	×	○	×	×	○	×	×	○	×	2
人数			2	2	2	2	2	2	2	14

表Ⅲ

	男性	女性	日	月	火	水	木	金	土	日数
A			×	○	×	×	×	×	○	2
B	○	×		×			×	×		2
C				×			×		×	2
D	×	○		×			×	○	×	2
E	×	○		×			×	×	○	2
F				×	○			○	×	×	2
G	×	○	×	×	○	×	×	×	×	2
人数			2	2	2	2	2	2	2	14

　ところが，表Ⅲの場合，AとFの組合せの日は月曜日しかないので，Fが中2日おいて勤務すると，Fが勤務するもう1日は木曜日になる。このとき，木曜日の勤務はDとFになり，この結果として，Bが2日連続して勤務するという条件を満たせない。そこで，表Ⅱの場合だけに可能性があることになる。Bは水曜日と木曜日に勤務するので，月曜日はDとEが勤務，土曜日はCとEが勤務ということになる。そうすると，1日だけある女性同士の勤務は月曜日のDとEということになる。ここから，Cは男性（土曜日はCとE），Fは女性（水曜日はBとF），Aは男性（日曜日はAとF）ということになり，次の表Ⅱ−2のように確定する。

表Ⅱ−2

	男性	女性	日	月	火	水	木	金	土	日数
A	○	×	○	×	×	×	×	○	×	2
B	○	×	×	×	×	○	○	×	×	2
C	○	×	×	×	○	×	×	×	○	2
D	×	○	×	○	×	×	○	×	×	2
E	×	○	×	○	×	×	×	×	○	2
F	×	○	○	×	×	○	×	×	×	2
G	×	○	×	×	○	×	×	○	×	2
人数	3	4	2	2	2	2	2	2	2	14

　この表Ⅱ−2より，確実にいえるのは「Aは男性である」という**1**である。

正答　**1**

A～Eの五つの学校が，ある吹奏楽コンクールに出場する。各校の前半（課題曲）及び後半（自由曲）の演奏順について次のことが分かっているとき，後半の演奏順について確実にいえるのはどれか。

ただし，このコンクールに出場するのはA～Eの五校のみである。

○ 前半の演奏順は，Aが1番目，Bが2番目，Cが3番目，Dが4番目，Eが5番目である。

○ 前半の演奏順と後半の演奏順が同一である学校はない。

○ 各校とも後半は，前半と同じ学校の直後に演奏することはない。（例えば後半はB→Cという順序はない。）

1 Aが5番目のとき，B～Eのいずれもが1番目になることがあり得る。

2 Bが3番目のとき，4番目は必ずAである。

3 Cが2番目のとき，3番目は必ずB又はEである。

4 Dが1番目のとき，5番目は必ずA又はBである。

5 Eの直後がDのとき，1番目は必ずB又はCである。

解説

選択肢から検討していくことも考えられなくはないが，その場合でも選択肢ごとに考えられる演奏順の組合せをすべて検討しなければならない。それならば，後半における演奏順として考えられる組合せをあらかじめすべて列挙してしまうほうが合理的であろう。後半の1番目がBの場合，2番目をAとすると，3～5番目の演奏順について，「C→D→E」，「C→E→D」，「D→C→E」，「D→E→C」，「E→C→D」，「E→D→C」のいずれも条件を満たすことができない。このようにして，条件に適さない演奏順を除いていくと，後半の1番目がBである場合，可能性があるのは次の表における1～3の3通りである。同様に，後半の1番目がCの場合は4～6の3通り，後半の1番目がDの場合は7～10の4通り，後半の1番目がEの場合は11～14の4通りとなり，全部で14通りの可能性があることになる。ここから各選択肢を検討してみればよい。

1については，Aが5番目のとき，Eが1番目となることはないので誤り，**2**については，表の9でEが4番目となる可能性があるので誤り，**3**は，表の8でAが3番目となる可能性があるので，これも誤り，**5**では，表における6のようにCが1番目となる場合のほかに，E自身が1番目である可能性（表の13，14）もあるので，やはり誤りである。これに対し，Dが1番目のときは，表の7～10で5番目はAまたはBとなるので，**4**は確実にいえる。

		1番目	2番目	3番目	4番目	5番目
前半		A	B	C	D	E
後半	1	B	D	A	E	C
	2	B	E	D	A	C
	3	B	E	D	C	A
	4	C	A	E	B	D
	5	C	E	B	A	D
	6	C	E	D	B	A
	7	D	A	E	C	B
	8	D	C	A	E	B
	9	D	C	B	E	A
	10	D	C	E	B	A
	11	E	A	D	C	B
	12	E	C	B	A	D
	13	E	D	A	C	B
	14	E	D	B	A	C

正答 **4**

A〜Eの5人がプレゼントの交換会を行い, 赤, 青, 黄, 緑, 紫の5色のそれぞれ異なる色の袋を1枚ずつ使ってその中にプレゼントを入れ, 他の人に渡した。プレゼントについて, 5人が次のように述べているとき, 確実にいえるのはどれか。

ただし, プレゼントを二つ以上受け取った者はいなかった。

A:「私は紫色の袋を使い, 黄色の袋に入ったプレゼントを受け取った。」

B:「私は青色の袋を使うことも, 受け取ることもなかった。」

C:「私のプレゼントはBに渡した。また, 青色の袋に入ったプレゼントを受け取らなかった。」

D:「私が受け取ったのはBのプレゼントではなかった。」

E:「私は緑色の袋を使った。」

1 AのプレゼントはDが受け取った。

2 BのプレゼントはAが受け取った。

3 Dは青色の袋に入ったプレゼントを受け取った。

4 EのプレゼントはCが受け取った。

5 いずれの2人も両者の間でプレゼントを交換し合うことはなかった。

解説

Cがプレゼントを渡した相手はBであり, また, DはBからプレゼントを受け取っていないので, DはAまたはEからプレゼントを受け取ったことになる。そして, A, B, C, Eは青色の袋を使っていないので, 青色の袋を使ったのはDでなければならない。AがDにプレゼントを渡した場合, AはBからプレゼントを受け取り, EはCにプレゼントを渡し, DはEにプレゼントを渡したことになる（図Ⅰ）。EがDにプレゼントを渡した場合, Dが渡す相手はEしかいないので, AがCに渡したことになり, 3人と2人の2組に分かれる（図Ⅱ）。

この図Ⅰおよび図Ⅱから, 確実にいえるのは「BのプレゼントはAが受け取った」だけであり, 正答は**2**である。

図Ⅰ

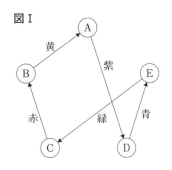

図Ⅱ

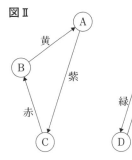

正答 **2**

ある楽団が表のように，毎日1回，1週間連続して演奏会を開いた。

曜日	時間帯	入場料金(円)	プログラム	作品数
日	昼	3,000	ポルカとワルツ	25
月	夜	5,000	後期ロマン派の交響曲	1
火	夜	4,000	弦楽及び木管の各アンサンブル	2
水	夜	5,000	バロックの合奏協奏曲	5
木	夜	4,000	室内楽	3
金	夜	8,000	地元合唱団との共演によるオラトリオ	1
土	昼	3,000	古典派の序曲，協奏曲	3

　演奏会に行ったA～Eの5人について次のことが分かっているとき，確実にいえるのはどれか。

　なお，5人の中に演奏会の途中で入・退場した者はなく，いずれの演奏会でもアンコールはなかった。

○　5人が行った演奏会の回数は，それぞれ異なっていた。
○　昼の演奏会に行ったのは，両日とも，A及びBの2人のみであった。
○　Cは3日連続して演奏会に行き，その他の日は行かなかった。
○　火曜日と木曜日の演奏会に行ったのは同じ3人であり，そのうちの1人はEであった。
○　5人が演奏会で聴いた作品の数は，多い者から順に，38，34，10，5，1であった。
○　入場料金の合計額は，多い順に，19,000円，13,000円，8,000円であった。入場料金の合計額が同額であった者が2組あり，そのうちの1組はDとEであった。

1　Aは，合奏協奏曲を聴いた。
2　Bは，昼の演奏会のみに行った。
3　Cは，交響曲を聴いた。
4　Dは，室内楽を聴いた。
5　Eは，オラトリオを聴いた。

まず，昼の演奏会（日曜日と土曜日）に行ったのはAとBだけなので，Cが3日連続して行ったのは，（月，火，水），（火，水，木），（水，木，金）のいずれかであるが，（月，火，水）だと入場料金の合計額は14,000円，（水，木，金）は17,000円で，いずれも条件に適さない。つまり，Cが行ったのは（火，水，木）で，入場料金の合計額は13,000円，聴いた作品の数は10である。AとBについては，日曜日と土曜日の2日間で聴いた作品数が28あるので，この2人が聴いた作品数は38と34でなければならない。作品数の合計は40なので，38だと聞いていない作品数は2となる。また，入場料金の合計（日曜日〜土曜日）は32,000円である。ここから，聴いた作品数が38となるのは，（日曜日，月曜日，水曜日，木曜日，金曜日，土曜日），（日曜日，火曜日，水曜日，木曜日，土曜日）のどちらかとなるが，前者の入場料金合計は28,000円となってしまうので，（日曜日，火曜日，水曜日，木曜日，土曜日）＝19,000円でなければならない。

聴いた作品数が34となるのは，（日曜日，水曜日，金曜日，土曜日）＝19,000円，（日曜日，火曜日，木曜日，金曜日，土曜日）＝22,000円，（日曜日，月曜日，火曜日，木曜日，土曜日）＝19,000円であるが，22,000円は条件に合わず，回数が同じ者はいないという条件から，（日曜日，月曜日，火曜日，木曜日，土曜日）も条件に適さない（聴いた作品数が38である者が5日間）。ここから，聴いた作品数が34である者は，（日曜日，水曜日，金曜日，土曜日）＝19,000円である。しかし，AとBのどちらが38で，どちらが34であるかは確定しない。

聴いた作品数が1である者は，月曜日か金曜日に行っているが，入場料金合計が5,000円である者はいないので，金曜日＝8,000円であり，これはDしかいない。そうすると，Eの入場料金合計も8,000円なので，Eが行ったのは火曜日と木曜日の2日であり，次の表のようになる。ただし，表に示したAとBについては入れ替え可能である。

この表から，**2〜5**は誤りとなる。**1**については，Aが聴いた作品数が34でも38でも，合奏協奏曲は聴いており，この点は確実である。したがって，確実にいえるのは**1**である。

曜日	時間帯	入場料金(円)	プログラム	作品数	A	B	C	D	E
日	昼	3,000	ポルカとワルツ	25	○	○	×	×	×
月	夜	5,000	後期ロマン派の交響曲	1	×	×	×	×	×
火	夜	4,000	弦楽及び木管の各アンサンブル	2	○	×	○	×	○
水	夜	5,000	バロックの合奏協奏曲	5	○	○	○	×	×
木	夜	4,000	室内楽	3	○	×	○	×	○
金	夜	8,000	地元合唱団との共演によるオラトリオ	1	×	○	×	○	×
土	昼	3,000	古典派の序曲，協奏曲	3	○	○	×	×	×
計		32,000		40	38	34	10	1	5

正答　**1**

図のように入口が二つあり，中央に噴水，①～⑥の位置にそれぞれ滑り台，ブランコ，鉄棒，ジャングルジム，砂場，雲梯のいずれか一つが置かれた公園がある。ある日，この公園に行ったA～Fの6人が，公園に着いた順番と遊んだ遊具について次のように述べているとき，確実にいえるのはどれか。

　なお，A～Fは，公園に着いた順番と同じ順番でそれぞれ異なる遊具を1人一つのみ選び，最後の1人が遊具を選ぶまで公園を出なかった。また，公園にはA～F以外の者はいなかった。

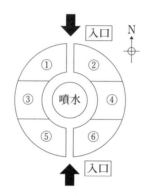

A：「入って噴水より北の方にあるブランコで遊ぼうとしたが既に別の人が使っていたので，同じく北の方のジャングルジムで遊んだ。」

B：「滑り台と鉄棒しか残っていなかったので，鉄棒で遊んだ。」

C：「公園には3番目に着いた。」

D：「雲梯で遊ぼうとしたが既に別の人が使っていたので，雲梯の南の方にある砂場で遊んだ。」

E：「公園には1番目に着いた。入ってすぐ右側にジャングルジムがあり，そのすぐ先の③にある遊具で遊んだ。」

F：「南側の入口から入るとすぐ右側に鉄棒があり，既に別の人が使っていた。」

1　Aは公園に2番目に着いた。

2　Bは①にある遊具で遊んだ。

3　Cは⑤にある遊具で遊んだ。

4　Dは公園に4番目に着いた。

5　Eは雲梯で遊んだ。

まず，Eが1番目に来て③の遊具で遊んだ，Cは3番目に来た，という2点は明らかである。Bの発言（滑り台と鉄棒しか残っていない）から，Bが来たのは5番目で，遊んだのは鉄棒となる。そして，Fの発言から，鉄棒がすでに使われていたのだから，Fが来たのは6番目で，遊んだのは滑り台である。ここまでで次の表Ⅰとなる。

表Ⅰ

1番目	2番目	3番目	4番目	5番目	6番目
E		C		B	F
③				⑥	
				鉄棒	滑り台

　さらに，Aの発言から，①，②の位置がブランコとジャングルジムであるが，これにEの発言を加えると，①がジャングルジム，②がブランコとなり，Aが遊んだのは①のジャングルジムである。Aが来た順番を考えると，Aが2番目なら②のブランコは空いていることになる（1番目のEは③）ので，Aが来たのは4番目で，ここから，Dが2番目である。そうすると，Dが来たときに雲梯が使われていたのだから，これはEが遊んでいたことになる。Dが遊んだ砂場は③の雲梯より南であるが，⑥は鉄棒なので，砂場は⑤である。この結果，Fが遊んだ滑り台は④ということになり，次の表Ⅱのように確定する。

表Ⅱ

1番目	2番目	3番目	4番目	5番目	6番目
E	D	C	A	B	F
③	⑤	②	①	⑥	④
雲梯	砂場	ブランコ	ジャングルジム	鉄棒	滑り台

　この表Ⅱより，確実にいえるのは「Eは雲梯で遊んだ」であり，正答は**5**である。

正答　**5**

あるアイドルグループのコンサートが，札幌，東京，名古屋，大阪，福岡の五つの都市でそれぞれ1回ずつ行われ，そのチケットは，ファンクラブ会員向けに行われた開催都市ごとの抽選により，当選者に限って販売される。チケットの申込みは，1会場につき1人1枚までで，複数の会場に申込みができる。各都市のチケットの一般当選確率は表のとおりとなっており，また，五つの都市に居住する者は，自分の居住する都市で開催されるコンサートに限り，一般当選確率の2倍の確率で当選する。

	札幌	東京	名古屋	大阪	福岡
一般当選確率	40％	5％	30％	20％	45％

いま，五つの都市にそれぞれ1人ずつ住んでいるA〜Eの5人の会員が，チケットの申込み，抽選結果等について次のように述べているとき，確実にいえるのはどれか。

なお，抽選により当選する以外にチケットを入手する方法はないものとする。

A：「私は，自分が住んでいる都市と札幌の二つの都市のチケットを申し込み，当選確率が低い方の都市のチケットを入手した。」

B：「私は，当選確率が高い順に三つの都市のチケットを申し込み，自分が住んでいる都市のチケットを入手した。」

C：「私は，名古屋に住んでいる。」

D：「私は，札幌，名古屋，大阪のチケットを入手したので，その三つの都市いずれのチケットも入手できなかったAとEから大変にうらやましがられた。しかし，残念ながら，最も当選確率が高い都市のチケットは入手できなかった。」

E：「私は，全ての都市のチケットを申し込み，自分が住んでいる都市を含む二つの都市のチケットのみ入手した。なお，その二つの都市は，当選確率が最も高い都市と最も低い都市であった。」

1 Aは福岡のチケットを入手した。

2 Bは名古屋のチケットを申し込んだ。

3 Cは札幌と大阪のチケットを入手した。

4 Dは住んでいる都市のチケットを入手できなかった。

5 Eは東京に住んでいる。

Aは自分が住んでいる都市と札幌の2つの都市のチケットを申し込んだが，Dの発言より札幌，名古屋，大阪のチケットは入手できなかったのだから，入手できたのは東京または福岡である。そうすると，Aは東京または福岡に住んでいるが，東京に住んでいるならばその当選確率は10％，福岡に住んでいるならばその当選確率は90％である。Aは札幌の当選確率40％より低い確率の都市のチケットを入手したのだから，Aは東京に住んでおり，東京のチケットを入手したことになる。

　Eが入手したのは東京と福岡のチケットであるが，東京に住んでいるのはAなので，Eは福岡に住んでいる。

　Dが住んでいるのは札幌または大阪であるが，札幌に住んでいるならば，その当選確率は80％で最も高くなるので，Dが住んでいるのは大阪（この場合，最も当選確率が高いのは45％の福岡）である。この結果，Bが住んでいるのは札幌で，札幌，名古屋，福岡に申込み，札幌のチケットを入手したことになる。Cに関しては，名古屋に住んでいるということしかわからず，チケットの申込み，入手とも明らかにならない。

　ここまでをまとめると次の表のようになり，灰色部分が居住地，太線部分がチケットの申込み，○印が入手したチケット，×印は申し込んだが入手できなかったことが明らかな都市である。

	札幌	東京	名古屋	大阪	福岡
一般当選確率	40％	5％	30％	20％	45％
居住地当選確率	80％	10％	60％	40％	90％
A	×	○			
B	○				
C					
D	○		○	○	×
E	×	○	×	×	○

　この表から，確実にいえるのは「Bは名古屋のチケットを申し込んだ」であり，正答は**2**である。

正答　**2**

国家一般職
［大卒］

教養試験

No.
186

判断推理

立体図形

平成27年度

同じ大きさの立方体27個を隙間なく積み重ねて，右のような大きな立方体を作った。これから，小さな立方体をいくつか取り除いてできた立体を，①及び②の矢印の方向から見たところ，それぞれ図Ⅰ及び図Ⅱのようになった。このとき，残った立方体の個数として考えられる最小の個数はいくらか。

ただし，上部の立方体が取り除かれない限り，その真下に位置する立方体を取り除くことはできないものとする。

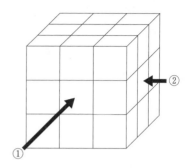

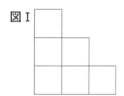

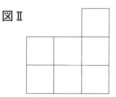

1　　8個
2　　10個
3　　13個
4　　16個
5　　18個

解　説

立体を上から見た状態で考えてみればよい。次の図1−1のように，立体を上から見た状態で，A〜Iとする。①の方向から見ると，A，D，Gのいずれかに3個必要であり，②の方向から見ると，A，B，Cのいずれかに3個必要である。しかし，②から見ると，D，Gには最多で2個しかあり得ず，①から見ると，Bの最多が2個，Cの最多は1個である（C，F，Iのいずれも最多で1個である）。したがって，3個となる可能性があるのはAだけである。次に，①からB，E，Hのいずれかに2個，②からD，E，Fのいずれかに2個となるので，Eを2個とすれば，B，Dは0個でよい。そして，①からC，F，Iは最多で1個であるが，最少個数を考えるので，C，F，Iのいずれかに1個あればよい。さらに，②から，G，H，Iのどこかに2個必要であるが，Iに2個とすることはできないので，G，Hのどちらか一方に2個必要である（図1−2）。

この結果，残った立方体の最少個数は，3+2+1+2=8，より8個であり，正答は**1**である。

図1−1

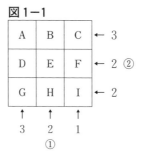

図1−2

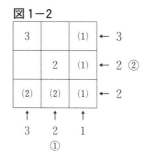

正答　**1**

A～Fの6人が3対3に分かれてバスケットボールの試合を行うため，チーム分けをした。チーム分けの方法は，6人が一斉にグー又はパーを出し，出されたものが同数になるまで繰り返し，同数になったとき，出したものが同じ者どうしが同じチームになるものとし，その結果，4回目でチームが決まった。チーム分けについて，各人が次のように述べているとき，確実にいえるのはどれか。

A：「3回目まで毎回少数派であった。最終的にはDと同じチームになった。」
B：「2回目以降は，その前の回と異なるものを出した。最終的にはEと同じチームになった。」
C：「3回目まで毎回多数派であった。」
D：「3回目まで毎回同じものを出し，4回目はこれまでと異なるものを出した。」
E：「2回目で私と同じものを出した者は私以外に3人いた。」
F：「2回目以降は，その前の回で少数派であったものを出した。」

1 AとEが同じものを出した回はなかった。
2 CとFが同じものを出した回は3回あった。
3 4回とも同じものを出した者は1人いた。
4 1回目は，多数派5人と少数派1人に分かれた。
5 3回目は，多数派5人と少数派1人に分かれた。

解説

「グーを出した」「パーを出した」という具体的条件は与えられていないので，○と×に分けてみることにする。4回目に3対3に分かれており，このとき，AとDは同じチーム，BとEは同じチームである。つまり，（A，D）と（B，E）は別々のチームとなるので，（A，D）が4回目に出した手を○，（B，E）が4回目に出した手を×としてみる。そうすると，Bは毎回異なる手を出しているので「○→×→○→×」，Dは4回目だけ異なる手を出しているので「×→×→×→○」となる。ここまでが次の表Ⅰである。

次に，2回目を考えてみると，Aは少数派で，多数派はCおよびEを含めて4人いることになる。ここで，Aの出した手が×だと，A，B，Dが×となり，少なくともAは少数派でないことになる。したがって，2回目については，A＝○，B，C，D，E＝×となり，ここから，F＝○である（表Ⅱ）。

表Ⅰ

	1回目	2回目	3回目	4回目
A				○
B	○	×	○	×
C				
D	×	×	×	○
E				×
F				

表Ⅱ

	1回目	2回目	3回目	4回目
A		○		○
B	○	×	○	×
C		×		
D	×	×	×	○
E		×		×
F		○		

　Fは「2回目以降は，その前の回で少数派であったものを出した」とあるので，1回目に少数派となったのは○で，Aは少数派だから，（A，B）＝○，そして，（C，D，E，F）＝×である。また，Fの3回目は，2回目に少数派だった○である。Aが3回目に○を出すと，○が少なくとも3人（A，B，F）となってしまうので，Aの3回目は×で，これは少数派だから，B，C，E，Fは○となる。そして，Fの4回目は3回目の少数派であった×だから，残るCは○となり，次の表Ⅲのように決まる。

　よって，正答は**1**である。

表Ⅲ

	1回目	2回目	3回目	4回目
A	○	○	×	○
B	○	×	○	×
C	×	×	○	○
D	×	×	×	○
E	×	×	○	×
F	×	○	○	×

正答　**1**

ある地域における世帯の年収と住居の状況について次のことが分かっているとき，確実にいえるのはどれか。

- ○　年収が500万円以上である世帯数は82世帯，500万円未満である世帯数は56世帯である。
- ○　住居の広さが70平米以上である世帯数は70世帯，70平米未満である世帯数は68世帯である。
- ○　年収が500万円未満で住居の広さが70平米未満である世帯のうち，持家である世帯数は，持家でない世帯数より3世帯多い。
- ○　年収500万円未満の持家でない世帯で住居の広さが70平米以上である世帯数は12世帯である。
- ○　年収が500万円未満で持家である世帯数は25世帯である。
- ○　年収500万円以上の持家でない世帯のうち，住居の広さが70平米未満である世帯数は17世帯で，70平米以上である世帯数より9世帯少ない。

1　持家である世帯数と持家でない世帯数の差は，6世帯である。

2　住居の広さが70平米以上で年収500万円以上の持家でない世帯数は29世帯である。

3　住居の広さが70平米以上で年収500万円未満の持家である世帯数は12世帯である。

4　住居の広さが70平米以上の世帯のうち，年収500万円未満で持家である世帯数は，年収500万円以上で持家である世帯数のちょうど10分の1である。

5　年収500万円以上で持家である世帯のうち，住居の広さが70平米以上の世帯数は，70平米未満の世帯数より19世帯多い。

次のようなキャロル表を利用して検討すればよい。①「年収が500万円以上である世帯は82世帯」，②「年収が500万円未満である世帯は56世帯（世帯総数は138）」，③「住居の広さが70平米以上である世帯数は70世帯」，④「住居の広さが70平米未満である世帯数は68世帯」，⑤「年収500万円未満の持家でない世帯で，住居の広さが70平米以上である世帯数は12世帯」，⑥「年収が500万円未満で持家である世帯数は25世帯」，⑦「年収500万円以上の持家でない世帯のうち，住居の広さが70平米未満である世帯数は17世帯で，70平米以上である世帯数より9世帯少ない」，までを直接記入すると次の表Ⅰとなる。

表Ⅰ

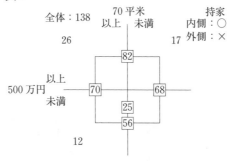

　ここで，年収500万円未満の56世帯のうち，持家が25世帯だから，持家でないのは31世帯である。この31世帯のうち，12世帯が70平米以上なので，70平米未満は19世帯となる。そして，年収500万円未満で70平米未満の持家は，持家でない19世帯より3世帯多いので，22世帯である。ここから，年収500万円未満で70平米以上の持家は3世帯，70平米以上の70世帯のうち，持家でないのが38（＝26＋12）世帯，500万円未満の持家が3世帯だから，年収500万円以上の持家は29世帯となる。さらに，年収500万円以上の82世帯のうち，持家でないのが43（＝26＋17）世帯，70平米以上の持家が29世帯だから，70平米未満の持家は10世帯となり，次の表Ⅱのように確定する。

　よって，正答は**5**である。

表Ⅱ

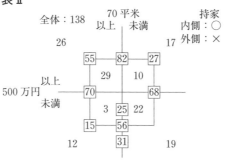

正答　**5**

碁石を使って，次のような操作を行うことを考える。

① 正方形の枠に沿って枠内に碁石を並べる。（並べた碁石の内側には碁石を置かない。）

② 並べた碁石の四つの辺のうち，左側の一辺を残して碁石を取り除き，取り除いた碁石を，残した一辺の右側にそろえて並べていく。一辺の数に満たない数の碁石が残った場合，残した一辺の右側に下からそろえて並べ，これを最後の列の碁石とする。

以上の操作を，例えば一辺に5個の碁石を用いて行うと，下図のようになる。

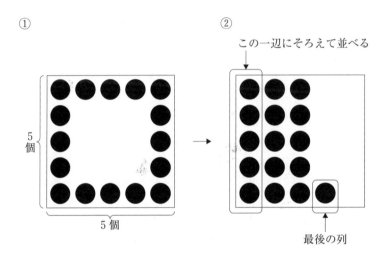

A，B，Cの3人が，それぞれ操作を行った結果，3人が使用した碁石の総数は96個となり，最後の列の碁石の個数を見ると，Aは5個，Bは3個となった。このとき，Cが並べた正方形の一辺当たりの碁石の個数はいくつか。

1　8個
2　9個
3　10個
4　11個
5　12個

一辺に並ぶ碁石の個数を n 個とすると，碁石の総数は，$4(n-1)=4n-4$ である（次図参照）。この碁石を問題の条件に従って並べ替えると，$n\geqq4$ のとき3列並び，最後の列ができることになる。3列で $3n$ 個の碁石が並ぶので，最後の列は，$(4n-4)-3n=n-4$，となる。最後の列にある碁石の個数を p とすると，$(n, p)=(4, 0)$，$(5, 1)$，$(6, 2)$，$(7, 3)$，$(8, 4)$，……，である（次表参照）。

最後の列にある碁石の個数は，Aが5個，Bは3個だから，Aが並べた碁石の総数は32個（$n-4=5$ より，$n=9$，$9\times4-4=32$），Bは24個である。3人が並べた碁石の総数は96個だから，Cが並べた碁石の総数は40個（$96-32-24$）であり，$4n-4=40$ より，$n=11$ となる。

よって，正答は**4**である。

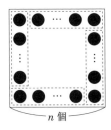
n 個

一辺の個数	3	4	5	6	7	8	9	10	11	12	13	14	15	16	17	18	19	20
総数	8	12	16	20	24	28	32	36	40	44	48	52	56	60	64	68	72	76
最後の個数	2	0	1	2	3	4	5	6	7	8	9	10	11	12	13	14	15	16

正答 **4**

赤色，青色，黄色の包装紙に包まれたチョコレートがそれぞれ1個，計3個と，同様に各色の包装紙に包まれたクッキーがそれぞれ1個，計3個，合計6個のお菓子が袋の中に入っている。この袋からお菓子を二つ取り出し，そのうち好きな一つを手元に残して，もう一つを袋に戻すことを，A〜Eの5名がこの順序で行った。次のことが分かっているとき，確実にいえるのはどれか。

- ○ Aが取り出したお菓子は二つともチョコレートであり，袋に戻したお菓子の包装紙は赤色であった。
- ○ Bが手元に残したお菓子の包装紙はAが手元に残したお菓子の包装紙と同じ色であり，Bが袋に戻したお菓子の包装紙は赤色であった。
- ○ Cが袋に戻したお菓子の包装紙は青色であった。
- ○ Dが取り出したお菓子の包装紙は二つとも赤色であった。
- ○ Eが取り出したお菓子は二つともクッキーであった。

1 Aが手元に残したお菓子の包装紙は青色であった。
2 Bが袋に戻したお菓子はチョコレートであった。
3 Cが手元に残したお菓子の包装紙の色とDが手元に残したお菓子の包装紙の色は異なっていた。
4 Dがお菓子を二つ取り出した後，袋の中に残ったお菓子はチョコレートであった。
5 Eが袋に戻したお菓子の包装紙とCが手元に残したお菓子の包装紙は同じ色であった。

解説

まず，Aが取り出したお菓子は2つともチョコレートで，袋に戻したお菓子の包装紙は赤色だったのだから，Aが手元に残したのは青色または黄色のチョコレートである。次に，Bが手元に残したお菓子の包装紙はAが手元に残したお菓子の包装紙と同じ色だから，Bが手元に残したのは青色または黄色のクッキーである。そして，Cが袋に戻したお菓子の包装紙は青色だから，A，Bが手元に残したお菓子の包装紙は青色ではない。ここから，Aが手元に残したチョコレートは黄色の包装紙で，Bが手元に残したのは黄色の包装紙のクッキーとなる。ここまでをまとめたのが次の表Iである。

さらに，Dが取り出したお菓子の包装紙は2つとも赤色，Eが取り出したお菓子は2つともクッキーだから，Cが手元に残したのは赤色ではなく，C，Dが手元に残したのはクッキーではない。したがって，Cが手元に残したのは青色のチョコレート，Dが手元に残したのは赤色のチョコレートである。ここまでで次の表IIとなるが，Eについては赤色，青色のクッキーのうち，どちらを手元に残したのかは確定できない。

よって，**1**，**4**は誤り，**2**，**5**は不明で，正答は**3**である。

表I

	チョコレート			クッキー		
	赤	青	黄	赤	青	黄
A	×	×	○	×	×	×
B	×	×	×	×	×	○
C			×			×
D						
E						

表II

	チョコレート			クッキー		
	赤	青	黄	赤	青	黄
A	×	×	○	×	×	×
B	×	×	×	×	×	○
C	×	○	×	×	×	×
D	○	×	×	×	×	×
E	×	×	×			×

※灰色は袋に戻した菓子

正答 **3**

国家一般職
［大卒］
No.
191　判断推理　教養試験
平面構成
平成26年度

ある国にはA島～E島の五つの島があり，これらの島は空路で結ばれている。各島の位置と空路の概略は図のとおりで，各島間の交通事情について次のことが分かっているとき，確実にいえるのはどれか。なお，各島間の交通手段は航空機のみである。

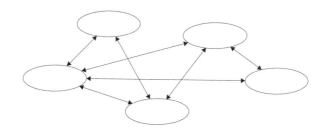

○　A島とB島は直行便で結ばれている。
○　A島からD島への直行便はない。
○　B島からD島への直行便はない。
○　B島からE島への直行便はない。

1　A島からは，二つの島にのみ直行便で行くことができる。
2　B島からC島への直行便はない。
3　C島からE島への直行便はない。
4　D島からE島への直行便はない。
5　E島からは，三つの島にのみ直行便で行くことができる。

解説

図に示された5つの島は，ほかの3島と直行便で結ばれているのが3島，ほかの2島と直行便で結ばれているのが2島である。B島はD，E島との直行便がなく，D島はA，B島との直行便がない。つまり，2島だけと直行便で結ばれているのはB島とD島である。そして，B島はA島と直行便で結ばれているが，D島はA島と直行便で結ばれていないので，島の配置としては次の図I，図IIの2通りが考えられる。

　よって，**1**～**4**は誤りで，正答は**5**である。

図I

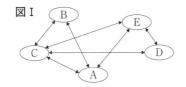

図II

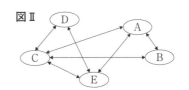

正答　**5**

A～Iの9人が総当たりでバドミントン（シングルス）のリーグ戦を行った。このリーグ戦は9日間で行われ，各日とも試合がない者が1人いた。

　表は，前回のリーグ戦の順位と，今回のリーグ戦の7日目までの各参加者の勝敗及び8日目と9日目の対戦相手を示したものである。今回のリーグ戦では勝ち数が多い順に順位を付け，勝ち数が同じ者の順位については，前回のリーグ戦の順位が高い者を上位とすることにしたところ，最終順位はAが1位，Bが2位，Cが5位，Dが最下位という結果となった。今回のリーグ戦の勝敗や順位について確実にいえるのはどれか。

　ただし，引き分けの試合はなかった。

前回のリーグ戦の順位	参加者	今回のリーグ戦の状況		
		7日目までの勝敗	8日目の対戦相手	9日目の対戦相手
1位	A	4勝2敗	D	G
2位	B	4勝2敗	E	H
3位	C	2勝4敗	I	E
4位	D	2勝4敗	A	F
5位	E	3勝3敗	B	C
6位	F	2勝4敗	G	D
7位	G	1勝5敗	F	A
8位	H	5勝2敗	試合なし	B
9位	I	5勝2敗	C	試合なし

1　Aは6勝2敗であった。

2　BはHに敗れた。

3　Eは4勝4敗であった。

4　Gは8日目と9日目のどちらかに敗れた。

5　Iは3位であった。

解説

まず，最終結果としてDが最下位となっている点を考えてみる。7日目まででDは2勝4敗，Gは1勝5敗である。最終的にDとGの勝数が同じであれば，前回の順位によりGがDより下位となる。GがDより上位となるためには，最終結果がDは2勝6敗，Gは3勝5敗でなければならない。つまり，DはA，Fに負け，GはA，Fに勝ちという結果となる。ここから，Aの最終結果は5勝3敗，Fの最終結果は3勝5敗である（表I）。

表I

	A	B	C	D	E	F	G	H	I	7日目まで 勝	敗	最終結果 勝	敗	順位
A				○			×			4	2	5	3	1
B										4	2			2
C										2	4			5
D	×					×				2	4	2	6	9
E										3	3			
F				○			×			2	4	3	5	
G	○					○				1	5	3	5	
H										5	2			
I										5	2			

次に，A，B，H，Iについて考える。Aが5勝3敗で1位であり，H，Iも7日目までに5勝しているので，Bが2位となるためには，B，H，Iも5勝3敗でなければならない。そうすると，HはBに負け，IはCに負けとなるので，BはEに負けていることになる。

最後にCが5位であることを考えると，EはBに勝って4勝となるので，Cが5位となるためには，Eに勝って（Iには勝っている）4勝4敗でなければならない（Eも4勝4敗である）。

ここまでで次の表IIのようにすべての勝敗が決定する。よって，正答は**3**である。

表II

	A	B	C	D	E	F	G	H	I	7日目まで 勝	敗	最終結果 勝	敗	順位
A				○			×			4	2	5	3	1
B				×				○		4	2	5	3	2
C					○				○	2	4	4	4	5
D	×					×				2	4	2	6	9
E		○	×							3	3	4	4	6
F				○			×			2	4	3	5	7
G	○					○				1	5	3	5	8
H		×								5	2	5	3	3
I			×							5	2	5	3	4

正答　**3**

図のように，正方形の紙を次のａ，ｂのように折った後，ｃのように破線部分で切り取り，残った図形ｄを展開したものとして最も妥当なのはどれか。

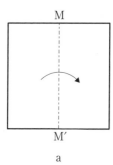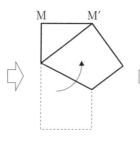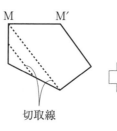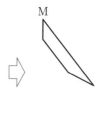

切取線

a　　　　　　　b　　　　　　　c　　　　　　　d

1
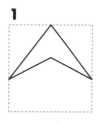

2
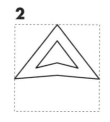

3
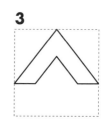

4
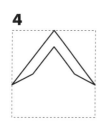

5
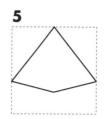

次の図のように，折って切り取った状態から逆順で元の状態に開いてみればよい。このとき，切り取り線は折り目に対して線対称となる。

　展開した場合，中空部分のある図形となり，正答は**2**である。

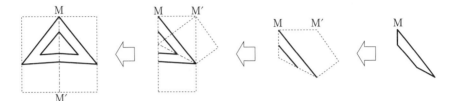

正答　**2**

国家一般職 [大卒]
No.
194
教養試験
判断推理
空間図形
平成26年度

図のように，一辺の長さが1の立方体 ABCD-EFGH とその辺の上を動く点P，Q，Rを考える。

今，3点P，Q，Rは時刻0において頂点Aを同時に出発し，いずれも毎秒1の速さで，PはA→B→C→G，QはA→D→H→G，RはA→E→F→Gの経路で移動して，3秒後に頂点Gで停止するとする。（P′，Q′，R′は，それぞれP，Q，Rが頂点Aを出発してから1.5秒後における位置を示している。）

時刻xにおいて，3点P，Q，Rを通る平面でこの立方体を切断したときの断面積をS(x)とおくとき，y=S(x)のグラフを表しているものとして最も妥当なのはどれか。

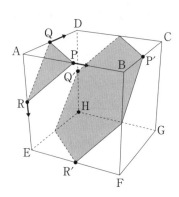

1
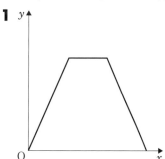

2
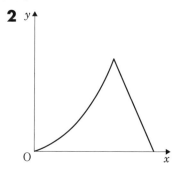

3
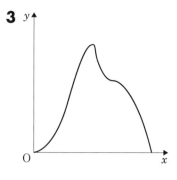

4
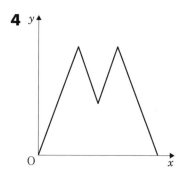

5
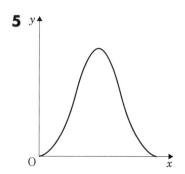

3点P，Q，Rが頂点Aを同時に出発して1秒後にそれぞれ頂点B，D，Eに到達するので，1秒後の切断面は次の図Iにおける1辺$\sqrt{2}$の正三角形BDEとなる。また，1.5秒後には，点Pは辺BCの中点，点Qは辺DHの中点，点Rは辺EFの中点に到達し，このときの切断面は1辺$\frac{\sqrt{2}}{2}$の正六角形である。

3点P，Q，Rが頂点Aを出発してから1秒後まで，切断面は常に正三角形であり，この間は相似変化で拡大していくから，$y=\mathrm{S}(x)$のグラフは2次関数の放物線となる。x秒後（$0\leqq x\leqq1$）において，正三角形の1辺は$\sqrt{2}x$だから，$y=\frac{\sqrt{3}}{4}(\sqrt{2}x)^2=\frac{\sqrt{3}}{2}x^2$のグラフ（放物線）である。また，2秒後には正三角形CFHとなり，そこから3秒後にかけて相似変化で縮小していくが，これは0→1秒後と対称性を有するので，0→1秒後と2→3秒後のグラフは対称性を有する放物線となり，この条件を満たすのは**5**だけである。

2→3秒後のグラフを確認しておくと，

$$y=\frac{\sqrt{3}}{4}\times\{\sqrt{2}(3-x)\}^2=\frac{\sqrt{3}}{2}(x^2-6x+9)=\frac{\sqrt{3}}{2}x^2-3\sqrt{3}x+\frac{9\sqrt{3}}{2}$$である。

また，1→2秒後の面積変化については，次の図IIのように，正三角形の各頂点部分を切り落とした六角形（1.5秒後に最大面積の正六角形となる）を考えることになる。全体の正三角形は，その面積が$\frac{\sqrt{3}}{2}x^2$であり，切断される正三角形の1辺は$\sqrt{2}(x-1)$である。したがって，

$$y=\frac{\sqrt{3}}{2}x^2-\frac{\sqrt{3}}{4}\times\{\sqrt{2}(x-1)\}^2\times3=\frac{\sqrt{3}}{2}x^2-\frac{3\sqrt{3}}{2}(x^2-2x+1)=-\sqrt{3}x^2+3\sqrt{3}x-\frac{3\sqrt{3}}{2}$$

となり，上に凸の（最大値を持つ）放物線となる（図III）。

よって，正答は**5**である。

[注]1辺の長さがaの正三角形の面積は，$\frac{\sqrt{3}}{4}a^2$である。また，1辺の長さがaの正六角形は

1辺の長さがaの正三角形6個で構成されているので，その面積は，$\frac{\sqrt{3}}{4}a^2\times6=\frac{3\sqrt{3}}{2}a^2$である。

図I

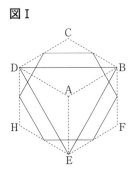

図II

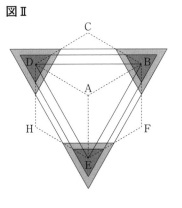

図III

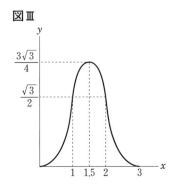

サッカーの地区大会がトーナメント方式で行われ，A～Hの8チームが参加した。試合について次のことが分かっているとき，「優勝チーム」と「決勝戦での優勝チームの得点」の組合せとして正しいのはどれか。

○　トーナメントの組合せは図のとおりであった。

○　全ての試合は1点以上の得点の差がついて勝敗が決まり，引き分けはなかった。

○　各チームの得点の合計と失点の合計は表のとおりであったが，一部は未記入のままとなっている。

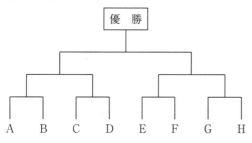

チーム	得点の合計	失点の合計
A	1	
B		6
C	0	2
D	4	
E	3	3
F	2	
G		1
H	5	4

優勝チーム　　　　決勝戦での優勝チームの得点

1　　B　　　　　　　　　3
2　　B　　　　　　　　　4
3　　D　　　　　　　　　1
4　　H　　　　　　　　　3
5　　H　　　　　　　　　4

解説

まず，1回戦の4試合をそれぞれ検討してみる。AとBの対戦では，Aの得点合計が1点，Bの失点合計が6点であることから，Bが勝っている（Aが勝ったのなら1対0でなければならず，Bの失点合計は1点となるはずである）。CとDの対戦は，Cの得点合計が0点，失点合計が2点だから，2対0でDの勝ちである。EとFの対戦も，Fの得点合計が2点，Eの失点合計が3点なので，2回戦に進んだのはEでなければならず，2点取ったFにEが勝ったのなら，Eは1回戦で3点取っている（ここからEは2回戦で1点も取れなかったことになる）。したがって，3対2でEの勝ちである。GとHの対戦は，Gの失点合計が1点，Hの得点合計は5点だから，5点のうち1回戦での得点は1点だけということになり，1対0でHの勝ちである。ここまでで次の図Ⅰのようになる。

図Ⅰ

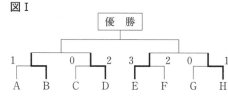

その次に2回戦（準決勝戦）を考える。BとDの対戦では，Dの可能な得点は2点までだが，これでもBの1回戦と合わせた失点は3点である。Bの失点合計は6点なのでBは2回戦に勝っていなければならず，Dは2点取ったがBに3点以上取られて負け，ということになる（ここから，Bの決勝戦での失点は3点ということになる）。EとHの対戦は，前述のように2回戦でのEの得点は0点なので，Hが勝って決勝戦に進出している。

これで決勝戦はBとHの対戦となるが，決勝戦でのBの失点＝Hの得点は3点なので，2回戦でのHの得点は1点である。

Hは1回戦，2回戦とも失点が0点なので，Hの失点合計である4点はすべて決勝戦での失点である。つまり，BとHの決勝戦は4対3でBが勝ったことになる（図Ⅱ）。

よって，正答は**2**である。

図Ⅱ

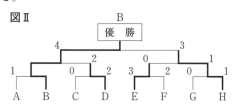

正答 2

A，Bの2人が下のような5×5のマス目の図が書かれた紙を1枚ずつ持ち，次のようなゲームを行う。

① Aは，自分の図の中の任意の二つのマス目に丸印を付ける。

② Bは，相手の図を見ずに任意の一つのマス目を指定する。

③ Aは，Bが指定したマス目及びその周囲のマス目にある丸印の個数を回答する。
　なお，Bが指定したマス目に対する「周囲のマス目」とは，例えばBが「イ2」を指定した場合にはア1，ア2，ア3，イ1，イ3，ウ1，ウ2，ウ3を指し，「ア4」を指定した場合にはア3，ア5，イ3，イ4，イ5を指す。

④ Aがどのマス目に丸印を付けたかをBが当てるまで②，③を繰り返す。

Bが指定したマス目及びそれに対するAの回答が表のとおりであったとき，確実にいえるのはどれか。

1　2　3　4　5

ア
イ
ウ
エ
オ

Bが指定したマス目	Aの回答
「イ2」	「1個」
「エ4」	「1個」
「イ4」	「2個」

1 Bが「ウ3」を指定しAの回答が「2個」であれば，丸印が付いた二つのマス目は特定される。

2 Bが「ウ3」を指定しAの回答が「1個」であれば，ア3に丸印がある可能性はない。

3 Bが「イ5」を指定した場合，Aの回答は必ず「1個」である。

4 Bが「ウ2」を指定した場合，Aの回答は必ず「1個」である。

5 Bが「エ2」を指定した場合，Aの回答は必ず「0個」である。

解説 ━━━━━━━━━━━━━━━━━━━━━━━━━━━━━

Aが記入した丸印は2個なので，まず，その範囲を考えてみる。Bが「イ2」を指定したとき，Aの回答は1個だから，次の図Ⅰで示した範囲の中に丸印が1個記入されている。また，Bが「エ4」を指定したときも，Aの回答は1個だから，図Ⅱで示した範囲の中に丸印が1個記入されている。ところが，Bが「イ4」を指定したとき，Aの回答は2個だから，丸印は図Ⅲで示した範囲の中に2個記入されていなければならない。ここから，図Ⅰで1列目と2列目に丸印が記入されている可能性はなく，図Ⅱでエ行目とオ行目に丸印が記入されている可能性はない。

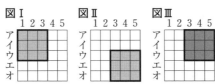

そうすると，Aが記入した2個の丸印の位置について，次の（1）と（2）の2通りが考えられることになる。

（1）「ア3」「イ3」のうちのどちらかに1個記入され，「ウ4」「ウ5」のどちらかに1個記入される場合（図Ⅳ）。

（2）「ウ3」に1個記入され，「ア4」「ア5」「イ4」「イ5」のうちのどちらかに1個記入される場合（図Ⅴ）。

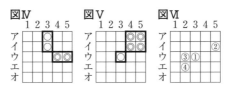

この図Ⅳおよび図Ⅴから考えると，Bが「ウ3」を指定し（図Ⅵの①），Aの回答が「2個」であったとき，「イ3」「ウ4」（図Ⅳ）に丸印が記入されている場合と，「イ4」「ウ3」（図Ⅴ）に丸印が記入されている場合との2通りの可能性があるので，丸印が書かれた2つのマス目は特定されず，**1**は誤りである。

また，Bが「ウ3」を指定し，Aの回答が「1個」であったとき，図Ⅴで「ウ3」と，もう1個が「イ4」以外の「◎」印のうちの1個である可能性があるので，**2**も誤りである。Bが「イ5」を指定した場合（図Ⅵの②），図Ⅳおよび図Ⅴのいずれにおいても，「◎」印のマス目のうち1個に記入されている。したがって，Aの回答は必ず「1個」であり，**3**は確実である。

Bが「ウ2」を指定した場合（図Ⅵの③），図Ⅳで「ア3」「ウ5」に丸印が記入されていれば，Aの回答は「0個」となるので，**4**は誤りである。

Bが「エ2」を指定した場合（図Ⅵの④），図Ⅴならば，Aの回答は「1個」となるので，**5**も誤りである。

よって，正答は**3**である。

正答 **3**

国家一般職
[大卒]

No.
197

教養試験

判断推理

対応関係

平成25年度

A〜Gの一行は，4人が男性，3人が女性であり，旅行先のホテルにおいて，図のような位置関係の
ルームⅠ〜Ⅳの4部屋に分かれて宿泊した。ホテルにおける部屋割りについて，3部屋には2人ずつ，
1部屋には1人が宿泊したことのほか，次のことが分かっているとき，確実にいえるのはどれか。

| ルームⅠ | ルームⅡ | ルームⅢ | ルームⅣ |

- ○　男性と女性は別々の部屋だった。
- ○　男性の泊まる部屋は隣り合っていた。
- ○　AとCの部屋は隣り合っていた。
- ○　AとDは男性で，別々の部屋だった。
- ○　AとGは別々の部屋で，さらに，隣り合っていなかった。
- ○　Bは女性で，ルームⅣに宿泊した。
- ○　Fは1人で宿泊した。

1　AはルームⅠに宿泊した。

2　BとGは同じ部屋に宿泊した。

3　EとFの部屋は隣り合っていた。

4　FはルームⅢに宿泊した。

5　Gは男性である。

解説

男性が4人，女性が3人で，3部屋に2人ずつと1部屋に1人が宿泊し，男性と女性は別々の部屋であるから，1人で宿泊したFは女性である。また，Aは男性と示されていて，AとGは別々の部屋で隣り合っていなかったのだから，Gも女性である。そして，Bが女性であることが示されているから，女性3人はB，F，Gである。このうち，Fは1人で宿泊しているので，BとGが同じ部屋に宿泊したことになる（この段階で正答は**2**と決まってしまう）。

他の条件について検討してみると，A，C，D，Eが男性で，AはCともDとも別の部屋に宿泊しているから，AとEが同じ部屋，CとDが同じ部屋となる。B，Gが宿泊したのはルームⅣなので，部屋と宿泊者の組合せは次の表のように①〜③の3通りあることになる。

したがって，**1**，**3**，**4**は確実とはいえず，**5**は誤りとなる。

よって，正答は**2**である。

	ルームⅠ	ルームⅡ	ルームⅢ	ルームⅣ
①	A，E	C，D	F	B，G
②	C，D	A，E	F	B，G
③	F	A，E	C，D	B，G

正答　**2**

文章理解　判断推理　数的推理　資料解釈　時事　物理　化学　生物

卓球サークルに所属するA〜Hの8人のうち，A〜Dの4人は紅チーム，E〜Hの4人は白チームに分かれて，チーム対抗の紅白戦を2回行った。各回の紅白戦では，シングルスの試合を4試合行い，各チームの全員が出場した。対戦相手について，1回目の紅白戦では，紅チームのA〜Dが，それぞれ白チームのE〜Hのいずれかと対戦し，2回目の紅白戦では，全員が1回目の相手とは異なる相手と対戦したことのほか，次のことが分かっているとき，確実にいえるのはどれか。

- ○　1回目にBと，2回目にDと対戦した白チームの選手がいる。
- ○　1回目にGと，2回目にHと対戦した紅チームの選手がいる。
- ○　Dが1回目に対戦した白チームの選手とは，2回目にはCが対戦した。
- ○　AはEと対戦した。
- ○　CはGとは対戦しなかった。

1　1回目にAはHと対戦した。
2　2回目にDはFと対戦した。
3　BともCとも対戦した選手がいる。
4　CはFとは対戦しなかった。
5　DはHと対戦した。

解説

まず，「AはEと対戦した」とあるので，最初の条件である「1回目にBと，2回目にDと対戦した白チームの選手」はEではない。また，最後の条件に「CはGとは対戦しなかった」とあるので，2番目の条件である「1回目にGと，2回目にHと対戦した紅チームの選手」はCではない。そして，Aでもない。さらに，Cが2回目に対戦したのはGでもHでもないことから，Dが1回目に対戦したのはGでもHでもない。この結果，1回目にGと対戦したのはBと決まり，Bは2回目にHと対戦したことになる。ここまでが次の表Iである。

表I

		白チーム							
		1回目				2回目			
		E	F	G	H	E	F	G	H
紅チーム	A			×					×
	B	×	×	○		×	×	×	○
	C			×				×	×
	D			×	×	×			×

表II

		白チーム							
		1回目				2回目			
		E	F	G	H	E	F	G	H
紅チーム	A	×	×	×	○	○	×	×	×
	B	×	×	○	×	×	×	×	○
	C	○	×	×	×	×	○	×	×
	D	×	○	×	×	×	×	○	×

また，「Dが1回目に対戦した白チームの選手とは，2回目にはCが対戦した」という条件を考えると，これはEではない（Eだとすると，AはEと対戦したという条件と矛盾する）ので，Fと決まる。Dの1回目の相手がFなので，2回目の相手はG以外になく，Aの2回目の相手はFでもGでもないのでEである。この結果，Aの1回目の相手はH，Cの1回目の相手はEとなり，表IIのようにすべて決定する。

よって，正答は**1**である。

正答　**1**

A～Eの学生5人における政治学，経済学，行政学，社会学，法律学の5科目の履修状況について次のことが分かっているとき，確実にいえるのはどれか。

　○　5人が履修している科目数はそれぞれ3科目以内である。
　○　政治学を履修している者は2人いる。
　○　経済学を履修している者は2人おり，そのうちの1人はAである。
　○　行政学を履修している者は3人おり，そのうちの1人はAである。
　○　社会学を履修している者は3人おり，そのうちの2人はAとDである。
　○　法律学を履修している者は4人いる。
　○　AとEが2人とも履修している科目はない。
　○　Cは政治学も社会学も履修していない。

1　Bは政治学を履修していない。
2　Bは行政学を履修していない。
3　Cは経済学を履修していない。
4　Dは経済学を履修していない。
5　Dは行政学を履修していない。

Cが履修していない科目，Dが社会学
科目数は3科目以内なので，Aは政治
ら履修している科目はないのだから，E
が次の表Ⅰである。

学	法律学
	×

人　4人

Eは最多で2科目だから，各人の履修
ければならない。そうすると，Cの履修
，法律学である。また，法律学の履修
は法律学を履修している。そして，社
いる。ここまでで次の表Ⅱとなるが，政
るかを決定することができない。

学	法律学	
	×	3
	○	3
	○	3
	○	3
○	○	2
2人	2人	3人　3人　4人

この表Ⅱから，**1**，**2**，**5**は不確実，**3**は誤りで，正答は**4**となる。

正答　4

体育館にいたA，B，C，図書館にいたD～Gの計7人が次のような発言をしたが，このうちの2人の発言は正しく，残りの5人の発言は誤っていた。正しい発言をした2人の組合せとして最も妥当なのはどれか。ただし，7人のうちテニスができる者は2人だけである。

 A：「私はテニスができない。」

 B：「テニスができる2人はいずれも図書館にいた。」

 C：「A，Bの発言のうち少なくともいずれかは正しい。」

 D：「Eはテニスができる。」

 E：「Dの発言は誤りである。」

 F：「D，Eの発言はいずれも誤りである。」

 G：「図書館にいた4人はテニスができない。」

1 A，C

2 A，G

3 B，F

4 C，E

5 E，G

解説

まず，Eの発言である「Dの発言は誤りである」を考えると，Dの発言が正しければEの発言は誤り，Eの発言が正しければDの発言は誤り，という関係にあり，D，Eのうち一方の発言は正しく，他方の発言は誤りということになる（両者とも正しいということも両者とも誤りということもない）。そうすると，Fの発言である「D，Eの発言はいずれも誤りである」は誤りである。

次にCの発言を考えてみる。Cの発言が正しいとすると，A，Bのうち少なくともいずれかの発言は正しいことになるので，正しい発言をしているのが，A，Bのうちの少なくとも1人とC，そしてDまたはEのどちらかとなって，正しい発言をしているのが3人以上となってしまう。つまり，Cの発言は誤っている。Cの発言である「A，Bの発言のうち少なくともいずれかは正しい」が誤りであるなら，A，Bの発言はいずれも誤りである。

ここまでで，A，B，C，Fの4人の発言が誤りで，さらにD，Eのどちらかの発言が誤りであることが判明したので，Gの発言は正しいことになる。Gの発言である「図書館にいた4人（D，E，F，G）はテニスができない」が正しいのだから，Dの発言である「Eはテニスができる」は誤りということになり，Eの発言が正しい。

よって，正しい発言をした2人はEとGであり，正答は**5**である。

正答　**5**

国家一般職
[大卒]

教養試験

No.
201

判断推理

命　題

平成 24年度

釣り大会を実施したところ，全体として釣れた魚はヒラメ，スズキ，ブリ，タイの4種であった。次のことが分かっているとき，確実にいえるのはどれか。

  ○ ヒラメを釣った者は，スズキとブリも釣った。

  ○ スズキを釣っていない者は，ブリを釣った。

  ○ ブリを釣った者は，タイを釣っていない。

1 タイを釣った者は，ヒラメを釣っていない。

2 ヒラメとタイを釣った者がいる。

3 タイとブリを釣った者がいる。

4 スズキとブリを釣った者は，ヒラメを釣った。

5 ブリを釣っていない者は，タイを釣った。

解説

与えられた命題をア～ウのように論理式で表し，それぞれの対偶をエ～カとする。

ア．ヒラメ→（スズキ∧ブリ）

　　　　　⇒　エ．（$\overline{スズキ}$∨$\overline{ブリ}$）→$\overline{ヒラメ}$

イ．$\overline{スズキ}$→ブリ　⇒　オ．$\overline{ブリ}$→スズキ

ウ．ブリ→$\overline{タイ}$　⇒　カ．タイ→$\overline{ブリ}$

　また，アは次のキ，クと分割することが可能で，これもそれぞれの対偶をケ，コとしてみる。

キ．ヒラメ→スズキ　⇒　ケ．$\overline{スズキ}$→$\overline{ヒラメ}$

ク．ヒラメ→ブリ　⇒　コ．$\overline{ブリ}$→$\overline{ヒラメ}$

　これらア～コから各選択肢を検討してみればよい。

1．正しい。カおよびコから「タイ→$\overline{ブリ}$→$\overline{ヒラメ}$」となるので，「タイを釣った者は，ヒラメを釣っていない」は確実に推論することができる。

2．クおよびウから「ヒラメ→ブリ→$\overline{タイ}$」となるので，「ヒラメを釣った者はタイを釣っていない」＝「ヒラメとタイの両方を釣った者はいない」ことになる。カおよびコから「タイとヒラメの両方を釣った者はいない」としても同様である。

3．ウより「ブリ→$\overline{タイ}$」なので，「タイとブリの両方を釣った者はいない」ことになる。カの「タイ→$\overline{ブリ}$」から考えても同様である。

4．「（スズキ∧ブリ）→」となる命題が存在しないので，その先を推論することができない。

5．オより「$\overline{ブリ}$→スズキ」，　コより「$\overline{ブリ}$→$\overline{ヒラメ}$」となるが，いずれもその先を推論することができない。

正答　**1**

A～Hの8人が4人乗り自動車2台でスキー場に行っ
た。8人の内訳は，男4人，女4人であり，また，ス
キーヤー3人，スノーボーダー5人となっている。次
のことが分かっているとき，確実にいえるのはどれか。

○　運転免許保有者は4人で，図のように，行きは
　　AとE，帰りはBとFが運転した。
○　行き帰りとも助手席には運転免許保有者が座っ
　　た。
○　行き帰りとも車内の座席は男女が隣どうしとな
　　るように座った。
○　Fは女性のスキーヤーで，他の女性はスノーボ
　　ーダーだった。
○　Aは男性でスキーヤーだった。
○　DとGはスノーボーダーで，行きも帰りも隣どうしとなった。
○　Fが運転した車に乗った者は，自身を除くと全員スノーボーダーだった。

1　B，Cは帰りの車が一緒だった。
2　Cはスキーヤーである。
3　D，F，Gは行き帰りとも同じ車に乗った。
4　EとHが同じ車に乗ることはなかった。
5　Hは男性である。

（行　き）

助手席	運転席
	A

助手席	運転席
	E

（帰　り）

助手席	運転席
	B

助手席	運転席
	F

解説

行きの運転はA，E，帰りの運転はB，Fだから，運転免許保有者である4人はA，B，E，
Fである。ここから，行きの助手席はB，F，帰りの助手席はA，Eとなる。Aは男性，Fは
女性でいずれもスキーヤーであり，DとGはいずれもスノーボーダーで，行きも帰りも隣どう
しだから，一方が男性，他方が女性である。ここまでをまとめたのが次の表Iである。

表I

	運転免許保有者	男	女	スキーヤー	スノーボーダー
	4人	4人	4人	3人	5人
A	○	○		○	
B	○				
C					
D		△			○
E	○				
F	○		○	○	
G		△			○
H					

　Fは女性だから，Fが運転する帰りの車の助手席には男性が座ることになるが，Aはスキー

ヤーなので，AはFの車の助手席ではない。そうすると，AはBが運転する車の助手席だから，Bは女性であり，スノーボーダーである。ここから，Fの車の助手席にはEが座ることになり，Eは男性のスノーボーダーである。

運転免許保有者でないC，D，G，Hに関しては，D，Gが行きも帰りも隣どうしなので，C，Hも同様に行きも帰りも隣どうしであり，一方が男性，他方が女性である。そして，スキーヤー3人，スノーボーダー5人という条件から，C，Hは一方がスキーヤー，他方がスノーボーダーである。ここまでで次の表Ⅱのようになる。

表Ⅱ

	運転免許保有者	男	女	スキーヤー	スノーボーダー
	4人	4人	4人	3人	5人
A	○	○		○	
B	○		○		○
C		▲		▲	
D			△		○
E	○	○			○
F	○		○	○	
G			△		○
H		▲		▲	

Fが運転する帰りの車では，F以外の3人はすべてスノーボーダーなので，C，Hが乗っていることはなく，D，Gでなければならない。ここから，帰りの車に関しては，次の図Ⅰのように乗車している4人ずつが確定する。ただし，行きの車に関しては，B，Fがどちらの助手席に座っているか，また，隣どうしである（C，H），（D，G）がどちらの車に乗っているかは確定できない。

図Ⅰ

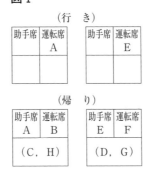

（行　き）

助手席	運転席 A		助手席	運転席 E

（帰　り）

助手席 A	運転席 B		助手席 E	運転席 F
（C，H）			（D，G）	

以上から，**2〜5**は確実とはいえず，正答は**1**となる。

正答　**1**

国家一般職
［大卒］
No.
203 判断推理
教養試験
対応関係
平成24年度

A～Eの5人が，卓球でダブルスの試合を次の対戦表に従って行い，個人ごとに順位をつけることにした。各人が加わった組の勝ち・負けを，それぞれその者の勝ち・負けとして各人の勝敗数をカウントし，勝利数の多い順に上位から順位を決める。ただし，引き分けはないものとする。

なお，勝利数が同じ者がいた場合には同順位とし，次の順位は，同順位とした人数分だけ繰り下がるものとする。

第1試合	A・B ― C・D
第2試合	A・C ― D・E
第3試合	A・D ― B・E
第4試合	A・E ― B・C
第5試合	B・D ― C・E

第1試合を行ったところ，A・B組が勝ったので，AとBは，それぞれ1勝0敗となり，CとDは，それぞれ0勝1敗となった。すべての試合が終わった時点で次のことが分かっているとき，確実にいえるのはどれか。

　○　1位になった者は，AとEの2人だった。
　○　Bは，2勝2敗だった。

1 Bは3位，Cは5位であった。

2 CとDの2人は，3位であった。

3 A・C組は，D・E組に勝った。

4 A・D組は，B・E組に勝った。

5 Eが加わった組は，Cが加わった組に対して2勝した。

解 説

5人はそれぞれ4試合ずつ行っているが，AとEの2人が1位で，両者は第3試合で対戦しているから，4勝0敗ということはない。また，Bが2勝2敗なので，1位のAとEはどちらも3勝1敗でなければならない。

Aは第1試合に勝っているので，Aが負けたのは第2～第4試合のうちの1試合である。Aが第2試合に負けたとすると，第3試合と第4試合に勝っていることになる。この場合，Eは第3試合で負けているので，第5試合でEは勝っていなければならない。そうすると，Bは第3～第5試合で負けていることになり，Bの成績は1勝3敗となって条件に合わない。

Aが第4試合で負けたとすると，Eも第4試合で負けということになり，さらにEは第2試合と第3試合でも負けているので，これだけでEは3敗となってしまう。

つまり，Aが勝ったのは第1試合，第2試合，第4試合であり，ここからEが勝ったのは第3試合，第4試合，第5試合である。これで第1～第5試合の勝敗がすべて決まるので，Bが勝ったのは第1試合と第3試合，Cは第2試合と第5試合に勝って2勝2敗，Dは第1試合，第2試合，第3試合，第5試合のすべてに負けて0勝4敗となる（表Ⅰ，表Ⅱ）。

表Ⅰ

第1試合	A・B ○ － × C・D
第2試合	A・C ○ － × D・E
第3試合	A・D × － ○ B・E
第4試合	A・E ○ － × B・C
第5試合	B・D × － ○ C・E

表Ⅱ

	第1試合	第2試合	第3試合	第4試合	第5試合	勝	負	順位
A	○	○	×	○		3	1	1
B	○		○	×	×	2	2	3
C	×	○		×	○	2	2	3
D	×	×	×		×	0	4	5
E		×	○	○	○	3	1	1

以上から，正答は**3**である。

正答 **3**

ある大学には，法文系と自然科学系の二つの専攻があり，スポーツサークルは，フットサルとテニスのサークルがある。この二つのサークルの２年生と３年生が共同で新入生歓迎会を行うことにし，担当幹事を次の方法で決めることにした。いくつかの条件を示し，その条件すべてに反しない学生がいた場合，その者が担当するというものである。次の四つの条件を示したところ，すべてに反しない学生は２人いた。その２人は，ある属性のみは共通していたが，それ以外の属性はいずれも異なっていた。共通する属性として最も妥当なのはどれか。

　　○　専攻が「法文系」であれば，学年は「２年生」であること。
　　○　専攻が「自然科学系」であれば，サークルは「フットサル」であること。
　　○　学年が「３年生」であれば，サークルは「テニス」であること。
　　○　サークルが「フットサル」であれば，専攻は「自然科学系」であること。

1　専攻は「法文系」である。
2　専攻は「自然科学系」である。
3　学年は「２年生」である。
4　サークルは「フットサル」である。
5　サークルは「テニス」である。

専攻，サークル，学年とも2通りずつなので，その組合せは全部で$2^3 = 8$通りある。この8通りから，条件を満たす2人の学生について，「ある属性のみは共通していたが，それ以外の属性はいずれも異なっていた」という点を考えることになる。考え方としては，真偽分類表と同様の一覧表を作成し，そこから条件を満たさない属性の組合せを取り除けばよい。属性に関する8通りについて，①〜⑧として一覧表を作成すると次の表Ⅰのようになる。

表Ⅰ

①	法文系	フットサル	2年生	⑤	自然科学系	フットサル	2年生
②	法文系	フットサル	3年生	⑥	自然科学系	フットサル	3年生
③	法文系	テニス	2年生	⑦	自然科学系	テニス	2年生
④	法文系	テニス	3年生	⑧	自然科学系	テニス	3年生

この中で，『専攻が「法文系」であれば，学年は「2年生」』だから，「法文系」で「3年生」である②と④は消去される。また，『専攻が「自然科学系」であれば，サークルは「フットサル」』であるから，「自然科学系」で「テニス」である⑦と⑧が消去される。そして，『学年が「3年生」であれば，サークルは「テニス」』だから，残っている中で「3年生」で「フットサル」である⑥が消去され，『サークルが「フットサル」であれば，専攻は「自然科学系」』であるから，「フットサル」で「法文系」である①が消去される。

この結果，条件を満たす属性の組合せは③「法文系」・「テニス」・「2年生」，⑤「自然科学系」・「フットサル」・「2年生」，の2通りとなる（表Ⅱ）。そして，このそれぞれに該当する学生が1人ずついたことになる。

表Ⅱ

①	法文系	フットサル	2年生	⑤	自然科学系	フットサル	2年生
②	法文系	フットサル	3年生	⑥	自然科学系	フットサル	3年生
③	法文系	テニス	2年生	⑦	自然科学系	テニス	2年生
④	法文系	テニス	3年生	⑧	自然科学系	テニス	3年生

以上から，この2人に共通する属性は，学年は「2年生」ということになり，正答は**3**である。

正答　**3**

文章理解　判断推理　数的推理　資料解釈　時事　物理　化学　生物

国家一般職
[大卒]
教養試験
No.
205
判断推理
位置関係
平成24年度

図のように，円卓を囲んでA〜Fの6人が座っている。全員，お互いに他の者が座っている位置を知っている。現在，6人のうち4人は円卓のほうを向いて座っているが，他の2人は，円卓を背にして座っている。A〜Eの5人は，自分からみた場合の他の者の座り方に関して次のように発言した。このとき，**円卓を背にして**座っている者の組合せとして最も妥当なのはどれか。

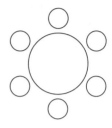

   A：「右隣にC，さらにその隣にFが座っている。」
   B：「右隣にE，左隣にDが座っている。」
   C：「左隣にF，さらにその隣にDが座っている。」
   D：「右隣にB，左隣にFが座っている。」
   E：「右隣にB，左隣にAが座っている。」

1   A，B
2   A，D
3   B，F
4   C，E
5   D，F

解説

Aから見ると，右隣にC，さらにその右にFが座っているが，Cから見ると左隣にFが座っている。つまり，A，Cのうちの一方は円卓のほうを向いて，他方は円卓を背にして座っていることになる。

そこで，Aが円卓のほうを向いて座っている場合（図Ⅰ−1），Aが円卓を背にして座っている場合（図Ⅱ−1）の2通りを考えてみる。

図Ⅰ−1

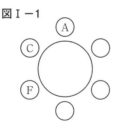

図Ⅱ−1

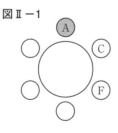

Aが円卓のほうを向いて座っているならば，Cは円卓を背にして座っており，Aが円卓を背にして座っていれば，Cは円卓のほうを向いて座っているので，それぞれ図Ⅰ－2，図Ⅱ－2のようになる。

図Ⅰ－2

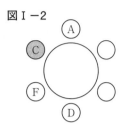

図Ⅱ－2

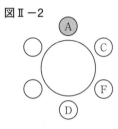

　ここから，D，B，Eの発言の順に座席を配置していくと，図Ⅰ－3，図Ⅱ－3のようになるが，図Ⅱ－3ではA，B，Dの3人が円卓を背にして座っていることになり，条件に反する。図Ⅰ－3だと，円卓を背にして座っているのはC，Eの2人となり，こちらは条件に反しない。したがって，円卓を背にして座っているのはC，Eの2人であり，正答は**4**である。

図Ⅰ－3

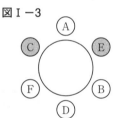

図Ⅱ－3

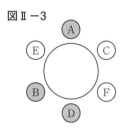

正答　4

国家一般職
[大卒]

No.
206

教養試験

判断推理

平面図形

平成 24年度

文章理解

判断推理

数的推理

資料解釈

時事

物理

化学

生物

図のように，点Pが三角形 ABC の辺上を，点Qが線分 DE 上を自由に動くとき，点Pと点Qを結んだ線分を三等分する二つの点をそれぞれR，Sとする。点Rと点Sを結んだ線分 RS が動きうる範囲を示したものとして最も妥当なのはどれか。

なお，辺 AB と辺 BC の長さは等しく，また，点Bは，点Aと点Eを結んだ直線と，点Cと点Dを結んだ直線の交点の位置にある。

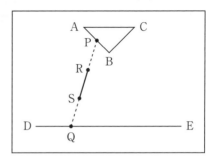

1

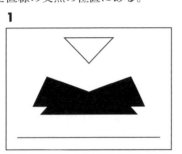

2

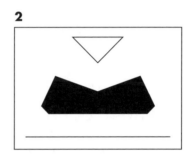

3

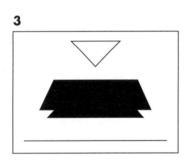

4

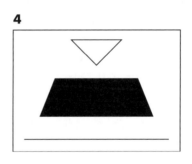

5

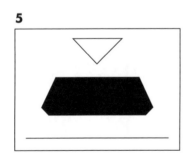

まず，点Pが辺AC上を，点Qが線分DE上を動く場合に線分RSが動きうる範囲を考えると，図Iに示すような台形FGHIとなる。

図I

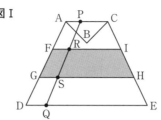

次に，点Pは頂点Bに固定し，点Qが線分DE上を動く場合の線分RSが動きうる範囲を考えると，図IIにおける台形JKLMになる。

図II

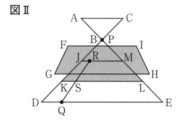

さらに，点Qを点Dに固定し，点Pが辺AB上を動く場合を考えると，点Pが頂点Aにあるときの点Sの位置は点G，点Pが頂点Bにあるときの点Sの位置は点Kだから，点Sは線分GK上を動くことになる。また，図の対称性から，点Qを点Eに固定し，点Pが辺BC上を動く場合は，点Sは線分LH上を動く（図III）。

図III

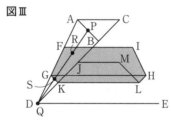

この図IIIから，線分RSが動きうる範囲を示した図として正しいのは**5**であり，正答は**5**となる。

図Iから**1**および**2**が消去され，図IIから**4**が消去され，図IIIによって**3**が消去される，と考えていけばよい。

正答　5

図のように，底面が直径1の円で，かつ高さが4πの円柱に，ひもを底面の点Bから直上の点Aまで等間隔の螺旋状に巻いていったところ，ちょうど4周したところで巻き終わった。

　このひもを用いて円を作ったとき，その面積はいくらか。

1　$4\sqrt{2}\,\pi$
2　8π
3　$8\sqrt{2}\,\pi$
4　12π
5　$12\sqrt{2}\,\pi$

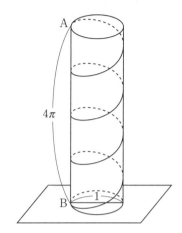

解 説

円柱の側面を，2点A，Bを結ぶ部分で展開すると，縦4π，横πの長方形となる。螺旋状に巻かれたひもは円柱の側面を4周しているので，展開した長方形上に示すと，次の図のようになる。長方形を4段に区切れば，各段は1辺がπの正方形となり，ひもは各正方形の対角線となるから，それぞれ長さは$\sqrt{2}\,\pi$であり，ひもの長さ全体は$4\sqrt{2}\,\pi$となる。このひもを用いて円を作ると，円周が$4\sqrt{2}\,\pi$だから半径は$2\sqrt{2}$であり，その面積は，$(2\sqrt{2})^{2}\pi=8\pi$である。

　以上から，正答は**2**となる。

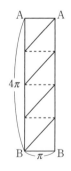

正答　**2**

国家Ⅱ種

No. 208 判断推理

教養試験

対応関係

平成23年度

文章理解 判断推理 数的推理 資料解釈 時事 物理 化学 生物

ある課にはA～Fの6人の職員がおり，それらの職員の役職，性別，年齢層について次のことが分かっているとき，確実にいえるのはどれか。

○ 役職については，課長が1人，係長が2人，係員が3人である。

○ 性別については，男性が4人，女性が2人であり，年齢層については，50歳代が1人，40歳代が1人，30歳代が2人，20歳代が2人である。

○ Aは40歳代の男性で，Fよりも年齢層が高い。

○ Bは男性の係長であり，Fよりも年齢層が高い。

○ Cは女性であり，Dよりも役職，年齢層ともに高い。

○ E，Fは係員である。また，FはDよりも年齢層が高い。

○ 係員は，3人とも年齢層が異なる。

1 Aは係長である。

2 Eは男性である。

3 女性のうちの一人は20歳代である。

4 係員のうちの一人は50歳代である。

5 課長は女性である。

解説

まず，役職，性別，年齢層に関して人数の情報も加えた表を用意し，この表に順次情報を記入していく。「Aは40歳代の男性で，Fよりも年齢層が高い」「Bは男性の係長であり，Fよりも年齢層が高い」「Cは女性であり，Dよりも役職，年齢層ともに高い」「E，Fは係員で，FはDよりも年齢層が高い」という情報までをまとめると表Ⅰとなる。

Cは役職，年齢層ともDより高いので，Cは係員でも20歳代でもなく，Dは課長でも50歳代でもない。また，Fは40歳代のAより年齢層が低いが，Dよりも年齢層が高いので50歳代でも20歳代でもなく，Dは50歳代ではない。

Fは40歳代のAより年齢層が低く，Dよりも年齢層が高いのだから，Fは30歳代と決まり，Dは20歳代である。そして，BはFよりも年齢層が高いが，40歳代はA1人なので，Bは50歳代である。また，A，B，C，Fは20歳代ではないので，20歳代のもう1人はEである。

50歳代のBは係長なので，3人の係員は20歳代，30歳代，40歳代が1人ずつということになるが，20歳代はE，30歳代はFで，40歳代はA1人だから，Aは係員である。そうすると，もう1人の係長はD，課長はCということになり，表Ⅱのようになる。ただし，D，E，Fの性別に関しては判明しない。

表Ⅰ

	課長	係長	係員	男性	女性	20歳代	30歳代	40歳代	50歳代
A				○	×	×	×	○	×
B	×	○	×		×	×	×		×
C			×	×	○	×			
D	×							×	×
E	×	×	○					×	
F	×	×	○			×		×	×
	1人	2人	3人	4人	2人	2人	2人	1人	1人

表Ⅱ

	課長	係長	係員	男性	女性	20歳代	30歳代	40歳代	50歳代
A	×	×	○	○	×	×	×	○	×
B	×	○	×	○	×	×	×	×	○
C	○	×	×	×	○	×	×	×	×
D	×	○	×			○	×	×	×
E	×	×	○			○	×	×	×
F	×	×	○			×	○	×	×
	1人	2人	3人	4人	2人	2人	2人	1人	1人

以上から，**1**，**4**は誤り，**2**，**3**は不明で，確実にいえるのは**5**だけである。

よって，正答は**5**である。

正答 **5**

A～Fの6チームで，他の各チームと9試合ずつ対戦する総当たりの野球のリーグ戦が行われている。表1は，各チーム40試合終了時点での勝敗と今後の対戦予定を表したものであり，表2は，これまでのDチームと各チームとの対戦成績を表したものである。順位は勝ち数の多い方が上位となり，同じ勝ち数の場合は，そのチームどうしの対戦成績の良いチームが上位の順位となる。この場合，現在4位のDチームが，今後の他チームの勝敗に関係なく3位以内になるための条件として最も妥当なのはどれか。

ただし，引き分けはないものとする。

表1　勝敗表と今後の対戦予定

チーム	試合数	勝ち数	負け数	今後の対戦予定
A	40	25	15	Bと3試合，Fと2試合
B	40	24	16	Aと3試合，Cと2試合
C	40	23	17	Bと2試合，Dと3試合
D	40	22	18	Cと3試合，Eと2試合
E	40	16	24	Dと2試合，Fと3試合
F	40	10	30	Aと2試合，Eと3試合

表2　Dチームと各チームの対戦成績

	A	B	C	E	F
Dチームの対戦成績(勝ち－負け)	3－6	4－5	0－6	7－0	8－1

1 5勝する必要がある。

2 最低限4勝する必要がある。

3 最低限3勝する必要がある。

4 最低限2勝する必要がある。

5 1勝すればよい。

どのチームも残り試合数が5で，現在4位のDは，5位のEとの勝ち数の差が6あるので，順位が5位以下に下がることはない。また，A，Bとの対戦はすべて終了しているので，A，Bとの順位を考慮する意味もない。したがって，DとしてはCより上位の3位となる条件だけを考えればよい。

　Dが残り5試合に全勝した場合，Cと3試合行うのでCは少なくとも3敗することになる。このとき，CはBに2勝しても25勝20敗，Dは27勝18敗で，Dが単独3位である。Dが残り5試合で4勝1敗となった場合（26勝19敗），DがCに3勝，Eに1勝1敗ならば，CはBに2勝しても25勝20敗だから，Dは3位となれる。しかし，Cと2勝1敗，Eに2勝のときは，CがBに2勝すればCも26勝19敗となる。このときCとDの対戦成績はDの2勝7敗だから，Cが3位，Dは4位となる。したがって，今後の他チームの勝敗に関係なく3位以内になるためには，Dは残り5試合に全部勝つ必要がある。

　よって，正答は**1**である。

正答　**1**

同じ大きさの五つの箱があり，それぞれ異なる菓子が一種類ずつ入っている。蓋(ふた)には，その中身に応じて，　羊　羹 　あられ 　ゼリー 　カステラ 　チョコレート 　のシールが貼ってある。

　ある日，家族でこれらの菓子を食べた後，片付けようとしたところ，中身とシールが異なっているものがあることに気づいた。この状況について，家族が次のように話したが，このうち**一つだけ誤った情報が含まれている**とき，確実にいえるのはどれか。

○ 「蓋と中身が一致している箱が一つある。」

○ 「蓋が互いに入れ替わっているものが二組，つまり，蓋と中身が異なっているものが4箱ある。」

○ 「羊羹の入った箱に，　ゼリー 　の蓋がかぶさっている。」

○ 「あられの入った箱に，　カステラ 　の蓋がかぶさっている。」

○ 「ゼリーの入った箱に，　チョコレート 　の蓋がかぶさっている。」

1 羊羹とゼリーが入れ替わっている。

2 あられは蓋と中身が一致している。

3 ゼリーとチョコレートが入れ替わっている。

4 カステラの入った箱に　あられ 　の蓋がかぶさっている。

5 チョコレートの入った箱に　羊　羹 　の蓋がかぶさっている。

解説

箱と蓋の組合せについて述べている情報から考えてみる。「羊羹の入った箱に，ゼリーの蓋がかぶさっている」「あられの入った箱に，カステラの蓋がかぶさっている」「ゼリーの入った箱に，チョコレートの蓋がかぶさっている」という３つの情報がすべて正しいとすると次の図Ⅰのようになる。

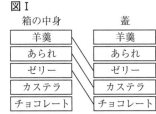

図Ⅰ

ただし，これでは「蓋と中身が一致している箱が一つある」「蓋が互いに入れ替わっているものが二組，つまり，蓋と中身が異なっているものが４箱ある」という二つの情報がいずれも誤りとなってしまい，誤っている情報は一つという条件を満たさない。つまり，箱と中身の組合せについて述べている三つの情報のうちの一つが誤りであり，箱と中身が一致している箱が一つあり，蓋が互いに入れ替わっているものが二組あるということになる。

このとき，「羊羹の箱にゼリーの蓋」，「ゼリーの箱にチョコレートの蓋」のどちらも正しいとすると，ゼリーに関して蓋が互いに入れ替わっているという状況にならないので，このどちらかが誤りでなければならない。

そこで，「羊羹の箱にゼリーの蓋」，「あられの箱にカステラの蓋」を正しいとすると図Ⅱ，「あられの箱にカステラの蓋」，「ゼリーの箱にチョコレートの蓋」を正しいとすると図Ⅲのようになり，それぞれ条件を満たしている。

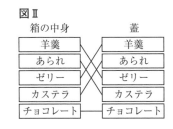

図Ⅱ

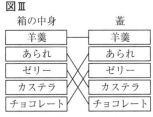

図Ⅲ

この図Ⅱ，図Ⅲのどちらにおいても，あられとカステラが入れ替わっていることになる。

よって，正答は**4**である。

正答　**4**

旅行先で出会ったA～Fの6人が，互いの連絡先を交換し，旅行後に手紙のやりとりをした。次のことが分かっているとき，確実にいえるのはどれか。

○　6人が出した手紙の総数は12通で，1人が同じ者に2通出すことはなかった。

○　Aが手紙を出した人数ともらった人数は同じだった。

○　Bは1人に手紙を出し，2人から手紙をもらった。

○　Bが手紙を出した者は，B以外にも2人から手紙をもらった。

○　Dは3人に手紙を出したが，誰からも手紙をもらわなかった。

○　Eは手紙を出した人数，もらった人数とも4人だった。

○　Fは手紙を出した人数，もらった人数ともAの半数だった。

1　AはBに手紙を出した。

2　BはDから手紙をもらった。

3　CはFから手紙をもらった。

4　DはAに手紙を出した。

5　FはDから手紙をもらった。

Bは1人に出して2人からもらい，Dは3人に出したが誰からももらわず，Eは4人に出して4人からもらっている。これを図Iのように表してみる。

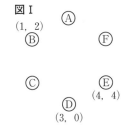

6人が出した手紙の総数は12通で，B，D，Eの3人で8通出して6通もらっている。つまり，A，C，Fの3人で4通出して6通もらっていることになる。ここで，Aは出した人数ともらった人数が等しく，Fは出した人数ももらった人数もAの半数という条件を考える。するとAが2通出して2通もらい，Fは1通出して1通もらった以外になく，この結果，Cは1通出して3通もらっていることになる（図II）。

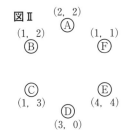

Eは4通出しているが，Dは1通ももらっていないので，Eが出した相手はA，B，C，Fである。また，Bが出した相手はB以外の2人からももらっているので，Bが出した相手は3通もらったCであり，ここからEがもらった相手はA，C，D，Fである。また，Aがもらったもう1通はDからということになる。

ここまでで図IIIとなるが，A，Dが出したもう1通ずつの相手はどちらがBでどちらがCであるかは決定できない。

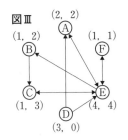

この結果，**1**，**2**は確実といえず，**3**，**5**は誤りとなり，確実にいえるのは**4**だけ。
よって，正答は**4**である。

正答 **4**

国家Ⅱ種 No. 212 教養試験

判断推理　数量条件からの推理　平成22年度

図のように並べられているA～Hの八つの箱にボールを投入する作業を行う。各辺（ABC, ADF, CEH, FGH）における個数が同じになるように，すべてのボールを投入するものとする。

ボールの総数が28個であるとき，考えられる投入数の組合せのうち，投入するボールの個数が最大の箱と最小の箱の個数差で，最も大きい値はいくらか。

ただし，いずれの組合せにおいてもボールが全く投入されない箱はなく，投入数が１個のみの箱は各辺に一つとする。

F	G	H
D		E
A	B	C

1　3個
2　4個
3　6個
4　7個
5　9個

解説

ここでは，「投入数が１個のみの箱は各辺に１つとする」という条件がヒントになる。投入するボールの個数が最大の箱と最小の箱の個数差を最大にするのだから，ボールがまったく投入されない箱がないのであれば，１個しか投入されない箱が多いほど，最大の箱の個数は多くなり，個数差が大きくなるからである。そこで，投入数が１個のみの箱は各辺に１つとするという条件から，B，D，E，Gを１個としてみる（図Ⅰ）。ここで，各辺（ABC，ADF，CEH，FGH）における個数は同じでなければならないので，A＝H，C＝Fである。この（A，H），（C，F）についても，一方が少なければ他方が多くなる関係にあるので，たとえば，A＝H＝2（なるべく少なく）とすれば，C＝F＝10で，（C，F）の個数は最大となる（図Ⅱ）。したがって，投入するボールの個数が最大の箱と最小の箱の個数差が最も大きくなるのは，10−1=9 より，９個で，正答は**5**である。

図Ⅰ

F	1	H
1		1
A	1	C

図Ⅱ

10	1	2
1		1
2	1	10

正答　5

ある喫茶店のある日の客の出入りはア～オのようであった。この日において，この店に同時に滞在していた客数として考えられる最大の人数は何人か。

　ア　1人客～5人客の計5組が，それぞれ一度ずつだけ出入りした。
　イ　1人客が入ったときには他に2組がいて，出るときにも他に2組がいた。
　ウ　2人客が入ったときには他に1組だけいて，滞在中に3組が出ていった。
　エ　2人客が出ていった後に5人客が入ってきた。
　オ　4人客が出ていった後に3人客が入ってきた。

1　6人
2　7人
3　8人
4　9人
5　10人

解説

　2人客が入ったときには他に1組おり，滞在中に3組が出て行ったのだから，2人客が入った後に2組来て，この2組と2人客より先に来ていた1組の計3組が2人客より先に出て行ったことになる。また，この2人客が出て行った後に5人客が入ってきたのだから，5人客はほかの4組の客とは一緒になっていない。また，2人客が一緒になったほかの3組の中では，4人客が出て行った後に3人客が入ってきており，1人客については入ってきたときも出るときにもほかに2組いたとなるので，5組の客の出入りの先後については下の図のようになる。つまり，最初に入ったのは4人客で，この4人客がいるうちに2人客，さらに1人客が入り，4人客が出て行った後，1人客と2人客がいる間に3人客が入ってきたことになる。この後は1人客，3人客，2人客の順に店を出て行き，その後に5人客が店に入っている。したがって，同時に滞在していた最大の客数は7人であり，正答は**2**である。

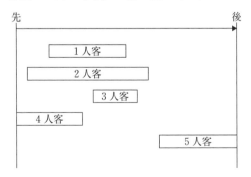

正答　**2**

図のような経路で，点Aを出発して点Pを通り点Bへ行く最短経路は何通りあるか。

1 40通り

2 48通り

3 54通り

4 60通り

5 72通り

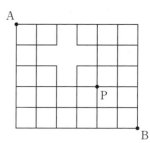

解説

きちんと碁盤の目状になっていれば，場合の数における組合せ計算を利用すれば済むが，このように変則的な経路の場合は，むしろ順番に数えてしまったほうが楽である。数え方は，出発点である点Aから最初の分岐点，次の分岐点というように，順次点Aからの経路数を加算していけばよい。最短経路で点Aから点Bへ行く場合，図では右か下へしか進めないので，ある分岐点での経路数は，その直前の左と上の分岐点までの経路数の和となる。まず，点Aから点Pまでの最短経路数を数えると，全部で9通りある。点Pから点Bまでの最短経路数は全部で6通りあるので，点Aから点Pを経由して点Bへ行く最短経路数は，9×6＝54より，54通りあることになり，正答は**3**である。

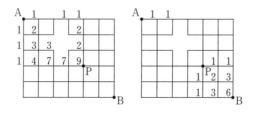

正答 **3**

国家一般職
[大卒]
No.
215
教養試験
数的推理

確　率

令和 5 年度

ある大会でAチームとBチームが野球の試合を行い、先に3勝したチームを優勝とし、その時点で大会を終了する。AチームがBチームに勝つ確率が$\frac{2}{3}$であるとき、AチームがBチームに3勝2敗で優勝する確率はいくらか。

　ただし、引き分けはないものとする。

1　$\frac{16}{81}$

2　$\frac{20}{81}$

3　$\frac{8}{27}$

4　$\frac{10}{27}$

5　$\frac{4}{9}$

解　説

Aチームが5試合目に負けて3勝2敗となることはないので、1～4試合目の中で2敗することになる。これは、異なる4個の中から2個を選ぶ組合せとなるので、求める確率は、

$$\left(\frac{2}{3}\right)^3 \times \left(\frac{1}{3}\right)^2 \times {}_4C_2$$

$$=\frac{8}{27}\times\frac{1}{9}\times\frac{4\times3}{2\times1}$$

$$=\frac{16}{81}$$

したがって、正答は**1**である。

正答　**1**

文章理解
判断推理
数的推理
資料解釈
時事
物理
化学
生物

国家一般職
[大卒]
教養試験
No.
216
数的推理
平面図形
令和 5 年度

図 I のように一辺の長さが 8 の正方形 ABCD があり、AD の中点を M、BC の中点を N とする。この正方形を図 II のように B が MN 上に来るように折り、B の折り返し後の位置を B' とする。次に図 III のように CD が CE と重なるように折り、D の折り返し後の位置を D' とする。このとき、三角形 CB'D' の面積はいくらか。

図 I

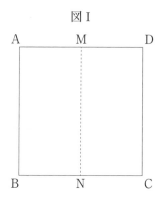

図 II

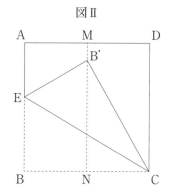

図 III

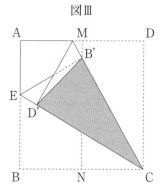

1 12
2 $14\sqrt{3}$
3 16
4 $16\sqrt{3}$
5 24

次の図のように、点 B' と頂点 D を結ぶと、△CB'D と△CB'D' において、CB'＝CB'（共通）、
CD＝CD'、∠B'CD＝∠B'CD' なので、△CB'D ≡△CB'D' である。点 B' は MN 上なので、
点 B' から辺 CD に垂線 B'H を引くと、B'H＝4 である。したがって、

△CB'D'＝△CB'D＝$8 \times 4 \times \dfrac{1}{2} = 16$ となり、正答は**3**である。

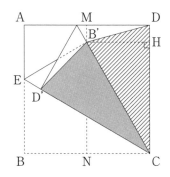

20円切手と50円切手と120円切手が多数ある。これら 3 種類の切手を使用して1,960円の郵便料金を支払った。使用した切手の合計枚数が20枚であったとき、120円切手の使用枚数は何枚か。

1 12枚
2 13枚
3 14枚
4 15枚
5 16枚

解　説

すべて20円引き（20円切手を 0 円にする）にしてみるとよい。つまり、120円切手を100円、50円切手を30円、20円切手を 0 円、総額を1,560円（＝1960－20×20）とするのである。ここで、100円切手を最も多く使用することを考えると、その枚数は15枚である。1560－100×15＝60より、30円切手 2 枚で総額1,560円となるので、20円切手を 3 枚とすれば、全部で20枚となる。元の金額に直すと、120×15＋50×2＋20×3＝1960になる。100円切手が14枚だと、30円切手で残りの160円とすることはできない。100円切手が13枚だと、30円切手 8 枚としても1,540円にしかならず、合計枚数が20枚を超えている。したがって、条件を満たすのは、120円切手15枚、50円切手 2 枚、20円切手 3 枚という組合せだけであり、正答は**4**である。

100円切手	15	14	13
30円切手	2	5	8
0円切手	3	1	
1,560円	1,560円	1,550円	

〔別解〕　20円切手を x 枚、50円切手を y 枚、120円切手を z 枚使用したとすると、

$$\begin{cases} 20x+50y+120z=1960 & \cdots\cdots① \\ x+y+z=20 & \cdots\cdots② \end{cases}$$

①－②×20より、

$$\begin{array}{r} 20x+50y+120z=1960 \\ -)\ 20x+20y+\ 20z=400 \\ \hline 30y+100z=1560 \quad\cdots\cdots③ \end{array}$$

③の両辺を10で割ると、

$$3y+10z=156$$
$$3y=156-10z$$
$$y=52-\frac{10}{3}z$$

y、z は正の整数であり、$y<20$、$z<20$ であるから、z に当てはまるのは15である（y は 2 、x は 3 となる）。

正答　**4**

右の計算式の12個の空欄（□）には、それぞれ0〜9のいずれかの数字が当てはまる。ア、イ、ウに当てはまる数字の合計はいくらか。

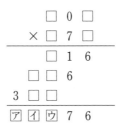

1　5
2　7
3　9
4　11
5　13

解説

次の図ⅠのA、Bは、A×B＝16、7×Aの末尾が6なので、A＝8、B＝2である。次に、図Ⅱの7×Cは1ケタなので、C＝1である。これにより、3段目は216、4段目は756となる。そして、図ⅢのD×1は3であるから、D＝3と決まる。これにより、5段目は324となり、ア＝4、イ＝0、ウ＝1である。4＋0＋1＝5より、正答は**1**である。

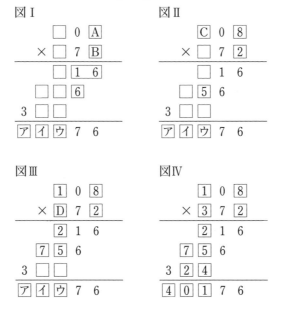

正答　**1**

デジタル情報は 0 と 1 の並びで表すことができ、0 か 1 かの数字一つ分を 1 bit（ビット）という。この並びをビット列といい、デジタル情報のデータ量は、8 bit を 1 B（バイト）として、単位を、1024（＝2^{10}）ごとに変化させ、B、KB（キロバイト）、MB（メガバイト）などと単位を表記する。

単位	定義	バイト数
B	1 B＝8 bit	1
KB	1 KB＝1024B	1024
MB	1 MB＝1024KB	1048576

一方、情報通信の速度は、1 秒間に何 bit のデータを転送できるかによって表現し、その単位を bps で表す。この速度については単位を、1000（＝10^3）ごとに変化させ、bps、kbps、Mbps などと単位を表記する。

いま、32kbps の通信速度で 125KB のデータ量を転送するのにかかる時間が 32.0 秒であった。このとき、256kbps の通信速度で 1 MB のデータ量を転送するのにかかる時間はおよそ何秒か。

ただし、転送効率は 100％とし、データ量以外のデータは考えないものとする。

1 6.8秒

2 12.8秒

3 16.8秒

4 24.8秒

5 32.8秒

解説

通信速度が 32kbps から 256kbps になると、256÷32＝8 より、通信速度が 8 倍となるので、同量のデータを転送するのにかかる時間は $\frac{1}{8}$ になる。一方、データ量は、1 MB＝1,024KB なので、1024÷125＝8.192 より、8.192 倍である。したがって、256kbps の通信速度で 1 MB のデータ量を転送するのにかかる時間は、32×$\frac{1}{8}$×8.192＝32.768≒32.8 より、約 32.8 秒となり、正答は **5** である。

正答 **5**

A村では，ある人が1〜12月のいずれかの月に生まれる確率は，ちょうど$\frac{1}{12}$ずつであるという。A村において4人をランダムに選んだとき，2人以上の誕生月が同じになる確率はいくらか。

1 $\frac{1}{6}$

2 $\frac{1}{3}$

3 $\frac{19}{56}$

4 $\frac{41}{96}$

5 $\frac{151}{288}$

解説

余事象（4人の誕生月がすべて異なる）の確率から考えればよい。4人の誕生月がすべて異なる確率は，$1 \times \frac{11}{12} \times \frac{10}{12} \times \frac{9}{12} = \frac{11}{12} \times \frac{5}{6} \times \frac{3}{4} = \frac{55}{96}$ となる（1人目は何月生まれでも構わないので，確率的には1となる）。したがって，2人以上の誕生月が同じになる確率は，$1 - \frac{55}{96} = \frac{41}{96}$ であり，正答は**4**である。

正答 **4**

文章理解

判断推理

数的推理

資料解釈

時事

物理

化学

生物

流れの速さが秒速0.5mで一定の川があり，この川の上流地点Aと下流地点Bを，船で一定の速さで往復すると，上りは20分，下りは12分掛かった。いま，船の静水時における速さを1.5倍にして，一定の速さで下流地点Bから上流地点Aまで川を上ると，時間はいくら掛かるか。

1 10分
2 12分
3 14分
4 16分
5 18分

解説

時間に関して，上り：下り＝20：12＝5：3なので，速さの比は，上り：下り＝3：5である。船の静水時における速さを秒速xmとすると，上りの速さは $(x-0.5)$，下りの速さは $(x+0.5)$ となるので，$(x-0.5):(x+0.5)=3:5$，$5(x-0.5)=3(x+0.5)$，$5x-2.5=3x+1.5$，$2x=4$，$x=2$ である。これを1.5倍にするので，$2\times1.5=3$ である。これを上りで比較すると，$(3-0.5):(2-0.5)=2.5:1.5=5:3$ より，上りの速さは $\frac{5}{3}$ 倍となるので，時間は $\frac{3}{5}$ 倍となる。し

たがって，$20\times\frac{3}{5}=12$ より，12分かかることになり，正答は**2**である。

正答　**2**

図のように，一辺の長さが 6 cm の正方形の頂点 A，B，C か
ら動点 P，Q，R がそれぞれ同時に出発し，点 P は毎秒 1 cm，
点 Q と点 R は毎秒 2 cm の速さで矢印の向きに辺上を進む。

点 P，Q，R が出発してから 3 秒後までの間で点 A，P，Q，
R によって囲まれる斜線部分の面積の最小値はいくらか。

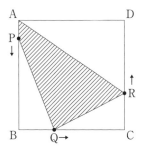

1　14cm²

2　15cm²

3　16cm²

4　17cm²

5　18cm²

解　説

点 A，P，Q，R によって囲まれる斜線部分の面積は，$36-\left(PB\times BQ\times\dfrac{1}{2}+QC\times CR\times\dfrac{1}{2}+\right.$

$\left. RD\times DA\times\dfrac{1}{2}\right)$ で求められる。x 秒後 $(0<x\leqq3)$ に面積が最小になるとすると，PB $=(6-x)$，

BQ $=$ CR $=2x$，QC $=$ RD $=(6-2x)$，DA $=6$ であるから，$36-\left\{2x(6-x)\times\dfrac{1}{2}+2x(6-2x)\times\dfrac{1}{2}\right.$

$\left. +6(6-2x)\times\dfrac{1}{2}\right\}=36-6x+x^2-6x+2x^2-18+6x=3x^2-6x+18=3(x^2-2x+6)=3\{(x^2-2x+1)$

$+5\}=3\{(x-1)^2+5\}$ となる。$3\{(x-1)^2+5\}$ は，$x=1$ のとき，最小値 15 をとる。したがって，
1 秒後に面積は 15cm² で最小となり，正答は **2** である。

正答　**2**

国家一般職
[大卒]
教養試験
No.
223 数的推理 連立方程式 令和 4年度
文章理解
判断推理
数的推理
資料解釈
時事
物理
化学
生物

図Ⅰのように，隣り合った二つの数の和をすぐ上の数とする。この規則に従って数を積み上げたところ，図Ⅱのようになった。図Ⅱにおいて一部の数が分かっているとき，アに当てはまる数はいくらか。

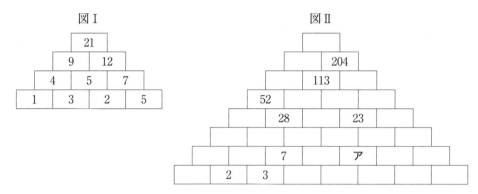

図Ⅰ　　　　　　　　　　　　　図Ⅱ

1 6
2 7
3 8
4 9
5 10

図Ⅱの左下の2，3，7，28の周辺から，わかる数を入れていく。2と3の上は5であり，5と7の上は12である。12の右は28−12＝16であり，16の右下は16−7＝9である。3の右は7−3＝4であり，4の右は9−4＝5である。

　ここで，113の左下をa，右下をbとし，28と23の間をcとし，cの右下をdとすると，次の図1となる。

　$a+b=113$であるから，$28+2c+23=113$であり，$2c=62$，$c=31$である。

　$d=31-16=15$であるから，アは$15-9=6$である。

　したがって，正答は**1**である。

　なお，すべての数を当てはめると，次の図2となる。

図1

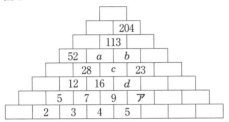

図2

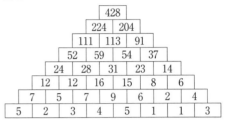

正答　**1**

国家一般職
［大卒］
No.
224
教養試験
数的推理　　プログラミング　　令和 4 年度

文章理解

判断推理

数的推理

資料解釈

時事

物理

化学

生物

5 人の生徒が数学の試験を受け，点数が a_k（$k=1$，2，3，4，5）であった。点数が a_3 の生徒の順位を，次の手順 1 ～手順 6 に従って求める。

ただし，点数の高い順に 1 位から 5 位まで順位を付け，点数が同じ生徒が複数いる場合は，同一順位であるものとする。また，指示がない限り，求める手順は手順 1 ～手順 6 の順に行われるものとする。ここで，r は，手順の繰り返し中に，順位に関する処理を行うため便宜的に使用される変数である。

- ○　手順 1　　$r=1$ とする。
- ○　手順 2　　$k=1$ とする。
- ○　手順 3　　$k\leqq5$ を満たすとき，手順 4 へ進む。それ以外のとき，手順 6 へ進む。
- ○　手順 4　　点数 a_k について，□□□□□□ とき，r の値を 1 だけ増やす。
- ○　手順 5　　k の値を 1 だけ増やし，手順 3 に戻る。
- ○　手順 6　　このときの r の値が，点数が a_3 の生徒の順位である。

このとき，□□□□□□ に当てはまるものとして最も妥当なのはどれか。

1　a_k が a_3 より小さい

2　a_k が a_3 以下となる

3　a_k が a_3 と等しい

4　a_k が a_3 以上となる

5　a_k が a_3 より大きい

解説

手順 6 から，r が表すのは a_3 の順位であると考えて，各手順を見ていく。この手順を行う最初の段階では，a_3 が 1 位であることは否定されない。そこで，$r=1$ とする。つまり，a_3 が 1 位であると仮定するのである。そして他の 4 人の点数と 1 人ずつ比較していく。まず，a_1 の点数と a_3 の点数を比較する。$a_1\leqq a_3$ であれば，a_3 が 1 位であるとの仮定は維持されるので，$r=1$ のまま k の値を 1 だけ増やし（a_2），a_2 と a_3 の点数を比較する。ところが，$a_1>a_3$ であれば，a_3 が 1 位である可能性はなくなる。この場合，次に行うのは，$r=2$ として a_2 と a_3 の点数を比較することになる。このように，a_k が a_3 より大きい場合，r の値を 1 だけ増やす（a_3 の順位の可能性が 1 つ下がる）のである。この手順を踏みつつ，a_1，a_2，a_4，a_5 の点数を順次 a_3 の点数と比較すれば，5 人の中での a_3 の順位が確定する。

したがって，正答は **5** である。

正答　**5**

国家一般職
[大卒]
No.
225
教養試験
数的推理
場合の数・確率
令和3年度

A〜Eの5人が，図のようなトーナメント方式でじゃんけんを行った。このとき，トーナメント全体で，あいこを含めてちょうど5回のじゃんけんで優勝者が決定する確率はいくらか。

ただし，A〜Eの参加者は全て同じ確率でグー，チョキ，パーを出すものとする。

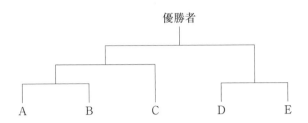

優勝者

A　　B　　C　　D　　E

1 $\dfrac{16}{81}$

2 $\dfrac{32}{243}$

3 $\dfrac{64}{243}$

4 $\dfrac{128}{729}$

5 $\dfrac{160}{729}$

【解説】

2人で1回じゃんけんをする場合，一方が勝つ，他方が勝つ，あいこになる，それぞれの確率は，等しく$\dfrac{1}{3}$である。つまり，たとえばAとBが1回じゃんけんをする場合，Aが勝つ，Bが勝つ，あいこになる，の3通りがそれぞれ$\dfrac{1}{3}$の確率になる。したがって，5回のじゃんけんを行うと，その場合の数は$3^5＝243$より，243通りある。

Aが優勝する場合，決勝戦でDに勝つか，Eに勝つかの2通り，どこの対戦であいこになるかが4通りあるので，その場合の数は，$2×4＝8$より，8通りである。Bが優勝する場合も，同様に8通りである。Cが優勝する場合，A，Bのどちらと対戦するか，D，Eのどちらと対戦するかで，$2^2＝4$より，4通りあり，どこの対戦であいこになるかが4通りあるので，その場合の数は，$4×4＝16$より，16通りである。Dが優勝する場合，決勝戦は，B，Cに勝ったAとの対戦，A，Cに勝ったBとの対戦，A（＝Bに勝った）に勝ったCとの対戦，B（＝Aに勝った）に勝ったCとの対戦の4通りがあり，あいこになる4通りとで，$4^2＝16$通りある。Eが優勝する場合も，同様に16通りである。したがって，求める確率は，$\dfrac{8×2+16×3}{243}＝\dfrac{64}{243}$であり，正答は**3**である。

正答 **3**

文章理解
判断推理
数的推理
資料解釈
時事
物理
化学
生物

0又は1桁の正の整数 a, b を用いて次のように表される4桁の数がある。この数が7と11のいずれでも割り切れるとき，a と b の和はいくらか。

2 $\boxed{a}$ $\boxed{b}$ 4

1　9
2　10
3　11
4　12
5　13

 解説

4ケタの整数が7と11のいずれでも割り切れるのだから，その4ケタの整数は7と11の公倍数であり，7，11はいずれも素数であるから，77の倍数である。4ケタの77の倍数で，末尾（一の位）が4となるのは，$77x$ の x の末尾が2でなければならない。そうすると，x の候補は，22，32，42，52，……，となるが，先頭のケタ（千の位）が2となるのは，77×32＝2464だけである。つまり，a＝4，b＝6であり，$a+b$＝4＋6＝10となる。以上から，正答は**2**である。

正答　**2**

国家一般職
[大卒]
No.
227
教養試験
数的推理
平面図形
令和3年度

図のように，一辺の長さが1の正方形Aに内接し，30°傾いた正方形を正方形Bとする。また，正方形Bに内接し，45°傾いた長方形の長辺をa，短辺をbとする。aとbの長さの比が2：1であるとき，aの長さはいくらか。

1 $\dfrac{2\sqrt{3}-2\sqrt{2}}{3}$

2 $\dfrac{2\sqrt{3}-2}{3}$

3 $\dfrac{\sqrt{6}-\sqrt{2}}{2}$

4 $\dfrac{2\sqrt{6}-2\sqrt{2}}{3}$

5 $\dfrac{\sqrt{6}+\sqrt{2}}{3}$

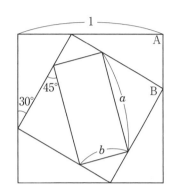

解説

次の図において，△QTV，△STUはいずれも直角二等辺三角形であるから，

$$QT=\frac{a}{\sqrt{2}}=\frac{\sqrt{2}\,a}{2},\ \ ST=\frac{b}{\sqrt{2}}=\frac{\sqrt{2}\,b}{2}$$である。

これより，正方形Bの1辺QSは，

$\dfrac{\sqrt{2}\,a}{2}+\dfrac{\sqrt{2}\,b}{2}=\dfrac{\sqrt{2}\,(a+b)}{2}$となる。ここで，$a=2$，$b=1$とすると，$QS=\dfrac{\sqrt{2}\,(a+b)}{2}=\dfrac{3\sqrt{2}}{2}$となる。

次に，△PQSは「30°，60°，90°」型三角形だから，

$PS：PQ：QS=1：\sqrt{3}：2$である。ここから，$PS=\dfrac{3\sqrt{2}}{2}\times\dfrac{1}{2}=\dfrac{3\sqrt{2}}{4}$，$PQ=\dfrac{3\sqrt{2}}{2}\times\dfrac{\sqrt{3}}{2}=\dfrac{3\sqrt{6}}{4}$である。正方形Aの1辺は，PQ+PSだから，

$PQ+PS=\dfrac{3\sqrt{6}}{4}+\dfrac{3\sqrt{2}}{4}=\dfrac{3(\sqrt{6}+\sqrt{2})}{4}$となる。このPQ+PSが1なので，

$1：a=\dfrac{3(\sqrt{6}+\sqrt{2})}{4}：2$，$a=2\div\dfrac{3(\sqrt{6}+\sqrt{2})}{4}$

$=2\times\dfrac{4}{3(\sqrt{6}+\sqrt{2})}=\dfrac{8(\sqrt{6}-\sqrt{2})}{12}=\dfrac{2\sqrt{6}-2\sqrt{2}}{3}$である。以上から，正答は**4**である。

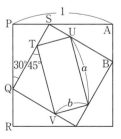

正答 **4**

北米には13年ゼミと17年ゼミといわれる，周期的に一斉に成虫が発生するセミがいる。これらのセミは，卵で生まれてから成虫になるまで13年又は17年を要し，それぞれ13年目，17年目に成虫になる。13年ゼミは3系統あり，それぞれの系統は13年目に成虫になるが，成虫になる年は全て異なり，13年のうち3年はいずれかの系統の成虫が発生している。例えば，2021～2033年の13年のうち，成虫が発生するのは2024年，2027年，2028年の3年だけである。同様に，17年ゼミは12系統あり，17年のうち12年はいずれかの系統の成虫が発生している。

2021年以降，最初に13年ゼミの3系統，17年ゼミの12系統の成虫が発生する予定の年は次のとおりであり，その後もそれぞれの系統は13年又は17年ごとに成虫が発生することが見込まれている。なお，セミは成虫となった年までしか生きることができない。

13年ゼミ
　2024年，2027年，2028年
17年ゼミ
　2021年，2024年，2025年，2029～2037年の各年

ここで，2021～2250年の230年間に，13年ゼミの成虫のみが発生する年は何年あるかを次のようにして考えたとき，A，B，Cに当てはまるものの組合せとして最も妥当なのはどれか。

「ある系統の13年ゼミの成虫が発生するのは13年に1回であり，2021～2250年の間に13年ゼミの3系統のいずれかが発生している年は，　A　回である。一方，ある系統の13年ゼミとある系統の17年ゼミの両方が発生するのは221（＝13×17）年に1回であり，2021～2250年の間に13年ゼミの3系統合計でみると，13年ゼミと17年ゼミの両方が発生する年は，　B　回である。よって，13年ゼミのみが発生する年は　C　回である。」

	A	B	C
1	49	35	14
2	49	39	10
3	49	40	9
4	54	37	17
5	54	42	12

解説

230÷13＝17…9より，2021～2250年の230年間に，13年ゼミは1系統につき18回発生する。13年ゼミは3系統あるので，2021～2250年の230年間に，13年ゼミが発生するのは，18×3＝54より，54回（＝A）である。次に，ある系統の13年ゼミとある系統の17年ゼミの両方が発生するのは221年に1回だから，2030年以降にある系統の13年ゼミとある系統の17年ゼミの両方が発生した場合，2250年までにその組合せで再び発生することはない（1回だけである）。13年ゼミは3系統，17年ゼミは12系統あるから，3×12＝36より，13年ゼミと17年ゼミが同時に発生するのは，2030～2250年までの間に36回ある。そして，2021～2029年の間で13年ゼミと17年ゼミが同時に発生するのは，2024年の1回あるので，2021～2250年の間に，13年ゼミと17年ゼミの両方が発生するのは37回である（＝B）。したがって，13年ゼミのみが発生するのは，54－37＝17より，17回（＝C）である。以上から，正答は**4**である。

13年ゼミ		
2024	2027	2028
2037	2040	2041
2050	2053	2054
2063	2066	2067
2076	2079	2080
2089	2092	2093
2102	2105	2106
2115	2118	2119
2128	2131	2132
2141	2144	2145
2154	2157	2158
2167	2170	2171
2180	2183	2184
2193	2196	2197
2206	2209	2210
2219	2222	2223
2232	2235	2236
2245	2248	2249

17年ゼミ											
2021	2024	2025	2029	2030	2031	2032	2033	2034	2035	2036	2037
2038	2041	2042	2046	2047	2048	2049	2050	2051	2052	2053	2054
2055	2058	2059	2063	2064	2065	2066	2067	2068	2069	2070	2071
2072	2075	2076	2080	2081	2082	2083	2084	2085	2086	2087	2088
2089	2092	2093	2097	2098	2099	2100	2101	2102	2103	2104	2105
2106	2109	2110	2114	2115	2116	2117	2118	2119	2120	2121	2122
2123	2126	2127	2131	2132	2133	2134	2135	2136	2137	2138	2139
2140	2143	2144	2148	2149	2150	2151	2152	2153	2154	2155	2156
2157	2160	2161	2165	2166	2167	2168	2169	2170	2171	2172	2173
2174	2177	2178	2182	2183	2184	2185	2186	2187	2188	2189	2190
2191	2194	2195	2199	2200	2201	2202	2203	2204	2205	2206	2207
2208	2211	2212	2216	2217	2218	2219	2220	2221	2222	2223	2224
2225	2228	2229	2233	2234	2235	2236	2237	2238	2239	2240	2241
2242	2245	2246	2250								

正答　**4**

AとBの2人がおり，Aは10〜99の二桁の整数のうちから一つの数を頭に思い浮かべ，Bはその数を当てようとして「はい」か「いいえ」で答えられる質問を，次のとおり行った。

①「その数は，ある整数を二乗した数から3を引いた数と等しいか？」と聞いたところ，Aは正しく「はい」と答えた。

次に，Bは候補を絞る質問として，次の二つの質問をしたが，Aは二つとも嘘を答えた。

②「その数は，40より大きいか？」

③「その数は，奇数か？」

Bは，これら三つの質問に対するAの答えが全て正しいものとして推論を行ったが，数の候補は複数あった。そこで，これを一つに絞る質問として，次の質問を行った。

④「その数は，十の位と一の位の数を足すと7より大きいか？」

このとき，Aが頭に思い浮かべた数はどれか。

1　13
2　22
3　33
4　46
5　61

解説

Aは，①の質問に対して正しく「はい」と答えている。ここから，Aが思い浮かべた2ケタの整数としては，$4^2-3=13$，$5^2-3=22$，$6^2-3=33$，$7^2-3=46$，$8^2-3=61$，$9^2-3=78$，$10^2-3=97$という7通りに可能性がある。次に，Bが行った，②「40超」，③「奇数」，という質問に対しては，それぞれに，「はい（Y）」，「いいえ（N）」の可能性があるので，次の表に示すような4通りが考えられる。この4通りの中で，④の質問をすることによって数を特定することができるのは，Aが②，③の質問に対して，「はい」，「はい」，と答えた場合だけである。Aは，②，③の質問に対して，どちらも嘘を答えているので，正しい答えは，「いいえ」，「いいえ」，である。したがって，Aが思い浮かべた2ケタの整数は22であり，正答は**2**である。

40超	奇数		
Y	Y	61	97
Y	N	46	78
N	Y	13	33
N	N	22	

正答　**2**

あるイベント会場に，職員 8 人，アルバイト 4 人の合わせて12人のスタッフがいる。4 人のスタッフが 1 グループとなって受付業務を行うが，そのうちの 1 人は必ず職員でなければならない。1 グループが 1 日ずつ受付業務を行うとき，異なるグループで受付業務を行うことができるのは最大で何日間か。

　ただし，グループのスタッフ 4 人のうち少なくとも 1 人が異なれば，異なるグループとして数えるものとする。

1　106日間

2　212日間

3　392日間

4　494日間

5　848日間

解説

4 人のスタッフのうち，職員が 1 人，アルバイトが 3 人となるのは，職員の選び方が 8 通り，アルバイト 3 人の選び方が，$_4C_3 = {_4}C_1 = 4$より，4 通りなので，$8 \times 4 = 32$より，32通りある。

　職員が 2 人，アルバイトが 2 人となるのは，$_8C_2 \times {_4}C_2 = \dfrac{8 \times 7}{2 \times 1} \times \dfrac{4 \times 3}{2 \times 1} = 168$より，168通りである。

　職員が 3 人，アルバイトが 1 人となるのは，$_8C_3 \times 4 = \dfrac{8 \times 7 \times 6}{3 \times 2 \times 1} \times 4 = 224$より，224通りである。

　職員 4 人となるのは，$_8C_4 = \dfrac{8 \times 7 \times 6 \times 5}{4 \times 3 \times 2 \times 1} = 70$より，70通りである。

　したがって，全部で$32 + 168 + 224 + 70 = 494$より，494通りあるので，最大で494日間行うことが可能である。

　よって，正答は**4**である。

正答　**4**

国家一般職
[大卒]

No.
231

教養試験

数的推理

流水算

令和2年度

川の上流に地点A，下流に地点Bがあり，船がその間を往復している。船の先頭が，Aを通過してから川を下ってBを通過するまで25分かかり，また，船の先頭が，Bを通過してから川を上ってAを通過するまで30分かかる。このとき，静水時の船の速さと川の流れの速さの比はいくらか。

　ただし，静水時の船の速さ及び川の流れの速さは一定であるものとする。

　　　　船　川
1　10：1
2　11：1
3　12：1
4　13：1
5　14：1

解説

静水時の船の速さを x，川の流れの速さを y とすると，下りの速さは $(x+y)$，上りの速さは $(x-y)$ である。地点Aから地点Bまで下るのに25分，地点Bから地点Aまで上るのに30分かかっており，下りと上りの時間の比は，$25:30=5:6$ である。速さの比と時間の比は逆比の関係にあるので，$(x+y):(x-y)=6:5$，$6(x-y)=5(x+y)$，$6x-6y=5x+5y$，$x=11y$ となる。この，$x=11y$ より，$x:y=11:1$ となる。

　よって，正答は**2**である。

正答　**2**

No. 232 数的推理　連立方程式

ある年にＡ国とＢ国を旅行した者の平均消費額を調査した。Ａ国を旅行した者は800人，Ｂ国を旅行した者は1,000人であり，次のことが分かっているとき，Ａ国とＢ国の両方を旅行した者は何人か。

○　Ａ国を旅行した者のＡ国での平均消費額は，9万円であった。

○　Ａ国を旅行したがＢ国は旅行しなかった者のＡ国での平均消費額は，15万円であった。

○　Ｂ国を旅行した者のＢ国での平均消費額は，12万円であった。

○　Ｂ国を旅行したがＡ国は旅行しなかった者のＢ国での平均消費額は，18万円であった。

○　Ａ国とＢ国の両方を旅行した者のＡ国での平均消費額とＢ国での平均消費額の合計は，15万円であった。

1　200人

2　300人

3　400人

4　500人

5　600人

解説

Ａ国とＢ国の両方を旅行した者の人数を x，Ａ国を旅行したがＢ国は旅行しなかった者の人数を y，Ｂ国を旅行したがＡ国は旅行しなかった者の人数を z とする。$x+y=800$，$x+z=1000$ より，$z=y+200$ である。Ａ国を旅行した者のＡ国での消費額は，800人で平均9万円だから，総額7,200万円，Ｂ国を旅行した者のＢ国での消費額は，1,000人で平均12万円だから，総額12,000万円である。Ａ国とＢ国の両方を旅行した者の，Ａ国での平均消費額とＢ国での平均消費額の合計は15万円，Ａ国を旅行したがＢ国は旅行しなかった者の，Ａ国での平均消費額は15万円，Ｂ国を旅行したがＡ国は旅行しなかった者の，Ｂ国での平均消費額は18万円だから，$15x+15y+18(y+200)=7200+12000=19200$，$15x+33y=15600$，$5x+11y=5200$ である。$x+y=800$ より，$11x+11y=8800$ となるから，$(11x+11y)-(5x+11y)=8800-5200=3600$，$6x=3600$，$x=600$ となる。

　よって，Ａ国とＢ国の両方を旅行した者は600人であり，正答は**5**である。

		A		人数	総額
		○	×		
B	○	x	z	1,000	12,000
	×	y			
	人数	800			
	総額	7,200			

正答　**5**

ある農家では，2種類の高級なフルーツA，Bを栽培・販売しており，フルーツ1個当たりの栽培費，輸送費及び販売価格はそれぞれ表のとおりである。栽培費の総額の上限は240万円，輸送費の総額の上限は160万円であるとき，フルーツA，Bの販売額の合計の最大値はいくらか。

（単位：千円）

	栽培費	輸送費	販売価格
フルーツA	8	4	18
フルーツB	6	5	15

1 570万円

2 600万円

3 630万円

4 660万円

5 690万円

フルーツＡの栽培個数を x，フルーツＢの栽培個数を y とすると，栽培費に関して，$8x+6y \leqq 2400$，輸送費に関して，$4x+5y \leqq 1600$ が成り立つ（単位：千円）。$8x+6y \leqq 2400$ より，

$y \leqq -\dfrac{4}{3}x+400$，$4x+5y \leqq 1600$ より，$y \leqq -\dfrac{4}{5}x+320$ なので，これを座標平面上に表すと，

それぞれの直線の下側が条件を満たす部分であり，次の**図Ⅰ**となる。そして，両者の条件を満たす範囲は，２本の直線と x 軸，y 軸で囲まれた灰色部分の四角形となる。これに販売価格に

関する，$18x+15y=k$ における k の最大値は，$18x+15y=k$，つまり，$y=-\dfrac{6}{5}x+\dfrac{k}{15}$ が２本の

直線の交点Ｐを通るときに得られる。点Ｐの座標は，$-\dfrac{4}{3}x+400=-\dfrac{4}{5}x+320$，$\dfrac{8}{15}x=80$，$x$

$=150$，$y=200$ である（**図Ⅱ**）。

　したがって，$18x+15y=18 \times 150+15 \times 200=2700+3000=5700$（千円）となり，フルーツＡ，Ｂの販売額の合計の最大値は570万円である。

　よって，正答は**1**である。

図Ⅰ

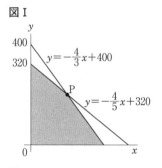

図Ⅱ

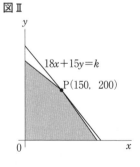

正答　**1**

図は，歯が一つずつ噛み合いながらそれぞれ一方向にのみ回転する三種類の歯車を示す模式図である。歯車Aの歯数は48であり，それぞれの歯には1から48までの番号が時計回りに順に振られているが，歯車B及び歯車Cの歯数は不明である。また，歯車Aは反時計回りにのみ回転する。

　次のことが分かっているとき，歯車Aがちょうど5周する間に歯車Cが回転する角度はおよそいくらか。

　○　歯車Aが回転を始めたとき，図の矢印が指す位置には1番の歯があった。
　○　歯車Bがちょうど1周する間に，歯車Aは2周した後3周目に入っており，矢印が指す位置には5番の歯があった。
　○　歯車Bがちょうど3周する間に，歯車Cはちょうど5周した。

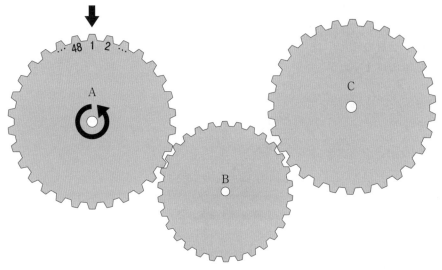

1　　960°
2　　1080°
3　　1200°
4　　1320°
5　　1440°

解説

歯車Bがちょうど1周する間に，歯車Aは3周目で矢印の位置に5番の歯があったので，歯車Bの歯数は，48×2＋4＝100より，100である（歯車Aは1周すると矢印の位置に1が来るので，さらに歯数4個分回転している）。歯車Bがちょうど3周する間に，歯車Cはちょうど5周するので，100×3÷5＝60より，歯車Cの歯数は60である。歯車Aが5周すると，48×5＝240より，歯数240個分動く。これは，歯車Bでも歯車Cでも同様なので，歯車Cも歯数240個分動く。240÷60＝4より，歯車Cはちょうど4回転する。360×4＝1440より，その回転角度は1440°である。

　　よって，正答は**5**である。

正答　**5**

箱の中に同じ大きさの7個の玉があり，その内訳は青玉が2個，黄玉が2個，赤玉が3個である。この中から玉を1個ずつ取り出して左から順に横一列に7個並べるとき，色の配置が左右対称となる確率はいくらか。

1 $\dfrac{1}{105}$

2 $\dfrac{2}{105}$

3 $\dfrac{1}{35}$

4 $\dfrac{4}{105}$

5 $\dfrac{1}{21}$

解説

7個の玉を1列に並べる並べ方は，7! 通りである。色の配置が左右対称となるのは，中央が赤玉でなければならない。青玉，黄玉は2個ずつあるので，2個のうちのどちらが左側となるかでそれぞれ2通りずつ，赤玉は，左側，中央，右側の3か所となるので，3! 通りある。そして，青，黄，赤の配列について3! 通りある。したがって，求める確率は，$\dfrac{2\times2\times3!\times3!}{7!} =$

$\dfrac{2\times2\times3\times2\times1\times3\times2\times1}{7\times6\times5\times4\times3\times2\times1}=\dfrac{1}{35}$ となり，正答は**3**である。

正答 **3**

文章理解 判断推理 数的推理 資料解釈 時事 物理 化学 生物

ある学校において, A, Bの二つの組が, それぞれジュースとお茶の2種類の飲み物を用意してパーティーを開催した。A組では, パーティー終了後, ジュースは全てなくなり, お茶は用意した量の $\frac{4}{5}$ が残っていた。B組では, ジュースについてはA組と同じ量を, お茶についてはA組の $\frac{2}{3}$ の量を用意したところ, パーティー終了後, ジュースは全てなくなり, お茶は用意した量の $\frac{1}{10}$ が残っていた。B組において消費された飲み物の量はA組のそれの $\frac{9}{8}$ であった。

このとき, A組において, 用意した飲み物全体に占めるお茶の割合はいくらか。

1 15%
2 20%
3 25%
4 30%
5 35%

● **解 説** ▶

A組が用意したジュースの数を x, お茶の数を y とする。A組ではジュースはすべてなくなり, お茶は $\frac{4}{5}$ が残っていたので, 消費した量は $\left(x+\frac{1}{5}y\right)$ である。B組は用意したジュースの数が x, お茶の数が $\frac{2}{3}y$ で, ジュースはすべてなくなり, お茶は $\frac{1}{10}$ が残った $\left(=\frac{9}{10}\text{を消}\right.$ 費した$\left.\right)$ ので, 消費した量は $\left(x+\frac{9}{10}\times\frac{2}{3}y\right)=\left(x+\frac{3}{5}y\right)$ となる。B組において消費された飲み物の量はA組の $\frac{9}{8}$ だから, $\frac{9}{8}\left(x+\frac{1}{5}y\right)=\left(x+\frac{3}{5}y\right)$, $9\left(x+\frac{1}{5}y\right)=8\left(x+\frac{3}{5}y\right)$, $9x+\frac{9}{5}y=8x$ $+\frac{24}{5}y$, $x=\frac{15}{5}y$, $x=3y$, $x:y=3:1$, $(x+y):y=4:1$ となる。

したがって, A組が用意したお茶の割合は, 全体の $\frac{1}{4}=25$〔%〕であり, 正答は**3**である。

正答　**3**

6で割ると4余り，7で割ると5余り，8で割ると6余る正の整数のうち，最も小さいものの各桁の数字の和はいくらか。

1 10

2 11

3 12

4 13

5 14

解説

6で割ると4余り，7で割ると5余り，8で割ると6余る正の整数のうち，最も小さい自然数を x とすると，$(x+2)$ は6でも，7でも，8でも割り切れる自然数の中で最小，つまり，$(x+2)$ は6，7，8の最小公倍数である。6，7，8の最小公倍数は168だから，$(x+2)=168$，$x=166$である。ここから，$1+6+6=13$となり，正答は**4**である。

最小公倍数の求め方

6	=	2			×	3	
7	=						7
8	=	2	×	2	×	2	

$$168 = 2 \times 2 \times 2 \times 3 \times 7$$

正答 **4**

A，B，Cの3人が徒競走を4回行った。徒競走を1回行うごとに，1位になった人は，他の2人から1位になった人が持っているのと同じ枚数のメダルをそれぞれ受け取る約束をした。次のことが分かっているとき，初めにBが持っていたメダルは何枚か。

　ただし，同着はなかったものとする。また，1位になった人は常に約束どおりの枚数のメダルを受け取ったものとする。

　○　1回目の徒競走では，Bが1位になった。

　○　2回目と3回目の徒競走では，Aが1位になった。

　○　4回目の徒競走では，Cが1位になり，AとBからそれぞれ27枚のメダルを受け取った。その結果，AとBのメダルはちょうどなくなった。

1　11枚
2　13枚
3　15枚
4　17枚
5　19枚

解説

「1位になった人は，他の2人から1位になった人が持っているのと同じ枚数のメダルをそれぞれ受け取る」ということは，1位になるとメダルの枚数が3倍に増える，ということである。これを前提として，最後の状態から順次前へ戻ってみればよい。4回目はCが1位で，AとBからそれぞれ27枚のメダルを受け取り，AとBのメダルはなくなったのだから，4回目終了時で，A＝0，B＝0，C＝81である。ここから3回目終了時を考えると，A＝27，B＝27，C＝27でなければならない。3回目はAが1位となって，Aのメダル数が27となったのだから，2回目終了時は，A＝9，B＝36，C＝36である。2回目も1位はAだから，1回目終了時は，A＝3，B＝39，C＝39である。1回目の1位はBなので，初めに各人が持っていたメダルの数は，A＝16，B＝13，C＝52である。つまり，初めにBが持っていたメダルは13枚であり，正答は**2**である。

1 位	初め	1 回目	2 回目	3 回目	4 回目
		B	A	A	C
A	16	3	9	27	0
B	13	39	36	27	0
C	52	39	36	27	81

正答　**2**

正の整数を入力すると，次の条件①～⑤に従って計算した結果を出力するプログラムがある。正の整数を入力してから結果が出力されるまでを１回の操作とし，１回目の操作では初期値を入力する。また，２回目以降の操作では，その前の操作で出力された結果を入力する。

　いま，条件⑤の一部が分からなくなっているが，■には１，２，３のうちいずれかが入ることが分かっている。

　このプログラムに１を初期値として入力すると，何回目かの操作で出力された数字が10となった。このプログラムに初期値として１，２，３をそれぞれ入力したとき，それぞれの初期値に対して７回目の操作で出力される数字を合計するといくらか。

　ただし，条件に複数該当する場合は，最も番号の小さい条件だけが実行されるものとする。

　［条件］

①　入力された数字が１の場合，１足す。

②　入力された数字が２の倍数の場合，３足す。

③　入力された数字が３の倍数の場合，１引く。

④　入力された数字が５の倍数の場合，２足す。

⑤　条件①～④に該当しない場合，■引く。

1 28　**2** 30　**3** 32　**4** 34　**5** 36

解説

次の表Ｉのように，条件の⑤について，Ａ「条件①～④に該当しない場合，１引く」，Ｂ「条件①～④に該当しない場合，２引く」，Ｃ「条件①～④に該当しない場合，３引く」として，初期値１を入力した結果を検討してみる。そうすると，Ｂの場合は５と７で循環することになり，Ｃの場合は４と７で循環することになる。いずれも10が出力されることはない。Ａ「条件①～④に該当しない場合，１引く」の場合は，初期値１を入力すると，８回目の操作で10が出力される。つまり，⑤は「条件①～④に該当しない場合，１引く」である。これにしたがって，初期値として１，２，３をそれぞれ入力し，７回目の操作で出力される数を求めると，表Ⅱのように，１→11，２→10，３→11，となる。したがって，11＋10＋11＝32であり，正答は**3**である。

表Ｉ

	1	2	3	4	5	6	7	8
A 1	→2	→5	→7	→6②	→9③	→8②	→11	→10
B 1①	→2②	→5④	→7⑤	→5④	→7⑤	→5④	→7⑤	→5
C 1	→2	→5	→7	→4②	→7⑤	→4③	→7	→4

表Ⅱ

	1	2	3	4	5	6	7
1①	→2②	→5④	→7⑤	→6②	→9③	→8②	→11
2②	→5④	→7⑤	→6②	→9③	→8②	→11⑤	→10
3③	→2②	→5④	→7⑤	→6②	→9③	→8②	→11

正答 **3**

一辺の長さが1の正方形の各辺を4等分し，4等分した点の一つと頂点を，図のように線分で結んだとき，網掛け部分の図形の面積はいくらか。

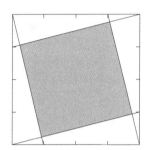

1 $\dfrac{9}{17}$

2 $\dfrac{7}{13}$

3 $\dfrac{10}{17}$

4 $\dfrac{8}{13}$

5 $\dfrac{11}{17}$

解 説

次の図において，△ABF≡△BCG≡△CDH≡△DAE（3辺相等）＝$\dfrac{1}{8}$□ABCD である。

また，△AEI≡△BFJ≡△CGK≡△DHL（3辺相等）である。ここで，△ABJ∽△AEI（2角相等），その相似比は AB：AE＝4：1 なので，面積比は，△ABJ：△AEI＝4^2：1^2＝16：1 である。△ABJ：△BFJ＝16：1 だから，△ABJ＝$\dfrac{16}{17}$△ABF＝$\dfrac{16}{17}×\dfrac{1}{8}$□ABCD＝$\dfrac{2}{17}$□ABCD となる。△BCK，△CDL，△DAI も同様なので，△ABF＋△BCK＋△CDL＋△DAI＝$\dfrac{2}{17}$□ABCD×4＝$\dfrac{8}{17}$□ABCD である。したがって，□IJKL＝$\left(1-\dfrac{8}{17}\right)$□ABCD＝$\dfrac{9}{17}$□ABCD となり，正答は**1**である。

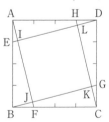

国家一般職
[大卒]
No.
241
教養試験
数的推理
比・割合
平成30年度

箱の中に何本かの缶ジュースがあり，A〜Eの5人で分けた。次のことが分かっているとき，DとEに分けられた缶ジュースの本数の合計は何本か。

○　AとBに分けられた缶ジュースの本数の合計は，分ける前の本数の $\frac{7}{18}$ である。

○　AとCに分けられた缶ジュースの本数の合計は，分ける前の本数の $\frac{4}{9}$ である。

○　BとCに分けられた缶ジュースの本数の合計は，分ける前の本数の $\frac{1}{3}$ である。

○　Aが自分に分けられた缶ジュースをBに4本渡したところ，AとBの缶ジュースの本数は等しくなった。

1　26本
2　28本
3　30本
4　32本
5　34本

解説

缶ジュースの本数を x とし，A，B，Cに分けられた本数をそれぞれ a, b, c とすると，

$(a+c)-(b+c)=\frac{4}{9}x-\frac{1}{3}x$, $a-b=\frac{1}{9}x$ より，AとBに分けられた缶ジュースの本数の差は

$\frac{1}{9}x$ 本である。Aが自分に分けられた缶ジュースをBに4本渡したところ，AとBの缶ジュースの本数は等しくなったのだから，AとBに分けられた本数の差は8本である（AはBより8本多い）。$\frac{1}{9}x=8$, $x=72$ より，缶ジュースの本数の合計は72本である。$(a+b)+(a+c)+$

$(b+c)=72\times\frac{7}{18}+72\times\frac{4}{9}+72\times\frac{1}{3}$, $2(a+b+c)=28+32+24=84$, $a+b+c=42$ となるので，DとEに分けられた缶ジュースの本数の合計は，72−42=30 より 30本となる。

　　よって，正答は**3**である。

正答　**3**

ある工場では，２種類の製品Ａ，Ｂを製造しており，その製造に要する時間は，それぞれ１個
当たり，常に次のとおりである。

$$製品Ａ：4+\dfrac{20}{製品Ａの製造を担当している作業員の人数}（分）$$

$$製品Ｂ：6+\dfrac{30}{製品Ｂの製造を担当している作業員の人数}（分）$$

　ある日，この工場では，合計60人の作業員を製品Ａ，Ｂのいずれか一方の製造の担当に振り
分けて同時に製造を開始したところ，４時間後の時点で，この日に製品Ｂを製造した個数がちょ
うど35個となり，製造を一時停止した。製品Ａの製造を担当する作業員を新たに何人か追加し
て製造を再開したところ，再開して２時間20分後に，この日に製品Ａを製造した個数がちょ
うど80個となり製造を終了した。この日，製品Ａの製造を担当する作業員を新たに追加した後，
製品Ａの製造を行っていた作業員の人数は何人か。
　ただし，作業員は，担当となった種類の製品の製造のみを行うものとする。

1 28人
2 30人
3 32人
4 34人
5 36人

解説

製品Ｂの製造を担当した作業員の人数をxとすると，４時間で35個製造しているので，
$\left(6+\dfrac{30}{x}\right)\times35=240$, $210+\dfrac{1050}{x}=240$, $\dfrac{1050}{x}=30$, $x=35$ より，製品Ｂの製造を担当した作業
員は35人であり，ここから，当初の製品Ａ製造担当作業員は25人となる。$240\div\left(4+\dfrac{20}{25}\right)=$
$240\div\dfrac{24}{5}=50$ より，開始からの４時間で製造した製品Ａの個数は50個である。再開してから
２時間20分（＝140分）で新たに30個製造したことになるので，製品Ａの製造を担当する作
業員を新たに追加した後の人数をyとすると，$\left(4+\dfrac{20}{y}\right)\times30=140$, $120+\dfrac{600}{y}=140$, $\dfrac{600}{y}=20$,
$y=30$ より，30人となる。
　よって，正答は**2**である。

正答 **2**

ある店舗では，ある一定の期間における来客数の統計を取っており，この期間における1日当たりの来客数は180.0人であったが，快晴であった5日間を除く当該期間の1日当たりの来客数は167.5人であった。一方，雨であった5日間を除く当該期間の1日当たりの来客数は190.0人であった。

　快晴であった5日間の1日当たりの来客数が，雨であった5日間の1日当たりの来客数の2.8倍であったとき，当該期間の日数は何日か。

1　35日　　**2**　40日　　**3**　45日　　**4**　50日　　**5**　55日

解説

雨であった5日間の1日当たりの来客数をx，一定の期間のうち，快晴または雨であった5日間を除いた日数をyとして，この間の関係を表すと次の図Ⅰ，図Ⅱのようになる。図Ⅰより，$(180.0-x):10.0=y:5$，図Ⅱより，$(2.8x-180.0):12.5=y:5$である。ここから，$(180.0-x):10.0=(2.8x-180.0):12.5$，$28x-1800.0=2250.0-12.5x$，$40.5x=4050.0$，$x=100.0$となり，雨であった5日間の1日当たりの来客数は100.0人である。これを図Ⅰに当てはめると，$80.0:10.0=y:5$，$y=40$となる。したがって，当該期間の日数は，$40+5=45$より，45日であり，正答は**3**である。

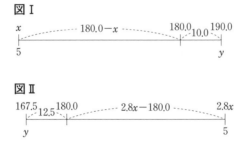

図Ⅰ

図Ⅱ

[**参考**] 本問のように両者のバランス（つりあい）を考える問題においては，図Ⅲのような天秤のつりあいと同様の構造が成り立っている。

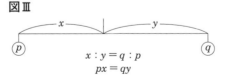

図Ⅲ

$x:y=q:p$
$px=qy$

正答　**3**

A〜Gの七つのバレーボールチームがある。Aは，B〜Gの六つのチームと1試合ずつ対戦することとなっているが，過去の対戦成績から，Bに勝つ確率は$\frac{1}{3}$であり，その他のチームに勝つ確率はいずれも$\frac{1}{2}$であることが分かっている。このとき，Aが4勝以上する確率はいくらか。

ただし，試合には引き分けはないものとする。

1 $\frac{7}{24}$

2 $\frac{3}{8}$

3 $\frac{11}{24}$

4 $\frac{13}{24}$

5 $\frac{5}{8}$

解説

Aが6勝0敗となるのは，$\frac{1}{3} \times \left(\frac{1}{2}\right)^5 = \frac{1}{96}$である。Bチームに負けて5勝1敗となるのは，$\frac{2}{3} \times \left(\frac{1}{2}\right)^5 = \frac{2}{96}$である。B以外の1チームに負けて5勝1敗となるのは，C〜Gのどのチームに負けるかで5通りあるので，$\frac{1}{3} \times \left(\frac{1}{2}\right)^4 \times \frac{1}{2} \times 5 = \frac{5}{96}$である。Bチームと他の1チームに負けて4勝2敗となるのは，やはりC〜Gのどのチームに負けるかで5通りあるので，$\frac{2}{3} \times \left(\frac{1}{2}\right)^4 \times \frac{1}{2} \times 5 = \frac{10}{96}$である。C〜Gのうちの2チームに負けて4勝2敗となるのは，どのチームに負けるかで10通り$\left(= {}_5C_2 = \frac{5 \times 4}{2 \times 1}\right)$あるので，$\frac{1}{3} \times \left(\frac{1}{2}\right)^3 \times \left(\frac{1}{2}\right)^2 \times 10 = \frac{10}{96}$である。

したがって，求める確率は，$\frac{1}{96} + \frac{2}{96} + \frac{5}{96} + \frac{10}{96} + \frac{10}{96} = \frac{28}{96} = \frac{7}{24}$となり，正答は**1**である。

正答 **1**

文章理解
判断推理
数的推理
資料解釈
時事
物理
化学
生物

図のように，円A，B，Cと直線lが互いに接している。円Aと円Bの半径が等しく，また，円Cの半径が2であるとき，円Aの半径はいくらか。

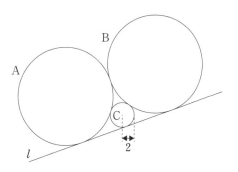

1 $4\sqrt{3}$

2 7

3 8

4 $6\sqrt{2}$

5 9

解説

次の図のように，円Aの中心をP，円Aと円Bとの接点をQ，円Cの中心をRとする。円Cは円Aおよび円Bに接しているので，∠PQR＝90°であり，△PQRは直角三角形となる。円Aの半径をxとすると，PQ＝x，PR＝$(x+2)$，QR＝$(x-2)$であり，その間に，$x^2+(x-2)^2=(x+2)^2$が成り立つ（三平方の定理）。ここから，$x^2+x^2-4x+4=x^2+4x+4$，$x^2-8x=0$，$x(x-8)=0$となり，$x=0$，8であるが，$x>0$だから，$x=8$となる。

　したがって，正答は**3**である。

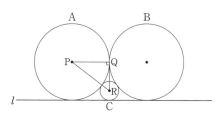

正答　3

文章理解

判断推理

数的推理

資料解釈

時事

物理

化学

生物

$a^2+ab+ac+bc-315=0$ を満たす素数 a, b, c の組合せは何通りか。

ただし，$a<b<c$ とする。

1 1通り
2 3通り
3 5通り
4 7通り
5 9通り

解説

$a^2+ab+ac+bc-315=0$ より，$a(a+b)+c(a+b)=315$，$(a+b)(a+c)=315$ である。315 を 2個の整数の積で表すと，$315=1\times315=3\times105=5\times63=7\times45=9\times35=15\times21$ のように 6 通りある。このうちで，$a<b<c$ となる素数の組合せは，$(2+3)\times(2+61)=5\times63$，$(2+5)\times(2+43)=7\times45$，$(2+13)\times(2+19)=15\times21$ となる 3 通りだけである。

したがって，正答は**2**である。

正答 **2**

国家一般職 [大卒]

No. 247

教養試験

数的推理

割　合

平成29年度

文章理解

判断推理

数的推理

資料解釈

時事

物理

化学

生物

ある二つの都市Ａ，Ｂは，毎年度初めに住民の統計調査を行っており，昨年度は，Ａに住むＢ出身者が15万人であり，また，Ｂの総人口に占めるＢ出身者の割合は74％であることが分かった。その後，今年度の統計調査までに，①Ａに住むＢ出身者のうち３万人がＢへ転居し，また，②Ａ，Ｂ以外の都市に住むＢ出身でない者のうち47万人がＢへ転居した。この結果，今年度のＡの総人口は昨年度の95％となり，今年度のＢの総人口に占めるＢ出身者の割合は70％となった。このとき，今年度の統計調査によると，Ａの総人口とＢの総人口の差は何万人か。

　ただし，①及び②以外を原因とする，Ａ，Ｂの人口変動はないものとする。

1　769万人
2　775万人
3　781万人
4　787万人
5　793万人

解説

まず，Ａの人口は３万人減少して昨年度の95％となったのだから，昨年度におけるＡの人口の５％が３万人である。したがって，昨年度におけるＡの人口は60万人（＝３万÷0.05）であり，今年度は57万人（60万－３万）である。次に，昨年度におけるＢの人口をxとすると，今年度は$(x+50万)$人である（$=x+3万+47万$）。昨年度はＢの総人口に占めるＢ出身者の割合は74％であったから，Ｂの総人口に占めるＢ出身者は$0.74x$，今年度は$(0.74x+3万)$で，これが$(x+50万)$の70％となっている。$0.74x+3万=0.7(x+50万)$，$0.04x=32万$，$x=800万$となる。ここから，今年度におけるＢの総人口は850万人（＝800万＋50万）ということになる。

　したがって，今年度におけるＡの総人口とＢの総人口の差は793万人（＝850万－57万）であり，正答は**5**である。

正答　**5**

文章理解
判断推理
数的推理
資料解釈
時事
物理
化学
生物

ある職場では，表のような消耗品を3回に分けて必要個数だけ購入した。

○　1回目は，クリアファイルを除く3種類の消耗品をそれぞれ1個以上購入し，合計金額は1,200円であった。

○　2回目及び3回目は，共に4種類全ての消耗品をそれぞれ1個以上購入し，合計金額は，2回目が2,300円，3回目が1,500円であった。

このとき，確実にいえるのはどれか。

消耗品	単価	必要個数
消しゴム	110円	7
付せん紙	170円	5
ガムテープ	290円	8
クリアファイル	530円	2

1　1回目に消しゴムを2個購入した。
2　1回目にガムテープを3個購入した。
3　2回目に付せん紙を1個購入した。
4　2回目にガムテープを3個購入した。
5　3回目に消しゴムを1個購入した。

解説

連立方程式を組むより，個数と価格の組合せを考えてみたほうがよい。1回目は，クリアファイルを除く3種類の消耗品をそれぞれ1個以上購入し，合計金額は1,200円である。クリアファイルを除く3種類の消耗品をそれぞれ1個ずつ購入すると，その価格は570円となり，残りは630円である。630円となる組合せは（付せん紙=2，ガムテープ=1）しかないので，1回目に購入したのは（消しゴム=1，付せん紙=3，ガムテープ=2）である。

　次に3回目を考えてみる。4種類を1個ずつ購入すると1,100円なので，さらに400円購入したことになる。その組合せは（消しゴム=1，ガムテープ=1）しかない。したがって，3回目に購入したのは（消しゴム=2，付せん紙=1，ガムテープ=2，クリアファイル=1）である。この結果，2回目は（消しゴム=4，付せん紙=1，ガムテープ=4，クリアファイル=1）となり，その購入金額は2,300円で矛盾しない。これをまとめると次の表のようになり，正答は**3**である。

消耗品	単価	必要個数	1回目 個数	1回目 価格	2回目 個数	2回目 価格	3回目 個数	3回目 価格
消しゴム	110円	7	1	110	4	440	2	220
付せん紙	170円	5	3	510	1	170	1	170
ガムテープ	290円	8	2	580	4	1,160	2	580
クリアファイル	530円	2			1	530	1	530
				1,200		2,300		1,500

正答　**3**

国家一般職[大卒]

No. 249

教養試験

数的推理

連立不等式

平成28年度

ある出版社では，絶版となった書籍A～Dについて，復刊希望の投票を2週間受け付けた。投票1回につき，A～Dのうちのいずれか一つに投票するものとして，投票結果が次のとおりであったとき，確実にいえるのはどれか。

ただし，投票は全て有効であったものとする。

○　1週目の投票数は2,500で，その得票割合は，Aが20％，Bが50％，Cが10％，Dが20％であった。

○　2週目の得票数は，AとBとの差が2,000以上であり，CとDとの差が4,000以下であった。

○　2週間を通した得票割合は，Aが30％，Bが20％，Cが40％，Dが10％であった。

1　2週目のAの得票割合は，40％であった。

2　2週目のBの得票割合は，10％であった。

3　2週目のCの得票割合は，50％であった。

4　2週間を通したDの得票数は，1,250であった。

5　2週間を通した得票数は，15,000であった。

解説

1週目の得票数は，Aが500票（＝2500×0.2），Bが1,250票（＝2500×0.5），Cが250票（＝2500×0.1），Dが500票（＝2500×0.2）である。ここで，2週間を通した投票総数を n とすると，Aの得票数は$0.3n$，Bの得票数は$0.2n$，Cの得票数は$0.4n$，Dの得票数は$0.1n$，である。ここから，2週目の得票数を考えると，Aは $(0.3n-500)$ 票，Bは $(0.2n-1250)$ 票，Cは $(0.4n-250)$ 票，Dは $(0.1n-500)$ 票，となる。

AとBの得票数を比べると，1週目ではBのほうが多く，2週間を通してだとAのほうが多いのだから，2週目の得票はBよりAのほうが多い。つまり，$(0.3n-500)-(0.2n-1250)≧2000$，$0.1n+750≧2000$，$0.1n≧1250$，$n≧12500$ ……①，となる。

CとDの得票数に関しては，1週目はCのほうが多くなければならないので，$(0.4n-250)-(0.1n-500)≦4000$，$0.3n+250≦4000$，$0.3n≦3750$，$n≦12500$ ……②，となる。

①，②より，$n=12500$，である。この結果，2週間を通しての得票数は，Aが3,750票，Bが2,500票，Cが5,000票，Dが1,250票，となる。この得票数をまとめると次の表のようになる。

	A	B	C	D	総数
1週目	500	1,250	250	500	2,500
	20％	50％	10％	20％	
2週目	3,250	1,250	4,750	750	10,000
	32.5％	12.5％	47.5％	7.5％	
合計	3,750	2,500	5,000	1,250	12,500
	30％	20％	40％	10％	

よって，正答は**4**である。

正答　**4**

図Ⅰのように，6個の LED 電球が取り付けられているパネルが3枚ある。スイッチを入れると6個の LED 電球のうち，パネル1では1個が，パネル2では2個が，パネル3では3個がそれぞれ無作為に点灯することが分かっている。

いま，各パネルの点灯状態によって数字を割り当てることとして，図Ⅱのように，各パネルの点灯状態と 0 ～ 9 の数字を対応させる。このとき，スイッチを入れ，パネル1，パネル2，パネル3を点灯させると，3枚全てのパネルに数字が割り当てられて3桁の数となり，かつ，3の倍数となる確率はいくらか。

ただし，3枚のパネルの並び順は図Ⅰの状態で固定し，パネルを裏返したり，回転させたりしないものとする。また，各パネルは，図Ⅱに示した点灯状態以外の場合は，数字の割当てがなかったものとする。

図Ⅰ

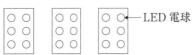

パネル1　パネル2　パネル3
3桁目　　2桁目　　1桁目

図Ⅱ

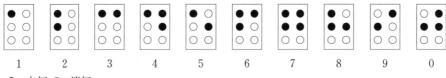

1　　2　　3　　4　　5　　6　　7　　8　　9　　0

●：点灯　○：消灯

1 $\dfrac{1}{120}$

2 $\dfrac{1}{180}$

3 $\dfrac{1}{240}$

4 $\dfrac{1}{300}$

5 $\dfrac{1}{360}$

パネル1（3ケタ目）の数字となるのは1，パネル2（2ケタ目）の数字となるのは2，3，5，9，パネル3（1ケタ目）の数字となるのは4，6，8，0，である。これにより，3ケタの整数が3の倍数となるのは，120，126，138，150，156，198，の6通りある。ここで，6個のLED電球のうち1個が点灯するのは6通り，2個が点灯するのは，$_6C_2 = \dfrac{6 \times 5}{2 \times 1} = 15$，より15通り，3個が点灯するのは，$_6C_3 = \dfrac{6 \times 5 \times 4}{3 \times 2 \times 1} = 20$，より20通りある。

つまり，パネル1（3ケタ目）が1となる確率は$\dfrac{1}{6}$，パネル2（2ケタ目）が2，3，5，9となる確率はそれぞれ$\dfrac{1}{15}$，パネル3（1ケタ目）が4，6，8，0となる確率はそれぞれ$\dfrac{1}{20}$，となる。そうすると，120という3ケタの整数が現れる確率は，$\dfrac{1}{6} \times \dfrac{1}{15} \times \dfrac{1}{20} = \dfrac{1}{1800}$，である。同様に，126，138，150，156，198となる確率もそれぞれ$\dfrac{1}{1800}$である。

したがって，求める確率は，$\dfrac{1}{1800} \times 6 = \dfrac{1}{300}$，となり，正答は**4**である。

正答 **4**

国家一般職
［大卒］

No.
251

教養試験
数的推理

三角形

図のように，縦24cm，横32cm の長方形 ABCD を対角線 BD で折って，点Cの移った点を点C′とする。辺 AD と辺 BC′の交点を点Pとしたとき，線分 AP の長さはいくらか。

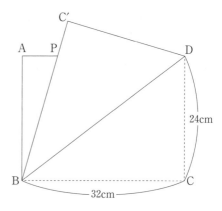

1 6 cm
2 $4\sqrt{3}$ cm
3 7 cm
4 8 cm
5 $5\sqrt{3}$ cm

解説

次の図において，∠CBD＝∠PBD，∠CBD＝∠PDB（平行線の錯角）だから，∠PBD＝∠PDB であり，△PBD は PB＝PD の二等辺三角形である。つまり，AP＋DP＝AP＋BP＝32，である。

ここで，AP＝x とすると，BP＝$(32-x)$ であり，AP^2＋AB^2＝BP^2（三平方の定理），より，$x^2+24^2=(32-x)^2$，$x^2+576=1024-64x+x^2$，$64x=1024-576=448$，$x=7$，となり，AP＝7cm である。

よって，正答は**3**となる。

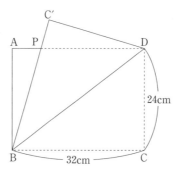

正答 **3**

国家一般職
［大卒］

No.
252

教養試験

数的推理

不等式

平成28年度

文章理解　判断推理　数的推理　資料解釈　時事　物理　化学　生物

大，中，小の三つのサイズの莢（さや）があり，大サイズの莢には豆が5粒，小サイズの莢には豆が3粒入っている。また，中サイズの莢には豆が4粒又は5粒入っているが，その数は莢を開けてみなければ分からない。

　いま，A〜Dの4人がそれぞれいくつか莢を取り，その莢から豆を取り出して，自分の年齢の数だけ豆を集めることとした。各人が次のように述べているとき，4人の年齢の合計はいくつか。

　A：「大サイズの莢を2個，中サイズの莢を2個，小サイズの莢を2個取ったところ，自分の年齢と同じ数の豆が入っていた。」

　B：「中サイズの莢を4個取ったところ，自分の年齢より4粒多く豆が入っていた。また，4個の莢のうち少なくとも1個には，豆が5粒入っていた。」

　C：「自分の年齢はAとBの年齢の合計と同じである。1個だけ小サイズの莢を取り，残りは大サイズの莢を取ったところ，自分の年齢と同じ数の豆が入っていた。」

　D：「私は，Bより2歳年上である。小サイズの莢を5個以上取ったところ，自分の年齢と同じ数の豆が入っていた。」

1　91
2　92
3　93
4　94
5　95

解説

　Aが取った莢に入っていた豆の数は，24，25，26粒のいずれかであり，Aの年齢は24〜26歳である。Bが取った莢に入っていた豆の数は，17，18，19，20粒（少なくとも1個の莢には5粒の豆が入っていた）のいずれかであり，Bの年齢は13〜16歳である。Cの年齢はAとBの年齢の合計と同じなので，37（＝24＋13）〜42（＝26＋16）歳である。Cは小サイズの莢1個と大サイズの莢を何個か取っており，考えられる豆の数は，8，13，18，23，28，33，38，43，……，であるが，37〜42の間で条件を満たすのは38だけなので，Cの年齢は38歳である。Dの年齢はBより2歳上なので，15〜18歳である。Dが取った莢に入っていた豆の数は，小サイズの莢が5個以上なので15，18，21，……，であり，15歳または18歳である。Dが18歳だとBは16歳となるが，このとき，Aの年齢は22歳（＝38−16）となり，Aの年齢に関して矛盾が生じる。Dが15歳だと，Bは13歳，Aは25歳で，これは条件に適（かな）う。

　したがって，4人の年齢の合計は，25＋13＋38＋15＝91，となり，正答は**1**である。

正答　**1**

図のように，点Bを中心に半径 $\sqrt{2}$ の扇形を反時計回りに30°回転させたとき，弧 AB の通過する斜線部の領域の面積はいくらか。

1 $\dfrac{1}{6}\pi$

2 $\dfrac{1}{4}\pi$

3 $\dfrac{1}{3}\pi$

4 $\dfrac{\sqrt{2}}{3}\pi$

5 $\dfrac{1}{2}\pi$

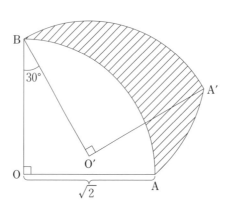

解説

次の図Ⅰのように点Bと点A，点Bと点A′を結び，扇形 BAA′ を考える。このとき，扇形 BAA′ と求める斜線部とで重なっていない部分を図Ⅱのように比較すると，両者の面積は等しい。つまり，図Ⅱの斜線部を灰色で示した位置に移動させれば，求める斜線部の面積は扇形 BAA′ と一致していることがわかる。扇形 OAB は，半径 $\sqrt{2}$，中心角90°だから，△OAB は直角二等辺三角形であり，AB の長さは2である。扇形 OAB は30°回転させたので，扇形 BAA′ は，半径2，中心角30°であり，その面積は，$2^{2}\pi\times\dfrac{30}{360}=\dfrac{1}{3}\pi$ となり，正答は**3**である。

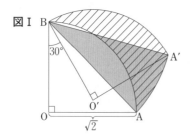

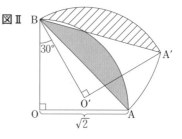

正答 **3**

Aはヨーロッパに旅行し，価格の異なる6個の土産物を購入した。次のことが分かっているとき，最も高い土産物の価格はいくらか。

なお，価格の単位はユーロのみで，それぞれの価格に1ユーロ未満の端数はなかったものとする。

○　購入した土産物の総額は207ユーロであった。

○　6個全ての土産物の価格の各桁の数字をみると，1から9までの全ての数字が一つずつあり，0はなかった。

○　10ユーロより高い土産物の中に，価格の各桁の数字の和が7となるものが一つあった。

○　最も安い土産物の価格は1ユーロで，これ以外の土産物の価格の値は全て素数であった。

1　59ユーロ

2　67ユーロ

3　79ユーロ

4　89ユーロ

5　97ユーロ

解説

①6通りの価格に1〜9の数字が1回ずつ使われている，②1ユーロの土産物があり，それ以外の価格はすべて素数，③総額は207ユーロ，の3つが条件となっている。素数の中で偶数は2だけなので，4，6，8は末尾（一の位）に用いることはできないが，4□□という3ケタでは207ユーロを超えてしまうので，4□，6□，8□，という2ケタの素数があるはずである。これで6種類の数字が使われるので，1以外に1ケタの素数となる価格が2通りあることになる。つまり，6通りの価格のうち，3通りが1ケタ（そのうち1個は1ユーロ），3通りが2ケタである。

　ここで，1および100未満の素数を一覧にすると次の表Ⅰのとおりである。このうち，1という数字を含む素数は使えないので，11，13，17，19，31，41，61，71は可能性がない。残っている数の中で，各ケタの数字の和が7となるのは43だけなので，4□となる数は43である。これで，23，37，53，73，83も可能性がない。そうすると，6□となるのは67，8□となるのは89だけとなる。1+43+67+89=200だから，残り2個の土産物の価格の和は7ユーロで，これは2ユーロと5ユーロになればよい（表Ⅱ）。

　したがって，最も高い土産物の価格は89ユーロであり，正答は**4**である。

表Ⅰ

1	2	3	5	7
11	13	17	19	23
29	31	37	41	43
47	53	59	61	67
71	73	79	83	89
97				

表Ⅱ

1	2	3	5	7
11	13	17	19	23
29	31	37	41	43
47	53	59	61	67
71	73	79	83	89
97				

正答　**4**

国家一般職
[大卒]
No.
255

教養試験

数的推理

確　率

平成27年度

自動車の故障を診断できる装置（「故障している」又は「故障していない」だけ表示される。）があり，これを故障している自動車に使用すると，99％の確率で「故障している」という正しい診断結果が出て，また，故障していない自動車に使用すると，1％の確率で「故障している」という誤った診断結果が出る。

　いま，自動車1万台のうち100台が故障していることが分かっている。この1万台の自動車の中から無作為に1台を選び，同装置を使用したところ，「故障している」という診断結果が出た。このとき，この自動車が実際に故障している確率はいくらか。

1　10％　　**2**　33％　　**3**　50％　　**4**　90％　　**5**　99％

解説

すでに「故障している」という診断結果が出た段階で，その自動車が実際に故障している確率を考えるもので，「条件付き確率」と呼ばれる。具体的には，故障しているという診断結果が出る確率の中で，実際に故障している確率が占める割合を考えればよい。

　1万台のうち100台が故障しているので，1万台の中から故障している自動車1台を選ぶ確率は，$\frac{100}{10000}=\frac{1}{100}$である。故障している自動車を診断すると，99〔％〕$=\frac{99}{100}$の確率で「故障している」という診断結果が出るのだから，1万台の中から実際に故障している自動車が選ばれ，それが「故障している」と診断される確率は，$\frac{1}{100}\times\frac{99}{100}=\frac{99}{10000}$である。同様にして，故障していない自動車が選ばれ，それが「故障している」と診断される確率は，$\frac{9900}{10000}\times\frac{1}{100}$$=\frac{99}{100}\times\frac{1}{100}=\frac{99}{10000}$である。つまり，1万台のうち100台が故障しているときに，1台の自動車を選んで診断したとき，「故障している」という診断結果が出る確率は，$\frac{99}{10000}+\frac{99}{10000}=$$\frac{198}{10000}$となる。診断した自動車が実際に故障していて「故障している」と診断結果が出る確率は$\frac{99}{10000}$だから，この$\frac{99}{10000}$が$\frac{198}{10000}$に占める割合を考えればよい。そうすると，$\frac{99}{10000}\div$$\frac{198}{10000}=\frac{99}{198}=\frac{1}{2}=50$〔％〕となる。

　よって，正答は**3**である。

正答　**3**

1〜15の異なる数字を一つずつ使って，隣り合う二つの数字の和が必ず9，16又は25のいずれかになるように一列に並べたとき，両端の数字の組合せとして最も妥当なのはどれか。

1　1，15

2　3，5

3　5，11

4　7，13

5　8，9

解　説

問題の設定から，両端に来る2数は決定している（＝必ず端でなければならない），と考えられれば，それほど難しくはない。その場合，その2数は，隣にある数との和を考えたとき，9，16，25のいずれか1つの結果しか得られないということになる。そうすると，同じ数字は1回しか使えないので，8の場合は，8＋1＝9，だけが可能である（16と25は不可能）。また，9の場合は，9＋7＝16，だけが可能である（9と25は不可能）。つまり，両端に置かれる2数の組合せは8と9である。

　その点に気づかなくても，実際に数を並べてみれば結論には到達できる。たとえば，最初に1を置き，その隣を15としてみる（1の隣を8とすれば，8は端でなければならないことにすぐ気づく）。そこから芋蔓式に数を配置すると，

　1，15，10，6，3，13，12，4，5，11，14，2，7，9

となり，9の右側に8は配置できないが，1の左側に配置すればよい。これにより，

　8，1，15，10，6，3，13，12，4，5，11，14，2，7，9

という結果が得られ，両端の数字は8と9であることが確認できる。

　よって，正答は**5**である。

正答　**5**

文章理解
判断推理
数的推理
資料解釈
時事
物理
化学
生物

各面に 1～12 の異なる数字が一つずつ書かれた正十二面体のサイコロがある。いま，このサイコロを 2 回振った場合に，出た目の和が素数となる確率はいくらか。

1 $\dfrac{25}{144}$

2 $\dfrac{25}{72}$

3 $\dfrac{17}{48}$

4 $\dfrac{13}{36}$

5 $\dfrac{5}{12}$

解説

各面に 1～12 の異なる数字が一つずつ書かれた正十二面体のサイコロを 2 回振った場合，出た目の和は最大で 24 である。24 未満の素数は，2，3，5，7，11，13，17，19，23，だから，2 回の目の和がこれらになる組合せを考えてみればよい。

2＝(1，1)
3＝(1，2)，(2，1)
5＝(1，4)，(2，3)，(3，2)，(4，1)
7＝(1，6)，(2，5)，(3，4)，(4，3)，(5，2)，(6，1)
11＝(1，10)，(2，9)，(3，8)，(4，7)，(5，6)，(6，5)，(7，4)，(8，3)，(9，2)，(10，1)
13＝(1，12)，(2，11)，(3，10)，(4，9)，(5，8)，(6，7)，(7，6)，(8，5)，(9，4)，(10，3)，(11，2)，(12，1)
17＝(5，12)，(6，11)，(7，10)，(8，9)，(9，8)，(10，7)，(11，6)，(12，5)
19＝(7，12)，(8，11)，(9，10)，(10，9)，(11，8)，(12，7)
23＝(11，12)，(12，11)

のように，全部で 51 通りある。正十二面体のサイコロを 2 回振った場合，その目の出方は，12 ×12＝144 より，144 通りある。よって，求める確率は，$\dfrac{51}{144}＝\dfrac{17}{48}$ となり，正答は **3** である。

正答　3

ある大学では，科学実験のイベントが開催される。科学実験は18種類あり，それぞれ1～18の番号が割り振られている。いずれの実験も午前と午後の2回行われ，各実験の定員は各回50人である。また，午前と午後に同じ実験に参加することもできる。

イベントの参加者は，午前に参加する実験と午後に参加する実験をそれぞれ一つずつ事前登録しており，以下のルールに基づく参加者番号（5桁の値）が個別に割り当てられている。

このとき，参加者番号45300であるAと，参加者番号75799であるBの2人について，確実にいえるのはどれか。

[参加者番号のルール]

○　参加者番号を5000で割って小数点以下を切り捨てた整数値から1を引いた値であるaは，午前に参加する実験の番号がaであることを意味する。

○　参加者番号から$(a+1)$の5000倍を引いた後，50で割って小数点以下を切り捨てた整数値から1を引いた値であるbは，午後に参加する実験の番号がbであることを意味する。

○　参加者番号から$(a+1)$の5000倍を引き，更に，$(b+1)$の50倍を引いて1を加えた値であるcは，午前に参加する実験の番号がa，かつ，午後に参加する実験の番号がbである者のうち，事前登録の順番がc番目であることを意味する。

1　Aが参加する実験の番号は，午前が8，午後が6である。

2　Bは午前に参加する実験と午後に参加する実験が同じである。

3　BはAよりも事前登録の順番が先であった。

4　Aは午前に参加する実験と午後に参加する実験が同じ者のうち，事前登録の順番が50番目であった。

5　Bは午前に参加する実験と午後に参加する実験が同じ者のうち，事前登録の順番が49番目であった。

解説

複雑そうに見えるが，次の〔1〕，〔2〕について，単に計算すればよいだけの問題である。

〔1〕A（参加者番号45300）について

　$45300 \div 5000 = 9.06$ より，$a = 9 - 1 = 8$

　$45300 - (8+1) \times 5000 = 300$，$300 \div 50 = 6$ より，$b = 6 - 1 = 5$

　$45300 - (8+1) \times 5000 = 300$，$300 - (5+1) \times 50 = 0$ より，$c = 0 + 1 = 1$

となり，Aは午前に参加する実験の番号が8，午後に参加する実験の番号が5，午前に8，午後に5の実験に参加する者のうち，事前登録の番号が1となっている。

〔2〕B（参加者番号75799）について

　$75799 \div 5000 = 15.1598$ より，$a = 15 - 1 = 14$

　$75799 - (14+1) \times 5000 = 799$，$799 \div 50 = 15.98$ より，$b = 15 - 1 = 14$

　$75799 - (14+1) \times 5000 = 799$，$799 - (14+1) \times 50 = 49$ より，$c = 49 + 1 = 50$

となり，Bは午前に参加する実験の番号が14，午後に参加する実験の番号が14，午前に14，午後に14の実験に参加する者のうち，事前登録の番号が50となっている。

　以上より，正答は**2**である。

正答　**2**

国家一般職
[大卒]

教養試験

No.
259

数的推理

仕事算

平成26年度

A〜Dの4人がある作業をA，B，C，D，A，B…の順に10分交代で1人ずつ行ったところ，2巡目の最後にDが4分作業を行ったところで作業が全て終了した。

同じ作業を，B，C，D，A，B，C…の順に10分交代で1人ずつ行ったところ，Aから作業を始めたときに比べ，5分短い時間で作業が全て終了した。

同様に，C，D，A，B，C，D…の順に10分交代で1人ずつ行ったところ，Aから作業を始めたときに比べ，3分長い時間で作業が全て終了した。

この作業をCだけで行ったところ，Aから作業を始めたときに比べ，10分長い時間で作業が全て終了した。

このとき，AとDが同時にこの作業を行うと，作業が全て終了するのに要する時間はいくらか。

なお，4人の時間当たり作業量はそれぞれ常に一定である。

1 44分
2 48分
3 52分
4 56分
5 60分

文章理解

判断推理

数的推理

資料解釈

時事

物理

化学

生物

全体の作業量を1とし，A，B，C，Dが1分間に行う作業量をそれぞれa，b，c，dとしてみる。

A，B，C，D，A，B……の順に10分交代で1人ずつ行うと，2順目の最後に4分作業を行ったところで作業がすべて終了するので，

$20a+20b+20c+14d=1$ ……①

B，C，D，A，B，C……の順に10分交代で1人ずつ行うと，Aから作業を始めたときに比べ，5分短い時間で作業がすべて終了するので，

$10a+20b+20c+19d=1$ ……②

また，C，D，A，B，C，D……の順に10分交代で1人ずつ行うと，Aから作業を始めたときに比べ，3分長い時間で作業がすべて終了するので，

$20a+17b+20c+20d=1$ ……③

Cだけで行うと84分かかることになるので，

$84c=1$ ……④

①，②より，$20a+20b+20c+14d=10a+20b+20c+19d$，$20a+14d=10a+19d$，$10a=5d$，$d=2a$ である。

①，③からは，$20a+20b+20c+14d=20a+17b+20c+20d$，$20b+14d=17b+20d$，$3b=6d$，$b=2d$ である。

ここで，$d=2a$，$b=2d$ より，$b=4a$ となる。$b=4a$，$d=2a$ を①に代入すると，

$20a+80a+20c+28a=128a+20c=1$ となる。

また，$84c=1$ ……④，だから，$20c=\dfrac{20}{84}=\dfrac{5}{21}$ で，Cが20分間作業を行うと全体の$\dfrac{5}{21}$だけ行うことができる。したがって，$128a+20c=128a+\dfrac{5}{21}=1$，$128a=\dfrac{16}{21}$，$a=\dfrac{1}{168}$ で，Aが1分間に行う作業量は全体の$\dfrac{1}{168}$である。$d=2a$ だから，Dが1分間に行う作業量はAの2倍で，$\dfrac{2}{168}\left(=\dfrac{1}{84}\right)$である。AとDが同時に作業を行ったとき，1分間の作業量は，$\dfrac{1}{168}+\dfrac{2}{168}=\dfrac{3}{168}=\dfrac{1}{56}$ となる。

これより，AとDが同時にこの作業を行うとき，作業がすべて終了するのに要する時間は，$1\div\dfrac{1}{56}=56$ より，56分となり，正答は**4**である。

正答　4

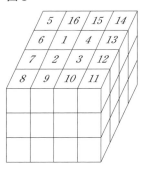

国家一般職
［大卒］

No. 260

教養試験

数的推理

空間図形

平成 26年度

文章理解
判断推理
数的推理
資料解釈
時事
物理
化学
生物

図Ⅰは一辺の長さが1cmの立方体48個を隙間なく積み重ねた立体を示したものである。図Ⅱに示すとおり，各立方体には番号が付いており，図Ⅰの状態から立方体を1番から順に一つずつ取り除き，残った立体の表面積について考える。

15番までの立方体を取り除いたときに残った立体の表面積と，n番（ただし，n≠15）までの立方体を取り除いたときに残った立体の表面積が等しくなるときのnについて，確実にいえるのはどれか。

図Ⅰ

図Ⅱ

上段

中段

下段

1 nは17のみである。

2 nは23のみである。

3 nは31のみである。

4 nに当てはまる全ての数値の和は40である。

5 nに当てはまる全ての数値の和は78である。

解説

15番までの立方体を取り除くと次の図のようになる。このときの表面積は，2段目までの立体（＝32個の立方体でできている）の表面積に，16番の立方体の側面積を加えたものである（真上から見た上面の面積は16番があってもなくても変わらない）。つまり，4×4×2＋2×4×4＋4＝68である。

　15番までの立方体を取り除いたときの表面積は68なので，これ以外に表面積が68となる場合を考えることになる。立方体48個を積み重ねたときの表面積は，4×4×2＋3×4×4＝80である。1～3番までを取り除いていくと，上面と底面の面積は変化しないが，上段の内側で側面積が増加するので，全体としての表面積が増加する。そして，4，5番を取り除いても表面積は増加せず，その後は6～16番までを取り除くことにより，側面積が減少するので，全体の表面積は減少する。17～32番までの立方体を取り除くときは，1～16番までを取り除くときと比べて，側面積が1段分（＝16）少ないので，17～32番までの立方体を取り除いたときの表面積は，1～16番までを取り除いたときより，16ずつ小さくなっている。33番以降を取り除くと，上面および底面が1ずつなくなっていくので，最大でも表面積は50にしかならない。次の表に示すように，問題の条件（n≠15）で表面積が68となるのは，n＝17，n＝23であり，正答は**4**である。

取り除く立方体	1	2	3	4	5	6	7	8	9	10	11	12	13	14	15	16
表面積	84	86	88	88	88	86	84	82	80	78	76	74	72	70	68	64
取り除く立方体	17	18	19	20	21	22	23	24	25	26	27	28	29	30	31	32
表面積	68	70	72	72	72	70	68	66	64	62	60	58	56	54	52	48
取り除く立方体	33	34	35	36	37	38	39	40	41	42	43	44	45	46	47	48
表面積	50	50	50	48	46	42	38	34	30	26	22	18	14	10	6	0

正答　**4**

ある店が，定価800円の弁当を60個販売しようとしたところ，売れ残りが出そうだったので途中から定価の100円引きで売ったが，それでも売れ残ったため最終的に定価の300円引きで売ったところ完売した。売上額を計算したところ，60個全てを定価で売った場合よりも売上額が5,500円少なく，また，値引きして売った弁当の総数は30個よりも少なかった。このとき，それぞれの価格で売れた弁当の数の組合せが何通りか考えられるが，そのうち定価で売れた弁当の数が最も多い組合せにおいて，定価の300円引きで売れた弁当の数はいくつか。

ただし，それぞれの価格で売れた弁当の数は1個以上あるものとする。

1 12個
2 14個
3 16個
4 18個
5 20個

解 説

100円引きで売った個数をx，300円引きで売った個数をyとすると，これによって売上額が5,500円少なくなったのだから，$100x+300y=5500$，である。それぞれの価格で売れた弁当の数は1個以上あるので，$100x+300y=5500$を満たすx，yの組合せを求めると，$(x, y)=(1, 18)$，$(4, 17)$，$(7, 16)$，$(10, 15)$，……，となる。定価で売れた個数が最も多くなるのは$(x, y)=(1, 18)$で，定価で41個売れたことになる。

よって，定価の300円引きで売れた弁当の個数は18個であり，正答は**4**である。

正答 **4**

整数 $2^a \times 3^b \times 4^c$ の正の約数の個数の最大値はいくらか。ただし，a, b, c は正の整数であり，$a+b+c=5$ を満たすものとする。

1 14
2 16
3 18
4 21
5 24

解 説

a, b, c は正の整数で，$a+b+c=5$ だから，$(a, b, c)=(1, 1, 3)$, $(1, 2, 2)$, $(1, 3, 1)$, $(2, 1, 2)$, $(2, 2, 1)$, $(3, 1, 1)$, のいずれかであり，

① $2^1 \times 3^1 \times 4^3 = 2^1 \times 3^1 \times 2^6 = 2^7 \times 3^1$
② $2^1 \times 3^2 \times 4^2 = 2^1 \times 3^2 \times 2^4 = 2^5 \times 3^2$
③ $2^1 \times 3^3 \times 4^1 = 2^1 \times 3^3 \times 2^2 = 2^3 \times 3^3$
④ $2^2 \times 3^1 \times 4^2 = 2^2 \times 3^1 \times 2^4 = 2^6 \times 3^1$
⑤ $2^2 \times 3^2 \times 4^1 = 2^2 \times 3^2 \times 2^2 = 2^4 \times 3^2$
⑥ $2^3 \times 3^1 \times 4^1 = 2^3 \times 3^1 \times 2^2 = 2^5 \times 3^1$

の6通りが考えられる。

整数の約数の個数は，その整数を素因数分解し，各素因数の累乗指数にそれぞれ1を加えた数をすべて掛け合わせれば求められる。

① $(7+1) \times (1+1) = 8 \times 2 = 16$
② $(5+1) \times (2+1) = 6 \times 3 = 18$
③ $(3+1) \times (3+1) = 4 \times 4 = 16$
④ $(6+1) \times (1+1) = 7 \times 2 = 14$
⑤ $(4+1) \times (2+1) = 5 \times 3 = 15$
⑥ $(5+1) \times (1+1) = 6 \times 2 = 12$

より，約数の個数が最も多くなるのは，②「$2^1 \times 3^2 \times 4^2$」のときで18個となる。

よって，正答は**3**である。

正答 **3**

確率等に関する記述A，B，Cのうち，正しいもののみを全て挙げているのはどれか。

A：小学校Xでは，1〜6年の各学年にクラスが二つずつ設置されている。いずれのクラスも児童
数が32人であり，また，どのクラスも，同じクラス内には，誕生日が同月同日の児童はいないこ
とが分かっている。しかしながら，この小学校全体で見れば，誕生日が同月同日の児童のペアが
一組以上いる。

B：小学校Yのあるクラスの児童30人の毎月の小遣いの金額について調べたところ，いずれの児童
も100円単位で小遣いをもらっており，30人の小遣いの平均金額は530円であった。この場合にお
いて，この30人の中に小遣いの金額が1,500円の児童がいるとき，小遣いの金額が400円以下の児
童も必ずいる。

C：小学校Zのあるクラスではバスで遠足に行くことになった。バスの座席は事前に決まっていた
が，最初にバスに乗った児童が自分の座席を忘れて，任意の座席に座ってしまった。他の児童は，
一人ずつバスに乗り込み，自分の座席が空いていればその座席に，そうでなければ空いている任
意の座席に座った。このとき，最後の児童が自分の座席に座れる確率は，そのクラスの児童数が
多くなるにつれて小さくなる。

ただし，児童数とバスの座席数は同数とする。

1 A
2 A，B
3 B
4 B，C
5 C

解説

A：正しい。1年の日数は閏年でも366日である。したがって，367人以上が集まれば，その中に誕
生日が同月同日の者が必ずいることになる。小学校Xでは1クラス32人で各学年に2クラスずつあ
るので，児童数は32×2×6＝384より，384人いる。したがって，誕生日が同月同日の児童は必ず
いる。

B：正しい。30人の小遣いの平均額は530円なので，この30人の小遣い総額は，530×30＝15900よ
り，15,900円である。小遣いの金額が1,500円である児童が1人いると，ほかの29
人の小遣い総額は14400円となる。500×29＝14500だから，小遣いの金額が500円未満の児童が必
ずいることになる。いずれの児童も100円単位で小遣いをもらっているので，小遣いが500円未満
であれば，その児童の小遣いは400円以下である。

C：1番目の児童の座席を①，2番目の児童の座席を②，……，として，人数の少ない場合から最後
の児童が自分の座席に座れる確率を考えてみる。

児童数が2人の場合，1番目の児童が①に座る確率は$\frac{1}{2}$だから，2番目（最後）の児童が②の座席

に座れる確率は$\frac{1}{2}$である。

児童数が3人の場合，1番目の児童が①に座る確率は$\frac{1}{3}$，1番目の児童が②に座り，2番目の児童

が①に座る確率は，$\dfrac{1}{3}\times\dfrac{1}{2}=\dfrac{1}{6}$ だから，3番目の児童が③に座れる確率は，$\dfrac{1}{3}+\dfrac{1}{6}=\dfrac{1}{2}$ である（この段階で誤りと判断できる）。

児童数が4人だと，まず，1番目の児童が①に座る確率は$\dfrac{1}{4}$である。1番目の児童が②に座った場合，2番目の児童が①に座る，2番目の児童が③に座って3番目の児童が①に座るという2通りがあり，その確率は，$\dfrac{1}{4}\times\dfrac{1}{3}+\dfrac{1}{4}\times\dfrac{1}{3}\times\dfrac{1}{2}=\dfrac{1}{12}+\dfrac{1}{24}=\dfrac{3}{24}=\dfrac{1}{8}$ である。1番目の児童が③に座った場合，2番目の児童は必ず②に座るので，3番目の児童が①に座れば4番目の児童は④に座ることができる。その確率は，$\dfrac{1}{4}\times\dfrac{1}{2}=\dfrac{1}{8}$ である。したがって，4番目の児童が④に座ることができる確率は，$\dfrac{1}{4}+\dfrac{1}{8}\times2=\dfrac{1}{2}$ で，やはり$\dfrac{1}{2}$となる。

児童数が5人の場合だと，5番目の児童が自分の座席に座れるのは，次の表に示す8通りである。ⅰとなる確率は$\dfrac{1}{5}$，1番目の児童が②に座るⅱ〜ⅴでは，ⅱとなる確率が，$\dfrac{1}{5}\times\dfrac{1}{4}=\dfrac{1}{20}$，ⅲとなる確率が，$\dfrac{1}{5}\times\dfrac{1}{4}\times\dfrac{1}{3}=\dfrac{1}{60}$，ⅳは，$\dfrac{1}{5}\times\dfrac{1}{4}\times\dfrac{1}{3}\times\dfrac{1}{2}=\dfrac{1}{120}$，ⅴは，$\dfrac{1}{5}\times\dfrac{1}{4}\times\dfrac{1}{2}=\dfrac{1}{40}$ より，$\dfrac{1}{20}+\dfrac{1}{60}+\dfrac{1}{120}+\dfrac{1}{40}=\dfrac{1}{10}$ である。1番目の児童が③に座るⅵ，ⅶでは，ⅵが，$\dfrac{1}{5}\times\dfrac{1}{3}=\dfrac{1}{15}$，ⅶが，$\dfrac{1}{5}\times\dfrac{1}{3}\times\dfrac{1}{2}=\dfrac{1}{30}$ で，$\dfrac{1}{15}+\dfrac{1}{30}=\dfrac{1}{10}$ である。1番目の児童が④に座るⅷの場合は，$\dfrac{1}{5}\times\dfrac{1}{2}=\dfrac{1}{10}$ である。したがって，5番目の児童が自分の座席に座れる確率は，$\dfrac{1}{5}+\dfrac{1}{10}\times3=\dfrac{1}{2}$ で，やはり$\dfrac{1}{2}$である。

	1番目	2番目	3番目	4番目	5番目
ⅰ	①	②	③	④	⑤
ⅱ	②	①	③	④	⑤
ⅲ	②	③	①	④	⑤
ⅳ	②	③	④	①	⑤
ⅴ	②	④	③	①	⑤
ⅵ	③	②	①	④	⑤
ⅶ	③	②	④	①	⑤
ⅷ	④	②	③	①	⑤

n人の児童がいる場合，1番目の児童が自分の座席に座る確率は$\dfrac{1}{n}$，2番目から$(n-1)$番目の児童の座席に座った場合に，n番目の児童が自分の座席に座れる確率はそれぞれ$\dfrac{1}{2n}$であり，これが$(n-2)$通りあることになる。したがって，n番目の児童が自分の座席に座れる確率は，$\dfrac{1}{n}+\dfrac{1}{2n}\times(n-2)$

$=\dfrac{1}{n}+\dfrac{n-2}{2n}=\dfrac{2+n-2}{2n}=\dfrac{n}{2n}=\dfrac{1}{2}$ であり，その確率は児童数にかかわらず一定である。

よって，正しいのはAとBで，正答は**2**である。

正答 **2**

国家一般職
[大卒]
教養試験

No.
264

数的推理

平面図形

平成25年度

文章理解
判断推理
数的推理
資料解釈
時事
物理
化学
生物

図のように，同じ大きさの正方形5個を並べ，両端の正方形の一辺を延長した直線と各正方形の頂点を通る直線を結んで台形ABCDを作ったところ，辺ABの長さが12cm，辺CDの長さが4cmとなった。このとき，台形ABCDの面積は正方形1個の面積の何倍となるか。

1　7倍
2　7.5倍
3　8倍
4　8.5倍
5　9倍

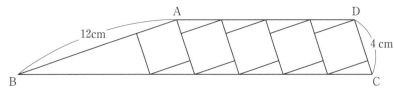

解説

次に示した図のように，辺ABを水平にしたほうが検討しやすいであろう。直線分ADおよびBCが台形の対辺（上底と下底）となるためには，5個の正方形の位置の差が一定でなければならない。したがって，AE＝CD＝4cmである。ここで，△ABE∽△HGE（∵2角相等）なので，

　　HE：HG＝AE：AB＝4：12＝1：3

であり，HE＋HG＝AE＝4cmだから，HE＝1cm，HG＝3cmである。各正方形の上下にある，△HGEを含む9個の直角三角形はすべて合同（∵2辺夾角相等）なので，これら9個の直角三角形の面積は，いずれも $1 \times 3 \times \dfrac{1}{2} = \dfrac{3}{2}$ より，$\dfrac{3}{2}$ cm² である。また，△ABE∽△FBG（∵2角相等）だから，FG：FB＝1：3であり，FG＝3cmより，FB＝9cmである。ここから，

　　$\triangle FBG = 3 \times 9 \times \dfrac{1}{2} = \dfrac{27}{2}$

より，$\dfrac{27}{2}$ cm² である。正方形1個の面積は $3^2 = 9$ より，9cm² だから，台形ABCDの面積は，

　　$\dfrac{3}{2} \times 9 + \dfrac{27}{2} + 9 \times 5 = 27 + 45 = 72$

より，72cm² である。

　したがって，72÷9＝8より，台形ABCDの面積は正方形1個の面積の8倍で，正答は**3**である。

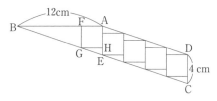

正答　**3**

図Ⅰのように，底面の半径が 4 cm の円筒に，ある高さまで水が入っている。いま，図Ⅱのように，一辺の長さが 4 cm の正方形を底面とする四角柱を，底面を水平に保ったままこの水中に沈めていったとき，水面の位置が 3 cm 高くなった。このとき，四角柱の水につかっている部分の高さはいくらか。

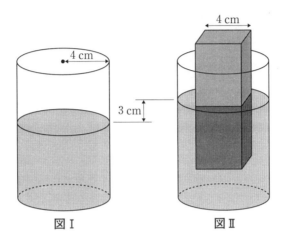

図Ⅰ 図Ⅱ

1 $3\pi - 3$cm

2 $4\pi - 4$cm

3 3πcm

4 $3\pi + 3$cm

5 4πcm

解説

　水の入った容器に，その水面下へ物体を沈めていく場合，もとの水面より下部に沈んだ物体の体積と，もとの水面より上部にある水の体積が一致する。つまり，水面下に沈んだ物体の体積は，もとの水面より高くなった部分にある水の体積と，もとの水面より上部で水中にある物体の体積の和であり，これはもとの水面より高くなった部分の容器の容積と等しいことになる。水面はもとの位置より 3 cm 高くなっているので，この部分の容積は，$4^2\pi \times 3 = 48\pi$ であり，四角柱の底面積は $4^2 = 16$ だから，この四角柱が水面下にある部分の高さは，$48\pi \div 16 = 3\pi$ より，3π cm である。

　よって，正答は**3**となる。

正答 **3**

国家一般職
[大卒]

教養試験

No.
266

数的推理

平面図形

平成 25年度

AB＝4 cm，BC＝5 cm，CA＝3 cm の三角形がある。この三角形に図のように長方形 PQRS を内接させる。長方形 PQRS の面積が最大となるときの辺 PQ の長さはいくらか。

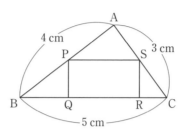

1 1 cm

2 $\dfrac{6}{5}$ cm

3 $\dfrac{3\sqrt{3}}{4}$ cm

4 $\dfrac{3}{2}$ cm

5 $\dfrac{25}{12}$ cm

解説

　最大値，最小値を求める場合は，２次式で平方完成させることを考えればよい。

　△ABC は３辺の長さの比が３：４：５の直角三角形であり，いずれも２角相等であることから，△ABC∽△APS∽△QBP∽△RSC で，これらの三角形の３辺の長さの比は，いずれも３：４：５である。ここで，$PQ=12x$ とすると，

$$PB=12x\times\frac{5}{3}=20x,\quad AP=(4-20x)$$

であり，ここから，

$$PS=(4-20x)\times\frac{5}{4}=(5-25x)$$

となる。

　長方形 PQRS の面積を y とすると，

$$y=12x(5-25x)=60x-300x^2$$
$$=-300\left(x^2-\frac{1}{5}x\right)$$

と表せる。この $y=-300\left(x^2-\frac{1}{5}x\right)$ の右辺にある $\left(x^2-\frac{1}{5}x\right)$ について平方完成させることを考えると，

$$y=-300\left(x^2-\frac{1}{5}x+\frac{1}{100}-\frac{1}{100}\right)$$
$$=-300\left\{\left(x-\frac{1}{10}\right)^2-\frac{1}{100}\right\}$$
$$=-300\left(x-\frac{1}{10}\right)^2+3$$

となる。この $y=-300\left(x-\frac{1}{10}\right)^2+3$ は，$x=\frac{1}{10}$ のとき，$-300\left(x-\frac{1}{10}\right)^2=0$ となって，このとき $y=3$ で，これが最大値である（$x\neq\frac{1}{10}$ のとき，$y<3$ である）。

　したがって，$PQ=12x=\frac{1}{10}\times12=\frac{6}{5}$〔cm〕のとき，長方形 PQRS は面積３で最大となるので，正答は**2**である。

[注] $PQ=x$，あるいは $PQ=3x$ 等としてもよいが，$PQ=12x$ として立式したほうが，最初の式内の係数が単純化される。

正答　**2**

甲駅と乙駅を結ぶ道路を，Aは甲駅から乙駅に向かって，Bは乙駅から甲駅に向かって，それぞれ一定の速さで歩く。2人が同時に出発してから途中で出会うまでにかかる時間は，Aが甲駅を出発してから乙駅に到着するまでにかかる時間に比べると4分短く，Bが乙駅を出発してから甲駅に到着するまでにかかる時間に比べると9分短い。Bが乙駅を出発してから甲駅に到着するまでにかかる時間はいくらか。

1　11分　**2**　12分　**3**　13分　**4**　14分　**5**　15分

解説

A，Bの動きをダイヤグラムに表してみると，次の図Iのようになる。「2人が同時に出発してから途中で出会うまでにかかる時間は，Aが甲駅を出発してから乙駅に到着するまでにかかる時間に比べると4分短く，Bが乙駅を出発してから甲駅に到着するまでにかかる時間に比べると9分短い」ということは，AはBと出会ってから4分で乙駅に到着し，BはAと出会ってから9分で甲駅に到着したことになる。そこで，2人が出発してから出会うまでにかかった時間をt分とすると，$t:9=4:t$が成り立ち，ここから，$t^2=4\times9=36$より，$t=6$である。

したがって，Bが乙駅を出発してから甲駅に到着するまでにかかった時間は，$6+9=15$より，15分であり，正答は**5**である。

図I

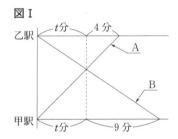

[**参考**] 次の図IIにおいて，上下の2本の辺が平行ならば，2角相等でアとイの三角形，ウとエの三角形はそれぞれ相似であり，ここから，$a:d=m:n$，$c:b=m:n$より，$a:d=c:b$，したがって，$ab=cd$である。

図II

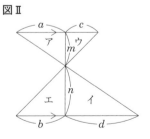

正答　**5**

国家一般職
[大卒]

No.
268

教養試験

数的推理　速さ・時間・距離　平成25年度

文章理解　判断推理　数的推理　資料解釈　時事　物理　化学　生物

A，Bの2人が図のような一周200mの運動場のトラック上におり，Aの100m後方にBが位置している。この2人がトラック上をそれぞれ反時計回りの方向に同時に走り出した。2人が走る速さはそれぞれ一定で，Aは毎分125mの速さで，Bは毎分150mの速さであった。Aが何周か走ってスタート地点に到達して止まったとき，BはAより20m前方にいた。

考えられるAの周回数として最も少ないのはどれか。

1　3周
2　5周
3　8周
4　10周
5　13周

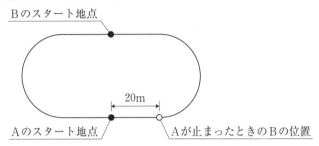

1周200mのトラックを，Aは毎分125mの速さで走るので，1周するのにかかる時間は$\frac{200}{125}$ $=\frac{8}{5}$分である。また，Bは1分間にAより25m多く走るので，Aが1周する$\frac{8}{5}$分では，25×$\frac{8}{5}$=40より，40m多く走る。

つまり，Aが1周したとき，BはAの後方60mの地点，Aが2周したとき，BはAの後方20mの地点にいることになる。Aが3周したときには，BはAの前方20mの地点にいることになるので，Aが何周か走ってスタート地点に到達して止まったときにBはAより20m前方にいた場合，Aの周回数として最も少ないのは3周である。

よって，正答は**1**である。

正答　1

ある格付け会社は企業をA，B，C，D（ランク外）の4段階で格付けしている。表は，この格付け会社によって，A，B，Cに格付けされた企業が1年後にどのような格付けになるかの確率を示したものである。これによれば，現在Aに格付けされている企業が4年以内にD（ランク外）の格付けになる確率はいくらか。ただし，いったんD（ランク外）の格付けになった企業が再びA，B，Cの格付けを得ることはないものとする。

1年後の格付け 現在の格付け	A	B	C	D（ランク外）
A	90％	10％	0％	0％
B	10％	80％	10％	0％
C	5％	10％	80％	5％

1 0.1％
2 0.125％
3 0.15％
4 0.175％
5 0.2％

解説

AランクまたはBランクの企業が翌年D（ランク外）になることはない（1年で2ランク下がることはない）ので，現在Aに格付けされている企業が4年以内にD（ランク外）の格付けになるならば，2年後にAランクであることはなく，3年後にBランクであることもない。つまり，現在Aに格付けされている企業が4年以内にD（ランク外）の格付けになるとすれば，次の表に示すⅠ～Ⅳの4通りしかない。

	現在	1年後	2年後	3年後	4年後
Ⅰ	A →	A →	B →	C →	D
Ⅱ	A →	B →	B →	C →	D
Ⅲ	A →	B →	C →	C →	D
Ⅳ	A →	B →	C →	D	

このⅠ～Ⅳの4通りについて，それぞれその確率を求めると，

Ⅰ：$0.90 \times 0.10 \times 0.10 \times 0.05 = 0.00045 = 0.045$％

Ⅱ：$0.10 \times 0.80 \times 0.10 \times 0.05 = 0.0004 = 0.04$％

Ⅲ：$0.10 \times 0.10 \times 0.80 \times 0.05 = 0.0004 = 0.04$％

Ⅳ：$0.10 \times 0.10 \times 0.05 = 0.0005 = 0.05$％

である。したがって，現在Aに格付けされている企業が4年以内にD（ランク外）の格付けになる確率は，$0.045 + 0.04 + 0.04 + 0.05 = 0.175$ より，0.175％で，正答は**4**である。

正答　**4**

ある塩の水溶液Ａ，Ｂは，濃度が互いに異なり，それぞれが1,200gずつある。両方を別々の瓶に入れて保管していたところ，水溶液Ａが入った瓶の蓋が緩んでいたため，水溶液Ａの水分の一部が蒸発した結果，100gの塩が沈殿した。

この沈殿物を取り除くと，水溶液の重量は800gとなったが，これに水溶液Ｂのうちの400gを加えたところ，この水溶液の濃度は水溶液Ａの当初の濃度と同じになった。

次に，水溶液Ａから取り出した沈殿物100gに，水溶液Ｂのうちの500gを加えて溶かしたところ，この水溶液の濃度も水溶液Ａの当初の濃度と同じになった。

水溶液Ａの当初の濃度はいくらか。

なお，沈殿物を取り除く際には，水分は取り除かれないものとする。

1 22.5%
2 27.5%
3 32.5%
4 37.5%
5 42.5%

解説

1,200gの水溶液Ａから水が蒸発し，さらに100gの沈殿した塩を取り除いたところ，残りが800gとなった（400gの減少）のだから，蒸発した水は300gである。これに水溶液Ｂを400g加えたところ，当初のＡの濃度に戻ったのだから，加えた水溶液Ｂについて考えると，その内容は蒸発した水300gと塩100gを戻したことになり，水溶液Ｂの濃度は，

$$25\%\left(=\frac{100}{300+100}\right)である。$$

そして，水溶液Ａから取り出した沈殿物100g（これは濃度100%である）に，水溶液Ｂのうちの500gを加えて溶かしたところ，この水溶液の濃度も水溶液Ａの当初の濃度と同じになったのだから，この関係を次のような図に表してみればよい。

濃度の異なる2種類の水溶液を混合した場合，両者の量の比と濃度の差についての比は逆比の関係になる。量の比は5：1なので，25と100の差である75を1：5に分ける。すると，12.5：62.5となるので，25＋12.5＝100－62.5＝37.5より，25%水溶液500gと100%の塩100gを混合した場合の濃度は37.5%である。

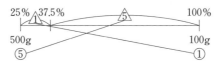

よって，この37.5%が当初の水溶液Ａの濃度であり，正答は**4**である。

正答 **4**

図Ⅰにあるような4種類のバーA〜Dがある。これらのうちから3本を，図Ⅱのように組み合わせて「1」〜「9」の数字を示すこととする。2桁以上の数を示す場合は，これらのバーを横に並べる。例えば「13」を示す場合は，図Ⅲのようになる。

いま，図Ⅳのとおり，両端にAのバーを置き，その間の4本分のスペースに，A〜Dを無作為に並べる場合，並んだ6本のバーが2桁の奇数を示す確率はいくらか。

なお，同じ種類のバーは，何本用いてもよいものとする。

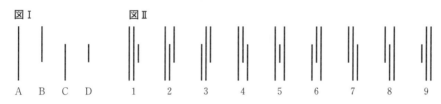

図Ⅰ   図Ⅱ

A B C D   1   2   3   4   5   6   7   8   9

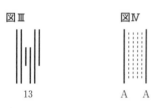

図Ⅲ   図Ⅳ

13   A   A

1 $\dfrac{1}{4}$ **2** $\dfrac{1}{8}$ **3** $\dfrac{1}{16}$ **4** $\dfrac{1}{32}$ **5** $\dfrac{1}{64}$

解説

問題の図Ⅳについて，2ケタの数字であることから，次の図のように十の位を表す部分をP，一の位を表す部分をQとしてみる。Pの部分に関しては，左端が図ⅠにおけるAであるから，これを満たすのは図Ⅱにおける「1」，「2」，「4」，「5」の4通りである。Qの部分に関しては，一の位は奇数でなければならないから，右端が図ⅠにおけるAとなるのは図Ⅱにおける「5」，「9」の2通りである。したがって，2ケタの奇数となるのは，$4 \times 2 = 8$通りとなる（15, 19, 25, 29, 45, 49, 55, 59）。図Ⅳにおいて，両端のAに挟まれた4か所については，いずれも図ⅠにおけるA〜Dの4通りがあるので，$4^4 = 256$通りある。したがって，図Ⅳにおいて並んだ6本のバーが2ケタの奇数を示す確率は，

$$\frac{8}{256} = \frac{2^3}{4^4} = \frac{2^3}{2^8} = \frac{1}{2^5} = \frac{1}{32}$$ であり，正答は**4**である。

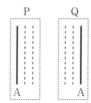

P   Q

A   A

正答 **4**

国家一般職
［大卒］

No.
272

教養試験

数的推理　　　　　　　確　率　　　　平成24年度

図のように，円周上に等間隔に並んだ12個の点から異なる３点を無作為に選んで三角形をつくるとき，得られた三角形が正三角形になる確率はいくらか。

1 $\dfrac{1}{110}$

2 $\dfrac{1}{55}$

3 $\dfrac{1}{33}$

4 $\dfrac{1}{12}$

5 $\dfrac{1}{11}$

【解説】

12個ある点から異なる３個を選ぶ組合せは，$_{12}C_3 = \dfrac{12\times11\times10}{3\times2\times1} = 220$〔通り〕ある。この中で，選んだ３個の点を結んで出来る三角形が正三角形となるのは，次の図で表されるように４通りである。したがって，その確率は，$\dfrac{4}{220} = \dfrac{1}{55}$であり，正答は**2**である。

正答　**2**

空の貯水槽がある。ホースA，B，Cを用いて，この貯水槽に水をためることができる。ホース二つを同時に用いる場合，AとBでは36分，BとCでは45分，AとCでは60分で貯水槽がいっぱいになる。

　ホースA，B，Cの三つを同時に用いる場合には，この貯水槽をいっぱいにするのにかかる時間はいくらか。

1　18分
2　21分
3　24分
4　27分
5　30分

解説

AとBを同時に用いると36分かかるから，1分間に貯水槽の$\frac{1}{36}$だけ水をためることができる。同様に，BとCを同時に用いると1分間に$\frac{1}{45}$，AとCを同時に用いると1分間に$\frac{1}{60}$だけ水をためることができる。ここで，ホースA，B，Cがそれぞれ2本ずつあるとすると，その6本を同時に用いれば，1分間に，$\frac{1}{36}+\frac{1}{45}+\frac{1}{60}=\frac{5}{180}+\frac{4}{180}+\frac{3}{180}=\frac{12}{180}=\frac{1}{15}$だけ水をためることができる。つまり，ホースA，B，Cをそれぞれ2本ずつ用いると15分で貯水槽を一杯にすることができる。したがって，ホースA，B，Cをそれぞれ1本ずつ用いた場合は，15分の2倍の時間を要するので，30分かかることになる。

　以上から，正答は**5**である。

正答　**5**

国家一般職
[大卒]

教養試験

No.
274 数的推理

不定方程式

平成 24年度

80円，30円，10円の３種類の切手を，合わせて30枚，金額の合計でちょうど1,640円になるように買い求めたい。このような買い方に合致する切手の枚数の組合せは何通りあるか。

1 　1 通り

2 　2 通り

3 　3 通り

4 　4 通り

5 　5 通り

解 説

すべて10円引きとして考えればよい。つまり，80円切手＝70円，30円切手＝20円，10円切手＝0 円，とするのである。この場合，30枚買った場合の合計金額は，300円（＝10×30）下がって1,340円となる。

　１枚70円で20枚買うと，それだけで1,400円となって1,340円を超えてしまう。したがって，１枚70円で買う切手は20枚未満である。また，１枚70円で奇数枚買った場合，残りは20円と 0 円なので合計金額を1,340円とすることはできない。したがって，１枚70円で買える切手は偶数枚でなければならない。そして，１枚70円で買える切手を14枚しか買わないとすると，１枚20円で買える切手を18枚買わないと1,340円とならないが，これだと32枚買うことになって30枚を超えてしまう。つまり，１枚70円で買える切手は14枚を超えている必要がある。

　ここまでで，１枚70円で買える切手の枚数は18枚，あるいは16枚となる。１枚70円で買える切手の枚数が18枚のとき，20円で買える切手を４枚とすれば1,340円となるから，０円で買える切手を 8 枚とすれば合計30枚という条件も満たせる。１枚70円で買える切手の枚数が16枚ならば，20円で買える切手を11枚，０円で買える切手を 3 枚とすればよい。

　以上から，条件を満たす枚数の組合せは 2 通りであり，正答は**2**である。

		枚　数				
70円	19	18	17	16	15	14
20円		4		11		18
0円		8		3		

合計：1,340円

正答　**2**

自家製ヨーグルトをつくる場合，種となるヨーグルトに，その重さの5倍の重さの牛乳を加えて室温に放置すると，翌日，すべてヨーグルトになる。できたヨーグルトの重さは，種ヨーグルトと牛乳の重さの和に等しい。

　ある家で，6月1日にヨーグルト15gを種として，これに5倍の重さの牛乳を加えてヨーグルトをつくり始めた。翌日から毎日，できたヨーグルトの2/3を食べ，残りのヨーグルトに牛乳を加えて再びヨーグルトをつくることを繰り返した。6月6日，その日の分のヨーグルトを食べ終わった後，誤ってヨーグルトの一部をこぼしてしまった。残ったヨーグルトを使って，今までと同様にヨーグルトをつくり，食べることを繰り返したところ，その2日後にできたヨーグルトは1,440gだった。このとき，こぼしたヨーグルトの重さはいくらか。

1　60g

2　120g

3　240g

4　360g

5　480g

解 説

毎日，種の5倍の重さの牛乳を加えると，翌日に出来上がるヨーグルトの量は6倍になる。こうして翌日に出来たヨーグルトの$\frac{2}{3}$を食べるのだから，種として残るヨーグルトの量は前日の2倍になる。種が前日の2倍になるということは，加える牛乳，出来上がるヨーグルトの量，毎日消費する量もそれぞれ前日の2倍になるということである。この点について，1日目から6日目までの量的変化をまとめると次の表のようになる。

(g)

	1日目	2日目	3日目	4日目	5日目	6日目
出来上がり		90	180	360	720	1,440
消費		60	120	240	480	960
種	15	30	60	120	240	480
加える牛乳	75	150	300	600	1,200	2,400

　6月6日の段階で，その日にヨーグルトを食べ終えた後に残る種は480gあるはずである。ところが，その2日後に出来たヨーグルトは1,440gだから，6月6日に種として使えたのは120gしかないことになる。したがって，こぼしてしまったヨーグルトの量は，480－120＝360より，360gということになり，正答は**4**である。

正答　**4**

国家一般職
［大卒］
No.
276
教養試験
数的推理　　立体の体積比　　平成 24年度

文章理解
判断推理
数的推理
資料解釈
時事
物理
化学
生物

図のような正四面体 ABCD があり，点 A から底面の三角形 BCD に向かって垂線を下ろし，その垂線と三角形との交点を E とする。線分 AE を含み，辺 CD と平行な平面で正四面体 ABCD を切断するとき，点 B を含む立体の体積と辺 CD を含む立体の体積の比はいくらか。

点 B を含む 立体の体積		辺 CD を含む 立体の体積
1 1	:	1
2 2	:	3
3 3	:	4
4 4	:	3
5 4	:	5

解説

正四面体 ABCD の頂点 A から底面の △BCD に向かって垂線 AE を下ろすと，点 E は △BCD の重心である。この正四面体 ABCD を，線分 AE を含み，辺 CD と平行な平面で切断すると，その切断面は図 I の △AFG となり，FG∥CD である。三角錐 ABFG（点 B を含む立体）と四角錐 AFCDG（辺 CD を含む立体）は，高さ AE は共通なので，その体積比は底面積となる △BFG と台形 FCDG の面積比に一致する。点 E は △BCD の重心なので，図 II において BH：BE＝3：2（BE：EH＝2：1）である。そして，FG∥CD だから，△BCD∽△BFG で，その相似比は BC：BF＝3：2（＝BH：BE）となる。相似図形の面積比は相似比に対して 2 乗比となるので，△BCD：△BFG＝3^2：2^2＝9：4，したがって，△BFG：台形 FCDG＝4：（9−4）＝4：5 である。これが三角錐 ABFG と四角錐 AFCDG の体積比となるので，三角錐 ABFG：四角錐 AFCDG＝4：5 であり，正答は **5** である。

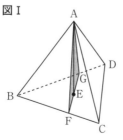

図 I

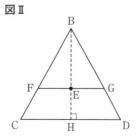

図 II

正答　**5**

500以下の自然数のうち，3で割ると1余り，かつ，7で割ると3余る数は何個あるか。

1 18個

2 20個

3 22個

4 24個

5 26個

解説

3で割ると1余り，かつ，7で割ると3余る最小の自然数は10である。そこからは3と7の最小公倍数である21ごとに現れるので（10，31，52，……），3で割ると1余り，かつ，7で割ると3余る自然数は，$10+21n$と表すことができる。そこで，$10+21n \leqq 500$とすると，$21n \leqq 490$，$n \leqq 23.33\cdots$，となる。nは0以上の整数だから，0～23までの24個あることになり，500以下の自然数で，3で割ると1余り，かつ，7で割ると3余る数の個数も24個である。

　よって，正答は**4**である。

正答　**4**

太平洋の上空には，ジェット気流が吹いており，航空機が日本からアメリカへ向かう場合には追い風，逆にアメリカから日本へ向かう場合には向かい風となる。

　ある人が，日本—アメリカ間を航空機で往復した。行きの便が日本の空港を離陸後，東京上空を通過したのは15時30分，ロサンゼルス上空を通過したのは，現地時間で同日の6時50分であった。航空機の時速は900km，ジェット気流の秒速は50mで，時差については，ロサンゼルスは東京よりも17時間遅いことが分かっているとき，帰りの便が，ロサンゼルス上空から東京上空までかかる時間はどれか。

　ただし，航空機及びジェット気流の速さは一定であり，その経路は東京—ロサンゼルス間を一直線に結んでいるものとする。

1　12時間10分
2　12時間30分
3　12時間50分
4　13時間10分
5　13時間30分

解説

追い風の場合の速さは，航空機の速さ＋気流の速さ，向かい風の場合の速さは，航空機の速さ－気流の速さ，となる。ジェット気流は秒速50mだから，これを時速に換算すると，

　$50×60×60＝180000$〔m〕

より，時速180kmとなる。

　したがって，追い風（往路）の速さは，

　$900＋180＝1080$〔km/h〕

向かい風（復路）の速さは，

　$900－180＝720$〔km/h〕

となる。ここから，速さの比は，

　往路：復路＝1080：720＝3：2

　一方，往路にかかる時間は，ロサンゼルスは東京よりも17時間遅いので，東京を基準とすれば，15時30分から，6時50分に17時間を加えた23時50分までの8時間20分である。往復とも経路は同一（等距離）なので，往復にかかる時間の比は速さの比と逆比の関係になり，往路：復路＝2：3となる。つまり，復路は往路の$\frac{3}{2}$（＝1.5）倍の時間がかかることになり，8時間20分

$×\frac{3}{2}＝$12時間30分となる（時間，分のそれぞれを$\frac{3}{2}$倍にすればよい）。

　よって，正答は**2**である。

正答　**2**

あるラーメン店では，単一メニューの「ラーメン」のみを提供しており，どの客も，注文できるのはラーメン1杯のみである。

　ある日この店で，販売価格を据え置いたままラーメンを大盛りで提供するサービスデーを開催した。当日は前日に比べて，客一人当たりの利益（売価から原価を差し引いたもの）が2割減少したものの，女性客が3割減少し，男性客が7割増加したため，この日の総利益は2割増加した。このとき，前日の女性客の割合はいくらであったか。

　なお，サービスデーにおいては，客の希望の有無にかかわらず，店側は大盛りで提供したものとする。

1 15%

2 20%

3 25%

4 30%

5 40%

解説 ━━━━━━━━━━━━━━━━━━━━━━━━━━━━

客1人当たりの利益が2割減少（＝0.8倍）したにもかかわらず，総利益が2割増加（＝1.2倍）ということは，

　　1.2÷0.8＝1.5

　より，客数が前日の1.5倍でなければならない。前日と比べて，女性客は3割減少（＝0.7倍），男性客は7割増加（1.7倍）となって，全体で1.5倍となったということである。この場合，「濃度」の問題と同様にして，次の図のように考えることが可能。

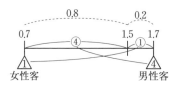

　　(1.5－0.7)：(1.7－1.5)＝0.8：0.2＝4：1

の逆比である1：4が前日の客の男女比である。

前日の客のうち，女性客は全体の $\dfrac{1}{1+4}=\dfrac{1}{5}$ だから，20%。よって，正答は**2**である。

正答　**2**

国家Ⅱ種
教養試験
No.
280
数的推理
平面図形
平成 **23年度**

図のように，半径2の円に内接する正方形の対角線上に，互いに接するように等しい大きさの小円を三つ並べ，かつ，両端の円が正方形の2辺に接するように描くとき，この小円の半径として正しいのはどれか。

1 $2\sqrt{2}-2$

2 $\dfrac{2}{3}$

3 $\dfrac{4-\sqrt{2}}{4}$

4 $2-\sqrt{2}$

5 $\dfrac{2-\sqrt{2}}{2}$

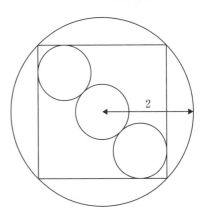

解説

次の図のように，半径2の円に内接する正方形の対角線をABとし，3点O，P，Qを中心とする3つの円をそれぞれ円O，円P，円Q，その半径をrとする。

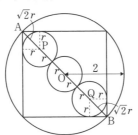

そうすると，PQ間の長さは$4r$，AP，BQの長さは，それぞれ1辺rの正方形の対角線となるから$\sqrt{2}r$となる。

したがって，

$AB=4r+2\sqrt{2}r=2\times2=4$

となり，ここから，

$(4+2\sqrt{2})r=4$

$$r=\frac{4}{4+2\sqrt{2}}=\frac{2}{2+\sqrt{2}}=\frac{2(2-\sqrt{2})}{(2+\sqrt{2})(2-\sqrt{2})}=\frac{2(2-\sqrt{2})}{4-2}=\frac{2(2-\sqrt{2})}{2}=2-\sqrt{2}$$

となる。よって，正答は**4**である。

正答 **4**

文章理解 判断推理 数的推理 資料解釈 時事 物理 化学 生物

図のように，二つの合同な三角柱が直角に交差し
ているとき，四面体 ABCD の体積はいくらか。

1　192cm³

2　198cm³

3　204cm³

4　208cm³

5　216cm³

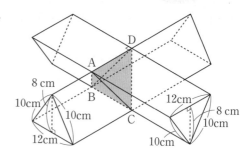

解　説

四面体 ABCD について，辺 AD の中点をMとし，3点M，B，Cを通る平面MBC を考える。そうすると，四面体 ABCD は，2つの三角錐 AMBC と DMBC に分けられる。もとの2つの三角柱の側面（底辺12cm，高さ 8 cm，等辺10cm の二等辺三角形）との関係から，△MBC はこの「底辺12cm，高さ 8 cm，等辺10cm の二等辺三角形」であり，辺 AM，辺 DM は△ MBC に対して垂直である。つまり，三角錐 AMBC は底面が△ MBC，高さが AM，三角錐 DMBC は底面が△MBC，高さが DM である。したがって，三角錐 AMBC の体積は，$12 \times 8 \times \frac{1}{2} \times 6 \times \frac{1}{3}$，三角錐 DMBC の体積も，$12 \times 8 \times \frac{1}{2} \times 6 \times \frac{1}{3}$ だから，四面体 ABCD の体積は，$12 \times 8 \times \frac{1}{2} \times 6 \times \frac{1}{3} \times 2 = 192$ より192cm³ であり，正答は **1** である。

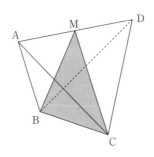

正答　**1**

次の文の　ア　，　イ　，　ウ　に入るものの組合せとして最も妥当なのはどれか。

あるクイズ番組の優勝者には，次の方法により賞金を獲得するチャンスが与えられる。

① まず，優勝者は，次のAとBのどちらかを選択する。

　A：100％の確率で100万円の賞金を得ることができる。

　B：50％の確率で300万円の賞金を得ることができるが50％の確率で何も得られない。

② 次に，くじを引き，くじが当たりであれば①であらかじめ選んだAあるいはBの権利を行使できるが，はずれならば何も得ることができない。

　　ただし，くじに当たる確率は20％である。

この場合，これからくじを引こうという段階においては，Bを選んだ人にとっては「　ア　の確率で300万円を得ることができるが　イ　の確率で何も得られない」という状況にあるといえる。この状況を，これからくじを引こうという段階でAを選んだ人の状況と比較すると，Bを選んだ人の所得の期待値は，Aを選んだ人の所得の期待値より　ウ　大きい。

	ア	イ	ウ
1	5 ％	95％	20万円
2	10％	90％	5 万円
3	10％	90％	10万円
4	20％	80％	10万円
5	20％	80％	20万円

解説

Aを選んだ場合，くじに当たりさえすれば，100％の確率で100万円の賞金を得ることができる。くじに当たる確率は20％だから，これからくじを引こうという段階でのAを選んだ人の所得の期待値は，$100万 \times \frac{20}{100} \times \frac{100}{100} = 20万$より，20万円である。

一方，Bを選んだ場合，くじに当たる確率はやはり20％であるが，300万円の賞金を得るためには，さらに50％の確率という条件が加わっている。つまり，これからくじを引こうという段階では，300万円の賞金を得られる確率は，$\frac{20}{100} \times \frac{50}{100} = \frac{10}{100} = 10\%$であり，これがアに該当する。したがって，90％の確率で何も得られないことになるのであり，イは90％である。

Bを選んだ人が，これからくじを引こうという段階での所得の期待値は，$300万 \times \frac{10}{100} = 30$万より，30万円である。したがって，これからくじを引こうという段階でAを選んだ人の状況と比較すると，Bを選んだ人の所得の期待値は，Aを選んだ人の所得の期待値より10万円（＝ウ）大きいことになる。

以上から，ア＝10％，イ＝90％，ウ＝10万円，であり，正答は**3**である。

正答 **3**

国家一般職
［大卒］
教養試験
No.
283
資料解釈 **10か国の産業別人口構成** 令和 **5** 年度

文章理解 判断推理 数的推理 資料解釈 時事 物理 化学 生物

三角グラフは、三つの構成要素の比率を表すのに用いられ、第1次・第2次・第3次産業の人口率を表す産業別人口構成のように、合計値が100％になるようなデータの表現に適している。例えば、ある国Xの産業別人口構成が、第1次産業人口率20％、第2次産業人口率30％、第3次産業人口率50％である場合、図Ⅰの三角グラフを用いると、•の位置に示される。

図Ⅱは、A〜Jの10か国について産業別人口構成を示したものである。図Ⅱから確実にいえることとして最も妥当なのはどれか。

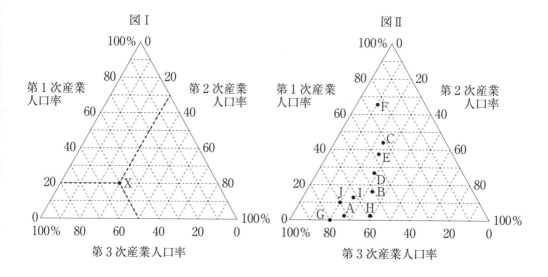

1 第1次産業人口率が30％を上回っている国は5か国である。

2 第1次産業人口率と第2次産業人口率を合わせた人口率が50％を下回っている国は4か国である。

3 第1次産業人口率と第2次産業人口率の差が5ポイント以内である国はCのみである。

4 第1次産業人口率と第3次産業人口率を合わせた人口率が最も高い国はGである。

5 第2次産業人口率と第3次産業人口率を比較すると、全ての国において後者が前者を上回っている。

解 説

1. 第1次産業人口率が30％を上回っている国は、C、E、Fの3か国である。

2. 第1次産業人口率と第2次産業人口率を合わせた人口率が50％を下回っている国は、第3次産業人口率が50％以上の国であり、A、B、G、H、I、Jの6か国である。

3. Cの場合、第1次産業人口率が約45％、と第2次産業人口率が約25％であり、その差は約20ポイントある。図Ⅱの三角形の左下の頂点から、右上の辺の中点へと引いた線上の点においては、第1次産業人口率と第2次産業人口率が等しくなるので、その線に近い国ほどその差が小さい。その差が5ポイント以内である国は、第1次産業人口率が約28％、第2次産業人口率が約29％のDのみである。

4. 第1次産業人口率と第3次産業人口率を合わせた人口率が最も高い国は、第2次産業人口率が最も低い国であり、Fである。

5. 妥当である。Fは第2次産業人口率が約10％、第3次産業人口率が約24％である。C、Eは第2次産業人口率が30％未満、第3次産業人口率は30％超である。残りの7か国は第2次産業人口率が40％未満、第3次産業人口率は40％超である。したがって、すべての国において第3次産業人口率が第2次産業人口率を上回っている。図Ⅱの三角形の真上の頂点から、下の辺の中点へと引いた線上の点においては、第2次産業人口率と第3次産業人口率が等しくなり、その線より左側にある国は第3次産業人口率が第2次産業人口率を上回っているが、A～Jのすべての国がその線の左側にある。

正答　**5**

文章理解

判断推理

数的推理

資料解釈

時事

物理

化学

生物

表は、A〜Eの5社が経営する飲食店の店舗数とその売上額についての調査結果を示したものである。これから確実にいえることとして最も妥当なのはどれか。

	2015年度			2018年度		
	店舗数	売上額 （百万円）	うち夜間(18時以降)における売上額(百万円)	店舗数	売上額 （百万円）	うち夜間(18時以降)における売上額(百万円)
A社	1,480	47,700	18,000	1,420	45,600	20,100
B社	1,510	195,000	96,500	1,640	174,000	92,500
C社	360	43,800	32,100	375	45,400	35,200
D社	130	19,900	9,600	136	20,400	10,500
E社	44	4,050	1,800	45	4,350	2,100
合計	3,524	310,450	158,000	3,616	289,750	160,400

1 2015年度において、1店舗当たりの夜間における売上額が最も多いのはD社で、最も少ないのはA社である。

2 2018年度において、夜間における売上額が売上額全体の5割未満であるのは、A社のみである。

3 E社の1店舗当たりの売上額は、2015年度よりも2018年度の方が多い。

4 2015年度に対する2018年度の店舗数の増加率が最も大きいのは、C社である。

5 夜間における売上額についてみると、5社の合計に占めるB社の割合は、2015年度、2018年度共に6割を超えている。

解　説

1. C社の場合、店舗数はD社の3倍未満、夜間における売上額はD社の3倍超なので、1店舗当たりの夜間における売上額はD社よりC社のほうが多い。最も多いのはC社で32100÷360≒89〔百万円〕、その次がD社で9600÷130≒74〔百万円〕、最も少ないのはAで18000÷1480≒12〔百万円〕である。

2. A社のみでなくE社も、夜間における売上額が売上額全体の半分に満たないので、5割未満である。

3. 妥当である。2015年度は4050÷44≒92〔百万円〕であるが、2018年度は4350÷45≒97〔百万円〕である。

4. (2018年度の店舗数)÷(2015年度の店舗数) の値で比較すればよい。C社は375÷360≒1.04であるが、最も大きいのはB社で、1,640÷1,510≒1.09である。

5. 2018年度は、160000×0.6＝96000＞92500であることから、6割未満であると判断できる。実際に計算すると、2015年度は96500÷158000≒0.61で6割を超えているが、2018年度は92500÷160400≒0.57で6割を超えていない。

正答　**3**

図は、ある国の2012〜2021年における緑茶の輸出量と輸出額の推移を、表は、このうち2021年におけるＡ、Ｂ、Ｃ国に対する形状別の緑茶の輸出実績を示したものである。これらから確実にいえることとして最も妥当なのはどれか。

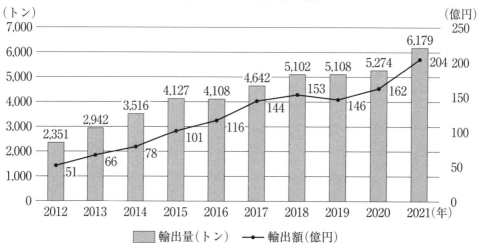

図　緑茶の輸出量と輸出額の推移

表　2021年におけるＡ、Ｂ、Ｃ国に対する形状別の緑茶の輸出実績

	輸出量（トン）			輸出額（百万円）		
	粉末状	その他	合計	粉末状	その他	合計
Ａ国	1,648	606	2,254	7,685	2,616	10,301
Ｂ国	307	467	774	1,807	1,294	3,101
Ｃ国	132	1,365	1,497	506	1,197	1,703

1 2013〜2021年についてみると、輸出量が前年より600トン以上増加した年では、輸出額が前年より30億円以上増加している。

2 2012年に対する2021年の輸出量の増加率は、180％を超えている。

3 2021年のＡ、Ｂ、Ｃ国に対する輸出額の合計は、同年の輸出額全体の７割以下である。

4 2021年のＢ国に対する「粉末状」と「その他」の輸出単価（円／kg）を比べると、「粉末状」の方が「その他」よりも２倍以上高い。

5 2021年のＡ国及びＢ国に対する、それぞれの「粉末状」の輸出額が、それぞれの国に対する輸出額の合計に占める割合についてみると、共に６割以上である。

1. 2015年の輸出量は、4127－3516＝611より、2014年より600トン以上増加しているが、2015年の輸出額は、101－78＝23より、2014年より23億円しか増加していない。

2. (6179－2351)÷2351×100≒162.8より、増加率は約163％である。

3. 2021年のＡ、Ｂ、Ｃ国に対する輸出額の合計は、10301＋3101＋1703＝15105〔百万円〕より、151.05億円である。204×0.7≒143＜151であるから、輸出額全体の7割を超えている。

4. 妥当である。「粉末状」は1807÷307≒5.89、「その他」は1294÷467≒2.77である。2.77×2＝5.54＜5.89であるから、「粉末状」のほうが「その他」よりも2倍以上高い。

5. Ｂ国は、3101×0.6＝1860.6＞1807であることから、6割未満と判断できる。実際に計算すると、Ａ国は7685÷10301≒0.75で6割以上であるが、Ｂ国は1807÷3101≒0.58で6割未満である。

正答 **4**

文章理解 判断推理 数的推理 資料解釈 時事 物理 化学 生物

表は，ある地域における6品目の果実の品目別卸売数量及び卸売価格を，ある年度における3か月ごとの推移として示したものである。これから確実にいえることとして最も妥当なのはどれか。

（単位 卸売数量：トン，卸売価格：円／kg）

期 品目	春期（4〜6月）		夏期（7〜9月）		秋期（10〜12月）		冬期（1〜3月）	
	卸売数量	卸売価格	卸売数量	卸売価格	卸売数量	卸売価格	卸売数量	卸売価格
みかん	3,295	1,112	21,211	540	239,702	249	82,422	261
りんご	47,226	468	38,424	435	109,501	289	77,744	330
日本なし	39	897	46,281	515	10,199	489	264	287
ぶどう	2,663	1,913	35,414	1,365	12,670	1,517	371	1,140
いちご	27,532	1,065	349	1,951	11,472	2,016	45,895	1,424
すいか	72,358	264	92,062	209	1,326	288	1,880	373

1 当該年度において，卸売数量が最も大きい期と最も小さい期が連続する品目では，卸売価格が最も高い期と最も低い期も連続している。

2 各期において6品目の卸売価格を高い順に1位から6位まで順位を付けた場合，四つの期のうち少なくとも1期において，上位3位に入ったことがある品目は，四つである。

3 各期の「りんご」の卸売数量は，常に全6品目の卸売数量の3割以上である。

4 夏期と冬期の卸売価額（卸売数量と卸売価格の積）を比べて，大きい方の卸売価額が小さい方の卸売価額の10倍未満となる品目は，二つである。

5 四つの期のうち，6品目の卸売数量の合計が20万トンを超える期は，2期である。

解 説

1. すいかの卸売数量が最も大きいのは夏期（92,062），最も小さいのは秋期（1,326）で，両者は連続している。しかし，卸売価格が最も高いのは冬期（373），最も低いのは夏期（209）で，連続していない。

2. 4つの期で1度も上位3位に入ったことがないのは「りんご」だけであり，他の5品目は少なくとも1期において上位3位に入ったことがある。

3. 夏期の卸売数量について見ると，りんごは4万未満であり，6品目の合計は約23万であるから，明らかに3割未満である。

4. 妥当である。「日本なし」は夏期の数量が冬期の150倍を超え，価格も夏期のほうが高いので，価額は夏期が冬期の10倍以上である。「ぶどう」も夏期の数量が冬期の100倍弱で，価格も夏期のほうが高いので，価額は夏期が冬期の10倍以上である。「いちご」は冬期の数量が夏期の130倍程度なので，冬期の価格が夏期の0.7倍程度であるが，価額は冬期が夏期の10倍以上である。「すいか」は夏期の数量が冬期の50倍弱あるので，夏期の価格が冬期の0.6倍程度であるが，価額は夏期が冬期の10倍以上である。これに対し，「みかん」は冬期の数量が夏期の4倍弱，冬期の価格は夏期の0.5倍弱なので，価額は冬期が夏期の10倍未満，「りんご」は冬期の数量が夏期の約2倍，冬期の価格は夏期の約0.8倍なので，価額は冬期が夏期の10倍未満である。したがって，夏期と冬期の卸売価額（卸売数量と卸売価格の積）を比べて，大きいほうの卸売価額が小さいほうの卸売価額の10倍未満となる品目は，「みかん」と「りんご」の2品目である。

5. 6品目の卸売数量の合計が20万トン未満なのは春期だけであり，他の3期は20万トンを超えている。

正答 **4**

図Ⅰ，図Ⅱ，図Ⅲは，ある地域における音楽コンサート（以下「音楽」という。）と舞台パフォーマンス（以下「舞台」という。）の公演回数の推移，音楽と舞台の市場規模の推移，音楽と舞台のジャンル別市場規模構成比をそれぞれ示したものである。これらから確実にいえることとして最も妥当なのはどれか。

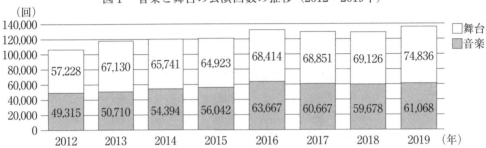

図Ⅰ　音楽と舞台の公演回数の推移（2012～2019年）

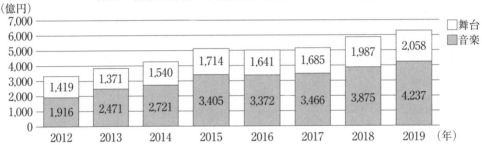

図Ⅱ　音楽と舞台の市場規模の推移（2012～2019年）

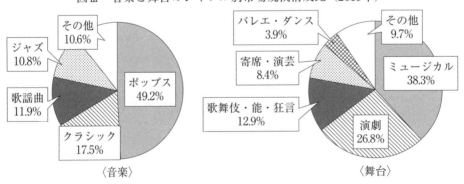

図Ⅲ　音楽と舞台のジャンル別市場規模構成比（2019年）

1 2013～2019年の「音楽」と「舞台」の合計をみると，公演回数が前年より増加している年では，市場規模も前年より増加している。

2 2013～2019年の「舞台」の公演回数のうち，対前年増加率が5％を超える年は，1年のみである。

3 2012年に対する2019年の市場規模の増加率は，「音楽」の方が「舞台」よりも大きい。

4 2019年についてみると,「ポップス」の市場規模は「ミュージカル」の市場規模の4倍よりも多い。

5 2019年の「音楽」におけるジャンル別市場規模をみると,「クラシック」の方が「歌謡曲」よりも300億円以上多い。

解説

1. 2016年の場合,公演回数は前年より増加しているが,市場規模は前年より減少している。

2. 2013年は約17.3%,2016年は約5.4%,2019年は約8.3%の増加である。

3. 妥当である。「舞台」の市場規模の増加率は50%未満であるが,「音楽」の市場規模の増加率は100%を超えている。

4. $(4237 \times 0.492) \div (2058 \times 0.383) < 3$ である。

5. $4237 \times (0.175 - 0.119) ≒ 237.3$ より,300億円未満である。

正答 **3**

文章理解

判断推理

数的推理

資料解釈

時事

物理

化学

生物

国家一般職
［大卒］
No.
288
教養試験
資料解釈 1日当たりの平均睡眠時間についての調査 令和 4 年度

図は，20歳以上の人の1日当たりの平均睡眠時間についてのある調査結果を，性別・年齢階級別に示したものである。これから確実にいえることとして最も妥当なのはどれか。

ただし，図中の（　）内の人数は，各年齢階級の人数を示している。

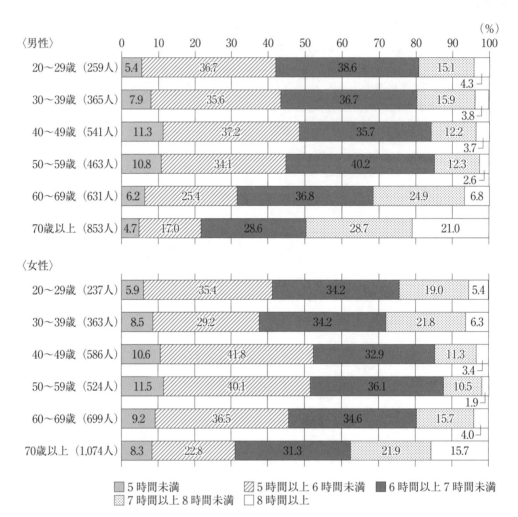

（注）グラフの数値は四捨五入によるため，割合の合計が100%とならない場合がある。

1 1日当たりの平均睡眠時間が6時間未満である20歳以上の人の割合は，女性より男性の方が高い。

2 20〜59歳の女性についてみると，1日当たりの平均睡眠時間が6時間以上である人の数は，1,000人未満である。

3 1日当たりの平均睡眠時間が5時間以上6時間未満である人の数についてみると，70歳以上の男性の数は，60〜69歳の女性の数より多い。

4 女性についてみると，1日当たりの平均睡眠時間が5時間未満である人の割合は，年齢階

級が上がるほど高い。

5　1日当たりの平均睡眠時間が6時間以上7時間未満である人の数が最も多い年齢階級は，男性，女性共に50〜59歳である。

解説

1．1日当たりの平均睡眠時間が6時間未満である人の割合は，20〜39歳では女性より男性のほうがやや高い。しかし，40歳以上ではすべて女性のほうが高く，人数も40歳以上ではすべての年齢階級で女性のほうが多い。全体では男性より女性のほうの割合が高い。

2．妥当である。女性の20〜29歳では$237 \times (0.342 + 0.190 + 0.054) \fallingdotseq 139$，30〜39歳では$363 \times (0.342 + 0.218 + 0.063) \fallingdotseq 226$，40〜49歳では$586 \times (0.329 + 0.113 + 0.034) \fallingdotseq 279$，50〜59歳では$524 \times (0.361 + 0.105 + 0.019) \fallingdotseq 254$である。合計すると，$139 + 226 + 279 + 254 = 898$であり，1,000人未満である。

3．1日当たりの平均睡眠時間が5時間以上6時間未満である人の割合は，70歳以上の男性で17.0％，60〜69歳の女性は36.5％である。$36.5 \div 17.0 > 2$，$853 \div 699 < 2$であるから，70歳以上の男性の数は，60〜69歳の女性の数より少ない。

4．60〜69歳，70歳以上では，1つ下の年齢階級より割合が低い。

5．男性の場合，50〜59歳では$463 \times 0.402 \fallingdotseq 186$であるが，最も多いのは70歳以上で$853 \times 0.286 \fallingdotseq 244$である。女性の場合，50〜59歳では$524 \times 0.361 \fallingdotseq 189$であるが，最も多いのは70歳以上で$1074 \times 0.313 \fallingdotseq 336$である。

正答　**2**

図Ⅰ，Ⅱ，Ⅲは，我が国における外国人労働者数及び国籍別割合の推移，外国人労働者数の産業別割合，外国人労働者数の産業別・国籍別割合をそれぞれ示したものである。これらからいえることとして最も妥当なのはどれか。

　ただし，国籍別割合で示されている「その他」に含まれる国の国籍については，考えないものとする。また，図において，四捨五入の関係により，割合の合計が100％にならない場合がある。

図Ⅰ　外国人労働者数及び国籍別割合の推移

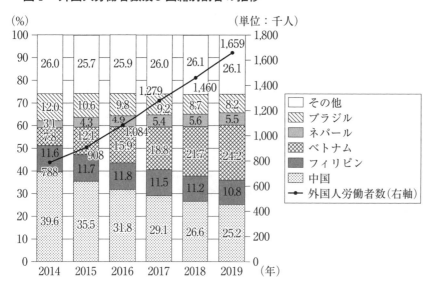

図Ⅱ　2019年における外国人労働者数の産業別割合

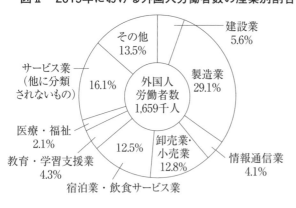

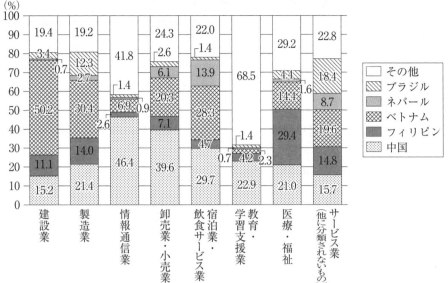

図Ⅲ 2019年における外国人労働者数の産業別・国籍別割合

1 2015年から2019年にかけて，外国人労働者数に占める中国国籍の労働者数の割合は低下し続けており，中国国籍の労働者数は全ての年で前年を下回った。

2 国籍別の外国人労働者数について，各年の上位3国籍の労働者数の合計をみると，2019年は2014年の5倍以上である。

3 2014年と2018年を比較して国籍別の外国人労働者数の増加率をみると，ベトナム国籍の労働者数の増加率はネパール国籍の労働者数の増加率の5倍以上である。

4 2019年における医療・福祉に従事するフィリピン国籍の労働者数は，同年の卸売業・小売業に従事するブラジル国籍の労働者数の半分より少ない。

5 2019年において，建設業ではベトナム国籍の労働者数が占める割合が最も高いが，ベトナム国籍の労働者数のうち建設業に従事する労働者数の割合は2割に満たない。

 解説

1. 2019年における外国人労働者数は，2015年の2倍以上となっている。2019年における中国国籍の労働者数の割合数値は，2015年の約0.6倍であるから，2×0.6=1.2より，2019年における中国国籍の労働者数は2015年より増加している。

2. 2014年における上位3国籍は，中国，ブラジル，フィリピンで，その労働者数は，788000×(0.396＋0.120＋0.116)＝788000×0.632≒498000である。2019年における上位3国籍は，中国，ベトナム，フィリピンで，その労働者数は，1659000×(0.252＋0.242＋0.108)＝1659000×0.602≒999000である。したがって，2019年における上位3国籍の労働者数は，2014年における上位3国籍の労働者数の約2倍である。

3. {(1460000×0.217)÷(788000×0.078)}÷{(1460000×0.056)÷(788000×0.031)}＝(0.217÷0.078)÷(0.056÷0.031)≒2.78÷1.81であり，2倍未満である。したがって，増加率で比較して5倍以上となることはない。

4. 医療・福祉に従事するフィリピン国籍の労働者数は，1659000×0.021×0.294，卸売業・小売業に従事するブラジル国籍の労働者数は，1659000×0.128×0.026でそれぞれ求められる。0.021×0.294＞0.128×0.026であるから，労働者数は前者のほうが多い。

5. 妥当である。2019年におけるベトナム国籍の労働者数は，1659000×0.242で求められる。このうち建設業は，1659000×0.056×0.502であり，0.242：(0.056×0.502)≒0.242：0.028となるので，「ベトナム国籍の労働者数のうち建設業に従事する労働者数の割合は2割に満たない」というのは正しい。

正答 **5**

次の表と図は，我が国の熱中症による救急搬送人員の年別推移とその年齢区分を示したものである。表は各年の６〜９月の結果を，図は2014年以前については６〜９月の，2015年以降については５〜９月の結果をそれぞれ示している。これらからいえることとして最も妥当なのはどれか。

ただし，各年の４月以前，10月以降の熱中症による救急搬送人員は考えないものとする。

表　熱中症による救急搬送人員の年別推移（６〜９月）

（単位：人）

2012年	45,701
2013年	58,729
2014年	40,048
2015年	52,948
2016年	47,624
2017年	49,583
2018年	92,710

図　熱中症による救急搬送人員の年齢区分
（2014年以前は６〜９月，2015年以降は５〜９月）

■新生児・乳幼児（７歳未満）　▨少年（７歳以上18歳未満）　▧成人（18歳以上65歳未満）
□高齢者（65歳以上）
（注）四捨五入の関係により，割合の合計が100%にならない場合がある。

1 2015年以降の5月の救急搬送人員が最も少ない年は，2017年である。

2 2018年の6～9月の救急搬送人員に占める少年の割合は，1割を超えている。

3 2012～2018年についてみると，新生児・乳幼児の救急搬送人員の合計は，4,000人を超えている。

4 2018年の高齢者の救急搬送人員は，2013年の高齢者以外の救急搬送人員の合計よりも少ない。

5 2016年以降の救急搬送人員のうち，高齢者の対前年増加率をみると，2017年が最も大きい。

解説

1. 2017年5月は，52984－49583＝3401より，3,401人である。これに対し，2018年5月は，95137－92710＝2427より，2,427人であり，2018年5月のほうが少ない。

2. 妥当である。2018年5月に救急搬送された2,427人がすべて少年であったとしても，残りは，13192－2427＞10000より，10,000人を超えている。2018年の6～9月の救急搬送人員は92,710人であるから，少年の割合は，1割を超えている。

3. 417＋472＋363＋505＋486＋490＋975＝889＋868＋976＋975＜900＋900＋1000＋1000＝3800であり，4,000人未満である。

4. 2018年の高齢者の救急搬送人員は，45,781人である。2013年の高齢者以外の救急搬送人員の合計は，58729－27828＝30901より，30,901人であり，2018年の高齢者の救急搬送人員は，2013年の高齢者以外の救急搬送人員の合計より多い。

5. 2017年は2016年より約700人の増加で，増加率は3％未満である。これに対し，2018年の場合は2017年の1.7倍を超えており，その増加率は70％超である。

正答　**2**

文章理解
判断推理
数的推理
資料解釈
時事
物理
化学
生物

国家一般職
[大卒]
No.
291
教養試験
資料解釈 年齢別余暇の過ごし方 令和 3 年度

文章理解
判断推理
数的推理
資料解釈
時事
物理
化学
生物

表Ⅰは，余暇の過ごし方について，現状一番多くしていること（「現状一番目」）・将来したいこと（「将来」）を，若年層，中年層，高年層の三つの年層別に，1973年と2018年で比較したものであり，表Ⅱはその回答者数である。これらからいえることとして最も妥当なのはどれか。

表Ⅰ　年層別余暇の過ごし方（現状一番目・将来）

(%)

質問項目	若年層(16〜29歳)			中年層(30〜59歳)			高年層(60歳以上)		
	現状一番目		将来	現状一番目		将来	現状一番目		将来
	1973年	2018年	2018年	1973年	2018年	2018年	1973年	2018年	2018年
好きなことをして楽しむ	54	56	42	38	43	43	39	47	45
友人や家族との結びつきを深める	13	18	20	12	23	21	9	12	17
体をやすめて，あすに備える	15	15	6	31	22	6	31	17	8
知識を身につけたり，心を豊かにする	9	3	17	11	6	15	9	9	13
運動をして，体をきたえる	7	7	11	4	6	9	4	12	7
世の中のためになる活動をする	1	0	3	2	1	6	3	2	7

（注）　四捨五入等の関係により，割合の合計が100％にならない場合がある。

表Ⅱ　回答者数

(単位：人)

	若年層	中年層	高年層
1973年	1,244	2,392	607
2018年	270	1,185	1,296

1 若年層で，1973年に現状一番多くしていることを「知識を身につけたり，心を豊かにする」と答えた者の数は，高年層で，2018年に将来したいことを「知識を身につけたり，心を豊かにする」と答えた者の数より多い。

2 高年層で，1973年に現状一番多くしていることを「体をやすめて，あすに備える」と答えた者の数は，高年層で，2018年に将来したいことを「体をやすめて，あすに備える」と答えた者の数より少ない。

3 1973年に現状一番多くしていることと，2018年に現状一番多くしていることを比較した際に，全ての年層で5％ポイント以上の差がある質問項目は，「友人や家族との結びつきを深める」である。

4 2018年に，現状一番多くしていることを「好きなことをして楽しむ」と答えた者の数は，2018年の全回答者の5割を超えている。

5 中年層で，1973年に現状一番多くしていることと，2018年に将来したいことを，質問項目別に比較した際に，両者の人数の差が最も大きいのは，「体をやすめて，あすに備える」である。

解 説

1. 若年層で，1973年に現状一番多くしていることを「知識を身につけたり，心を豊かにする」
と答えた者の数は，1244×0.09である。一方，高年層で，2018年に将来したいことを「知識
を身につけたり，心を豊かにする」と答えた者の数は，1296×0.13である。1244×0.09<
1296×0.13であり，後者のほうが多い。

2. 高年層で，1973年に現状一番多くしていることを「体を休めて，あすに備える」と答えた
者の数は，607×0.31である。一方，高年層で，2018年に将来したいことを「体を休めて，
あすに備える」と答えた者の数は，1296×0.08である。607×0.31>180，1296×0.08<120で
あり，前者のほうが多い。

3. 高年層の場合，1973年が9％，2018年が12％で，その差は3ポイントである。

4. 若年層で56％，中年層と高年層を合わせるとおおむね45％程度となる。この場合，全体で
5割（50％）を超えるためには，若年層の回答者数が，中年層および高年層の回答者数の合
計と同程度でなくてはならない。

5. 妥当である。中年層の場合，2018年の回答者数は1973年の約$\frac{1}{2}$，2018年に将来したいこと
を「体を休めて，あすに備える」と回答した者の割合数値は，1973年に現状一番多くしてい
ることを「体を休めて，あすに備える」と回答した者の割合数値に対して約$\frac{1}{5}$となっている。
したがって，2018年に将来したいことを「体を休めて，あすに備える」と回答した者は，
1973年に現状一番多くしていることを「体を休めて，あすに備える」と回答した者の約$\frac{1}{10}$
であり，最も差が大きい。この場合，割合の数値だけ比較すれば足りる。

正答 **5**

文章理解　判断推理　数的推理　資料解釈　時事　物理　化学　生物

図I，IIは，職業ごとの従事者数及び男女比，職業ごとの従事者に占める未婚者の割合（男女別）についての調査の結果を示したものである。これらから確実にいえるのはどれか。

ただし，複数の職業に従事している者はいないものとする。なお，既婚とは未婚ではないことを指す。

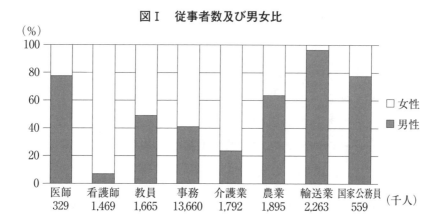

図I　従事者数及び男女比

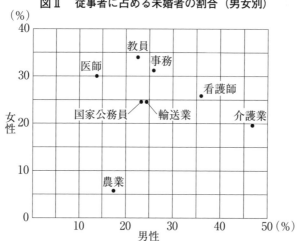

図II　従事者に占める未婚者の割合（男女別）

1 未婚の男性の教員の人数は，既婚の女性の農業の人数よりも多い。

2 既婚の女性の医師の人数は，未婚の男性の医師と未婚の男性の看護師を合わせた人数よりも多い。

3 八つの職業についてみると，未婚の男性の人数が最も多いのは，輸送業である。

4 男女を合わせた未婚率についてみると，医師は介護業よりも低い。

5 八つの職業についてみると，男女を合わせた未婚率が最も高いのは，国家公務員である。

1. 未婚の男性の教員の人数は，$1665 \times 0.5 \times 0.23 ≒ 1600 \times 0.5 \times 0.25 = 200$より，200人程度である。既婚の女性の農業の人数は，$1895 \times 0.37 \times 0.94 ≒ 1800 \times 0.37 = 666$より，600人以上であり，既婚の女性の農業の人数のほうが多い。

2. 既婚の女性の医師の人数は，$329 \times 0.22 \times 0.7 ≒ 330 \times 0.22 \times 0.7 ≒ 51$より，約51人である。未婚の男性の医師と未婚の男性の看護師を合わせた人数は，$329 \times 0.78 \times 0.14 + 1469 \times 0.05 \times 0.36 ≒ 330 \times 0.78 \times 0.14 + 1470 \times 0.05 \times 0.36 ≒ 36 + 26 = 62$より，約62人である。したがって，未婚の男性の医師と未婚の男性の看護師を合わせた人数のほうが多い。

3. 事務の男性は輸送業の男性の2倍以上いる。未婚率はほぼ等しいので，未婚の男性の人数は輸送業より事務のほうが多い。

4. 正しい。医師の場合，男性の未婚率が13％程度，女性の未婚率が30％であるが，医師全体の約78％が男性なので，男女を合わせた未婚率は17〜18％程度である。介護業の場合，男性の未婚率が47％程度，女性の未婚率が19％程度なので，男女を合わせた未婚率は19％より高い。したがって，男女を合わせた未婚率について見ると，医師は介護業よりも低い。

5. 事務，看護師は男女とも国家公務員より未婚率が高いので，男女を合わせた未婚率も国家公務員より高い。

正答 **4**

表は，ある試験の2016年度と2019年度の実施結果をA〜Eの地域別に示したものである。これから確実にいえるのはどれか。

なお，申込倍率は，申込者数が合格者数の何倍であるかを示す比率である。

実施地域	2016年度			2019年度		
	合格者数（人）	合格者のうち女性の割合(%)	申込倍率	合格者数（人）	合格者のうち女性の割合(%)	申込倍率
A	461	37.3	4.4	473	40.0	3.5
B	709	39.6	6.0	641	40.7	5.4
C	390	40.0	4.3	486	44.9	3.2
D	534	39.1	6.2	689	43.8	4.0
E	164	42.7	6.2	200	45.5	3.8

1 2019年度の女性の合格者数は，いずれの地域も2016年度のそれと比べて増加している。

2 2019年度の申込者数は，いずれの地域も2016年度のそれと比べて減少している。

3 2019年度の申込者数で，2016年度のそれと比べた減少率が最も大きかった地域は，Dである。

4 2019年度の女性の合格者数で，2016年度のそれと比べた増加率が最も大きかった地域は，Eである。

5 2019年度の女性の申込者数が最も多かった地域は，Dである。

1. B地域では，709×0.396＞641×0.407であり，2019年度の合格者は2016年度から減少している。

2. 正しい。申込者数は，「合格者数×申込倍率」で求められる。B地域では合格者数も申込倍率も2016年度より2019年度のほうが小さい数値なので，申込者数は減少している。A地域では461×4.4＞473×3.5，C地域では390×4.3＞486×3.2，D地域では534×6.2＞689×4.0，E地域では164×6.2＞200×3.8であり，2019年度の申込者数は，いずれの地域も2016年度のそれと比べて減少している。

3. D地域とE地域とを比べると，合格者数の増加率はD地域のほうが大きく，申込倍率の減少率はE地域のほうが大きい。つまり，2019年度の申込者数で，2016年度のそれと比べた減少率は，D地域よりE地域のほうが大きい。

4. ここでもD地域とE地域とを比べると，合格者数の増加率はD地域のほうが大きく，合格者のうちの女性の割合についても，D地域のほうが増加率が大きい。つまり，2019年度の女性の合格者数で，2016年度のそれと比べた増加率は，E地域よりD地域のほうが大きい。

5. 申込者数の性別ごとの人数はわからないので判断できない。

正答　**2**

図は，1996〜2016年のオリンピック競技大会における，男女別の我が国のメダル獲得数及び男女それぞれの獲得したメダルに占める金メダルの割合を示したものであり，表は，これらの大会における我が国のメダル獲得数を種類別に示したものである。これらから確実にいえるのはどれか。

なお，これらの大会において，男女混合種目ではメダルを獲得していない。

図　男女別メダル獲得数及び獲得したメダルに占める金メダルの割合

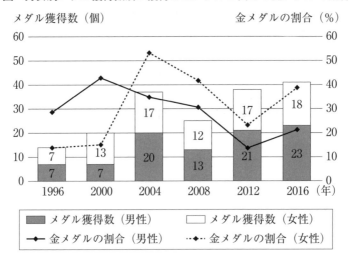

表　種類別メダル獲得数

（単位：個）

	1996年	2000年	2004年	2008年	2012年	2016年
金メダル	3	5	16	9	7	12
銀メダル	6	8	9	8	14	8
銅メダル	5	7	12	8	17	21

1 1996〜2016年について金メダルの獲得数を男女別に比較すると，1996年は男性の方が多かったが，2000年以降は一貫して女性の方が多かった。

2 1996〜2016年についてみると，獲得したメダルに占める銀メダルの割合が最も低かったのは1996年で，最も高かったのは2012年である。

3 1996〜2016年について金メダルの獲得数を男女別にみると，最も多かったのは男性も女性も2016年である。

4 2000年の女性のメダル獲得数についてみると，銀メダルと銅メダルをそれぞれ少なくとも3個以上獲得している。

5 2012年の男性のメダル獲得数についてみると，銀メダルと銅メダルをそれぞれ少なくとも5個以上獲得している。

解 説 ━━━━━━━━━━━━━━━━━━━━━━━━━━━━━━━━━━

1. 2000年の場合，メダル獲得数は女性が男性の2倍未満であるが，金メダルの割合は男性が女性の2倍を超えている。つまり，男性の金メダル数のほうが多い。

2. 2012年の場合，(7＋14＋17)×0.4＝15.2＞14より，獲得したメダルに占める銀メダルの割合は40％未満である。これに対し，1996年は，(3＋6＋5)×0.4＝5.6＜6であり，獲得したメダルに占める銀メダルの割合は40％を超えており，1996年のほうが高い。

3. 2016年は，男性が23×0.22≒5，女性が18×0.39≒7である。これに対し，2004年は，男性が20×0.35＝7，女性が17×0.53≒9であり，男女とも2004年のほうが多い。

4. 正しい。2000年における女性の金メダル獲得数は，13×0.15≒2より，2個である。残り11個のうち，銀メダルが8個だったとしても，3個の銅メダルを獲得していることになる。したがって，銀メダルと銅メダルをそれぞれ少なくとも3個以上獲得している。

5. 2012年における男性の金メダル獲得数は，21×0.14≒3より，3個である。残り18個のうち14個が銀メダルだった場合，銅メダルは4個しか獲得していないことになる。

正答　4

文章理解

判断推理

数的推理

資料解釈

時事

物理

化学

生物

図Ⅰ，Ⅱは，ある地域における防災に関する意識調査の結果を示したものである。これらから確実にいえるのはどれか。

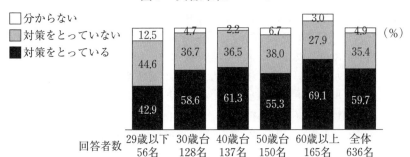

図Ⅰ　災害対策について

- □ 分からない
- ▨ 対策をとっていない
- ■ 対策をとっている

	29歳以下 56名	30歳台 128名	40歳台 137名	50歳台 150名	60歳以上 165名	全体 636名
分からない	12.5	4.7	2.2	6.7	3.0	4.9 (%)
対策をとっていない	44.6	36.7	36.5	38.0	27.9	35.4
対策をとっている	42.9	58.6	61.3	55.3	69.1	59.7

回答者数

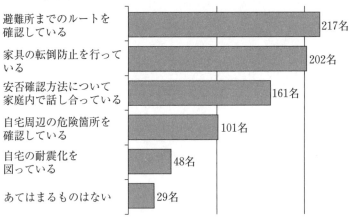

図Ⅱ　具体的な対策内容
（「対策をとっている」と回答した者のみ・複数回答可）

避難所までのルートを確認している	217名
家具の転倒防止を行っている	202名
安否確認方法について家庭内で話し合っている	161名
自宅周辺の危険箇所を確認している	101名
自宅の耐震化を図っている	48名
あてはまるものはない	29名

1　「対策をとっていない」と回答した者のうち，39歳以下が占める割合は，50％を超えている。

2　29歳以下で「対策をとっている」と回答した者は，50歳台で「分からない」と回答した者より少ない。

3　調査に回答した者全体のうち，「避難所までのルートを確認している」と回答した者が占める割合は，30％より少ない。

4　「対策をとっている」と回答した者のうち，「あてはまるものはない」と回答した者以外は全員複数回答をしている。

5　「対策をとっている」と回答した者のうち半数以上は，「家具の転倒防止を行っている」と回答した。

1. 全体で「対策をとっていない」と回答したのは，$636 \times 0.354 > 636 \times \dfrac{1}{3} = 212$ より，200名

は超えている。このうち，39歳以下は，$128 \times 0.367 + 56 \times 0.446 < 150 \times \dfrac{1}{3} + 60 \times \dfrac{1}{2} = 80$ より，

80名未満である。したがって，50％には達しない。

2. 29歳以下の回答者数は56名で，50歳代の150名に対して，その $\dfrac{1}{3}$ を超えている。29歳以下

で「対策をとっている」と回答した者は42.9％，50歳代で「分からない」と回答した者は

6.7％で，$42.9 \div 6.7 > 6$ より，6倍を超えている。ここから，$\dfrac{1}{3} \times 6 = 2$ となるので，29歳以下

で「対策をとっている」と回答した者は，50歳代で「分からない」と回答した者より多い

（値が1未満の場合に少なくなる）。

3. $636 \times 0.3 < 200$ であり，「避難所までのルートを確認している」と回答した217名は，回答

者全体の30％を超えている。

4. $636 \times 0.6 \fallingdotseq 380$ より，「対策をとっている」と回答した者は約380名で，「あてはまるものは

ない」と回答した者は29名だから，「あてはまるものはない」と回答した者以外は約350名で

ある。したがって，複数回答をしている者は必ずいる。しかし，「家具の転倒防止を行って

いる」と回答した202名が，「避難所までのルートを確認している」を含む他の4項目につい

て複数回答していれば，「避難所までのルートを確認している」と回答した者のうちの15名

（$= 217 - 202$）が複数回答していなくても，結果は成り立つ。

5. 正しい。「対策をとっている」と回答した者は約380名で，「家具の転倒防止を行っている」

と回答した202名はその半数（50％）を超えている。

正答 **5**

右端タブ：文章理解／判断推理／数的推理／資料解釈／時事／物理／化学／生物

国家一般職
[大卒]
No.296 教養試験

資料解釈 国内総生産・物価上昇率 令和 元年度

表は，A～Eの5か国の2014～2018年における国内総生産（単位：十億ドル）及び物価上昇率（前年比，単位：%）を示したものである。これから確実にいえるのはどれか。

		2014年	2015年	2016年	2017年	2018年
A国	国内総生産	170	180	180	190	210
	物価上昇率（前年比）	1.1	1.0	1.3	2.1	2.2
B国	国内総生産	180	190	210	230	250
	物価上昇率（前年比）	2.3	1.8	2.0	1.6	2.2
C国	国内総生産	40	45	50	55	60
	物価上昇率（前年比）	0.6	0.5	−0.1	0.7	1.3
D国	国内総生産	35	35	40	40	45
	物価上昇率（前年比）	1.3	0.7	0.5	1.8	1.6
E国	国内総生産	20	25	25	30	30
	物価上昇率（前年比）	0.6	0.6	0.7	2.7	2.7

1 各国の2018年の国内総生産の成長率（前年比）を比較すると，B国の成長率が最も高い。

2 2014年からみた2018年の各国の国内総生産の成長率は，E国が最も高く，C国が最も低い。

3 2014年からみた2018年の各国の国内総生産の増加額を比較すると，B国は，A国より小さいが，D国より大きい。

4 2013年の各国の物価を100とした2018年の指数を比較すると，最も小さいのはC国である。

5 2014～2018年の各国の物価上昇率の平均を比較すると，最も高いのはE国であり，最も低いのはC国である。

解　説

1. 2017年におけるB国の国内総生産は230十億ドルだから，23十億ドル増加しなければ成長率は10％に達しない。これに対し，D国は2017年の40十億ドルから45十億ドルへと5十億ドル増加しており，10％を超える成長率である。

2. C国，E国ともに，2014年に対する2018年の成長率は50％であり，他の3国より高い。

3. 2014年から見た2018年の各国の国内総生産の増加額は，A国が40十億ドル，B国が70十億ドル，D国が10十億ドルであり，B国＞A国＞D国の順となる。

4. 正しい。C国の場合，$100 \times (1+0.006) \times (1+0.005) \times (1-0.001) \times (1+0.007) \times (1+0.013) \fallingdotseq 100 \times (1+0.006+0.005-0.001+0.007+0.013) = 100 \times (1+0.03)$ となる。A，B，D，E国においても同様の計算式を用いると，いずれも$100 \times (1+0.03)$ より大きくなる。したがって，2013年の各国の物価を100とした2018年の指数を比較すると，最も小さいのはC国である。

5. E国の場合，$(0.6+0.6+0.7+2.7+2.7) \div 5 = 7.3 \div 5$ となる。これに対し，B国の場合，$(2.3+1.8+2.0+1.6+2.2) \div 5 = 9.9 \div 5$ であり，物価上昇率の平均を比較すると，E国よりB国のほうが高い。

正答　4

図は，漁港背後集落の人口と高齢化率（漁港背後集落及び全国）の推移を，表は，2017年における漁港背後集落の状況を示したものである。これらから確実にいえるのはどれか。

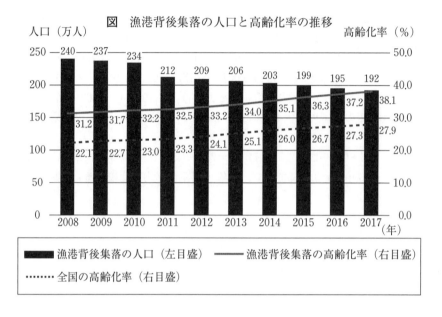

図　漁港背後集落の人口と高齢化率の推移

表　漁港背後集落の状況（2017年）

漁港背後 集落総数	離島地域・半島地域・過疎地域の いずれかに指定されている地域		
		うち 離島地域	うち 半島地域	うち 過疎地域
4,130	3,177	786	1,421	2,802

1　2017年の漁港背後集落の人口は，2008年と比べて25％以上減少している。

2　2013年からみた2017年の漁港背後集落の高齢者の増加数は，1.8万人以下である。

3　2008〜2017年の各年について，漁港背後集落と全国の高齢化率（％）の差は，一貫して9ポイント以上であるが，2016年に初めて10ポイントを超えた。

4　2017年の漁港背後集落のうち，離島地域，半島地域，過疎地域のいずれか一つのみに指定されている集落数の合計は1,300以上である。

5　2017年の漁港背後集落のうち，離島地域には36万人が，半島地域には66万人が居住している。

解説 ━━

1. 25％＝$\frac{1}{4}$なので，2017年の漁港背後集落の人口が2008年と比べて25％以上減少しているならば，$240-240\times\frac{1}{4}=240-60=180$より，180万人以下となっていなければならない。

2. $206\times0.340≒70.0$，$192\times0.381≒73.2$であり，増加数は1.8万人より多い。

3. 2016年の差は，$37.2-27.3=9.9$であり，その差は10ポイント未満である。

4. 正しい。離島と半島は競合しない（択一関係）ので，$3177-(786+1421)=970$より，過疎地域のみに指定されている集落数は970である。そうすると，$2802-970=1832$より，離島地域であり過疎地域でもある，半島地域でもあり過疎地域でもある，といういずれか2つに指定されている集落が1,832あることになる。ここから，$(786+1421)-1832=375$より，離島地域，半島地域のいずれか1つだけに指定されている集落は375である。したがって，離島地域，半島地域，過疎地域のいずれか1つのみに指定されている集落数の合計は，$970+375=1345$となり，1,300以上であるというのは正しい。

5. この資料から居住地域の人数分布を知ることはできない。

正答 **4**

文章理解

判断推理

数的推理

資料解釈

時事

物理

化学

生物

図は，ある国の国営銀行・民間銀行の債権総額と不良債権率の推移を示したものである。これから確実にいえるのはどれか。なお，不良債権率とは，不良債権額が債権総額に占める割合をいう。

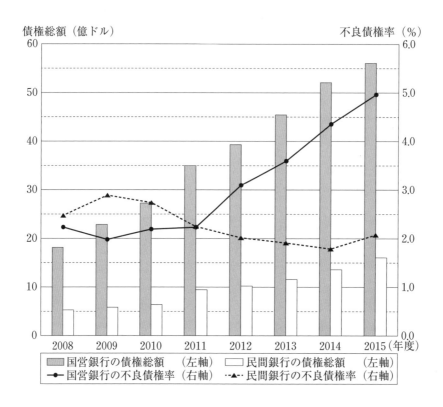

1 2008〜2011年度の間，いずれの年度も，民間銀行の不良債権額は，国営銀行の不良債権額を上回っている。

2 2008〜2015年度のうち，民間銀行の不良債権額が最大なのは2009年度である。

3 2010〜2015年度の間，いずれの年度も，国営銀行において，債権総額の対前年度増加率は，不良債権額の対前年度増加率を上回っている。

4 国営銀行と民間銀行とを合わせると，2012年度の不良債権額が債権総額に占める割合は，2011年度のそれを上回っている。

5 国営銀行と民間銀行とを合わせると，2012年度の不良債権額は，2013年度のそれを上回っている。

1. 2008～2011年度の間で，国営銀行の不良債権額が最も少ないのは2008年で，約0.41億ドル（≒18×0.0225）である。一方，民間銀行の不良債権額が最も多いのは，2011年で約0.2億ドル（≒9×0.0225）であり，いずれの年度も民間銀行の不良債権額は，国営銀行の不良債権額を下回っている。

2. **1**で述べたとおり，2009年度より2011年度のほうが多い。2008～2015年度のうち，民間銀行の不良債権額が最大なのは2015年度である（16×0.021＝0.336）。

3. 2010～2015年度の間，国営銀行では債権総額だけでなく不良債権率も上昇している。したがって，債権総額の対前年度増加率より不良債権額の対前年度増加率のほうが大きい。

4. 正しい。2011年度の場合，国営銀行と民間銀行とを合わせた不良債権額が債権総額に占める割合は約2.25％である。2012年度の場合は，国営銀行の債権総額が民間銀行の債権総額の4倍近くあるので，国営銀行と民間銀行とを合わせた不良債権額が債権総額に占める割合（国営銀行が約3.1％，民間銀行が約2.0％）は，少なくとも2.5％を超えることになる（約2.9％）。

5. 国営銀行と民間銀行とを合わせた2012年度の不良債権額は，50×0.029＝1.45より，約1.45億ドルである。2013年度の場合は，国営銀行の不良債権額だけで，45×0.036≒1.62より，少なくとも1.6億ドルを超えている。したがって，国営銀行と民間銀行とを合わせた2012年度の不良債権額は，2013年度のそれを下回っている。

正答 **4**

文章理解

判断推理

数的推理

資料解釈

時事

物理

化学

生物

表は，旅行や行楽を行った人の割合（行動者率）を調査した結果を示したものである。これから確実にいえるのはどれか。なお，行動者率とは，過去1年間に該当する種類の活動を行った者が調査対象者に占める割合をいう。

（単位：%）

		平成18年	平成23年	平成28年
旅行（1泊2日以上）	全体	63.7	59.3	59.1
	男性	63.4	58.5	57.3
	女性	63.9	60.1	60.8
国内旅行	全体	62.2	57.9	58.0
	男性	62.0	57.2	56.2
	女性	62.5	58.6	59.6
観光旅行	全体	49.6	45.4	48.9
	男性	47.9	43.3	47.4
	女性	51.2	47.4	50.3
帰省・訪問などの旅行	全体	25.2	23.8	26.0
	男性	24.2	22.7	25.4
	女性	26.2	24.9	26.6
海外旅行	全体	10.1	8.9	7.2
	男性	10.2	8.5	6.3
	女性	10.0	9.2	8.1
行楽（日帰り）	全体	60.0	58.3	59.3
	男性	56.9	54.8	56.3
	女性	63.0	61.6	62.1

1 平成18年の調査結果についてみると，女性の行動者率は，「旅行（1泊2日以上）」に含まれるいずれの活動においても男性を上回っている。

2 平成18年の調査結果についてみると，「国内旅行」と「海外旅行」の両方を行った者が，同年の調査対象者全体に占める割合は，10%以上である。

3 平成23年の調査結果についてみると，「旅行（1泊2日以上）」を行ったが，「行楽（日帰り）」は行わなかった男性が，同年の調査対象の男性に占める割合は，5%未満である。

4 平成28年の調査結果についてみると，「行楽（日帰り）」を行った男性は，「行楽（日帰り）」を行った女性よりも多い。

5 平成28年の調査結果についてみると，「国内旅行」を行った者のうち，「観光旅行」と「帰省・訪問などの旅行」の両方を行った者の割合は，25%以上である。

解説

1. 海外旅行の場合，男性 10.2％，女性 10.0％であり，男性のほうが上回っている。

2. 平成 18 年において，「旅行（1 泊 2 日以上）」を行った者の割合は 63.7％である。「国内旅行」を行った者が 62.2％，「海外旅行」を行った者が 10.1％なので，$(62.2+10.1)-63.7=8.6$ より，「国内旅行」と「海外旅行」の両方を行った者が同年の調査対象者全体に占める割合は 8.6％以上であることは確実である。しかし，10％以上であるかどうかは確定できない。

3. 平成 23 年において，「旅行（1 泊 2 日以上）」を行った男性は 58.5％，「行楽（日帰り）」を行った男性は 54.8％である。$(58.5+54.8)-100=13.3$ より，「旅行（1 泊 2 日以上）」と「行楽（日帰り）」の両方を行った男性は少なくとも 13.3％いることになる。しかし，両方を行った男性が 13.3％しかいなければ，$58.5-13.3=45.2$ より，「旅行（1 泊 2 日以上）」を行ったが「行楽（日帰り）」は行わなかった男性は 45.2％いることになる。

4. 平成 28 年における男性の調査対象者を a 人，女性の調査対象者を b 人とすると，$(62.1-59.3):(59.3-56.3)=a:b$，$2.8:3.0=a:b$ であり，女性のほうが多い。「行楽（日帰り）」の行動者率も女性のほうが大きいので，「行楽（日帰り）」を行った男性は「行楽（日帰り）」を行った女性よりも少ない。

5. 正しい。平成 28 年に「国内旅行」を行った者は 58.0％，「観光旅行」を行った者は 48.9％，「帰省・訪問などの旅行」を行った者は 26.0％である。ここから，$(48.9+26.0)-58.0=16.9$ より，少なくとも 16.9％が「観光旅行」と「帰省・訪問などの旅行」の両方を行っている。したがって，$16.9÷58.0≒0.291$ より，「国内旅行」を行った者のうち，「観光旅行」と「帰省・訪問などの旅行」の両方を行った者の割合は 29％以上いることになる。

正答　**5**

国家一般職
[大卒]
No.
300
教養試験
資料解釈 バターの流通経路と業種別消費量 平成 30年度

文章理解 判断推理 数的推理 資料解釈 時事 物理 化学 生物

図と表は，ある年度における我が国のバターの流通経路とバターの業種別消費量をそれぞれ示したものである。これらから確実にいえるのはどれか。

図　バターの流通経路

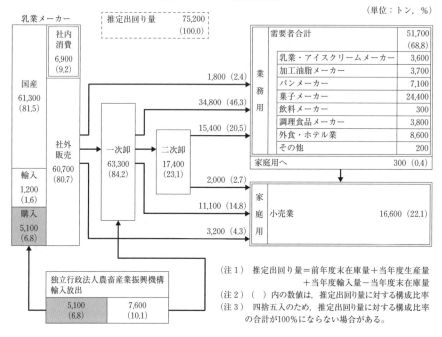

（単位：トン，%）

	推定出回り量	75,200
		(100.0)

需要者合計	51,700
	(68.8)

業務用
乳業・アイスクリームメーカー	3,600
加工油脂メーカー	3,700
パンメーカー	7,100
菓子メーカー	24,400
飲料メーカー	300
調理食品メーカー	3,800
外食・ホテル業	8,600
その他	200

家庭用へ	300 (0.4)

家庭用
小売業	16,600 (22.1)

乳業メーカー

社内消費	6,900 (9.2)

国産	61,300 (81.5)

社外販売	60,700 (80.7)

輸入	1,200 (1.6)

購入	5,100 (6.8)

一次卸 63,300 (84.2)

二次卸 17,400 (23.1)

1,800 (2.4)　34,800 (46.3)　15,400 (20.5)

2,000 (2.7)　11,100 (14.8)　3,200 (4.3)

独立行政法人農畜産業振興機構
輸入放出
5,100 (6.8)	7,600 (10.1)

（注 1）　推定出回り量＝前年度末在庫量＋当年度生産量
　　　　　　　　　　　＋当年度輸入量－当年度末在庫量
（注 2）　（　）内の数値は，推定出回り量に対する構成比率
（注 3）　四捨五入のため，推定出回り量に対する構成比率
　　　　　の合計が100%にならない場合がある。

表　バターの業種別消費量

（単位：トン）

	消費量	うち国産	うち輸入
乳業メーカー（社内消費）	6,900	4,100	2,800
業務用	51,700	41,000	10,700
家庭用	16,600	16,200	400

1　一次卸における輸入バターの量は，8,500トン以上である。

2　二次卸から業務用及び家庭用に流通した国産バターの量の合計は，6,500トン以上である。

3　乳業メーカーが社内消費したバターのうち，独立行政法人農畜産業振興機構から購入したバターの量は，2,000トン以上である。

4　業務用の内訳のうち，消費量が多い方から見て，上位三つの消費量の合計は，業務用全体の 8割を超えている。

5　業務用と家庭用を比較すると，一次卸を経由して流通したバターが消費量に占める割合は，家庭用の方が大きい。

1. 正しい。乳業メーカー保有の輸入バターは 6,300（＝1200＋5100）トンである。輸入バターの社内消費が 2,800 トンあるので，社外販売する輸入バターは 3,500 トンとなる。ここで，一次卸を通さない業務用 1,800 トンのすべてが輸入バターであり，家庭用輸入バター 400 トンすべてが一次卸を通さないとしても，少なくとも 1,300 トン（＝3500−1800−400）の輸入バターが乳業メーカーから一次卸に流通する。そして，独立行政法人農畜産業振興機構から一次卸に流通する輸入バターが 7,600 トンあるので，一次卸における輸入バターの量は，8,500 トン以上（8,900 トン）である。

2. 一次卸における輸入バターの最大量は，1200＋5100−2800＋7600＝11100 より，11,100 トンである。そのすべてが二次卸に流通したとすると，国産バターは 6,300 トンということになる。

3. 乳業メーカーが社内消費したバターは 2,800 トンなので，乳業メーカーが輸入した 1,200 トンのすべてが社内消費されたとすると，独立行政法人農畜産業振興機構から購入したバターの量は 1,600 トンということになる。

4. 業務用の内訳のうち，消費量が多いほうから見て上位 3 つの消費量の合計は，24400＋8600＋7100＝40100 より，40,100 トンである。51700×0.8＝41360＞40100 より，8 割未満である。

5. 二次卸を経由して流通するバターもすべて一次卸を経由している。したがって，一次卸を経由せずに業務用に流通するバターは 1,800 トンで，これは 51,700 トンの約 3.5％ に当たるから，95％ 以上が一次卸を経由する。家庭用の場合は，一次卸を経由しないのが少なくとも 3,200 トンで，16,600 トンの約 19％ に当たる。したがって，家庭用で一次卸を経由して流通したバターが消費量に占める割合は最大で約 81％ であり，一次卸を経由して流通したバターが消費量に占める割合は業務用のほうが大きい。

正答 **1**

図は，ある企業における，各年末時点での全社員の情報通信機器の保有率を調査した結果の推移を示したものである。これから確実にいえるのはどれか。

ただし，この企業の社員数は年ごとに変動があるものとする。

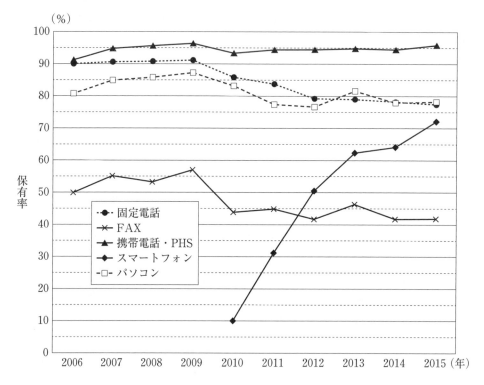

1　2006～2015年の間，いずれの年も，固定電話とパソコンを共に保有している社員が全社員に占める割合は，5割以上である。

2　2010～2014年の間，いずれの年も，固定電話を保有している社員数は，前年より減少している。

3　2010～2015年の間におけるスマートフォンを保有している社員数の最大は，同期間における固定電話又はパソコンを保有している社員数の最小を下回っている。

4　2011年におけるスマートフォンを保有している社員数は，前年と比べて，3倍を超えている。

5　2012～2015年の間，いずれの年も，FAX を保有している社員のうち半数以上は，スマートフォンを保有している。

解説 ━━━━━━━━━━━━━━━━━━━━━━━━━━━━━━━━━━━

1. 正しい。固定電話とパソコンの保有率がどちらも75%である場合，固定電話を保有していない25%が全員パソコンを保有していたとしても，パソコンを保有している残りの50%は固定電話も保有していることになる。2006〜2015年の間，いずれの年も固定電話とパソコンの保有率はそれぞれ75%を超えているので，固定電話とパソコンをともに保有している社員が全社員に占める割合は5割以上である。

2. 2010〜2014年にかけて，固定電話の保有率は前年より小さくなっている。しかし，社員数自体が毎年変動しているので，固定電話を保有している社員数が減少しているかどうかは判断できない。

3. **2**と同様で，社員数自体が変動しているので，判断できない。

4. これも社員数が変動しているので，判断できない。

5. たとえば2012年の場合，FAXを保有している社員が約42%，スマートフォンを保有している社員が約50%で，その和は100%未満である。したがって，FAXを保有している社員の中にスマートフォンを保有している社員が1人もいない可能性もある。

正答 **1**

表は, 全国及びA県における医療施設数, 病床数の推移を示したものである。これから確実にいえるのはどれか。

(単位：施設, 床)

区分			平成24年	平成25年	平成26年
全国	医療施設数		177,191	177,769	177,546
	病床数		1,703,853	1,695,114	1,680,625
A県	医療施設数	総数	2,802	2,821	2,822
		病院	142	142	142
		一般診療所	1,616	1,627	1,626
		有床診療所	161	156	147
		無床診療所	1,455	1,471	1,479
		歯科診療所	1,044	1,052	1,054
	病床数	総数	27,637	27,501	27,210
		病院	25,500	25,473	25,265
		一般診療所 (有床診療所)	2,137	2,028	1,945
	人口10万人当たり	病院数	6.1	6.1	6.1
		一般診療所数	69.5	69.9	69.8
		病院病床数	1,096.8	1,094.2	1,085.3
		一般診療所(有床診療所)病床数	91.9	87.1	83.5

(注) 病床数は歯科診療所を除く。

1 平成25, 26年のいずれの年も, 全国の病床数に占めるA県のそれの割合は, 前年に比べ増加している。

2 平成26年における全国の医療施設数に占めるA県のそれの割合は, 2％以上である。

3 平成26年におけるA県の病床数の対前年減少率は, 一般診療所 (有床診療所) より病院の方が大きい。

4 平成26年におけるA県の病院1施設当たりの病床数は, 一般診療所 (有床診療所) のそれの10倍以上である。

5 平成24〜26年の間, いずれの年も, A県の人口は250万人以上である。

解　説

1. 平成25年は，27501÷1695114≒0.01622，平成26年は27210÷1680625≒0.01619であり，平成26年は25年より小さくなっている。

2. 平成26年における全国の医療施設数は177,546なので，その2％以上なら少なくとも3,500を超えていなければならない。

3. 病院の場合，25265÷25473≒0.992より，約0.8％の減少，一般診療所（有床診療所）の場合は，1945÷2028≒0.959より，約4.1％の減少で，減少率は一般診療所（有床診療所）のほうが大きい。

4. 正しい。病院数は一般診療所（有床診療所）より少なく，病院の病床数は一般診療所（有床診療所）の10倍以上あるので，病院1施設当たりの病床数は，一般診療所（有床診療所）のそれの10倍以上である。

5. 平成24～26年のいずれの年も，人口10万人当たりの病院数は6.1である。そうすると，人口が250万人なら，6.1÷10万×250万＝6.1×25≒153より，病院数は153なければならない。A県の病院数は142なので，いずれの年も人口は250万人未満である。

正答　**4**

国家一般職
[大卒]
No.
303
教養試験
資料解釈　　4県の人口100万人当たり社会教育施設数　　平成29年度

文章理解
判断推理
数的推理
資料解釈
時事
物理
化学
生物

図は，ある年における，A〜D県の人口100万人当たりの社会教育施設数（ただし，全国におけるそれを100とする。）を示したものである。また，表は，同年のA〜D県の全国総人口に占める人口割合を示したものである。これらから確実にいえるのはどれか。

図　人口100万人当たりの社会教育施設数

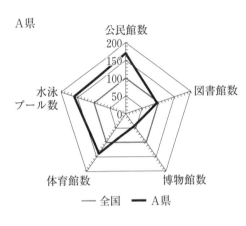

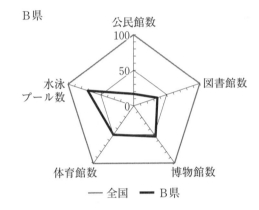

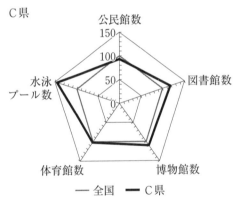

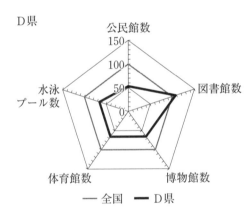

表　全国総人口に占める人口割合
（単位：%）

A県	1.07
B県	7.09
C県	2.23
D県	1.10
全国	100.00

1 A県の体育館数は，B県のそれの2倍以上である。

2 全国の水泳プール数に占めるC県のそれの割合は，5％以上である。

3 C県では，博物館数が公民館数を上回っている。

4 公民館数，図書館数，博物館数の合計が最も少ないのは，D県である。

5 D県の図書館数は，A県のそれを上回っている。

解説

この資料では，「県の人口100万人当たりの社会教育施設数」を「全国における人口100万人当たりの社会教育施設数を100」として表している。つまり，各数値は，（県の社会教育施設数÷県の人口）÷（全国の社会教育施設数÷全国総人口）×100ということである（人口は100万人単位）。ここから，県の社会教育施設数は，全国の社会教育施設数×（資料の各施設についての数値÷100）×（県の人口÷全国総人口）となる。全国の社会教育施設数自体が示されているわけではないので，各県におけるそれぞれの施設数を求めることはできない。しかし，同種施設であるならば，各県の施設数割合を比較することは可能である（レーダーチャート上の数値×各県の人口割合を比較すればよい）。

1．人口100万人当たりの体育館数は，A県が140，B県が50となっている。しかし，B県の人口はA県の人口の約7倍となっているので，体育館数はB県のほうが多い。

2．C県における人口100万人当たりの水泳プール数は140となっている。C県の人口が全国総人口に占める割合は2.23％なので，$140 \times 0.0223 \fallingdotseq 3.1$ より，5％未満である。

3．この資料から異なる施設間の比較はできないので，判断できない。

4．**3**と同様で，公民館数，図書館数，博物館数を比較することはできない。

5．正しい。D県は 105×0.0110，A県は 100×0.0107 となるので，$105 \times 0.0110 > 100 \times 0.0107$ より，D県の図書館数はA県の図書館数より多い。

正答 **5**

国家一般職
［大卒］
No.
304
教養試験
資料解釈　広告費の対前年増減率と構成比　平成28年度

文章理解

判断推理

数的推理

資料解釈

時事

物理

化学

生物

図は，ある国の広告費について，3年分の対前年増減率及び2014年の構成比を媒体別に示したものである。これから確実にいえるのはどれか。なお，マスコミ四媒体の内訳は，新聞，雑誌，ラジオ，テレビメディア（地上波テレビ，衛星メディア関連）である。

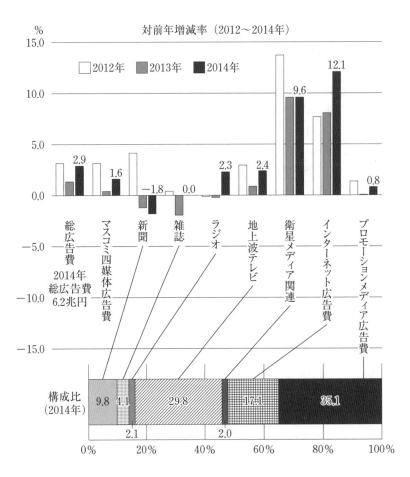

1 2014年の総広告費に占めるマスコミ四媒体広告費の割合は，前年のそれに比べて小さい。

2 2014年の新聞広告費は，2011年のそれと比べ，5％以上減っている。

3 2014年の衛星メディア関連広告費の対前年増加額は，地上波テレビのそれを上回っている。

4 2013年の総広告費に占めるプロモーションメディア広告費の割合は，35％未満である。

5 2012年以降，各年のインターネット広告費は，1兆円を超えている。

1. 正しい。2014年における総広告費の対前年増加率は2.9％ある。これに対しマスコミ4媒体広告費の対前年増加率は1.6％であり，総広告費の増加率より小さいので，2014年の総広告費に占めるマスコミ4媒体広告費の割合は，前年より小さくなっている。

2. 2011年の新聞広告費を100とし，2012年の増加率を4％，2013年は－1.5％としてみても，$100 \times (1+0.04) \times (1-0.015) \times (1-0.018) \fallingdotseq 100 \times (1+0.04-0.015-0.018) = 100 \times 1.007 > 100$，となるので，2014年における新聞広告費は2011年より増加している。

3. 2014年における地上波テレビ広告費は，衛星メディア関連広告費の14.9倍である。したがって，2014年の衛星メディア関連広告費の対前年増加額が地上波テレビ広告費を上回るためには，地上波テレビ広告費の対前年増加率2.4％の15倍程度の増加率（約36％）が必要である。

4. 2014年におけるプロモーションメディア広告費の対前年増加率は0.8％で，総広告費の対前年増加率2.9％を下回っている。このことは，2014年におけるプロモーションメディア広告費の総広告費に占める割合が，2013年より小さくなっていることを示している。2014年は35.1％だから，2013年は35.1％より大きい。

5. 2014年におけるインターネット広告費は，$6.2 \times 0.171 = 1.0602$，より，約1.06兆円である。2013年は，$1.06 \div 1.121 < 1$，より，1兆円未満である。

正答 **1**

表は，全国及び全国を10地域に分けたうちの１地域である北海道における，平成26年の生乳の用途別処理量について示したものである。これから確実にいえるのはどれか。

地域	処理内訳		実数 （千トン）	用途別割合 （％）	対前年比 （％）
全国	生乳処理量	計	7,334	100.0	97.7
	牛乳等向け		3,911	53.3	98.4
	うち　業　務　用　向　け		305	4.2	99.6
	乳製品向け		3,364	45.9	96.8
	うち　チ　ー　ズ　向　け		498	6.8	102.5
	クリーム等向け		1,320	18.0	103.0
	その他向け		59	0.8	102.8
北海道	生乳処理量	計	3,488	100.0	98.1
	牛乳等向け		541	15.5	102.2
	うち　業　務　用　向　け		66	1.9	97.5
	乳製品向け		2,917	83.6	97.2
	うち　チ　ー　ズ　向　け		491	14.1	102.4
	クリーム等向け		1,213	34.8	103.0
	その他向け		31	0.9	107.6

(注)　四捨五入の関係により生乳処理量の合計が計に一致しない
　　　場合がある。

1　平成25年の「チーズ向け」処理量が２千トン以上の地域は，全国の10地域のうち５地域以上ある。

2　北海道の「乳製品向け」処理量の用途別割合は，平成26年の方が平成25年よりも大きい。

3　北海道以外の９地域における「牛乳等向け」処理量の合計は，平成26年の方が平成25年よりも多い。

4　平成26年の「クリーム等向け」処理量は，北海道で全国の95％を占めており，北海道以外ではその処理量が０トンの地域もある。

5　平成26年の「牛乳等向け」処理量の用途別割合が80％を超えている地域は，全国の10地域のうち１地域以上ある。

解 説

1. 平成26年の場合，北海道以外の地域では，「チーズ向け」処理量は7千トン（＝498－491）であり，平成26年の対前年比は全国，北海道とも100％を超えている。どちらも対前年比がほぼ等しいので，平成25年における北海道以外の地域での「チーズ向け」処理量は7千トン未満である。北海道以外の9地域で7千トン未満だから，そのうちの4地域（北海道を合わせて5地域）が2千トン以上（計8千トン以上）となることはない。

2. 生乳処理量の対前年減少率より乳製品向け処理量の対前年減少率のほうが大きいので，北海道の「乳製品向け」処理量の用途別割合は，平成25年のほうが平成26年よりも大きい。

3. 平成26年における北海道の「牛乳等向け」処理量は前年より増加しているのに対して，全国では前年より減少している。つまり，平成26年における，北海道以外の9地域における「牛乳等向け」処理量の合計は，平成25年より減少している。

4. 1320×0.95＝1320－66＝1254＞1213，より，平成26年の「クリーム等向け」処理量は，北海道で全国の95％を占めている，というのは誤りである（約91.9％）。また，北海道以外で「クリーム等向け」処理量が0トンの地域があるかどうかは不明である。

5. 正しい。平成26年における北海道以外の地域での生乳処理量は，7334－3488＝3846，より，3,846千トンである。このうち，「牛乳等向け」は，3911－541＝3370，より，3,370千トンであり，その割合は，3846×0.8≒3077＜3370，より，80％を超えている。北海道以外の地域全体で80％を超えているのだから，80％を超えている地域が必ず1地域以上なければならない。

正答 **5**

国家一般職
[大卒]
No.
306
教養試験
資料解釈　チャイルドシート使用状況　平成28年度

文章理解　判断推理　数的推理　資料解釈　時事　物理　化学　生物

表と図は，6歳未満の子どもを対象にした，チャイルドシート使用状況調査の結果を示したものである。これらから確実にいえるのはどれか。

表　チャイルドシート使用状況　　　　　　　　　　　　　　（単位：人）

総数	チャイルドシート使用	計	チャイルドシート不使用			
			車両シートにそのまま着座	チャイルドシートにそのまま着座	大人用シートベルト着用	保護者の抱っこ
13,084	8,198	4,886	2,709	518	948	711
		[うち，チャイルドシートはあるのに不使用 593]				

(注)「チャイルドシート不使用」には，チャイルドシートの適切でない使用を含む。

図Ⅰ　年齢層別チャイルドシート使用状況

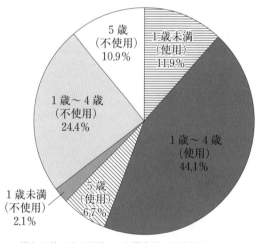

（注）四捨五入の関係により構成比の合計が100%にならない。

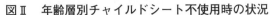

図Ⅱ　年齢層別チャイルドシート不使用時の状況

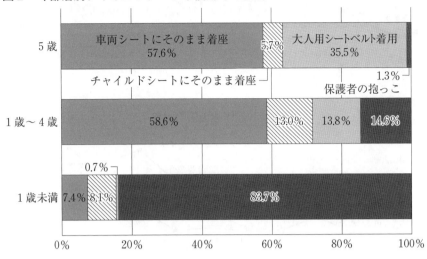

（注）四捨五入の関係により構成比の合計が100％にならない場合がある。

1　チャイルドシート使用の「1歳〜4歳」の子どもの人数は，6,000人以上である。

2　いずれの年齢層についてみても，チャイルドシート使用の子どもがその年齢層の子どもに占める割合は，50％以上である。

3　チャイルドシート不使用の子どものうち，「1歳未満」かつ「保護者の抱っこ」である子どもの人数は，200人以上である。

4　チャイルドシートがなく不使用である子どもが調査対象の子ども全体に占める割合は，40％以上である。

5　「5歳」かつ「大人用シートベルト着用」である子どもが調査対象の子ども全体に占める割合は，5％以上である。

解説 ━━━━━━━━━━━━━━━━━━━━━━━━━

1．13084×0.441≒5770，より，6,000人未満である。

2．5歳の場合，使用6.7％，不使用10.9％であり，不使用のほうが多い。

3．正しい。13084×0.021×0.837≒230，より，200人以上である。

4．13084×0.4≒5234＞4886，より，そもそもチャイルドシート不使用の子どもの割合が40％未満である。

5．「5歳」かつ「大人用シートベルト着用」である子どもの割合は，0.109×0.355≒0.039，より，約3.9％である。

正答　**3**

国家一般職 [大卒]
No. 307
教養試験
資料解釈　留学生数の推移と留学先，出身地域等　平成27年度

文章理解

判断推理

数的推理

資料解釈

時事

物理

化学

生物

図Ⅰ，Ⅱ，Ⅲは，日本から海外への留学生及び海外から日本への留学生に関する資料である。これらから確実にいえるのはどれか。

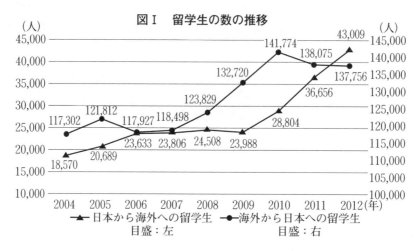

図Ⅰ　留学生の数の推移

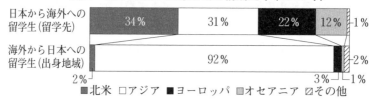

図Ⅱ　留学先及び出身地域の構成比率（2012年）

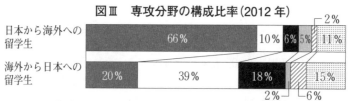

図Ⅲ　専攻分野の構成比率（2012年）

1 2005年から2012年までの日本から海外への留学生及び海外から日本への留学生の数の推移において，前年と比較して最も人数が増加しているのは，2011年の日本から海外への留学生である。

2 2012年において，アジアから日本への留学生の数は，日本からアジアへの留学生の数の約3倍である。

3 2012年において，日本から海外への留学生及び海外から日本への留学生の合計数の5割以上が人文科学を専攻している。

4 2012年において，海外から日本への留学生で社会科学を専攻している者のうち，7割以上はアジアからの留学生である。

5 2012年において，日本からヨーロッパへの留学生のうち少なくとも１人は，人文科学又は理工学を専攻している。

解説

1. 2010年における日本から海外への留学生数は28,804人，2011年は36,656人であり，その増加数は，36656－28804＝7852より，7,852人である。これに対し，2009年における海外から日本への留学生数は132,720人，2010年は141,774人で，その増加数は，141774－132720＝9054より，9,054人で，こちらのほうが増加数が多い。

2. 2012年におけるアジアから日本への留学生数は，137756×0.92≒126736より，約126,736人である。日本からアジアへの留学生数は，43009×0.31≒13333より，約13,333人だから，9倍を超えている。

3. 43009×0.66＋137756×0.20≒28386＋27551＝55937より，約55,937人である。海外から日本への留学生数だけで137,756人いるのだから，その割合は５割未満である。

4. 正しい。2012年において，海外から日本への留学生で社会科学を専攻している者の数は，137756×0.39≒53725より，約53,725人である。海外から日本への留学生のうち，アジア以外からの留学生数は，137756×0.08≒11020より，約11,020人である。この11,020人がすべて社会科学を専攻しているとしても，海外から日本への留学生で社会科学を専攻している53,725人の$\frac{1}{4}$（＝25％，約13,431人）未満である。したがって，海外から日本への留学生で社会科学を専攻している者のうち，７割以上はアジアからの留学生である。

5. 2012年において，日本から海外への留学生のうち，人文科学または理工学を専攻しているのは72％で，それ以外が28％である。日本からヨーロッパへの留学生は22％だから，これがすべて人文科学または理工学以外を専攻している可能性があり，ここから逆に，日本からヨーロッパへの留学生のうち，人文科学または理工学を専攻している学生が１人もいない可能性がある。

正答 **4**

国家一般職
［大卒］
No.
308
教養試験
資料解釈 冷房に関する調査結果 平成27年度

表は，20歳以上の者が，冷房が効きすぎていると感じたことのある場所に関する調査の結果を示したものである。これから確実にいえるのはどれか。

なお，この調査の回答は，複数の場所を選択することも，一つも選択しないことも可能であった。また，表の □□□□ の数値は明らかにされていない。

回答者層	回答者数（人）	冷房が効きすぎていると感じたことのある場所(選択率：%)				
		スーパーマーケット	百貨店	飲食店	コンビニエンスストア	映画館・劇場
男女合計	2,054	45.3	25.7	21.7	18.3	18.0
男性合計		36.3	23.2	17.5	18.5	11.9
うち20〜29歳		34.4	17.8	23.3	36.7	14.4
うち30〜39歳	153	42.5	26.1	30.7	28.1	13.7
うち40〜49歳	164	44.5	29.9	15.9	27.4	14.0
うち50〜59歳	160	35.6	26.3	18.8	10.0	15.6
うち60〜69歳	213	36.2	21.6	14.6	12.2	10.8
うち70歳以上	172	25.0	16.3	7.0	7.6	4.7
女性合計		53.1	27.8	25.3	18.1	23.2
うち20〜29歳	114	59.6	31.6	45.6	26.3	25.4
うち30〜39歳	176	58.0	31.3	29.5	24.4	33.0
うち40〜49歳	205	63.4	26.3	36.1	19.5	31.7
うち50〜59歳	210	56.2	31.4	24.3	21.9	30.0
うち60〜69歳		48.6	26.8	16.8	11.8	13.2
うち70歳以上	177	33.9	20.3	7.3	7.9	6.8

1 コンビニエンスストアを選択した回答者数を比べると，男性の30〜39歳の層の人数の方が，女性の50〜59歳の層の人数より多い。

2 40〜49歳の層の回答者（男女合計）についてみると，映画館・劇場を選択した人数よりも，コンビニエンスストアを選択した人数の方が多い。

3 男女合計（全年齢層）についてみると，スーパーマーケット及びコンビニエンスストアの二つのみを選択した人数の方が，百貨店及び飲食店の二つのみを選択した人数より多い。

4 回答者が選択した場所の数を1人当たりの平均（小数第2位を四捨五入した値）で比べると，男性合計よりも女性合計の方が多い。

5 男性合計の回答者数は，女性合計の回答者数より多い。

1. 男性の 30〜39 歳でコンビニエンスストアを選択した回答者数は，$153 \times 0.281 \fallingdotseq 43$，女性の 50〜59 歳では，$210 \times 0.219 \fallingdotseq 46$ となり，後者のほうが多い。

2. 40〜49 歳（男女合計）で映画館・劇場を選択した回答者数は，$164 \times 0.140 + 205 \times 0.317 \fallingdotseq 23 + 65 = 88$，コンビニエンスストアを選択した回答者数は，$164 \times 0.274 + 205 \times 0.195 \fallingdotseq 45 + 40 = 85$ となり，前者のほうが多い。

3. この資料からは「2 つのみ選択した」人数を判断することはできない。

4. 正しい。男性合計を a 人とすると，選択した延べ人数は，$a \times 0.363 + a \times 0.232 + a \times 0.175 + a \times 0.185 + a \times 0.119 = 1.074a$ となる。これを男性合計の人数である a 人で割れば，1 人当たりの平均回答数が求められ，1.074 となる。つまり，各項目における選択率の和を求めればよい。女性についても同様で，$0.531 + 0.278 + 0.253 + 0.181 + 0.232 = 1.475$ であり，1 人当たりの平均は女性合計のほうが多い。

5. 男性の 20〜29 歳を x 人として，たとえばスーパーマーケットの冷房が効きすぎていると回答した人数を考えると，$0.344x + 153 \times 0.425 + 164 \times 0.445 + 160 \times 0.356 + 213 \times 0.362 + 172 \times 0.250 = (x + 153 + 164 + 160 + 213 + 172) \times 0.363$ という関係が成り立つ。ここから，$0.344x + 65 + 73 + 57 + 77 + 43 = 0.344x + 315 = (x + 862) \times 0.363$，$0.344x + 315 = 0.363x + 313$，$0.019x = 2$，$x \fallingdotseq 105$ となる。そうすると，男性合計は，$105 + 862 = 967$，女性合計は，$2054 - 967 = 1087$ となり，女性合計の回答者数のほうが多い。

正答　**4**

次は，あるバレエ教室に通う生徒の昨年4月及び今年4月における在級状況（人数）を示した表である。これから確実にいえるのはどれか。

　ただし，選択肢中にある「この期間」とは，昨年4月から今年4月までの期間をいう。

　なお，この教室では，生徒は随時，テストを受けて6級から1級まで進級していき，降級することはない。また，「退会」の項は，昨年4月時点で在籍していたが今年4月の時点で在籍していない者の数を示しており，新規の入会者については考慮しないものとする。

（単位：人）

今年4月 昨年4月	1級	2級	3級	4級	5級	6級	退会
1級	5						2
2級	5	8					3
3級	3	6	16				4
4級		3	10	21			8
5級			6	11	27		6
6級			4	7	28	30	11

1　在籍者全体に占める1，2，3級の生徒の割合をみると，今年4月は昨年4月に比べて減少した。

2　今年4月の在籍者全体に占めるこの期間に進級した生徒の割合は，40%を超えている。

3　この期間に進級した生徒の中で，今年4月の時点で4，5級の生徒の割合は，80%を超えている。

4　今年4月の在籍者全体に占めるこの期間に2級以上進級した生徒の割合は，20%を超えている。

5　1級以上進級した者は，今年4月に比べて，昨年4月の方が多い。

次の表のように人数をまとめてみると判断しやすくなる。

1. 今年4月における1級の生徒は13人，2級は17人，3級は36人で，計66人である。在籍者の合計は190人だから，その割合は $\frac{66}{190}$ となる。昨年4月の場合は「退会」者数も考慮しなければならないので，1級は7人，2級は16人，3級は29人で，計52人である。その割合は $\frac{52}{224}$ となる。$\frac{66}{190} > \frac{52}{224}$ （分子は66のほうが大きく，分母は224のほうが大きいので，分数としては $\frac{66}{190}$ のほうが大きい）より，今年4月のほうが割合は大きくなっている。

2. 正しい。昨年4月から今年4月までに進級したのは，表の太線内の人数である。8＋9＋20＋18＋28＝83より，83人おり，190×0.4＝76＜83より，40％を超えている。

3. この期間に進級した生徒の中で，今年4月の時点で4，5級の生徒は，18＋28＝46より，46人である。この期間に進級した生徒は83人だから，83×0.8≒64＞46より，80％未満である。

4. 今年4月の在籍者全体に占めるこの期間に2級以上進級した生徒は，表の濃い灰色部分であり，3＋3＋10＋7＝23より，23人である。190×0.2＝38＞23だから，20％未満である。

5. 昨年4月（までの期間）における進級した生徒数は，この資料には示されておらず，判断できない。

今年4月 昨年4月	1級	2級	3級	4級	5級	6級	退会	計
1級	5						2	7
2級	5	8					3	16
3級	3	6	16				4	29
4級		3	10	21			8	42
5級			6	11	27		6	50
6級			4	7	28	30	11	80
計	13	17	36	39	55	30	34	224
在籍者	190							

正答　**2**

表は，ある学校の生徒を対象に実施した，学習塾への通塾に関するアンケートの結果を示したものである。また，図Ⅰ及び図Ⅱは，表のアンケートで学習塾に通っていると回答した生徒を対象に実施したアンケートの結果を示したものである。これらからいえることとして最も妥当なのはどれか。

	全体		
		うち男子	うち女子
通っている	30%	40%	60%
週1回	20%	40%	60%
週2回	30%	50%	50%
週3回	40%	30%	70%
週4回以上	10%	50%	50%
通っていない	70%	55%	45%

表　学習塾への通塾状況

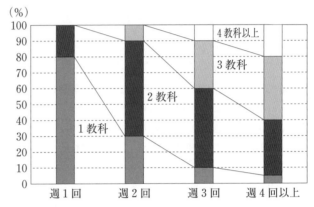

図Ⅰ　学習塾で指導を受けている教科数

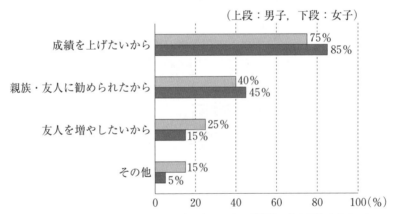

図Ⅱ　学習塾に通い始めた理由（二つまで選択。無回答はなし。）

1 学習塾に通い始めた理由として，二つ選択した生徒は，女子よりも男子の方が人数が多い。

2 学習塾に週2回通って，かつ，2教科の指導を受けている生徒よりも，週1回通って，かつ，1教科の指導を受けている生徒の方が人数が多い。

3 学習塾に通っている生徒のうち，週1回通っており，かつ，「親族・友人に勧められたから」を選択した男子が占める割合は6％である。

4 学習塾に通っている生徒のうち，4教科以上の指導を受けている生徒が占める割合は9％である。

5 学習塾に通っている生徒のうち，「成績を上げたいから」を選択した生徒が占める割合は80％を超える。

解説

1. 学習塾に通い始めた理由について，それぞれの数値の和は，男子が155％（＝75＋40＋25＋15），女子が150％（＝85＋45＋15＋5）となるので，学習塾に通っている男子の55％，女子の50％が2つの理由を選択していることになる。しかし，学習塾に通っている生徒の男女別割合は，男子40％，女子60％で，女子は男子の1.5倍いる。したがって，2つの理由を選択した生徒は，男子よりも女子のほうが多い。

2. 「学習塾に週2回通って，かつ，2教科の指導を受けている生徒」は，学習塾に通っている生徒のうちの，$\dfrac{30}{100} \times \dfrac{60}{100} = \dfrac{18}{100}$ である。これに対し「学習塾に週1回通って，かつ，1教科の指導を受けている生徒」は，学習塾に通っている生徒のうちの，$\dfrac{20}{100} \times \dfrac{80}{100} = \dfrac{16}{100}$ であり，「学習塾に週2回通って，かつ，2教科の指導を受けている生徒」のほうが多い。

3. 学習塾に通っている回数と通い始めた理由との関係は，この資料からでは判断できない。

4. 学習塾に通っている生徒のうち，週3回通って4教科以上の指導を受けている生徒は，$\dfrac{40}{100} \times \dfrac{10}{100} = \dfrac{4}{100}$，週4回以上通って4教科以上の指導を受けている生徒は，$\dfrac{10}{100} \times \dfrac{20}{100} = \dfrac{2}{100}$ だから，4教科以上の指導を受けている生徒が占める割合は $\dfrac{6}{100}$（＝6％）である。

5. 妥当である。学習塾に通っている生徒のうち，「成績を上げたいから」を選択した生徒は，男子が75％，女子が85％である。男女が同数であれば全体で80％となるが，女子は男子の1.5倍の人数がいるので，全体では81％となり（次図参照），80％を超えるというのは妥当である。

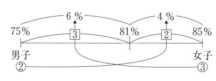

正答　**5**

表は，ある国をA地域とB地域に分け，それぞれの総人口及び特定の年齢層が総人口に占める割合の推移を示したものである。これからいえることとして最も妥当なのはどれか。

年	A地域			B地域		
	総人口（千人）	年齢層		総人口（千人）	年齢層	
		15歳未満(%)	65歳以上(%)		15歳未満(%)	65歳以上(%)
1960	811	27.3	7.9	1,721	37.6	3.9
1965	913	28.1	8.6	2,125	41.0	3.6
1970	1,006	26.0	9.9	2,690	41.7	3.6
1975	1,081	22.5	11.7	3,372	39.4	4.1
1980	1,144	20.6	12.5	4,162	36.1	4.5
1985	1,189	18.3	14.3	4,934	33.1	5.1
1990	1,236	16.5	15.9	5,660	29.0	5.8
1995	1,273	16.8	19.0	6,383	26.5	7.5
2000	1,296	16.3	22.4	7,025	24.1	9.8
2005	1,307	16.1	24.5	7,567	22.3	12.5
2010	1,312	16.6	25.7	7,994	21.1	14.7

1　1960年〜2010年の間で，A地域の65歳以上の人口の割合が一貫して上昇しているのは，B地域から65歳以上の人口が流入していることによるものである。

2　1960年〜2010年の間で，B地域の総人口の増加率は，A地域のそれの5倍に満たない。

3　この国全体において，1960年〜2010年の間で，65歳以上の人口は10倍以上増加した。

4　この国全体において，1980年の15歳未満の人口及び65歳以上の人口の合計の割合は45％を超えている。

5　B地域において，1970年の15歳未満の人口及び65歳以上の人口の合計は，1995年のそれより多い。

解説

1. この資料からは，地域間の人口移動を判断することはできない。

2. 1312÷811≒1.62 より，A地域における 1960 年に対する 2010 年の総人口増加率は約 62％である。B地域の場合は，7994÷1721≒4.64 より，増加率は約 364％となるので，B地域の総人口の増加率はA地域の 5 倍を超えている。

3. 妥当である。1960 年における 65 歳以上人口は，A地域が 811×0.079≒64，B地域が 1721×0.039≒67 だから，全体では約 131 千人である。一方，2010 年は，1312×0.257＋7994×0.147≒1512 より，約 1,512 千人である。1512÷131≒11.5 より，約 11.5 倍となっているので，10.5 倍の増加である。したがって，10 倍以上増加している。

4. 1980 年における 15 歳未満人口割合と 65 歳以上人口割合の和は，A地域が 33.1％，B地域が 40.6％であり，両地域とも 45％未満である。したがって，両地域を合わせた割合も 45％未満である。

5. B地域において，1970 年の 15 歳未満の人口および 65 歳以上の人口の合計は，2,690 千人の 45.3％だから，1,350 千人（＝2,700 千人の50％）未満である。1995 年は6,383 千人の 34％だから，2,100 千人（＝6,300 千人の33.3％）を超えており，1995 年のほうが多い。

※33.3％≒$\frac{1}{3}$

正答　**3**

文章理解

判断推理

数的推理

資料解釈

時事

物理

化学

生物

図は，ある地域における土地の購入金額及び売却金額の推移を主体（国等・法人・個人）別に示したものである。これからいえることとして最も妥当なのはどれか。

なお，調査年は，調査の対象となった年をいう。

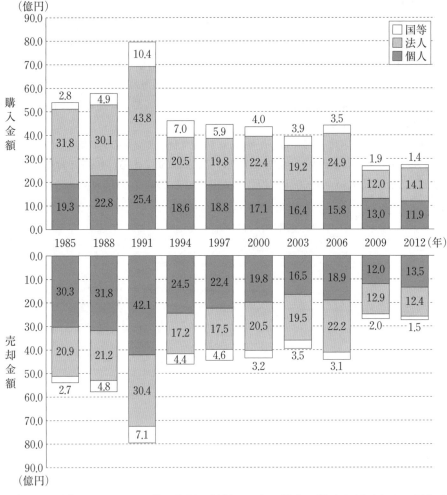

1 いずれの調査年においても，購入金額の総額のうち，法人の購入金額が占める割合は**5**割を超えている。

2 2000年の法人の売却金額を100とした場合，他の調査年における法人の売却金額は全て150を下回っている。

3 購入金額及び売却金額において，主体別の前回の調査年からの増加率を見ると，最も高いのは1991年の法人の購入金額の増加率である。

4 それぞれの調査年における個人1人当たりの購入金額及び売却金額を見ると，2009年以外は売却金額が購入金額を上回っている。

5 いずれの調査年においても，個人については売却金額が購入金額を上回っているが，法人については購入金額が売却金額を上回っている。

解説

1. たとえば，1994 年は国等および個人の購入金額の合計が 25.6 億円（＝7.0＋18.6）で，これは法人の購入金額より多い。したがって，法人の購入金額が占める割合は 5 割未満である（1997 年，2003 年，2009 年も 5 割未満である）。

2. 妥当である。2000 年における法人の売却金額は 20.5 億円だから，これを 100 とすると，150 なら 30.75 億円となる。2000 年以外の調査年で法人の売却金額が最も多い年でも 1991 年の 30.4 億円なので，すべて 150 を下回っている。

3. 1991 年における法人の購入金額の増加率は，43.8÷30.1≒1.46 より，約 46％である。同年における国等の売却金額の増加率は，7.1÷4.8≒1.48 より，約 48％あり，こちらのほうが増加率は高い。

4. この資料から個人 1 人当たりの購入金額あるいは売却金額を知ることはできない（購入者数，売却者数が示されていない）。

5. 2009 年の場合，個人の売却金額は購入金額を下回っている。また，法人の場合，2003 年および 2009 年の売却金額は購入金額を上回っている。

正答　**2**

図は，ある国における女性の年齢階層別の労働力率（人口に占める労働力人口の割合）について，1980年から5年ごとに調べた結果を，生年別のグループに分けてグラフ化したものである。A，B，Cの記述のうち，この図からいえることのみを全て挙げているのはどれか。

　なお，年齢は調査年の12月31日時点のものとなっている。

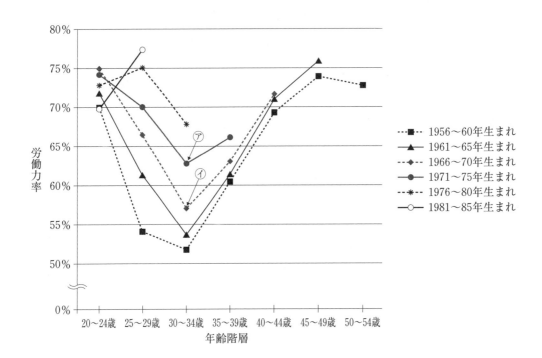

A：図中の㋐と㋑が示す点の調査年は同じである。

B：2010年における年齢階層別の労働力率をみると，30〜34歳よりも35〜39歳の方が低い。

C：図中の生年別のグループでは，生年が早いグループほど25〜29歳における労働力率が低い。

1　A
2　A，C
3　B
4　B，C
5　C

A：本図は，5歳ずつの生年別グループに分けてグラフ化されているので，たとえば，2010年の場合は，1956～60年生まれは50～54歳，1961～65年生まれは45～49歳となる（それぞれの年齢別グループグラフの右端が2010年である）。したがって，㋐は2005年（1971～75年生まれが30～34歳），㋑は2000年（1966～70年生まれが30～34歳）を示しており，両者は調査年が異なっている。

B：正しい。2010年において30～34歳なのは1976～80年生まれ（＊印のグラフ），35～39歳なのは1971～75年生まれ（●印のグラフ）であり，それぞれのグラフの右端の数値を見ればよい。30～34歳（1976～80年生まれ）の労働力率は68％程度，35～39歳（1971～75年生まれ）の労働力率は66％程度である。

C：正しい。25～29歳における労働力率は，低いほうから順に1956～60年生まれ，1961～65年生まれ，1966～70年生まれ，1971～75年生まれ，1976～80年生まれ，1981～85年生まれとなっている。

よって，この図からいえることはBおよびCであり，正答は**4**である。

正答　**4**

表は，ある国の企業が海外から得た利益について，1年前に採っていた還流方針が現在どのように変更されているかに関して調査した結果を大企業と中小企業に分けて，企業数により示したものである。これからいえることとして最も妥当なのはどれか。ただし，「いずれでもない」も方針の一つであるとする。

〈大企業〉　　　　　　　　　　　　　　　　　　　　　　　　　　　　　　　　（単位：社）

1年前　＼　現在	現在	国内への利益還流を優先	海外への再投資を優先	海外での利益留保を優先	いずれでもない
国内への利益還流を優先	112	72(変更なし)	30	8	2
海外への再投資を優先	32	5	23(変更なし)	3	1
海外での利益留保を優先	28	6	8	14(変更なし)	0
いずれでもない	26	2	2	0	22(変更なし)
総計	198	85	63	25	25

〈中小企業〉　　　　　　　　　　　　　　　　　　　　　　　　　　　　　　　（単位：社）

1年前　＼　現在	現在	国内への利益還流を優先	海外への再投資を優先	海外での利益留保を優先	いずれでもない
国内への利益還流を優先	761	632(変更なし)	71	45	13
海外への再投資を優先	134	44	73(変更なし)	14	3
海外での利益留保を優先	135	47	25	60(変更なし)	3
いずれでもない	214	24	9	8	173(変更なし)
総計	1244	747	178	127	192

1 1年前と現在を比べると，中小企業に比べ，大企業の方が方針を変更しなかった企業の割合が高かった。

2 1年前と現在を比べると，方針を変更しなかった企業の割合が最も高いのは，中小企業の「国内への利益還流を優先」である。

3 全企業について，1年前と現在を比べると，企業数の変動が最も多かった方針は「海外への再投資を優先」である。

4 大企業において，1年前と現在を比べると，「海外への再投資を優先」が占める割合は，2倍以上に増加した。

5 大企業において，1年前と現在を比べると，「海外での利益留保を優先」と，「いずれでもない」に方針を変更した企業数は同じである。

文章理解　判断推理　数的推理　資料解釈　時事　物理　化学　生物

1. 大企業で方針を変更しなかったのは，$72+23+14+22=131$ だから，その割合は，$\dfrac{131}{198} \fallingdotseq$ 0.662 より，約66.2％である。中小企業では，$\dfrac{632+73+60+173}{1244}=\dfrac{938}{1244} \fallingdotseq 0.754$ より，約75.4％で，その割合は中小企業のほうが高い。

2. 「1年前と現在を比べて方針を変更しなかった企業の割合を考える」場合，①「1年前に採っていた方針を現在も採っている企業の割合」なのか，②「現在採っている方針を1年前も採っていた企業の割合」なのか，必ずしも明らかではない。資料の形式から考えると，現在採っている方針を基準にして総計が示されているので，どちらかといえば②の意味であると解するのが妥当と思われる。そこで，②に従って中小企業の「国内への利益還流を優先」を考えると，$\dfrac{632}{747} \fallingdotseq 0.846$ より，約84.6％である。これに対し，大企業の「いずれでもない」は，$\dfrac{22}{25}=0.88$ より，88％でこちらのほうが割合は高い。①で考えると，中小企業の「国内への利益還流を優先」は，$\dfrac{632}{761} \fallingdotseq 0.830$ より，約83.0％，大企業の「いずれでもない」は，$\dfrac{22}{26} \fallingdotseq 0.846$ より，約84.6％となる。いずれにしても，中小企業の「国内への利益還流を優先」より，大企業の「どちらでもない」のほうが，その割合は大きい。

3. 妥当である。「企業数の変動」は1年前と現在でその方針を採っている企業数がどれだけ増減しているかを考えればよい。「国内への利益還流を優先」は，大企業が $85-112=-27$（＝27の減少），中小企業が $747-761=-14$ だから，大企業と中小企業を合わせると，41の減少である。同様に，

「海外への再投資を優先」$=(63-32)+(178-134)=75$（＝75の増加）
「海外での利益留保を優先」$=(25-28)+(127-135)=-11$（＝11の減少）
「いずれでもない」$=(25-26)+(192-214)=-23$（＝23の減少）

となる。したがって，企業数の変動が最も多かった方針は「海外への再投資を優先」である，というのは妥当である。

4. 1年前の企業数は32，現在は63だから，2倍未満である。

5. 「海外での利益留保を優先」に方針を変更したのは，$8+3+0=11$，「いずれでもない」に方針を変更したのは，$2+1+0=3$ で，その企業数は異なっている。

正答 **3**

文章理解

判断推理

数的推理

資料解釈

時事

物理

化学

生物

表は，ある地域の15〜29歳の人を対象にした，職場体験等の経験に関するアンケートの結果を示したものである。図は，経験が「ある」と答えた人を対象に，その経験の効果について質問した結果を示したものである。これからいえることとして最も妥当なのはどれか。

回答者の年齢層	全体に占める割合	職場体験等の経験		
		ある	ない・わからない	計
15〜19歳	30.4%	51.9%	48.1%	100%
20〜24歳	32.4%	40.7%	59.3%	100%
25〜29歳	37.2%	23.2%	76.8%	100%
全体	100%	37.6%	62.4%	100%

(%)

	はい	いいえ	何とも言えない
働くことの大切さがわかった	73.2	10.8	16.0
自分の適性がわかった	48.3	25.7	26.0
ビジネスマナー等がわかった	54.7	22.8	22.5
就職先を選ぶ参考になった	54.5	28.0	17.5
自分の決断の参考になった	47.8	31.0	21.2
自分の考え方が広がった	65.8	18.8	15.4
抱いていたイメージが具体的になった	55.3	24.8	19.9
社会で必要な能力・知識がわかった	54.9	21.8	23.3

1 15〜19歳の回答者のうち，職場体験等の経験が「ある」と答え，「自分の適性がわかった」の質問に「はい」と答えた人は，およそ25％いる。

2 職場体験等の経験が「ある」と答えた15〜19歳の人数は，職場体験等の経験が「ない・わからない」と答えた25〜29歳の人数よりも多い。

3 職場体験等の経験が「ある」と答えた人のうち，「働くことの大切さがわかった」と「自分の考え方が広がった」のどちらの質問にも「はい」と答えた人は，少なくとも39％いる。

4 職場体験等の経験が「ない・わからない」と答えた15〜19歳の人が，全ての回答者に占める割合は約30％である。

5 職場体験等の経験が「ある」と答えた人のうち，20〜29歳の人が占める割合は，63.9％である。

1. 経験の効果に関する資料では，年齢階層別には示されていないので，「自分の適性がわかった」と答えた48.3％のうちのどれだけが15〜19歳の年齢層に属しているかを知ることができない。したがって，判断できない。

2. 職場体験等の経験が「ある」と答えた15〜19歳の人の割合は，$0.304 \times 0.519 ≒ 0.158$ より，全体の約15.8％である。これに対し，職場体験等の経験が「ない・わからない」と答えた25〜29歳の人の割合は，$0.372 \times 0.768 ≒ 0.286$ より，全体の約28.6％となる。したがって，職場体験等の経験が「ない・わからない」と答えた25〜29歳の人のほうが多い。

3. 妥当である。職場体験等の経験が「ある」と答えた人のうち，「働くことの大切さがわかった」と答えた人は73.2％である。残りの26.8％の人がすべて「自分の考え方が広がった」と答えていたとしても，「自分の考え方が広がった」と答えた人は65.8％いるので，まだ39％（＝65.8−26.8）の人が「自分の考え方が広がった」と答えている。そうすると，この39％は「働くことの大切さがわかった」とも答えていることになる。したがって，職場体験等の経験が「ある」と答えた人のうち，「働くことの大切さがわかった」と「自分の考え方が広がった」のどちらの質問にも「はい」と答えた人は，少なくとも39％いる，というのは妥当である。求め方としては，単純に「73.2＋65.8−100」とすればよい。

4. 職場体験等の経験が「ない・わからない」と答えた15〜19歳の人が，すべての回答者に占める割合は，$0.304 \times 0.481 ≒ 0.146$ より，約14.6％である。

5. 職場体験等の経験が「ある」と答えた20〜24歳の人の割合は，$0.324 \times 0.407 ≒ 0.132$ より，約13.2％，25〜29歳の人の割合は，$0.372 \times 0.232 ≒ 0.086$ より，約8.6％だから，両者を合わせると全体の21.8％である。職場体験等の経験が「ある」と答えたのは全体の37.6％だから，$\dfrac{21.8}{37.6} ≒ 0.580$ より，職場体験等の経験が「ある」と答えた人のうち，20〜29歳の人が占める割合は，約58.0％である。

正答 **3**

図は，ある国のソフト市場について，ビデオソフト，音楽ソフト，ゲームソフト，コミック，書籍の5種類のソフトの市場規模と，各ソフト市場に占める通信系ソフト市場の割合の動向について示したものである。これからいえることとして最も妥当なのはどれか。

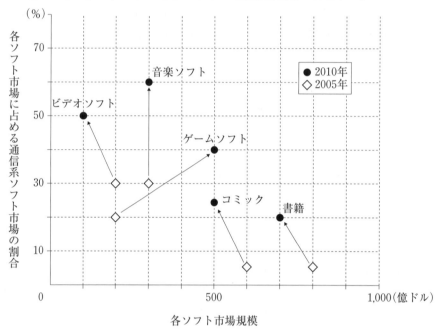

1　5種類のソフト市場に占める通信系ソフト市場規模の合計額は，5年間で4倍以上となった。

2　2010年の各ソフト市場規模の合計額は，2005年の約1.2倍だった。

3　各ソフト市場に占める通信系ソフト市場規模額の増加率が2番目に高かったのは，コミックだった。

4　2010年における5種類のソフト市場全体に占める通信系ソフト市場の割合は，約40%だった。

5　ビデオソフトの市場規模が減少したのは，ゲームソフトの市場規模の増加によるものである。

1. まず，コミックと書籍を見てみると，コミックの通信系ソフト市場規模は，5年間で$\frac{25}{6}$倍（＞4倍，市場規模が$\frac{5}{6}$倍で通信系ソフト割合が5倍）となっているが，2005年の通信系ソフト市場がコミックより大きい書籍は$\frac{7}{2}$倍（市場規模が$\frac{7}{8}$倍で通信系ソフト割合が4倍）にしかなっておらず，両者の合計では4倍未満である（$\left(\frac{25}{6}+\frac{7}{2}\right)\times\frac{1}{2}$より小さい）。ビデオソフト，音楽ソフト，ゲームソフトでは，ゲームソフトの通信系ソフト市場規模は5年間で5倍となっている。しかし，2005年の通信系ソフト市場がゲームソフトより大きいビデオソフトと音楽ソフトで，ビデオソフトが$\frac{5}{6}$倍，音楽ソフトが2倍であり，3者の合計では4倍未満となる。したがって，2010年における5種類のソフト市場に占める通信系ソフト市場規模の合計額は，2005年の4倍未満である。

2. 2005年，2010年とも，ソフト市場規模の合計額は2,100億ドルで変わらない。

3. 妥当である。**1**で述べた通りで，「通信系ソフト市場規模の増加率が2番目に高かったのは，コミックだった」というのは妥当である。

4. ここでもコミックと書籍から考えると，2010年における両者の通信系ソフト市場の割合は25％未満である。ビデオソフト，音楽ソフト，ゲームソフト3者の2010年における通信系ソフト市場の割合を50％としても，コミックと書籍で市場規模の半数以上（1,200億ドル）を占めているので，全体では，$(25+50)\times\frac{1}{2}$より小さいことになり，37.5％未満である。

5. この資料からは判断できない。

正答 **3**

文章理解　判断推理　数的推理　資料解釈　時事　物理　化学　生物

観光や文化等に関する記述として最も妥当なのはどれか。

1　1872年に新橋・横浜間に日本最初の鉄道が開業し、2022年にその開業から150年を迎えたことから、各地でイベントが開催された。一方、整備新幹線については、同年9月に佐賀県と長崎県を結ぶ西九州新幹線が開業したほか、北海道新幹線（新函館北斗・札幌間）や北陸新幹線（金沢・敦賀間）についても建設が進められている。

2　日本への外国人観光客の入国については、2022年4月以降、個人旅行のみに限定されていたが、同年10月にパッケージツアーが解禁され、1日当たりの入国者数の上限が撤廃された。それにより、同月は100万人を超える外国人観光客が入国し、新型コロナウイルス感染症の感染拡大前である2019年10月の7割を超える数字となった。

3　マイクロツーリズムとは、国内の農山漁村地域に滞在し、滞在先の自然や文化を楽しむ旅行の形態であり、新型コロナウイルス感染症の感染拡大で海外旅行が制限されたことから広まった。また、オーバーツーリズムとは、出張等の前後に休暇を取り、観光やレジャーを楽しむ旅行の形態であり、今後、日本国内での普及が期待されている。

4　危機遺産とは、武力紛争や自然災害等により普遍的価値を損なう重大な危機にさらされている世界遺産を指す。ロシアによるウクライナ侵攻により、ウクライナ国内の全ての世界遺産が2023年1月に危機遺産に登録された。また、日本国内では、首里城の火災により「琉球王国のグスク及び関連遺産群」が危機遺産に登録されている。

5　2021年、「奄美大島、徳之島、沖縄島北部及び西表島」は、世界自然遺産に登録され、日本国内の世界自然遺産は20件になった。国際的にも希少な固有種に代表される生物多様性が特徴であり、希少種のアマミノクロウサギやヤクシカの交通事故を限りなく減少させたことや、訪問者に一律で手数料を徴収することにより観光客数を制限したことが評価され、登録に至った。

1. 妥当である。なお、北陸新幹線（金沢・敦賀間）は、2024年3月に開業した。

2. 2022年10月に解禁されたのは個人旅行のほうであり、パッケージツアーはそれ以前から解禁されていた。それに、2022年10月の外国人観光客数は約50万人（推計値）であった。しかも、2019年10月の外国人観光客数は約250万人であり、2022年10月はその約2割である。

3. マイクロツーリズムとは、自宅から1～2時間程度の移動圏内を観光する、小規模な旅行のことである。「国内の農山漁村地域に滞在し、滞在先の自然や文化を楽しむ旅行の形態」は、グリーンツーリズムである。それに、「オーバーツーリズム」の部分も誤りで、正しくは「ブレジャー」である。ブレジャーは、ビジネスとレジャーの合成語である。オーバーツーリズムとは、観光客増加で観光地の景観や周辺住民の生活環境が荒らされることをいう。

4. 2023年1月に、ウクライナの「港湾都市オデーサの歴史地区」が世界遺産と危機遺産に同時に登録された。ウクライナのそのほかの世界遺産が、2023年1月に危機遺産に登録されたという事実はない。また、「琉球王国のグスク及び関連遺産群」は世界遺産であるが、危機遺産に登録されてはいない。なお、「首里城跡」は「琉球王国のグスク及び関連遺産群」に含まれる世界遺産であるが、2019年の火災で焼失した正殿などは、1992年に復元された建造物群であり、世界遺産には含まれていない。

5. 2021年、「奄美大島、徳之島、沖縄島北部及び西表島」は、世界自然遺産に登録され、その時点での日本国内の世界自然遺産は5件になった。なお、2021年には「北海道・北東北の縄文遺跡群」が世界文化遺産に登録され、その時点での日本国内の世界文化遺産は20件になった。また、「奄美大島、徳之島、沖縄島北部及び西表島」について、「希少種のアマミノクロウサギやヤクシカの交通事故を限りなく減少させたことや、訪問者に一律で手数料を徴収することにより観光客数を制限したことが評価され、登録に至った」という事実はない。なお、世界自然遺産に登録された際に、世界遺産委員会から、特に西表島における観光客の制限、アマミノクロウサギなど絶滅危惧種のロードキル（交通事故死）対策が課題として示され、政府が対策を示した報告書を提出している。また、ヤクシカは屋久島、口永良部島に生息しており、「奄美大島、徳之島、沖縄島北部及び西表島」には生息していない。

正答　**1**

文章理解
判断推理
数的推理
資料解釈
時事
物理
化学
生物

国家一般職
［大卒］

No.
318

教養試験

時事　　**科学技術等**　　令和 **5** 年度

科学技術等に関する記述として最も妥当なのはどれか。

1　2022年7月、我が国で通話やデータ通信がつながりにくくなる大規模な通信障害が発生し、数千万人以上が影響を受けた。これは、大規模な太陽フレアにより放出された可視光線が携帯電話や通信衛星の利用する電波と干渉したことが原因とされている。それを受けて、JAXA（国立研究開発法人宇宙航空研究開発機構）は、干渉が発生しにくいレーザー光を通信に利用する衛星を開発すると発表した。

2　我が国の探査機「はやぶさ2」が木星の衛星リュウグウから地球に持ち帰った砂や石を分析した結果、試料から数十種類のタンパク質が確認された。タンパク質は、生物体の構成成分の一つであるアミノ酸の材料となる物質であり、今回の探査を通じて生命の起源が明らかになることが期待されている。

3　オープンデータとは、国の行政機関が保有するデータのうち、誰もが開示請求すれば利用できるデータのことである。オープンデータは、3Dモデルのような人間が判読しやすいデータ形式をとることが求められている。例えば、国土交通省は、日本全国の3D都市モデルの整備・活用・オープンデータ化プロジェクトであるPLATEAUを主導している。

4　半導体とは、導体と絶縁体の中間の性質を持つ物質や材料のことであり、それを材料に用いたトランジスタや集積回路も慣用的に半導体と呼ばれる。半導体は電子機器や装置の頭脳部分として中心的役割を果たす重要なものであり、「産業のコメ」とも呼ばれる。2021年には、世界的な半導体不足を一因として、国内の複数の自動車メーカーが減産を行った。

5　アンモニアとは、常温では有色の人体に無害な物質であり、主に肥料の原料として利用されている。また近年では、水素・アンモニアが燃料として発電に利用されており、アンモニアは燃焼しても水しか発生しないため、「カーボンフリー」の物質とされる。2022年には、我が国における水素・アンモニア発電の発電電力量が原子力発電の発電電力量を上回った。

解　説

1. 2022年7月に発生した大規模な通信障害は、メンテナンス作業中のミスによるものであった。それに、太陽フレア（太陽での爆発現象）が電波障害を引き起こすことはあるが、これは電磁波の放出によるものである。また、JAXAによるレーザー技術による光衛星間通信システムの開発は、2022年7月以前から進められているし、この開発は太陽フレア対策のために行われているわけでもない。

2.「はやぶさ2」が探査したリュウグウは、木星の惑星ではなく、太陽系の小惑星である。それに、試料から採取されたのはアミノ酸であるし、アミノ酸がタンパク質の材料となる物質なのであって、その逆ではない。

3. オープンデータとは、国のほか、地方公共団体や事業者が保有する官民データのうち、国民誰もがインターネットなどを通じて容易に利用できるように公開されたデータのことをいう。それに、機械判読（コンピュータでの処理）に適したものであることなどが条件とされており、人間が判読しやすいデータ形式であることは求められていない。ただし、PLATEAUに関する記述は事実である。

4. 妥当である。

5. アンモニアは、常温では無色の人体に有害な物質であり、吸入すると呼吸困難や幻覚などを引き起こすことがある。それに、水素・アンモニア発電は、2022年の時点で実証実験の段階にあり、その発電電力量が原子力発電を上回ったという事実はない。また、アンモニア（NH_3）を燃焼、つまり酸素（O_2）と反応させると、二酸化炭素（CO_2）は発生しないのでカーボンフリーではあるが、水（H_2O）だけでなく、窒素酸化物（NO_x）も発生する。

正答　**4**

金融等に関する記述として最も妥当なのはどれか。

1　2022年10月、円相場は、およそ32年ぶりの円安・ドル高水準となる1ドル＝150円台に下落した。円安・ドル高が急速に進んだ主な要因の一つとして、インフレを抑制するため大幅な利上げを続ける米国と、大規模な金融緩和を続ける日本の金利差の拡大により、円が売られ、ドルを買う動きが加速したことが指摘されている。

2　2022年3月、NATO（北大西洋条約機構）は、ウクライナ侵攻に対するロシアへの経済制裁として、国際金融の送金を手がける世界的な決済ネットワークであるSWIFT（国際銀行間通信協会）からロシアの全ての銀行を排除することを決定した。これまで制裁措置としてSWIFTから排除された国はなく、ロシアが初めてのケースとなった。

3　我が国には、株式や投資信託等を売却した際に得られる利益や配当の一定割合が非課税となる少額投資非課税制度（NISA）があり、2022年12月現在、「つみたてNISA」と「ジュニアNISA」の2種類がある。前者は30歳以上の者を対象とする一方、後者は15歳以上の者を対象とし、利益や配当を教育資金に充てる場合に限って非課税となる。

4　給与をスマートフォンの決済アプリ等で受け取る「デジタル払い」は、デジタルマネーで給与の支払いができる我が国の仕組みで、企業側から労働者側へ事前に通告すれば、これを利用することができる。また、決済サービスを運営する資金移動業者には、破綻や不正引き出し等で生じた損失の50％を補償する義務が課される。

5　暗号資産（仮想通貨）は、インターネット上でやりとりできる財産的価値で、特定の者に対して、代金の支払い等に使用できる法定通貨である。一般に、暗号資産は暗号資産交換業者から入手・換金することができ、我が国でこうした事業を行う場合には経済産業省及び消費者庁の登録を受ける必要がある。

1. 妥当である。日米間の金利差拡大のほか、日本の貿易赤字拡大や投資家による投機的取引も、2022年に円安・ドル高が急速に進んだ要因と考えられている。また、2022年10月に日本銀行は円安抑制のために、2回にわたり大規模な為替介入を実施した。

2. 2022年3月に、ウクライナ侵攻に対する制裁の一環として、ロシアの銀行をSWIFTから排除することを決定したのはEU（欧州連合）であるし、排除されたのも、ロシアの大手7銀行グループであって、全銀行ではない。それに、ロシア以前にも、イランと北朝鮮がSWIFTから排除されている。

3. NISAには、「一般NISA」もある。NISAの中でも最も早く導入された制度である。それに、2022年末の時点で「つみたてNISA」や「一般NISA」の対象者は20歳以上で、「ジュニアNISA」の対象者は20歳未満となっている。しかも、「ジュニアNISA」は18歳までは災害などやむをえない場合に限って非課税となる。なお、「ジュニアNISA」は2023年末に終了し、その他のNISAは2024年から抜本的に制度改正されることになった。2024年からは、「つみたて投資枠」と「成長投資枠」の2種類となり、どちらも18歳以上の者を対象とする。

4. 給与の「デジタル払い」は、2023年に開始された仕組みであるが、労働者の同意が条件となっている。それに、資金移動業者（ソフトバンクグループのPayPayなどのこと）に対し、破綻や不正引き出し等で生じた損失の50％を補償する義務は課されていない。

5. 法定通貨とは、国や中央銀行が発行する強制通用力を持つ通貨のことであり、ビットコインに代表される民間が発行する暗号資産は法定通貨ではなく、強制通用力を持たない。つまり、暗号資産での代金の支払いにつき、店などは受け取りを拒否できる。それに、暗号資産交換業者となるには、経済産業省・消費者庁ではなく、金融庁・財務局の登録を受ける必要がある。

正答　**1**

国家一般職
[大卒]
No.
320
教養試験
時事　　近代の科学技術等　　令和4年度

文章理解

判断推理

数的推理

資料解釈

時事

物理

化学

生物

近年の科学技術等に関する記述として最も妥当なのはどれか。

1　米国では，民間企業による宇宙旅行事業が行われている。2021年には，乗客が宇宙船に搭乗して宇宙空間に到達し，その模様はインターネットで中継された。また，自社で宇宙船を開発し，国際宇宙ステーション（ISS）へ日本人宇宙飛行士を送ったり，乗客を乗せて地球周回ツアーを行ったりした企業がある。

2　近年，世界では米国のGPSなど，地上からの電波によって位置情報を計算する「衛星測位システム」が実用化されている。しかし，2021年現在，我が国は同様のシステムを保有していないため，新たに「きらめき」を開発することとなった。「きらめき」は，測位の誤差が数メートルであり，GPSの情報で補完することで，自動車の運転支援などへの適用が期待されている。

3　IoTとは，Information of Technologyの略称であり，インターネット上に公開されたプログラムを基に有志がソフトウェアを作り上げるための枠組みのことである。大量の知識データに対して，高度な推論を的確に行うことを目指す人工知能（AI）の対義語として用いられている。この枠組みを用いて，新型コロナウイルス接触確認アプリが開発された。

4　2020年，スーパーコンピュータの計算速度世界ランキングにおいて，前回まで1位であった我が国の「地球シミュレータ」が，1位の中国，2位の米国，3位のドイツに次いで4位となった。この結果を受けて，これまで我が国独自で行う予定であった次世代のスーパーコンピュータ「京」の開発を，国際共同開発に移行する方針が打ち出された。

5　近年，各種の技術革新により膨大なデータの収集，管理等を行うシステムを開発する「データサイエンティスト」という職種が求められるようになった。これを受けて，2021年，デジタル庁は，情報通信業を営む事業者に対して，政令で定める規模の事業所ごとにデータサイエンティストを置き，その者にソフトウェアの品質管理を行わせることとした。

1. 妥当である。2021年，星出彰彦氏がスペースX社が開発した宇宙船であるクルー・ドラゴンに搭乗し，日本人として2人目となるISSの船長を務めた。

2. 日本版GPSとして，準天頂衛星システム「みちびき」が2018年から稼働し，測位サービスを提供している。「きらめき」は防衛通信衛星である。それに，「みちびき」は誤差数センチの精度での位置情報の提供が可能である。

3. IoTはInternet of Thingsの略。つまり，「モノのインターネット」の意味で，家電製品や住宅，自動車など，さまざまなモノをインターネットで接続し，相互に情報交換させる技術のことである。インターネット上に公開されたプログラムを基に有志がソフトウェアを作り上げる枠組みは，オープンソースコミュニティという。それに，IoTもオープンソースコミュニティも，人工知能の対義語ではない。なお，新型コロナウイルス接触確認アプリ「COCOA」が，オープンソースコミュニティによって開発されたという記述は正しい。

4. 「地球シミュレータ」が計算速度ランキングで1位であったのは2002〜2004年のことである。2020年には「富岳」が，日本のスーパーコンピュータとして「京」以来8年半ぶりとなる1位を獲得した。それに，「富岳」が初めて1位となった当時のランキングでは，2位と3位にはアメリカ，4位と5位には中国のスーパーコンピュータがランクインしていた。しかも，既述のとおり「京」は「富岳」の先代のスーパーコンピュータであるし，国際共同開発されたという事実もない。

5. データサイエンティストとは，統計学や情報処理技術などの知見に基づき，膨大なデータ（ビッグデータ）を分析する人のことである。コンピュータシステムの開発者は，システムエンジニアと呼ばれている。それに，データサイエンティストを置くことが情報通信業者に義務づけられたという事実はない。データサイエンティストは，企業の事業戦略の策定などにとって有益な情報を提供するのであり，情報通信業者だけに必要なわけではない。

正答　**1**

近年の我が国の教育等に関する記述として最も妥当なのはどれか。

1　2019年，幼児教育・保育の無償化が開始され，住民税非課税世帯であるか否かを問わず，0 歳から 5 歳までの全ての子どもたちを対象に，幼稚園，保育所，認定こども園などの利用料が全額無償化された。一方，認可外保育施設については，0 歳から 5 歳までの全ての子どもたちが無償化の対象外となった。

2　従前，小学校では学級担任が全教科を教える学級担任制が採られていたが，2021年，授業の質の向上などを目的に，教科ごとに専門性をもった教員が教える教科担任制を採ることが，小学校の全学年において義務付けられた。また，特定教科については，実務の経験を 5 年以上有した実務家教員が授業を担当することが義務付けられた。

3　2021年，文部科学省は新たに「GIGA スクール構想」を打ち出し，小中学校における 1 クラス 1 台端末の実現と校内通信ネットワークの整備に向けた取組を開始した。これによってオンライン授業の環境整備を進める狙いがあるが，全国の公立小中学校における端末の整備率は2021年 7 月末時点で約60％にとどまっており，文部科学省は更なる普及に努めている。

4　教科・科目構成の見直し等が行われた最新の高等学校学習指導要領が，2022年度から順次実施されることとなった。同指導要領では，地理歴史については必修科目として「地理総合」と「歴史総合」が，公民については必修科目として「公共」がそれぞれ新設され，さらに，情報についてはプログラミングやデータベースの基礎等の内容を含む「情報 I 」が必修科目として設けられている。

5　近年，STEM 教育が注目を集めている。STEM とは，Statistics（統計学），Technology（技術），Ecology（生態学），Medicine（医学）の頭文字を取ったものであり，STEM 教育は，科学技術に特化した人材の育成を目的としている。我が国では，STEM 教育の促進のため，中学校において理科と数学を総合的に学習する「理数探究」が選択教科として設けられている。

1. 幼児教育・保育の無償化の対象は，3～5歳児については全世帯であるが，0～2歳児については住民税非課税世帯に限られた。それに，原則的には全額無償化されているが，一部の料金が高額な私立幼稚園は例外として，上限額が設定された。認可外保育施設も，上限額はあるものの，無償化の対象とされた。

2. 小学校における教科担任制は，2022年度から本格導入された。全学年ではなく，高学年（5・6年生）が対象である。外国語，理科，算数，体育が優先的に専科指導の対象とすべき教科とされている。なお，実務家教員は大学などで導入が進められており，特に専門職大学院では実務経験5年以上の実務家教員が必置とされている。

3. 「GIGAスクール構想」は，2019年に発表された構想であり，小中学校の児童・生徒1人につき1台の端末を整備することをめざした。当初は4年かけて整備する計画であったが，2020年の新型コロナ問題を受け，1年計画に前倒しされた。ゆえに，2021年7月末時点で，1人1台の目標はほぼ達成されている。

4. 妥当である。地理・歴史では，地理A・B，世界史A・B，日本史A・Bは廃止され，必修科目として「地理総合」と「歴史総合」が新設された。これらの科目は両方とも履修しなければならない。また，「歴史総合」は世界史と日本史を融合した科目である。公民では，主権者教育を推進するため，必修科目として「公共」が新設され，従来の「現代社会」は廃止された。必修科目として「情報Ⅰ」，選択科目として「情報Ⅱ」も新設された。ちなみに，「地理総合」「歴史総合」「公共」「情報Ⅰ」は，いずれも2025年から大学入学共通テストの出題科目になる。

5. STEMとは，Science（科学），Technology（技術），Engineering（工学），Mathematics（数学）の頭文字をとった言葉である。文部科学省は，これらにArts（芸術，教養）を加えたSTEAM教育を促進している。それに，「理数探究」は，「古典探究」「地理探究」「日本史探究」「世界史探究」「理数探究基礎」とともに高校の選択科目として，必履修科目の「総合的な探究の時間」とあわせて2022年度から導入されたものである。

正答　**4**

国家一般職
［大卒］
No.
322
教養試験
時事　近年の社会情勢　令和4年度

近年の我が国の社会に関する記述として最も妥当なのはどれか。

1 フリーランスの立場で，インターネットを利用してその都度，単発又は短期の仕事を受注するという働き方や，これによって成り立つ経済の仕組みを「シェアリングエコノミー」という。これに対して，テレワークを通じて顧客から継続的に業務を請け負う個人事業主のことを「ギグワーカー」といい，安定した雇用形態の一つとして注目されている。

2 「巣ごもり消費」とは，インターネット通販などによる，外出が困難な環境下で家の中で生活するための必要最低限な消費を指し，新型コロナウイルス感染症拡大による外出自粛に伴い，初めて使われるようになった。巣ごもり消費の影響の例として，2020年の百貨店及び家電大型専門店の販売額が前年を下回ったことが挙げられる。

3 近年，「お試し無料」，「初回○円」などをうたい，実際は定期購入を条件とした契約を締結させるといった，定期購入に関する消費生活相談件数が増加している。これを受けて，2021年，詐欺的な定期購入の取引に対する厳罰化などが盛り込まれた，特定商取引法の改正法が成立した。

4 新型コロナウイルス感染症拡大による外出自粛に伴い，2020年，我が国の家庭用専用ゲーム機のゲームソフト売上高が，スマートフォン上のゲームアプリのそれを初めて上回った。こうした家庭内でのゲームの利用拡大を受け，国は，18歳未満の子どものゲーム利用を，平日1日に60分，休日は90分以下とするよう保護者に義務付ける方針を打ち出した。

5 仮想移動体通信事業者（MVNO）とは，移動通信サービスに係る無線局を開設・運用している事業者の通信設備を使用せず，インターネット上の仮想的な通信回線による移動通信サービスを提供する事業者のことである。2020年，国は，MVNOを増やし携帯電話等の利用料金を下げるため，事業に必要な国への届出を廃止し，新規参入を容易にした。

解説

1. 「シェアリングエコノミー」の部分が誤りで，正しくは「ギグエコノミー」。英語の gig には「一度だけの仕事」の意味があるが，ギグワーカーもフリーランスの立場で単発・短期の仕事を受注する人のことである。それに，「安定した雇用形態」とあるが，個人事業主は顧客と雇用関係にはない。なお，シェアリングエコノミーとは，遊休資産などの貸し借りをインターネットで仲介するサービスや，これによって成り立つ経済の仕組みのことをいう。

2. 「巣ごもり消費」とは，ネットショッピングやフードデリバリーサービスなどを利用したり，外出しなくても楽しめるオンラインゲームや有料動画などの娯楽に支出したりすることであり，「最低限必要な消費」とはいえない。それに，新型コロナ問題が発生するよりも前から使われていた言葉である。2020年の百貨店及び家電大型専門店の販売額は，百貨店は前年を大幅に下回ったものの，家電大型専門店は前年を上回った。

3. 妥当である。詐欺的な定期購入商法に関する消費生活相談は，2016〜2020年度に約4倍に増加し，5万件を超えている。ゆえに，2021年に特定商取引法が改正され，販売業者らは取引における基本事項を最終確認画面などで明確に表示することが義務付けられるとともに，消費者は誤認させるような表示によって誤認して申込みをした場合などには，申込みを取り消せることになった。

4. 2020年のスマートフォン上のゲームアプリの売上高は，家庭用ゲーム機のゲームソフトのそれを圧倒的に上回っている。それに，香川県では子どものゲーム利用を平日は1日60分，休日は90分以下とするよう保護者に義務付ける条例が制定されたが，国がこのような方針を打ち出したという事実はない。

5. 仮想移動体通信事業者（MVNO）とは，NTTドコモなどの移動体通信事業者（MNO）から通信設備を借り受け，移動通信サービスを提供している事業者のことで，いわゆる「格安スマホ」や「格安SIM」を扱う事業者のことである。それに，政府により携帯電話などの利用料金の引下げ政策が実施されたのは事実であるが，現在もMVNOとして事業を行うには，国への届出が必要である。

正答 **3**

医療等に関する記述として最も妥当なのはどれか。

1　近年，情報通信技術をはじめとする先進技術は飛躍的に発展しており，これを医療分野に活用した例として，遠隔医療のうち情報通信機器を通して診療行為をリアルタイムに行うオンライン診療や，AI（人工知能）を用いた画像診断支援，精密な動作が可能なロボットを使った手術支援などがある。

2　ゲーム障害とは，長時間熱中してゲームを行うことで，目や背中の痛み，肩こり，手指のしびれ，だるさ，不安感を生じ，社会生活に重大な影響が生じる病気であり，2019年に世界保健機関（WHO）によって正式に疾病として位置付けられた。アルコール依存症とは異なり，ゲームに対する依存性はないため，政府による社会的な施策は実施されていないが，患者団体は関係省庁や各企業等との協議の場を設けるよう働きかけている。

3　統合失調症とは，楽しみや喜びが喪失し，良いことが起きても憂うつな気分が変わらないなどの症状が継続する精神状態をいう。原因は社会的な環境にあり，遺伝や身体的障害とは関係なく発症する。近年，向精神薬等の目覚ましい発展により，休養やカウンセリングに代わって投薬による治療が主となった。

4　発達障害とは，学習障害や機能性身体症候群等の精神的及び肉体的発達の障害のことをいい，発達障害者支援法では知的障害や気分障害も含まれる。同法は，発達障害を有する者を対象として，医療的及び福祉的支援を行うことを目的とするものであり，2016年の改正によって，新たに精神的及び肉体的な発達障害者の特性に応じた就労の支援や，能力に応じその特性を踏まえた教育上の配慮を行うことなどが定められた。

5　自殺は，2018年に我が国で約3,000件発生しており，女性の割合が男性の割合よりはるかに高い。自殺の原因は健康問題の割合が高いため，生活習慣病などの基礎疾患を有する者の割合が高い中高年において，自殺は死因の 1 位を占めている。2010年から2018年までの自殺者の急増を受けて，2019年には自殺対策基本法が制定された。

1. 妥当である。2020年には，新型コロナウイルスの院内感染防止のための特例措置として，初診でのオンライン診療が解禁された。

2. ゲーム障害とは，ゲームに過度に依存して日常生活に支障が生じる精神疾患であり，「ゲーム依存症」とも呼ばれている。肉体疲労は含まれない。WHOが疾病として正式に認定したことを受け，日本も2020年に厚生労働省がゲーム依存症対策関係者会議を開催するなどの取組みを実施している。

3. 憂うつな気分が続く精神状態は，「うつ（鬱）」という。統合失調症でも感情の鈍化や抑うつ的な症状は見られるが，これは幻覚や妄想に苦しめられ，考えや気持ちがまとまらなくなる状態が続く精神疾患である。うつ病や統合失調症には遺伝的要因もあるとされており，休養やカウンセリングは現在も有効な治療法として用いられている。

4. 発達障害とは，自閉症やアスペルガー症候群，学習障害，注意欠陥・多動性障害（ADHD）など，生来の脳の働き方の違いによって，幼児のうちから行動面や情緒面に特徴がある状態をいい，発達障害者支援法でも，知的障害や気分障害とは異なるものとされている。発達障害者支援法には，法制定時から，発達障害者に対する就労支援や教育上の配慮を行う旨は定められており，2016年の法改正では，そのためのより具体的な施策が盛り込まれるなどした。

5. 2018年の自殺者数は約2万人で，女性よりも男性のほうが割合が高い。自殺の原因として健康問題の割合が最も高く，年齢階層別で60歳以上の自殺者が最多であるが，自殺が死因の1位を占めるのは10歳代後半～30歳代である。40歳代以上では悪性新生物が死因の1位であり，年齢階層が高くなるにつれ自殺の順位は下がる。また，2010～2018年の自殺者数は減少傾向にあり，自殺対策基本法の制定は2006年である。

正答 **1**

近年の世界の気象や環境に関する記述として最も妥当なのはどれか。

1　2020年には，観測史上最多の台風が日本に上陸し，各地で大雨特別警報が出され，気象災害が多発した。なかでも，多くの地域で1時間降水量が300mmを超えた東日本では，河川の氾濫の結果，新幹線の車両が多数水没するなど被害は甚大であった。これらの被害を受けて，低平地の浸水被害を解消するため，低平地の河川については天井川への転換が今後進められることとなった。

2　2020年，太平洋の島国モーリシャス沖で日本の貨物船が座礁したことにより，大量の重油が流失し，経済価値の高いサンゴ礁やマングローブなどに多大な影響を与えた。この座礁をめぐり，日本人船長がモーリシャス当局に逮捕されたものの，日本政府が自衛隊を派遣し，現地での対応に当たらせたため，モーリシャス政府から損害賠償請求はなされなかった。

3　2020年，世界気象機関（WMO）は，2019年における二酸化炭素などの温室効果ガスの世界平均濃度が，観測史上最高を更新したと発表した。気象庁などがまとめた報告書によると，地球温暖化に伴う雪不足により，21世紀末には「さっぽろ雪まつり」の採雪費用が増加するなど，観光業や農林水産業などの分野で気候変動による影響が予測されている。

4　2020年，北米で発生した大量のバッタがアフリカ西部や西アジアの20か国以上の国々に拡散し，農作物に甚大な被害が生じたことが問題となった。世界銀行は，被害各国の対策を支援するため50億ドルの低利融資を実施したものの，新型コロナウイルス感染症対策により航空機の運航が制限されたことで，バッタの群れを追跡するヘリコプターや駆除用の農薬が届かず，各国は対策を講じることができなかった。

5　アマゾンの熱帯雨林は，地球上の熱帯雨林の約9割を占め，二酸化炭素を大量に吸収し，地球温暖化の抑制に欠かせない存在として「地球の心臓」とも呼ばれる。ブラジルのボルソナーロ大統領は，2019年の相次ぐ火災などで熱帯雨林の破壊が深刻化したことを受け，森林伐採や違法な野焼きへの厳罰化を図るなど，火災当初から積極的に熱帯雨林の保護を進めた。

解 説

1. 2020年の台風の日本上陸数は 0 だった。2019年10月，台風19号（令和元年東日本台風）が東日本に甚大な被害をもたらしたが，24時間降雨量では多くの地域が300mm を超えたものの，1 時間降水量は最も多いところでも95mm だった。また，天井川は地面よりも高いところを流れる川であり，氾濫すると水が引きにくく，甚大な被害を及ぼす。ゆえに，水害対策のために天井川を解消する取組みが進められている。

2. モーリシャスはインド洋の島国である。座礁した貨物船の船主が日本企業だったのは事実だが，船籍はパナマにあり，逮捕された船長もインド人だった。日本から派遣されたのは海上保安庁職員による国際緊急援助隊であり，モーリシャス政府は日本政府に損害賠償請求をしている。

3. 妥当である。WMO は，2019年の二酸化炭素の平均濃度は観測史上最高を更新し，産業革命前の約1.5倍となったとした。また，地球温暖化対策が進まないと，21世紀末の「さっぽろ雪まつり」の採雪費用は，現在の約 2 倍になると予測されている。

4. 2020年に大量発生したのは，アフリカ大陸や西アジア，インドに生息するサバクトビバッタであり，アフリカでの大量発生が発端となった。また，世界銀行の融資額は 5 億ドルであり，国連食糧農業機関（FAO）が追跡用のヘリコプターや駆除用の農薬などを調達し，各国で対策が講じられた。

5. アマゾンの熱帯雨林は地球上の熱帯雨林の約半分を占めており，「地球の肺」と呼ばれている。肺は体内に酸素を供給し二酸化炭素を排出する臓器であるが，アマゾンの熱帯雨林もまた，地球に酸素を供給し，二酸化炭素を吸収していることから，このように呼ばれる。2019年のアマゾンの熱帯雨林の大規模火災では，当初，ボルソナーロ大統領は森林保護に消極的な姿勢を示し，大火災は環境 NGO によるテロであると主張して物議を醸した。

正答　**3**

文章理解

判断推理

数的推理

資料解釈

時事

物理

化学

生物

各国の領土問題等に関する記述として最も妥当なのはどれか。

1 歯舞群島，色丹島，国後島，択捉島から成る北方領土は日本の固有の領土であるが，日本のポツダム宣言受諾後，ソ連に占領された。1950年代に署名された日ソ共同宣言では，平和条約締結後に歯舞群島と色丹島のソ連から日本への引渡しが約束されていた。しかし，ソ連崩壊後のロシアとの日露首脳会談は，2019年に行われた大阪での会談を含めて何度も開催されているが，北方領土問題は解決しておらず，2020年末現在，両国間では平和条約も締結されていない。

2 カシミール地方は，インドとパキスタンがそれぞれ領有権を主張している地域であるが，両国の実効支配地域に停戦ラインが引かれている。しかし，カシミール地方のうち，パキスタンの実効支配地域は，中国も領有権を主張しており，2020年には中国軍とパキスタン軍の間で交戦があった。この交戦で，中国軍はパキスタン軍をカシミール地方から排除したため，パキスタン軍に代わり中国軍がインド軍と直接対峙することになり，中国とインドの間の緊張が高まった。

3 中東のゴラン高原は，レバノン領であったが，第三次中東戦争でイスラエルが占領して以降，その帰属が両国間で懸案事項となっていた。しかし，2020年にロシアの仲介で，レバノンがイスラエルと国交を結びエルサレムをイスラエルの首都と認定する代わりに，イスラエルがゴラン高原をレバノンに返還する基本合意がなされた。これに反対する ISIL（イラク・レバントのイスラム国）が大規模な爆弾テロを起こし，レバノンの首都のベイルートが廃墟と化した。

4 南シナ海の島々は，中国，フィリピン，ベトナム，マレーシア，タイ，ミャンマーがそれぞれ実効支配しているが，その地域を越えて各国が領有権を主張し，領土問題が複雑化している。特に，中国は南シナ海ほぼ全域の領有権を主張しており，軍事演習等も頻繁に行っている。この動きに対抗するため，フィリピンは米国と共に，2019年，浅瀬を埋め立てて人工島を作り，中国の動きを監視する「航行の自由作戦」を実施している。

5 スコットランド地方の帰属をめぐっては，アイルランドは英国に対し領有権を主張していたが，両国が EU（欧州連合）の前身の EC（欧州共同体）に加盟したことで一応の解決をみた。しかし，2019年の英国の EU 離脱決定で，今後，英国とアイルランドの間の自由な往来ができなくなることなどを理由に領土問題が再燃すると両国は交渉を開始し，2020年末の英国の EU 離脱後も交渉を続行することとなった。

解　説

1. 妥当である。ロシアは近年，北方領土の経済開発を進めており，2020年の憲法改正により，領土割譲が禁じられた。

2. カシミール地方において，インドとパキスタンの実効支配地域に引かれているのは管理ラインである。中国が領有権を主張しているのはインドの実効支配地域の一部であり，2020年に中国が交戦したのもインド軍である。なお，カシミール問題を巡っては，中国はパキスタンと連携関係にある。

3. ゴラン高原は，シリア領であったが，第三次中東戦争（1967年）でイスラエルが占領した地域である。また，2020年にイスラエルが国交を正常化したのはアラブ首長国連邦（UAE）とバーレーンで，国交回復を仲介したのはアメリカである。さらに，UAE，バーレーン，レバノンがエルサレムをイスラエルの首都と認定したことはなく，イスラエルがゴラン高原の返還を約束した事実もない。なお，2020年にベイルートで起きた大爆発は事故と考えられており，その被害は甚大だったものの，ベイルート全体が廃墟と化したわけではなかった。

4. ミャンマーは南シナ海に接しておらず，南シナ海の島を実効支配してはいない。また，タイは領有権争いに巻き込まれておらず，台湾やブルネイも南シナ海問題の当事者である。なお，南沙諸島海域に人工島を建設しているのは中国で，2014年にはすでに建設を開始していた。フィリピンは南シナ海における「航行の自由作戦」に参加しておらず，アメリカは2015年からこの作戦を実施している。

5. アイルランドが領有権を主張していたのは北アイルランドで，主張を放棄したのはEU誕生後の1998年である。また，北アイルランドとアイルランドは，イギリスのEU離脱後も往来の自由が確保された。なお，イギリスのEU離脱によって帰属問題が再燃しているが，2019年，2020年にイギリスとアイルランドが交渉を再開したという事実はない。

正答　**1**

医療等に関する記述として最も妥当なのはどれか。

1　熱中症は，温度や湿度の高い中で，体内の体温調節機能が十分に働かなくなるなどして発症する障害の総称であり，特に，高齢者や子どもが熱中症になりやすいとされている。2018年，文部科学省は児童・生徒等の熱中症対策として特別の交付金を創設し，全国の公立小中学校等への空調の設置を支援した。

2　エボラウイルス病（エボラ出血熱）は，エボラウイルスによって引き起こされる，空気感染が主な感染経路である致死率の高い感染症である。2019年には，中国での流行に対して世界保健機関（WHO）が緊急事態を宣言したほか，我が国でも感染者が確認された。

3　麻疹（はしか）は，麻疹ウイルスによって引き起こされる感染症である。ワクチンが存在しないため，近年世界的に感染が拡大しており，我が国でも毎年春から初夏にかけて流行がみられる。感染力が非常に強いが，感染経路が空気感染ではなく飛沫感染であるため，手洗いやマスクが有効な予防法である。

4　手足口病は，原因となるウイルスが複数存在する感染症で，手足や口に発疹が現れ，両側の頬が腫れるのが特徴的な症状である。子どもよりも大人が発症しやすく，我が国では毎年冬を中心に流行し，とりわけ2019年には大規模な流行がみられた。

5　がんの新たな治療法として近年注目されているがんゲノム医療は，がん患者の遺伝子変異を調査・特定し，その遺伝子に重粒子線を繰り返し照射して破壊することでがんの治療を行うものである。非常に高額な治療法であり，2019年末現在，我が国の公的医療保険の対象とはなっていない。

1. 妥当である。2018年夏，記録的猛暑が日本列島を襲い，熱中症で救急搬送される例が相次ぎ，校外授業を受けた小学生が死亡に至る事件もあった。こうした事態を受け，文部科学省は1年限定で「ブロック塀・冷房設備対応臨時特例交付金」を創設し，全国の公立小中学校の空調設置を支援した。

2. エボラウイルスは空気感染しない。発症した患者の血液や体液，嘔吐物などに接触することによって感染する。エボラ出血熱はアフリカで流行している感染症で，2019年にWHOが緊急事態を宣言したのは中国ではなく，コンゴ民主共和国における流行についてである。また，2019年に日本で感染者が確認されたという事実はない。

3. 麻疹や風疹（三日はしか）については，麻疹風疹混合ワクチン（MRワクチン）があり，予防接種が実施されている。麻疹は空気感染するため，手洗いやマスクだけでは有効な予防法にはならない。なお，空気感染とは，大気に漂っている乾燥した状態のウイルス（飛沫核）や，ウイルスが付着した土壌や埃を吸い込むことによって感染することである。

4. 手足口病は，大人が感染することもあるものの，主に子どもが感染する感染症で，感染者の多くは5歳未満である。夏風邪の一種で，夏に流行する感染症である。手足口病に有効なワクチンはないが，飛沫感染，すなわち患者の口から出る飛沫などを吸い込むことによって感染するので，手洗いやうがい，物品の消毒などが有効な予防法となる。

5. がんゲノム医療とは，がんの遺伝子を詳しく検査し，個々の患者のがん細胞の遺伝子変異に対応した治療を行うこと。個別化医療（テーラーメイド医療）の一種である。本肢の内容は，重粒子線治療に関するものである。がんゲノム医療は，2019年から遺伝子検査の一部が公的医療保険の適用対象となっている。

正答 **1**

国家一般職
[大卒]
No.
327
教養試験
時事

日本の教育等

令和 **2年度**

我が国の教育等に関する記述として最も妥当なのはどれか。

1 2019年，文部科学省は「新時代の学びを支える先端技術活用推進方策」を発表した。この方策では，児童・生徒全員に電子端末を配布して自宅からでも授業に参加できる態勢を整え，学校への登校を任意とすることなどが提唱された。また，このための電子端末の普及は全国一律に進んでおり，2017年度末時点で，児童・生徒1人につき1台程度の普及率となっている。

2 2017年，学習指導要領が改訂され，2020年度より，従来小学校高学年から教科として実施されていた「外国語」が，小学校低学年から実施されることとなった。また，中学校において第二外国語が教科として必修となるなど，語学力の強化が重要視されている。

3 部活動については，2018年，スポーツ庁が運動部活動のガイドラインを，文化庁が文化部活動のガイドラインを定めた。これらのガイドラインでは，部活動について，週当たり2日以上の休養日を設け，土曜日か日曜日の少なくとも一方を休養日とすることが基準として示された。

4 現在，高大接続改革の一環として大学入学者選抜改革が進められており，2020年度から，従来の大学入試センター試験に代わり，共通第一次学力試験が実施されることとなっている。この試験では，思考力や表現力を中心に評価することとされており，国語と数学はマークシート式問題から記述式問題に移行することとなっている。

5 2019年，教員の働き方改革について，中央教育審議会より答申が提出された。この答申では，教員の超過勤務の上限を民間企業と同様の原則月100時間未満かつ年720時間未満としたガイドラインの遵守を求めるとともに，時間外勤務手当の代わりに給料月額の10％を基準とする調整額を支給することを求めた。

解　説

1. 児童・生徒全員に電子端末を配布するとしたのは，2019年末発表の「GIGA スクール構想」である。この方策で児童・生徒全員の登校を任意とすることは提唱されていない。また，電子端末の普及は一律には進んでおらず，地域間格差が生じている。2017年度末時点では普及率も児童・生徒１人につき１台となってはいなかった。

2. 新学習指導要領によって，小学校高学年は教科として「外国語」を学習することになった。それ以前は正式な教科ではない，「外国語活動」として外国語を学習していた。「外国語活動」は，小学校中学年で実施されることになった。また，中学校で第二外国語が教科として必修になったという事実はない。

3. 妥当である。いずれのガイドラインにも，部活動の時間は平日では長くとも２時間程度，学校の休業日でも３時間程度とすることとされた。

4. まず，「共通第一次学力試験」の部分が誤りで，正しくは「大学入学共通テスト」である。共通第一次学力試験は「共通一次」の正式名称で，大学入試センター試験の導入以前に実施されていた基礎学力試験。大学入学共通テストの国語や数学で記述式問題が導入される予定だったのは事実だが，問題の一部で，マークシート式問題がすべてなくなるわけではなかった。記述式問題については採点の公平性が確保されないなどの批判があり，英語の民間テスト導入と同じく，導入は見送りとなった。

5. 働き方改革関連法により，民間企業の時間外労働は原則として月45時間以内，年360時間が上限となっている。答申が遵守を求めるとした文部科学省策定のガイドラインでも，教員の超過勤務時間の上限は原則として月45時間以内，年360時間とされている。教員に時間外勤務手当や休日勤務手当が支給されず，代わりに教職調整額が支給されるのは従来からある制度で，答申もこの枠組みを前提としている。ただし，現状では調整額は給与月額の４％であり，この点については，必要に応じて中長期的課題として検討すべきとしている。

正答　3

我が国の税制に関する記述として最も妥当なのはどれか。

1　国際観光旅客税は，出国税とも呼ばれ，海外旅行や出張で日本を訪れた外国人が日本を出国する際に課される税で，2019年に新たに導入された。出国者は，航空機への搭乗や乗船の直前に1,000円相当の税金を納めなければならない。また，2021年からは，海外に出発する日本人にも国際観光旅客税が適用されることが決定している。

2　2019年，消費税率が8％から10％に引き上げられるとともに，消費税率の引上げに伴う日々の生活への影響を緩和するため，軽減税率制度が導入された。軽減税率の対象品目は，酒類・外食を除く飲食料品や，定期購読契約された週2回以上発行される新聞である。消費税率の引上げによる増収分は，社会保障に充てられることとなっている。

3　配偶者の収入が一定額以下の世帯を対象に所得税を減免する配偶者控除は，配偶者の勤労意欲を阻害しているとの指摘があり，2020年分以降の所得税については，配偶者控除が廃止されることとなった。また，高額所得者の勤労意欲を高めるため，所得税額の計算をする際に，総所得金額等から一定額を差し引くことができる基礎控除の仕組みを創設することとした。

4　たばこ税は，道府県たばこ税，市町村たばこ税の二つに分けられ，たばこ製造者や輸入取引業者が納税義務者となっている直接税である。2020年，健康増進法の一部を改正する法律が全面施行され，新たに国税となるたばこ特別税が課されることとなったほか，加熱式たばこ区分の新設，消費税と同じ従価税への変更などが行われた。

5　酒税については，従来，酒類間の税負担の公平性を図る観点から，酒類の品目にかかわらず同じ税率が適用されていた。しかし，ビールなどの蒸留酒類の消費が好調であることを受け，2017年度の税制改正において，2020年以降段階的に，ビールの税率を引き上げる一方，それまでビールと同じ税率が適用されていた発泡酒やいわゆる「新ジャンル」については税率を引き下げることとした。

1. 国際観光旅客税は，日本を出国する者に課される税で，外国人だけでなく日本人も2019年の導入当初から課税対象となっている。通常は，国際旅客運送事業者（航空会社などのこと）が航空券などの発券時に価格に上乗せする形で税を徴収する。

2. 妥当である。なお，近年は電子版の新聞も発行されているが，これは軽減税率の対象外である。

3. 配偶者控除とは，所定の要件を満たす配偶者のいる納税者が，一定の所得控除を受けられる制度のこと。この制度が2020年分から廃止されたという事実はない。また，基礎控除の仕組みは従来からある。配偶者控除に関しては，2018年分から納税者本人の合計所得金額が900万円を超えると所得控除額が段階的に引き下げられ，1000万円を超えると控除が受けられなくなった。一方，従来は配偶者の所得が103万円以下の納税者でないと配偶者控除は受けられなかったが，配偶者の年収が103～150万円の納税者も配偶者控除と同等の配偶者特別控除が受けられることになった（それ以上の年収では控除額が段階的に引き下げられる）。

4. 2020年以前より，たばこには道府県たばこ税と市町村たばこ税のほか，国たばこ税とたばこ特別税，消費税が課税されている。そもそも，たばこ税は間接税である。基本事項だが，納税義務者と実際に税を負担する人が同じ税を直接税，異なる税を間接税という。改正健康増進法は受動喫煙防止のために制定された法律であって，税に関する法律ではない。加熱式たばこの区分が設けられたのは，2018年度の税制改正による。たばこ税が従価税になったという事実もない。たばこ税は従来通り従量税，すなわち本数に応じて課税されている。

5. 従来より，酒税はビール，清酒，ワイン，チューハイ，ウイスキーなど，品目に応じて異なる税率が適用されている。ビールは清酒やワインなどと同じく醸造酒の一種である。蒸留酒とは製造過程で蒸留を要する酒類で，例としてウイスキーや焼酎などがある。また，発泡酒や新ジャンル（「第3のビール」とも呼ばれている）の消費拡大を受け，2017年度の税制改正において，2020年から段階的にビールの税率を引き下げる一方，発泡酒や新ジャンルの税率を引き上げ，2026年にはビール類の税率を一本化することになっている。

正答 **2**

文章理解　判断推理　数的推理　資料解釈　時事　物理　化学　生物

時事　自然環境と科学技術　令和元年度

近年の自然環境や科学技術をめぐる話題に関する記述として最も妥当なのはどれか。

1　2018年夏，地球と火星が大接近した。火星の公転周期は地球より短く，二つの惑星は1年のうちに何度か接近するが，火星の軌道は楕円軌道であるため，接近した際の距離がその都度異なる。今回の大接近では，満月に匹敵する明るい火星が観察された。

2　国際エネルギー機関は，2018年，世界のエネルギー消費による2017年の二酸化炭素排出量は過去最大であったと報告した。排出量の削減については，COP21で採択されたパリ協定で，開発途上国を含む全ての参加国に対して温室効果ガスの排出削減の努力が求められている。

3　環境省は，絶滅のおそれのある野生生物をまとめた環境省版レッドリストを2018年に改訂した。今回の改訂では，新たに指定された絶滅危惧種はなかったが，ニホンオオカミは，将来的に絶滅危惧種になる懸念がある準絶滅危惧種とされた。

4　2018年，小型無人機（ドローン）による宅配サービスの国内初の実証実験が実施された。ドローンを操縦者の目視外まで飛行させるには事前に国土交通大臣の承認が必要だったが，この実験開始を受けて規制が緩和され，中核市で飛行させる場合については承認手続きが廃止された。

5　イプシロンロケットは，我が国の民間企業が単独で開発・生産を行ったロケットで，従来のH-ⅡAロケットと比べ，打ち上げのコストが低く抑えられている。2018年には，水星磁気圏探査機「みお」の打ち上げに使用されるなど，実績を重ねている。

解説

1. 火星の公転周期は687日であり，365日の地球よりも長い。また，火星が地球に接近しても月の明るさには及ばない。2018年夏に大接近した際の火星の明るさは最高でマイナス2.8等級だった。これに対し，満月の明るさはマイナス13等級近くに達する。

2. 妥当である。国際エネルギー機関（IEA）の2019年の報告書によると，世界の二酸化炭素排出量は2018年，2017年に続いて過去最高を更新し，約331万トンに達した。パリ協定は，2015年の気候変動枠組条約第21回締約国会議（COP21）で採択された，温室効果ガス削減のための国際的枠組みで，かつての京都議定書が先進国だけに温室効果ガスの削減義務を課したのとは異なり，開発途上国にも排出削減を求める内容になっている。

3. 2018年改訂の環境省版レッドリストでは，絶滅危惧種が41種増加し，3,675種となった。また，ニホンオオカミは20世紀初頭に絶滅したとされている。ちなみに，2018年の環境省版レッドリストでは，ドジョウが新たに準絶滅危惧種に分類されたことが話題となった。

4. 2018年に国内初のドローンによる宅配サービスの実証実験が行われたことは事実だが，中核市でドローンの目視外飛行の承認手続きが廃止されたという事実はない。

5. イプシロンロケットは国立研究開発法人宇宙航空研究開発機構（JAXA）が株式会社IHIエアロスペースと共同開発しており，民間企業が単独で開発，生産を行っているわけではない。また，水星磁気圏探査機「みお」は，欧州宇宙機関（ESA）のアリアン5型ロケットに搭載され，日欧合同の国際水星探査計画「ベピコロンボ」の一環として，2018年10月に打ち上げられた。ちなみに，2019年5月，国内初の民間単独でのロケット打上げが実業家の堀江貴文氏らが設立したベンチャー企業によって実現している。

正答　**2**

文章理解　判断推理　数的推理　資料解釈　時事　物理　化学　生物

国家一般職
［大卒］
No.
330
教養試験
時事　**成人の年齢要件等**　令和元年度

我が国の成人の年齢要件等に関する記述として最も妥当なのはどれか。

1　2015年に公職選挙法が改正され，選挙権年齢は18歳以上となり，併せて被選挙権年齢も引き下げられ，衆議院議員及び参議院議員の被選挙権年齢は共に20歳以上となった。2017年の衆議院議員総選挙では，20代で当選した議員は20人を超え，若者の政界進出に一定の効果があった。

2　2016年に国民年金法が改正され，国民年金の加入年齢の下限は20歳から18歳に引き下げられ，上限は64歳から69歳に段階的に引き上げられることとなった。この結果，2022年以降，国民年金の加入期間は18歳以上69歳以下に拡大し，年金支給開始年齢は70歳となった。

3　2018年に民法が改正され，2022年に成人年齢が20歳から18歳に引き下げられることとなった。この改正により，結婚可能年齢は男性が2歳引き下げられ，男女とも16歳となることとなり，同時に，女性のみに課していた再婚禁止期間を廃止することとなった。

4　民法が改正され，未成年者取消権も20歳から18歳に引き下げられることとなり，18，19歳の者が消費者トラブルに巻き込まれやすくなるとの懸念が指摘されている。2018年に改正された消費者契約法では，不安をあおる告知などの社会生活上の経験不足を利用した行為などを，不当な勧誘行為と定めて，この勧誘によって結ばれた契約を取り消せるようにした。

5　民法の改正後も対象年齢を20歳以上に維持するものとして，飲酒可能年齢や帰化の年齢要件などがある。少年法については，2018年に法制審議会から答申が出されて，有期刑の年数の上限を引き下げる一方，検察官が少年審判に立ち会える対象を強盗や窃盗まで拡大するなどの措置を採ることで，少年法の対象を20歳未満に維持することとなった。

解説

1. 被選挙権年齢は引き下げられていない。衆議院議員の被選挙権年齢は25歳，参議院議員の被選挙権年齢は30歳である。なお，2017年の衆議院議員総選挙では20代の当選者はいなかった。当選者の平均年齢は上昇傾向にあり，2017年の衆議院議員総選挙では54.7歳だった。

2. 国民年金の加入年齢の下限は引き下げられておらず，現在も20歳である。上限は59歳となっている。国民年金の支給開始年齢は，基本的に65歳である。2016年の国民年金法改正では，年金額の改定ルールの見直しなどが行われた。

3. これまで，結婚可能年齢は男性が18歳，女性が16歳だったが，民法改正により，男女とも18歳で統一されることになった。また，女性の再婚禁止期間を廃止する法改正はなされていない。かつては女性の再婚禁止期間は6か月とされていたが，2015年に最高裁判所は100日を超える分を違憲とする判決を下した。これを受けて2016年に民法が改正され，現在では100日が再婚禁止期間となっている。

4. 妥当である。未成年者取消権とは，未成年者がその法定代理人（親など）の同意なく締結した契約を，未成年であることを理由に取り消せる権利のこと。また，消費者契約法とは，消費者を不当な勧誘や契約から守るために制定された法律である。成年年齢の引下げに対応して消費者契約法も改正され，「不安をあおる告知」や「好意の感情の不当な利用」による契約も，取消しの対象として追加された。

5. 国籍法も改正され，帰化申請の年齢要件も20歳から18歳に引き下げられた。また，有期刑の年数の上限引上げや検察官が立ち会える対象を強盗や窃盗に拡大する旨の少年法改正は，2014年に実現済み。少年法の対象年齢の引下げに関し，2018年に法制審議会が答申を行った事実はない。

正答　**4**

国家一般職
［大卒］
No.
331
教養試験
時事　　祝日・休暇等　　令和元年度

祝日や休暇等に関する記述として最も妥当なのはどれか。

1　2017年，天皇の退位等に関する皇室典範特例法が成立し，同法により，皇室典範の特例として，天皇陛下の退位と皇嗣である皇太子殿下の即位が実現することとなり，憲政史上初めて天皇が存命中に退位することとなった。また，即位に際し祝意を表するため，即位の日と，即位を国内外に宣明する即位礼正殿の儀が行われる日を，2019年に限り祝日とする，即位日等休日法が2018年に成立した。

2　我が国の国民の祝日の一つである体育の日は，1964年10月10日に東京オリンピックの開会式が行われたことを祝して制定されたものである。同開会式の日程は，10月10日が我が国の無形文化遺産として登録されている二十四節気の一つであり，10月の中で南中高度が最も高くなる晴れの特異日に近接していることを考慮して決定されたものであるが，2020年に限り，体育の日は7月の東京オリンピックの開会式に合わせて移されることとなった。

3　我が国では，2018年，労働基準法が改正され，年次有給休暇の計画的付与制度が創設された。これは，労働者が主体的・計画的に連休の計画を立てられるよう，企業が休暇取得日を指定して割り振ることや，時間単位で休暇を取得させることを禁じるものである。違反した場合，企業には罰金が課せられる。また，年10日以上の年次有給休暇が付与されている労働者については，年5日以上の休暇取得が努力義務として課されることとなった。

4　我が国の年次有給休暇取得率は，従来より米国などと比べて低く，2017年は約5割であった。2018年，働き方改革の表裏一体の改革として，休み方改革を推進する目的で，キッズウィークが導入された。これは，地方公共団体が，公立学校の夏休みなどに合わせて，その地域に居住する住民や事業所に適用される祝日を設定するものであり，近年，ドイツやフランスでは，キッズウィークの導入を契機として，バカンスと呼ばれる長期休暇が普及した。

5　2018年，働き方改革関連法が成立し，1か月間の残業時間の上限が原則100時間とされるとともに，勤務間インターバル制度が新設された。同制度は，残業時間が100時間を超えた月の翌月に適用される緊急措置として終業時刻から始業時刻までの間に一定時間の休息を設けるものであり，その適用が常態化することを防止するための措置を講ずることが義務付けられた。

解 説

1. 妥当である。2019年5月1日に「令和」への改元と「剣璽等承継の儀」などが行われた。なお、「皇嗣」とは、皇位継承順位第1位の皇族のこと。皇嗣が現天皇の子ならば皇太子と呼ばれるが、現在の皇位継承順位第1位の秋篠宮文仁親王は天皇陛下の弟であるため、「皇嗣殿下」と呼ばれている。

2. 二十四節気は中国の無形文化遺産であるが、無形文化遺産保護条約の発効は2006年のことであり、1964年の東京オリンピック当時はまだ無形文化遺産ではなかった。二十四節気の一つである寒露は、1964年の場合、10月8日だった。南中高度とは太陽が真南に位置したときの地平線との間の角度のことだが、夏至から冬至に近づくにつれ南中高度は低くなるので、10月で南中高度が最も高いのは1日。ところが、10月8日と1日のいずれも、晴れの特異日ではない。晴れの特異日は晴れる確率が高いが、それに近接する日も晴れる確率が高いわけではない。よって、「晴れの特異日に近接している」からというのは、理由にならない。なお、1964年の東京オリンピックの開会式が10月10日になったのは、「その日は（特異日とまではいえないにせよ）晴れる確率が高かったから」と巷間では思われているが、その理由は明確になっていない。体育の日は10月の第2月曜日だが、2020年に限って7月24日に移動させるのは正しい。祝日としての名称は、2020年から「スポーツの日」に改められた。なお、東京オリンピックが2021年に延期されたことから、2021年のスポーツの日は7月23日となった。

3. 年次有給休暇の計画的付与制度は、1987年に導入された。労使協定の締結などを前提に、年次有給休暇の日数のうち5日を超える部分の取得時季を使用者が決められる制度である。年次有給休暇の時間単位での付与も禁止されていない。また、年10日以上の年次有給休暇が付与されている労働者に対して、年5日については毎年時季を指定して取得させることが使用者に義務づけられた。

4. キッズウィークとは、地方公共団体が公立学校の夏休みなどの長期休業日の一部を別の時期に分散させ、大人と子どもがともに休暇を取得できるようにする取組みのこと。ドイツやフランスでも同様に地域別に休暇が分散化されているのは正しいが、バカンスの普及はそれ以前のことである。

5. 働き方改革関連法によって、1か月間の残業時間の上限は原則45時間とされた。また、勤務間インターバル制度とは、労働者の終業時刻から次の始業時刻までの間に、一定時間以上の休息時間を設定する制度のこと。すべての労働者に適用されるものだが、制度導入は雇用主の努力義務とされるにとどまっている。

正答 1

国家一般職
［大卒］
No.
332
教養試験
時事　日本における通信や放送　平成30年度

我が国における通信や放送に関する記述として最も妥当なのはどれか。

1 電波の周波数は、電波の公平かつ能率的な利用を確保するため、電波法に基づき、総務省によって管理が行われている。これに要する費用は、テレビ放送の視聴者など、電波の利用者が納める電波利用料によって賄われているが、収支が悪化しており、2017年には、周波数の利用権を競争入札によって決定するオークション制度が導入された。

2 第5世代移動通信システム（5G）は、超高速だけでなく、多数同時接続、超低遅延といった特徴を持つ次世代の移動通信システムであり、政府は、2020年の実現を目指し、研究開発の推進や、各国・地域の政府等との国際連携の強化、周波数の確保等に取り組んでいる。2017年度には、遠隔医療や、鉄道車両に対する高精細映像配信などの実証試験が行われた。

3 準天頂衛星は、静止軌道上の通信衛星や気象衛星などとの通信を中継し、高速化・大容量化するための人工衛星で、高度約350kmの準天頂軌道に打ち上げられる。政府は、2018年度から準天頂衛星を4機体制として、本格的に運用することとしているが、2017年には、予定されていた準天頂衛星4号機の打ち上げが行われず、運用開始の遅れが懸念されている。

4 4K・8K放送とは、現行のハイビジョンを超える超高精細な画質による放送であり、8K放送ではハイビジョンの8倍の画素数で放送される。2016年には、日本放送協会（NHK）による試験放送が開始されたが、4K・8K放送の実用化には、各家庭に光ファイバーケーブルを敷設する必要があり、地方を中心に普及率の向上が課題となっている。

5 携帯電話やスマートフォンの利用は日常生活に深い関わりを持つため、その通話料金は国による認可制となっている。また、通信事業者には、自己の保有する設備による全国一律のサービス提供が義務付けられていたが、2017年には、制限が撤廃され、他の事業者から通信設備を借り受け、自らは通信設備を保有しない事業者によるサービス提供が解禁された。

解説

1. テレビ放送の電波利用料は、直接的にはテレビ局が納付している。また、電波オークション制度については政府が導入を検討している段階にあり、実現には至っていない。

2. 妥当である。第5世代移動通信システムの通信速度は、現在の第4世代移動通信システム（4G）の100倍であり、人工知能（AI）やモノのインターネット（IoT）と並んで第四次産業革命やサイバー空間と現実空間が高度に融合した「超スマート社会」の実現には欠かせない技術とされている。

3. 「みちびき」と呼ばれる、わが国の準天頂衛星システムに関する記述である。まず、前半の記述はデータ中継衛星に関するものだから誤り。準天頂衛星システムは「日本版GPS」とも呼ばれるように、地球上の位置情報を取得するシステムである。次に、準天頂軌道は高度約32,000km～40,000kmであり、350kmではない。準天頂衛星は2017年に、2号機と3号機に続いて4号機の打上げも成功している。2018年には4機体制での運用が開始され、2023年には7機体制での運用をめざしている。

4. 4Kの画素数は現在のハイビジョンの4倍だが、8Kは16倍である。4Kも8Kも電波放送であり、光ファイバーケーブルを必要とするものではない。

5. 携帯電話やスマートフォンの通話料金の認可制は、1990年代にすでに廃止済みである。また、自らは通信設備を保有しない通信事業者のことを仮想移動体通信事業者（MVNO）というが、こうした事業者によるサービス提供も2000年代に解禁済みである。

正答　**2**

国家一般職
［大卒］
No.
333
教養試験
時事 日本の近年の法や条約 平成30年度

我が国の近年の法や条約をめぐる動向等に関する記述として最も妥当なのはどれか。

1 民法は，第二次世界大戦終結直後に制定されて以来，契約等の債権関係の規定の改正がほとんど行われておらず，社会・経済の変化への対応が求められていた。そこで，2017年の改正では，部分的に残っていた片仮名・文語体の表記が平仮名・口語体となったほか，時効期間の長期化を避けるため，業種ごとに異なる時効の規定が設けられた。

2 我が国は，憲法上，象徴天皇制を採用しており，天皇は国政に関する権能を持たず，国会の助言と承認に基づいて儀礼的・形式的な国事行為のみを行うこととされている。憲法に定められている国事行為には，国会の召集のほか，被災地への訪問なども含まれる。2017年には，後代まで適用される，天皇の退位等に関する皇室典範特例法が制定された。

3 水俣病などの水銀被害を経験した我が国は，水銀対策の経験と教訓を世界に発信するなどして国際的な水銀対策の交渉の進展に貢献してきており，2013年に熊本市・水俣市で行われた外交会議において水銀に関する水俣条約が採択された。我が国は，同条約の的確かつ円滑な実施を確保するため，水銀汚染防止法を制定するなどし，その後，2016年には同条約を締結した。

4 旅館業法に違反して，住宅の全部又は一部を活用し宿泊料を受けて人を宿泊させる民泊サービスが増加していることを受けて，2017年に住宅宿泊事業法が制定された。同法に基づき民泊に関する国家戦略特区に認定された区域以外では，個人による外国籍の者への住宅を活用した宿泊先の提供が禁止されることとなった。

5 パーソナルデータを含むビッグデータの利活用ができる環境の整備のため，個人情報保護法が改正され，2017年から，国の認定を受けた民間団体が作成した匿名加工情報の提供が始まった。一方，匿名加工情報以外の個人情報については，企業や個人が他の企業や報道機関などの第三者に提供しようとする場合，同法により本人の同意が必要とされている。

解説

1. 民法が制定されたのは1896年で，第二次世界大戦終結直後に行われたのは家族法などの改正である。また，すでに2004年の改正で表記は平仮名・口語体に改められていた。2017年の民法の改正では，これまで職業別に設定されていた消滅時効の特則が廃止され，原則5年に統一された。

2. まず，天皇の国事行為に「助言と承認」を行うのは内閣で，国会ではない。次に，国事行為は憲法に明記されており，国会召集もその一つ（7条）であるが，被災地などへの訪問や全国戦没者追悼式の出席，園遊会の主催などは憲法に規定がなく，よって国事行為ではない。また，皇室典範特例法が適用されるのは今上天皇の退位のみである。

3. 妥当である。水銀に関する水俣条約とは，水銀や水銀化合物の人為的排出から人の健康および環境を保護するために，水銀の適正な管理と排出の削減を定めた条約である。発展途上国でも水俣病と同様の健康被害が発生している状況を受けて採択され，2017年に発効した。

4. 国家戦略特区における民泊サービスは国家戦略特区法に基づくもので，住宅宿泊事業法（民泊新法）によるものではない。住宅宿泊事業法は，民泊を巡るトラブル多発や外国人旅行客増加に伴う宿泊施設不足などを受けて，健全な民泊の普及のために制定された法律である。これは外国人に対する民泊サービス提供を禁止するものではなく，事業者に宿泊設備や交通機関などの情報を外国語で提供することなどを義務づけている。

5. 前半が誤り。改正個人情報保護法には，情報の適正な加工や識別行為の禁止など，匿名加工情報取扱業者の義務が定められている。だが，こうした事業を行うに当たり，国の認定を受ける必要はない。ちなみに，匿名加工情報以外の個人情報の第三者提供には本人の同意を要するが，匿名加工情報については必要とされない。ただし，匿名加工情報に含まれる個人に関する情報の項目およびその提供の方法を公表しなければならないことになっている。

正答 **3**

国家一般職
［大卒］
教養試験

No.
334

時事　**各国の近年の情勢等**　平成**30年度**

各国の近年の情勢等に関する記述として最も妥当なのはどれか。

1　米国では，2016年の大統領選挙で，「米国第一主義」を掲げた共和党のトランプ候補が，民主党のクリントン候補に勝利した。2017年の就任以降，トランプ大統領は環太平洋パートナーシップ（TPP）協定からの離脱を指示する覚書や医療保険制度改革法（オバマケア）の見直しに関する大統領令に署名するなどした。

2　英国では，テロ事件がロンドンオリンピック競技大会以降多発していたが，メイ首相が緊急事態宣言を発出し，テロ対策を強化した結果，2017年はテロ事件が発生しなかった。メイ首相は，テロ対策の功績や欧州連合（EU）離脱に向けた交渉の推進により，多数の国民から支持を受けており，これらを背景に実施された総選挙では，与党保守党が単独過半数を維持した。

3　フランスでは，オランド大統領が，企業の競争力強化を目的とした労働法の改正によって国民の支持を失い，2017年の大統領選挙への不出馬を表明した。そのため，オランド大統領に代わって出馬した社会党のマクロン候補が，反EU，反移民の姿勢を明確に打ち出した。マクロン候補は，親EUの姿勢を明確にした他の候補者に勝利し，大統領に就任した。

4　ドイツでは，メルケル首相が，大量に流入する難民に対し，受入れ上限を設けたことで国民の支持を受け，2017年のドイツ連邦議会選挙において，与党キリスト教民主・社会同盟（CDU/CSU）が単独で過半数を獲得した。一方，人道的理由から難民の保護を訴えるドイツのための選択肢（AfD）は保持していた議席を失った。

5　中国では，2017年，5年に1度の全国人民代表大会（全人代）が開催され，習近平国家主席が再任されるとともに，新たに李克強氏が国務院総理（首相）に指名された。同大会では，習近平国家主席が，農業，工業，国防，科学技術において現代化を図る「四つの現代化」を提起し，これが中国共産党の最高規則に盛り込まれた。

解説

1. 妥当である。トランプ大統領は 2017 年 1 月に就任すると早速，TPP から永久離脱する旨の大統領令に署名した。また，同年 10 月にはオバマケアの見直しに関する大統領令にも署名した。

2. イギリスでは，2017 年 5 月にマンチェスターのコンサート会場で大規模なテロ事件が発生した。また，その翌月にもロンドンでテロ事件が 2 件発生している。同年 6 月にはイギリスで下院選が実施されたが，野党が健闘し，与党保守党の議席は過半数に達しなかった。

3. 後半が誤り。マクロン氏は中道派の候補者であり，社会党の候補者ではなかった。また，マクロン氏も社会党も反 EU・反移民の立場ではない。なお，大統領選挙ではマクロン氏と反 EU・反移民を掲げる極右政党 FN（国民戦線）党首のル・ペン氏による決選投票が実施されたが，中道右派や左派勢力の支持も集めたマクロン氏が勝利し，大統領に就任した。

4. ドイツ連邦議会（下院）議員選挙で採用されている小選挙区比例代表併用制は，原則として比例代表選挙によって各政党に議席を配分する制度である。ゆえに，ドイツでは連立政権が常態化している。2017 年の選挙でも，CDU/CSU は第一党となったものの，獲得議席数は単独過半数に達しなかった。また，「ドイツのための選択肢」は反 EU・反移民を掲げる新興保守政党であり，2017 年の選挙で初の議席を獲得するとともに，第三党に躍進した。なお，冒頭の記述は正しく，2017 年にメルケル首相は難民受入れ制限を実施している。

5. 5 年に 1 度開催されるのは中国共産党大会であり，全人代は毎年開催されている。次に，「習李体制」と呼ばれるように，李克強氏は習近平氏が国家主席に就任した 2013 年から首相を務めている。2017 年 10 月，5 年ぶりに開催された中国共産党大会の結果を受け，翌年 3 月の全人代で両者の続投が正式に決まった。また，「四つの現代化（近代化）」が全人代で提起されたのは 1970 年代のことであり，2017 年の中国共産党大会では「習近平新時代の中国の特色ある社会主義思想」が最高規則に盛り込まれた。

正答　**1**

文章理解

判断推理

数的推理

資料解釈

時事

物理

化学

生物

我が国における自然災害等に関する記述として最も妥当なのはどれか。

1 我が国の周辺では，太平洋プレートやフィリピン海プレートが北米プレートやユーラシアプレートの下に沈み込んでいるため，地震活動が活発である。これらのプレート境界で発生する地震のほか，大陸プレート内部の地殻上部で発生する地震もあり，平成28年に発生した熊本地震は，甚大な被害をもたらした。

2 我が国では，活火山を現在活発な噴気活動のある火山としている。政府は，平成26年の御嶽山の噴火を教訓に火山対策を見直し，全国110の活火山を常時観測火山に指定して24時間体制で監視している。平成28年には，周辺住民の避難が必要となる噴火警戒レベル5の噴火警報が浅間山と箱根山に対して出された。

3 台風は，活発な乱層雲を伴う低気圧の渦で，北西太平洋に存在する熱帯低気圧のうち，中心気圧が990ヘクトパスカル以下のものをいう。夏の後半から秋にかけては，オホーツク海高気圧の南下に伴って台風が我が国の付近を多く通るようになり，平成28年に発生した台風10号は，第二次世界大戦以降初めて東北地方に上陸した台風となった。

4 夏には，シベリア高気圧から吹き出す寒気が，黒潮の影響により暖かく湿った空気となり前線付近に流入することで，発達した積乱雲による集中豪雨が多発する。平成27年に発生した関東・東北豪雨による災害では，地盤の液状化現象により鬼怒川の堤防が決壊し，広範囲の浸水が発生するなど多くの被害が生じた。

5 政府は，地震，山火事等の自然災害に対する予防，復旧対策等の基本的な方針を示す，防災基本計画を定めている。平成27年には，「防災4.0」未来構想プロジェクトが立ち上げられ，東日本大震災の教訓も踏まえ，官邸における緊急参集チームの設置など政府の初動体制の整備についても，新たに同計画に盛り込まれた。

解　説

1. 妥当である。地震は，陸側のプレートと海側のプレートとの境界で発生する「海溝型地震」と，陸側のプレート内部での断層運動により発生する「活断層型地震」に大別される。また，海溝型地震はさらに「プレート間地震」と「プレート内地震」に分けられる。本肢の「大陸プレート内部の地殻上部で発生する地震」とは，このうち「活断層型地震」をさしている。各地震の代表例は，①プレート間地震＝関東大地震（1923〈大正12〉年）や東北地方太平洋沖地震（東日本大震災をもたらした地震，2011〈平成23〉年），②プレート内地震＝昭和三陸地震（1933〈昭和8〉年），③活断層型地震＝兵庫県南部地震（阪神・淡路大震災をもたらした地震，1995〈平成7〉年）や熊本地震（2016〈平成28〉年）などである。

2. 活火山の定義は時代によって変化しているが，火山噴火予知連絡会は，2003（平成15）年，「概ね過去1万年以内に噴火した火山及び現在活発な噴気活動のある火山」と定義し直している。2017〈平成29〉年現在，活火山の数は111とされているが，このうち常時観測火山とされているのは50火山のみである。また，平成28年に，噴火警戒レベル5の噴火警報が浅間山と箱根山に対して出されたという事実はない。

3. 台風とは，北西太平洋（赤道より北で東経180度より西の領域）または南シナ海に存在し，なおかつ低気圧域内の最大風速（10分間平均）がおよそ17m/s（34ノット，風力8）以上のものをさす。この定義に気圧の高低は含まれていない。また，台風は，わが国の上空にある太平洋高気圧の威力が夏の後半から秋にかけて弱まってくることで，太平洋高気圧の縁に沿うようにわが国へと接近する。本肢にある「オホーツク海高気圧」は春の後半から夏にかけて発達し，わが国に梅雨をもたらす原因となる。なお，平成28年の台風10号は，1951（昭和26）年の観測以来初めて，東北地方に太平洋側から上陸した台風である。東北地方に日本海側から上陸したケースは，過去にも存在している。

4. 夏には太平洋高気圧がわが国を覆い，晴天が続くことから，強い日射によって積乱雲が発生し，発達した積乱雲による集中豪雨が多発する。本肢にある「シベリア高気圧」は冬に発達し，西高東低の気圧配置を生み出すことで，北西の季節風を発生させ，わが国の日本海側に降雪をもたらす。また，平成27年の関東・東北豪雨では，鬼怒川の増水によって堤防が決壊し，茨城県常総市付近で広範囲の浸水が発生した。本肢にある「地盤の液状化現象」とは，一見硬そうな地盤が地震の揺れで一時的に液体状になる現象のことであり，関東・東北豪雨の際には発生していない。

5. 緊急参集チームとは，緊急事態の発生に際し，関係省庁の局長クラスを官邸に緊急参集させて形成するチームのことである。同チームは，阪神・淡路大震災の教訓を踏まえ，平成7年に閣議決定により創設された。なお，「防災4.0」未来構想プロジェクトでは，平成28年の有識者提言において，住民・地域における備え，企業における備え，情報通信技術の活用という取組みの方向性が示されるなどしている。

正答　**1**

国家一般職
［大卒］
No.
336
教養試験
時事　　わが国の農業や食　平成29年度

我が国の農業や食に関する記述として最も妥当なのはどれか。

1　産業構造の高度化により，農業など第１次産業や，運輸業など第２次産業の就業者割合が低下してきており，平成27年には，第３次産業の就業者割合が８割を超えた。農業の分野においては，担い手不足の状況を打開するため，第２次産業や第３次産業の企業でも参入することを可能とする，農業の６次産業化が進められている。

2　食料自給率とは，国内の食料消費が国産でどの程度賄えているかを示す指標であり，重量ベースで算出する品目別自給率のほか，供給熱量（カロリー）ベースと生産額ベースの２通りの方法で算出する総合食料自給率がある。総合食料自給率は，長期的に低下傾向で推移しており，平成27年には，カロリーベースで40％以下となっている。

3　主食であるコメについては，ウルグアイ＝ラウンド以降，食糧管理制度を通じて政府による買入れが行われてきた。コメの価格は，国産より外国産の方が高い，逆ザヤと呼ばれる状態にあったが，東南アジア諸国連合（ASEAN）との経済連携協定（EPA）により，自主流通米を基本として，流通と価格形成が弾力化され，政府が部分的に管理することとなった。

4　農林物資の規格化等に関する法律（JAS法）に基づき，消費者に販売される食品にJASマークの貼付及び食品表示が義務付けられている。平成27年には，機能性表示食品制度が新たに開始され，生産段階から最終消費段階まで，製品の流通経路が追跡可能となったほか，原産地等について，虚偽の表示をして販売した者に対する罰則規定が設けられることとなった。

5　近年，所有者の死亡等による耕作放棄地が増加しており，各地の農業協同組合（JA）は，農地中間管理機構（農地集積バンク）を設立して耕作放棄地を借り受け，農地の集約化を行うことで，生産基盤の脆弱化を防いでいる。平成28年には，農地集積バンクとしての機能を強化するため，民間協同組織であったJAが第三セクターに転換された。

文章理解
判断推理
数的推理
資料解釈
時事
物理
化学
生物

解　説

1. 2015（平成 27）年における第 3 次産業の就業者割合は 8 割を下回っている。平成 27 年国勢調査（就業状態等基本集計結果）によると，平成 27 年における産業別就業者割合は，第 1 次産業が 4.0%（平成 22 年比 0.3% 減），第 2 次産業が 25.0%（同 0.2% 減），第 3 次産業が 71.0%（同 0.4% 増）であった。また，本肢にある「農業の 6 次産業化」とは，農林漁業生産と加工・販売の一体化を意味している。第 2 次産業や第 3 次産業の企業が農業生産の担い手として参入することを意味するものではない。

2. 妥当である。わが国の総合食料自給率は，長期的に低下傾向で推移しており，カロリーベースで見ると，1965（昭和 40）年度に 73% であったものが近年では 40% 前後で推移している。なお，平成 27 年度の総合食料自給率は，カロリーベースで 39%，生産額ベースで 66% であった。

3.（コメの）食糧管理制度とは，政府が生産者からコメを公定価格（生産者米価）で買い入れ，これを安い価格（消費者米価）で消費者に供給するという制度である。生産者米価と消費者米価の差額は「逆ザヤ」と呼ばれ，政府が負担した。食糧管理制度は，国民のコメ離れや国内コメ市場開放の国際的圧力を受けて，ウルグアイ＝ラウンド（1986〈昭和 61〉－1994〈平成 6〉年）が終結した後の 1995（平成 7）年に廃止された。これにより，政府の統制を受けない自主流通米を基本として，流通と価格形成が弾力化されることとなった。なお，コメの価格は外国産に比べて国産のほうが高い。

4. 生産段階から最終消費段階まで製品の流通経路を追跡可能とする制度を，トレーサビリティ制度という。わが国では牛トレーサビリティ法（2003〈平成 15〉年成立）や米トレーサビリティ法（2009〈平成 21〉年成立）に基づき，これが実施されている。また，JAS 法が改正され，原産地等について虚偽の表示をして販売した者に対する罰則規定が設けられたのは，平成 21 年のことである。なお，本肢の「機能性表示食品制度」とは，消費者庁長官に届け出た安全性や機能性に関する一定の科学的根拠に基づき，事業者の責任において食品の機能性の表示を行うものである。同制度は，食品衛生法，JAS 法，健康増進法の食品表示に関する規定を統合した「食品表示法」に基づいて実施されている。

5. 農地中間管理機構（農地集積バンク）とは，耕作放棄地を借り受け，まとまった形で貸し出すことにより，農地の集約化を行うために設立された法人であるが，これを設置しているのは農林水産省である。また，2016（平成 28）年に施行された改正農協法では，農業協同組合（JA）の事業運営原則や理事構成が変更されるなどしたが，民間協同組織としての位置づけは変更されていない。なお，同法に基づき，JA 全中（全国農業協同組合連合会中央会）は，2019 年に一般社団法人に移行した。

正答　**2**

国際的な会議や組織, 協定に関する記述として最も妥当なのはどれか。

1 2015年, 初めての国連防災世界会議が, 東日本大震災の発生を契機として宮城県仙台市で開催され, 主要国の首脳を始め各国代表らが参加した。同会議は, 自然災害のみならず, 紛争被災者や難民など世界的な人道危機の効果的な支援を目的としており, 2030年までの新たな国際的な防災の取組指針となる「仙台防災枠組」を採択した。

2 2015年, アジアインフラ投資銀行 (AIIB) の設立協定が調印された。AIIB はアジアのインフラ整備を目的として設立された地域開発金融機関の一つで, アジア, アフリカ諸国に加え米国等の計57か国が設立時から参加している。この設立に伴い, 1960年代に日米主導で設立されたアジア開発銀行 (ADB) は世界銀行に統合された。

3 2016年, 環太平洋パートナーシップ (TPP) 協定の署名式が行われた。複数の国による自由貿易協定は, このほかに北米自由貿易協定 (NAFTA) などがある。TPP 協定は, 当初, ブルネイ, 中国, メキシコ, シンガポールの4か国で交渉が開始され, 我が国や韓国を含む12か国が協定に署名した。

4 2016年, 三重県志摩市で主要国首脳会議 (サミット) が開催された。第1回サミットは, 1975年に英国首相の提唱により, 英国, フランス, 旧西ドイツの3か国が参加して行われた。伊勢志摩サミットの首脳宣言には, 経済, 外交, 環境対策などが盛り込まれ, 地球温暖化対策の国際的枠組みであるウィーン条約について2016年中の発効を目指すことも確認された。

5 2016年, 国連では, 潘基文事務総長の任期満了に伴う後任の事務総長の選出が行われた。今回の事務総長選出では, 公開性, 透明性を高めるため, 総会において候補者との非公式対話が初めて行われ, その後, 15か国で構成される安全保障理事会の勧告に基づき, 総会によってアントニオ・グテーレス氏が事務総長に任命された。

解説

1. 国連防災世界会議は，第1回が横浜市（1994年），第2回が神戸市（2005年），第3回が仙台市（2015年）で開催されている。また，仙台会議において採択された「仙台防災枠組2015－2030」は，あくまでも自然災害（およびこれに関連する災害とリスク）への取組み指針とされており，紛争被災者や難民などの世界的な人道危機の効果的な支援については言及されていない。

2. アジアインフラ投資銀行（AIIB）には，アジア，アフリカ諸国に加え，イギリスやドイツ，フランスなどの欧州主要国を含む計57か国が設立時から参加しているが，アメリカはこれに参加していない。また，1960年代に日米主導で設立されたアジア開発銀行（ADB）は，AIIBの設立後も独自の活動を続けており，世界銀行に統合されてはいない。

3. TPP協定は，2006年に発効した環太平洋戦略的経済連携協定（P4協定）を前身としており，その参加国はシンガポール，ニュージーランド，チリ，ブルネイの4か国であった。その後，アメリカをはじめとする7か国が順次参加を表明し，拡大交渉の結果，日本を含む12か国（韓国は含まれていない）がTPP協定に署名した。2017年1月にアメリカのトランプ政権がTPP離脱を表明し，それ以降はアメリカを除く11か国が協定発効をめざして協議を続け，2018年12月30日に発効した。

4. 第1回主要国首脳会議（サミット）は，1975年にフランス大統領の提唱により，フランス，アメリカ，イギリス，ドイツ，イタリア，日本の6か国が参加して行われた。また，伊勢志摩サミットの首脳宣言で2016年中の発効をめざすとされた地球温暖化対策の国際的枠組みは，パリ協定で，同協定は2016年11月に発効した。

5. 妥当である。2016年には，韓国出身の潘基文（パン=ギムン）氏の後継者として，ポルトガル出身のアントニオ=グテーレス氏が第9代国連事務総長に選出された。

正答　**5**

我が国の教育政策等に関する記述として最も妥当なのはどれか。

1 中学校夜間学級（夜間中学）とは，義務教育を修了したものの学び直しの機会を求める人のために設けられた特別の学級である。平成26年の文部科学省による調査の結果，高齢者を中心に設置の要望が高いことが判明したため，国は，各都道府県に１校しかない公立の夜間中学を増やす方針を示した。

2 教育委員会とは，都道府県及び市町村等に置かれる合議制の執行機関である。平成27年4月からは，教育行政の責任体制を明確化するため，教育委員長と教育長を一本化した新たな責任者である「教育長」を置くこととされた。

3 学習指導要領は，教育課程を編成する際の基準であり，どの学校でも一定水準の教育を受けられるよう，都道府県ごとに定められている。平成30年度からの新学習指導要領では「キャリア教育」が高等学校における教科として実施されることとなった。

4 教科書検定とは，都道府県の教育委員会が各学校で教科書として使用するか否かを審査する制度である。教科書検定は，学習指導要領の改訂に合わせて行われており，平成27年には，検定基準が改正され，新たに「デジタル教科書」についても検定の対象となった。

5 いじめとは，「学校内において，自分より弱い者に対して一方的に，身体的・心理的な攻撃を継続的に加え，相手が深刻な苦痛を感じていると学校がその事実を確認しているもの」をいう。平成27年のいじめ防止対策推進法で，いじめの定義が明確にされるとともに，不登校の児童・生徒に対する支援策も規定された。

文章理解　判断推理　数的推理　資料解釈　時事　物理　化学　生物

1. 中学校夜間学級（夜間中学）は，もともと義務教育未修了者のために設けられたものである。ただし，平成 27 年 7 月には文部科学省が通知を発し，義務教育を形式的に修了していても，不登校や虐待などで中学校の大部分を欠席した者については，入学を認めることとなった。また，令和 4 年 4 月現在，夜間中学は 15 都府県に 40 校が設置されており，国（文部科学省）は各都道府県・政令指定都市に 1 校以上設ける方針を打ち出している。

2. 妥当である。従来，教育委員会には，教育委員の互選で選ばれ委員会の長を務める「教育委員長」と，教育委員の一人でありながら事務方の長も務める「教育長」が置かれており，責任体制がやや曖昧であった。そこで，平成 27 年 4 月からは両者が一本化され，新「教育長」が置かれることとなった。

3. 学習指導要領は，全国のどの学校でも一定水準の教育を受けられるよう，全国レベルでただ一つ制定されている。また，高等学校におけるキャリア教育は，各教科の中で行うものとされており，独立した教科とは位置づけられていない。平成 30 年度からの新学習指導要領でも，キャリア教育の充実こそ謳われているものの，これを教科化するとはされていない。

4. 教科書検定とは，民間で著作・編集された図書について，文部科学大臣が教科書として適切か否かを審査し，これに合格したものを教科書として利用することを認める制度である。これに対して，本肢で説明されている制度は，教科書検定に合格した書籍を対象として行われる「教科書採択」制度に該当する。また，「デジタル教科書」は，紙の教科書を主たる教材として使用しながら，必要に応じて併用することができるものであり，紙の教科書の内容をそのまま全部記録した電磁的記録である教材をさすため，独立した存在としては教科書検定の対象とされていない。

5. 本肢に引用されているいじめの定義は，昭和 61 年度から平成 5 年まで用いられていたものであるが，その中で「学校内において」という部分は誤り。当時の定義では，「起こった場所は学校の内外を問わない」とされていた。いじめ防止対策推進法（平成 25 年公布・施行）では，「『いじめ』とは，児童等に対して，当該児童等が在籍する学校に在籍している等当該児童等と一定の人的関係にある他の児童等が行う心理的又は物理的な影響を与える行為（インターネットを通じて行われるものを含む。）であって，当該行為の対象となった児童等が心身の苦痛を感じているものをいう。」（いじめ防止対策推進法 2 条 1 項）とされている。また，いじめ防止対策推進法では，不登校の児童・生徒に対する支援策は，特に規定されていない。

正答　**2**

国家一般職
［大卒］
教養試験
No.
339
時事　日本における地方活性化等　平成28年度

我が国における地方活性化等に関する記述として最も妥当なのはどれか。

1 新幹線の開業は，交通利便性の向上に加え，大きな経済波及効果を期待できる。平成20年の九州新幹線，平成24年の東北新幹線の全区間の開業に続き，平成27年，北陸新幹線が開業した。新幹線の整備計画が決定されてから40年以上を経ての金沢開業であり，これにより，整備新幹線の全区間が完成した。

2 ふるさと納税とは，自分の選んだ地方公共団体に寄附を行った場合に，通常の寄附金に対する控除に加えて特別な控除が受けられる制度である。平成27年度税制改正において，控除の限度額が引き上げられたほか，確定申告の不要な給与所得者等がふるさと納税を行う場合，控除に関する手続を簡素にする「ふるさと納税ワンストップ特例制度」が創設された。

3 住民基本台帳ネットワークシステムに代わり，平成28年から導入されたマイナンバー制度は，日本国籍を持つ者を対象に，1人1番号を都道府県知事が指定する制度である。地方公共団体では，戸籍や税に関する個人情報とマイナンバーとを関連付けて，効率的に情報の管理を行えるようになった。

4 平成26年度の一般会計予算には，地方創生交付金が計上され，プレミアム付き商品券の発行，しごとづくり，観光振興，子育てなど，幅広い分野で活用された。このうち，地域内での消費喚起を目的としたプレミアム付き商品券は，初めての試みであり，全国の地方公共団体で15歳以下の子どものいる家庭に配布された。

5 地方公共団体の住民が意思決定を行う仕組みの一つに，住民投票条例に基づく住民投票があり，平成27年度には，大阪市で特別区設置住民投票が行われたほか，一部の市町村で図書館の民営化に関する住民投票が行われた。これらの住民投票では，選挙権年齢の引下げに伴い，18歳以上の者による投票が行われた。

1．全区間の開業年は，九州新幹線（鹿児島ルート）は平成 23 年，東北新幹線は平成 22 年である。また，北陸新幹線は平成 9 年に高崎－長野間で開業し，平成 27 年に金沢まで延伸されたが，全区間開業には至っていない（大阪まで延伸予定）。また，平成 27 年時点では，北海道新幹線，九州新幹線の西九州ルートも未開業であった。

2．妥当である。ふるさと納税は，地方公共団体の提供する「お礼の品」にお得感があることや，平成 27 年度税制改正で税控除の手続きが簡素化されたことなどにより，急速に普及した。

3．マイナンバー制度では，国内で住民登録するすべての者に対してマイナンバー（個人番号）が指定される。そのため，海外に居住する日本国民はマイナンバーを付番されず，逆に国内に居住する外国人はマイナンバーを付番される。また，マイナンバーを指定するのは都道府県知事ではなく，市町村長である。

4．プレミアム付き商品券とは，額面より安く購入できる商品券のことであり，地方創生交付金を財源として，全国の地方公共団体の大半で「販売」された。子どものいる家庭に「配布」されたわけではない。なお，平成 11 年には，国の補助によって全国の市区町村で地域振興券が発行されており，15 歳以下の子どものいる家庭等の世帯主に無料で配布された。

5．住民投票条例に基づく住民投票では，条例によって投票権年齢を定めることができる。大阪市の特別区設置住民投票では，20 歳以上の者による投票が行われた。なお，選挙権年齢の 18 歳以上への引下げは，平成 28 年 6 月 19 日から施行されており，大阪市で住民投票が実施された時点（平成 27 年 5 月 17 日）では実現していない。

正答　**2**

我が国の医療等に関する記述として最も妥当なのはどれか。

1 平成26年，世界で初めて，患者自身の皮膚細胞から作製した iPS 細胞を目の細胞に分化させて移植する手術が行われた。iPS 細胞は，受精卵（胚）の中にある細胞を取り出して培養する ES 細胞とは異なり，受精卵（胚）を損なうという倫理的な問題がないとされている。また，患者自身の細胞を利用すると，拒絶反応の問題を回避できるとされている。

2 平成27年，マラリアに対する有効な新薬の発見に対して，日本人がノーベル生理学・医学賞を受賞した。新薬について，我が国では，その発見から承認までにかかる時間が長く，ドラッグ・ラグと呼ばれる社会問題が生じていたが，平成26年の医療法の改正により，承認審査期間は1年を上限とすると定められた。

3 危険ドラッグとは，治療を目的に使用される麻酔薬や薬局で販売される化学薬品などとは異なり，健康被害をもたらすおそれのある指定薬物のことである。平成26年の麻薬取締法の改正により，販売等停止命令の対象となる物品が拡大され，取締りが強化されたものの，危険ドラッグ販売の実店舗数は増加傾向にある。

4 後発医薬品（ジェネリック医薬品）は，患者負担の軽減や医療保険財政の改善に資するとして使用が推進されている。平成26年の薬事法の改正により，後発医薬品を含む一般用医薬品のインターネット販売が認められることとなり，その販売に際しては，「電子お薬手帳」の交付が条件となっている。

5 2000年代に入り，我が国における死因の第一位が悪性新生物（がん）となったことから，がんの罹患率及び死亡率の減少を目指す取組が進められている。我が国のがん検診受診率は，40歳以上で既に約8割となっているが，平成26年の「がん対策推進基本計画」の中で，がん検診の受診が20歳以上の成人に対して義務付けられることとなった。

解説

1. 妥当である。iPS細胞は，さまざまな細胞に分化していく能力を持った万能細胞であり，わが国の山中伸弥氏によって世界で初めて作製された。近年では，iPS細胞を再生医療に利用するための研究が進んでおり，すでに臨床実験も行われている。

2. 平成27年には大村智氏がノーベル生理医学賞を受賞したが，その受賞理由は，寄生虫による感染症（オンコセルカ症やリンパ系フィラリア症）の画期的な治療薬の開発に貢献したというものであった。本肢にあるマラリアの治療薬は，すでに開発されている。また，新薬の承認審査について定めている法律は，医療法ではなく医薬品医療機器法（旧薬事法）である。ただし，医薬品医療機器法においても，新薬の承認審査期間の上限を1年とするといった規定は設けられていない。なお，2019年におけるわが国の新薬承認審査期間は9.9か月（中央値）で，2011年以降，10か月前後で推移している。

3. 平成26年には，旧薬事法が医薬品医療機器法に改められるとともに，危険ドラッグとして販売等停止命令の対象となる物品が拡大された。危険ドラッグの成分は多様であり，麻薬成分を含まないものについては，麻薬取締法の規制対象とはならない。また，取締りの強化によって，危険ドラッグ販売の実店舗数は減少し，平成27年7月にはゼロとなった。

4. 平成25年の薬事法の改正により，後発医薬品を含む一般用医薬品のインターネット販売が原則として認められることとなったが，その販売に際して「電子お薬手帳」の交付が条件とされたという事実はない。「電子お薬手帳」は，平成28年4月からの医療制度変更により，紙の「お薬手帳」と同様に，調剤薬局で使用することが認められるようになったものである。

5. 悪性新生物（がん）は，1981年以来，わが国における死因の第1位となっている。また，わが国のがん検診受診率は低かったため，「がん対策推進基本計画」（第2期：平成24年策定）では，がん検診受診率（原則40〜69歳）を5年以内に50％（胃，肺，大腸は当面40％）にするという目標が掲げられた。なお，同計画の中で，20歳以上の成人に対するがん検診受診が義務づけられることになったという事実はない。

正答 **1**

文章理解

判断推理

数的推理

資料解釈

時事

物理

化学

生物

我が国の健康政策に関する記述として最も妥当なのはどれか。

1 「健康日本21」とは，国民，企業等に健康づくりの取組を浸透させていき，一定程度の時間をかけて，健康増進の観点から，理想とする社会に近付けることを目指す運動である。平成25年度からは「健康日本21（第二次）」が開始され，健康寿命の延伸や生活習慣病の発症予防等が目標に掲げられている。

2 世界保健機関（WHO）によると，我が国の平均寿命は平成25年現在で男女共に世界最長である一方，健康寿命は世界平均とほぼ同程度である。また，食生活の変化や日常的な運動量の減少などを要因として，健康寿命は年々低下しており，平均寿命との差の大きさが問題とされている。

3 皮下脂肪の増加によって生じるメタボリックシンドロームの予防のため，平成20年から，60歳以上の者を対象に「特定健康診査」が行われてきたが，平成25年から，生活習慣病全般の早期予防のために「特定保健指導」制度に変更されるとともに，その対象者も20歳以上の者に拡大された。

4 高齢化の進展に伴い，介護保険の利用者が増加し，平成25年にはその半数以上が最も重度である要介護5と認定されたこともあり，介護費用は制度導入以降年々増加し続けている。一方，国民医療費は，ジェネリック医薬品の普及により，平成24年をピークとして減少に転じた。

5 受動喫煙による健康への悪影響を防ぐため，平成26年に健康増進法が改正され，従業員数50人以上の事業所においては禁煙が義務付けられた。また，全ての地方公共団体において，路上喫煙を規制し，喫煙場所の設置・整備等の措置を講じることが同法に明記された。

1. 妥当である。「健康日本21」とは，平成12年に開始された「21世紀における国民健康づくり運動」のことである。平成20年度に改訂版が施行され，平成25年度からは方針の全面改正により「健康日本21（第二次）」がスタートした。

2. 世界保健機関（WHO）の発表によると，わが国の平均寿命は平成25年現在で女性が世界第1位，男性が世界第6位。また，わが国の健康寿命は男女計で74.9歳で世界第1位だった。なお，わが国の健康寿命は伸長傾向にはあるが，平均寿命がこれを上回って伸びているため，両者の差の大きさが問題となっている。

3. 平成20年から行われている特定健康診査は，「40歳以上」の者を対象としている。また，特定保健指導は，特定健康診査の結果から，生活習慣病の発症リスクが高く，生活習慣の改善による生活習慣病の予防効果が多く期待できるとされた者を対象として行われている。特定保健指導は特定健康診査と同時に開始されており，当然，対象年齢も同一である。

4. 介護保険の利用者は増加傾向にあるが，要介護別に見て割合が大きいのは要介護1，要介護2と認定された者である（いずれも全体の20％弱）。要介護5と認定された者の割合は10％程度にとどまっている。また，ジェネリック医薬品の普及が進んでいるのは事実であるが，介護費用と同様，国民医療費も高齢化の影響で増加を続けている。

5. 受動喫煙による健康への悪影響を防ぐため，平成26年に「労働安全衛生法」が改正され，事業者および事業場の実情に応じ「適切な措置」を講じることが事業者の「努力義務」とされた。ここにいう適切な措置とは，全面禁煙，喫煙室の設置による空間分煙，たばこ煙を十分低減できる換気扇の設置などを意味する。また，平成26年の健康増進法の改正によって，地方公共団体において路上喫煙の防止措置を講じることが明文化されたという事実はなく，措置を講じるか否かは，現在も各地方公共団体の自主的な判断に委ねられている。

正答 **1**

国家一般職
［大卒］
教養試験
No.
342
時事　　近年の日本ブランド戦略　　平成27年度

近年の日本ブランド戦略に関する記述A～Dのうち，妥当なもののみを挙げているのはどれか。

A：平成24年にクールジャパン推進会議が発足し，平成32（2020）年に開催される夏季オリンピック・パラリンピック開催都市として東京を推薦すること等が決定された。翌年，東京が開催地に決定されたことを受け，スポーツ振興法が新たに制定され，同年，内閣府にスポーツ庁が設置された。

B：平成25年に「観光立国実現に向けたアクション・プログラム」が決定されて以降，クールジャパンと一体となった日本ブランドの発信や，外国人旅行者に対する消費税免税制度の拡充等の施策が進められている。年間の訪日外国人旅行者数が平成25年には，初めて1,000万人に達し，平成26年にはそれを上回った。

C：富岡製糸場に続き，平成25年に富士山が国連教育科学文化機関（UNESCO）の世界自然遺産として登録された。平成26年末現在，我が国にはアジア諸国では最も多い34の世界遺産があるが，より多くの観光資源を国内外に積極的に広報するため，和食について，平成27年中の世界文化遺産への登録を目指している。

D：アニメや漫画などの日本文化は，フランスで開催されるJapan Expo等を通じて，海外での認知度が高まっている。政府は，平成25年にクールジャパン関連企業の海外展開を支援する官民ファンドを発足させるなど，民間主導による海外への積極的な文化発信を支援する姿勢を打ち出している。

1　A，C
2　A，D
3　B，C
4　B，D
5　C，D

A：クールジャパン推進会議は平成25（2013）年2月に発足した。平成32（2020）年の夏季オリンピック・パラリンピックの開催地が東京に決定したのは同年9月のことであり，両者は同じ年の出来事である（東京オリンピックの開催は2021年7月）。また，スポーツ振興法は昭和36（1961）年に制定された法律であり，平成23（2011）年には全面改正され，現在ではスポーツ基本法とされている。スポーツ庁は，東京オリンピック・パラリンピックの開催決定をきっかけに設置されることになった官庁であるが，その発足は平成27（2015）年10月のことであった。

B：妥当である。諸施策が功を奏したこともあって，平成25年の訪日外国人旅行者数は1,036万人となり，初めて1,000万人を超えた。国・地域別では，韓国，台湾，中国，アメリカ，香港，タイの順に多かった。また，平成26年の訪日外国人旅行者数はさらに増加して1,341万人，令和元年には3,188万人に達し，過去最高を更新した。

C：富岡製糸場（正式には「富岡製糸場と絹産業遺産群」）が世界遺産に登録されたのは，富士山が世界遺産に登録された翌年，すなわち平成26（2014）年のことであった。また，富士山（正式には「富士山－信仰の対象と芸術の源泉」）は，世界自然遺産ではなく世界文化遺産に登録されている。富岡製糸場の世界遺産登録によって，わが国の世界遺産登録数は18となった（令和3〈2021〉年現在25）が，アジアでは中国の登録数がわが国を大きく上回っている。なお，世界遺産は有形の不動産を対象とするため，無形の文化が世界遺産に登録されることはない。和食については，平成25（2013）年に世界無形文化遺産に登録されている。

D：妥当である。アニメや漫画などはクールジャパンの代表例とされており，政府もその海外展開を積極的に支援している。たとえば，平成25（2013）年に発足したクールジャパン機構は，法律に基づき設立された官民ファンドであり，クールジャパンを事業化し，海外需要の獲得につなげるため，メディア・コンテンツ，食・サービス，ファッション・ライフスタイルをはじめとするさまざまな分野でリスクマネーの供給を行っている。

よって，妥当なのはBとDで，正答は**4**である。

正答　**4**

文章理解　判断推理　数的推理　資料解釈　時事　物理　化学　生物

国家一般職
［大卒］
No.
343
教養試験
時事　近年のわが国のインフラ整備状況　平成26年度

近年の我が国のインフラ整備の状況に関する記述として最も妥当なのはどれか。

1 平成24年の中央自動車道笹子トンネルの天井板落下事故を機に，道路，トンネルなどのインフラ設備の老朽化への対応が求められ，平成25年度に設立された一般財団法人道路保全技術センターの総合調整の下に消費税の引上げ分を財源とした緊急の大規模改修工事が進められることとなった。

2 大規模地震発生の切迫性が指摘される中，公共建築物の耐震診断及び耐震改修の促進が急務とされ，学校，病院等多数の者が利用する一定規模以上の建築物の耐震化率については，平成27年までに少なくとも9割とする目標が国土交通大臣により設定されている。

3 東京電力福島第一原子力発電所事故の発生を機に，エネルギー政策基本法が改正され，同法に基づき，今後5年以内に太陽光，風力等の再生可能エネルギーを基幹エネルギーとして総発電量の3割程度を占めることとする「エネルギー基本計画」が平成25年に新たに策定された。

4 地上アナログ放送から地上デジタル放送への切替えに伴い，地上デジタル放送に対応可能な電波塔の建設が各地で求められることとなった。首都圏では東京スカイツリーの建設が進められ，平成25年の完成と同時に，首都圏で地上デジタル放送の送信が開始された。

5 2020年のオリンピック・パラリンピックの開催に向け，競技会場として，首都圏全域で新国立競技場を始めとする多くのスポーツ施設の新設が予定されており，また，外国人観光客の増加に対応するため，平成25年に首都圏内陸部における新たな国際空港の建設予定地が決定された。

解説

1. 道路保全技術センターは，調査研究や開発技術の提供を行う一般財団法人で，多くの国土交通省OBが職員として勤務していた。しかし，国土交通省の発注した調査を他企業にすべてまかせたり，不適切な調査を行った事実が発覚したことから，平成23年3月31日をもって解散した。また消費税の引上げ分は，全額社会保障の財源として用いることになっており，インフラ整備の改修工事には用いられない。

2. 妥当である。多数の者が利用する一定規模以上の建築物については，その耐震化率が平成15年には約50%，平成25年には約85%，平成30年には89%に達した。国はこれをさらに引き上げようと努めており，令和7年を目途に，耐震性の不足する耐震診断義務付け対象建築物を解消する目標を掲げている。

3. エネルギー政策基本法は，本問の出題時（平成26年6月）まで，一度も改正されていない。また，「エネルギー基本計画」は，平成15年から，数次にわたって策定されているが，平成25年は策定されていない。

4. 東京スカイツリーは平成24年2月に完成した（オープンは同年5月）。また，首都圏で地上デジタル放送の送信が開始されたのは平成15年12月のことであり，東京スカイツリーの完成よりも9年程度早い。

5. 新国立競技場の建設は平成28（2016）年に着工されたが，新たな国際空港の建設予定はなく，成田・羽田両空港およびそのアクセス手段の整備などが計画されていたのみであった。なお，競技会場については，新国立競技場以外にも建設予定のものはあったが，既存施設の整備・拡充で対応するケースも数多く見られた。

正答　2

我が国の安全保障に関する記述A〜Dのうち，妥当なもののみを全て挙げているのはどれか。

A：厳しさを増す我が国周辺の安全保障環境を踏まえ，平成25年度の防衛関係費（当初予算）は，南西地域の警戒監視・防空能力の向上や島嶼防衛態勢の強化などに係る経費が計上され，対前年度（当初予算）比で増額となった。

B：内閣を挙げて外交・安全保障体制の強化に取り組むため，平成25年，内閣の安全保障会議の権限が強化された。これに伴い，外務大臣，防衛大臣，国土交通大臣及び経済産業大臣からなる4大臣会合が新設されたほか，内閣官房に国家安全保障局が設置されることとなった。

C：ロシアとの間で外務・防衛閣僚協議（「2＋2」）が平成25年に初めて開催された。協議では，テロ・海賊対処や防衛交流などについて日露間で協力を進めることで一致した。我が国が外務・防衛閣僚協議（「2＋2」）の枠組みを設けたのは，米国，オーストラリアに続いてロシアが3か国目となった。

D：平成25年に起きたシリアでの日本人人質事件を受け，同年，自衛隊法が改正され，自衛隊による輸送対象者の範囲が邦人のみに限定されることとなった。また，車両に限定されていた自衛隊による在外邦人の輸送手段に，船舶及び航空機が追加された。

1　A，C　　**2**　A，D　　**3**　B
4　B，D　　**5**　C

解説

A：妥当である。平成25年度の防衛関係費（当初予算）は4兆6,804億円で，前年度よりも0.8％増加した。防衛関係費は平成15年度から減少を続けていたが，これで11年ぶりの増額となった。以降は増加傾向に転じている。

B：新設の4大臣会合の構成員は，内閣総理大臣，外務大臣，防衛大臣，官房長官である。国土交通大臣や経済産業大臣は，従来から設置されている9大臣会合の構成員ではあるが，4大臣会合の構成員には含まれていない。

C：妥当である。わが国はこれまで，わが国の同盟国である米国，米国の同盟国であるオーストラリアとの間で外務・防衛閣僚協議（「2＋2」）を開催してきた。2013年には，まったく同盟関係にはないロシアとの間で初めて「2＋2」を開催し，話題となった。

D：平成25年に起きたのは，アルジェリアでの日本人人質事件である。これを踏まえて，平成25年には自衛隊法が改正され，航空機と船舶に限定されていた自衛隊による在外邦人の輸送手段に，車両が追加されることになった。また，自衛隊による輸送対象者は，従来から「邦人等」とされており，邦人と同様の状態に置かれた外国人についても，余席があり，外務大臣の依頼がある場合には，これを輸送することが認められてきた。ただし，平成25年の法改正では，輸送対象者となる邦人の範囲がやや広げられ，現地で事件・事故に巻き込まれ保護が必要な邦人だけでなく，救援に随行する政府職員や医師，家族らも輸送することが可能となった。

よって，AとCが妥当であり，正答は**1**である。

正答　**1**

国家一般職
［大卒］
No.
345
教養試験
時事　　災害対応　　平成25年度

文章理解
判断推理
数的推理
資料解釈
時事
物理
化学
生物

災害対応に関する記述として最も妥当なのはどれか。

1 内閣総理大臣は，災害に際して人命・財産の保護のため必要があると認められるときには，自衛隊を救援のため派遣することができる。ただし，この派遣は，地方自治の本旨を尊重する観点から，都道府県知事からの要請がある場合に限られる。

2 東日本大震災を契機として，平成24年，原子力利用における安全の確保を図ることを任務とする原子力規制委員会が環境省の外局として設置された。これに伴い，内閣府原子力安全委員会及び経済産業省原子力安全・保安院は廃止された。

3 緊急地震速報など，対処に時間的余裕のない事態に関する緊急情報を，市区町村の防災行政無線などを用いて国から住民まで瞬時に伝達するシステムを「全国瞬時警報システム（J-ALERT）」という。政府は東日本大震災を踏まえ，平成26年度の運用開始を目指し，平成24年度から整備を開始した。

4 平成23年，主体的かつ一体的に行うべき東日本大震災からの復興に関する行政事務を円滑かつ迅速に取り組む組織として，復興庁が設けられた。復興庁は復興大臣を長とし，復興推進委員会からの助言を得つつ，災害廃棄物の処理や復興債の発行などを行っている。

5 事業継続計画（BCP）は，災害時における企業の事業活動の継続を図るために策定されるものである。災害によって企業活動が滞った場合，地域の雇用・経済に深刻な打撃を与えることから，東日本大震災後，災害対策基本法に基づき，全ての企業に対してBCPの策定が義務付けられた。

解説

1. 内閣総理大臣等による自衛隊の災害派遣は，原則として都道府県知事等からの要請に基づいて行われる。しかし，特に緊急を要し，要請を待ついとまがないと認められるときは，要請を待たずに部隊等を派遣することができる（自衛隊法83条2項）。

2. 妥当である。原子力規制委員会は，独立性と透明性を確保し，電力事業者等と一線を画した規制を実現するために，環境省に設けられた行政機関である。原子力規制委員会の発足に伴い，内閣府原子力安全委員会および経済産業省原子力安全・保安院は廃止され，文部科学省が担っていた核不拡散の保障措置，放射線モニタリング，放射性同位元素の使用等の規制についても移管された。

3. 全国瞬時警報システム（J-ALERT）は，東日本大震災に先立って，平成19年から一部の地方公共団体で運用が開始されており，現在では受信可能な対象が拡大している。

4. 復興庁の長（主任の大臣）は内閣総理大臣である。復興大臣は，内閣総理大臣を助け，復興庁の事務を統括し，職員の服務について統督する。また，災害廃棄物の処理は環境省，復興債の発行は財務省の所掌事務とされている。

5. 事業継続計画（Business Continuity Plan, BCP）は，各企業が自主的に策定するものである。災害に強い企業になる，取引先から信用が高まる，従業員や協力会社などとの連携が深まる，中長期の経営戦略を練る機会になる，などの利点が挙げられている。

正答　**2**

我が国の財政に関する記述として最も妥当なのはどれか。

1　高齢化等に伴って必要となる年金・医療等の経費の確保のため，平成24年度一般会計予算における社会保障関係費は全体の約5割を占めるに至った。内訳は，社会保険費，生活保護費，社会福祉費，保健衛生対策費，失業対策費に分類されるが，このうち生活保護費は社会保険費に次ぐ比率で社会保障関係費の約3割を占めている。

2　近年，国の財政収支が不均衡な状況にあることに鑑み，特例公債法を制定し，特例公債（赤字国債）を発行することで一般会計の歳出の財源を確保している。同法は通常，予算と同時期に成立しており，東日本大震災のあった平成23年においても3月中に成立したが，平成24年において初めて，通常国会の会期中に成立しなかった。

3　一般会計予算における公共事業関係費については，平成12年度以降，景気対策などのために増加傾向にあったが，平成21年度から平成23年度まではいずれも前年度比で減少となった。平成24年度については，平成23年3月の東日本大震災復興対策の事業費が全て一般会計に計上されたことなどから，前年度比で大幅な増加となった。

4　平成24年8月に公布された改正消費税法において，地方消費税を含む消費税率については，平成26年4月から8%，平成27年10月から10%に引き上げることとされた。また，これまで，消費税収は基礎年金，老人医療及び介護のみに充てることとされていたが，使用目的を特定しない一般財源とすることが同法に明記された。

5　平成24年10月から「地球温暖化対策のための税」が施行された。これは，全ての化石燃料の利用に対し，環境負荷（CO_2排出量）に応じて広く公平に負担を求めるものであり，その税収を活用して，再生可能エネルギーの普及をはじめとしたCO_2の排出を抑制するための諸施策を着実に実施していくこととされている。

解説

1.　平成24年度一般会計予算（90兆3,339億円）のうち，社会保障関係費は26兆3,901億円となり，全体の約3割を占めるに至った。ただし，国債の元利払いと地方交付税交付金等を除いた，いわゆる一般歳出（51兆7,957億円）に占める社会保障関係費の割合は，全体の約5割となっている。また，生活保護費（2兆8,319億円）は，社会保険費（19兆845億円），社会福祉費（3兆8,746億円）に次ぐ比率で，社会保障関係費の約1割を占める。

2.　特例公債法は，通常，予算と同時期に成立しているが，平成23年度および平成24年度においては，ねじれ国会であったこと，および与党が衆議院で3分の2以上の議席を持っていなかったことなどの状況が相まって，予算成立と特例公債法成立の時期が大きくずれることとなった。平成23年度については，予算成立が3月で特例公債法成立が8月（通常国会），平成24年度については，予算成立が4月，特例公債法成立が11月（臨時国会）であった。なお，通常国会以外で特例公債法が成立した例は過去にもあり，平成24年が初めてというわけではない。

3.　一般会計予算における公共事業関係費については，平成12年度から23年度に至るまで，財政引締めのなどのためにおおむね減少傾向で推移した。平成24年度には東日本大震災復興特別会計が創設され，東日本大震災復興対策の事業費が同会計に計上されることとなった。そのため，一般会計予算における公共事業関係費は，前年比8.1%減に抑えられた。

4.　消費税の収入は，これまで地方交付税交付金，基礎年金，老人医療，介護などの経費に充てられてきた。消費税率が引き上げられた後は，増収分の使途を年金・医療・介護・子育ての4分野に拡大し，全額を社会保障の財源とすることが定められている。なお，その内訳は，10%に引き上げられた時点で1%分が社会保障の充実，4%分が現在の社会保障制度の安定化の財源とされる。令和元年10月1日から消費税は10%に引き上げられている。

5.　妥当である。「地球温暖化対策のための税」（地球温暖化対策税）は環境税の一種であり，既存の石油石炭税に税率を上乗せする形で徴収される。平成24年10月から施行され，3年半かけて税率が段階的に引き上げられ，平成28年4月に最終税率への引上げが完了した。

正答　**5**

国家一般職
［大卒］

No.
347

教養試験

物理

波や音

令和5年度

波や音に関する記述として最も妥当なのはどれか。

1 長いばねの一端を固定し、他端を手で持って、ばねに垂直な方向に振動させると縦波が生じ、ばねに平行な方向に振動させると横波が生じる。縦波は固体と気体の中だけで伝わる一方、横波は固体・液体・気体のいずれの中も伝わる。

2 波には、すき間や障害物の背後にまで回り込む性質があり、この現象を回折という。回折は、波長がすき間や障害物の大きさより小さいときに顕著にみられる。例えば、カメラで撮影した写真がぼけるのは、光がカメラのレンズを通る際に回折が発生することが原因である。

3 二つ以上の波が重なり、振動を強め合ったり弱め合ったりする現象を共振（共鳴）という。共振では、波の山と谷が重なり強め合い、波の山と山、谷と谷が重なり弱め合う。例えば、一部のヘッドホンでは、元の音と同じ波形の音を発生させ、音を打ち消している。

4 振動数がわずかに異なる二つのおんさを同時に鳴らすと、「ウァーン、ウァーン」という音が聞こえる。このように音の大きさが周期的に変化する現象をドップラー効果という。ドップラー効果の周期は、二つの音源の周期をそれぞれ T_1 及び T_2 としたとき、$|T_1 - T_2|$ で表される。

5 音を特徴付けるものに、音の高さ、音の大きさ、音色があり、これらを音の3要素という。音は、振動数が大きいほど高く聞こえる。また、リコーダーとギターでは、同じ高さの音であっても、音色が異なる。このような音は、それぞれ音波の波形が異なっている。

1. 波を伝える物質を媒質という。波は波源で生じた振動が、次々と周囲に伝わる現象である。波の進行に伴って、媒質の各点はつりあいの位置（波が存在しないときの位置）を中心に振動する。この媒質の振動方向が、波の進行方向に垂直である波を横波、波の進行方向と一致する波を縦波という。本問では、ばねに沿って伝わる波を考えているから、横波と縦波が取り違えられており、第1文は誤りとわかる。また、波が伝わるためには、媒質各点に生じた変位を元に戻そうとする性質、すなわち弾性が媒質に備わっていなければならない。縦波では、たとえば空気中を伝わる音波のように、体積の変化を元に戻そうとする体積弾性が必要である。この体積弾性は、固体・液体・気体のどの状態の物質も有する性質であるから、縦波は固体・液体・気体のいずれの中も伝わる。これに対し横波は、媒質がねじれてずれが生じたとき、これを元に戻そうとするずれ弾性が必要である。ずれ弾性は固体の状態の物質にしかない性質であるから、横波は固体の中だけでしか伝わらない。したがって、第2文も誤りである。

2. 第1文は回折の説明として妥当であり、ここに誤りはない。しかし、回折は、波長がすき間や障害物の大きさと同程度以上の場合に顕著にみられるから、第2文は誤りである。なお、カメラで写真を撮影する際に、絞り（レンズから入る光の量を調整する部分）を絞りすぎると、光の回折の影響によって写真がぼけることがあるが、通常の撮影で写真がぼけるのは、回折が原因ではなくピント（レンズの焦点）が合っていないことが原因である場合が多い。

3. 二つ以上の波が重なり、振動を強め合ったり弱め合ったりする現象は、波の干渉と呼ばれる。また、共振（共鳴）とは、振動体に対してその固有振動数と同じ振動数で力を加えたときに、小さな力でも大きく振動する現象であり、干渉とはまったく別のものである。なお、2つの波が干渉するとき、第2文とは逆に、山と山、谷と谷が重なると強め合い、山と谷が重なると弱め合う。また、一部のヘッドホンでは、騒音の波形とは逆位相の波形の音を発生させ、騒音を打ち消している。

4. 第1文、第2文で述べられている現象は、ドップラー効果ではなくうなりである。ドップラー効果とは、波源と観測者が互いに相対的に運動することによって、波の振動数（あるいは波長）の値が波源のものとは異なって観測される現象であり、音波の場合には、音の高さの変化として知覚される。また、第3文の内容は、うなりにもドップラー効果にも当てはまらない。なお、1秒当たりに生じるうなりの回数 f は、2つの音源の振動数を f_1、f_2 とすると、$f = |f_1 - f_2|$ で表される。

5. 妥当である。音の高さは、振動数が大きいほど高くなり、振動数がちょうど2倍になると、音程は1オクターブ上がる。音の大きさは、同じ振動数の音で比較すると、振幅が大きいほど大きくなる。また、音色の違いは、波形が異なることによって生じる。

正答 **5**

電気と磁気に関する記述として最も妥当なのはどれか。

1　金属のように電気をよく通す導体では，イオンなどの全ての構成粒子が自由に動くことによって電気が伝えられる。一方，不導体では，自由に動くことができるのが電子のみであるため，電気を通しにくい。

2　複数の抵抗を接続して一つの抵抗とみなしたとき，これを合成抵抗という。2 個の抵抗を直列に接続したとき，合成抵抗は各抵抗の和となる。2 個の抵抗を並列に接続したとき，合成抵抗の逆数は各抵抗の逆数の和となる。

3　家庭のコンセントから得られる電気は，電圧・電流の向きが一定の直流であり，乾電池から得られる電気は，電圧・電流の向きが周期的に変化する交流である。交流と直流が同じ電力のとき，交流の電圧の最大値と直流の電圧は等しい。

4　磁石は，N極とS極の二つの磁極をもち，地球上では北を指す磁極をN極という。磁石を分割することで，N極のみ又はS極のみから成る磁石を作ることができ，同じ磁極の間には引力が働き，異なる磁極の間には斥力が働く。

5　導線に電流を流すと，その周囲に磁場が発生する。十分に長い直線導線に電流を流した場合，磁場は導線と45°をなす方向に発生し，右ねじの進む向きに電流を流すと，右ねじの回る向きと逆方向に磁場ができる。

解説

1. 金属などの導体中には，自由電子と呼ばれる，どの原子にも属さない電子が数多く存在する。自由電子は負の電荷を持ち，これらが電気を運ぶ担い手となることによって，金属や黒鉛（グラファイト）のような導体は電気をよく通す。仮にイオンなどのすべての構成粒子が自由に動くようなことがあれば，金属は形状を保てなくなってしまう（このようなことが起こりうるのは，真空中で完全に電離したプラズマなど限られた場合しかない）。また，ゴムなどの不導体が電気を通しにくいのは，自由電子がほとんどないからである。

2. 妥当である。抵抗値が R_1〔Ω〕，R_2〔Ω〕の2個の抵抗を直列または並列に接続した場合の合成抵抗を R〔Ω〕とすると，

　　直列接続の場合には $R = R_1 + R_2$

　　並列接続の場合には $\dfrac{1}{R} = \dfrac{1}{R_1} + \dfrac{1}{R_2}$

が成り立つ。

3. 発電所から送られてくる電気は交流であるから，家庭のコンセントから得られる電気も交流である。一方，乾電池から得られる電気は直流である。また，電力は電圧と電流の積として定義される。ここで，抵抗値が R〔Ω〕の抵抗の両端に，V〔V〕の電流電圧を加えたとき，抵抗による消費電力を P_1〔W〕とすると，P_1 は $P_1 = \dfrac{V^2}{R}$ と表される。この抵抗に最大値 V_0〔V〕の交流電圧を加えたとき，抵抗による消費電力の時間平均値を P_2〔W〕とすると，P_2 は $P_2 = \dfrac{V_0{}^2}{2R}$ と表される。ゆえに，$P_1 = P_2$ のとき，$V_0 = \sqrt{2}\,V$ となるので，交流と直流が同じ電力のとき，交流の最大値は直流電圧の $\sqrt{2}$ 倍（約1.41倍）となる。なお，$\dfrac{V_0}{\sqrt{2}}$ を交流電圧の実効値と呼び，これを V_e と表せば，$P_2 = \dfrac{V_e{}^2}{R}$ のように直流の場合と同じ式で表される。ゆえに，$P_1 = P_2$ のとき $V = V_e$ となるから，直流電圧と等しいのは交流電圧の最大値ではなく実効値である。

4. 磁石を分割しても，N極の反対側にはS極が現れ，S極の反対側にはN極が現れる。分割をくり返しても，このようにN極とS極は必ず対（ペア）で存在し，一方の磁極だけの磁石は存在しない。また，磁石の同じ磁極の間には斥力が働き，異なる磁極の間には引力が働く。

5. 十分に長い直線電流の周囲にできる磁場は，導線に垂直な平面内で電流を中心とする同心円状に生じる。また，右ねじの進む向きを電流の向きに合わせると，右ねじの回る向きに磁場が生じる。

正答 **2**

文章理解
判断推理
数的推理
資料解釈
時事
物理
化学
生物

　滑らかで水平な直線上で，右向きに速さ5.0m/sで進む質量2.0kgの小球Aと，左向きに速さ3.0m/sで進む質量3.0kgの小球Bが正面衝突した。AとBの間の反発係数（はねかえり係数）が0.50であるとき，衝突後のAの速度はおよそいくらか。

　ただし，速度は右向きを正とする。

　なお，AとBの間の反発係数 e は二つの物体の衝突前後の相対速度の比であり，A，Bの衝突前の速度をそれぞれ v_A, v_B，衝突後の速度をそれぞれ v_A', v_B' とすると，次のように表される。

$$e=-\frac{v_A'-v_B'}{v_A-v_B}$$

1 -2.2m/s
2 -1.4m/s
3 -0.6m/s
4 $+0.2$m/s
5 $+1.0$m/s

解説

運動量保存の法則を用いる基本的かつ典型的な問題である。

　一般に，運動量とは物体の質量と速度の積で表されるベクトル量であり，運動の勢いを表す物理量と考えてよい。2つの物体が衝突すると，個々の物体の運動量はそれぞれ変化するが，運動量の総和は衝突の前後で一定に保たれる。このように2つ（またはそれ以上）の物体をひとまとまりとして考えたとき，これらの物体が互いに作用と反作用の関係にある力だけを及ぼし合う場合に，全体の運動量の総和は変化しない。これが運動量保存の法則である。

　2つの物体A，Bの質量をそれぞれ m_A, m_B とし，衝突によってAの速度が v_A から v_A' に，Bの速度が v_B から v_B' に変わったとすると，衝突後のA，Bの速度は次の手順で求められる。

　1）運動量保存の法則の式を立てる。

$$m_A v_A'+m_B v_B'=m_A v_A+m_B v_B \quad \cdots\cdots（\text{i}）$$

　2）反発係数の関係式を立てる。

$$e=-\frac{v_A'-v_B'}{v_A-v_B} \quad \cdots\cdots（\text{ii}）$$

　3）iとiiの2式からなる連立方程式を解いて，v_A' と v_B' を求める。

　なお，iiにおける e は，衝突前後における相対速度の大きさの比を表していて，$0\leqq e\leqq1$ を満たしている。また，速度の向きを区別するために，正の向きを定めておいて，速度に正・負の符号をつけることに注意する必要がある。符号のミスを避けるためにも，衝突前の様子を図に描いておくとよい。本問の場合，右向きを正としているから，

　$v_A=5.0$〔m/s〕，$v_B=-3.0$〔m/s〕

である。また，質量はそれぞれ，

$m_A = 2.0$ 〔kg〕,　$m_B = 3.0$ 〔kg〕

―――→ 正の向き

2.0 kg　　5.0 m/s　　−3.0 m/s　3.0 kg
Ⓐ　　―――→　　←―――　Ⓑ

　さらに，反発係数は，$e = 0.50$ である。

以上より，手順1）〜3）は，次のようになる。

　1）運動量保存の法則の式を立てると，

　　$2.0v_A' + 3.0v_B'$

　　$= 2.0 \times 5.0 + 3.0 \times (-3.0)$

　　$= 1.0$ ……①

　2）反発係数の関係式を立てると，

　　$0.50 = -\dfrac{v_A' - v_B'}{5.0 - (-3.0)}$

　　ゆえに，$v_A' - v_B' = -4.0$ ……②

　3）①，②を連立方程式として解くと，

　　②より，$v_B' = v_A' + 4.0$

　　これを①に代入して，

　　$2.0v_A' + 3.0(v_A' + 4.0) = 1.0$

整理すると，$5.0v_A' = -11.0$

　ゆえに，$v_A' = -\dfrac{11.0}{5.0} = -2.2$ 〔m/s〕

　よって，**1** が正しい。

［注］v_B' も求めておくと，

　$v_B' = v_A' + 4.0 = -2.2 + 4.0 = 1.8$ 〔m/s〕

となる。

　以上から，衝突後，Aは左向きに，Bは右向きにそれぞれ運動した。したがって，衝突によって，A，Bはともにはね返されたことがわかる。

─────→ 正の向き

−2.2 m/s　　　　　　1.8 m/s
←―Ⓐ　　　　Ⓑ―→

正答　**1**

次は，気体の状態変化に関する記述であるが，A～Dに当てはまるものの組合せとして最も妥当なのはどれか。

空気をピストンの付いたシリンダーに入れ，勢いよくピストンを引くと，容器の内部が白く曇ることがある。

この現象は，熱力学第1法則によって説明することができる。まず，気体内部のエネルギーの変化 ΔU は，気体に加えられた熱量 Q と外部から気体に加えられた仕事 W の ___A___ である。この現象では，勢いよくピストンを引いたことでシリンダー内部の空気が膨張した。短時間の出来事であり，熱の出入りがほとんどなく， ___B___ とみなせるため，Q は0である。また，空気は膨張することで外部に仕事をしたので，W は ___C___ となる。すると，ΔU も ___C___ となり，シリンダー内部の空気の温度が ___D___ した。このため，シリンダー内部の空気中の水蒸気が水滴に変わり，シリンダー内が白く曇ったのである。

	A	B	C	D
1	和	等温変化	負	上昇
2	和	断熱変化	負	下降
3	差	等温変化	正	下降
4	差	断熱変化	正	上昇
5	差	断熱変化	負	上昇

A：物体を構成する原子や分子などの粒子は，不規則な運動を繰り返していて，この運動は物体の温度が高くなればなるほど激しくなることから，熱運動と呼ばれている。原子や分子などの粒子は熱運動の運動エネルギーを持つほか，粒子間どうしで働く力の位置エネルギーも持っていて，これらの総和を，この物体の内部エネルギーと呼び，記号 U で表す（単位は J を用いる）。

　本問では「気体内部のエネルギー」と表記しているが，以下，これを単に「内部エネルギー」と呼ぶ。

　また，内部エネルギー U の変化量を $\varDelta U$ で表す。一般に内部エネルギー U は，物体の温度が高いほど大きな値をとり，温度が上昇すれば，$\varDelta U > 0$（U は増加），温度が下降すれば，$\varDelta U < 0$（U は減少）となる。熱力学第1法則は，内部エネルギー U を変化させる原因としては，物体が外部から受け取る熱量 Q と，外部から加えられる仕事 W の2つがあり，内部エネルギーの変化量 $\varDelta U$ は，Q と W の和に等しいことを述べたものである。熱力学第1法則を式で表すと，次のようになる。

$$\varDelta U = Q + W \quad \cdots\cdots①$$

　①式で，Q と W の符号に注意したい。高等学校の教科書では，物体が熱を吸収する場合には $Q > 0$，熱を放出する場合には $Q < 0$ のように Q の符号を定めている。また，W の符号は，物体が外部から仕事をされた場合は $W > 0$，外部に対して仕事をした場合は $W < 0$ と定めている。本問における Q と W の符号も教科書の記述に準拠している。

B：物体の状態変化が熱の出入りがないようにして行われるとき，この状態変化を断熱変化という。気体の場合には，熱の出入りがなくてもその体積は大きく変化しうるので，固体や液体と比べて著しい断熱変化が起こりうる。なお，等温変化というのは，物体の温度を一定に保ったまま行われる状態変化である。空欄のDに該当しうる語を見ると，温度については「上昇」か「下降」で，等温変化には当てはまらないため，ここに着目してBは「断熱変化」と選ぶこともできる。

C：断熱変化では $Q = 0$ であるから，熱力学第1法則を表す①式は，次のようになる。

$$\varDelta U = W \quad \cdots\cdots②$$

　気体（本問ではシリンダー内部の空気）が膨張すると，ピストンに対して気体が仕事をする。これは，気体が外部に対して仕事をする場合に相当するから，$W < 0$ である。ゆえに，②式より $\varDelta U < 0$ となり，内部エネルギー U は減少することがわかる。

D：内部エネルギー U は気体の温度が高いほど大きな値となるから，内部エネルギーの減少は，気体の温度の下降を意味する。

　以上から，A～Dに当てはまる語句は，A：和，B：断熱変化，C：負，D：下降，となり，正答は **2** である。

正答　**2**

光の性質に関する記述として最も妥当なのはどれか。

1 光は，いかなる媒質中も等しい速度で進む性質がある。そのため，定数である光の速さを用いて，時間の単位である秒が決められており，1秒は，光がおよそ30万キロメートルを進むためにかかる時間と定義されている。

2 太陽光における可視光が大気中を進む場合，酸素や窒素などの分子によって散乱され，この現象は波長の短い光ほど強く起こる。このため，青色の光は散乱されやすく，大気層を長く透過すると，赤色の光が多く残ることから，夕日は赤く見える。

3 太陽光などの自然光は，様々な方向に振動する横波の集まりである。偏光板は特定の振動方向の光だけを増幅する働きをもっているため，カメラのレンズに偏光板を付けて撮影すると，水面やガラスに映った像を鮮明に撮影することができる。

4 光は波の性質をもつため，隙間や障害物の背後に回り込む回折という現象を起こす。シャボン玉が自然光によって色づくのは，シャボン玉の表面で反射した光と，回折によってシャボン玉の背後に回り込んだ光が干渉するためである。

5 光は，絶対屈折率が1より小さい媒質中では，屈折という現象により進行方向を徐々に変化させながら進む。通信網に使われている光ファイバーは，絶対屈折率が1より小さいため，光は光ファイバー中を屈折しながら進む。そのため，曲がった経路に沿って光を送ることができる。

解説

1. 光の進む速さは，媒質によって異なるから，第1文が誤りである。光は真空中を一定の速さで進む性質があり，真空中の光速は基本的な物理定数の一つである。真空中の光速を c，光が進む媒質の絶対屈折率を n とすると，この　媒質中を光が進む速さは $\frac{c}{n}$ となる。絶対屈折率 n の値は媒質に固有であり，かつ $n > 1$ であるから，光が媒質中を進む速さは真空中の光速よりも小さく，媒質によって異なる。なお，$n = 1$ となるのは真空の場合である。また，真空中の光速 c の値を利用して定義されているのは，時間の単位ではなく，長さの単位 1 m であるから，第2文も誤りである。時間の単位 1 秒は，セシウム（Cs）原子が放射する光のスペクトルをもとに決められており，1 m は，1 秒間に光が真空中を進む距離と真空中の光速 c で割った値として定義される。ちなみに c の値は，$c = 2.99792458 \times 10^8$ m/s で，およそ秒速 30 万 km とみなしてよい。

2. 妥当である。太陽光はいろいろな波長の光が混ざっていて，これをプリズムに通すと虹のように色づいた光の帯（スペクトル）が生じる（この現象を光の分散という）。光は電磁波の一種であり，その波長と同程度かそれより小さい粒子に当たると四方に散っていく。この現象を光の散乱といい，波長が短い光ほど散乱される割合が大きい。したがって，波長が短い青色光のほうが散乱されやすいのに対し，波長が長い赤色光は散乱されずに進む割合が大きくなるので，晴れた日の昼の空は青く，夕焼けは赤くなる。

3. 光は電磁波の一種であり，偏光を起こすことから横波であることが確かめられているので，第1文に誤りはない。しかし，第2文の偏光に関する記述に誤りがある。太陽光のような自然光は，いろいろな方向に振動する横波の集まりであるが，結晶のように原子が規則的に配列した物質を通過する際，特定の振動面の光だけを通す場合がある。このとき，光の振動面が特定の方向に偏る現象を偏光というのであり，決して振動を増幅させるものではない。水面やガラス面には周囲の景色が反射して，水中やガラス板の内側がよく見えないことがある。そのような場合，偏光板を用いて反射光を取り除くことで水面やガラス面に写った像を除去すると内側がよく見えるようになる。

4. 第1文の回折に関する説明に誤りはないが，第2文が誤り。シャボン玉が自然光によって色づいて見えるのは，石けん膜の表面と裏面とで反射した光が重なり合って干渉し，特定の波長の光のみが強め合うからであり，回折によるものではない。

5. 絶対屈折率は，真空中では 1 であるが，あらゆる物質で 1 よりも大きい値である。ゆえに，絶対屈折率が 1 より小さい媒質は存在しない。また，屈折は光に限らず一般の波動に見られる現象で，波が進む速さの異なる媒質に入射するときに起こる。光の場合には，絶対屈折率 n が異なる媒質に入射するときに起こるから，n が一様な同一の媒質中では直進し，屈折は起こらない。さらに，光ファイバーは光の全反射を利用して光を進ませる装置である。全反射による光のエネルギーの損失はないと考えてよいので，曲がった経路に沿って遠方まで光を送ることができる。よって第2文が誤り。

正答　**2**

原子核や放射線に関する記述として最も妥当なのはどれか。

1 原子核は，原子番号と等しい個数で正の電荷を持つ陽子と，陽子と等しい個数で電荷を持たない中性子から成っている。陽子と中性子の個数の和が等しい原子核を持つ原子どうしを同位体といい，物理的性質は大きく異なっている。

2 放射性崩壊とは，放射性原子核が放射線を放出して他の原子核に変わる現象をいう。放射性崩壊によって，元の放射性原子核の数が半分になるまでの時間を半減期といい，半減期は放射性原子核の種類によって決まっている。

3 放射性物質が放出する放射線のうち，α線は陽子1個と中性子1個から成る水素原子核の流れであり，β線は波長の短い電磁波である。α線は，β線と比べてエネルギーが高く，物質に対する透過力も強い。

4 核分裂反応では，1個の原子核が質量数半分の原子核2個に分裂する。太陽の中心部では，ヘリウム原子核1個が水素原子核2個に分裂する核分裂反応が行われ，莫大なエネルギーが放出されている。

5 X線は放射線の一種であり，エネルギーの高い電子の流れである。赤外線よりも波長が長く，γ線よりも透過力が強いため，物質の内部を調べることができ，医療診断や機械内部の検査などに用いられている。

解説

1. 原子核は陽子と中性子で構成される。陽子の数は原子番号に等しく，原子の種類により異なる。中性子の数は，原子核の種類によっては陽子の数と等しい場合もあるが，多くの場合，陽子の数よりも大きい。さらに，陽子の数と中性子の数の和を質量数といい，陽子の数は同じだが質量数の異なる原子核を持つ原子どうしを互いに同位体であるという。同位体は，原子番号が等しいことから化学的性質は変わらないが，原子核内の中性子の数が異なるため，放射性崩壊の仕方など物理的性質が異なる。ただし，共通する物理的性質もほかにあるので，「物理的性質は大きく異なっている」という記述は少し言い過ぎである。なお，原子番号（＝陽子の数）が Z，質量数（＝陽子の数＋中性子の数）が A で，原子記号が X の原子核を，AZ X と表す（例：$^{1}_{1}$H，$^{12}_{6}$C，$^{238}_{92}$U など）。

2. 妥当である。放射性原子核から放出される放射線には α 線，β 線，γ 線の 3 種類があり，これらに対応して原子核に生じる変化を，それぞれ α 崩壊，β 崩壊，γ 崩壊と呼ぶ。α 線は質量数 4 のヘリウム原子核 $^{4}_{2}$He の高速の流れであり，α 崩壊によって原子番号が 2，質量数が 4 だけ減少する。β 線は高速の電子の流れであり，β 崩壊によって 1 個の中性子が陽子に変わるので，原子番号は 1 だけ増加するが質量数は変わらない。γ 線は波長が短い電磁波であるから，γ 線を放出しても原子番号や質量数に変化はないが，α 崩壊と β 崩壊に伴って発せられることが多く，習慣的に γ 崩壊と呼ばれる。

3. α 線は陽子 2 個と中性子 2 個からなる高速のヘリウム原子核 $^{4}_{2}$He の流れであり，β 線は高速の電子の流れである。また，α 線と β 線のエネルギーは，それぞれの粒子の質量と速さに依存する。質量は α 線のほうが β 線よりも大きいが，β 線の中には光速に近い速さを持つものもあり，エネルギーの大小に関して，α 線と β 線のどちらが大きいかは場合によって異なる。また，電離作用は α 線のほうが β 線よりも強いが，透過力は逆に β 線のほうが α 線よりも強い。

4. 原子核が 2 個の原子核に分裂する現象が核分裂であるが，分裂してできた 2 個の原子核の質量数は等しいとは限らないから，第 1 文は誤り。また，太陽の中心部で起こっているのは核分裂ではなく，核融合であり，主として 4 個の水素原子核（$^{1}_{1}$H），すなわち陽子が融合して $^{4}_{2}$He を生成する際に，莫大なエネルギーを生み出していると考えられている（$^{4}_{2}$He のほか，$^{3}_{2}$He を生成する反応もある）。

5. X 線も α 線，β 線，γ 線，中性子線などともに放射線の一種ではあるが，その実体は波長の短い電磁波であり，電子ではない。X 線の波長領域と γ 線の波長領域の境界は判然としないが，大ざっぱに言って，X 線のほうが γ 線より波長が長い。X 線は赤外線より波長は短いが，波長が短いほど透過力が強いので，γ 線ほど透過力は強くない。第 2 文の後半の「物質の内部を」以下の記述は正しい。

正答 **2**

国家一般職
[大卒]

No.
353

教養試験

物理

電流と磁場

平成29年度

次は，磁気に関する記述であるが，A〜Dに当てはまるものの組合せとして最も妥当なのはどれか。

磁極にはN極とS極があり，同種の極の間には斥力，異種の極の間には引力が働き，磁気力が及ぶ空間には磁場が生じる。磁場の向きに沿って引いた線である磁力線は，　A　極から出て　B　極に入る。

また，電流は周囲に磁場を作り，十分に長い導線を流れる直線電流が作る磁場の向きは，右ねじの進む向きを電流の向きに合わせたときの右ねじの回る向きになる。

以上の性質及びレンツの法則を用いて，次の現象を考えることができる。

図Ⅰのように，水平面にコイルを置き，コイルに対して垂直に上方向から棒磁石のN極を近づけた。このときコイルには　C　の向きに電流が流れる。これは，コイルを貫く磁束の変化を妨げる向きの磁場を作るような電流が流れるためである。また，図Ⅱのように，図Ⅰと同じコイルに対して垂直に上方向へ棒磁石のS極を遠ざけたときは，　D　の向きに電流が流れる。

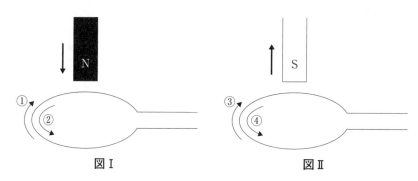

図Ⅰ   図Ⅱ

	A	B	C	D
1	N	S	①	③
2	N	S	①	④
3	N	S	②	④
4	S	N	①	③
5	S	N	②	③

解説 ━━━━━━━━━━━━━━━━━━━━━━━━━━━━━━━

　磁気に関する基本事項を問う出題で，高等学校の課程では，平成22年度より必修化された「物理基礎」に含まれる。

　A・B：磁気力を及ぼす性質を持つ空間を磁場（または磁界）と呼び，これを視覚的に表現する目的で磁力線が導入された。磁力線の向きは，磁石のN極から出てS極に入る向きと定義されている。ゆえに，AにはN，BにはSが当てはまる。

　C・D：コイルを貫く磁力線の総本数が変化すると，コイルには電流が流れる。この現象を電磁誘導といい，このときコイルに流れる電流を誘導電流，誘導電流を流そうとする電圧を誘導起電力という。問題文にある「レンツの法則」は，誘導電流の向きについて述べたものである。また，問題文には「コイルを貫く磁束」とあるが，磁束とはある断面を垂直に貫く磁場の強さを表す物理量で，大ざっぱに「コイルを貫く磁力線の総本数」を意味するものと考えてよい。「磁束の変化を妨げる」という意味は，コイルを貫く磁力線の本数が増加する場合にはその増えた分を減らそうとし，また，減少する場合にはその減った分を補おうとする，ということにほかならない。いわば，磁力線の総本数を，変化する前の本数に戻そうとする性質がある，というわけであるが，誘導電流が作る磁場がこの役割を果たしている。

　すなわち，コイルを貫く磁力線が増加する場合には，これと逆向きの磁場を作る誘導電流が流れるが，コイルを貫く磁力線が減少する場合には，これと同じ向きの磁場を作る誘導電流が流れる。いずれも誘導電流が作る磁場の向きがあらかじめわかっていて，そのような磁場を生み出す誘導電流の向きを求めればよい。ここで決め手になるのが「右ねじの法則」である。問題文には，直線電流が作る磁場に関して「右ねじの法則」が述べられている（図1）。では，コイルを流れる電流についてはどうかというと，コイルを「非常に短い直線電流がつながっている」とみなし，「右ねじの法則」を当てはめて，図2のような磁場を作ることがわかる。

図1　直線電流が作る磁場

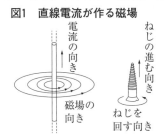

図2　コイルに流れる電流が作る磁場

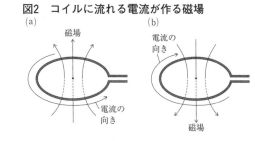

　ここで磁力線が磁石のN極から出てS極に入ることに注意すると，問題の図Ⅰでは，コイルを下向きに貫く磁力線が増加するから，これを減らす向き，すなわち上向きの磁場を作る誘導電流が流れるので，図2の（a）に該当する。問題の図Ⅱでは上向きの磁力線が減少するから，やはり上向きの磁場を作る電流が流れるので，図2の（a）に該当する。ゆえにCに②，Dに④が当てはまる。

　よって，正答は**3**である。

正答　**3**

国家一般職
[大卒]
教養試験
No.
354
物理
仕事の原理
平成28年度

次は，物体に加える力がする仕事に関する記述であるが，A，B，Cに当てはまるものの組合せとして最も妥当なのはどれか。

ただし，重力加速度の大きさを10m/s²とする。

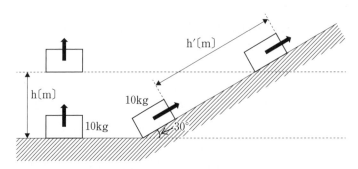

「図のように，10kgの物体をある高さh〔m〕までゆっくりと引き上げることを考える。傾斜角30°の滑らかな斜面に沿って物体を引き上げる場合，物体を真上に引き上げる場合に比べて，必要な力を小さくすることができるが，物体を引き上げる距離は増加する。

このとき，物体を真上に引き上げたときの仕事W及び斜面に沿って引き上げたときの仕事W′は，それぞれ次のように表すことができ，W＝W′となる。

$$W = \boxed{} \text{〔N〕} \times h \text{〔m〕}$$
$$W' = \boxed{} \text{〔N〕} \times h' \text{〔m〕}$$

また，図の斜面の傾斜角を60°とすると，斜面に沿って物体を引き上げるのに必要な力は，$\boxed{}$〔N〕となる。

このように斜面を用いることで，必要な力の大きさを変化させることができるが，仕事は変化しない。」

	A	B	C
1	100	50	$50\sqrt{2}$
2	100	50	$50\sqrt{3}$
3	100	$50\sqrt{2}$	$50\sqrt{3}$
4	200	100	$100\sqrt{3}$
5	200	$100\sqrt{2}$	$100\sqrt{3}$

解説

物体に力が働いて，その物体が力の向きに動いたとき，力（または力を加えた人や，機械など）は物体に対して仕事（work）をした，という。加えた力の大きさ F が一定であり，その力の向きに物体が x だけ移動したとき，力が物体に対してした仕事の大きさ W は，

$$W = Fx \quad \cdots\cdots①$$

で与えられる。ここで，力 F の単位にN（ニュートン），長さ x の単位にm（メートル）を用いたとき，仕事の単位はN・m＝J（ジュール）となる。

一般に，道具や機械を用いて物体を動かすとき，摩擦や空気抵抗がない場合には，物体に対して人が直接する仕事の量と，道具や機械に対して人がする仕事の量は変わらない。これを仕事の原理とい

う。つまり、斜面や滑車、てこなどの装置を使えば、人が加えるべき力の大きさを小さくすることはできるが、動かす距離が増えてしまうので、仕事を減らすことはできない。これが仕事の原理の意味である。

本問は、仕事の原理が成り立つ実例として、斜面を用いた場合を取り上げて説明している文が与えられている。A～Cの空欄には、それぞれ物体に加えるべき力の大きさを答えればよい。したがって、Aは重力、BとCは重力の斜面方向の分力の大きさが、それぞれ求められれば解決する。

まず、物体の質量を m〔kg〕、重力加速度を g〔m/s²〕とし、斜面の傾斜角を θ とする。本問の場合には最初から数値で計算するほうが早いかもしれないが、まず文字式で表しておいてから後で数値を代入するほうが計算の見通しがよくなり、ミスを回避することにもつながる。ここでは、

　　$m=10$〔kg〕、$g=10$〔m/s²〕

であり、B では $\theta=30°$、C では $\theta=60°$ である（g の値はおよそ 9.8〔m/s²〕であるが、ここでは近似値を用いている）。

また、物体の移動方向に加えるべき力（問題の図中に太線の矢印で示されている）を、A の場合に F〔N〕、B、C の場合に F'〔N〕とする。

図 I

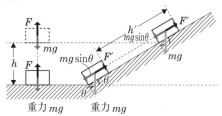

A：物体を直接持ち上げる場合、物体に働く重力は鉛直下向きに大きさ mg〔N〕であるから、この重力に逆らってゆっくりと、すなわち力のつりあいを保ちながら物体を持ち上げるのに必要な力が F に等しいから、鉛直方向の力のつりあいより、

　　$F=mg$〔N〕　……②

が成り立てばよい。②の右辺に数値を代入して、

　　$F=10\times10=100$〔N〕

B：鉛直下向きの重力 mg を、斜面に平行な方向の分力と、垂直な方向の分力に分解して考える。ただし本問では、斜面に垂直な方向の分力は不要である。図 I より、斜面に平行な方向の分力の大きさは $mg\sin\theta$〔N〕と求められる。この分力に逆らってゆっくりと、すなわち力のつりあいを保ちながら斜面に沿って物体を引き上げるのに必要な力が F' に等しいから、斜面方向のつりあいより、

　　$F'=mg\sin\theta$〔N〕　……③

③の右辺に、m と g の数値を代入し、$\theta=30°$

として、$\sin30°=\dfrac{1}{2}$ を用いると、

　　$F'=10\times10\times\sin30°=100\times\dfrac{1}{2}=50$〔N〕

C：B の場合と同様に③の右辺に m と g の数値を代入し、$\theta=60°$ として、$\sin60°=\dfrac{\sqrt{3}}{2}$ を用いると、

　　$F'=10\times10\times\sin60°=100\times\dfrac{\sqrt{3}}{2}=50\sqrt{3}$〔N〕

以上より、A は 100、B は 50、C は $50\sqrt{3}$ が当てはまる。

よって、正答は **2** である。

正答　**2**

質量が等しい液体A，固体B，固体Cがあり，固体Bの比熱は固体Cの比熱の2倍である。18.0℃の液体Aの中に40.0℃の固体Bを入れてしばらくすると，液体A及び固体Bの温度は20.0℃で一定になった。

　いま，18.0℃の液体Aの中に81.0℃の固体Cを入れてしばらくすると温度は一定になった。このときの液体A及び固体Cの温度はいくらか。

　ただし，熱の移動は液体と固体の間だけで起こるものとする。また，比熱とは，単位質量（1gや1kgなど）の物質の温度を1K上昇させるのに必要な熱量をいう。

1　20.0℃

2　21.0℃

3　23.7℃

4　26.1℃

5　28.5℃

解説

熱量保存の法則を用いる典型的な応用問題である。初めに2つの物体ⅠとⅡがあり，物体Ⅰは物体Ⅱよりも高温であったとする。すなわち，物体Ⅰと物体Ⅱの温度をそれぞれ t_1〔℃〕，t_2〔℃〕，とすると，$t_1 > t_2$ が成り立っている。次に，この2つの物体を接触させて十分に長い時間が経過すると，物体Ⅰの温度は下降し，物体Ⅱの温度は上昇して，やがて一定の温度 t〔℃〕に達したとき，どちらの温度も変化せず一定となる。このとき，「物体ⅠとⅡは熱平衡に達した」という。熱平衡に達するまでの間に，高温の物体Ⅰから低温の物体Ⅱに向かって移動するエネルギーが熱である。熱の量を熱量と呼び，その単位にはJ（ジュール）が用いられる（次図参照）。また，温度の単位K（ケルビン）は絶対温度の単位である。絶対温度は，気体の体積の温度変化に基づいて理論的に定義され，最も低いと想定される−273.15℃を0Kとし，目盛りの間隔はセルシウス温度の間隔に一致する。すなわち，温度目盛りの間隔としては，1K＝1℃である。

　熱平衡に達するまでに，熱のやりとりは物体Ⅰと物体Ⅱの間でのみ起こり，熱が外部に逃げたり，また外部から供給されたりしないものとすると，この間に，

　物体Ⅰが失った熱量＝物体Ⅱが得た熱量

という関係が成り立つ。これを熱量保存の法則という。熱量保存の法則を式で表すときに用いられる物理量が，比熱と熱容量である。

　問題文にも述べられているとおり，比熱とは単位質量の物質の温度を1K上昇させるのに必要な熱量であり，小文字の c で表される。今，比熱が c の物質でできた質量 m の物体があるとする。この物体の温度を1K上昇させるのに必要な熱量をこの物体の熱容量と呼び，大文字の C で表される。C と c の間には，$C = mc$ の関係がある。つまり，この物体の温度を1K上昇させるとき，物体は大きさ mc の熱量を吸収する。逆に，この物体の温度が1K下降するとき，物体は大きさ mc の熱量を放出する。

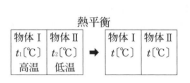

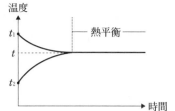

　ここで物体Ⅰと物体Ⅱの質量をそれぞれ m_1，m_2 とし，比熱をそれぞれ c_1，c_2 とする。熱平衡に達するまでの間に物体Ⅰの温度は (t_1-t)〔℃〕だけ下降しているから，物体Ⅰが失った熱量は，

$$m_1c_1(t_1-t)$$

となる。また，物体Ⅱの温度は $(t-t_2)$〔℃〕だけ上昇しているから，物体Ⅱが得た熱量は，

$$m_2c_2(t-t_2)$$

である。よって，熱量保存の法則を表す式は，

$$m_1c_1(t_1-t)=m_2c_2(t-t_2)\quad\cdots\cdots①$$

と表される。この①式を t について解けば，熱平衡に達したときの温度 t〔℃〕が求められる。

　本問の場合，初めに液体Aと固体Bの間で，次に液体Aと固体Cの間で，①式を導くことを考える。液体A，固体B，固体Cの質量は等しいから，これを m とする。また，比熱の値は与えられていないが，それぞれ対応する小文字で，a，b，c と表しておく。固体Bの比熱は固体Cの比熱の2倍である，という仮定から，

$$b=2c\quad\cdots\cdots②$$

　18.0℃の液体Aと40.0℃の固体Bとが熱平衡に達したときの温度が20.0℃なのだから，①式に，$m_1=m_2=m$，$c_1=b$，$c_2=a$，および，$t_1=40.0$，$t_2=18.0$，$t=20.0$ を代入して，

$$mb(40.0-20.0)=ma(20.0-18.0)$$

　これより，$20b=2a$

　よって，$a=10b$

右辺に②式を代入して，$a=20c\quad\cdots\cdots③$

が得られる。

　次に，18.0℃の液体Aと81.0℃の固体Cとが熱平衡に達したときの温度を t〔℃〕とすると，①式に，$m_1=m_2=m$，$c_1=c$，$c_2=a$，および，$t_1=81.0$，$t_2=18.0$ を代入して，

$$mc(81.0-t)=ma(t-18.0)$$

両辺を mc で割り，右辺の a に③式を代入して，

$$81.0-t=20(t-18.0)$$
$$=20t-360$$

　これより，$21t=81.0+360=441\quad\cdots\cdots④$

④式を t について解いて，

$$t=\frac{441}{21}=21.0〔℃〕$$

　よって，正答は**2**である。

正答　**2**

国家一般職
[大卒]
No.
356
教養試験
物理
力のつり合い
平成26年度

図のように，密度 ρ〔kg/m³〕，底面積 S〔m²〕，高さ h〔m〕 の円柱が取り付けられた同じ軽いばねが二つ天井に取り付けられている。一方を液体に $\frac{3}{4}h$〔m〕 だけ浸したところ，どちらのばねも静止し，液体に浸した方のばねの伸びは，もう一方のばねの伸びの $\frac{1}{2}$ 倍であった。このとき，この液体の密度として最も妥当なのはどれか。

ただし，重力加速度の大きさは一定である。

1 $\frac{3}{8}\rho$〔kg/m³〕

2 $\frac{2}{3}\rho$〔kg/m³〕

3 $\frac{3}{4}\rho$〔kg/m³〕

4 $\frac{4}{3}\rho$〔kg/m³〕

5 $\frac{3}{2}\rho$〔kg/m³〕

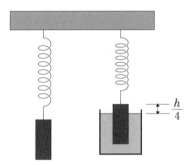

解説

本問を解くうえで必要な事項は，次の(1)，(2)の法則である。

(1)フックの法則……伸ばされたり縮められたりしたばねは，もとの長さに戻ろうとする力（弾性力）を及ぼす。弾性力の大きさは，ばねの伸びた長さ（または縮んだ長さ）に比例する。

(2)アルキメデスの原理……流体（液体または気体）中の物体は，流体から鉛直上向きに浮力を受ける。浮力の大きさは，流体中に存在する物体の部分と同じ体積の流体に働く重力に等しい。

本問の場合，円柱を液体に浸す前は，円柱に働く鉛直下向きの重力を，鉛直上向きに働くばねの弾性力が支えている。また，円柱を液体に浸したとき，円柱に働く重力を，ばねの弾性力と液体の浮力の2つの力で支えていることになり，浮力が上向きに働く分だけ，ばねの弾性力は小さくて済むから，ばねの伸びの長さも短くなる。

一般に，質量が m〔kg〕の物体に働く重力の大きさは，重力加速度の大きさを g〔m/s²〕 とすると，mg〔N〕 と表される（力の単位に〔kg重〕を用いれば，式を立てるときに g は不要であるが，力の単位に〔N〕を使うことが定着しているので，重力を mg と表しておく）。

また，密度が ρ〔kg/m³〕で，体積が V〔m³〕の物体の質量を m〔kg〕とすると，密度の定義より，

$$\rho=\frac{m}{V}\left(密度=\frac{質量}{体積}\right)$$

これより，$m=\rho V$ ……①

が成り立つ。本問の場合，円柱の底面積 S と高さ h が与えられているから，その体積を V とすると，

$$V=Sh \quad ……②$$

と書くことができる。文字の数を減らすために S，h を用いる代わりに②式の V を利用する。すると，円柱に働く重力は，

$$mg=\rho Vg〔N〕 \quad ……③$$

となり，液体に浸しても重力は変化しない。

また，ばねの弾性力の大きさを式で表すため，本問で使われているばねのばね定数（弾性定数とい

うこともある）を k〔N/m〕とする。ばね定数 k は，ばねを単位長さ（1 m）伸ばす（または縮める）のに必要な力の大きさを表す。また，液体に浸す前の状態で，ばねの伸びの長さを x〔m〕とすると，⑴のフックの法則より，ばねの弾性力の大きさは kx〔N〕になる。

　ここで，円柱に働く力のベクトルを矢印で記入する。液体に浸す前の円柱には，鉛直下向きの重力 mg〔N〕と，鉛直上向きの弾性力 kx〔N〕が働き，これら2力はつりあっているから，

　　$mg=kx$

この左辺に③式を代入して，

　　$\rho Vg=kx$　……④

が成り立つ（次図左側参照）。

　次に円柱を液体に浸した状態を考える。下向きの重力 ρVg〔N〕は変わらない。また，ばねの伸びの長さは，浸す前の $\dfrac{1}{2}$ 倍となったから，これを x を用いて表すと，$\dfrac{1}{2}x$〔m〕となる。よって，液体に浸った状態で，ばねが円柱を上向きに引く弾性力の大きさは，$k\times\dfrac{1}{2}x=\dfrac{1}{2}kx$〔N〕である。

　一方，液体が円柱に上向きに及ぼす浮力の大きさは⑵のアルキメデスの原理から求められる。このとき，液体中に存在する円柱の体積は，液体中に $\dfrac{3}{4}h$〔m〕浸しているから，$S\times\dfrac{3}{4}h=\dfrac{3}{4}Sh$〔m³〕となり，②式より，$Sh=V$〔m³〕であるから，これは $\dfrac{3}{4}V$〔m³〕となる。アルキメデスの原理より，この液体中に浸っている円柱の体積 $\dfrac{3}{4}V$〔m³〕と同じ体積の液体に働く重力の大きさに等しくなる。よって，液体の密度を ρ_0〔kg/m³〕とすると，この浮力の大きさは，

　　$\rho_0\times\dfrac{3}{4}Vg=\dfrac{3}{4}\rho_0 Vg$〔N〕

　よって，液体に浸っているとき，円柱に働く力のつりあいを表す式は，

　　$\rho Vg=\dfrac{1}{2}kx+\dfrac{3}{4}\rho_0 Vg$　……⑤

となる（次図右側参照）。

　あとは，④，⑤の2式から kx を消去して，ρ と ρ_0 の関係を求めればよい。まず，④式より，

　　$kx=\rho Vg$

であるから，これを⑤式の右辺の kx に代入して，

　　$\rho Vg=\dfrac{1}{2}\rho Vg+\dfrac{3}{4}\rho_0 Vg$

これより，$\rho Vg-\dfrac{1}{2}\rho Vg=\dfrac{3}{4}\rho_0 Vg$

よって，$\dfrac{3}{4}\rho_0 Vg=\dfrac{1}{2}\rho Vg$　……⑥

⑥式の両辺を Vg で割って，

　　$\dfrac{3}{4}\rho_0=\dfrac{1}{2}\rho$

ゆえに，$\rho_0=\dfrac{4}{3}\times\dfrac{1}{2}\rho=\dfrac{2}{3}\rho$〔kg/m³〕

　よって，**2** が妥当である。

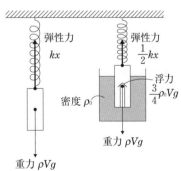

正答　**2**

国家一般職
[大卒]
教養試験
No.
357
物理
電気回路
平成25年度

次の文は電池と抵抗から構成される回路に関する記述であるが，A，B，Cに当てはまるものの組合せとして最も妥当なのはどれか。ただし，電池の内部抵抗は無視できるものとする。

3.0Ωと6.0Ωの抵抗を並列に接続し，その両端を起電力が12.0Vの電池につないだ。このとき電池から流れる電流は，　A　である。よって，この回路の合成抵抗は　B　である。

次に，3.0Ωと6.0Ωの抵抗を並列に接続したものを二つ作り，これを直列に接続し，その両端を起電力が12.0Vの電池につないだときに，全ての抵抗によって消費される電力の和は，3.0Ωと6.0Ωの抵抗を並列に接続したものが一つのときの　C　倍である。

	A	B	C
1	3.0A	2.0Ω	0.25
2	3.0A	4.5Ω	0.50
3	6.0A	2.0Ω	0.25
4	6.0A	2.0Ω	0.50
5	6.0A	4.5Ω	0.25

解説

電磁気分野の超頻出テーマである。中学校の理科第1分野で学習した内容が理解できていれば，難なく解答できるだろう。

まず，AとBではオームの法則を用いる。すなわち，R〔Ω〕の抵抗にV〔V〕の電圧を加えて，I〔A〕の電流が流れるとき，IはVに比例し，

$$I=\frac{V}{R} \quad \text{または} \quad V=RI \quad \cdots\cdots ①$$

と書くことができる。さらに，並列回路では「各抵抗に加わる電圧は共通」であり，「回路の全電流は，各抵抗に流れる電流の和」であることを思い出そう。

次に，Cでは消費電力P〔W〕が（電流）×（電圧）で求められることを用いる。すなわち，

$$P=IV \quad \cdots\cdots ②$$

また，抵抗の直列接続の合成抵抗は，各抵抗の和になることに注意。

A：次の図Ⅰのように，3.0〔Ω〕と6.0〔Ω〕の抵抗を流れる電流を，それぞれI_1，I_2とする。どちらの抵抗にも，加わる電圧は$V=12.0$〔V〕であるから，各抵抗にオームの法則の式を適用して，

$$I_1=\frac{12.0}{3.0}=4.0〔A〕$$

$$I_2=\frac{12.0}{6.0}=2.0〔A〕$$

図Ⅰ

$$\longrightarrow I_1$$
3.0〔Ω〕
$$\longrightarrow I_2$$
6.0〔Ω〕
$$\downarrow I=I_1+I_2$$
$$V=12.0〔V〕$$

したがって，電池から流れる電流をIとすると，

$$I=I_1+I_2=4.0+2.0$$
$$=6.0〔A〕$$

B：複数の抵抗をつないだとき，その働きを1つの抵抗で置き換えたものが合成抵抗である。

すなわち，図Ⅰの回路は，3.0〔Ω〕と6.0〔Ω〕の合成抵抗をR〔Ω〕とすると図Ⅱのようになり，簡単な回路図に書き直すことができる。

つまり，抵抗R〔Ω〕の中を回路の全電流$I=6.0$〔A〕が流れているから，①式の$V=RI$をRについて解いて，次のように求められる。

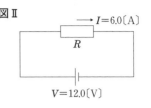

図Ⅱ

$$R=\frac{V}{I}=\frac{12.0}{6.0}=2.0〔Ω〕$$

[別解]

AとBを解答するには，合成抵抗を求める式を用いてもよい。一般に，2つの抵抗R_1〔Ω〕とR_2〔Ω〕を，並列につないだときの合成抵抗をRとすると，

$$\frac{1}{R}=\frac{1}{R_1}+\frac{1}{R_2}$$

が成り立つから，$R_1=3.0$〔Ω〕，$R_2=6.0$〔Ω〕を代入して，

$$\frac{1}{R}=\frac{1}{3.0}+\frac{1}{6.0}=\frac{2+1}{6.0}=\frac{1}{2.0}$$

これより，$R=2.0$〔Ω〕

こうして先にBを求めておいて，図Ⅱの回路についてオームの法則①を用いて，

$$I=\frac{12.0}{2.0}=6.0〔A〕$$

のように，後からAを解答してもよい。

C：複雑に見える回路ではあるが，3.0〔Ω〕と6.0〔Ω〕の抵抗を並列に接続したものは，Bの結果から2.0〔Ω〕の1個の抵抗と同じである。したがって，この場合は2.0〔Ω〕の抵抗が2個だけ直列に接続されているのと同じだから，回路全体の抵抗は，

2.0＋2.0＝4.0〔Ω〕

となる（図Ⅲ）。

したがって，図Ⅲの回路に$V=12.0$〔V〕の電圧を加えたとき，流れる電流をI'とすると，オームの法則①より，

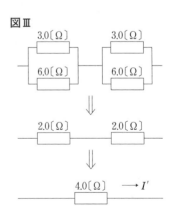

図Ⅲ

$$I'=\frac{12.0}{4.0}=3.0〔A〕$$

次に，図Ⅰ（または図Ⅱ）の回路で電力の和をPとすると，②式のIに全電流，Vに回路全体の電圧を代入すればよいから，

$P=IV=6.0\times12.0=72$〔W〕

さらに，図Ⅲの回路で電力の和をP'とすると，②式のIには$I'=3.0$を代入すればよいから，

$P'=I'V=3.0\times12.0=36$〔W〕

よって，$\dfrac{P'}{P}=\dfrac{36}{72}=0.5$〔倍〕

以上より，正答は**4**である。

正答　**4**

図Ⅰのように，長さ30cmの軽い棒の両端P，Qに質量1.0kgのおもりを糸でつり下げ，棒の中心に軽いばねをつないだところ，ばねが自然長から10cm伸び，棒が水平を保ってつり合った。次に，図Ⅱのように，端Pにつり下げたおもりを質量の異なるものと交換し，ばねを端Pから10cmの位置につないでつり下げたとき，棒が水平を保ってつり合った。このときのばねの自然長からの伸びはおよそいくらか。

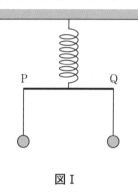

図Ⅰ

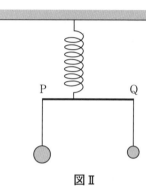

図Ⅱ

1 15cm
2 20cm
3 25cm
4 30cm
5 35cm

力のつり合いに関する基本的な問題である。ポイントは次の2つに絞られる。

①ばねの力 …… ばねの変位（伸びた長さ，または縮んだ長さ）に比例する（フックの法則）。

　本問の場合は，おもりの重力とばねの力（弾性力）とのつり合いから，ばねの伸びた長さはつるしたおもりの質量に比例する。

②てこの原理 …… てこに2つの力が働いてつり合っているとき，支点と力点（力が働く点）の距離の比は，加えた力の逆比（すなわち，$\ell_1 \cdot \ell_2 = F_2 : F_1$）になる（図1）。

図1　てこの原理

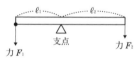

　本問の場合，てこというよりは天秤に近いが，原理は同じである。問題文中の図ⅡにおいてP，Qからつるしたおもりの質量の比は，ばねをつるした位置からの距離の逆比に等しい。

　まず，図Ⅰに注目すると，P，Qにつるしたおもりの質量はともに1.0kgであるから，ポイントの②より，ばねは棒PQの中点につるせばよい。このとき，2つのおもりの質量は合計で，

　$1.0 + 1.0 = 2.0$〔kg〕

であるから，ポイント①より，ばねは2.0kgのおもりで10cm伸びることがわかる。

　次に，図Ⅱに注目すると，ばねをつるした位置（支点）とPとの距離が10cmであるから，支点と

Qとの距離は,

30−10＝20〔cm〕

となる。よってポイント②より，Pにつるしたおもりの質量をm〔kg〕とすると,

$m:1.0＝20:10＝2:1$

よって，$m＝2.0$〔kg〕と求められる（図2）。

図2　おもりの質量の比は2：1

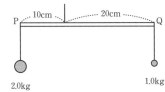

ゆえに，2個のおもりの質量の合計は,

2.0＋1.0＝3.0〔kg〕

となり，ばねの力は質量3.0〔kg〕の物体に働く重力とつり合っている。

以上より，図Ⅱにおけるばねの伸びの長さをx〔cm〕とすると，ポイント①より

$2.0:3.0＝10:x$

ゆえに，$x＝\dfrac{3.0}{2.0}×10＝15$〔cm〕

よって，**1**が正答である。

[参考]

上述のポイント①，②を使えば，本問は中学生レベルでも解答できるが，高校で物理を学んでいれば，ポイント②の代わりに，力のモーメントのつり合いを考えてもよい。ただし，その際は重力加速度gを用いて力の単位をN（ニュートン）に直し，また，長さの単位にもcmではなくmを用いることに注意。

図Ⅱにおいて，ばねをつるした点は棒PQのつり合いから，2つのおもりの重心（質量中心）になっており，重心の性質から，そのまわりの重心のモーメントはつり合っている。よって，Pにつるしたおもりの質量をm〔kg〕とすると，左回りのモーメントと右回りのモーメントが等しいことから,

$mg×0.10＝1.0g×0.20$

よって，$m＝2.0$〔kg〕

ゆえに，図Ⅱではおもりの質量の合計は,

1.0＋2.0＝3.0〔kg〕

となる。ここで図Ⅰ，図Ⅱにおいて，おもりの重力とばねの弾性力のつり合いを考えると，図Ⅱにおけるばねの伸びの長さをx〔m〕，ばねのばね定数をk〔N/m〕とすると,

図Ⅰの場合　　$2.0g＝k×0.10$　　……（1）

図Ⅱの場合　　$3.0g＝kx$　……（2）

よって，

（2）÷（1）より,

$\dfrac{3.0}{2.0}＝\dfrac{x}{0.10}$

ゆえに，$x＝\dfrac{3.0}{2.0}×0.10＝0.15$〔m〕

cm単位に直して，$x＝15$〔cm〕

正答　**1**

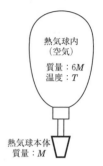

熱気球内
（空気）
質量：$6M$
温度：T

熱気球本体
質量：M

図のように，下方に開口部がある気球内の空気を下からバーナーで熱して温度を上げると，加熱された空気の一部が開口部から出ていき，気球を浮上させることができる。これを熱気球という。

いま，熱気球は大気中で静止している。このときの熱気球本体の質量はM〔kg〕，熱気球内の空気の質量は$6M$〔kg〕，温度はT〔K〕であるとする。この熱気球に体重M〔kg〕の人を乗せて，大気中で静止させるためには，気球内の空気の温度を何度にする必要があるか。

ただし，熱気球内の空気は理想気体とする。

1 　$1.1\,T$　　**2** 　$1.2\,T$　　**3** 　$1.3\,T$
4 　$1.4\,T$　　**5** 　$1.5\,T$

解説

気体の状態変化という熱力学のテーマに力のつりあいという力学のテーマを組み合わせた融合問題である。気体の状態変化は，主として高等学校の物理Ⅱの範囲である。また，力のつりあいは物理Ⅰの範囲であるが，特に本問では浮力の取り扱いがポイントとなる。

問題文の最終行に「理想気体」とあるが，これはボイル・シャルルの法則を完全に満たす気体という意味である。ボイル・シャルルの法則は，一定量の気体の圧力をp〔Pa〕，体積をV〔m³〕，絶対温度──以下，単に「温度」と呼ぶ──をT〔K〕とすると，

$$\frac{pV}{T}=一定$$

と表される。この右辺の一定値は，物質量がn〔mol〕の気体に対してはnR（Rは気体定数）となることが知られている。すなわち，

$$\frac{pV}{T}=nR$$

分母を払って，

$$pV=nRT \qquad \cdots ①$$

①式を理想気体の状態方程式という。本問は，この①式をもとに考えるのが順当である。

今，体積がVの気体の質量がmであるとする。気体1モルの質量──これをg単位で表すと分子量にgを付けたものに等しい──をAとすると，

$$n=\frac{m}{A}$$

であるから，①式より，

$$pV=\frac{m}{A}RT \qquad \cdots ②$$

となる。本問ではAは空気1 molの質量である。

本問の場合，気球内の空気は開放部を通じて外部の空気と接しているから，気体の圧力pは大気の圧力と常に等しいので，加熱後も一定である。また，問題文の2～3行目の記述「加熱された空気の一部が開口部から出ていき」から判断して，気球全体の体積Vも変わらない。したがって，加熱後に温度がT'に変化し，気球内の気体の質量がm'に変化した（一部が逃げるのだから，$m'<m$である）とすると，加熱後の気体に関して状態方程式②は，

$$pV=\frac{m'}{A}RT' \qquad \cdots ②'$$

と書くことができる。②，②′式の左辺pVは共通であるから，

$$\frac{m}{A}RT=\frac{m'}{A}RT' \quad \text{より},$$

$$mT=m'T'$$

よって，

$$\frac{T'}{T}=\frac{m}{m'} \qquad \cdots ③$$

が成り立つ。すなわち，圧力と体積が変わらなければ，温度は気球内の空気の質量に反比例することがわかる。本問では，加熱前は $m=6M$ である。では，加熱後の m' はどのように求めればよいか？これを考察するには，気球全体に働く力のつりあいに注目する。もともと熱気球本体の質量が M，気球内の空気の質量が $6M$ であったから，気球全体に働く重力の大きさ W は，重力加速度を g として，

$$W=(M+6M)g=7Mg〔N〕$$

となる。ここで，加熱前に「熱気球は大気中で静止している」とあるから，この重力 W と大気が熱気球に及ぼす鉛直上向きの浮力 f はつりあっている（次図。ただし，熱気球と本体をあわせた全体を▨で表してある）。

よって，$f=7Mg$ $\qquad \cdots ④$

が成り立つ。

ここで，アルキメデスの原理より，浮力の大きさ f は，大気の密度と気球の体積に比例する。ところが本問の場合，加熱した後も，大気の密度と気球の体積は変わらないから，浮力の大きさ f も変化しない。

したがって，質量 M〔kg〕の人が乗ってもなお，大気中で静止するためには，熱気球と人の全体に働く重力が浮力 f とつりあわなくてはならない。よって鉛直方向のつりあいの式は，

$$(M+M+m')g=f \qquad \cdots ⑤$$

④，⑤式より，

$$2M+m'=7M$$

$$\therefore m'=5M$$

したがって，③式より，

$$T'=\frac{m}{m'}T=\frac{6M}{5M}T=\frac{6}{5}M=1.2T$$

よって，正答は **2** である。

[注] 熱気球内の空気の質量が $6M$ から $5M$ に減少するから，これは熱気球内の空気の密度が，

$\dfrac{6M}{V}$ から $\dfrac{5M}{V}$ に減少することに相当する。　一方，質量 m の気体の密度を ρ とすると，

$\rho=\dfrac{m}{V}$ となるから，②式を変形して，

$$\rho=\frac{m}{V}\cdot\frac{R}{A}T=\frac{R}{A}\rho T$$

したがって，一定量の気体について，

$$\frac{p}{\rho T}=\text{一定} \qquad \cdots ⑥$$

が成り立つ。さらに本問では圧力 p も一定であるから，⑥式より，

$$\rho T=\text{一定} \qquad \cdots ⑦$$

が得られる。よって，加熱後の温度を T' とし，⑦式を加熱前後で比べれば，

$$\frac{6M}{V}T=\frac{5M}{V}T'$$

$$\therefore T'=\frac{6}{5}M=1.2T$$

正答 **2**

化学結合に関する記述として最も妥当なのはどれか。

1　水は、水素原子と酸素原子が不対電子を出し合ってできた電子対を共有することで結合している。このような結合を共有結合といい、原子間で共有されている電子対を共有電子対、共有されていない電子対を非共有電子対という。

2　共有結合において、1組の共有電子対から成る結合を単結合、2組及び3組の共有電子対から成る結合をそれぞれ二重結合及び三重結合という。一般に、窒素は単結合、水素は二重結合、二酸化炭素は三重結合である。

3　塩化ナトリウムは、陽イオンである塩化物イオンと陰イオンであるナトリウムイオンが静電気的な力で結合している。このような結合をイオン結合という。塩化ナトリウムは、固体では電気を通すものの、水溶液では電気を通さないという性質を持つ。

4　銅は、銅原子が自由電子によって結び付けられている。このような結合を金属結合という。複数の金属を溶かし合わせて合金にすると、硬度は低下するがさびにくくなる。銅はさびやすいことから、水銀との合金の青銅や、カドミウムとの合金のステンレスの形で利用されている。

5　ダイヤモンドは、炭素原子が金属結合した結晶であり、水に溶けないものの電気をよく通すという性質を持つ。一方、黒鉛は、炭素原子が共有結合した結晶であり、水によく溶けるものの電気を通さないという性質を持つ。

解説

1. 妥当である。一般に非金属元素どうしの結合は共有結合であり、価電子のうちの不対電子を互いに出し合って電子対を形成し、それを共有して結合する。このとき、共有される電子対を共有電子対、共有されていない電子対を非共有電子対という。水では水素原子2個と酸素原子1個が結合する。

2. 共有結合において、互いの原子が価電子を1個ずつ出し合うと1組の共有電子対が形成され、これを単結合と呼び、構造式では1本の価標と呼ばれる線（—）を用いて表す。また、2つの原子間で出し合う電子が2個ずつの場合は、2組の共有電子対ができることになり、これを二重結合と呼び、＝で表す。同様に3個ずつ出し合った場合は、3組の共有電子対ができるので三重結合と呼び、≡で表す。4個ずつ出し合って結合することはない。窒素は三重結合（N≡N）、水素は単結合（H−H）、二酸化炭素は二重結合（O=C=O）である。

3. 塩化ナトリウムのように、陽イオンであるナトリウムイオン（Na^+）と陰イオンである塩化物イオン（Cl^-）とが、静電気力（クーロン力）で引き合ってできる結合をイオン結合という。非金属元素と金属元素との結合は、一般にイオン結合である。その結晶をイオン結晶という。イオン結合は比較的強い結合であるので、イオン結晶の融点は高いものが多い。また、イオン結晶の固体は電気を通さないが、液体にしたり水溶液にしたりすると電気を通すようになる。

4. 金属元素の単体や合金は、最外電子殻が互いに重なり合うことによって、価電子が特定の原子に所属しない自由電子となり、金属原子どうしを結合させる。これを金属結合という。この構造のため、電気伝導性や熱伝導性が大きいこと、展性・延性、金属光沢、不透明であるなどの金属特有の性質が表れる。数種の金属を溶かし合わせた合金には、もとの金属より硬度が増したり、さびにくくなったりするものもある。青銅は銅とスズとの合金であり、ステンレス鋼は鉄とクロムや場合によってはニッケルも加えた合金である。

5. ダイヤモンドは、構成するすべての炭素原子が共有結合で結合したもので、共有結合の結晶に分類される。一般に共有結合の結晶は融点がきわめて高く、硬さは非常に硬い。また、水に不溶で電気伝導性はない。炭素原子のみからなる黒鉛（グラファイト）だけは例外で、水に不溶であるが比較的やわらかく、電気伝導性がある。

正答 1

化学　化学反応とエネルギー　令和 4 年度

化学反応とエネルギーに関する記述として最も妥当なのはどれか。

1 化学反応の進行に伴って，放出又は吸収されるエネルギーを反応熱という。反応熱には特別な名称をもつものがあり，そのうち，中和熱は，酸と塩基の中和反応によって 1 mol の水が生成するときの反応熱である。

2 水の状態変化において，固体の水（氷）は，蒸発熱を吸収し，液体の水になる。また，液体の水は，昇華熱を吸収し，気体の水（水蒸気）になる。これらと逆の変化が起こるときは，それぞれ吸収した熱と同じ大きさの熱を放出する。

3 物質は，それぞれ固有の電気エネルギーをもち，化学反応において，反応物と生成物のもつ電気エネルギーの差が熱エネルギーに変換される。例えば，硫酸は，電池に使用されることで電気エネルギーを発生するが，水を加えると化学反応によって熱エネルギーが発生し，食品を温めるヒートパックに使用されている。

4 C（黒鉛）が燃焼して CO_2 が生成するときに得られる熱は，C が燃焼して CO が生成するときに得られる熱と，CO が燃焼して CO_2 が生成するときに得られる熱の合計よりも，大きい。このように，初めの状態と終わりの状態が同じ場合，反応経路の数が少ないほど生成熱の合計が大きくなることを，ヘスの法則という。

5 化学反応によって光が放出される現象を光化学反応といい，低エネルギー状態となった物質が高エネルギー状態に変わるときに光を発する。一方，太陽の光を吸収することによって起こる光合成反応は，光を吸収する反応であるため光化学反応とは呼ばれず，生化学反応に含まれる。

文章理解　判断推理　数的推理　資料解釈　時事　物理　化学　生物

1. 妥当である。反応熱には，燃焼熱，生成熱，溶解熱，中和熱，融解熱，蒸発熱，凝固熱，凝縮熱，昇華熱などがある。

2. 水の状態変化において，固体の水（氷）は，周りから融解熱を吸収して液体の水になる。また，液体の水は，周りから蒸発熱を吸収して気体の水（水蒸気）になる。これらと逆の変化が起こるときは，吸収した熱と同じ大きさの熱（それぞれ，凝固熱，凝縮熱）を放出する。

3. 物質が持つ固有のエネルギーは，化学エネルギーと呼ばれることが多い（厳密にはエンタルピーで表される）。化学反応においては，反応物と生成物の持つ化学エネルギーの差が，熱エネルギーとして放出されたり，吸収されたりして生成物のエネルギーが変化する。たとえば，硫酸は，鉛蓄電池に使用されるが，硫酸自身がエネルギーを発生するとはいえず，水を加えると溶解熱を発生するが，食品を温めるヒートパックには使用されず，生石灰などが使用されている。

4. ヘスの法則（総熱量保存の法則）とは，「物質が変化する際の反応熱の総和は，変化する前と変化した後の物質と状態だけで決まり，変化の経路や方法には関係しない」ということである。題意に照らせば，C（黒鉛）が燃焼してCO_2が生成するときに得られる熱量は，C（黒鉛）が燃焼して一酸化炭素COが生成するときに得られる熱量と，一酸化炭素が燃焼して二酸化炭素CO_2が生成するときに得られる熱量の和になることである。

5. 光化学反応とは，可視光線や紫外線などの光の吸収によって引き起こされたり，促進されたりする化学反応をいう。たとえば，太陽の光を吸収することによって起こる光合成反応もその一つである。なお，化学反応によって光が放出される現象は，反応物と生成物のエネルギーの差が光となって放出されたのであり，光化学反応とはいわない。

正答 **1**

文章理解
判断推理
数的推理
資料解釈
時事
物理
化学
生物

国家一般職
[大卒]

No.
362

教養試験

化学

酸と塩基

令和 **3**年度

文章理解

判断推理

数的推理

資料解釈

時事

物理

化学

生物

酸と塩基に関する記述として最も妥当なのはどれか。

1 酸は，水溶液中で水素イオン H^+ を受け取る物質であり，赤色リトマス紙を青色に変える性質をもつ。一方で，塩基は，水溶液中で水酸化物イオン OH^- を受け取る物質であり，青色リトマス紙を赤色に変える性質をもつ。

2 通常の雨水は，大気中の二酸化炭素が溶け込んでいるため，弱い酸性を示すが，化石燃料の燃焼や火山の噴火等によって，大気中に硫黄や窒素の酸化物が放出されると，雨水の酸性度が強まり，酸性雨となる。酸性雨は，コンクリートを腐食させるといった被害をもたらす。

3 水溶液の pH によって色が変化する試薬を pH 指示薬という。pH が大きくなるにつれて，メチルオレンジは赤色から紫色に変化し，フェノールフタレインは無色から黒色に変化する。強酸や強塩基は金属と反応するため，pH メーターは使用できず，pH 試験紙によって pH を推定する。

4 水溶液の正確な濃度を測る方法の一つに中和滴定がある。市販の食酢の濃度を求める場合は，濃度未知の食酢と同量の pH 指示薬を添加し，濃度既知のシュウ酸を滴下する。酸・塩基の強さによって，中和点が pH7 からずれるため，変色域を考慮して pH 指示薬を選択する必要がある。

5 水溶液中の電離した酸・塩基に対する，溶解した酸・塩基の比率を表したものを電離度という。電離度は温度や濃度によらず一定であり，強酸・強塩基よりも弱酸・弱塩基の方が電離度が高い。また，電離度が高いほど電気を通しやすく，金属と反応しづらいという性質をもつ。

解説 ━━━━━━━━━━━━━━━━━━━━━━━━━━━━━━━

1. 酸は，広義には水素イオンH^+を放出する物質で，水溶液中でH^+はH_3O^+となり，水溶性の酸は青色リトマス紙を赤色に変える性質を持つ。一方，塩基は，広義にはH^+を受けとる物質で，水溶性の塩基は水溶液中ではOH^-を放出する物質であり，水溶液中では赤色リトマス紙を青色に変える性質を持つ。

2. 妥当である。普通の雨や放置した蒸留水などは空気中の二酸化炭素を飽和しているので，その pH は中性の 7 ではなく pH5.6程度の弱い酸性である。しかし，二酸化硫黄や窒素酸化物が空気中で光化学反応などによって，さらに酸化されて硫酸や硝酸に変化し，雨とともに降ってくると，これよりも pH が小さな，酸性の強い雨となる。これを酸性雨という。酸性雨はさまざまな環境被害を生じる原因ともいわれている。

3. pH 指示薬は，さまざまな物質があり，pH によって変色するので，それを利用して溶液の pH を測定することができる。pH が小さい値から大きい値に変化した場合，メチルオレンジは赤色から橙黄色に変化し，フェノールフタレインは無色から赤色に変化する。pH メーターは強酸や強塩基の水溶液でも pH が測定可能である。

4. 食酢の濃度を測定するには，濃度既知の水酸化ナトリウム水溶液などを使用して中和滴定する。使用する pH 指示薬は，数滴の使用にとどめる。酸や塩基の強弱によって，中和したときの pH が異なるので，最適な pH 指示薬を用いる必要がある。

5. 電離度の定義は題意の逆であり，溶解した物質に対する電離した物質の割合を表したもので，温度や濃度によって変化する。一般に，強酸や強塩基の電離度は高く，1 に近い場合が多い。電離度が高ければH^+やOH^-の濃度が大きいことになり，電気を通しやすく，金属とは反応しやすいといえる。

正答 **2**

高分子化合物等に関する記述Ａ〜Ｄのうち，妥当なもののみを挙げているのはどれか。

　Ａ：生分解性高分子は，微生物や生体内の酵素によって，最終的には，水と二酸化炭素に分解される。生分解性高分子でつくられた外科手術用の縫合糸は，生体内で分解・吸収されるため抜糸の必要がない。

　Ｂ：吸水性高分子は，立体網目状構造を持ち，水を吸収すると，網目の区間が広がり，また，電離したイオンによって浸透圧が大きくなり，更に多量の水を吸収することができる。この性質を利用して，吸水性高分子は紙おむつや土壌の保水剤などに用いられる。

　Ｃ：テレフタル酸とエチレンの付加重合で得られるポリエチレンテレフタラート（PET）は，多数のエーテル結合を持つ。これを繊維状にしたものはアクリル繊維と呼ばれ，耐熱性，耐薬品性に優れ，航空機の複合材料や防弾チョッキなどに用いられる。

　Ｄ：鎖状構造のグルコースは，分子内にヒドロキシ基を持つので，その水溶液は還元性を示す。また，蜂蜜や果実の中に含まれるフルクトースは，多糖であり，糖類の中で最も強い甘味を持ち，一般的にブドウ糖と呼ばれる。

1 Ａ，Ｂ
2 Ａ，Ｃ
3 Ｂ，Ｃ
4 Ｂ，Ｄ
5 Ｃ，Ｄ

A：妥当である。代表的な生分解性高分子化合物であるポリ乳酸は，単量体（モノマー）がエステル結合で多数結合したもので，自然界において微生物やその体内に存在する酵素によってエステル結合が加水分解され，最終的には二酸化炭素と水に分解される。自然界に廃棄されるおそれのある釣り糸や農業用フィルムなどのほか，以前から外科手術用の縫合糸にも用いられており，いずれもそのまま放置しても分解される利点がある。

B：妥当である。ポリアクリル酸ナトリウムは分子内に，部分的に架橋構造を設けた立体網目状構造を持ち，1g当たり1,000g程度の水を吸収してゲル状になる性質を有するので，吸水性高分子化合物と呼ばれる。これは水分により電離して生じた分子内の$-COO^-$が，互いに電気的に反発して分子が大きく広がろうとする力と架橋構造による広がりを抑制する作用とのバランスにより，立体網目状構造部分に水分子が水和されて保持されるからである。また，浸透作用により，外側の濃度が薄い部分から内部の濃い部分へ水が入り込もうとする性質も手伝っている。一度，吸収された水は多少の圧力をかけてもしみ出さない。この性質を利用して，紙おむつや生理用ナプキンのほか，土木工事・砂漠など乾燥地帯の緑化のための土壌保水剤などに用いられている。

C：ポリエチレンテレフタラート（PET）は，テレフタル酸とエチレングリコールを縮合重合させたもので，多数のエステル結合を持つ。身近には飲料用の容器や衣料にも使われる。アクリル繊維は，アクリロニトリルを主成分として酢酸ビニルやアクリル酸メチル $CH_2=CHCOOCH_3$ など他の単量体と共重合してアクリル系繊維として使われる。耐熱性，耐薬品性に優れ，複合材料や防弾チョッキ・安全軍手・作業着などに用いられるのは，芳香族ポリアミドで，たとえば，p-フェニレンジアミンとテレフタル酸ジクロリドから合成されるケブラー® が有名である。

D：グルコース（ブドウ糖）は，水中でα-グルコース，β-グルコース，鎖状構造の3つの状態で共存している。このうち，鎖状構造にはアルデヒド基（ホルミル基）を持つので，水溶液は還元性を示す。フルクトースは多糖ではなくグルコースと同じ単糖に分類され，糖類の中で最も強い甘味を持つ点は正しいが，和名で果糖と呼ばれる。

以上から，妥当なものはAとBであり，正答は**1**である。

正答　**1**

文章理解　判断推理　数的推理　資料解釈　時事　物理　化学　生物

国家一般職
[大卒]
No. 364 化学 　教養試験　 レアメタル 　令和 元年度

レアメタルに関する記述として最も妥当なのはどれか。

1 リチウムは自然界では単体で存在しており，空気中の酸素と反応しやすいため水中に保存される。リチウムイオン電池は小型で軽量であり，充電のできない一次電池として腕時計やリモコン用電池に用いられている。

2 白金は古くから貴金属として宝飾品に用いられてきた。また，化学的に不安定であることから様々な化学反応に対して触媒として利用され，硫酸の工業的製造や自動車の排ガス浄化装置などにも用いられている。

3 チタンは銅や鉄に比べ重く，硬い金属であり，様々な合金を形成する。銅との合金は黄銅と呼ばれ，5円硬貨や金管楽器などに用いられている。また，酸化チタンは赤外線を吸収し，そのエネルギーで強い酸化反応を起こす光触媒としての性質をもつ。

4 タングステンは灰白色の金属であり，金属元素の単体の中で水銀に次いで融点が低く，青色 LED に用いられている。また，他の金属とよくなじむので，主に金属どうしの接合剤に用いられている。

5 バリウムはアルカリ土類金属であり，炎色反応では黄緑色を示す。単体は水と反応し，水素を発生して水酸化物になる。また，硫酸バリウムは X 線を吸収することから胃の X 線撮影の造影剤に用いられている。

解 説

1. リチウムの単体は，空気中の酸素や水分と容易に反応するため，自然界には存在せず，保存に際しては灯油等の液体中に沈める必要がある。イオンとしては塩湖や海水中に存在している。リチウム電池は一次電池で，コイン形のものが腕時計やリモコンに使われ，リチウムイオン電池は小形軽量で充電可能な二次電池で，携帯機器に広く使われている。

2. 白金は化学的に非常に安定であるが，化学反応の触媒としての能力が高く，さまざまな反応に広く使われ，身近なところでは自動車の排ガス浄化装置がある。なお，硫酸の製造における二酸化硫黄 SO_2 を三酸化硫黄 SO_3 に酸化する際の触媒は，酸化バナジウム(V) V_2O_5 である。

3. チタンは軽くて比較的強度のある金属である。また，白金と同様に非常に安定で海水中でも腐食しないことで知られている。身近には眼鏡フレームなどに使われている。酸化チタン(IV) は紫外線によって活性化され，触媒作用を示すので光触媒と呼ばれ，殺菌・防汚・超親水性付与などの作用が注目されている。なお，5円硬貨や金管楽器に使われる黄銅は，銅と亜鉛の合金である。

4. タングステンは，融点3,000℃を超える数少ない金属の一つである。青色 LED には，ガリウム，インジウムなどの元素が用いられるが，タングステンが用いられることはない。金属どうしの接合剤にも使われることはない。

5. 妥当である。バリウムは硫酸バリウムを含む鉱石（重晶石）として多量に産出するが，その半分が中国に集中しているため，レアメタルに分類される。化合物の炎色反応は黄緑色で花火の着色にも用いられる。単体はアルカリ土類金属元素なので水と反応して水素を発生し，水酸化物となる。バリウムの化合物は有毒であるが，硫酸バリウムは水にほとんど不溶で，X 線を吸収することから消化器系の造影剤として広く用いられている。

正答 **5**

有機化合物に関する記述として最も妥当なのはどれか。

1 アルコールとは，一般に，炭化水素の水素原子をヒドロキシ基（−OH）で置き換えた形の化合物の総称である。アルコールの一種であるエタノールは，酒類に含まれており，グルコースなどの糖類をアルコール発酵することによって得ることができる。

2 エーテルとは，1個の酸素原子に2個の炭化水素基が結合した形の化合物の総称であり，アルコールとカルボン酸が脱水縮合することによって生成する。エーテルの一種であるジエチルエーテルは，麻酔に用いられ，水に溶けやすく，有機化合物に混ぜると沈殿を生じる。

3 アルデヒドとは，カルボニル基（ C=O）の炭素原子に1個の水素原子が結合したアルデヒド基（−CHO）を持つ化合物の総称である。アルデヒドの一種であるホルムアルデヒドは，防腐剤などに用いられる無色無臭の気体で，酢酸を酸化することによって得ることができる。

4 ケトンとは，カルボニル基に2個の炭化水素基が結合した化合物の総称である。ケトンは，一般にアルデヒドを酸化することで得られる。ケトンの一種であるグリセリンは，常温では固体であり，洗剤などに用いられるが，硬水中では不溶性の塩を生じる。

5 カルボン酸とは，分子中にカルボキシ基（−COOH）を持つ化合物の総称である。カルボン酸は塩酸よりも強い酸であり，カルボン酸の塩に塩酸を加えると塩素が発生する。また，油脂に含まれる脂肪酸もカルボン酸の一種であり，リノール酸，乳酸などがある。

解説

1. 妥当である。アルコールとは，炭化水素の水素原子をヒドロキシ基で置き換えた化合物であるが，芳香族炭化水素のベンゼン環に直結した水素原子については該当しない（フェノール類に分類される）。エタノールは C_2H_5OH で表され，グルコースなど単糖のアルコール発酵によって酒類の主成分として得られる。

2. エーテルは，酸素原子に2個の炭化水素基が結合したものであるが，アルコールとカルボン酸からは得られない。アルコールとカルボン酸が脱水縮合するとエステルが得られる。ジエチルエーテルは麻酔性を持ち，水には溶けにくく，多くの有機化合物を溶解するので有機溶媒として用いられる。

3. アルデヒドは，アルデヒド基（ホルミル基）を持つ化合物で，アルデヒド基はカルボニル基（ケトン基）に1個の水素原子が結合したものである。最も簡単なアルデヒドであるホルムアルデヒドは刺激臭を持つ有毒な気体で，その水溶液はホルマリンと呼ばれ防腐剤に用いられる。ホルムアルデヒドは，メタノールを酸化すると得られる。

4. カルボニル基に2個の炭化水素基が結合したものがケトンで，第二級アルコールを酸化すると得られる。アルデヒドを酸化するとカルボン酸となる。グリセリンは3価のアルコールで，常温では液体で，油脂を加水分解すると得られる。硬水中で不溶性の塩を生じるものにはセッケンがある。

5. カルボキシ基を持つものがカルボン酸である。カルボン酸は弱酸であり，カルボン酸の塩に塩酸などの強酸を加えると，カルボン酸が遊離する。油脂は種々の脂肪酸とグリセリンのエステルであるが，乳酸はヒドロキシ酸であり，脂肪酸には含まれない。

正答 **1**

化学結合や結晶に関する記述として最も妥当なのはどれか。

1 イオン結合とは，陽イオンと陰イオンが静電気力によって結び付いた結合のことをいう。イオン結合によってできているイオン結晶は，一般に，硬いが，外部からの力にはもろく，また，結晶状態では電気を導かないが，水溶液にすると電気を導く。

2 共有結合とは，2個の原子の間で電子を共有してできる結合のことをいう。窒素分子は窒素原子が二重結合した物質で電子を4個共有している。また，非金属の原子が多数，次々に共有結合した構造の結晶を共有結晶といい，例としてはドライアイスが挙げられる。

3 それぞれの原子が結合している原子の陽子を引き付けようとする強さには差があり，この強さの程度のことを電気陰性度と呼ぶ。電気陰性度の差によりそれぞれの結合に極性が生じたとしても，分子としては極性がないものも存在し，例としてはアンモニアが挙げられる。

4 分子結晶とは，共有結合より強い結合によって分子が規則正しく配列している結晶のことをいう。分子結晶は，一般に，電気伝導性が大きく，水に溶けやすい。例としては塩化ナトリウムが挙げられる。

5 金属結合とは，金属原子から放出された陽子と電子が自由に動き回り，金属原子同士を結び付ける結合のことをいう。金属結晶は多数の金属原子が金属結合により規則正しく配列してできており，熱伝導性，電気伝導性が大きく，潮解性があるなどの特徴を持つ。

解説

1. 妥当である。陽イオンと陰イオンとが，静電気力（クーロン力）で引き合ってできる結合がイオン結合であり，その結晶はイオン結晶である。一般に，常温・常圧で固体であり，比較的硬いがもろいものが多い。また，融点が高く，結晶は電気を導かないが，液体や水溶液は電気を導く。

2. 非金属元素どうしの結合は，価電子のうちの不対電子を互いに出し合って電子対を形成し，それを共有して結合する。これが共有結合であり，このとき，共有される電子対を共有電子対，共有されない電子対を非共有電子対という。窒素原子は不対電子を3個持つので，窒素分子では共有電子対が3組の三重結合となり，6個の電子を共有している。すべての非金属原子が共有結合により結合した固体は共有結合結晶といい，ダイヤモンドや黒鉛が有名であるが，ドライアイスは**4**で述べる分子結晶である。

3. 共有結合した2原子間で，その結合に使われた電子（共有電子対）をどの程度引きつけやすいかを数値で表したものが電気陰性度である。陽子を引きつける強さではない。電気陰性度は，結合の極性の大小の判断に使える。単原子分子は無極性分子であるが，2原子分子では，同じ原子からなれば無極性分子，異なる原子からなれば極性分子となるが，電気陰性度が近いと極性をほとんど持たない。3原子分子以上では分子の形を考慮し，立体的に対称であれば無極性分子，そうでなければ極性分子となる。アンモニアはN原子を頂点とする三角すい形の分子なので極性分子である。

4. 分子どうしが分子間力（クーロン力や水素結合などの弱い力）で結集して固体となったものが分子結晶である。一般に，分子からなる物質は常温・常圧で気体，液体，固体のいずれかで存在する。逆に，常温・常圧で気体や液体のものは分子からなる物質と考えてよい。固体でも融解液でも電気伝導性はなく，柔らかくてもろいものが多い。水溶性はさまざまである。塩化ナトリウムは**1**で述べたイオン結晶である。

5. 金属の原子が，その価電子である自由電子を仲立ちとして全体が結合したものを金属結合という。自由電子の存在のため電気や熱をよく伝え，展性・延性，金属光沢，不透明などの金属特有の性質を持つ。水銀のように常温で液体の物質もあるが，多くの金属は融点が比較的高い。潮解性は，ある種のイオン結晶（水酸化ナトリウムなど）が空気中の水分を吸ってそれに溶け込む現象をいい，金属には存在しない。

正答 **1**

取扱いに注意することが必要な物質に関する記述として最も妥当なのはどれか。

1 塩化水素は，工業的には塩素と水素を直接反応させて得られる無色・刺激臭の気体であり，プラスチックの原料である塩化ビニルの製造などに用いられる。濃塩酸の蒸気は塩化水素であり，有毒なので，吸い込まないようにする必要がある。

2 赤リンと黄リンは，同じ元素から成る単体で性質が異なる。赤リンは，毒性が有り，空気中で自然発火するので，水中に保存する必要があるが，黄リンは，毒性は少なく化学的に安定しており，マッチなどに使用されている。

3 リチウムは，銀白色の軟らかい金属であり，水と激しく反応して水素を発生するため，湿気の少ない冷暗所に保存する必要がある。また，イオン化傾向の小さいリチウムを利用した電池は，小型で高性能であり，携帯電話などの電子機器に使用されている。

4 水銀は，融点が高く，常温で液体の金属であり，水銀とスズの合金は，ブリキと呼ばれ，缶詰などに利用される。水銀の単体や化合物は毒性を示すものが多く，水俣病や四日市ぜんそく等の原因となった。

5 メタノールとエタノールは，無色で毒性の有る液体であり，火気のない所で保存する必要がある。また，メタノールとエタノールは，カルボキシ基を持ち，分子間で水素結合を生じることから，分子量が同じ程度の他の炭化水素よりも融点や沸点が低い。

解説

1. 妥当である。塩化水素は，水素と塩素から直接合成される，無色刺激臭の有毒な気体である。化学反応式は次のとおり。

$H_2 + Cl_2 \rightarrow 2HCl$

水に非常によく溶け，その水溶液が塩酸である。特に濃塩酸からは塩化水素の蒸気が激しく立ちのぼり，吸い込むと粘膜を刺激し侵すので，注意が必要である。

2. 赤リンと黄リンは互いに同素体であり，性質が異なる。本肢の記述は，赤リンと黄リンがまったく逆になっているので，それぞれ逆にすれば内容的には正しい。

3. リチウムは，イオン化傾向が非常に大きく，空気中の水分や酸素と反応してしまうので，灯油の中に保存する。リチウムはボタン電池のほか，充電式の電池の材料として，携帯機器のほかハイブリッド自動車など，広く使われている。

4. 水銀は，常温で唯一液体の金属で，融点は-39℃と非常に低い。水銀と金属の合金はアマルガムと呼ばれる。ブリキは，鉄の表面をスズで覆った（めっきした）ものである。水俣病は水銀化合物が原因であるが，四日市ぜんそくは，主に二酸化硫黄による大気汚染が原因である。

5. どちらもアルコールの一種であるが，メタノールの毒性は強く，エタノールの毒性は弱いといえよう。いずれも可燃性の液体なので，火気のないところに保管する。どちらもヒドロキシ基−OHを持つので，分子間水素結合のため，同程度の分子量を持つ炭化水素より融点や沸点が高くなる。カルボキシ基とは−COOHであり，これを持つ化合物はカルボン酸である。

正答 **1**

国家一般職
[大卒]
No.
368
教養試験
化学

化学平衡

平成27年度

次は，化学平衡に関する記述であるが，ア，イに当てはまるものの組合せとして最も妥当なのはどれか。

窒素 N_2 と水素 H_2 を高温に保つと，アンモニア NH_3 を生じる。この反応は逆向きにも起こり，アンモニアは分解して，窒素と水素を生じる。このように，逆向きにも起こる反応を可逆反応という。可逆反応は，$\rightleftarrows$ を用いて示され，例えば，アンモニアの生成反応は，次のように表され，この正反応は発熱反応である。

$$N_{2(気)} + 3H_{2(気)} \rightleftarrows 2NH_{3(気)} \quad \cdots \quad (*)$$

化学反応が平衡状態にあるとき，濃度や温度などの反応条件を変化させると，その変化をやわらげる方向に反応が進み，新しい平衡状態になる。この現象を平衡の移動という。

$(*)$ のアンモニアの生成反応が平衡状態にあるときに，温度を高くすれば平衡は ［ ア ］，圧縮すれば平衡は ［ イ ］。

	ア	イ
1	移動せず	右に移動する
2	右に移動し	移動しない
3	右に移動し	左に移動する
4	左に移動し	左に移動する
5	左に移動し	右に移動する

解説

ルシャトリエの平衡移動の原理に関する設問である。

ア：与式における正反応（右向きの反応）は発熱反応と与えられているので，反応が進行すると全体の温度は高くなることになる。この反応が平衡状態にあるとき，温度を上げれば，その影響を緩和しようとして温度を下げる方向，すなわち左方向への反応が，右方向への反応よりしばらくの間速く進んで，再び平衡状態になる。これを「左方向へ平衡が移動する」と表す。

イ：この反応は，左辺の気体の係数の和が 4，右辺の気体の係数の和が 2 である。よって，この反応が右方向に進むと気体の物質量が減少するので，体積一定であれば圧力が減少し，左方向に進むと気体の物質量が増加するので，圧力が増加する。この反応が平衡状態にあるとき，容器を圧縮すると，気体の全圧が増加するため，それを緩和しようとして圧力が減少する右方向へ平衡が移動する。

よって，正答は **5** となる。

正答　**5**

国家一般職
[大卒]
No.
369
教養試験
化学
有機化合物
平成26年度

有機化合物に関する記述として最も妥当なのはどれか。

1 炭素を含む化合物を有機化合物という。これには，二酸化炭素，炭酸カルシウムなどの低分子の化合物や陶器に利用されるセラミックスなどの高分子の化合物が含まれる。

2 エタノールは，水と任意の割合で混じり合う無色の液体で，化学式は C_2H_5OH である。ブドウ糖（グルコース）などのアルコール発酵によって生じる。

3 酢酸は，常温で無色の液体で，化学式は C_6H_6 である。食酢の主成分であり，純粋な酢酸は無水酢酸と呼ばれ，強酸性である。

4 尿素は，化学式は CH_3CHO で，生物体内にも含まれる有機化合物である。水や有機溶媒によく溶け，肥料や爆薬（ダイナマイト）の原料としても利用される。

5 メタンは，褐色で甘いにおいをもつ気体で，化学式は CH_4 である。塩化ビニルの原料となるほか，リンゴなどの果実の成熟促進剤にも用いられている。

解説

1. かつては，生命体が作り出す物質を有機化合物，そうでないものを無機化合物といっていたが，現在では大部分の有機化合物は人工的に合成できるようになった。一般に有機化合物は，炭素原子を主体とする化合物であるが，CO，CO_2，炭酸塩，炭酸水素塩，シアン化合物などは無機化合物に分類し，有機化合物には含めない。セラミックスはさまざまな無機化合物（主に酸化物）の混合物である。

2. 妥当である。アルコール発酵は，酵素群チマーゼにより単糖がエタノールと二酸化炭素に分解される反応で，次式による。

$$C_6H_{12}O_6 \longrightarrow 2CO_2 + 2C_2H_5OH$$

3. 酢酸は無色の液体で，その化学式は CH_3COOH である。C_6H_6 はベンゼンの化学式である。純粋な酢酸は，冬には氷状に結晶することから氷酢酸と呼ばれ，酢酸の水溶液は弱酸性を示す。

4. 尿素の化学式は $(NH_2)_2CO$ であるが，比較的登場することは少ない。しかし，CH_3CHO がアセトアルデヒドの化学式であることは明白で，誤りであることは判断がつく。ダイナマイトの原料はニトログリセリンである。それ以外の記述は正しい。

5. メタンの化学式は CH_4 だが，無色無臭の気体である。塩化ビニルの原料となるのはアセチレンやエチレンである。果実の成熟促進剤に用いられるのはエチレンで，成長ホルモンとして作用する。

正答 **2**

国家一般職 [大卒]

教養試験

No. 370 化学 アルカリ金属およびアルカリ土類金属 平成 **25** 年度

次の文はアルカリ金属及びアルカリ土類金属に関する記述であるが，A～Dに当てはまるものの組合せとして最も妥当なのはどれか。

元素の周期表の1族に属する元素のうち，水素を除くナトリウム（Na）やカリウム（K）などの元素をまとめてアルカリ金属という。アルカリ金属の原子は，1個の価電子をもち，1価の ┃ A ┃ になりやすい。アルカリ金属の化合物のうち，┃ B ┃ は，塩酸などの酸と反応して二酸化炭素を発生する。┃ B ┃ は重曹とも言われ，胃腸薬やベーキングパウダーなどに用いられる。

元素の周期表の2族に属する元素のカルシウム（Ca）やバリウム（Ba）などは互いによく似た性質を示し，アルカリ土類金属と呼ばれる。アルカリ土類金属の化合物のうち，┃ C ┃ は，大理石や貝殻などの主成分である。┃ C ┃ は水には溶けにくいが，二酸化炭素を含む水には炭酸水素イオンを生じて溶ける。また，┃ D ┃ は消石灰とも言われ，水に少し溶けて強い塩基性を示す。┃ D ┃ はしっくいや石灰モルタルなどの建築材料や，酸性土壌の改良剤などに用いられる。

	A	B	C	D
1	陽イオン	炭酸水素ナトリウム	酸化カルシウム	硫酸カルシウム
2	陽イオン	水酸化カリウム	炭酸カルシウム	硫酸カルシウム
3	陽イオン	炭酸水素ナトリウム	炭酸カルシウム	水酸化カルシウム
4	陰イオン	水酸化カリウム	酸化カルシウム	水酸化カルシウム
5	陰イオン	炭酸水素ナトリウム	炭酸カルシウム	硫酸カルシウム

解説

A：アルカリ金属元素の原子は，1個の価電子を持ち，それを放出しやすいので1価の陽イオンになりやすい。

B：重曹ともいわれ，胃腸薬やベーキングパウダーなどに用いられるのは炭酸水素ナトリウムである。これが塩酸と反応すると，

$NaHCO_3 + HCl \rightarrow NaCl + H_2O + CO_2$

により二酸化炭素を発生する。

C：大理石や貝殻の主成分で，アルカリ土類金属元素の化合物は，炭酸カルシウムである。中性の水に溶けにくいが，二酸化炭素を含む水（炭酸水）には徐々に溶ける。

$CaCO_3 + CO_2 + H_2O \rightarrow Ca(HCO_3)_2$

D：消石灰とは水酸化カルシウム $Ca(OH)_2$ のことである。水に少し溶けて石灰水となり強塩基性を示すので，酸性土壌の中和に用いられる。消石灰を少量の細かい砂と一緒に水で練って壁に塗ったものが石灰モルタルで，欧米諸国でよく用いられる。その砂の代わりに，麻ひも，紙片，糊などを加えたものをしっくい（漆喰）といい，古くから日本建築で使われている。いずれも空気中の二酸化炭素を吸収して消石灰が炭酸カルシウムとなって固まり，白壁となる。なお，生石灰は酸化カルシウム CaO のことである。

よって，正答は**3**である。

正答 **3**

化学反応のエネルギー変化に関する次の記述の⑦, ④に当てはまるものの組合せとして最も妥当なのはどれか。

図は, 次の反応のエネルギー変化を示す。

H₂+I₂ → 2HI

図からこの反応は ⟨ ⑦ ⟩ であり, その反応熱は ⟨ ④ ⟩ であることが分かる。

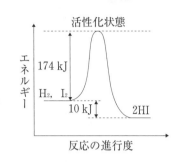

	⑦	④
1	発熱反応	10kJ
2	発熱反応	184kJ
3	発熱反応	358kJ
4	吸熱反応	184kJ
5	吸熱反応	358kJ

解説

化学反応式より, この反応は反応物である H₂（水素）と I₂（ヨウ素）が反応して生成物である HI（ヨウ化水素）が生成する反応である。

　問題の図より, 反応物（H₂, I₂）のエネルギーのほうが, 生成物（2HI）のエネルギーより大きいので, この反応は発熱反応である。また, そのエネルギーの差は図より10kJである。

　参考までに, 図中の174kJ は, 正反応の活性化エネルギーの値を示している。

　よって,（ア）は発熱反応,（イ）は10kJとなるので, 正答は**1**である。

正答 **1**

国家一般職
［大卒］
No.
372
教養試験

生物　バイオーム（生物群系）令和 5 年度

バイオーム（生物群系）に関する記述として最も妥当なのはどれか。

1　森林のバイオームは、分布域の年平均気温によっていくつかに分けられる。熱帯にはアカシアなどから成る熱帯多雨林、温帯のうち比較的暖かな暖温帯にはミズナラなどから成る針葉樹林、寒さの厳しい亜寒帯にはスダジイなどから成る照葉樹林がみられる。

2　草原のバイオームは、年降水量が少ない地域に分布する。熱帯ではサバンナが発達し、プレーリードッグなどが生息している。温帯ではタイガが発達し、バイソンなどが生息している。亜寒帯ではステップが発達し、トナカイなどが生息している。

3　我が国では降水量が十分にあるので、バイオームの分布は主に年平均気温によって決まる。気温は緯度や標高により異なるため、我が国では緯度に応じた水平分布と標高に応じた垂直分布がみられる。

4　我が国におけるバイオームをみると、熱帯に分類される沖縄ではガジュマルなどの常緑広葉樹が優占し、ヤンバルクイナが生息する。寒帯に分類される北海道ではシラビソなどの落葉広葉樹が優占し、ツキノワグマが生息する。

5　我が国におけるバイオームの垂直分布は、丘陵帯、山地帯、亜高山帯、高山帯に分けられる。亜高山帯の上限は森林限界と呼ばれ、ここを境にしてハイマツなどの低木もみられなくなる。高山帯は低温や強風のため動物は生息できないが、コマクサなどの高山植物がみられる。

1. 熱帯にはフタバガキのなかまなどからなる熱帯多雨林がみられる。アカシアは熱帯草原の
サバンナを代表する植物である。暖温帯にはスダジイなどのシイ類、カシ類、タブノキなど
からなる照葉樹林、亜寒帯にはトウヒ類、モミ類、カラマツ類などからなる針葉樹林がみら
れる。また、温帯のうち、年平均気温が比較的低い冷温帯では、ブナ、ミズナラ、カエデ類
などからなる夏緑樹林がみられる。

2. 草原のバイオームは、年降水量が少ない地域に分布し、サバンナとステップに分けられる。
熱帯や亜熱帯ではサバンナが発達し、シマウマ、ヌー、チーターなどが生息している。温帯
の内陸部ではステップが発達し、アメリカバイソン、プレーリードッグなどが生息している。
タイガは、亜寒帯であるロシアのシベリア地域に成立する針葉樹林であり、草原のバイオー
ムではない。トナカイは、荒原のバイオームの1つであり北極圏などの寒帯で発達するツン
ドラに生息する。

3. 妥当である。日本の水平分布では、南から北に向かって亜熱帯多雨林（沖縄、奄美地方）、
照葉樹林（九州～関東）、夏緑樹林（東北～北海道南西部）、針葉樹林（北海道東部）の4種
のバイオームが存在する。本州中部の垂直分布では、丘陵帯（標高700m付近まで。照葉樹
林がみられる）、山地帯（標高700m付近～1700m付近。夏緑樹林がみられる）、亜高山帯（標
高1700m付近～2500m付近。針葉樹林がみられる）、高山帯（標高2500m付近以上。森林は
できず、低木林がみられる）の4種のバイオームが存在する。

4. 沖縄は亜熱帯に分類され、森林のバイオームは亜熱帯多雨林で、アコウ、ガジュマルなど
の常緑広葉樹が優占し、ヤンバルクイナなどが生息する。北海道は冷温帯、亜寒帯に分類さ
れ、冷温帯では森林のバイオームは夏緑樹林で、ブナ、ミズナラ、カエデ類などの落葉広葉
樹が優占し、亜寒帯では森林のバイオームは針葉樹林で、エゾマツ、トドマツなどの常緑針
葉樹が優占する。シラビソは本州と四国の亜高山帯に分布する常緑針葉樹である。また、ツ
キノワグマは本州と四国に生息するクマであり、北海道にはヒグマが生息する。

5. 亜高山帯の上限は森林限界と呼ばれ、それより上部の高山帯では、低温や強風、乾燥のた
め森林はできないが、ハイマツ、コケモモなどの低木や、コマクサなどの高山植物はみられ
る。また、高山帯でもライチョウなどの動物が生息している。

正答　**3**

文章理解
判断推理
数的推理
資料解釈
時事
物理
化学
生物

生物の遺伝情報等に関する記述として最も妥当なのはどれか。

1 遺伝子の本体である DNA と RNA は，炭素原子を 7 個もつ単糖類のリボースに，アデニンやチミンなどの 6 種類の塩基が結合した化合物である。DNA は，二重らせん構造をとっている。

2 細胞分裂には，体細胞分裂と減数分裂がある。分化した細胞が増えるときに行う体細胞分裂では，細胞の核には分化に関与する部位の遺伝情報しかなく，その部位の DNA のみが複製され，娘細胞に分配される。

3 遺伝情報は，DNA から RNA を経てタンパク質へ伝わる流れと，逆にタンパク質から RNA を経て DNA へ伝わる流れがある。このうち，タンパク質から DNA への流れは生物の進化に深く関係しており，これをセントラルドグマという。

4 タンパク質は，環状に並んだアミノ酸が立体構造をとったものであり，生物の形質に関わる物質である。生物種が異なるとタンパク質の合成に必要とされるアミノ酸も異なり，この必要とされるアミノ酸を必須アミノ酸といい，ヒトの場合，グルタミン酸やアルギニンなどがある。

5 DNA の塩基配列の情報を写し取った RNA を mRNA といい，mRNA の三つの塩基が一組となって，特定の一つのアミノ酸を指定している。このアミノ酸が並び，隣り合うアミノ酸がつながることでタンパク質が合成される。

1. 核酸である DNA（デオキシリボ核酸）と RNA（リボ核酸）の構成単位はヌクレオチドであり，ヌクレオチドは炭素原子を 5 個持つ単糖類の五炭糖にリン酸と塩基が結合した化合物である。DNA のヌクレオチドを構成する五炭糖はデオキシリボースで，塩基はアデニン，グアニン，シトシン，チミンの 4 種類である。RNA のヌクレオチドを構成する五炭糖はリボースで，塩基はアデニン，グアニン，シトシン，ウラシルの 4 種類である。DNA と RNA の違いは，ヌクレオチドの五炭糖がデオキシリボースとリボースで違うことと，塩基のうち DNA のチミンが RNA ではウラシルに替わっていることである。よって，核酸に含まれる塩基は 5 種類である。また，DNA と RNA の全体構造上の違いは，RNA はヌクレオチドどうしがリン酸とリボースで結合をくり返した一本鎖のヌクレオチド鎖であるのに対し，DNA は 2 本のヌクレオチド鎖が中心で塩基どうしの水素結合を形成しながららせんを形成する二重らせん構造をとることである。

2. 分化した細胞でも，受精卵のような未分化な細胞でも，細胞の核にはその生物の全遺伝情報が含まれており，体細胞分裂の際には全 DNA が複製され娘細胞に分配される。そのため，分化した皮膚の細胞からでも，その生物を構成するいずれの細胞にでも分化させることができる iPS 細胞（人工多能性幹細胞）を作り出すことが可能なのである。

3. 遺伝情報が，DNA から RNA を経てタンパク質へ一方向に伝わる流れをセントラルドグマという。その逆に，タンパク質のアミノ酸配列の情報が DNA や RNA の塩基配列の情報へと伝わることはない。ただし，コロナウイルスなどのレトロウイルスと呼ばれるグループは，遺伝子として RNA を保持し，感染した宿主細胞内で RNA の情報を一度 DNA に読み替えてから，再度セントラルドグマに則ってタンパク質合成を行う。

4. タンパク質は，アミノ酸がペプチド結合を繰り返してできた鎖状のポリペプチド（一次構造）が，特異的な立体構造（三次構造）をとったものである。なかには，三次構造を持つポリペプチドが複数集まった四次構造を持つタンパク質もある。タンパク質を構成するアミノ酸は 20 種類で，すべての生物で共通である。アミノ酸の中でも体内で十分に合成できず，食物として摂取しなければならないものを必須アミノ酸といい，ヒトではバリンやロイシンなど 9 種類である。

5. 妥当である。mRNA の 3 つの塩基の並びをコドンといい，1 つのコドンが特定の 1 つのアミノ酸を指定している。mRNA 上のコドンの情報が，リボソームでアミノ酸の情報に翻訳され，アミノ酸どうしがペプチド結合をくり返すことで，遺伝情報に基づいたタンパク質（ポリペプチド）が合成される。

正答 **5**

生殖と発生に関する記述として最も妥当なのはどれか。

1 生殖の方法には，雌雄の性に無関係な生殖である無性生殖と，配偶子による生殖である有性生殖がある。このうち，親と全く同じ遺伝子をもつ子が生じるのは有性生殖であり，分裂や出芽などの方法がある。

2 動物の発生において，始原生殖細胞は体細胞分裂を経て，卵巣では卵原細胞に分化する。その後，卵原細胞は減数分裂を繰り返して増殖し，一部が一次卵母細胞に成長する。一次卵母細胞は，2回の体細胞分裂を経て卵と二次卵母細胞となる。

3 2組の対立遺伝子が異なる染色体上にある場合を，独立しているという。2組の対立遺伝子Aとa，Bとbが独立している場合，遺伝子型 AaBb の個体がつくる配偶子の種類とその比率は，AB：Ab：aB：ab＝1：1：1：1となる。

4 ニワトリのように卵黄の量が少なく均等に分布している卵は等黄卵と呼ばれ，卵割の初期から不等割となる。一方，カエルのように多量の卵黄が細胞質の中央に集まる心黄卵では，初期は卵の表面のみで卵割が進む。

5 シダ植物の受精において，花粉管から放出された2個の精細胞のうち，1個は卵細胞と受精して受精卵（$3n$）となり，もう1個は中央細胞と融合して胚乳細胞（$2n$）となる。その後，胚乳細胞は果実を形成する。

解説

1. 親とまったく同じ遺伝子を持つ子が生じる生殖方法は無性生殖であり，分裂や出芽以外に植物の栄養生殖がある。分裂は親個体がほぼ同じ大きさの2個体以上の新個体になる生殖方法であり，ゾウリムシやイソギンチャクで見られる。出芽は親個体の一部に芽体が形成され，新個体ができる生殖方法で，酵母やヒドラ（淡水産の刺胞動物）で見られる。栄養生殖の例は，地下茎であるジャガイモから新個体ができるものや，タケノコによる竹の繁殖，ヤマノイモのムカゴによる繁殖などがある。無性生殖で生じる遺伝的に同一な個体の集団はクローンと呼ばれる。

2. 始原生殖細胞から卵原細胞を経て一次卵母細胞に至るまでの分裂はすべて体細胞分裂である。一次卵母細胞が2回の分裂を経て，卵と第二極体になる分裂過程全体が減数分裂である。二次卵母細胞は一次卵母細胞が減数分裂の第一分裂を起こした結果生じる細胞で，二次卵母細胞が減数分裂の第二分裂を起こして，卵と第二極体が生じる。

3. 妥当である。独立の関係は遺伝子Aとa，遺伝子Bとbを別々のコインの表裏の関係に置き換えることができる。A（a）コインを投げてAまたはaが出る確率は$\dfrac{1}{2}$で，B（b）についても同様である。2枚のコインを同時に投げてそれぞれ表または裏が出る事象には因果関係はまったくない。そのため AB，Ab，aB，ab の遺伝子型の配偶子ができる確率はそれぞれ$\left(\dfrac{1}{2}\right)^2＝\dfrac{1}{4}$となり，その比率は1：1：1：1になる。

4. ニワトリの卵は，卵黄が極めて多く極端に偏って分布している強端黄卵であり，卵割は動物極の胚盤の部分だけで進む盤割である。魚類やハ虫類の卵もこれに当たる。等黄卵は卵黄量が少なくて均等に分布しており，卵割様式は等割である。ウニなどの棘皮動物や哺乳類の卵がこれに当たる。心黄卵は昆虫類などの節足動物の卵であり，その卵割様式は表割と呼ばれる。カエルの卵は弱端黄卵で不等割が生じる。

5. シダ植物は花を持たないので花粉はつくらず胞子で生殖を行う。花粉から花粉管をつくり，その内部に2個の精細胞を持つのは被子植物である。胚珠内の卵細胞の核相はn，精細胞の核相もnのため，受精の結果できる受精卵の核相は$2n$となる。中央細胞は極核を2個含むため核相は（n＋n）であり，それにもう1個の精細胞（n）が受精して核相$3n$の胚乳核となる。その後，胚乳核を含む組織が種子の胚乳になる。いわゆる果実は種子を含めた子房全体から形成される。

正答 **3**

生物の代謝に関する記述として最も妥当なのはどれか。

1　アデノシン三リン酸（ATP）は，塩基の一種であるアデニンと，糖の一種であるデオキシリボースが結合したアデノシンに，3分子のリン酸が結合した化合物であり，デオキシリボースとリン酸との結合が切れるときにエネルギーを吸収する。

2　代謝などの生体内の化学反応を触媒する酵素は，主な成分がタンパク質であり，温度が高くなり過ぎるとタンパク質の立体構造が変化し，基質と結合することができなくなる。このため，酵素を触媒とする反応では一定の温度を超えると反応速度が低下する。

3　代謝には，二酸化炭素や水などから炭水化物やタンパク質を合成する異化と，炭水化物やタンパク質を二酸化炭素や水などに分解する同化があり，同化の例としては呼吸が挙げられる。

4　光合成の反応は，主にチラコイドでの光合成色素による光エネルギーの吸収，水の分解とATPの合成，クリステでのカルビン・ベンソン回路から成っており，最終的に有機物，二酸化炭素，水が生成される。

5　酒類などを製造するときに利用される酵母は，酸素が多い環境では呼吸を行うが，酸素の少ない環境では発酵を行い，グルコースをメタノールと水に分解する。このとき，グルコース1分子当たりでは，酸素を用いた呼吸と比べてより多くのATPが合成される。

解説

1. ATP（アデノシン三リン酸）を構成する糖は，デオキシリボースではなくリボースである。また，多くのエネルギーが貯えられるのは2か所のリン酸どうしの結合場所で，その結合が切れるときに多くのエネルギーが放出されるため，高エネルギーリン酸結合と呼ばれる。

2. 妥当である。酵素が触媒として作用する場合，酵素の活性部位に基質が結合し，酵素－基質複合体となって活性化エネルギーが引き下げられることで反応が促進される。酵素タンパク質が高温にさらされると，タンパク質の立体構造が変化して活性部位も変形するため，基質が結合できなくなり，反応速度は著しく低下する。このようにタンパク質が熱で変性すると，酵素は失活する。

3. 二酸化炭素や水などの低分子の無機物から，炭水化物やタンパク質などのより複雑な有機物を合成する過程は同化であり，逆に複雑な有機物を水や二酸化炭素などの低分子の無機物に分解する過程が異化である。同化の例が光合成であり，異化の例が呼吸である。

4. 光合成のカルビン・ベンソン回路が存在するのは，葉緑体のストロマと呼ばれる液状部分である。クリステはミトコンドリア内膜が内側に突き出している部位で，その膜上には電子伝達系が存在する。光合成の反応では，最終的には有機物（グルコース），水，そして酸素が生成される。

5. 酵母が酸素の少ない状態でグルコースを基質として行う発酵はアルコール発酵であり，エタノールと二酸化炭素が生成される。このとき合成されるATPは，グルコース1分子当たりおよそ2ATPであるが，グルコース1分子を酸素を用いて呼吸で分解すると，およそ38ATPが合成され，約19倍の合成量になる。

正答　**2**

国家一般職
[大卒]
No.
376
教養試験
生物
動物の行動
令和元年度

動物の行動に関する記述 A～D のうち，妥当なもののみを挙げているのはどれか。

A：動物が感覚器官の働きによって，光やにおい（化学物質）などの刺激の方向へ向かったり，刺激とは逆の方向へ移動したりする行動を反射といい，これは，習わずとも生まれつき備わっているものである。一例として，ヒトが熱いものに手が触れると，とっさに手を引っ込めるしつがいけん反射が挙げられる。

B：カイコガの雌は，あるにおい物質を分泌し，雄を引きつける。この物質は，性フェロモンと呼ばれ，雄は空気中の性フェロモンをたどって，雌の方向へと進む。このように，動物がある刺激を受けて常に定まった行動を示す場合，この刺激をかぎ刺激（信号刺激）という。

C：動物が生まれてから受けた刺激によって行動を変化させたり，新しい行動を示したりすることを学習という。例えば，アメフラシの水管に接触刺激を与えると，えらを引っ込める筋肉運動を示すが，接触刺激を繰り返すうちにえらを引っ込めなくなる。これは，単純な学習の例の一つで，慣れという。

D：パブロフによるイヌを用いた実験によれば，空腹のイヌに食物を与えると唾液を分泌するが，食物を与えるのと同時にブザー音を鳴らすことにより，ブザー音だけで唾液を流すようになる。このような現象は刷込み（インプリンティング）といい，生得的行動に分類される。

1 A，B

2 A，C

3 B，C

4 B，D

5 C，D

A：動物が光などの刺激に対し，刺激の方向やその反対方向へ移動する行動は「走性」で，光へ近づく場合は「正の光走性」，光から遠ざかる場合は「負の光走性」と呼ばれる。走性は反射行動の一種で，生まれつき備わっている生得的反応であるが，方向性を持った移動行動であるため，反射とは区別される。ヒトが熱いものに手を触れたとき，とっさに手を引っ込める反応は「屈筋反射」である。「しつがい腱反射」とは，膝のしつがい腱をたたくと生じる，膝から下の下肢の無意識下での跳ね上げ反応をさす。

B：妥当である。カイコガの性フェロモンのように，同種の生物間でのコミュニケーションに用いられる化学物質はフェロモンと呼ばれる。カイコガの雄が触覚で性フェロモンを受容すると，フェロモン濃度の高い方向へ移動するという生得的行動が誘発される。生得的行動は反射の連続であり，性フェロモンのように生得的行動を誘発させる特定の刺激はかぎ刺激（信号刺激）と呼ばれる。

C：妥当である。後天的に獲得される習得的行動のうち，経験によって行動が変化し，その行動の変化が持続される場合，その行動の変化を学習という。アメフラシの水管に接触刺激を与えた場合のえらを引っ込める反応は反射（生得的行動）であるが，同じ接触刺激を与え続けると，反射が起こらなくなる。これは行動の変化であり，「慣れ」と呼ばれる学習行動である。

D：パブロフの犬の実験は「古典的条件付け」であり，その結果成立する反応は，条件反応と呼ばれる習得的行動である。唾液分泌の本来の刺激は食物であるが，同時に聞かせるブザー音が条件刺激となり，食物を与えるのと同時にブザーを鳴らすことを繰り返す条件付けが行われることで，条件反応が成立する。刷込みは，発育初期の限られた時期だけに生じる学習であり，アヒルやカモのヒナが，ふ化後間もない時期に見た一定の大きさの動く物を追従の対象として記憶し，後を追うようになる行動が有名である。刷込みも習得的行動である。

よって，妥当なものはBとCで，正答は**3**である。

正答　**3**

植物の環境応答に関する記述として最も妥当なのはどれか。

1 多くの植物の種子に含まれるジベレリンは，デンプンを分解して，植物の成長に必要な糖を生成する作用がある。そのため，ジベレリンで処理することで種子の発芽，茎の伸長，果実の成長や種子の形成を促進させることができる。

2 茎や根に含まれるオーキシンは，成長促進作用があるため，濃度が高くなるほど植物の成長を促すが，ある濃度以上になると成長は一定となる。また，オーキシンの感受性は器官に関係なく，オーキシンの濃度が等しければ成長は一定となる。

3 果実の成熟過程では，エチレンを自ら生成して果肉の軟化，果皮の変色といった変化が起こる。生成したエチレンはその果実の成熟に消費されるため，大気中には放出されず，周囲の果実の成熟に影響を与えることはない。

4 植物の器官が環境からの刺激を受けたときに，屈曲する反応を示すことがあり，これを屈性という。このうち，重力の刺激に対する反応を重力屈性といい，無重力条件下では，重力屈性が起こらないため，植物の茎や根は屈曲せず真っすぐに成長する。

5 花芽の形成が日長の変化に反応する性質を光周性という。例えば，長日植物は，連続した暗期の長さを計っており，太陽光だけではなく人工照明の明かりでも花芽の形成に影響を受ける。この性質を用い，人為的に日長を変えることで開花の時期を調節することがある。

1．ジベレリンは，種子の発芽，茎の伸長成長，受粉なしでの果実の成長（種なしブドウの作製）などを促進する植物ホルモンである。オオムギなどの種子では，温度や水分，酸素などの条件が発芽に適するようになると，胚でジベレリンが合成される。ジベレリンは胚乳の外側の糊粉層の細胞に働きかけ，デンプン分解酵素であるアミラーゼの合成を誘導する。このアミラーゼが胚乳中のデンプンを糖に分解するのであって，ジベレリンが直接デンプンを分解するわけではない。

2．オーキシンは，細胞の成長，花床の成長（イチゴの食用部形成），落葉・落果の抑制等に働く植物ホルモンである。成長作用におけるオーキシンの感受性は，器官によって異なる。根は茎に比べ感受性が高く，より低濃度のオーキシンで成長が促進され，高濃度になると成長が抑制される。根の成長が抑制されるオーキシンの濃度でも，茎では成長が促進されるが，もっと濃度が高くなると茎でも成長が抑制される。

3．エチレンは気体の植物ホルモンであり，果実の成熟，落葉・落果の促進，細胞の横方向への成長（茎の伸長成長を抑え肥大成長させる）に働く。成熟した果実で生成されたエチレンは，空気中に放出され，近くにある未成熟な果実の成熟を促進する。

4．重力屈性は，茎の内皮細胞や根の根冠のコルメラ細胞内に存在するアミロプラストが重力方向に沈降することでオーキシンの流れが変わり，茎や根の上側と下側（茎や根を横にした場合）でオーキシンの濃度に差が出るために起こる。無重力条件下ではアミロプラストの沈降が起きないため，オーキシンの濃度の分布差ができず，重力屈性は起こらない。ただし，茎や根は発芽した時の根端や茎の頂芽が向いている方向へ真っ直ぐ伸びるため，それぞれバラバラの方向へ伸び，揃って同じ方向へ真っ直ぐに伸びることはない。

5．妥当である。植物が計っている暗期の長さのうち，花芽形成が起きるか起きないかの臨界の連続暗期の長さを限界暗期という。長日植物は，暗期が限界暗期より短くなると花芽形成が起こる植物で，コムギやアヤメ，アブラナなどがそれである。逆に連続した暗期が限界暗期より長くなると花芽形成する植物が短日植物で，キク，アサガオ，ダイズなどが典型的な短日植物である。ハウスで栽培するキクに，暗期に照明を当てて開花時期を遅らせ収穫・出荷しているのが「電照ギク」である。また，花芽形成に日長が関係しない植物は，中性植物と呼ばれ，トウモロコシ，トマト，エンドウなどが知られている。

正答　**5**

国家一般職
［大卒］
No.
378
教養試験
生物　バイオテクノロジー　平成29年度

バイオテクノロジーに関する記述として最も妥当なのはどれか。

1　ある生物の特定の遺伝子を人工的に別の DNA に組み込む操作を遺伝子組換えという。遺伝子組換えでは，DNA の特定の塩基配列を認識して切断する制限酵素などが用いられる。

2　大腸菌は，プラスミドと呼ばれる一本鎖の DNA を有する。大腸菌から取り出し，目的の遺伝子を組み込んだプラスミドは，試験管内で効率よく増やすことができる。

3　特定の DNA 領域を多量に増幅する方法として PCR 法がある。初期工程では，DNA を一本鎖にするため，−200℃程度の超低温下で反応を行う必要がある。

4　長さが異なる DNA 断片を分離する方法として，寒天ゲルを用いた電気泳動が利用される。長い DNA 断片ほど強い電荷を持ち速く移動する性質を利用し，移動距離からその長さが推定できる。

5　植物の遺伝子組換えには，バクテリオファージというウイルスが利用される。バクテリオファージはヒトへの感染に注意する必要があるため，安全性確保に対する取組が課題である。

1. 妥当である。遺伝子導入したい目的遺伝子を含むDNAと，その遺伝子を組み込みたいDNAを同じ制限酵素で処理すると，DNAの切り口の塩基配列が同じになる。それらを混ぜて今度はDNAをつなげる酵素であるDNAリガーゼで処理すると，切り口の塩基配列が同じものどうしが結合するため，確率的に目的遺伝子が組み込まれる。

2. プラスミドは，大腸菌などが染色体とは別に細胞内に持つ小型の環状DNAで，通常のDNAと同じ二本鎖である。目的遺伝子が組み込まれたプラスミドを大腸菌に戻すと，大腸菌が増殖するときにプラスミドも自己複製するので，プラスミドに組み込んだ目的遺伝子を短時間に効率的に増やすことができる。

3. PCR法の初期工程で二本鎖DNAを一本鎖にする方法は，約95℃の高温で数分間処理することである。PCR法は，増幅したいDNA断片，プライマー，DNAポリメラーゼ，4種類のヌクレオチドを加えた混合液を，95℃→60℃→72℃の順に数分ずつ温度変化させることを1サイクルとし，これを繰り返すだけでよい。

4. 電気泳動のため，DNA断片を緩衝液に入れると負（－）に帯電する。これに電圧をかけるとDNA断片は陽極（＋極）へ移動するが，長いDNA断片ほど寒天ゲルの寒天繊維の網目に引っかかりやすく移動速度が遅くなる。この性質を利用し，移動距離からDNA断片の長さを推定するのが電気泳動法である。

5. 植物細胞への遺伝子導入では，植物細胞に感染するアグロバクテリウムという細菌が広く用いられる。バクテリオファージは，大腸菌などのバクテリアを宿主とするウイルスであり，植物やヒトへは感染しない。

正答 **1**

文章理解　判断推理　数的推理　資料解釈　時事　物理　化学　生物

国家一般職
［大卒］
No.
379
教養試験
生物　遺伝の法則　平成28年度

遺伝の法則に関する記述として最も妥当なのはどれか。

1 メンデルの遺伝の法則には，優性の法則，分離の法則，独立の法則があり，そのうち独立の法則とは，減数分裂によって配偶子が形成される場合に，相同染色体がそれぞれ分かれて別々の配偶子に入ることをいう。

2 遺伝子型不明の丸形（優性形質）の個体（AA 又は Aa）に劣性形質のしわ形の個体（aa）を検定交雑した結果，丸形としわ形が1：1の比で現れた場合，遺伝子型不明の個体の遺伝子型は Aa と判断することができる。

3 純系である赤花と白花のマルバアサガオを交配すると，雑種第一代（F₁）の花の色は，赤色：桃色：白色が1：2：1の比に分離する。このように，優劣の見られない個体が出現する場合があり，これは分離の法則の例外である。

4 ヒトの ABO 式血液型について，考えられ得る子の表現型（血液型）が最も多くなるのは，両親の遺伝子型が AO・AB の場合又は BO・AB の場合である。また，このように，一つの形質に三つ以上の遺伝子が関係する場合，それらを複対立遺伝子という。

5 2組の対立遺伝子A，aとB，bについて，Aは単独にその形質を発現するが，BはAが存在しないと形質を発現しない場合，Bのような遺伝子を補足遺伝子といい，例としてカイコガの繭の色を決める遺伝子などが挙げられる。

解説

1. 減数分裂によって配偶子が形成される場合に，相同染色体がそれぞれ分かれて別々の配偶子に入るのは分離の法則である。独立の法則は，対立遺伝子が何組あっても，それらがすべて別々の相同染色体上に存在する場合，各組の対立遺伝子は互いに影響し合うことなく，独立に配偶子に入ることをいう。

2. 妥当である。遺伝子型がわからない個体（優性形質個体）に，劣性形質の個体を交雑させるのが検定交雑である。表現型が優性の個体は，遺伝子型が優性ホモ（AA）の場合とヘテロ（Aa）の場合があり，表現型だけでは判別できない。劣性形質の個体は，表現型を見れば遺伝子型が劣性ホモ（aa）であることがわかり，それが作る配偶子中の遺伝子はすべて a になる。そのため検定交雑の結果現れる子の表現型の分離比は，そのまま検定にかけられた優性個体が作る配偶子の遺伝子型の分離比となる。検定交雑の結果，子に丸形としわ形が1：1の比で出現すれば，優性親個体はAとaを1：1で持つことになり，親の遺伝子型は Aa のヘテロ型となる。

3. 純系の対立形質を持つ個体同士を交雑した結果，両方の中間的な形質の子が生じる現象を不完全優性といい，その子を中間雑種という。マルバアサガオの花には赤（AA）と白（A′A′）の対立形質があり，この純系同士を交雑すると子の F₁ はすべて中間雑種（AA′）の桃色型になる。F₁（AA′）を自家受精すると，F₂ の遺伝子型の分離比が AA：AA′：A′A′＝1：2：1となり，表現型の分離比もそのまま赤色：桃色：白色＝1：2：1となる。不完全優性は優性の法則の例外である。

4. 複対立遺伝子の定義は正しいが，例についての記述に誤りがある。ヒトの ABO 式血液型で，考えられうる子の表現型が最も多くなるのは，両親の遺伝子型が AO・BO の場合である。この場合，子には AO，BO，OO，AB の4通りの遺伝子型ができ，表現型である血液型も，A，B，O，AB の4通りが出現する可能性がある。AO・AB の場合は，子の遺伝子型は AA，AO，BO，AB となり，血液型は，A，B，AB の3通りである。BO・AB の場合も同様で，子の遺伝子型は BB，BO，AO，AB となり，血液型は，A，B，AB の3通りとなる。

5. 本肢のBのような遺伝子を，補足遺伝子の中でも特に条件遺伝子という。ハツカネズミの毛の色の遺伝では，Aが存在せずaだけの場合，もう一組の遺伝子がBでもｂでもすべて白色（aaBB，aaBb，aabb）になる。Aの存在下でBが働くと毛色は灰色（AABB，AABb，AaBB，AaBb）になるが，ｂしかないと黒色（AAbb，Aabb）になる。つまり，B遺伝子はA遺伝子の存在を条件として発現するのである。カイコガの繭の色の白色と黄色の決定に関与する遺伝子は，抑制遺伝子と呼ばれるもので，二対の対立遺伝子のうち，一方の優性遺伝子が他方の優性遺伝子の形質発現を抑制する場合，その前者をさしている。

正答　**2**

ヒトの体液に関する記述として最も妥当なのはどれか。

1 体液は，通常，成人男性では体重の約40％を占め，血管内を流れる血液と，組織の細胞間を満たすリンパ液の二つに大別される。

2 血液は，一般的に静脈を通って毛細血管に達し，血液の液体成分である血しょうの一部が，毛細血管壁から染み出ると全てリンパ液となる。

3 赤血球の核に多量に含まれているヘモグロビンは，主に栄養分や老廃物を体内で運搬する役割を果たしている。

4 白血球は，毛細血管壁を通り抜けて血管外に出ることができ，一部の白血球には，体内に侵入した病原体などの異物を取り込み，それを分解する働き（食作用）がある。

5 血しょうは，粘性のある淡黄色の液体で，約60％が水であり，主に酸素と結び付くことによって各組織に酸素を運搬する役割を果たしている。

解説

1. ヒトの体重に占める体内の水の割合は約60％で，体液の割合は体重の約15％である。体液は，血液，組織液，リンパ液の3つに分けられ，血液は血管内を流れる。組織液は，血液の血しょう成分が血管から浸み出して組織の細胞間を満たすものであり，細胞に酸素や養分を供給し，逆に老廃物や二酸化炭素を受け取る。組織液の大部分は再び血管に戻るが，一部はリンパ管に吸収されリンパ液となる。

2. 心臓から送り出された血液は，動脈を通って各器官に運ばれる。血液が心臓へ戻るときに通る血管が静脈である。各器官では，血管は細い毛細血管となり血しょう成分が毛細血管から浸み出して組織液となる。

3. 赤血球はその役割が酸素運搬に特化した無核細胞である。ヘモグロビンは赤血球の細胞質基質に多量に含まれるタンパク質で，酸素濃度が高いと酸素を結合し，酸素濃度が低いと酸素を解離する性質を持つ。栄養分や老廃物の運搬は血しょうが担っている。

4. 妥当である。白血球の中でも，マクロファージ，樹状細胞，好中球と呼ばれるものが食作用によって体内に侵入した病原体などの異物を排除する。これらの働きで異物を排除する仕組みを自然免疫という。

5. 血しょうの90％は水であり，これにタンパク質や糖，脂質などが溶けているため色はやや黄色がかるが，粘性は高くない。酸素運搬は赤血球のはたらきであり，血しょうは栄養分や老廃物の運搬を行う。

正答　**4**

酵素やエネルギーに関する記述として最も妥当なのはどれか。

1　酵素のうち，ペプシンは，タンパク質を分解する消化酵素である。また，ペプシンは胃液に含まれており，強い酸性条件下でよく働く。

2　酵素のうち，カタラーゼは，過酸化水素を分解して水素を発生させる。これはカタラーゼが触媒として働いたためであり，一度触媒として働いたカタラーゼは消費されてしまうため，再度触媒として働くことはない。

3　酵素のうち，アミラーゼは，デンプン，タンパク質，セルロースなどの物質に酵素反応を示し，物質の分解を促進する。また，アミラーゼは温度が上昇するほど，反応速度が高まる。

4　呼吸とは，グルコース，酸素及び水から，水とエネルギーを合成する反応である。真核生物では，呼吸は細胞内のミトコンドリアで行われ，その構造は一重の膜に包まれ，細胞液で満たされている。

5　光合成とは，二酸化炭素と光エネルギーから，酸素と水を合成する反応である。陸上植物では，光合成は細胞内の葉緑体で行われ，葉緑体はそれぞれの細胞に一つずつ含まれている。

解説

1. 妥当である。ペプシンは胃で働くタンパク質分解酵素である。胃腺から分泌される段階ではペプシンの前駆体のペプシノーゲンであるが，胃の中で胃酸（塩酸）やすでに存在するペプシンの作用を受けてペプシンに変化し，消化酵素として働くようになる。胃の内部は胃酸の影響で強酸性になっており，ペプシンはその条件でよく働くように最適 pH が 2（強酸性）となっている。

2. カタラーゼは過酸化水素を水と酸素に分解する酸化還元酵素である。酵素はタンパク質でできた生体触媒であるが，無機触媒である二酸化マンガンもカタラーゼと同様の触媒作用を持つ。触媒の特徴は，特定の化学反応を促進するが，それ自体は反応前後で変化しないことであり，繰り返し働くことができる。

3. アミラーゼはデンプンやグリコーゲンをデキストリン（グルコースが十数個つながったもの）やマルトース（グルコースが 2 個つながったもの）に分解する消化酵素であり，タンパク質やセルロースの分解能力はない。タンパク質の消化酵素にはペプシン，トリプシン，ペプチダーゼが，セルロースの消化分解にはセルラーゼがある。酵素が作用する物質を基質というが，各酵素は特定の基質にのみ作用するようになっており，この性質は基質特異性と呼ばれる。また，酵素はタンパク質でできているため，温度が上昇するとタンパク質が変性し，失活してしまう。そのため酵素活性が最も高くなる最適温度があり，消化酵素の最適温度はだいたい 35℃ くらいである。

4. 呼吸は，グルコースを酵素と水を用いて分解し，取り出したエネルギーで ATP を合成する反応である。真核生物の呼吸は細胞質基質の解糖系と，ミトコンドリアに存在するクエン酸回路および電子伝達系が働くことで起こる。ミトコンドリアは内外二重の膜でできており，内膜上に電子伝達系が存在し，内膜のマトリクスと呼ばれる部分にクエン酸回路が存在する。細胞液とは細胞小器官の一つである液胞の内部の溶液のことである。

5. 光合成は，二酸化炭素と水を材料として光エネルギーを用いてグルコースを合成する反応である。水を分解して水素を取り出す結果，酸素が放出され，グルコース合成のためのカルビン・ベンソン回路の代謝で水が生成される。葉緑体は各細胞に一つずつではなく，多数が含まれている。

正答　**1**

次の文は抗原抗体反応に関する記述であるが，A〜Dに当てはまるものの組合せとして最も妥当なのはどれか。

抗原抗体反応とは，　A　が体内に入ると，リンパ球が認識し，その　A　に対してだけ反応する　B　がつくられて血しょう中に放出され，　B　がその　A　に結合する反応のことである。このように，　B　で体を防御する仕組みを　C　免疫という。

　D　を　A　として接種し，体にあらかじめ　B　をつくらせておいて，病気を予防する方法を　D　療法という。

	A	B	C	D
1	抗原	抗体	体液性	ワクチン
2	抗原	抗体	細胞性	ホルモン
3	抗原	抗体	細胞性	ワクチン
4	抗体	抗原	細胞性	ワクチン
5	抗体	抗原	体液性	ホルモン

解説

抗原抗体反応における抗原とは，細菌や異種タンパク質など，体内に侵入した異物の総称である。それに対し，抗体は抗原と特異的に結合する免疫グロブリンと呼ばれるタンパク質であり，リンパ球B細胞が産生し放出する。抗原抗体反応では，抗原と抗体が特異的に結合し，抗原抗体複合体を形成する。その結果，抗原はその毒性を失ったり，マクロファージなどの食作用を受けやすくなり，体内から排除される。脊椎動物はこのようにして細菌や異物から生体を防御している。抗体が関与する免疫は獲得免疫の一つで体液性免疫［空欄C］と呼ばれ，その仕組みは次のようなものである。

抗原［同A］が体内に侵入すると，主に樹状細胞が抗原を捕食・分解し，その抗原情報をヘルパーT細胞に伝える。同時にリンパ球B細胞も抗原情報を認識する。抗原情報を受け取ったヘルパーT細胞は活性化して増殖し，B細胞を活性化させる。活性化したB細胞は分裂・増殖した後，抗体産生細胞となって情報を受けた抗原と特異的に結合する抗体［同B］を大量に産生・放出する。この過程で，活性化したヘルパーT細胞とB細胞の一部が免疫記憶細胞として残るため，同じ抗原が再度体内に侵入すると，直ちに増殖して抗体産生細胞になり，大量の抗体が産生されるので抗原は速やかに排除される。同じ抗原の二度目の侵入時の急速で強い免疫反応を二次応答といい，これを利用した感染症の予防法がワクチン療法［同D］である。ワクチンは弱毒化した病原菌や毒素などの抗原であり，これを接種するのが予防接種である。また，もう一つの獲得免疫である細胞性免疫は，抗体が関与せず，キラーT細胞が病原体に感染した細胞などを直接攻撃して排除するものである。

よって，A＝抗原，B＝抗体，C＝体液性，D＝ワクチンとなり，正答は**1**である。

正答　1

文章理解　判断推理　数的推理　資料解釈　時事　物理　化学　生物

ヒトの器官に関する記述として最も妥当なのはどれか。

1 脳は小脳，中脳，大脳などにより構成されている。小脳には呼吸運動や眼球運動の中枢，中脳には言語中枢，大脳には睡眠や体温の調節機能がある。

2 耳は聴覚の感覚器であるとともに，平衡覚の感覚器でもある。平衡覚に関する器官は内耳にあり，前庭はからだの傾きを，半規管は回転運動の方向と速さを感じる。

3 心臓と肺との血液の循環は肺循環と呼ばれる。これは全身から戻ってきた血液が，心臓の左心房から肺静脈を通して肺に送られ，その後，肺動脈を通して心臓の右心室に送られるものである。

4 小腸は，胃で消化できない脂肪をグリセリンに分解する消化酵素を分泌している。このグリセリンは，大腸の柔毛の毛細血管より血液に吸収される。

5 腎臓は，タンパク質の分解の過程で生じた血液中のアンモニアを，尿素に変えるはたらきがある。この尿素は，胆のうを通して体外に排出される。

解説

1. 中枢神経は脳と脊髄に分けられる。脳は大脳，中脳，小脳のほか，間脳と延髄で構成される。小脳は筋肉運動の調節と体の平衡を保つ中枢であり，呼吸運動は延髄が，眼球運動は中脳が中枢として調節している。言語中枢は大脳であり，睡眠や体温調節の中枢は間脳である。

2. 妥当である。耳の内耳にはうずまき管，前庭，半規管が存在し，うずまき管が聴覚器として，前庭と半規管が平衡受容器として働く。前庭には平衡神経とつながる感覚細胞が存在し，感覚細胞の先端の感覚毛の上に平衡石（耳石）が乗っている。体が傾いて平衡石がずれると，感覚毛が引っ張られて感覚細胞が興奮し，それが脳に伝わり，傾きの感覚が発生する。半規管は半円状の管で，3本の半規管が互いに直交する位置に配置されている。3本それぞれの半規管の基部に膨らんだ部分があり，そこに感覚毛を持った感覚細胞が存在する。半規管内は内リンパ液で満たされていて，体が回転するとリンパ液が感覚毛を押して刺激し回転感覚が発生する。

3. 肺循環は，全身から戻ってきた血液が右心室から肺動脈を通して肺に送られ，ガス交換（酸素の取込みと二酸化炭素の放出）を行った後，肺静脈を通して左心房へ戻る経路である。動脈と静脈の違いは酸素を多く含むか含まないかではなく，心臓から血液を送り出す血管が動脈，心臓に血液を戻す血管が静脈である。

4. 脂肪を分解する消化酵素はリパーゼであり，すい臓からすい液として十二指腸へ分泌される。脂肪はリパーゼによって脂肪酸とグリセリンに分解される。小腸では，脂肪酸とグリセリンを吸収し，柔毛の乳び管のリンパ液に取り込む。リンパ液はリンパ管を経て，最終的には左鎖骨下静脈で血液に合流する。

5. タンパク質の分解で生じた毒性の強いアンモニアを毒性の弱い尿素へつくりかえる生化学反応系は肝臓の持つオルニチン回路である。腎臓は血液中の尿素をろ過・濃縮し，尿として体外へ排出する。胆のうは肝臓で生成された胆汁をたくわえる器官である。胆汁は胆管を通して十二指腸へ分泌され，リパーゼによる脂肪の分解を助ける働きがある。

正答　**2**

国家Ⅱ種

No.
384

教養試験

生物　遺伝子（DNAの構成要素とその割合，水素結合等）　平成23年度

文章理解　判断推理　数的推理　資料解釈　時事　物理　化学　生物

次は遺伝子に関する記述であるが，ア，イ，ウに入るものの組合せとして最も妥当なのはどれか。

遺伝子の本体であるDNAは4種類の構成要素からできており，それらが多数つながった長い鎖状になっている。4種類の構成要素は，A（アデニン），　ア　，G（グアニン），C（シトシン）という符号で表される。その要素は互いに　イ　し，ねじれた2本鎖としてつながった二重らせん構造になっている。

ある生物のDNAを解析したところ，A（アデニン）がC（シトシン）の2倍量含まれていることが分かった。このDNA中の推定されるG（グアニン）の割合はおよそ　ウ　％である。

	ア	イ	ウ
1	T（チミン）	共有結合	33.3
2	T（チミン）	水素結合	16.7
3	T（チミン）	水素結合	33.3
4	U（ウラシル）	共有結合	33.3
5	U（ウラシル）	水素結合	16.7

解説

遺伝子の本体であるDNAの構成要素はヌクレオチドと呼ばれ，五炭糖のデオキシリボースにリン酸と塩基が結合したものである。塩基が4種類あるため，ヌクレオチドは4種類存在する。4種類の塩基はA（アデニン），T（チミン），G（グアニン），C（シトシン）であり，空欄アにはT（チミン）が入る。U（ウラシル）はRNAの構成要素のヌクレオチドの1種類に含まれる塩基で，T（チミン）の代わりになる。各ヌクレオチドは，五炭糖とリン酸が交互に結合してヌクレオチド鎖をつくる。DNAでは2本のヌクレオチド鎖がそれぞれ反対向きにらせん状に巻きながら，らせんの中心にそれぞれの塩基がくるような構造をとる。各塩基は水素結合によって塩基対をつくる。水素結合は酸素や窒素などの原子間に水素原子が仲立ちとして入ってできる比較的弱い結合である。よって，空欄イには水素結合が入る。共有結合は原子どうしが電子を共有することでできる結合であり，水素結合よりも強い化学結合である。塩基対は必ずAとT，GとCが対をつくる。これはAとTの塩基対では2か所，GとCの塩基対では3か所に水素結合が形成されるためである（相補性）。そのため，DNA中のAとT，GとCの含有量はそれぞれ等しくなる（A＝T，G＝C）。A＋T＋G＋C＝100（％）であり，AがCの2倍量含まれる場合，A＝2C＝2G，A＋T＋G＋C＝2A＋2G＝6G＝100（％），よって空欄ウは，G＝16.7（％）となる。

以上より，**2**が妥当である。

正答　**2**

江戸時代の思想家に関する記述として最も妥当なのはどれか。

1 林羅山は朱子学を学び、特に己をつつしむ敬の姿勢を重視した。また、封建社会の身分秩序を厳しく批判し、民衆の生活を安定させる経世済民を唱えるなど、平等な社会の実現を目指した。

2 本居宣長は、『万葉集』の歌風を男性的でおおらかな「たをやめぶり」と捉え、そこに理想的精神を見いだした。賀茂真淵は、『古今和歌集』や『源氏物語』にみられる女性的でやさしい歌風である「もののあはれ」を古代の精神と捉え、評価した。

3 荻生徂徠は、仏教、老荘思想、神道を取り入れた心学を提唱した。また、自分にも他人にもうそ・偽りのない純粋な心情である誠を育むためには、日常生活において他者を思いやる仁愛の心を持つことが重要であると説いた。

4 中江藤樹は、初めは朱子学を学んだが、後に陽明学に深く共鳴し、自分の心に備わる善悪を判断する良知を十分に発揮しながら、毎日の生活の中で人としての善い行いを実践する知行合一の教えを広めた。

5 二宮尊徳は『自然真営道』にて、封建社会、階級制度を厳しく批判するとともに、全ての人が農耕に従事し、あらゆる差別の無い社会である自然世への復帰を説いた。高野長英は、「農は万業の大本」と唱え、農民の自己改革を通じて農村の復興に努めた。

解説

1. 林羅山は封建社会の身分秩序を正当化した。経世済民を唱えたのは荻生徂徠である。

2. 賀茂真淵は、『万葉集』の歌風を、男性的でおおらかな「ますらおぶり」と捉え、そこに理想的精神を見いだした。また、賀茂真淵は、『古今和歌集』や『新古今和歌集』にみられる女性的でやさしい歌風である「たおやめぶり」を批判したが、本居宣長はこの心情を重視した。さらに、本居宣長は、『源氏物語』にみられる、人の心が外界の物事に触れたときに起こるしみじみとした感情の働きである「もののあはれ」を、文芸の本質であり、人間らしい生き方の根本にあるものと捉え、評価した。また、本居宣長は、『古事記』の研究などを通して、神代から伝わる、神の御心のままで人為の加わらないまことの道である「惟神の道」を古代の精神と捉え、評価した。

3. 仏教、老荘思想、神道を取り入れた心学を提唱したのは、石田梅岩である。また、仁愛が重要であると説いたのは、伊藤仁斎である。伊藤仁斎は、仁愛を実現するための心のあり方として誠が必要であると説き、日常生活における実践として忠信を説いた。

4. 妥当である。

5. 二宮尊徳は誤りで、安藤昌益が正しい。また、高野長英は誤りで、二宮尊徳が正しい。

正答　**4**

思想　日本史　世界史　地理　政治・法律　経済

西洋の思想に関する記述として最も妥当なのはどれか。

1 ピコ＝デラ＝ミランドラは，『デカメロン』で，人間は，神の意志により，無限の可能性を現実のものにすることができるところに人間の尊厳があるとして，人間の運命は神によって定められているという新しい人間観を示した。

2 エラスムスは，聖書の研究の傍ら，『神曲』で，理性に基づく人間の生き方を探究し，キリスト教の博愛の精神に基づいて，世界の人々の和合と平和を訴えた。代表的なモラリストである彼の思想は，宗教改革の先駆となるものであった。

3 マキャヴェリは，『君主論』で，君主は，ライオンの強さとキツネの賢さを併せ持って，あらゆる手段を使って人間を統治すべきであると説いた。この主張には，現実に即して人間をありのままに捉えるリアリズムの精神がみられる。

4 トマス＝モアは，『ユートピア』で，当時のヨーロッパ社会について，自由で平等であった自然状態が，自由でも平等でもない文明社会に堕落したと批判した。そこで，自然を理想とする考えを「自然に帰れ」という言葉で表し，この理想の方法として，科学的社会主義を提唱した。

5 カルヴァンは，伝統的なローマ＝カトリックの立場からプロテスタンティズムを批判し，全ての存在は神の摂理によって定められているとした。また，彼は『エセー』で，世俗の労働に積極的に宗教的意味を認める新しい職業倫理が，近代の資本主義の成立につながったと論じた。

解説

1. 『デカメロン』はイタリアの詩人・小説家ボッカチオの著作である。イタリアの人文主義者ピコ＝デラ＝ミランドラは，主著『人間の尊厳について』で，人間は自由意志によって無限の可能性から自分自身を作り上げていくことができ，そこに人間の尊厳があるとした。人間の運命は神によって定められているという考えを打破し，主体的に自分自身を形成していく新しい人間観を示した。

2. 『神曲』はイタリアの詩人ダンテの叙事詩である。エラスムスはオランダの人文主義者で，キリスト教の博愛精神に基づいて，世界の人々との和合と平和を訴えた。主著に『愚神礼讃』がある。また，モラリストとは，16～17世紀のフランスで，人間の生活や心理を観察し，人間の生き方を探究した思想家のことで，モンテーニュ，パスカルらが代表例である。

3. 妥当である。

4. 「自然に帰れ」という言葉により文明社会を批判したのは，フランスの啓蒙思想家ルソーである。科学的社会主義は，ドイツの経済学者マルクスとエンゲルスにより確立された学説である。イギリスの人文主義者トマス＝モアは，『ユートピア』の中で，私有財産制度のない平等な理想社会を描いて当時のイギリス社会を批判した。

5. スイスで活躍した宗教改革者カルヴァンは，プロテスタントの立場からローマ・カトリック教会の腐敗を批判し，救われるか救われないかは神の意志によってあらかじめ定められているという「予定説」を説いた。『エセー』はフランスのモラリストのモンテーニュの著作である。また，世俗の労働に積極的に宗教的意味を認めるプロテスタントの新しい職業倫理が近代資本主義の成立につながったと論じたのは，ドイツの社会学者マックス＝ウェーバーである。

正答 **3**

国家一般職
[大卒]
No.
387
教養試験
思想
宗　教
令和 **3年度**

宗教に関する記述として最も妥当なのはどれか。

1 バラモン教は、主にイランにおいて信仰された宗教であり、人々を四つの身分に分類し、上位の王侯・戦士階級と、それを支える同列の三つの身分から成るカースト制度が特徴である。ここから生まれたスコラ哲学では、宇宙の規範原理である理と、その物質的要素である気がもともと一つであることを自覚することで、解説ができると説いている。

2 仏教は、ガウタマ゠シッダールタ（ブッダ）が開いた悟りを元に生まれた宗教であり、人間の本性は善であるとする性善説や、仁義に基づいて民衆の幸福を図る王道政治を説いていることが特徴である。ブッダの入滅後、仏教は分裂し、あらゆるものがブッダとなる可能性を有すると説く上座部仏教が日本にまで広まった。

3 ユダヤ教は、神ヤハウェが定めた「十戒」などの律法（トーラー）を守ることで、国家や民族にかかわらず神からの祝福を得ることができるとする宗教であり、『旧約聖書』と『新約聖書』の二つの聖典をもつ。律法には、定期的な神像の作成や安息日、特定の月（ラマダーン）における断食などがあり、これらを守ることが神との契約とされる。

4 キリスト教は、ユダヤ教をその前身とし、イエスをキリスト（救世主）と信じる宗教であり、『新約聖書』のみを聖典とする。イエスは神を愛の神と捉え、律法の根本精神を神への愛と隣人愛とし、これらをまとめて元型と呼んだ。イエスの死後、彼の弟子であるヨハネは、これを発展させた、知恵、勇気、愛、正義の四元徳を説いた。

5 イスラームは、唯一神であるアッラーを信仰する一神教であり、ムハンマドが受けた啓示を記録した『クルアーン（コーラン）』を最も重要な聖典とする。特徴として、信仰告白やメッカへの礼拝などの戒律が生活のあらゆる場面で信者の行動を律しており、豚肉食の禁止など、その範囲は食生活にも及ぶ。

解説

1. バラモン教は古代インドにおけるアーリア人の民族宗教。彼らの階級制度は、バラモン（祭司）を頂点とし、クシャトリヤ（王侯・武人）、ヴァイシャ（庶民）、シュードラ（隷属民）と続く4つの身分からなるカースト制である。バラモン教の奥義書に基づくウパニシャッド哲学は、宇宙の根源で万物を成り立たせる永久不変の根本原理であるブラフマン（梵）と、個人の根源であり永遠に続く真実の自己であるアートマン（我）が本来一体であることを自覚し、その境地（梵我一如）に達することで解脱できると説いた。スコラ哲学は、中世ヨーロッパにおいて教会や修道院に付属する学校で教えられた哲学。キリスト教の教義を、ギリシャ哲学を用いて体系的に説明した。理と気を用いて万物の成り立ちを説明したのは儒教・朱子学の朱子である。

2. 性善説や王道政治は、儒家の孟子の思想。あらゆるものがブッダとなる可能性を有すると説くのは大乗仏教である。

3. ユダヤ教はユダヤ人の民族宗教で、『旧約聖書』を聖典とし、神との契約により、神の命令である律法を守ることで選ばれた民族としてのユダヤ人が繁栄すると信じる。『新約聖書』はキリスト教を開いたイエスの言行録で、キリスト教の聖典。ラマダーンの月の断食は、イスラームにおいて信者が行うべき五行の一つである。

4. キリスト教では、『旧約聖書』と『新約聖書』の両方を聖典とする。元型は、心理学者のユングが、無意識の領域の深層にある人類共通の集合的無意識の要素を指して名づけたもの。四元徳は、古代ギリシャの哲学者プラトンが説いた、知恵、勇気、節制、正義である。

5. 妥当である。

正答 **5**

近現代の思想家に関する記述として最も妥当なのはどれか。

1 実存主義の代表的な思想家であるロールズは,『監獄の誕生』などを著した。彼は,近代の監獄パノプティコンは,囚人に看守の視線を内面化させ,支配に服従する従順な主体を形成するとし,権力が身体を統制するそのような仕組みは学校や工場においてもみられるとした。

2 功利主義の代表的な思想家であるJ. S. ミルは,『功利主義』などを著した。彼は,快楽には質と量があり,量が同一でも質に差があれば,高級な快楽の方が優れているとし,また,精神的快楽は肉体的快楽よりも質的に優れているとする質的功利主義を主張した。

3 プラグマティズムの代表的な思想家であるベンサムは,『人間の条件』などを著した。彼は,人間の活動力の形態を「労働」,「仕事」,「活動」に区分し,言葉を媒介にした相互的な意思疎通により公共的な場をつくり出す「活動」を重視した。

4 批判的合理主義の代表的な思想家であるハンナ＝アーレントは,『存在と無』などを著した。彼女は,人間を規定する一般的な本質というものはなく,人間は自己の主体的な選択と決断によって生きると考え,「実存は本質に先立つ」と表現した。

5 構造主義の代表的な思想家であるフッサールは,『あれかこれか』などを著した。彼は,知性や観念は,人間が生活において実践的な問題を解決するための道具であると考え,問題解決のために知性を働かせることや自由な討論を行うことを重視した。

解説

1. 構造主義（後にポスト構造主義）の哲学者フーコーの思想に関するもの。ロールズは,公正としての正義を唱え,すべての人に自由と機会が平等に与えられ,その結果生じる格差は,自由な競争が社会のすべての人の生活を改善することにつながる限りでのみ受け入れられると説いた。

2. 妥当である。

3. ハンナ＝アーレントの思想に関するもの。ベンサムは功利主義の思想家で,幸福を増やすものを善とし,幸福を減らすものを悪とする功利性の原理を唱え,より多くの人々により多くの幸福をもたらせば,社会全体が幸福になるという「最大多数の最大幸福」を説いた。

4. 実存主義の思想家サルトルの思想に関するもの。

5. 『あれかこれか』は実存主義の思想家キルケゴールの著書で,真理は客観的に認識されるものではなく,それぞれが人生において「あれか,これか」の選択をせまられ,自ら決断することを通して主体的真理が見いだされると説いた。知性を日常生活における問題解決のための道具と考えたのはプラグマティズムの哲学者デューイである。フッサールは現象学を提唱した哲学者。

正答　**2**

国家一般職
［大卒］
No.
389

教養試験

思想　中国の思想家　令和 元年度

中国の思想家に関する記述として最も妥当なのはどれか。

1　孔子は，儒教の開祖であり，人を愛する心である仁の徳が，態度や行動となって表れたものを礼と呼び，礼によって社会の秩序を維持する礼治主義を理想とした。そして，現世で仁の徳を積み，礼をよく実践することで，死後の世界で君子になることができると説いた。

2　墨子は，道徳によって民衆を治めることを理想とする儒教を批判し，法律や刑罰によって民衆を厳しく取り締まる法治主義を主張した。また，統治者は無欲で感情に左右されずに統治を行うべきであると説き，そのような理想的な統治の在り方を無為自然と呼んだ。

3　孟子は，性善説の立場で儒教を受け継ぎ，生まれつき人に備わっている四つの善い心の芽生えを育てることによって，仁・義・礼・智の四徳を実現できると説いた。また，力によって民衆を支配する覇道を否定し，仁義の徳によって民衆の幸福を図る王道政治を主張した。

4　荘子は，儒教が重んじる家族に対する親愛の情を身内だけに偏った別愛であると批判し，全ての人が分け隔てなく愛し合う兼愛を説いた。さらに，水のようにどんな状況にも柔軟に対応し，常に控えめで人と争わない柔弱謙下の態度を持つことが，社会の平和につながると主張した。

5　朱子は，人が本来持っている善悪を判断する能力である良知を働かせれば，誰でも善い生き方ができるとして，支配階層の学問であった儒学を一般庶民にまで普及させた。また，道徳を学ぶことは，それを日々の生活で実践することと一体となっているという知行合一を主張した。

解説

1．孔子は，人として身につけるべき普遍的かつ最も基本的な徳を，人を愛する心である仁に求め，それが行動や態度に表れたものを礼と呼んだ。またこの仁と礼を備えた理想的な人間を君子と呼び，現世において君子自らが仁と礼を実践して手本となることが人々の人間性を育てることにつながり，社会はおのずから正しくなるとする徳治主義を理想とした。礼治主義は，性悪説を説いた儒学者である荀子の政治思想である。

2．法治主義は韓非子らの思想で，人間の本性は悪であり，善に導くためには人間の利己心を利用して，賞罰により社会の秩序を維持するべきであるとする考えである。無為自然は老子の思想であり，理想の君子は，万物を生み出す根源でありあらゆる現象を成り立たせる原理である「道」の働きに任せて政治を行うべきであるとした。墨子は儒教が重視する家族的な親愛の情を，偏った差別的な別愛と批判し，すべての人が分け隔てなく愛し合う普遍的な兼愛を重んじた。また非攻を貫く国が多くなることで平和が実現すると考えた。

3．妥当である。

4．儒教を批判し，兼愛を説いたのは墨子，柔軟で人と争わず，常に控えめである柔弱謙下の心を持つことが平和につながると主張したのは老子である。荘子は老子の思想を深め，独自の哲学を築いた。ありのままの自然の世界は，善悪，貧富，生死などの区別を超えてみな等しい万物斉同であり，そのような世界をありのままに肯定する自由な精神の持ち主を真人と呼び，人間の理想とした。

5．人が本来持っている良知を働かせることで誰でもよい生き方ができるとする致良知，道徳を学ぶことと日々の生活での実践は一体であるとする知行合一を説いたのは王陽明である。彼によって創始された実践的な儒学は陽明学と呼ばれる。朱子は，万物を支配する原理を理，万物の物質的な素材を気とする理気二元論により世界の成り立ちを説明し，社会の制度や秩序となる理を学び，私欲を慎む居敬窮理を道徳の基本とした。

正答　**3**

国家一般職[大卒] No. 390 教養試験 思想 古代ギリシャの思想家 平成30年度

古代ギリシャの思想家に関する記述として最も妥当なのはどれか。

1 ピタゴラスを創始者とするストア派の人々は，自然全体は欲望の支配する世界であり，人間はその一部として自然によって欲望の情念（パトス）が与えられていると考えた。その上で，欲望の情念を克服し，理性を獲得する禁欲主義を説き，自然から隠れて生きることを主張した。

2 ソクラテスは，肉体や財産，地位などは自分の付属物にすぎず，真の自分は魂（プシュケー）であると主張した。また，人間が善や正を知れば，それを知る魂そのものがよくなって魂の優れた在り方である徳（アレテー）が実現し，よい行いや正しい行いを実行すると考えた。

3 プラトンは，物事全般について本質を問題にし，具体的な個々の事物に内在し，それらの本質となる普遍的なものを知ることこそが，徳であると考えた。そのような普遍的なものをイデアと呼び，惑わされやすい理性ではなく，感覚によってイデアは捉えられるとした。

4 アリストテレスは，プラトンの思想を批判し，優れた理性で捉えられる具体的な個々の事物こそが実在であり，本質は個々の事物から独立して存在すると主張した。そのような本質を認識し，魂の本来の在り方を現実化できる哲学者による哲人政治を理想とした。

5 エピクロスは，人間は本来快楽を追求する存在であり，肉体的な快楽を追求することによって精神的不安や苦痛が取り除かれ，真の快楽がもたらされると考えた。このような思想は功利主義と呼ばれ，エピクロスは，自然に従って生きることを説いた。

解説

1. ストア派の創始者はゼノンである。ストア派の人々は，自然全体は理性の支配する世界であり，人間はその一部として自然によって理性（ロゴス）が与えられていると考えた。そのうえで，欲望の情念を克服した状態（アパティア）を実現する禁欲主義を説き，自然に従って生きることを主張した。

2. 妥当である。

3. プラトンは物事の本質を問題にしたが，その本質は個々の事物とは異なる世界に存在し，個々の事物は普遍的な本質の影のようなもので不完全であると考えた。そうした普遍的な本質をイデアと呼び，それは感覚ではなく理性によってとらえられるとした。

4. アリストテレスは，プラトンに対して，感覚でとらえられる具体的な個々の事物こそが実在であり，本質は個々の事物に内在すると主張した。哲人政治を理想としたのはプラトンである。

5. エピクロスは，肉体的快楽ではなく永続的・精神的な快楽を追求することにより精神的不安や苦痛が取り除かれた永続的な魂の平安（アタラクシア）の状態に至り，真の快楽がもたらされると考えた。この思想は快楽主義と呼ばれ，エピクロスは，魂を乱す原因となる世俗を避けるために「隠れて生きよ」と説いた。

正答 **2**

近現代の欧米の思想家等に関する記述として最も妥当なのはどれか。

1 プラグマティズムを発展させたジェームズは，真理の基準は実生活に役立つという性質を持っているとする，真理の有用性という独自の理論を打ち立てた。さらにジェームズは，この実用主義の立場から宗教の価値を論じ，科学的な思考と宗教とを調和させようとした。

2 M.ヴェーバーは，近代社会においては，官僚制の原理に基づき，反理性的なものを日常生活から排除し，巧妙に管理する仕組みにより，人間を社会に順応させるための見えない権力が働いていることを明らかにした。また，合理化が進むことでそこから解放され，無気力化が抑制されるとした。

3 ハイデッガーは，フランクフルト学派の代表的な哲学者であり，人間は，誰もが日常生活の中で個性的で独自な在り方をしているとした。そして，世の中で出会う様々な他者に関わることで，人間が死への存在であるために生じる不安が解消され，環境によりよく適応することができるとした。

4 フロムは，ヒューマニズムに基づく社会変化の観察から，伝統指向型，内部指向型，他人指向型の三類型を立てた。現代では内部指向型が支配的であり，マスメディアで喧伝されるものにより人々が不安や孤独に駆られ，身辺な仲間も否定するようになると指摘した。

5 ロールズは，社会全体の効用の最大化を目指す功利主義を主張した。自己の能力や立場などを知ることができない無知のベールがかけられた原初状態においては，より質の高い精神的快楽，すなわち献身の行為を追求すべきだという正義の原理を説いた。

解説

1. 妥当である。アメリカの哲学者・心理学者ジェームズは，宗教も含めて，ある考え方が真理といえるかは，その考えに基づいて行為したときに望ましい結果が得られるかどうかで判断できるとする「真理の有用性」を唱えた。

2. 官僚制が人間に及ぼす作用については妥当であるが，合理化が進むことで無気力化が抑制されるのとは逆に，過度に個人を抑制し責任意識を失わせることで無気力化が進むとした。

3. ハイデッガーはフランクフルト学派ではなく実存主義の哲学者であり，人間は日常生活の中で社会に埋没し，個性のない「ひと」として存在しているとする。また死を意識することからくる不安は，他者との関わりでは解消されず，死の可能性に向き合うことで，誰とも代わることのできない固有の自己の存在に目覚めると考えた。

4. 人間の社会的性格を伝統指向型・内部指向型・他人指向型の三類型に分けたのはアメリカの社会心理学者リースマンで，現代の大衆社会では，孤独と不安を恐れて他人の行動に同調し，他人の評価を基準にする他人指向型が支配的であるとした。ドイツ・新フロイト派の社会心理学者フロムは，現代人は近代が理想とした「～からの自由」を獲得したが，自由がもたらす孤独と不安に耐えきれず，新たな権威への服従を求めるようになり，それがファシズムの信奉につながったとし，そうした社会的性格を権威主義的性格と呼んだ。

5. アメリカの政治哲学者ロールズは功利主義を批判し，原初状態の下での正義の原理は，第一にすべての人が等しく自由を与えられること（第1原理），第二に格差が生じるとしてもそれはすべての人に平しく機会が与えられた公正な競争の結果でなければならず，その格差は不遇な人々の生活を改善することにつながるものでなければならない（第2原理）とした。質的功利主義の立場から，快楽の中でも他人を思いやり，社会に貢献することで得られる幸福感といった質の高い快楽を重んじたのは，イギリスの哲学者・経済学者ミルである。

正答　**1**

国家一般職 [大卒]

No. 392

教養試験

思想

日本の近代思想

平成28年度

思想

日本史

世界史

地理

政治・法律

経済

次は，我が国の近代思想に関する記述であるが，A〜Dに当てはまるものの組合せとして最も妥当なのはどれか。

○ 明治期の思想家である ◻︎ A ◻︎ は，ルソーの『社会契約論』を翻訳し，『民約訳解』として出版した。そこに示された主権在民の原理や抵抗権の思想は，自由民権運動に新たな理論的基礎を与える役割を果たした。

○ 夏目漱石は，「日本の現代の開化は外発的である」と述べ，西洋のまねを捨て自力で自己の文学を確立しようと決意した。晩年には，自我の確立とエゴイズムの克服という矛盾に苦闘し，◻︎ B ◻︎ の境地に到達したといわれている。

○ 西田幾多郎は，◻︎ C ◻︎ において，主観（認識主体）と客観（認識対象）との二元的対立から始まる西洋近代哲学を批判し，主観と客観とが分かれていない主客未分の経験を純粋経験と呼んだ。

○ 大正期には大正デモクラシーと呼ばれる自由主義・民主主義的運動が展開された。◻︎ D ◻︎ は，民本主義を主張し，主権が天皇にあるのか国民にあるのかを問わず，主権者は主権を運用するに際し，国民の意向を尊重し，国民の利益と幸福を目的としなければならないとした。

	A	B	C	D
1	中江兆民	則天去私	『善の研究』	吉野作造
2	中江兆民	諦念	『善の研究』	美濃部達吉
3	中江兆民	諦念	『倫理学』	吉野作造
4	内村鑑三	則天去私	『倫理学』	美濃部達吉
5	内村鑑三	諦念	『善の研究』	吉野作造

解説

1つ目の記述は中江兆民（1874〜1901年）の思想。フランス流の急進的民権論の立場をとり，主権在民や国民の抵抗権・革命権を主張した。

2つ目の記述は夏目漱石（1867〜1916年）の思想で，日本の近代化を西洋からの圧力によるものと批判し，自己の主体性の確立をめざす個人主義（自己本位）を唱えた。しかし晩年には私を去って天の命ずるままに任せる則天去私の境地に達した。

3つ目の記述は西田幾多郎（1870〜1945年）の思想で，西洋近代哲学とは異なる東洋の論理として，主観と客観が分かれていない純粋経験こそ真の実在であると，主著『善の研究』で説いた。

4つ目の記述は，吉野作造（1878〜1933年）の思想。明治憲法下での天皇主権を前提としつつ，主権を運用する上では民衆の意向を尊重し，その利益と福利を目的とする民本主義を説いた。なお内村鑑三（1861〜1930年）は直接聖書の言葉に向き合う無教会主義を唱えるとともに，キリスト教の立場で日本を愛する「二つのＪ」に献身した。諦念は森鷗外（1862〜1922年）の思想で，社会と個人の葛藤に対して，ただ自己を貫くのではなく，順応し受け入れるという考え方。『倫理学』は和辻哲郎（1889〜1960年）の著作。美濃部達吉（1873〜1948年）は，主権は国家にあり，天皇は法人である国家の最高機関とする天皇機関説を唱え，大正デモクラシーの理論的支柱となった。

よって，Ａ：中江兆民，Ｂ：則天去私，Ｃ：『善の研究』，Ｄ：吉野作造となり，正答は**1**である。

正答　**1**

中国の思想家に関する記述として最も妥当なのはどれか。

1 孟子は，人間は生まれつき我欲を満たそうとする自己中心的な悪い性質をもっているが，それを矯正することによって四つの善い心の表れである四徳が実現され，誰でも道徳的な善い人格を完成させることができると説いた。

2 荘子は，天地万物に内在する宇宙の原理（理）と万物の元素である運動物質（気）によって世界の構造をとらえた。そして，理と一体化した理想の人格のことを君子と呼び，君子が彼の理想の生き方であった。

3 荀子は，人間は生まれながらにして善い性質をもっているが，人間の性質を更に善いものへと変えていくためには，教育・礼儀・習慣などの人為的な努力が必要であるとした。そして，このような人為的な努力を大丈夫と呼んだ。

4 朱子は，法律や刑罰によって民衆を治める法治主義の方が，仁と礼を備えた理想的な人間である真人が為政者となって道徳により民衆を治める徳治主義よりも優れたものと考え，政治の理想とした。

5 王陽明は，人間の心がそのまま理であるとし，その心の奥底に生まれながらに備わる良知のままに生きることを目指した。また，「知は行のはじめであり，行は知の完成である」と主張し，知と実践の一致を説く考えである，知行合一の立場をとった。

解説

1. 孟子（前372年頃～前289年頃）は人間の本性は善であるとする性善説に立つことから，妥当ではない。「四つの善い心……」以降は，他人への同情心である「惻隠の心」，自分の悪を恥じ，他人の悪を憎む「羞悪の心」，他人に譲りへりくだる「辞譲の心」，ものごとの是非・善悪を判断する「是非の心」の四つの徳を養い育てることで，仁・義・礼・智の四徳が実現されると説いた孟子の思想に関するものである。

2. 朱子の思想に関する記述である。道家の荘子（前4世紀後半頃とされる）は，善悪・生死・貴賤といった人為的・相対的な価値対立を捨て，万物は皆ひとしいという「万物斉同」の考えの下，おおらかな絶対自由の境地に遊ぶ「真人」を理想とした。

3. 荀子（前298年頃～前235年頃）は，人間の本性は悪であるとする性悪説に立つことから，妥当ではない。本来は悪である人間を矯正し，社会の秩序を保つために，教育や礼儀などが必要であると考えた。また，「大丈夫」は孟子が理想とした人間像で，常に道徳を実践しようとする力強い気持ちである「浩然の気」を養う者をさす。

4. 法家の韓非子（？～前233年）の思想に関する記述で，賞罰を厳格に行う信賞必罰により，法に基づく政治を行うべきことを主張した。朱子（1130～1200年）は，私欲を慎んで理を究明する態度である「居敬窮理」を重んじた。

5. 妥当である。王陽明（1472～1528年）は，朱子学を批判し，人間の生まれながらの心がそのまま理であり，善悪を判断する能力である「良知」を発揮すべきであると説いた。また，真に知ることと実行することは同一であるとする「知行合一」を主張した。

正答 **5**

中世における日本文化と思想に関する記述として最も妥当なのはどれか。

1 臨済宗の開祖である栄西は，宋から抹茶法を伝え，茶道を大成した。著作である『喫茶養生記』において，今日という会は二度とない一生に一度の会であり，決しておろそかにせず心をこめて行うという心得「一期に一度の会」を説き，「一期一会」の語源となった。

2 時宗を開いた一遍は，後に盆踊りなど各地の民俗芸能の群舞の源流となる踊念仏を始め，各地を遊行した。雑念を捨てて「南無妙法蓮華経」と唱えながら踊ることで，悟りを開いて極楽浄土に往生することができると説き，「阿弥陀聖」と呼ばれた。

3 吉田兼好（卜部兼好）は，著作『徒然草』において，無常観に立って，この世の地位や名誉に執着することの愚かさ，移ろいゆく自然のはかない美しさをめでる心などを記した。

4 世阿弥は，能を完成させ，最初の能楽の理論書である『風姿花伝』を著した。優れた役者を「花」と呼び，「花」となるには，他者の心情への共感である「もののあはれ」の心を知ることが重要であると主張し，それを「秘すれば花なり，秘せずは花なるべからず」と表現した。

5 明に渡って技法を学び，日本の水墨画を大成した雪舟は，墨の濃淡や線の強弱だけで艶やかさを表現し，人間を個性豊かに描いた美人画と呼ばれる多くの作品を残した。

解説

1. 栄西は鎌倉仏教の一つである臨済宗の開祖で，中国から日本に抹茶を伝え，著書『喫茶養生記』で抹茶の製法や効用を説いた。「一期一会」は戦国から安土桃山時代の茶人である千利休の茶道の心得である。

2. 一遍は鎌倉時代の僧侶で，浄土宗の流れから時宗を開き，すべての人が救われるとして，踊りながら「南無阿弥陀仏」と唱える踊念仏により民衆に教えを広めた。「南無妙法蓮華経」は同じく鎌倉時代の僧侶である日蓮の開いた日蓮宗の題目。「阿弥陀聖」は平安から鎌倉時代の僧侶の空也をそう呼んだのがはじめで，いずれも妥当ではない。

3. 妥当である。吉田兼好は鎌倉時代末期から南北朝時代にかけての歌人・随筆家で，随筆『徒然草』は仏教的無常観を特徴としている。

4. 世阿弥は室町時代の猿楽師で，父の観阿弥とともに能楽を大成した。能楽の理論書『風姿花伝』を著し，優雅で妖艶な「幽玄」の美を説いた。「もののあはれ」は，自然や人生にふれて起こるしみじみとした感情や他者の心情への共感である。

5. 雪舟は室町時代の水墨画家であり，明に渡って画法を学び，日本独自の水墨画を確立し，山水画を多く残した。美人画は江戸時代の浮世絵に多く見られるものである。

正答 **3**

国家一般職
[大卒]

教養試験

No.
395

思想

近代の西洋思想

平成25年度

近代の西洋思想に関する記述A，B，Cに該当する思想家の組合せとして最も妥当なのはどれか。

A：歴史を，絶対精神が人間の自由な意識を媒介として自己の本質である自由を実現していく過程であると考え，「世界史は自由の意識の進歩である」と説いた。また，自由や道徳の問題を，個人の内面の主観的なあり方にとどまらず，現実社会の客観的な法や制度にあらわれる，人倫の問題としてとらえた。

B：善悪の基準を行為の功利性におき，総計して最も多くの人々に最も大きな幸福をもたらす行為が最善の行為であると考え，「最大多数の最大幸福」の実現こそ，道徳と立法の原理であると説いた。また，快楽を七つの基準を用いて量的に計算するという単純化によって，私益と公益とを調和させようとした。

C：知性を，行動によって環境との関係を調整しながら生きる人間の，環境への適応を可能にする道具ととらえる道具主義を説き，プラグマティズムを大成したとされる。また，高度に組織化された産業社会では自由放任は無力であるとして，社会化された集合的個人主義として，民主主義を確立しようとした。

	A	B	C
1	オーウェン	J.S. ミル	デューイ
2	オーウェン	ベンサム	フーコー
3	ヘーゲル	J.S. ミル	デューイ
4	ヘーゲル	J.S. ミル	フーコー
5	ヘーゲル	ベンサム	デューイ

解 説

A：ドイツの哲学者ヘーゲル（1770～1831年）についてである。歴史が発展していく原動力を「絶対精神」と呼び，歴史はその絶対精神が自ら展開し，自由を実現していく過程であると考えた。また，自由な精神が客観的な形となって具体化されたものを人倫と呼び，愛情によって結ばれた共同体である家族，家族から独立して自由で平等になった個人が自己の欲望を満たすために経済活動を行う市民社会，そして家族の共同性と市民社会の個人の独立を統合した国家へ発展していくことで人倫が完成すると考えた。オーウェン（1771～1858年）はイギリスの空想的社会主義者で，人道的な立場から労働者の地位向上や女性・児童の保護に尽力した。

B：イギリスの法律学者ベンサム（1748～1832年）についてである。人間は快楽を求め苦痛を避ける傾向があり，人間の行為のうち快楽をもたらし幸福を増すものが善であり，功利性を持つと考えた。そして等質な個人の集合で社会が成り立つと考えると，個人が快楽を追求することが結果として社会全体の幸福を高め，道徳の基準にもなると主張し，それを「最大多数の最大幸福」と呼んだ。J.S.ミル（1806～1873年）はベンサムの功利主義を修正し，快楽の中でも感覚的なものより精神的なもののほうが質的に高く，均質ではないため数量的に計算することはできないと考えた。また，利己心だけでなく利他心から快楽を追及することが，功利主義の理想である人類全体の普遍的な幸福の追求につながると主張した。

C：アメリカの哲学者デューイ（1859～1952年）についてである。知性を人間の生活上の問題解決や社会全体の進歩に役立てるための道具であると考えた。また，その知性によって個々が考え，行動を決めることで自由が保障され，社会全体として民主主義が確立されていくと考えた。フーコー（1926～1984年）はヨーロッパ近代の人間中心主義，合理主義を批判し，近代社会における知性は権力に支配され，そこから外れたものは「狂気」として排除されると説いた。

よって，正答は**5**である。

正答　**5**

国家一般職
［大卒］
No.
396
教養試験
思想　　**思想家とその著作**　平成**24**年度

次のＡ，Ｂ，Ｃは，ある思想家の著作（共著を含む）からの抜粋と，その人物について述べた文章である。人名の組合せとして最も妥当なのはどれか。

　Ａ.

> 　倫理は，私が，すべての生きんとする意志に，自己の生に対すると同様な生への畏敬をもたらそうとする内的要求を体験することにある。これによって，道徳の根本原理は与えられたのである。すなわち生を維持し促進するのは善であり，生を破壊し生を阻害するのは悪である。

　著者はアフリカに渡り，現地で医療活動に従事し「密林の聖者」と呼ばれた。その思想は，人間の倫理的な立場を，人間だけでなくすべての生命を敬い，すべての苦しむ生命を助けようとつとめることにあるとするもので，生命の尊重をすべてに優先する課題であるとした。

　Ｂ.

> 　実存主義の考える人間が定義不可能であるのは，人間は最初は何ものでもないからである。人間はあとになってはじめて人間になるのであり，人間はみずからがつくったところのものになるのである。

　著者は，哲学に加えて小説・評論の発表や政治運動にも活躍した。著者によれば，実存としての人間は，何ものとも決められないままこの世に存在し，そののちにみずからを未来の可能性にむかって投げかけ，自分が何であるかを自由につくりあげていく存在であるとして，このような人間のあり方を「実在は本質に先立つ」と表現した。

　Ｃ.

> 　じつのところ，われわれが胸に抱いていたのは，ほかでもない。何故に人類は，真に人間的な状態に踏み入っていく代りに，一種の新しい野蛮状態へ落ち込んでいくのか，という認識であった。

　著者はフランクフルトの社会研究所で研究したが，ナチスのユダヤ人公職追放によって英国に亡命，戦後は帰国して同研究所の再建に参加した。また，共著『啓蒙の弁証法』において，野蛮から脱出して文明を築き上げた人間の理性が，まさにその自然を支配しようという努力によって野蛮に逆戻りすることを説明した。

	Ａ	Ｂ	Ｃ
1	シュヴァイツァー	サルトル	フロイト
2	シュヴァイツァー	サルトル	アドルノ
3	シュヴァイツァー	ユング	フロイト
4	ハーバーマス	ユング	アドルノ
5	ハーバーマス	ユング	フロイト

解説

A．フランスの医師・哲学者シュヴァイツァー『文化と倫理』。すべての生物が持つ「生きようとする意志」を尊重する「生命への畏敬」の思想から，生命を維持し，生きる力を促進することを善，生命を破壊し，生きようとする力を阻害することを悪とする原理により，文化の再建と永遠の平和がもたらされると説いた。

B．フランスの実存主義の哲学者サルトル『実存主義とは何か』。人間は自分のあり方を自由に選んで，自分をつくっていく存在であることを「実存は本質に先立つ」と表現し，自由であるがゆえに自分自身のすべてに責任を負い，さらに社会に対しても責任を持つため社会参加（アンガージュマン）を実践すべきと考えた。

C．ドイツのフランクフルト学派の哲学・社会学者アドルノ『啓蒙の弁証法』。合理的で自由な人間社会を築く原動力となった理性が，自然を支配し，人間をコントロールする「道具的理性」へと変質したことによって，ファシズムのような新しい野蛮を出現させたと考えた。

　フロイトはオーストリアの精神分析学者で，人間の心の構造は自我・イド・超自我の領域からなり，それらを調整しながら社会生活を送っていると考えた。また人間の行動における無意識の働きを重視した。主著は『精神分析入門』。ユングはスイスの心理学者で，無意識を，個人の経験に基づいた「個人的無意識」と人類の重ねてきた体験に基づいた「集合的無意識」に分類した。主著は『無意識の心理学』。ハーバーマスはドイツ・フランクフルト学派の社会学者であるが，アドルノらとは逆に，理性を肯定的にとらえる「コミュニケーション的合理性」を主張した。主著は『コミュニケーション的行為論』。

　よって，正答は**2**である。

正答　**2**

次のA，B，Cは，近代の思想家の著述（抜粋）とその人物に関する記述であるが，それぞれの思想家名の組合せとして最も妥当なのはどれか。

A.

> 　日本は，古来未だ国を成さずと云ふも可なり。今若し此の全国を以て外国に敵対する等の事あらば，日本国中の人民にて，仮令ひ兵器を携へて出陣せざるも，戦のことを心に関する者を戦者と名づけ，此の戦者の数と彼の所謂見物人の数とを比較して何れか多かる可きや，預め之れを計りて其の多少を知る可し。嘗て余が説に，日本には政府ありて国民（ネーション）なしと云ひしも是の謂なり。

　彼は，主著『文明論之概略』において，古今東西の文明発達の事例を挙げ，日本の独立を確保するためには，西洋近代文明を摂取し，日本の近代化を図るべきであると主張した。

B.

> 　英仏の民権は恢復的の民権なり。下より進みてこれを取りしものなり。世また一種恩賜的の民権と称すべきものあり。上より恵みてこれを与ふるものなり。……たとひ恩賜的民権の量いかに寡少なるも，……善く護持し，善く珍重し，道徳の元気と学術の滋液とを以てこれを養ふときは，……漸次に肥腝となり，長大となりて，かの恢復的の民権と肩を並ぶるにいたるは，正に進化の理なり。

　彼は，民主国家の成立は「進化の理」であると考え，日本の現状では，まず立憲政治を確立し，「恩賜的民権」をしだいに「恢復的民権」に育てあげていくことが，進化の段階にかなっていると主張した。

C.

> 　日露戦争に由て私は一層深く戦争の非を悟りました，……戦争は人を不道理になすのみならず，彼を不人情になします，戦争に由て人は敵を悪むのみならず，同胞をも省みざるに至ります，人情を無視し，社会を其根底に於て破壊する者にして戦争の如きはありません，戦争は実に人を禽獣化するものであります。

　彼は，誠実で正しい日本人と日本の在り方を生涯追い求め，「武士道の台木に接木されたるキリスト教」を唱えたが，それは社会正義を重んじ，利害打算を超越して真理のために戦うという武士道精神に根ざす日本的キリスト教であった。

	A	B	C
1	福沢諭吉	中江兆民	内村鑑三
2	福沢諭吉	中江兆民	新渡戸稲造
3	福沢諭吉	板垣退助	内村鑑三
4	森　有礼	板垣退助	新渡戸稲造
5	森　有礼	板垣退助	内村鑑三

A．福沢諭吉の思想。日本が独立した国家となるためには，一人ひとりが自然科学や社会科学などの実学を学んで，独立することが大切であると考えた。

B．中江兆民の思想。フランスの思想家ルソーの影響を受けながら，日本ではヨーロッパのように民衆の側から自由・平等を勝ち取る「恢復の民権」ではなく，上から与えられる「恩賜の民権」を育てていくべきだと考え，自由民権運動に思想的な影響を与えた。

C．内村鑑三の思想。日本の代表的キリスト者として，国とイエスをともに愛す「二つのＪ」を説いた。またキリスト者の立場から絶対的平和主義をとり，非戦論を主張した。

よって**1**が妥当である。

森有礼は，初代文部大臣として日本の近代学校制度の骨格をつくった。また，当時の代表的知識人による啓蒙団体である「明六社」を起こした。板垣退助は，自由党の創立者で自由民権運動の中心となった。新渡戸稲造は，クリスチャンの教育家・農学者で，日本や日本人について英文で著した『武士道』は広く世界で読まれた。

正答　**1**

国家一般職
［大卒］
No.
398
教養試験
日本史　明治・大正時代の内閣　令和5年度

思想

日本史

世界史

地理

政治・法律

経済

明治・大正時代の内閣に関する記述として最も妥当なのはどれか。

1　初代内閣総理大臣である伊藤博文らは、大日本帝国憲法を起草した。大日本帝国憲法により、皇族などで構成される枢密院と国民の選挙で議員が選出される衆議院という二院制の立法機関が創設された。大日本帝国憲法では日本国憲法と同様に、衆議院に内閣不信任決議権などの衆議院の優越を認めていた。

2　山県有朋内閣総理大臣は、大日本帝国憲法の公布直後に民本主義演説を行い、政党の意向に関係なく、藩閥政府は政策を実現すべきだと主張した。また、山県内閣は、第2回衆議院議員総選挙で激しい選挙干渉を行ったが、その後、日清戦争に備えた軍備拡張のため政党との提携を目指し、立憲政友会を結党した。

3　第一次大隈重信内閣は、外務大臣に板垣退助を据えたものの、それ以外の閣僚の多くは陸・海軍が占める軍閥内閣であった。さらに、軍部大臣現役武官制を制定することで、軍部に対する政党の影響力を強化した。

4　陸軍との衝突により総辞職した第二次桂太郎内閣の後、陸軍出身で立憲国民党の西園寺公望内閣が発足した。西園寺公望は議会無視の態度をとったため、立憲同志会の尾崎行雄らが「政費節減・民力休養」を掲げ、倒閣運動を起こした。この倒閣運動は、「米騒動」として全国に広がった。

5　原敬内閣は、陸・海軍大臣と外務大臣以外の全ての閣僚を立憲政友会の党員が占め、初の本格的政党内閣となった。原内閣は普通選挙制の導入には応じなかったが、衆議院議員選挙法を改正して、選挙権の納税資格を直接国税3円以上に引き下げ、小選挙区制を導入した。

解　説

1. 初代内閣総理大臣である伊藤博文（第一次伊藤内閣は1885年12月〜1888年 4 月）らが、大日本帝国憲法を起草したというのは正しい。大日本帝国憲法により創設された立法機関である帝国議会は、貴族院と衆議院の二院制であった。枢密院は大日本帝国憲法草案を審議するために設置されたもので、伊藤博文が内閣総理大臣を辞任して、枢密院の初代議長となった。憲法制定後は天皇の最高諮問機関として重要な国事を審議した。貴族院は、皇族議員・華族議員らの世襲議員、勅選議員、多額納税者議員からなり、衆議院と対等の権限を持っていた。日本国憲法で認められている内閣不信任決議権などの衆議院の優越は、大日本帝国憲法では認められていなかった。

2. 大日本帝国憲法の公布（1889年 2 月）直後に、黒田清隆内閣総理大臣（黒田内閣は1888年 4 月〜1889年12月）が、政党の意向に左右されず、超然として公正な政策を行うとする超然主義演説を行った。民本主義は、大正時代に吉野作造が唱えたもので、天皇主権のもとでの民衆の政治参加を主張したものである。山県有朋は黒田清隆の次に内閣総理大臣となり、第一次山県内閣（1889年12月〜1891年 5 月）は第 1 回衆議院議員総選挙を実施した。第 2 回衆議院議員総選挙で激しい選挙干渉を行ったのは、山県有朋内閣の次の第一次松方正義内閣（1891年 5 月〜1892年 8 月）である。内務大臣品川弥二郎を中心に激しい選挙干渉を行ったが、政府与党（吏党）が過半数を占めることはできなかった。民党対吏党の対立は日清戦争の直前まで続いた。立憲政友会の結党は日清戦争（1894〜95年）後の1900年であり、第二次山県有朋内閣（1898年11月〜1900年10月）の政策に批判的になっていた憲政党が、以前より政党結成をめざしていた伊藤博文に接近して、解党して伊藤派官僚とともに結党したものである。

3. 第一次大隈重信内閣（1898年 6 月〜1898年11月）では、大隈内閣総理大臣が外務大臣を兼任し、板垣退助が内務大臣となった。初の政党内閣であり、陸・海軍大臣を除く閣僚をすべて憲政党員が占めた。軍部大臣現役武官制を制定したのは、大隈重信内閣の次の第二次山県有朋内閣であり、これは軍部に対する政党の影響力を阻止するためである。

4. 陸軍との衝突により総辞職した第二次西園寺公望内閣（1911年 8 月〜1912年12月）の後、第三次桂太郎内閣（1912年12月〜1913年 2 月）が発足した。桂太郎は陸軍出身であるが、この内閣の発足前は大正天皇の侍従長で内大臣であった。西園寺公望は陸軍出身ではなく公家出身であり、桂も西園寺も立憲国民党には所属していない。第三次桂太郎内閣は議会無視の態度をとったため、立憲政友会の尾崎行雄、立憲国民党の犬養毅らが「閥族打破・憲政擁護」を掲げ、倒閣運動（第一次護憲運動）を起こした。この運動によって第三次桂太郎内閣は1913年 2 月に退陣したが、米価高騰に対して米騒動が起きたのは1918年であり、この倒閣運動とは関係がない。桂太郎は、第一次立憲運動に対抗し新党を結党しようとしたが、実現できずに退陣し、1913年10月に死去した。桂太郎が結党をめざしていた政党で、桂の死後の1913年12月に結党されたのが立憲同志会である。また、「政費節減・民力休養」は、立憲自由党、立憲改進党などの民党が第一次山県有朋内閣を攻撃したときの主張であり、行政費を節約して地租軽減・地価修正を行えというものであった。

5. 妥当である。原敬は華族の爵位を持たず、衆議院に議席を持つ最初の内閣総理大臣であった。第一次大隈重信内閣は初の政党内閣といわれるが、原内閣（1918年 9 月〜1921年11月）は初の本格的政党内閣といわれる。

正答　**5**

江戸時代の産業に関する記述として最も妥当なのはどれか。

1 店舗を持たずに行商を行う問屋が商業の中心を占めるようになった。問屋仲間の連合組織として江戸や京都に惣が結成され，江戸・京都間の船による荷物輸送を効率化し，さらに流通する商品の独占が図られた。

2 幕府は，貨幣鋳造権を独占し，金座・銀座・銭座で，それぞれ金貨・銀貨・銭貨の三貨を鋳造した。三貨の交換比率は幕府によって定められ，変動することはなかった。主に東日本では銀貨が，西日本では金貨が用いられたため，両替商が重要な役割を果たした。

3 幕府や諸藩は，年貢米の収入を増やすために村の耕地の拡大に努め，海岸地域や湖沼を干拓し，灌漑用水を整備するなどして新田開発を進めた。農具では，より深く耕せる備中鍬や脱穀用の千歯扱などが発明され，作業の効率化をもたらした。

4 網を使用する上方漁法が全国に広まり，各地に漁場が開かれた。網元は多くの漁民を組織し，西廻り航路を運航する菱垣廻船によって海産物を運送した。日本海沿岸では，潮の干満を利用して砂浜に海水を導入する揚浜式塩田による製塩が盛んになった。

5 幕府の直轄地である伊予の別子，下野の足尾，出羽の尾去沢の銅山などにおける銅の採掘量は17世紀半ばから減少し，代わって豪商が所有する佐渡・生野の金山，石見・伊豆の銀山などで金銀の採掘が盛んになった。

解　説

1．店舗を持たずに行商を行うのは振売で，江戸時代には棒手振とも呼ばれた。江戸時代に問屋は全国の商品流通を支配するようになったが，惣ではなく仲間・組合を結成して，江戸・京都間ではなく江戸・大坂間の貨物輸送を独占した。江戸の十組問屋や大坂の二十四組問屋は，荷物輸送の安全や海難事故の共同保証，流通の独占を目的として結成された問屋仲間の連合組織である。なお，惣は鎌倉時代後期に，近畿地方周辺の荘園・公領内に自然発生的に生まれた自治的な村である。

2．三貨の交換比率は幕府によって定められたが，相場によって変動した。また，東日本では主に金貨が，西日本では主に銀貨が商取引や決済で使用された。そのため両替商が重要な役割を果たしたことは妥当である。

3．妥当である。

4．網を使用する瀬戸内や熊野地方の上方漁法が全国的に広まったことは妥当である。西廻り航路で運航したのは北前船で，菱垣廻船は江戸－大坂間を就航した廻船である。江戸時代の中心的な製塩法は，潮の干満を利用して，砂浜に海水を導入して製塩する入浜式塩田で，日本海沿岸ではなく瀬戸内海沿岸部で発展した。揚浜式塩田は，中世に一般的な製塩法で，潮汲みした海水を砂地にまいて乾燥させる製塩法である。

5．足尾銅山は幕府の直轄地であるが，別子銅山は泉屋（住友家），尾去沢銅山は南部藩の経営である。また，佐渡・伊豆では金と銀が採掘され，生野・石見では銀が採掘された。いずれも幕府の直轄地であり，その最盛期は16〜17世紀半ばまでで，17世紀後半に採掘量は急速に減少した。それにかわったのが銅であり，銅の採掘量は18世紀前半にピークを迎え，拡大する貨幣需要に応えただけでなく，長崎貿易における最大の輸出品となった。

正答　**3**

思想

日本史

世界史

地理

政治・法律

経済

我が国での戦いに関する次の記述のうち，□□□□に当てはまる人物が「征夷大将軍」に任命されたものとして最も妥当なのはどれか。

1 陸奥北部の豪族安倍氏を，源頼義は子の源義家と共に出羽の豪族清原氏の助けを得て滅ぼしたが，その清原氏一族に内紛が起こると，源義家は□□□□を助けて内紛を制圧した。この後，奥羽地方は平泉を根拠地として□□□□，基衡，秀衡の三代100年にわたって繁栄した。

2 後白河天皇は，対立した崇徳上皇方を□□□□や源義朝らの武士を動員して破った。さらに，院政を始めた後白河上皇の近臣間の対立により，□□□□は，藤原信頼や源義朝を滅ぼした。□□□□は娘の徳子を高倉天皇の中宮に入れ，その子の安徳天皇の即位後は外戚として威勢を振るった。

3 源実朝が暗殺された事件をきっかけに，後鳥羽上皇は□□□□追討の兵を挙げたが，幕府は，□□□□の子の泰時，弟の時房らの率いる軍を送り京都を攻めた。戦いは幕府側の圧倒的な勝利となり，三上皇を配流した。

4 建武の新政の後，吉野の南朝と京都の北朝が対立して，約60年にわたる全国的な南北朝の動乱の中，北朝側では□□□□が弟の直義と分担して政治を執ったが，後に□□□□の執事高師直と直義の両派が対立して，武力対決することとなった。

5 桶狭間の戦いで今川義元を破った□□□□は，畿内を追われていた足利義昭を立てて入京し，姉川の戦いで近江の浅井氏と越前の朝倉氏を破り，長篠の戦いで武田勝頼に大勝する一方，敵対した足利義昭を追放して室町幕府を滅ぼした。

解 説

1. 空欄は藤原清衡（1056〜1128年）である。源頼義, 義家が陸奥の豪族安倍氏を出羽の豪族清原氏の助けを得て滅ぼしたのが前九年の役（1051〜62年）。次いで, 源義家が藤原（清原）清衡を助けて清原氏の内紛を制圧したのが後三年の役（1083〜87年）である。その後, 奥州藤原氏は平泉を根拠地として, 清衡・基衡・秀衡の3代100年にわたって繁栄したが, 1189年に源頼朝によって滅ぼされた。

2. 空欄は平清盛（1118〜81年）である。後白河天皇が平清盛, 源義朝らの武士を動員して崇徳上皇方を破ったのが保元の乱（1156年）。次いで, 後白河上皇の近臣間の対立から, 平清盛が藤原信頼や源義朝を破ったのが平治の乱（1159年）である。清盛は1167年に武家として最初の太政大臣になったが, 征夷大将軍に任命されたことはない。その後, 清盛は娘の徳子を高倉天皇の中宮に入れ, 79年にはクーデタにより後白河上皇の院政を停止させて権力を確立し, 80年には孫の安徳天皇を即位させて, 外戚として実権を振るった。

3. 空欄は北条義時（1163〜1224年）である。義時は2代執権で, 父の時政に代わって政所別当となり（1205年）, 次いで和田義盛を倒して侍所別当を兼ね（1213年）, 執権としての地位を確立した。本肢は承久の乱（1221年）の記述である。乱は, 1219年に後鳥羽上皇と通じていた3代将軍源実朝が暗殺されたことをきっかけに公武関係が悪化し, 1221年, 後鳥羽上皇は「北条義時追討の院宣」を発して武力による討幕に立ち上がった兵乱である。しかし, わずか1か月で反乱は鎮圧され, 後鳥羽, 順徳, 土御門の三上皇は配流され, 上皇方の所領を没収するなどの処分が行われた。

4. 妥当である。空欄は足利尊氏（1305〜58年）である。1338年, 尊氏は北朝の光明天皇から征夷大将軍に任命され幕府政治を再興した。この時, 幕府内では尊氏と弟の直義との二頭政治が展開されていたが, これが後に, 「観応の擾乱」（1350〜52年）と呼ばれる, 尊氏の執事高師直と直義両派の全国的な争乱に発展した。なお室町幕府は, 尊氏が「建武式目」を制定した1336（建武3）年11月をもって事実上成立したとされる。

5. 空欄は織田信長（1534〜82年）である。信長は1568年に足利義昭を立てて入京して15代将軍につけたが, その後対立し, 義昭を京都から追放して, 事実上室町幕府を滅ぼした（1573年）。しかし, 信長が征夷大将軍に任命されたことはない。

正答 4

思想

日本史

世界史

地理

政治・法律

経済

桃山時代から明治時代における我が国の外交等に関する記述として最も妥当なのはどれか。

1 豊臣秀吉が2度の朝鮮出兵を行った結果，江戸時代を通じて我が国と朝鮮は長く国交が断絶した状態にあったが，明治新政府の成立を契機に対馬藩を窓口として国交の正常化が実現し，日清戦争が始まるまでの間，数回にわたって朝鮮通信使が派遣されてきた。

2 江戸幕府は，戦国時代末期に島津氏に征服された琉球王国に対して，明との貿易を禁止したが，明が滅びて清が建国されると，琉球王国は清の冊封を受けるとともに朝貢貿易を再開したことから，江戸幕府は我が国と清との交易を全面的に禁止した。

3 18世紀にロシアの南下政策に危機を感じた江戸幕府は，伊能忠敬に蝦夷地，樺太の地図作成を命じた。樺太の帰属は日露間の大きな問題であり，樺太・千島交換条約で樺太南半分の領有権を得る代わりに千島列島の領有権を放棄することでその問題を解決した。

4 19世紀中頃，米国使節のペリーは，黒船を率いて江戸湾入口の浦賀に来航し，開国を求める国書を渡し，翌年，その回答を求め再び来日した。江戸幕府は，下田・箱館の開港，漂流民の救助，米国に対する最恵国待遇の供与等を内容とした日米和親条約を結んだ。

5 江戸時代に長崎の出島でオランダのみと行われていた西洋諸国との貿易は，日米修好通商条約の締結後，スペイン，ポルトガル，オランダ，英国とも通商条約を締結し，大きく拡大した。これら4か国との条約では，日米修好通商条約で認められなかった我が国の関税自主権が認められた。

解説

1. 江戸時代を通じて朝鮮とは国交があった。1607年，徳川家康は朝鮮との講和を実現して国交が回復し，文禄・慶長の役での朝鮮人捕虜の送還が実施された。以後，江戸時代を通じて12回の使節が朝鮮から派遣され，第3回までは回答兼刷還使，第4回以降は通信使と呼ばれた。1609年に対馬藩主の宗氏と朝鮮との間で己酉約条が結ばれ，対馬藩を仲立ちとする国交・通商が行われたが，明治維新後は対馬藩を窓口とする国交は成立していない。対馬藩は廃藩置県により廃止され，江戸時代に持っていた家役としての対朝鮮外交は明治政府に接収された。日本は幕末のペリー来航以後，列強の脅威の下で開国したが，朝鮮は鎖国政策を維持し，日本の国交要求に対しても，これを拒否していた。そこで日本は江華島事件（1875年）をきっかけとして軍事力を背景に日朝修好条規を結んで朝鮮を開国させた（1876年）。

2. 幕府は琉球王国に明との貿易を禁止していない。1609年，島津氏は琉球を事実上征服したが，琉球王国の政治や風俗を認め，明との朝貢貿易も維持させた。それは国交を回復できなかった明との仲介役を期待しての措置であり，その関係は明が清に変わっても継続された。また，江戸幕府が清との交易を全面的に禁止したことはなく，江戸時代を通じて，清は国交のない通商の国と位置づけられていた。

3. 伊能忠敬は樺太の地図作成を行っていない。また，幕末にロシアと結んだ日露和親条約（1855年）では，千島列島について，択捉島以南を日本領，ウルップ島以北をロシア領とし，樺太は両国雑居地として国境を定めなかった。明治政府は，樺太・千島交換条約（1875年）を結んで，日本は樺太に持っていた全権利を譲り，その代償としてウルップ島以北シュムシュ島までの18島を譲り受けた。なお，樺太南半分（北緯50度以南）の領有権は，日露戦争の結果，ポーツマス条約（1905年）で獲得したものである。

4. 妥当である。

5. 日米修好通商条約（1858年）の締結後，新たに通商条約を締結した国はオランダ・ロシア・イギリス・フランスであり（安政の五カ国条約），スペイン・ポルトガルは入っていない。また，日本の関税自主権が認められたのは1911（明治44）年の日米新通商航海条約である。

正答 4

国家一般職
［大卒］

No.
402

教養試験

日本史 大戦間の日本経済等 令和 元年度

第一次世界大戦から第二次世界大戦にかけての我が国の経済等に関する記述として最も妥当なのはどれか。

1 通貨制度については，第一次世界大戦以来，金本位制を停止していた中で，為替相場の安定を目的として，世界恐慌の最中に旧平価で金本位制に復帰した。しかし，深刻な不況に陥り，金が大量に海外に流出したため，政府は金輸出を再び禁止し，管理通貨制度に移行した。

2 化学工業は，第一次世界大戦中にフランスからの輸入が途絶えたために興隆した。その後，円高水準で金本位制に復帰したために輸入超過となり，生産が壊滅的な打撃を受けたため，管理通貨制度への移行後の円安でも輸出は回復しなかった。

3 農業では，第一次世界大戦中の米価高騰により米の生産量と農家の所得が増加したが，昭和恐慌で各種農産物の価格が暴落し，農業恐慌となった。多数の困窮した農民が都市労働者として都市に移住して農業生産量が激減したため，政府は植民地での米の増産に取り組むこととなった。

4 都市では，大戦景気を背景とした工業化と都市化の発展に伴い，俸給生活者が急増し，新中間層が形成された。昭和恐慌により失業者が増大すると，政府は満蒙開拓青少年義勇軍として失業者を満州に移住させることで都市の人口過剰を解消しようとした。

5 経済界では，大戦景気を背景に急速に拡大した鈴木商店などの新興企業を中心に新興財閥が形成された。新興財閥は，繊維工業や重化学工業といった製造業を中心とし，台湾，朝鮮，満州を拠点に，政党と結び付いて本土での経済基盤を拡大した。

解説

1. 妥当である。1930（昭和5）年1月のいわゆる「金解禁」（金輸出解禁）から，1931年12月の金輸出再禁止の記述である。

2. 第一次世界大戦中に化学工業が興隆したのは，フランスではなくドイツからの輸入が途絶えたことによる。また，管理通貨制度への移行によって外国為替相場は大幅な円安となり，その後6年で輸出は3倍に達した。なお，「円高水準で金本位制に復帰した」とあるのは，**1**で「旧平価で金本位制に復帰した」のと同じことである。あえて円を切り上げて，円高で金本位制へ復帰したのである。

3. 昭和恐慌で一番打撃を受けたのが農村であったことは妥当であるが，これまで家計補助のために都市部に出稼ぎに出ていた農村出身者が失業して帰村した。このとき各種農産物の価格は暴落したが，農業生産量は養蚕（繭）を除けば激減していない。むしろ米，野菜などの生産量は伸びている（豊作貧乏）。政府が植民地での米の増産に取り組むようになったのは，1918（大正7）年の米騒動以後である。

4. 満蒙開拓青少年義勇軍は1937（昭和12）年から始まったもので，都市の人口過剰を解消しようとしたのではない。日中戦争の勃発により国内の労働力需要が逼迫したため満州移民を送り出せなくなり，代わりに青少年を入植させた政策である。なお，新中間層の形成についての記述は妥当である。

5. 新興財閥という場合，昭和初期に機械・電気・化学などの重化学工業部門でコンツェルンを形成し，特に満州事変以後，軍部と結んで満州・朝鮮に進出して急成長した日産（鮎川義介）・日窒（野口遵）などの企業グループをさすのが一般的である。大戦景気により多くの新興企業が生まれ，なかでも鈴木商店は，神戸製鋼所など重工業部門にも進出して新興財閥と呼ばれることもあるが，多分に"政商"的投機企業で，戦後恐慌（1920〈大正9〉年）で破産に瀕し，金融恐慌（1927〈昭和2〉年）で倒産した。

正答　**1**

思想

日本史

世界史

地理

政治・法律

経済

明治・大正期の我が国の文学に関する記述として最も妥当なのはどれか。

1　明治初期，坪内逍遙は，江戸時代以来の大衆文芸である戯作文学の勧善懲悪主義と西洋文学の写実主義との融合を提唱し，その考え方をまとめた『小説神髄』を著すとともに，小説『安愚楽鍋』を著し，我が国の近代小説の先駆けとなった。

2　明治中期，尾崎紅葉は，我が国で初めて言文一致体で書かれた小説『浮雲』を著すとともに，国木田独歩らと民友社を結成して雑誌『国民之友』を発刊し，写実主義と言文一致体によってもたらされた近代小説の大衆化を進めた。

3　明治末期には，英国やドイツの影響を受けた自然主義が文壇の主流となり，留学経験もある夏目漱石と森鷗外は，人間社会の現実の姿をありのままに描写する作品を著して，自然主義文学を代表する作家として活躍した。

4　大正期には，人道主義・理想主義を掲げ，雑誌『白樺』を拠点に活動した志賀直哉や武者小路実篤らの白樺派，新現実主義を掲げ，雑誌『新思潮』を拠点に活動した菊池寛や芥川龍之介らの新思潮派が活躍した。

5　大正末期には，社会主義運動・労働運動の高揚に伴って，プロレタリア文学運動が起こり，機関誌『改造』が創刊されて，幸田露伴や小林多喜二らが，労働者の生活に根ざし，階級闘争の理論に即した作品を著した。

解説

1.　坪内逍遙（1859～1935年）の記述であるが，『小説神髄』（1885年）は，勧善懲悪主義を排し，人間や社会・世相をあるがままに描く写実主義を提唱した文芸理論書である。また，その理論を具体化したのは小説『当世書生気質』（1885～86年）で，『安愚楽鍋』（1871年）は仮名垣魯文の戯作文学である。

2.　尾崎紅葉（1867～1903年）の記述である。『浮雲』（1887～89年）が初めて言文一致体で書かれた小説であることは正しいが，作者は二葉亭四迷である。紅葉が結成した文学結社は硯友社（1885～1903年）で，その機関誌を『我楽多文庫』というが，国木田独歩（1871～1908年）は関係していない。なお，民友社は1887年，徳富蘇峰によって設立され，雑誌『国民之友』を刊行して平民主義を主張した。

3.　明治末期に自然主義文学が文壇の主流になったことは正しいが，夏目漱石（1867～1916年）と森鷗外（1862～1922年）はいずれも反自然主義的立場をとった作家である。漱石はイギリス留学後，多くの小説や文明批評で知識人の内面や近代日本の病理を著し，鷗外もドイツ留学を経て終生軍医として奉職する一方，多くの小説・翻訳・評論などを執筆し，いずれも明治期の文壇で独自の地位を築いた。

4.　妥当である。

5.　プロレタリア文学運動は，雑誌『種蒔く人』（1921～23年）の刊行以後，大正末から昭和初期にかけて活発となった。機関誌として『戦旗』（1828～31年）や『文芸戦線』（1924～31年）などがある。『改造』（1919～55年）は，『中央公論』とともに大正デモクラシー運動や社会主義運動のよりどころとなった総合雑誌であるが，プロレタリア文学運動の機関誌ではない。また，小林多喜二（1903～33年）は代表的なプロレタリア作家であるが，幸田露伴（1867～1947年）は明治中期に尾崎紅葉と並び称され，「紅露時代」と呼ばれる一時代を築いた擬古典派の作家であり，プロレタリア作家ではない。

正答　**4**

我が国の20世紀前半の動きに関する記述として最も妥当なのはどれか。

1　1914年に始まった第一次世界大戦はヨーロッパが主戦場となったため，我が国は参戦せず，辛亥革命で混乱している中国に干渉し，同大戦中に清朝最後の皇帝溥儀を初代皇帝とする満州国を中国から分離・独立させた。

2　1917年，ロシア革命によりアレクサンドル2世が亡命すると，ロマノフ王朝は崩壊し，世界で最初の社会主義国家が誕生した。その影響が国内に波及することを恐れた我が国は，米国と石井・ランシング協定を結び，米国に代わってシベリアに出兵した。

3　1918年，立憲政友会総裁の原敬は，陸・海軍大臣と外務大臣を除く全ての大臣を立憲政友会党員で占める本格的な政党内閣を組織した。同内閣は，産業の振興，軍備拡張，高等教育機関の拡充などの積極政策を行った。

4　1920年に設立された国際連盟において，我が国は米国と共に常任理事国となった。1933年，国際連盟はリットン報告書に基づいて満州における中国の主権を認め，日本の国際連盟からの除名を勧告したため，我が国は国際連盟を脱退した。

5　1930年，浜口雄幸内閣は金の輸出禁止を解除したが，ニューヨーク株式市場の大暴落から始まった世界恐慌のため，我が国では猛烈なインフレが生じ，労働争議が激化した。そのため，同内閣は治安維持法を成立させ，労働争議の沈静化を図った。

解　説

1. 第一次世界大戦（1914～18年）に，日本は日英同盟を理由として三国協商（英・仏・露）側に立って参戦し，中国におけるドイツの根拠地である青島（チンタオ）や赤道以北のドイツ領南洋諸島の一部を占領した。満州事変（1931年）をきっかけに満州国を中国から分離・独立させたのは1932年で，大戦中の出来事ではない。また，満州国建国の時，溥儀は初代皇帝ではなく執政であった。皇帝となったのは，1934年に満州国が帝政に移行してからである。なお，1915年に，辛亥革命（1911年）後の混乱する中国に対して「二十一カ条要求」を行い，最後通牒を発して要求の大部分を承認させるなど，干渉したことは事実である。

2. ロシア革命（二月革命）でロマノフ王朝が崩壊したときの皇帝はニコライ2世（在位1894～1917年）であるが，亡命したのではなく国内に幽閉され，十月革命後に家族ともども銃殺された。アレクサンドル2世（在位1855～81年）は，クリミア戦争（1853～56年）中に即位し，敗北後の1861年に農奴解放令を出して，遅れたロシアの近代化をめざした皇帝である。石井・ランシング協定（1917年）は，中国に関して，アメリカが日本の中国における特殊権益を認め，同時に両国が中国の領土保全・門戸開放・商工業上の機会均等を認め合った協定で，ロシア革命への対応ではない。シベリア出兵（1918～22年）は，アメリカの呼びかけを受けて行われた米・英・仏などとの共同出兵で，ソ連に対する干渉戦争である。

3. 妥当である。

4. 国際連盟で日本が常任理事国になったことは正しいが，アメリカは国際連盟自体に参加していない。1933年2月に開かれた国際連盟の臨時総会で，リットン報告書に基づいて日本に求めた勧告案とは，日本軍の満鉄付属地内への撤退と，中国主権の下での地方自治政府の樹立を勧告したものであり，日本の国際連盟からの除名を勧告したものではない。

5. いわゆる「金解禁（＝金本位制への復帰）」であるが，世界恐慌の影響とも相まって，正貨の流出，工業製品・農産物価格の下落，賃金引下げ，人員整理などが続き，インフレではなくデフレに見舞われ，日本は「昭和恐慌」に陥った。労働争議・小作争議が激増したのは事実であるが，治安維持法の成立は1925（大正14）年の加藤高明内閣の時であり，同法は昭和恐慌に対してとられた対応ではない。

正答 **3**

国家一般職
［大卒］
No.
405
教養試験
日本史　　江戸幕府の政策　　平成28年度

江戸幕府が行った政策に関する記述A〜Eを古いものから年代順に並べ替えたとき，2番目と4番目に来るものの組合せとして最も妥当なのはどれか。

A：旧里帰農令を出して都市に流入した農村出身者の帰村を奨励するとともに，村からの出稼ぎを制限して農村人口の確保に努めた。また，飢饉対策として各地に社倉や義倉を設置し，囲米を行った。

B：一国一城令を出して，大名の居城を一つに限り，それ以外の領内の城を破壊させた。さらに武家諸法度を制定し，大名の心構えを示すとともに，城の新築や無断修理を禁じ，大名間の婚姻には許可が必要であるとした。

C：都市や農村の商人・手工業者の仲間組織を株仲間として広く公認し，引換えに運上・冥加金などを納めさせた。また，銅座・人参座などの座を設けて専売制を実施した。金貨の単位で表された計数銀貨である南鐐二朱銀を大量に鋳造し，金銀相場の安定に努めた。

D：町人の出資による新田開発を奨励し，年貢を増徴するため，その年の作柄から年貢率を定める検見法を改めて，一定の税率で徴収する定免法を採用した。また，財政難の下で人材を登用するため足高の制を定めた。

E：武道のみならず忠孝の道徳と礼儀を守るよう大名らに求めた。また，武家に対して忌引を定めた服忌令を，民衆に対して犬や鳥獣の保護を命じた生類憐みの令を出した。江戸湯島に聖堂を建て，儒学を奨励した。

	2番目	4番目
1	B	A
2	B	C
3	D	A
4	D	E
5	E	C

A：寛政の改革における政策である。寛政の改革（1787〜93年）は11代将軍徳川家斉の下で，将軍補佐の老中松平定信が行った幕政改革である。旧里帰農令（1790年）は，江戸へ流入した農村出身者に旅費や農具代などを支給して帰農を奨励したが効果はなかった。また，1788年には陸奥・常陸・下野からの出稼ぎ・奉公を厳しく制限した。囲米（籾）は，1789年に諸大名に対して，1万石につき50石を5年間備蓄することが命じられたもの。

B：一国一城令，武家諸法度（元和令）は，1615年，大坂の役で豊臣氏を滅ぼした直後に，大名統制のために相次いで出された。なお，武家諸法度は2代将軍秀忠の名で発布されたが，家康が金地院崇伝に起草させたもので，以後，将軍の代替わりごとに必要に応じて改変されて発布された。

C：田沼意次の政策である。田沼意次（1719〜88年）は9代将軍家重の小姓から立身し，10代家治の側用人となり，1772年に側用人のまま老中となって権勢を振るった。南鐐二朱銀は1772年に発行され，8枚で金1両と交換できる計数銀貨である。

D：享保の改革における政策である。享保の改革（1716〜45年）は，紀伊藩主から8代将軍となった徳川吉宗が将軍在職の間，自ら実行した幕政改革である。1722年，江戸日本橋に新田開発の高札を出し，いわゆる町人請負新田を促した。定免法は幕領では1722年から実施された。足高の制は1723年に設けられ，役高に足りない小禄の旗本を登用するために在職期間中のみ，その差額が支給された。

E：5代将軍徳川綱吉による政策である。綱吉は1683年に代替わりの武家諸法度（天和令）を出し，その第1条で「文武忠孝を励し，礼儀を正すべき事」と文治主義の方針を打ち出した。服忌令は喪に服する期間や忌引きの日数を定めた法令（1684年）。生類憐みの令は1685年以来20年あまりにわたって出された。湯島聖堂は林羅山が上野忍ヶ岡に設けた孔子廟と家塾を1691年，湯島に移したもので，林家に主宰させるとともに，林信篤を大学頭に任じて幕府の文教政策に当たらせた。

したがって，古い順にB−E−D−C−Aとなり，正答は**5**である。

正答　**5**

国家一般職
［大卒］
No.
406
教養試験
日本史　　　教育の歴史　　　平成27年度

我が国における教育の歴史に関する記述として最も妥当なのはどれか。

1　平安時代には，貴族の子弟を対象とした大学が盛んに設立され，そこでは儒教に代えて仏教・道教を中心とする教育が施された。また，藤原氏が設けた綜芸種智院，北条氏が設けた勧学院など，大学の寄宿舎に当たる大学別曹も設けられた。

2　鎌倉時代には，足利氏が一族の学校として鎌倉に足利学校・金沢文庫を設立した。足利学校では，朝廷の儀式・先例である有職故実や古典の研究が行われ，朝廷の歴史を記した『吾妻鏡』が編まれた。

3　江戸時代には，貨幣経済の浸透に伴い，一般庶民も読み・書き・算盤などの知識が必要になったことから，幕府はそのような実用教育を中心とした寺子屋を全国に設けた。寺子屋は下級武士によって経営されたが，特に貧農層については月謝の負担が大きく，江戸時代末期には衰退していった。

4　明治時代には，政府は，富国強兵と殖産興業の実現に向けて，教育機関や教育内容の整備を進めた。文部大臣森有礼の下で帝国大学令・師範学校令などの学校令が初めて公布され，学校体系の基本が確立された。

5　第二次世界大戦後には，米国教育使節団の勧告により，修身・日本歴史・地理の授業が一時停止されるとともに，複線型・男女別学の学校体系に改められた。昭和22（1947）年には，教育基本法が制定され，義務教育期間が12年から9年に短縮された。

解説

1.　大学（大学寮）は，制度的には大宝令によって中央に設けられた官吏養成の教育機関であり，平安時代に盛んに設立されたことはない。なお，地方には国学が郡司の子弟を対象に設けられた。大学で儒教に代わって仏教・道教が教えられたことはない。教科としては，儒教の経典を学ぶ明経道，律令や格式を学ぶ明法道，算術を学ぶ算道が中心で，平安時代初期に漢文・歴史を学ぶ紀伝道が明経道から独立して四道が確立した。大学別曹は，貴族が一族の子弟のために設けた寄宿施設が大学寮から公認されたもので，藤原氏が設けたのは勧学院である。綜芸種智院は空海が平安京に創設した教育機関で，広く儒教・仏教・道教を教え，一般庶民に対しても開かれていた。また北条氏は武士であり貴族ではない。

2.　足利学校や金沢文庫は足利氏が一族の学校として設立したものではなく，場所も鎌倉ではない。足利学校は，創立時期には諸説あるが，下野国足利に，1439年，関東管領上杉憲実によって再興された学校であり，その時期は室町時代に当たる。金沢文庫は，鎌倉中期，北条義時の孫の北条（金沢）実時が武蔵国六浦荘金沢郷の別邸に開設した文庫である。足利学校で教えたのは儒教と易学である。また，『吾妻鏡』は朝廷の歴史ではなく，1180年の源頼政の挙兵から1266年の宗尊親王の京都送還までを編年体で記した鎌倉幕府の歴史書である。

3.　寺子屋は幕府が設けたものではない。また下級武士だけではなく村役人，僧侶，神職，医師，富裕な町人などによって経営された。寺子屋は，入学年齢や修学期間など入退学はかなり自由で，地域の生活実態に応じた教育を行ったこともあり，幕末期に至るまで増加の一途をたどった。明治期に入り，政府による近代的学校制度が整った結果，急速に衰退した。

4.　妥当である。1886（明治19）年である。学校令は，小学校令・中学校令・師範学校令・帝国大学令の学校種別ごとに公布された法令の総称である。

5.　修身・日本歴史・地理の授業が一時停止されたのはGHQの指示に基づいて行われた（1945年）。米国教育使節団（第一次）が来日したのは1946年で，その勧告に基づいて，翌47年に教育基本法が制定され，男女共学を基本とし，義務教育期間はこれまでの6年（1941年の国民学校令で，義務教育期間は6年から8年に延長されたが，戦争の激化で実施されなかった）から9年に延長された。また同時に公布された学校教育法で，六・三・三・四制の単線型の学校体系が発足した。

正答　**4**

我が国における一揆や反乱等に関する記述として最も妥当なのはどれか。

1 平安時代中期，関東で勢力を伸ばしていた平将門が朝廷に対して挙兵し，関東の大半を征服し，自ら新皇と称した。一時は京都付近まで攻め上ったが，朝廷は，伊予を本拠地とし瀬戸内海の海賊を支配下においていた藤原純友の協力を得て平将門を討伐した。

2 室町時代，貨幣経済の進展によって金融業を営む土倉などが増加した。これらに対し，幕府や荘園領主は収入を増やす目的で重税を課した。応仁の乱の後に京都で発生した正長の土一揆は，こうした課税に反対した土倉が起こしたものである。

3 江戸時代初期，凶作と飢饉をきっかけにキリスト教の信徒を中心とする島原・天草一揆（島原の乱）が起きた。幕府は，両地方の領主であったキリシタン大名の支援を受けた信徒たちと戦い，和睦したが，この後，幕府はキリスト教を禁止し，取締りを強化した。

4 明治維新後，秩禄処分や廃刀令などによって，士族は特権を失い，政府の政策に対する不満が高まっていた。征韓論争に敗れて参議を辞職した西郷隆盛が鹿児島で兵を挙げると，九州各地の士族が加わり，戦闘は半年以上に及んだ。

5 昭和初期，浜口雄幸首相は協調外交路線を採り，ロンドン海軍軍縮会議に参加し海軍の補助艦艇の制限に関する条約に調印した。二・二六事件は，天皇の統帥権を侵すものとしてこの条約に反対する青年将校らが，首相官邸を襲い，浜口首相を射殺したものである。

解説

1. 平将門の乱（939年）であるが，第一に，平将門（？～940年）は関東の大半を征服したが京都付近まで攻め上っていない。第二に，将門の乱は同じ東国武士の平貞盛・藤原秀郷らによって鎮圧された。藤原純友（？～941年）は，将門の乱とほぼ同時期に西国で起こった反乱の首謀者である（藤原純友の乱）。二つの反乱を併せて承平・天慶の乱という。

2. 第一に，土倉に重税を課したのは幕府で，荘園領主ではない。幕府は成長著しい土倉を保護，統制する一方で土倉役といわれる営業税を課していた。第二に，正長の土一揆（正長の徳政一揆，1428年）は応仁の乱（1467～77年）の後ではなく前である。京都周辺の惣村の農民が徳政を要求して起こしたもので，土倉は襲撃の対象となった。

3. 島原・天草一揆（島原の乱，1637年）であるが，第一に，もともと島原・天草地方はキリシタン大名の有馬晴信・小西行長の領地であったが，一揆が勃発した時の領主は松倉重政・寺沢広高であり，両者ともキリシタン大名ではない。第二に，一揆は和睦したのではなく，幕府は九州の諸大名を中心に12万人を動員してこれを鎮圧した。第三に，キリスト教の禁止は一揆後ではない。すでに1612年に禁教令を発布して以来，取締りを強化していた。ただ，一揆後に幕府がキリスト教を根絶するため，ポルトガル船の来航を禁止し（1639年），信者の多い九州北部で絵踏を行ったりして禁教政策を強化したというのは妥当である。

4. 妥当である。1877（明治10）年の西南戦争である。

5. 1930（昭和5）年のロンドン海軍軍縮条約調印についての記述は妥当であるが，二・二六事件は1936（昭和11）年に起こった皇道派の一部青年将校によるクーデタであり，関係がない。ロンドン軍縮条約の調印に対して，野党の立憲政友会や海軍軍令部・右翼が統帥権の干犯として激しく政府を攻撃し，そのため浜口首相は，1930年11月，東京駅で右翼青年によって狙撃されて重傷を負った。

正答　**4**

鎌倉時代から江戸時代までにおける我が国の対外関係に関する記述として最も妥当なのはどれか。

1 13世紀後半，元のフビライは，日本に対して二度にわたって軍事行動を起こした。鎌倉幕府は執権北条時宗の指導の下，朝鮮半島の高麗の支援も受けて，二度とも対馬沿岸において元軍を撃退した。

2 15世紀初め，足利義満は室町幕府の経済的基盤を強化することを目的として，日本と明の対等な関係に基づく勘合貿易を始めた。貿易の主要品目についてみると，日本から明に生糸や絹織物が輸出される一方，明からは大量の銅銭が輸入された。

3 16世紀末，豊臣秀吉は，キリスト教の国内への広がりを抑えるためバテレン追放令を出すとともに，海外貿易を全面的に禁止した。また，秀吉は朝鮮半島に出兵し，明からの独立を図る李氏朝鮮とともに明と戦ったが，失敗に終わった。

4 17世紀前半に江戸幕府によって行われた鎖国政策により，日本の貿易相手国はオランダ，ポルトガル，清の三か国に限られることとなった。この政策により，17世紀前半まで行われていた通信使と呼ばれる使節を通じた朝鮮との交流も禁止された。

5 19世紀半ば，アメリカ合衆国のペリーは軍艦を率いて日本に来航し，江戸幕府に開国を要求した。幕府はやむなく，下田と箱館を開港することなどを内容とする日米和親条約を結んだ。次いで幕府はイギリスやロシアなどとも同様の条約を結び，200年以上続いた鎖国体制は崩壊した。

解説

1. 元のフビライによる2度にわたる日本への軍事行動（文永の役・1274年／弘安の役・1281年）を元寇（蒙古襲来）というが，日本が高麗の支援を受けたことはなく，逆に高麗は元軍とともに日本に侵攻したのである。また，元軍を撃退したのは対馬沿岸ではなく博多湾岸。モンゴル帝国第5代皇帝のフビライ=ハン（位1260～94年）は，都をカラコルムから大都（北京）に移し（1264年），国号も中国風に元と改め（1271年），この間，高麗に侵攻して，これを服属させた（1259年）。日本には，1268年以来，何度か使者を派遣して服属＝朝貢を要求したが，執権北条時宗はこれを拒否したため，フビライは，1274年，元・高麗併せて約3万の軍を派遣して，対馬・壱岐を侵して博多湾西部に上陸した。幕府は，元軍の集団戦法や「てつはう」などの新式兵器に悩まされたが，たまたま起こった暴風雨もあってこれを撃退した（文永の役）。フビライは，1279年に南宋を滅ぼすと，1281年，再び，元と高麗を主体とする東路軍4万と，南宋の降伏兵を主体とする江南軍10万を派遣したが，博多湾からの上陸を阻まれている間に起こった暴風雨により敗退した（弘安の役）。

2. 室町幕府3代将軍足利義満（職1368～94年）が，1401年に明と正式の国交を開き，1404年に勘合貿易を始めたことは事実であるが，それは日本と明との対等な関係に基づくものではない。日本が明に朝貢して明の皇帝から「日本国王」に冊封された結果，明との貿易が認められる，というものである。したがって勘合貿易ともいわれる日明貿易は，明から与えられた勘合を持参することを義務づけられ，朝貢品に対する返礼としての回賜品を受け

取る朝貢貿易であった。また，貿易の主要品目である生糸や絹織物は日本からの輸出品ではなく明からの輸入品（唐物）である。日本からの輸出品は刀剣・槍などの武器や工芸品，銅・硫黄などの鉱産物である。なお，輸入品として大量の銅銭がもたらされたことは事実である。

3．第一に，秀吉が出したバテレン追放令（1587年）では，海外貿易，いわゆる南蛮貿易は従来どおり認めていた。秀吉は1587年の九州出兵の際，キリシタン大名の大村純忠の寄進により長崎がイエズス会領となっているのを知って，まず大名らの入信を許可制にし，次いでバテレン追放令を出して宣教師の国外追放を命じた。しかし，秀吉はキリスト教の布教と南蛮貿易を分離できると考えて，貿易については従来どおりとした。第二に，二度にわたる秀吉の朝鮮出兵（文禄の役・慶長の役）で，朝鮮（李氏朝鮮）が秀吉軍とともに明と戦ったことはない。朝鮮が明の援軍を受けて秀吉軍と戦ったのである。国内を統一した秀吉は，明に代わる東アジアの国際秩序をつくろうとして明の征服を志し，まず，朝鮮に対して日本への服属と入明のための先導を要求した。しかし，明の冊封を受ける朝鮮がこれを拒否したため，1592年，朝鮮へ出兵した（文禄の役）。出兵は李舜臣が率いる朝鮮水軍の活躍や明の援軍により不利となり，現地では一旦休戦したが，講和を巡って交渉は決裂し，1597年に再び出兵した（慶長の役）。しかし，再征は当初より苦戦を強いられ，秀吉の死をきっかけに撤兵した。

4．江戸幕府による鎖国政策の下で，長崎に来航して貿易を行っていたのはオランダと清の貿易船で，1639年以来ポルトガル船の来航は禁止されていた。ただし，オランダと清とは国家間の関係はなく，あくまで私的な通商関係である。朝鮮からの通信使は1607年から1811年まで前後12回（第3回までは「回答兼刷還使」，第4回以降は「通信使」）来日している。江戸時代に国家間の関係（通信関係）を持っていたのは朝鮮と琉球である。江戸時代の対外関係を一般的に「鎖国」というが，それは1804年にロシアの使節レザノフが長崎に来航して通商を求めたのに対して，幕府が，朝鮮・琉球・オランダ・中国以外の国との新たな通信・通商関係を持たないのが先祖伝来の法（祖法）であるとして通商を拒否したことで表明された観念である。幕府が「鎖国」という言葉を使ったことはなく，それは，オランダ通詞の志筑忠雄が，1801年，ケンペルの『日本誌』の一部を訳して「鎖国論」と題したことから使われるようになった。

5．妥当である。

正答　**5**

国家一般職
［大卒］
No.
409
教養試験
世界史　中世ヨーロッパ世界　令和5年度

中世ヨーロッパ世界に関する記述として最も妥当なのはどれか。

1　4世紀後半、ノルマン人はアジア系遊牧民のフン族に圧迫され、大移動を始めた。その混乱の中で東ローマ帝国（ビザンツ帝国）は滅亡した一方、西ローマ帝国は、モンゴル帝国の攻撃により滅亡するまで、1,000年近く存続した。

2　8世紀前半、フランク王国はイベリア半島から侵入したイスラーム勢力を撃退した。その後、ローマ教皇は、フランク王国との提携を一層進め、カール大帝にローマ皇帝の帝冠を授けた。カール大帝の死後、王国は三つに分裂した。

3　9世紀以後、封建社会の崩壊により、国王が領主の特権である不輸不入権を剥奪したことで、農民は農奴身分から解放された。農民は、ギルドをつくって荘園を共同管理する荘園制を確立し、経済的に自立した。

4　11世紀末、ローマ教皇の呼び掛けにより、聖地コンスタンティノープルをイスラーム支配から奪回することを目的に十字軍遠征が行われた。十字軍遠征の後、キリスト教徒に占領された土地をイスラーム教徒が奪い返すレコンキスタ（国土回復運動）が進められた。

5　14世紀前半、中央集権化が進んでいた神聖ローマ帝国は、フランスとの百年戦争で領地のほとんどを失った。戦争後は皇帝の力が弱まったことにより諸侯の自立が進み、独立国に近い大小の領邦が分立した。

解 説

1. 4世紀後半、フン族に圧迫され、大移動を始めたのは、ノルマン人ではなくゲルマン人である。また、その混乱の中で滅亡したのは東ローマ帝国ではなく西ローマ帝国で、ゲルマン人傭兵隊長のオドアケルによって476年に滅ぼされた。一方、東ローマ帝国（ビザンツ帝国）は、オスマン帝国の攻撃により滅亡するまで、1,000年以上（395年〜1453年）存続した。

2. 妥当である。カール大帝の死後、フランク王国は東フランク（ドイツ）、西フランク（フランス）、イタリアの三つに分裂した。

3. 封建社会は封建的主従関係と荘園制の上に成り立つ社会で、10〜11世紀に成立した。14世紀頃になると、貨幣経済が浸透し、荘園制は崩れはじめ、封建社会は次第に衰退に向かった。農民は経済的に力をつけていき、地位が向上し、これ以降、16世紀までの西ヨーロッパでは、農奴が不自由な身分から解放される動きが現れた。なお、ギルドは中世都市で結成された商工業者の組合である。

4. 十字軍遠征は、コンスタンティノープルではなくイェルサレムの奪回を目的に始められた。レコンキスタ（国土回復運動）は、キリスト教徒がイスラーム教徒からイベリア半島の領土を奪い返そうとした戦いである。

5. 神聖ローマ帝国では大小の領邦が分立し、主権国家の形成が遅れていたが、ドイツを戦場にヨーロッパ諸国が参戦した三十年戦争（1618〜48年）の後、神聖ローマ帝国内の領邦の自立が進み、帝国の分裂状態は決定的となった。なお、百年戦争（1339〜1453年）はイギリスとフランスとの戦争である。

正答　**2**

国家一般職
［大卒］
教養試験
No.
410
世界史 第二次世界大戦終結後 令和 4 年度

思想

日本史

世界史

地理

政治・法律

経済

第二次世界大戦終結後から1960年代初頭までの世界に関する記述として最も妥当なのはどれか。

1 ベトナムでは，第二次世界大戦終結後にホー゠チ゠ミンがオランダからの独立を宣言し，ドイツによる占領から解放されたばかりのオランダもこれを受け入れた。その翌年の総選挙では北部で共産党が，南部でベトナム民主党が勝利したため，協議の結果，ベトナムは南北に分かれて独立することとなった。

2 1950年代に発足した米国のアイゼンハワー政権は，スペインの植民地であった中南米地域を独立させて米国の経済圏に組み込む「ニューフロンティア」政策を推進した。その結果，シモン゠ボリバルによってブラジルが，カストロによってキューバが，それぞれスペインから独立した。

3 ソ連に対して不満を抱いていたチェコスロヴァキアとハンガリーでは，1950年代にソ連圏からの離脱を図る「プラハの春」などの自由民主化運動が始まった。これに対してソ連のフルシチョフはスターリン批判を行い，これら両国の北大西洋条約機構（NATO）への加入を認めることを約束して，両国との関係を修復した。

4 1950年代にエジプトの政権を掌握したナセルは，アスワン゠ハイダムの建設費用援助を米国と英国が撤回したことを受け，ダムの建設費用を得るためにスエズ運河の国有化を宣言した。これに対し，英国・フランス・イスラエルがエジプトに侵攻したが，国際世論の非難を受け，これら 3 か国は撤退した。

5 アフリカでは，第二次世界大戦で疲弊したフランスやドイツ，ポルトガル等が植民地の独立を容認する姿勢をとったことから植民地の独立が相次いだ。特に多くの国が独立した1960年は，「アフリカの年」と呼ばれる。これらの新たに独立した国々は，バンドン会議でアフリカ統一機構（OAU）を結成し，アルジェリアやエチオピア等の米国植民地の独立戦争を支援した。

1. 1945年の第二次世界大戦終結後にホー＝チ＝ミンがベトナム民主共和国の独立を宣言したのは，オランダではなく旧宗主国のフランスに対してである。また，1946年の総選挙では共産党が圧倒的な支持を得たが，臨時政府は閣僚や要職には多数の非共産党員を登用して，再進駐してきたフランスに対抗する挙国一致体制をとった。したがって，南北に分かれて独立したのではない。

2. ブラジルが独立したのは1822年であり，シモン＝ボリバルによってではない。また，ブラジルはスペインではなくポルトガルから独立した。シモン＝ボリバルはラテンアメリカ独立運動の指導者で，1819年に大コロンビア共和国を樹立し，1825年にはボリビアのスペインからの完全独立を達成した。キューバがアメリカの保護下でスペインから独立したのは1902年であり，カストロによってではない。カストロは1959年のキューバ革命の指導者である。また，中南米地域で多くの国が独立したのは1810〜20年代であり，アイゼンハワー政権（1953〜61年）とは時代が異なる。さらに，「ニューフロンティア」政策は，アメリカのケネディ大統領（在任1961〜63年）が掲げた改革政策で，「スペインの植民地であった中南米地域を独立させて米国の経済圏に組み込む」というものではない。

3. 1956年にフルシチョフがスターリン批判を行ったあと，ポーランド，ハンガリーで民主化運動が起こったが，鎮圧された。1968年にはチェコスロヴァキアで「プラハの春」と呼ばれた民主化運動が起こったが，ソ連の介入により挫折した。また，フルシチョフがNATO加入を認めることを約束して両国との関係を修復したという事実はない。なお，ポーランド，ハンガリー，チェコは1999年に，スロバキアは2004年に北大西洋条約機構に加入した。

4. 妥当である。

5. ドイツは，すでに第一次世界大戦の敗北ですべての海外植民地を失っていた。フランス，ポルトガル等は植民地の独立を容易に認めなかったが，1960年にはアフリカで17の独立国が成立し，この年は「アフリカの年」と呼ばれた。1963年にエチオピアのアジスアベバでアフリカ諸国首脳会議が開かれ，アフリカ統一機構（OAU）が結成された。バンドン会議は，1955年にアジア・アフリカ諸国が集まって行われた会議である。また，アルジェリア，エチオピアがアメリカの植民地であったことはない。

正答 **4**

右側タブ：思想　日本史　世界史　地理　政治・法律　経済

中国の諸王朝に関する記述として最も妥当なのはどれか。

1　秦は，紀元前に中国を統一した。秦王の政は皇帝と称し（始皇帝），度量衡・貨幣・文字などを統一し，中央集権化を目指した。秦の滅亡後に建国された前漢は，武帝の時代に最盛期を迎え，中央集権体制を確立させた。また，儒家の思想を国家の学問として採用し，国内秩序の安定を図った。

2　隋は，魏・蜀・呉の三国を征服し，中国を再統一した。大運河の建設やジャムチの整備などを通じて全国的な交通網の整備に努めたが，朝鮮半島を統一したウイグルの度重なる侵入により滅亡した。唐は，律令に基づく政治を行い，節度使に徴税権を与える租庸調制の整備などによって農民支配を強化した。

3　宋（北宋）は，分裂の時代を経て，中国を再統一した。都が置かれた大都（現在の北京）は，黄河と大運河の結節点で，商業・経済の中心地として栄えた。北宋は，突厥の侵入を受け，都を臨安（現在の杭州）に移し，国家を再建した（南宋）。南宋では儒学の教えを異端視する朱子学が発達し，身分秩序にとらわれない科挙出身の文人官僚が勢力を強めた。

4　元は，モンゴルのフビライ=ハンによって建てられた征服王朝である。フビライ=ハンは科挙制度を存続させたが，これに皇帝自ら試験を行う殿試を加えることで，モンゴル人の重用を図った。元代には交易や人物の往来が盛んであり，『東方見聞録』を著したマルコ=ポーロやイエズス会を創設したフランシスコ=ザビエルが元を訪れた。

5　明は，元の勢力を北方に追い，漢人王朝を復活させた。周辺諸国との朝貢体制の強化に努めた一方，キリスト教の流入を恐れ，オランダを除く西洋諸国との貿易を禁じる海禁政策を採った。清は，台湾で勢力を伸ばした女真族によって建国された。康熙帝，雍正帝，乾隆帝の三帝の治世に清は最盛期を迎え，ロシアとの間にネルチンスク条約を締結し，イランを藩部とした。

解説

1. 妥当である。秦の中国統一は前221年。

2. 隋（581〜618年）は，589年に南朝の陳を滅ぼして三国時代以後3世紀半あまり続いた南北の分裂（魏晋南北朝）を終わらせ，中国を再統一した。ジャムチはモンゴル帝国と元の駅伝制である。朝鮮半島を統一したのはウィグルではなく高句麗であり，隋は3度にわたる高句麗遠征の失敗をきっかけに滅亡した。唐（618〜907年）は隋の律令体制を受け継いだが，租庸調制は，成年男性に土地を均等に支給し，彼らに租庸調の税や力役を課す制度である。節度使は710年に辺境防衛のために設置された募兵集団の指揮官で，玄宗の時に10節度使が置かれた。

3. 宋の都は大都ではなく汴州（開封）であり，大都は元の都である。宋（北宋，960〜1127年）は趙匡胤（太祖）によって建国され，2代太宗が，唐の滅亡以来分裂（五代十国）していた中国主要部を統一した（979年）。北宋は，1126年に，突厥ではなく金の侵入を受け（靖康の変），皇帝の弟の高宗が江南に逃れて，臨安を都として南宋（1127〜1276年）を建てた。南宋では朱熹（朱子）によって朱子学が大成され，儒学の正統として確立し，科挙出身の文人官僚（士大夫）が，身分や社会秩序を重んじる大義名分論による文治政治を推進した。

4. 元（1271〜1368年）は，モンゴル帝国5代皇帝フビライが都をカラコルムから大都に移し（1264年），国名も中国風に元としてモンゴル帝国宗主国の名称とした（1271年）。科挙は実施されず，皇帝自ら殿試を行ったのは宋である。なお，科挙は1314年に復活したが，実施された回数は少なかった。また，フランシスコ＝ザビエルは元ではなく明代に，日本布教の後，中国に渡ろうとして上陸直前に病死した（1552年）。

5. 明（1368〜1644年）のとった海禁政策は，明を中心とする朝貢体制を維持するために中国人の海外渡航や海上交易を禁止したものである。キリスト教の布教も認められ，マテオ＝リッチをはじめとするイエズス会宣教師が活躍した。清は，台湾ではなく，中国東北地方で狩猟生活を営んでいた女真族から出たヌルハチが1616年に建国し，国号をアイシン（後金）として，第2代のホンタイジの時に国号を中国風に清とした（1636年）。ネルチンスク条約（1689年）は康熙帝の時，ロシア皇帝ピョートル1世との間で結んだ国境確定条約で，中国がヨーロッパの国際法に準拠して結んだ初めての対等条約である。なお，イランは清の藩部ではない。清の藩部は，モンゴル・青海・チベット・新疆である。

正答 **1**

18世紀から19世紀にかけてのヨーロッパに関する記述として最も妥当なのはどれか。

1 18世紀半ば，プロイセンのフリードリヒ二世は，長年敵対関係にあったイタリアと同盟してオーストリアに侵攻し，資源の豊富なアルザス・ロレーヌを奪って領土とした。その後，オーストリアは英国と同盟して七年戦争を起こし，アルザス・ロレーヌを取り戻した。

2 19世紀初頭，クーデタによって権力を握ったナポレオンは，ナポレオン法典を制定して地方分権や封建制を強化したほか，トラファルガーの海戦でプロイセンに勝利し，皇帝に即位した。しかし，その後自らもロベスピエールらのクーデタにより失脚し，処刑された。

3 19世紀前半，ヨーロッパの秩序再建を討議するために，メッテルニヒの主催の下，諸国の代表が参加したウィーン会議が開催された。この会議ではフランス革命以前の諸君主の統治権の回復を目指す正統主義が原則とされ，革命や政治変革を防止するためのウィーン体制が成立した。

4 19世紀半ば，ロシアは領土拡大を狙うオスマン帝国によって侵攻され，クリミア戦争が始まった。この戦争では，ウィーン体制の維持のためプロイセンとフランスがロシアを支援したことから，ロシアは勝利してオスマン帝国から不凍港を手に入れた。

5 19世紀には，自然科学分野においては，メンデルが進化論を，コントが史的唯物論を唱えるなど，科学的考察への志向が強まった。一方，芸術分野においては，ルノワールなどの印象派画家が生まれるなど，個人の自然な感情などを重視する自然主義が台頭し，科学的視点はあまり重視されなかった。

解説 ━━━━━━━━━━━━━━━━━━━━━━━━━━━━━━━━

1. プロイセンのフリードリヒ2世（大王，在位：1740〜86年）がオーストリアに侵攻したのはオーストリア継承戦争（1740〜48年）であり，イタリアではなくフランスと同盟して，アルザス・ロレーヌではなくシュレジエンを獲得した（アーヘン条約）。その後，オーストリアのマリア＝テレジア（在位：1740〜80年）がイギリスではなく，長年敵対関係にあったフランスのブルボン家と同盟して（外交革命），シュレジエンを奪回しようとしたのが七年戦争（1756〜63年）である。しかし奪回には成功せず，最終的にシュレジエンはプロイセン領となった（フベルトゥスブルク条約）。

2. ナポレオン（1769〜1821年）が権力を握ったクーデタ（ブリュメール18日のクーデタ）は1799年11月で，19世紀初頭ではなく18世紀末である。彼が制定したナポレオン法典（1804年3月公布）は，法の下の平等，私的所有権の絶対，契約の自由など，革命の成果を定着させたもので，地方分権や封建制を強化したものではない。また，トラファルガーの海戦は1805年10月で，ナポレオンが皇帝に即位したのは1804年5月であるから本肢の記述は順序が逆になっている。また，トラファルガーの海戦は，ネルソンが指揮するイギリス艦隊に敗北した戦いで，これによりナポレオンのイギリス侵攻計画は挫折した。ナポレオンはワーテルローの戦い（1815年）に敗れて投降し，南大西洋の孤島セントヘレナ島に流されて，1821年にそこで亡くなったので，処刑されたのではない。

3. 妥当である。

4. クリミア戦争（1853〜56年）は，南下政策を推進しようとするロシアが，オスマン帝国内のギリシア正教徒の保護を名目にオスマン帝国と開戦した戦争である。この戦争は，ロシアの南下を阻止するためにイギリス・フランスがオスマン帝国を支援したため，ロシアが敗れ，南下政策は阻止された。

5. 進化論を唱えたのはダーウィン（1809〜82年）である。メンデル（1822〜84年）は「遺伝の法則」を発見したチェコ（当時オーストリア領）の修道院長である。史的唯物論はマルクス（1818〜83年）とエンゲルス（1820〜95年）によって確立された唯物論に基づく歴史観である。コント（1798〜1857年）はフランスの哲学者で，社会学の創始者である。ルノワール（1841〜1919年）は19世紀後半に活躍した印象派の画家である。「個人の自然な感情などを重視する」のは19世紀前半のロマン主義である。

正答 **3**

国家一般職
［大卒］
No.
413
教養試験
世界史 17〜19世紀のインド 令和元年度

17世紀から19世紀にかけてのインドに関する記述として最も妥当なのはどれか。

1 17世紀初頭，ポルトガル，オランダ，英国，ドイツが相次いでインドに進出し，ポルトガルとドイツは交易を王室の独占下に置いた一方，オランダと英国は政府がそれぞれ東インド会社を設立して交易を行った。

2 18世紀に入ると，英国とオランダの対立が激しくなり，両国はそれぞれインドの地方勢力を味方につけて争ったが，英蘭戦争でオランダが英国に敗れると，オランダはインドから撤退し，英国はその勢力をインド全土に拡大した。

3 19世紀半ば，英国の支配に対するインド人の不満の高まりを背景に，英国東インド会社のインド人傭兵（シパーヒー）の反乱が起こった。反乱軍は，デリーを占拠してムガル皇帝を盟主として擁立したが，英国軍によって鎮圧され，ムガル帝国は滅亡した。

4 ムガル帝国の滅亡後，英国は，東インド会社を解散させ，旧会社領を英国政府の直轄領に移行させるとともに地方の藩王国も併合して，エリザベス女王（1世）を皇帝とし，インド全土を政府直轄領とするインド帝国を成立させた。

5 インド帝国成立後，国内の民族資本家の成長や西洋教育を受けた知識人の増加を背景に高まってきた，植民地支配に対するインド人の不満を和らげるため，英国は，ヒンドゥー教徒から成るインド国民会議とイスラム教徒から成る全インド＝ムスリム連盟を同時に設立した。

解説

1. ポルトガルがインドのゴアを占領したのは1510年で，16世紀初頭である。オランダは1602年に東インド会社を設立してアジアへ進出したが，その根拠地はジャワ島のバタビアであり，インドへは進出していない。イギリスは1600年に東インド会社を設立し，1623年のアンボイナ事件でオランダによってインドネシアから閉め出された結果，インド経営に集中した。ドイツはインドへは進出していない。なお，ポルトガルの貿易が王室の独占事業であったことは妥当であるが，オランダ，イギリスの東インド会社は政府が設立したものではない。オランダは連邦議会，イギリスはエリザベス女王から貿易独占の特許状を与えられ，株式会社組織として経営された貿易会社である。

2. 18世紀にインドを巡ってイギリスと対立したのはオランダではなくフランスであり，英蘭戦争ではなくプラッシーの戦い（1757年）でクライヴ率いるイギリス東インド会社軍がフランス・ベンガル地方王侯連合軍を破り，インドにおける優位を決定づけた。その後，勢力をインド全土に拡大した。

3. 妥当である。

4. 1877年，エリザベス女王ではなくヴィクトリア女王がインド皇帝に即位して，正式にインド帝国が成立した。インド帝国は直轄地と藩王国で構成され，親英的な藩王（マハラージャ）には内政権が与えられた。インド全土が直轄領となったわけではない。

5. インド国民会議と全インド＝ムスリム同盟は同時に設立されてはいない。インド国民会議は，1885年，民族資本家や知識人層の植民地支配に対する不満を和らげるために，植民地政府の支援を受けて設けられた諮問機関である。当初は親英的な組織で，ヒンドゥー教徒が中心であった。全インド＝ムスリム同盟は，1906年，ベンガル分割令の公布に国民会議派が反対したのをきっかけに，植民地政府の支援によって結成されたイスラーム教徒の政治団体である。結成当初は親英，反国民会議派であった。

正答 **3**

思想
日本史
世界史
地理
政治・法律
経済

20世紀以降のアメリカ合衆国に関する記述として最も妥当なのはどれか。

1 トルーマン大統領は，ソ連と対立していたイランに援助を与えるなど，ソ連の拡大を封じ込める政策（トルーマン＝ドクトリン）を宣言した。また，マーシャル国務長官は，ヨーロッパ経済共同体（EEC）の設立を発表した。

2 ジョンソン大統領は，北ベトナムを支援するため，ソ連やインドが援助する南ベトナムへの爆撃を開始し，ベトナム戦争が起こった。その後，ニクソン大統領は，国内で反戦運動が高まったことから，インドを訪問して新しい外交を展開し，ベトナム（パリ）和平協定に調印してベトナムから軍隊を撤退させた。

3 アメリカ合衆国の財政は，ベトナム戦争の戦費や社会保障費の増大によって悪化し，ニクソン大統領は，金とドルとの交換停止を宣言して世界に衝撃を与えた。これにより，国際通貨制度はドルを基軸通貨とした変動相場制とするブレトン＝ウッズ体制に移行した。

4 レーガン大統領は，ソ連のゴルバチョフ書記長と米ソ首脳会談を行い，中距離核戦力（INF）の全廃などに合意し，米ソ間の緊張緩和を進めた。その後，ジョージ・H・W・ブッシュ大統領は，ゴルバチョフ書記長と地中海のマルタ島で首脳会談を行い，冷戦の終結を宣言した。

5 ニューヨークの世界貿易センタービルなどが，ハイジャックされた航空機に直撃される同時多発テロ事件が起きると，ジョージ・W・ブッシュ大統領は多国籍軍を組織し，アフガニスタンに侵攻していたイラクに報復し，イラク戦争が起こった。同戦争により，イラクのタリバーン政権は崩壊した。

解説

1. トルーマン＝ドクトリンは，1947年3月にイランではなく，ギリシアとトルコにおけるソ連の勢力拡大を封じ込めるため，トルーマン大統領が両国に対する経済・軍事援助4億ドルの支出を議会に求めた特別教書である。また，マーシャル国務長官は1947年6月，ヨーロッパ経済復興援助計画（マーシャル＝プラン）を発表し，これを受け入れるためにヨーロッパ経済協力機構（OEEC）が結成された。ヨーロッパ経済共同体（EEC）は1958年，ヨーロッパの共同市場化に向けて結成された地域統合組織である。

2. ジョンソン大統領が支援したのは南ベトナム（ベトナム共和国）で，ソ連やインドではなく中国が援助したのが北ベトナム（ベトナム民主共和国）である。ベトナム戦争は，1965年からアメリカが北ベトナムへの爆撃（北爆）に踏み切る一方，南ベトナムに地上兵力を派遣したことから本格的に始まった。アメリカの軍事介入は国内外の批判を受けたため，ジョンソン大統領は1968年に北爆の停止を宣言した。次のニクソン大統領は，1972年にインドではなく中国を訪問して関係正常化を取り決め，翌73年にベトナム和平協定を結んでアメリカ軍をベトナムから撤退させた。

3. 第1文は，いわゆるドル＝ショックの記述である。第二次世界大戦後の国際通貨制度（ブレトン＝ウッズ体制）は，米ドルを基軸通貨とし，米ドルと各国通貨との交換比率を固定化した制度（金＝ドル本位制）である。ベトナム戦争の戦費増大などで大量のドル流出に見舞われたアメリカは，1971年に金とドルとの交換停止を宣言し，その結果，1973年までに各国通貨は変動相場制に移行した。

4. 妥当である。

5. 2001年の同時多発テロ事件に対してブッシュ大統領が起こした軍事行動は，国連の安全保障理事会の決議によって派遣される多国籍軍によるものではない。同盟国の支援を受けたアメリカが，同時多発テロ事件の首謀者とされる，イスラーム過激派組織の司令官のウサーマ＝ビン＝ラーディンを保護するアフガニスタンのタリバーン政権を崩壊させた侵攻作戦である。イラク戦争は，イラクが大量破壊兵器を保有しているとして，2003年にアメリカとイギリスが安全保障理事会の承認を得ないまま，日本を含む44か国の支持のもとにイラクを攻撃し，フセイン政権を倒した戦争である。

正答 **4**

国家一般職
［大卒］
No.
415

教養試験

世界史 **19世紀のアジア諸国** 平成29年度

思想

日本史

世界史

地理

政治・法律

経済

19世紀のアジア諸国に関する記述として最も妥当なのはどれか。

1 中国では，イギリスが支配するインドに中国産の茶を輸出し，インド産のアヘンを輸入する密貿易が盛んとなり，アヘン問題で対立したイギリスと清との間にアヘン戦争が勃発した。清は，兵力に勝るイギリスに敗北し，香港島とマカオを割譲させられた。

2 インドでは，イギリスが，ムガル帝国の皇帝を廃し，東インド会社を解散して，インドの直接統治に乗り出した。その後，ヴィクトリア女王がインド皇帝に即位して，イギリス領インド帝国が成立した。

3 朝鮮は，長らく清とオランダの2国だけしか外交関係を持っていなかったが，欧米諸国は朝鮮に対し開国を迫るようになった。中でも，ロシアは，江華島事件を起こして朝鮮との間に不平等条約を締結し，朝鮮を開国させた。

4 東南アジアでは，植民地支配を強めるイギリスとフランスとの対立が激しくなり，両国はベトナムの宗主権をめぐって軍事衝突を繰り返した。その結果，フランスはベトナムを保護国とし，隣国のタイを編入して，フランス領インドシナ連邦を成立させた。

5 西アジアでは，オスマン帝国がロシア国内のイスラム教徒の保護を理由にロシアと開戦し，クリミア戦争が勃発した。イギリスとフランスは，ロシアの南下を阻止するため，オスマン帝国を支援したが，同帝国はロシアに敗北し，クリミア半島はロシア領となった。

解説

1. アヘン戦争（1840～42年）の原因となったのはイギリスが始めた三角貿易で，イギリス産の綿製品をインドへ，インド産のアヘンを中国へ，中国産の茶をイギリスへ運ぶというものである。その結果，中国からは大量の銀がイギリスに流出するようになり，また中国国内ではアヘン吸引の悪習が広まり，これがアヘン戦争の原因となった。アヘン戦争に敗れた清が，南京条約（1842年）で香港島をイギリスに割譲したのは正しいが，マカオは，すでに1557年にポルトガル人の居住権が明により認められていた。

2. 妥当である。

3. 朝鮮は17世紀以来，清とオランダではなく清と日本の2国だけしか外交関係を持っていなかった。朝鮮は，清による2度の侵攻を受けた結果，1637年，清に服属して朝貢関係を結んだ。日本とは，1607年の使節（回答兼刷還使）訪日により，秀吉の朝鮮侵略によって断絶していた国交を回復した。それ以来，江戸時代を通じて前後12回，使節（第4回以降は通信使）が来日した。19世紀に入って，イギリスやフランス，アメリカなどが開国を要求して来航するようになったが，朝鮮を開国させたのはロシアでなく日本である。日本は1875年，江華島事件を起こして朝鮮に開国を迫り，翌76年，不平等条約である日朝修好条規を結んで朝鮮を開国させた。

4. ベトナムの宗主権を巡って対立したのは清とフランスである。ベトナムでは，1802年に阮福暎がフランス人宣教師ピニョーなどの支援を受けて全土を統一して阮朝を建て，清に服属して越南国王に封ぜられた（1804年）。19世紀半ばになってフランスが軍事介入するようになり，宗主権を主張する清と対立して清仏戦争が起きた（1884～85年）。戦争に勝ったフランスは，ベトナムを保護国とし，さらに1887年，タイではなく，1863年以来保護国としていたカンボジアと併せてフランス領インドシナ連邦を成立させた。

5. クリミア戦争（1853～56年）は，南下政策を推進するロシアが，オスマン帝国内のロシア正教徒の保護を名目に開戦した戦争である。イギリスとフランスがロシアの南下を阻止するためにオスマン帝国を支援したのは正しいが，戦争に敗れたのはロシアであり，パリ条約（1856年）で黒海沿岸地帯は中立地帯とされ，ロシアの軍事施設はすべて撤去されて，ロシアの南下は阻止された。なお，クリミア半島はすでにエカチェリーナ2世の時に，クリミア＝ハン国を併合してロシア領としている（1783年）。

正答 **2**

16世紀から17世紀にかけてのヨーロッパに関する記述として最も妥当なのはどれか。

1 イギリスでは，国王の権威を重んじるトーリ党と，議会の権利を主張するホイッグ党が生まれた。国王ジェームズ2世がカトリックの復活を図り，専制政治を強めると，両党は協力して，王女メアリとその夫のオランダ総督ウィレムを招いて王位に就けようとした。

2 フランスでは，ルイ14世が即位し，リシュリューが宰相となって国王の権力の強化に努めたが，それに不満を持った貴族がフロンドの乱を起こした。国内の混乱は長期化し，ルイ14世が親政を始める頃にはフランスの王権は形骸化していた。

3 神聖ローマ帝国内に大小の領邦が分立していたドイツでは，ハプスブルク家がオーストリア領ベーメン（ボヘミア）のカトリック教徒を弾圧し，それをきっかけに百年戦争が起こった。その後，ウェストファリア条約によって戦争は終結した。

4 スペインは，フェリペ2世の下で全盛期を迎えていたが，支配下にあったオランダが独立を宣言した。イギリスがオランダの独立を支援したため，スペインは無敵艦隊（アルマダ）を送り，イギリス艦隊を撃滅し，オランダ全土を再び支配下に置いた。

5 ロシアは，ステンカ=ラージンによる農民反乱が鎮圧された後に即位したイヴァン4世（雷帝）の下で，軍備の拡大を背景にシベリア経営を進め，中国の清朝とネルチンスク条約を結び，清朝から九竜半島を租借した。

解説

1. 妥当である。その後，メアリとウィレムは共同君主（メアリ2世・ウィリアム3世）として王位に就いた。いわゆる名誉革命である。

2. ルイ14世（在位1643〜1715年）が幼少で即位したため，政治の実権を握っていたのは宰相マザランである。枢機卿リシュリューはルイ13世の宰相。フロンドの乱（1648〜53年）はブルボン家の王権強化に対する貴族や高等法院の反乱であるが，短期間で鎮圧され，以後，貴族は無力化された。1661年にマザランが亡くなると，ルイ14世は親政を始め，官僚制とヨーロッパ最強の常備軍を擁して強大な権力を振るい，「太陽王」と呼ばれ，フランス絶対王政の最盛期を築いた。

3. 百年戦争ではなく，三十年戦争（1618〜48年）の記述である。三十年戦争は，オーストリアの属領ベーメン（ボヘミア）で，ハプスブルク家がカトリックを強制したことにプロテスタント貴族が反発したことがきっかけで起こった。ウェストファリア条約（1648年）によって戦争が終結したのは妥当である。その結果，神聖ローマ帝国内の300近い領邦にほぼ完全な主権が認められ，分立は固定化された。百年戦争（1339〜1453年）は，フランス内のイングランド領を巡る英・仏間の争いである。

4. スペインのフェリペ2世（在位1556〜98年）が，1588年，オランダの独立を支援するイギリスに対して無敵艦隊を送ったのは事実であるが，結果はスペインの大敗であった。その後もスペインはオランダの奪回に努めたが成功せず，オランダは，1609年の休戦条約で事実上独立した。

5. ステンカ=ラージンの農民反乱（1630〜71年）後に即位したのはロマノフ朝のピョートル1世（在位1682〜1725年）である。イヴァン4世はモスクワ大公（在位1533〜84年）。正式にツァーリ（皇帝）を名乗り「雷帝」といわれたが，17世紀初めにその血統は絶え，ロマノフ朝（1613〜1917年）が開かれた。ピョートル1世は，1689年に清朝とネルチンスク条約を結んだが，それはスタノヴォイ山脈（外興安嶺）とアルグン川を結ぶ線を国境と定めた条約である。また，清朝から九竜半島を租借したのはイギリスである（1898年）。

正答　1

思想
日本史
世界史
地理
政治・法律
経済

東西冷戦時代に関する記述として最も妥当なのはどれか。

1　第二次世界大戦後，米国は，ギリシャやトルコに経済・軍事援助を与えて，ソ連の拡大を封じ込める政策（トルーマン=ドクトリン）を宣言し，また，ヨーロッパ経済復興援助計画（マーシャル=プラン）を発表した。こうした動きに，ソ連などはコミンフォルムを結成して対抗し，以降，「冷戦」と呼ばれる緊張状態となった。

2　第二次世界大戦後，朝鮮半島は，米ソ両国によって南北に分割統治されていた。米国がソ連と中国の連携を警戒し，境界線を越えて北側に侵攻したことから朝鮮戦争が勃発し，米国軍とソ連軍との直接的な軍事衝突が起きた。その結果，北に朝鮮民主主義人民共和国，南に大韓民国が建国された。

3　第二次世界大戦後，ドイツへの賠償請求をめぐって，米・英・仏とソ連が対立し，東西の緊張が高まった。米ソ両国によって，東西ドイツの国境線上にあるベルリンに「ベルリンの壁」が築かれたが，ソ連の解体後，分割統治に反発したドイツ国民によって壁は破壊された。

4　キューバ近海にミサイル基地を建設した米国に対し，危機感を抱いたソ連がキューバの海上封鎖を行い基地の撤去を要求したことで，米ソ両国間の対立が一挙に高まり，全面衝突による核戦争の危機に直面した。最終的にソ連が米国のキューバへの不干渉を条件にミサイル基地を容認したことで，危機は回避された。

5　第二次世界大戦後，南北に分断されたヴェトナムでは，ホー=チ=ミンが指導する南ヴェトナム解放民族戦線により，ソ連が支援する南ヴェトナム政府に対して武装解放闘争が展開され，ヴェトナム戦争に発展した。米国は，戦争の早期終結を望む国際世論の高まりを受けてこの紛争に介入した。

解説 ▬▬▬▬▬▬▬▬▬▬▬▬▬▬▬▬▬▬▬▬▬▬▬▬▬▬▬▬▬▬▬

1. 妥当である。

2. 第一に，朝鮮戦争（1950～53 年）は朝鮮民主主義人民共和国（北朝鮮）軍が南北統一をめざして 38 度線を越えて侵攻したことで始まった。第二に，朝鮮戦争ではアメリカ軍とソ連軍の直接的な軍事衝突は起こっていない。軍事衝突は，韓国側を支援するアメリカ軍を中心とする国連軍と，北朝鮮側を支援する中華人民共和国が派遣した人民義勇軍との間で起こった。第三に，南に大韓民国，北に朝鮮民主主義人民共和国が成立したのは 1948 年で，朝鮮戦争勃発前である。朝鮮戦争は，1953 年に休戦協定が結ばれ，現在も 38 度線付近の停戦ラインで南北の分断が続いている。

3. 第一に，ベルリンは東西ドイツの国境線上にはなくソ連の占領地域内にある。第二に，「ベルリンの壁」を築いたのは米ソ両国ではなく東ドイツ政府である。1950 年代末に東ベルリンから西側に脱出する人々が急増したため，1961 年，東ドイツ政府が突如，ベルリンの周囲と，市内の東西境界線を遮断し，その後，東西の境界線にコンクリートの壁を築いた。第三に，ベルリンの壁が破壊（＝開放）されたのは 1989 年 11 月 9 日で，1991 年のソ連解体前である。ベルリンの壁の破壊は，1988 年 3 月，ゴルバチョフが東欧諸国に対する内政干渉を放棄した「新ベオグラード宣言」をきっかけに，ポーランド・ハンガリー・チェコスロヴァキア（ビロード革命）・ルーマニアなどで起きた，共産党による一党独裁体制の崩壊，いわゆる「東欧の民主化」と呼ばれる一連の出来事の一つである。1989 年 11 月 9 日，大量の東ドイツ市民の脱出やデモを抑えきれなくなった東ドイツ政府が，東西ドイツ間の自由通交を認めると，壁や検問所は開放され，翌 10 日未明から東ドイツ市民によって壁が破壊され始めた。

4. 「人類危機の 13 日間」と呼ばれたキューバ危機（1962 年）であるが，革命により社会主義国となったキューバにミサイル基地を建設したのはソ連である。これを完成前に探知したアメリカのケネディ政権が基地の撤去を要求し，海上封鎖でソ連船による機材搬入を阻止しようとして米ソ間の緊張が高まった。最終的には，アメリカがキューバへの内政干渉をやめるのと交換に，ソ連がミサイル基地を撤去することで，危機は回避された。

5. 第一に，南ヴェトナム解放民族戦線は，1960 年 12 月，親米派のゴ＝ディン＝ジェム政権の打倒と南北ヴェトナムの統一を目的として，南ヴェトナムで結成された組織である。ヴェトナム民主共和国（北ヴェトナム）と連携していたが，直接ホー＝チ＝ミンが指導していたわけではない。第二に，南ヴェトナム政府（ゴ政権）を支援していたのはアメリカでありソ連ではない。第三に，ヴェトナム戦争は，1965 年，アメリカのジョンソン政権が，解放戦線を支援する北ヴェトナムへの空爆（北爆）を開始し，南ヴェトナムへも地上部隊を派遣したことを契機に全面戦争へとエスカレートした。第四に，アメリカは，戦争の早期終結を望む国内・外の世論の高まり受けて，1973 年にヴェトナム和平協定（パリ協定）を結んで撤兵した。その後，北ヴェトナム軍と解放戦線はサイゴンを攻略して南ヴェトナム政府を倒し（1975 年），翌年，南北を統一してヴェトナム社会主義共和国を樹立した。

正答 **1**

国家一般職
［大卒］
No.
418
教養試験
世界史　近代フランスの出来事と関連する絵画　平成26年度

近代のフランスに関する記述A，B，Cのうち正しいものと，それに関連する絵画の組合せとして最も妥当なのはどれか。

A：18世紀末，ヴェルサイユで三部会が開かれたが，議決方法をめぐって特権を持つ第一・第二身分と第三身分が対立した。第三身分の議員は，自分たちが真に国民を代表する国民議会であると宣言し，憲法制定までは解散しないことを誓った。これを，「球戯場の誓い」という。

B：19世紀初め，皇帝となったナポレオンがイギリスやオーストリアなどの諸外国を破り，フランスの勢力は絶頂に達した。そのため，被征服地は封建的圧政の下に置かれることになったが，その一方で外国支配に反対する民族意識が成長し，各地で反ナポレオンの運動が起こった。

C：19世紀前半，パリに革命が起こり，圧政を敷いたシャルル10世は追放され，自由主義者として知られるルイ＝フィリップが王に迎えられて，七月王政が成立した。この七月革命の影響を受けて，ベルギーは独立し，ポーランド・ドイツ・イタリアでは反乱が起こった。

ア

イ

ウ

エ

記述	絵画
1 A	イ
2 A	エ
3 B	ア
4 C	ア
5 C	ウ

解説

A：1789年の「球戯場の誓い」に関する記述であり，妥当である。

B：第一に，ナポレオンの皇帝即位（第一帝政）に対して結成された第3回対仏大同盟（1805年8月）に対して，フランス海軍がトラファルガー沖海戦（同年10月）でイギリス海軍に敗れたため，ナポレオンはイギリス本土侵攻を断念せざるをえず，イギリスを破ることはできなかった。しかし大陸では，ナポレオンはアウステルリッツの三帝会戦（同年12月）でオーストリア・ロシアの連合軍を破って第3回対仏大同盟を崩壊させた。第二に，ナポレオンは封建的圧政からの解放を掲げて征服を行い，被征服地では封建領主による支配に対する改革が促された。しかし，それが被征服地の民族意識を成長させ，逆に，フランスの支配に対する抵抗を引き起こした。特に，1808年のスペイン侵攻の失敗はナポレオン没落の始まりとなった。

C：1830年の七月革命に関する記述で，妥当である。

ア：ドラクロワ（1798～1863年）の「民衆を導く自由の女神」（1831年作，ルーヴル美術館蔵）で，1830年の七月革命における「栄光の三日間」（7月27～29日）と呼ばれる市街戦をテーマとした作品である。

イ：ダヴィッド（1748～1825年）の「ナポレオンの戴冠式」（1805～07年作，ルーヴル美術館蔵）で，1804年12月2日にパリのノートルダム寺院で行われた戴冠式を描いた作品である。この時，ローマ教皇ピウス7世が招かれたが，教皇は臨席するのみで，戴冠はナポレオン自らが行い，次いでナポレオンが妻のジョセフィーヌに加冠している場面である。

ウ：ゴヤ（1746～1828年）の「1808年5月3日」（1814年作，プラド美術館蔵）である。1808年，ナポレオンはスペインに侵攻するが，5月2日にマドリード市民が蜂起し，ゲリラ戦で抵抗した。絵はフランス軍によって見つけ出され銃殺されるマドリード市民を描いたものである。

エ：レンブラント（1606～69年）の「夜警」（1642年作，アムステルダム国立美術館蔵）である。この作品は，火縄銃主組合の依頼で描かれた集団肖像画である。

以上から，記述として正しいのはAとCであるが，Aに該当する絵画はなく，したがってCとアの組合せである**4**が正しい。

正答　**4**

帝国主義の時代に関する記述として最も妥当なのはどれか。

1　19世紀末になると，欧米先進諸国は，石炭と蒸気力を動力源に第2次産業革命と呼ばれる技術革新に成功し，巨大な生産力と軍事力の優勢を背景に，アジア・アフリカ，更には太平洋地域を次々と植民地に設定した。この植民地獲得の動きを帝国主義といい，植民地には工業製品の供給地として多くの工場が建設され，世界全体が資本主義体制に組み込まれた。

2　欧州列強諸国は，帝国主義政策の競合から，ドイツなど古くからの植民地保有国とイタリアなど後発の植民地保有国に分かれて対立し，ドイツ・フランス・イギリスの間では三国協商が，イタリア・オーストリア・ロシアの間では三国同盟が結ばれた。こうした列強の二極化は，小国が分立するバルカン半島の民族主義的対立を激化させ，同半島は「ヨーロッパの火薬庫」と呼ばれた。

3　イギリスは，アイルランドでの自治要求の高揚に直面した。20世紀初めに，アイルランド独立を目指すシン=フェイン党が結成され，その後，アイルランド自治法が成立したが，イギリス人の多い北アイルランドはこれに反対してシン=フェイン党と対立し，政府は第一次世界大戦の勃発を理由に自治法の実施を延期した。

4　帝国主義国の圧力にさらされた清朝支配下の中国では，日本の明治維新にならった根本的な制度改革を主張する意見が台頭した。その中心となった儒学者の康有為は，西太后と結んで宣統帝（溥儀）を動かし，科挙の廃止，立憲制へ向けての憲法大綱の発表と国会開設の公約などを実現させ，近代国家の建設に向けての改革に踏み切った。

5　イギリスの統治下にあったインドでは，近代的教育を受けた知識人が増加するにつれイギリス支配への不満が高まり，知識人の中でも英貨排斥，自治獲得などの急進的な主張をする人々の主導によってインド国民会議が創設された。これに対しイギリスは，ベンガル分割令を発表し，仏教徒とキリスト教徒の両教徒を反目させて反英運動を分断することによって事態の沈静化を図った。

解説

1.　石炭と蒸気力を動力源とする技術革新は第一次産業革命であり，第二次産業革命は，石油と電力を動力源とする技術革新である。第一次産業革命は18世紀にイギリスで，紡績業などの軽工業で始まり，機械工業，製鉄業，石炭業等に拡大した。第二次産業革命は，19世紀後半，アメリカやドイツなどで，重化学工業，電気工業などを中心に始まった。また，植民地は工業製品の供給地ではなく，本国工業のための資源供給地，さらに工業製品の輸出市場として，そして新たに余剰資本の投資先としてその重要性が見直され，ヨーロッパ列強はアジア，アフリカ，太平洋地域を植民地あるいは勢力範囲として，資本主義の世界システムに編入していった。

2.　第一に，古くからの植民地保有国といえばドイツではなくイギリスである。ドイツは，ヴィルヘルム2世（位1888〜1918年）が「世界政策」を唱えて，第二次産業革命の急速な発展を背景に植民地の再分割を求めてイギリスと対立するようになった。第二に，三国協商はイギリス・フランス・ロシア三国の提携関係，三国同盟はドイツ・イタリア・オーストリア

三国の提携関係である。20世紀に入ると，列強間の対立関係は，植民地を巡るイギリス（3C政策）とドイツ（3B政策）の対立を中心として二極化していった。イギリスはドイツの進出に対抗するためフランスと英仏協商を結び（1904年），ロシアは，バルカン方面でのドイツ・オーストリアとの対立に備えてイギリスと英露協商を結んだ（1907年）。さらに，ロシアは普仏戦争以来孤立していたフランスと露仏同盟（1891〜94年）を結び英・仏・露の三国協商が成立した。これに対して，1882年，ビスマルクがフランスの孤立化を図るために結成した独・墺・伊の三国同盟が対立した。その対立の焦点が，「ヨーロッパの火薬庫」と呼ばれたバルカン半島におけるロシア（汎スラブ主義）とオーストリア（汎ゲルマン主義）の民族主義的対立であった。

3．妥当である。シン＝フェイン党の結成が1905年，アイルランド自治法（第3次）の成立が1914年である。

4．日清戦争の敗北をきっかけに公羊学派（『春秋』の「公羊伝」を正統とする学派で，清では考証学を批判し，政治的実践を重視した）の儒学者である康有為（1858〜1927年）を中心として起こった近代化運動を変法運動（変法自強）という。康有為は1898年6月，「戊戌の変法」と呼ばれる政治改革を断行するが，康有為が結んだのは西太后（1835〜1908年）ではなく光緒帝（位1875〜1908年）である。しかし，同年9月に西太后を中心とする保守派によるクーデタで光緒帝は幽閉され，康有為らは失脚して日本に亡命し（戊戌の政変），改革はわずか3か月あまりで失敗した（百日維新）。また，科挙の廃止（1905年），憲法大綱の公布・国会開設の公約（1908年）などの改革は，日露戦争による日本の勝利に刺激されて打ち出された清朝末期の改革（光緒新政）であり，「戊戌の変法」ではない。「戊戌の変法」では，科挙の改革や近代的な教育制度の創設，新式陸軍の創設などの改革を相次いで布告したが，実施されたのは京師大学堂（後の北京大学）の創設だけであった。

5．第一に，インド国民会議は，1885年，対英協調を求める穏健な知識人たちによって設立された。当初は，インド人の意見をインド総督に諮問するだけの機関であったが，民族意識の高まりとともに次第に反英的になり，政治的結社として組織化された（国民会議派）。第二に，1905年に公布されたベンガル分割令は，仏教徒とキリスト教徒ではなく，ヒンドゥー教徒とイスラーム教徒の反目を利用して反英運動を分断しようという法令である。これに対して国民会議はティラク（1856〜1920年）らの急進派が主導権を握り，1906年，カルカッタで開かれた大会で，「英貨排斥・スワデーシ（国産品愛用）・スワラージ（自治獲得）・民族教育」の4綱領を決議した。

正答　**3**

環境問題に関する記述として最も妥当なのはどれか。

1　温室効果ガスの削減のため京都議定書が採択されたが、発展途上国に課された削減の数値目標が先進国よりも小さく、米国の離脱を招いた。その後、米国を含む新しい枠組みとしてパリ協定が採択されたが、中国やインドなど一部の新興国はこれに加わらなかった。

2　工場や自動車などから排出されて風で運ばれた硫黄酸化物や窒素酸化物は、酸性雨の原因とされており、国境を越えた森林への被害や湖沼の酸性化などが問題となった。こうした被害を受けて、欧米諸国は条約を結び、汚染物質の監視や排出削減に努めている。

3　近年、南極上空ではオゾン濃度が極端に高いオゾンホールが発見される一方、南極以外の地域ではオゾン層の破壊が進み、人間への健康被害、生態系などへの悪影響が懸念されている。そのため、オゾン層の破壊物質であるフロン類の生産を規制するバーゼル条約が採択された。

4　熱帯林は、二酸化炭素の吸収を通して地球温暖化を緩和することから、その減少が問題となっている。しかし、近年は、プランテーション農園の拡大により森林の減少が食い止められており、アフリカ・東南アジアでは森林面積が増加している。

5　砂漠化は、干ばつなどの自然的要因のほか、過度の放牧・耕作・森林伐採などの人為的要因によって起こされる。サハラ砂漠の北側に広がるパンパでは、地中海からの湿った空気が南下すると降雨があるが、降雨は不規則でしばしば干ばつが起こり、砂漠化が進行している。

解説 ━━━━━━━━━━━━━━━━━━━━━━━━━━━━━━━━━━━━

1. 京都議定書では、先進国には具体的な温室効果ガス削減目標が定められたが、発展途上国には削減義務がなかった。米国は、京都議定書が多くの国を除外していることや、米国経済に打撃を与えることを理由に、議定書を批准しなかった。パリ協定は、すべての国が削減目標を提出することとしており、米国、中国、インドを含めて世界のほとんどの国が参加している。なお、米国はトランプが大統領の時にパリ協定から離脱したが、バイデンが大統領になってから復帰した。

2. 妥当である。1979年に、欧州諸国、米国、カナダなどが長距離越境大気汚染条約を結び、酸性雨の原因となる越境大気汚染の防止対策を行っている。

3. オゾンホールとは、オゾン層の下部に生じたオゾン濃度のきわめて低い部分のことで、1980年代に南極上空で発見された。オゾン層を保護するため、ウィーン条約やモントリール議定書などをもとにフロン類の規制が進められた結果、近年ではオゾンホールの拡大傾向はみられない。バーゼル条約は、有害廃棄物の輸出入等を規制する条約である。

4. プランテーション農園の拡大は、農地開発によって熱帯林を減少させることにつながっており、アフリカ・東南アジアでは森林面積が減少している。

5. パンパはアルゼンチン中央部の大平原である。アフリカのサハラ砂漠の南縁に沿って帯状に広がるサヘルでは、気候変動による干ばつと、過度の放牧・耕作・森林伐採などの人為的要因によって砂漠化が進行している。

正答 **2**

世界の工業等に関する記述として最も妥当なのはどれか。

1 工業立地論とは，工業が，輸送費が最小になる場所に立地する可能性について論じるものである。これに従うと，原料重量と製品重量を比較した際に，前者が後者よりも大きい場合は，工業は製品の消費市場に立地しやすい。このような工業を，市場指向型工業という。

2 生産コストの中で，労働賃金の比重が大きい工業を労働集約型工業といい，例として鉄鋼業が挙げられる。一方，生産活動に専門的な知識や高度な技術を必要とする工業を資本集約型工業といい，例として石油化学工業が挙げられる。

3 英国南西部から，フランスのルール工業地帯やスイスを経てオーストリアに至るまでの地域は，ブルーバナナと呼ばれる。この地域は第二次世界大戦後にヨーロッパの経済成長を支えたが，第一次石油危機やヨーロッパの統合の進展などを背景として，活力が低下している。

4 米国では，五大湖沿岸地域で発展していた重工業は20世紀後半に停滞したが，現在では再開発が進められている地域もある。その一方で，サンベルトと呼ばれる南部から西部にかけて広がる地域では，先端技術産業が発展しており，企業や人口の集中がみられる。

5 中国では，主に内陸部に経済特区が設けられ，国内企業が外国企業を抑え急速に成長している。今日では，大量の工業製品を輸出するようになったことで「世界の工場」と呼ばれており，2020年における名目GDPは米国と我が国に次ぐ世界第3位となっている。

思想

日本史

世界史

地理

政治・法律

経済

1. 工業立地論は，ドイツの経済学者のウェーバーが体系化したもので，工業立地は生産費が最小になるように決定されるとし，輸送費，労働費などの影響について論じた。原料重量が製品重量より大きい場合，原料の輸送費が大きくなるため，工業は原料産地に立地しやすい。このような工業を，原料指向型工業という。市場志向型工業とは，製品の消費市場に立地しやすい工業のことである。

2. 生産コストの中で，労働賃金の比重が大きい工業を労働集約型工業といい，例として繊維，雑貨，電気器具の組立てなどの工業が挙げられる。また，資本集約型工業は，多額の設備費を必要とする工業で，例として鉄鋼業，石油化学工業などが挙げられる。なお，生産活動に専門的な知識や高度な技術を必要とする産業を知識集約型産業という。

3. ブルーバナナ（青いバナナ）とは，イギリス南西部からベネルクス3国，ルール工業地帯，ライン川流域を経てイタリア北部にかけて各種工業が集積している地域のことである。ヨーロッパ統合の進展により結びつきが強まり，ヨーロッパ経済の中心地域となっている。バナナのような形をしていることと，EUのシンボル色が青であることから名づけられた。

4. 妥当である。

5. 経済特区は，外国の資本・技術の導入を目的として，経済的な優遇措置を与えられた中国内の地域で，1979年以降に沿海部に設けられた。また，2020年における名目GDPでは，中国はアメリカに次ぐ世界第2位となっている。日本は第3位である。

正答　**4**

国家一般職
［大卒］
No.
422

教養試験

地理　世界のエネルギー事情 令和 3 年度

世界のエネルギー事情に関する記述として最も妥当なのはどれか。

1　産業革命以前における主要なエネルギー資源は石炭であったが，産業革命を契機に石油へと変化した。ヨーロッパの主な油田があったロレーヌ地方やザール地方は，フランスとスペインの国境付近にあったため，その領有問題は両国間の紛争を引き起こした。

2　第二次世界大戦後，西アジアなどの産油国で油田の国有化が進み，石油輸出国機構（OPEC）が設立された。この結果，原油価格が大幅に値上がりしたため，石油メジャーと呼ばれる欧米の巨大企業が世界の油田開発を独占することで，供給量と価格の安定化を実現した。

3　地中の地下水に含まれる天然ガスをシェールガスという。シェールガスはこれまで採掘することが難しかったが，技術の進歩により2000年代に中国で生産が急増し，2012年，中国は米国を抜いて天然ガス生産量が世界一となった。

4　原子力発電は，電力エネルギー源として主として先進国で導入されてきた。中国やインドには原子力発電所は存在せず，今後も建設される予定はないが，ドイツ，フランスでは，新規の原子力発電所の建設が予定されている。

5　バイオエタノールは，サトウキビやトウモロコシなどを原料として作るエタノールで，再生可能なエネルギーとして注目されている。2014年における主な生産国は米国とブラジルで，世界の生産量の半分以上はこれらの二国で生産された。

解説

1．フランスのロレーヌ地方は鉄鉱石の産地で，ドイツのザール地方は，石炭の産地である。ザール地方はフランスとの国境付近にあり，ロレーヌ地方の鉄鉱石と結合し，豊かな工業地帯であったため，帰属先を巡って紛争が起きた。そのため，1920年から1935年の間は，国際連盟の管理地域になった。なお，ヨーロッパの主要油田は北海油田である。

2．第二次世界大戦後，石油価格が大幅に値上がりしたのは，西アジアの産油国が油田を国有化し OPEC を設立したことや，中東戦争（アラブ諸国とイスラエル）が起きたことなどによる。なお，石油メジャーが油田や石油産業を支配していたのは第二次世界大戦前である。

3．シェールガスとは，地下数千mのシェール（頁岩）層から採掘される天然ガスである。2000年代，技術の進歩によってアメリカで生産が急増し，世界最大の生産国となった。

4．中国・インドとも原子力発電所が稼働している。ドイツでは，今後の原子力発電所の建設予定はないが，フランスは2022年にマクロン大統領が，2050年までに6基を新規建設すると表明した。

5．妥当である。2014年のバイオエタノールの主な生産国は，アメリカ（50％），ブラジル（26％）である。

正答　**5**

我が国の地形に関する記述として最も妥当なのはどれか。

1 河川が上流で岩石を侵食し，下流へ土砂を運搬して堆積させることにより，様々な地形が作られる。山地の急流では侵食・運搬作用が働き，これに山崩れや地滑りなどが加わることで，横断面がＵ字型をしたＵ字谷が形成される。そこに上流からの土砂が堆積すると氾濫原が作られる。

2 河川が山地から平野に出ると，侵食された砂礫（れき）のうち，軽い砂から順に堆積する。氾濫のたびに河川は流路を変え，礫は扇状に堆積し，扇状地が形成される。湧水を得やすい扇央は畑や果樹園などに利用されやすく，水を得にくい扇端には集落が形成されやすい。

3 河川の氾濫が多い場所では，堤防などで河川の流路が固定されることがある。このため，砂礫の堆積が進んで河床が高くなり，再び氾濫の危険が高まる。更に堤防を高くしても河床の上昇は続くため，周囲の平野面よりも河床が高い天井川が形成されることがある。

4 河川が運んできた土砂や別の海岸の侵食により生じた土砂が沿岸流によって運搬され，堆積することにより岩石海岸が形成される。ダムや護岸が整備されると，河川により運搬される土砂が増加するため，海岸侵食が進んで海岸線が後退することがある。

5 土地の隆起や海面の低下によって海面下にあった場所が陸地になると，谷が連続して海岸線が入り組んだリアス海岸が形成される。平地が少なく内陸との交通も不便であり，内湾では波が高いため，養殖業や港が発達しにくい。

解説

1. 河川によって山地が深く刻まれた谷は，断面がＶ字型をしたＶ字谷である（Ｕ字谷は氷食により形成される）。この下流では，河川沿いに土砂が堆積して谷底平野が作られる。さらに下流域で洪水時に河川の氾濫によって形成される地形全体（自然堤防や後背湿地など）を「氾濫原」という。

2. 河川が山地から平野に出ると，重い砂礫（されき）から順に堆積する。扇状地の扇央は伏流するため水が得にくく，伝統的に果樹園や畑，林地などに利用されてきた。扇端は湧水するので集落や水田が分布する。

3. 妥当である。

4. 河川が運搬してきた砂や近くの海岸で侵食された礫が沿岸流で運ばれて堆積すると砂州ができる。なお，ダムや護岸が整備されると，河川により運搬される土砂が減少するので，海岸線が後退することがある。岩石海岸は，露出した岩石からなる海岸である。

5. 土地の隆起や海面の低下によって海面下にあった場所が陸地になったのは，離水海岸（海岸平野など）である。リアス海岸は山地や丘陵が沈水して谷の下流域に海水が侵入してできた，複雑に入り組んだ海岸である。平地が少なく，内陸との交通が不便であるが，内湾は波が穏やかなため，養殖業や良港が発達する。津波が起こると被害が大きくなる。

正答 **3**

国家一般職 [大卒]
No. 424

教養試験

地理　諸外国の農工業等 令和元年度

諸外国の農工業等に関する記述として最も妥当なのはどれか。

1　カナダでは，国土の南部で牧畜や小麦の栽培が盛んであり，米国のプレーリーから続く平原は，世界有数の小麦生産地帯となっている。また，カナダは，森林資源や鉄鉱・鉛・ニッケルなどの鉱産資源に恵まれているほか，西部では原油を含んだ砂岩であるオイルサンドの開発も行われている。

2　メキシコでは，メキシコ高原に肥沃な土壌であるテラローシャが広がっており，そこではファゼンダと呼ばれる大農園でカカオやナツメヤシが栽培されている。以前はマキラドーラ制度の下で輸入品に高い関税を課し，自国の産業を保護する輸入代替工業化を行っていたが，北米自由貿易協定（NAFTA）への加盟を契機に関税を引き下げた。

3　ベトナムでは，南部のチャオプラヤ川の河口付近で広大なデルタが形成され，その流域は世界有数の農業地帯となっている。また，1980年代から，欧州ではなく日本や韓国からの企業進出や技術導入を奨励する，ドイモイ（刷新）と呼ばれる政策で工業化が進展した結果，コーヒーやサトウキビなどの商品作物はほとんど栽培されなくなった。

4　シンガポールでは，植民地支配の下で天然ゴムなどのプランテーションが数多く開かれてきたが，近年，合成ゴムの普及で天然ゴムの価格が低迷したため，油ヤシへの転換が進んでいる。工業分野では，政府の主導の下，工業品の輸入や外国企業の出資比率を制限することで国内企業の保護・育成を図り，経済が発展した。

5　オーストラリアでは，内陸の大鑽井盆地を中心に，カナートと呼ばれる地下水路を用いた牧畜が発達してきた。また，鉄鉱石やボーキサイトなどの鉱産資源の世界的な生産国であり，大陸の西側を南北に走る新期造山帯のグレートディヴァイディング山脈には，カッパーベルトと呼ばれる銅鉱の産出地帯がある。

解説

1. 妥当である。

2. メキシコ高原の土壌は，赤色のやせた土壌であるラトソルが広がる。ここでは，アシエンダと呼ばれる大農場で，とうもろこし・綿花などが栽培されている。マキラドーラは，税制の優遇を受けて輸出向けの生産を行うメキシコの保税加工区および制度で，NAFTA（北米自由貿易協定）が発効した結果，保税制度を廃止し，特恵関税制度を導入したが，優位性は減少している。なお，ファゼンダはブラジルの大農園である。

3. ベトナムではメコン川デルタが世界有数の農業地帯である（チャオプラヤ川はタイを流れる河川である）。1986年のドイモイ政策による改革開放路線や，その後のASEAN加盟をきっかけに急速に工業化が進んだ。なお，コーヒーの生産は長期的には増加傾向にあり，サトウキビの栽培も行われている。

4. シンガポールは，イギリスからの独立後，外資に対する優遇策などで，石油化学・造船業などを誘致し，工業国となった。その後は，ハイテク産業への移行が進み，半導体や電子部品などの知識集約型の工業国へ転換している。本肢はマレーシアの記述である。

5. オーストラリアの大鑽井盆地（グレートアーテジアン盆地）では，被圧地下水を用いた牧畜が発達してきた。カナートは西アジアの乾燥地域に見られる水利施設である。鉱産資源の記述は正しい。グレートディヴァイディング山脈は大陸の東側を南北に走る古期造山帯。なお，カッパーベルトはザンビア中部からコンゴ民主共和国南部にかけて広がる銅山地帯の呼称である。

正答　1

人口や居住に関する記述として最も妥当なのはどれか。

1 人間が日常的に居住している地域をアネクメーネ，それ以外の地域をエクメーネという。近年では，地球温暖化を原因とした海面上昇による低地の浸水，政治や宗教をめぐる紛争や対立などの影響により人間の居住に適さない地域が増加しており，アネクメーネは年々減少傾向にある。

2 産業革命以降，まずは先進国で，その後は発展途上国において人口転換（人口革命）が進行した。特に，我が国では，第二次世界大戦前までには，医療・衛生・栄養面の改善と出生率の低下などの理由から少産少死の状態となり，人口ピラミッドはつぼ型となった。

3 人口の増加の種類には，大きく分けて自然増加と社会増加の二つがある。自然増加とは，流入人口が流出人口を上回る場合に発生し，主に人が集中する都市部等でよく見られる。一方で，社会増加とは，出生数が死亡数を上回る場合に発生し，多くは発展途上国で見られる。

4 近年，合計特殊出生率が人口維持の目安となる1.6を下回る国が増加してきており，英国やドイツなどは，2015年現在，合計特殊出生率が我が国の水準を下回っている。また，韓国や中国は，今後我が国以上の速さで少子高齢化が進行すると予想されている。

5 首位都市（プライメートシティ）では，国の政治・経済・文化などの機能が集中し，その国で人口が第1位となっている。首位都市の一つであるジャカルタでは，自動車の排気ガス等による大気汚染や，スラムの形成などの都市問題が深刻化している。

解説

1. 人間が日常的に居住している地域をエクメーネ，人間の居住が見られない地域（特に乾燥地域・高山地域・極地に多い）をアネクメーネという。人間は，知恵と経験，そして技術の発達によりエクメーネを拡大してきた。

2. 人口転換（人口革命）とは，人口の自然増加の形態が多産多死から多産少死へ，さらに少産少死へ変化することをいう。わが国では1970年代に少産少子の状態となり，人口ピラミッドはつぼ型になった。なお，最近は出生率の一層の低下が見られるようになり，「第二の人口転換」と呼ばれている。

3. 自然増加とは出生数と死亡数の差によって生じる人口増加のことで，多くは発展途上国で見られる。近年，わが国は自然減少している。社会増加とは，ある地域において流入人口と流出人口の差によって生じる人口増加のことで，多くは大都市部で見られる。

4. 合計特殊出生率とは，1人の女性が一生の間に生む子どもの数の平均のことであり，これが2.1を下回ると人口が減少に転じるといわれる。2015年現在の合計特殊出生率は，日本1.45，イギリス1.81，ドイツ1.50である。

5. 妥当である。プライメートシティは，人口規模において第2位の都市を大きく上回る都市である。

正答 **5**

世界の諸地域に関する記述A～Dのうち，妥当なもののみを挙げているのはどれか。

A：東南アジアは，アジアとヨーロッパの交易路に位置していたため，宗教や言語，芸術など様々な文化が流入してきた。交易の拡大とともにアラブ商人がもたらしたイスラームは，ミャンマーやマレーシアなどの国で広く信仰されている。また，欧米諸国から受けたキリスト教の影響も大きく，フィリピンではプロテスタントが普及している。

B：ヨーロッパでは，言語は主に，イタリア語やフランス語など南ヨーロッパを中心に用いられるラテン語派，英語やドイツ語など北西から西ヨーロッパにかけての地域で用いられるゲルマン語派，チェコ語やポーランド語など東ヨーロッパで用いられるスラブ語派に分けられる。また，古代ギリシャとローマの文化を受け継ぎ，キリスト教と深く結び付いた文化が発展した。

C：ラテンアメリカでは，16世紀にスペインとポルトガルを中心とするヨーロッパの人々が進出し，現在でも多くの国でスペイン語やポルトガル語が公用語とされている。また，労働力としてアフリカ系の人々が連れて来られたことで，先住民，ヨーロッパ系，アフリカ系の文化や伝統が融合して独特の文化となった。例えば，ブラジルのカーニバルやアルゼンチンのタンゴが挙げられる。

D：サハラ以南のアフリカは，19世紀末までに南アフリカ共和国を除くほぼ全域がヨーロッパ諸国の植民地となった。1960年代をピークに多くの国が独立したが，現在でも旧宗主国との経済・文化面のつながりを持っている国は多い。例えば，フランスの旧植民地であるガーナでは，主食にフランスパンが好まれ，公用語であるフランス語を話す人が多い。

1　A，B
2　A，C
3　A，D
4　B，C
5　B，D

A：東南アジアは，インドと中国の間に位置し，インド洋と太平洋をつなぐ海上交通の要衝に当たり，近代に至るまで「海のシルクロード」上で重要な地位を占めていた。16世紀にはイギリス，フランス，オランダ，アメリカ合衆国など欧米列強が進出し，タイを除く全域が植民地となった。イスラームは13世紀以降，アラブ商人によってもたらされ，現在でもインドネシアやマレーシア，ブルネイではムスリムが多数を占めている。16世紀以降，スペインによる植民地支配に伴ってキリスト教が伝播したフィリピンは，カトリックが普及している。ミャンマーは人口の約9割が仏教徒である。

B：妥当である。大きく見ると，キリスト教の中でも，北ヨーロッパではプロテスタント，南ヨーロッパではカトリック，東ヨーロッパでは正教会が多い。

C：妥当である。ラテンアメリカの主要国では，ブラジルの公用語はポルトガル語だが，アルゼンチン，メキシコ，チリなど多くの国ではスペイン語を公用語としている。

D：サハラ以南のアフリカは，20世紀初頭に，ヨーロッパの植民地となった（南アフリカ共和国は，イギリス領になり，1934年にイギリス連邦内南アフリカ連邦として独立。1961年，イギリス連邦を離脱して共和国として独立）。1960年代に多くの国が独立したが，民族分布と無関係に境界線を維持したため，政治的に不安定な地域が多い。ガーナの旧宗主国はイギリスで，公用語は英語である。なお，サハラ以南のアフリカでフランスから独立し，公用語がフランス語の国は，ガボン，ギニア，コートジボアール，コンゴ，セネガル，マダガスカルなどである。また，主食にフランスパンが好まれているフランスの旧植民地としてはベトナムが挙げられる。

よって，妥当なのはBとCの組合せで，正答は**4**である。

正答　**4**

世界の大地形に関する記述として最も妥当なのはどれか。

1　オーストラリア大陸のようなプレートの境界に当たる地域を変動帯といい，火山や断層が多く，地殻変動が活発である。一方，南アメリカ大陸のような安定大陸は，地殻変動の影響を受けないため地震や火山活動はほとんどなく，新たに変動帯になることはない。

2　プレートどうしが反対方向に分かれて離れていく境界は「広がる境界」と呼ばれ，主に陸上にあり，アフリカ大陸のサンアンドレアス断層に代表される。そのような断層の周辺では何度も大きな地震が起きている。

3　海洋プレートが大陸プレートの下に潜り込むと海底には海嶺が形成され，これが長期間かけて陸上に隆起すると，弧状列島という弓なりの島列や火山列が形成される。ハワイ諸島はその典型例であり，キラウエア山などでは火山活動が活発である。

4　大陸プレートどうしがぶつかり合うと，一方が他方に向かってのし上がる逆断層が生じたり，地層が波状に曲がる褶曲が起きたりする。これらにより，ヒマラヤ山脈やアルプス山脈のような高く険しい山脈が作られる。

5　二つのプレートが互いに異なる方向にすれ違う「ずれる境界」では，正断層が生まれ，活断層による大規模な地震が頻発する。アイスランド島では，プレートの「ずれる境界」に沿ってトラフと呼ばれる裂け目ができ，線状噴火を起こす火山が見られる。

解説

1．変動帯とは，プレート運動によって激しい地殻運動が起こる地帯をいう。オーストラリア大陸は安定大陸（安定陸塊）で，地殻変動は活発でない。南アメリカ大陸の太平洋岸は，ナスカプレートと南アメリカプレートの「狭まる境界」があり，地殻変動が活発である。

2．「広がる境界」の記述は妥当であるが，主に海洋にあり，アフリカ大陸のアフリカ大地溝帯に代表される。サンアンドレアス断層は「ずれる境界」である。

3．海洋プレートが大陸プレートの下に潜り込むと海底に「海溝」がつくられる。海溝に沿った大陸側には弧状列島や火山列が形成される。ハワイ諸島は，「ホットスポット」と呼ばれるマントル深部に固定されたマグマの供給源からマグマが地表に噴出し，形成された島々である。キラウエア山の記述は妥当である。

4．妥当である。

5．「ずれる境界」の記述は妥当であるが，横ずれ断層が多い。アイスランド島は「広がる境界」で，「ギャオ」と呼ばれる「裂け目」が見られ，線状噴火を起こす火山もある。

正答　**4**

国家一般職
[大卒]
No.
428
教養試験

地理　ケッペンの気候区分と世界の都市　平成27年度

思想
日本史
世界史
地理
政治・法律
経済

ケッペンの気候区分と世界の都市に関する記述として最も妥当なのはどれか。

1 気温が年間を通じて高温で年較差が小さい熱帯気候は，年間を通じて雨の多い熱帯雨林気候や乾季・雨季が明確なサバナ気候などに分けられる。アジアでは，熱帯雨林気候に属する都市として赤道付近のシンガポールが，サバナ気候に属する都市としてバンコクが挙げられる。

2 降水量が蒸発量と等しい乾燥帯気候は，土壌の乾燥の度合いによって砂漠気候とステップ気候に分けられる。アフリカでは，砂漠気候に属する都市としてナイロビが，ステップ気候に属する都市としてカイロが挙げられる。

3 温暖で四季が明確な温帯気候は，気温の年較差が大きく降水量が多い西岸海洋性気候や気温の年較差が小さく降水量の変動も小さい温暖湿潤気候などに分けられる。北中米では，西岸海洋性気候に属する都市としてワシントンD.C.が，温暖湿潤気候に属する都市としてメキシコシティが挙げられる。

4 冷涼で夏と冬の日照時間の差が少ない亜寒帯（冷帯）気候は，年間を通じて降水のある冷帯湿潤気候と降水量が少ない冷帯冬季少雨気候に分けられる。南米では，冷帯湿潤気候に属する都市としてブエノスアイレスが，冷帯冬季少雨気候に属する都市としてリマが挙げられる。

5 年の平均気温が0℃未満の極寒の寒帯気候は，樹木の生育の有無によって，ツンドラ気候と氷雪気候に分けられる。氷雪気候は人間が生活することが困難であるが，ツンドラ気候は生活可能であり，ダブリンは国の首都として唯一ツンドラ気候に属する。

解説

1. 妥当である。

2. 乾燥帯気候は，降水量より蒸発量のほうが多く，年降水量により砂漠気候とステップ気候に分けられる。アフリカでは，砂漠気候に属する都市としてカイロが，ステップ気候に属する都市としてニアメ（ニジェール）が挙げられる。緯度上は熱帯に近いナイロビは，高地のため温暖冬季少雨気候に属する。

3. 温帯気候は，夏に乾燥し冬に降水が多い地中海性気候，温帯の中では高温で夏に降水量が多く，冬に少ない温暖冬季少雨気候，四季の変化が最も明瞭な温暖湿潤気候，四季を通じて温和で気温の較差が比較的少なく，降水量は少ないが年中降水が見られる西岸海洋性気候に分けられる。西岸海洋性に属する都市としてロンドン，温暖湿潤気候に属する都市としてワシントンD.C.が挙げられる。メキシコシティは高山気候である。

4. 亜寒帯気候は，冷涼で，夏と冬の日照時間に大きな差がある。年中降水があると冬に降水が少なく，極めて寒冷になる亜寒帯（冷帯）冬季少雨気候に分けられる。南米で，亜寒帯（冷帯）湿潤気候に属する都市はない。ブエノスアイレスは温暖湿潤気候，リマは砂漠気候である。

5. 寒帯気候は，夏に0度以上になるツンドラ気候と年中凍結している氷雪気候に分けられる。ツンドラ気候では農耕は不可能であるが，エスキモー（イヌイット）やサーミなどの人々が狩猟やトナカイなどの遊牧をしている。アイルランドの首都ダブリンは西岸海洋性気候である。首都でこの気候に属する都市はない。

正答　**1**

国家一般職
［大卒］
No.
429
教養試験
地理
世界の工業
平成 26年度

世界の工業に関する記述A～Dのうち，妥当なもののみを挙げているのはどれか。

　A：繊維工業のうち，綿花を原料とする綿工業は，生産コストの中で原料費の比重が大きく，原料の輸送費の節約のため，輸入港や高速道路，空港付近に工場を立地する交通指向型の工業に分類される。第二次世界大戦以前は英国や我が国が主な生産国であったが，近年では安価な労働力が得られる中国とブラジルが二大生産国となっている。

　B：鉄鋼業では，18世紀に木炭ではなく石炭を燃料とする製鉄法が確立して以降，英国のミッドランド地方やドイツのルール地方のような炭田地域に製鉄所が建設された。第二次世界大戦以降は，技術革新や輸送費の低下などによって，炭田に立地する必要性が低下し，フランスのダンケルクのような臨海部に製鉄所が建設された。

　C：自動車工業は総合的な組立工業で，大資本や多くの労働力を必要とする。国際化の進展が著しい工業部門の一つであり，欧米や日本の自動車会社は1970年代から外国での生産拠点作りに取り組み，主要な企業の多くが，世界の各地に工場を展開させている。近年は国際的な競争が一層激しくなり，2013年には米国の自動車工業都市であるデトロイトが財政破綻に陥った。

　D：集積回路やパソコンの生産に代表されるエレクトロニクス工業は，高度な加工技術が必要であること等から，米国のシリコンバレーのように先進国の一地域に集中している。そのため，現在も米国等の先進国によって世界シェアが占められており，例えば2010年における集積回路の輸出額を見ると，米国だけで世界の輸出額の50％を超えている。

1 A，B　**2** A，D　**3** B，C　**4** B，D　**5** C，D

解説

A：綿工業は，原料の綿花産地が特定の場所に限られており，加工しても製品の重量が原料とほとんど変わらないので輸送コストが比較的小さく，安価で豊富な労働力が得やすい場所に立地する労働力指向型工業に分類される。

B：妥当である。

C：妥当である。

D：2010年の集積回路の最大輸出国はシンガポールで，世界の 17.2％を占めていた。

　よって，妥当なのはBとCであり，正答は**3**である。

参考資料：『世界国勢図会 2013/14』

正答　**3**

近年の EU（欧州連合）主要国の農業に関する記述として最も妥当なのはどれか。なお，文中の食料自給率は全て2009年のカロリーベース（試算値）とする。

1 ドイツは，国土の約半分が農用地となっているが，気候が冷涼なために小麦や大麦などの穀物栽培には適さず，てんさいやジャガイモを栽培する畑作が中心となっており，EU 全体の農業生産額に占める同国の割合は低い。また，EU 最大の人口を擁していることもあり，同国の食料自給率は EU 諸国の中では最も低くなっている。

2 フランスは，EU 最大の農用地面積と農業生産額を有する農業国である。国土の多くが平地で肥沃な農地に恵まれていることから，小麦や大麦などの穀物栽培が盛んで，小麦の生産量は EU 最大である。また，同国の食料自給率は100％を超えており，小麦や大麦などの穀物は国外にも輸出されている。

3 英国は，高緯度に位置しながらも，暖流の影響により国土のほぼ全てが温帯に属している。このため，伝統的に小麦，大麦，ライ麦などの穀物の栽培が盛んで，酪農による乳製品の生産や牧畜はあまり行われていない。また，同国の食料自給率は，豊富な穀物生産により100％を超えている。

4 イタリアは，丘陵地や山岳地が多く，国土面積に占める平地の割合は低いが，丘陵地や山岳地も農用地として利用されているため，国土面積に占める農用地の割合は約半分と高い。近年，政府の農業改革によって農用地の集約化・大規模化が図られた結果，1農家当たりの経営規模が EU 諸国の中ではフランスに次ぐ 2 番目の大きさとなった。

5 スペインは，国土の多くが温帯の地中海性気候に属しており，地中海沿岸の地域では，オリーブ，ぶどう，オレンジなどの栽培が盛んである。他方，国土の中央部はメセタと呼ばれる高原台地が広がっており，大規模な酪農や牧畜が行われている。同国の乳製品や食肉の生産量は EU 最大であり，酪農の盛んなデンマークと同様，牛肉とチーズが主要な輸出農産物となっている。

解説

1. ドイツは，国土のおよそ半分が農用地である。大半の気候は西岸海洋性気候（Cfb）で，同緯度の大陸東岸に比べ年中温和である。北部（北ドイツ平野）と南部（アルプス山脈）では酪農が見られるが，全体では混合農業（小麦・ライ麦とてんさい・じゃがいも等を輪作）が盛んである。2009年のドイツの食料自給率は93％で，イタリア59％，オランダ65％，イギリス65％より高い。

2. 妥当である。2009年のフランスの食料自給率は121％である。

3. イギリスは西岸海洋性気候に属しているので，混合農業と酪農が盛んである。

4. イタリアの農用地に関する記述は正しい。南北格差を是正するための改革（バノーニ計画）が行われたが，依然として1戸当たりの経営面積はフランス（58.7ha：2013 年）やドイツ（58.6ha：2013 年）に比べかなり小さい（12ha：2013 年）。

5. スペインは，国土の南部が地中海性気候（Cs），北部が西岸海洋性気候である。地中海性気候地域の記述は正しい。メセタは，イベリア半島の約半分を占める高原で，メセタ北部の西岸海洋性気候地域では，小麦・大麦，とうもろこし，てんさいの混合農業が盛んである。メセタでは移牧も見られる。なお，乳製品や食肉の生産は，ドイツやフランスのほうが多い。酪農製品の輸出は，同国輸出品の 10 位以内に入っていない。

正答　**2**

次の地形図A，B，Cには，我が国の歴史的な集落形態である条里制集落，新田集落，屯田兵村のうちの，いずれかの特徴が認められるが，該当するものの組合せとして最も妥当なのはどれか。

A.

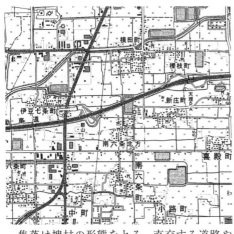

集落は塊村の形態をとる。直交する道路や水路網，四角形のため池がみられる。

B.

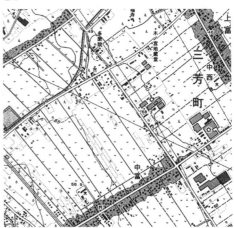

道路沿いに家屋が列状に並ぶ路村形態をとる。家屋の背後には，それぞれの家屋の耕地が短冊状に並んでいる。

C.

碁盤目状の地割りが特色である。はじめは集村だったが，後には散村も形成された。

	A	B	C
1	条里制集落	新田集落	屯田兵村
2	条里制集落	屯田兵村	新田集落
3	新田集落	条里制集落	屯田兵村
4	屯田兵村	条里制集落	新田集落
5	屯田兵村	新田集落	条里制集落

解説

地形図から集落形態を判断する問題である。一見難しそうに感じるが，内容は極めて易しい。

A：塊村の集落，直交する道路・水路網，四角形のため池のほか，伊豆七条町，南六条町など条がつく地名から条里制集落とわかる。図の奈良盆地には条里制のなごりが見られる。

B：路村の集落，短冊状の土地（道路側から宅地・耕地・薪や肥料となる落ち葉をとる森林の順）などから新田集落とわかる。問題の図は埼玉県の三富新田（元禄時代，川越城主柳沢吉保によって計画・開発された開拓新田）である。

C：碁盤目状の地割りと集村（後に散村）から屯田兵村と判断できる。屯田兵村は，明治時代，北海道の警備と開発を目的につくられた集落で，アメリカのタウンシップ制の影響を受けたといわれる。図は「旭川市永山」である。

よって，正答は**1**である。

正答　**1**

日本史

世界史

地理

政治・法律

経済

国家Ⅱ種

教養試験

No.
432

地理

資源とエネルギー

〈改題〉

平
成 23年度

資源やエネルギーに関する記述として最も妥当なのはどれか。

1 石油は一次エネルギー供給のなかで最も多く，2017年で世界全体の約5割を占めている。原油は偏在性の高い資源で，世界の埋蔵量の約5割は中東地域であり，次いでアメリカ合衆国が約2割を占めており，サウジアラビアに次ぐ原油の輸出国となっている。

2 石炭は，採掘が長年行われてきた結果，可採埋蔵量が減少してきており，可採年数も原油の半分の50年ほどとなっている。主な産出国である中国，インドで採掘された石炭の大半は輸出に向けられており，主な輸入国としては，EU諸国と，日本や韓国など東アジアの国が挙げられる。

3 天然ガスは，石炭や原油に比べて二酸化炭素の排出量が少なく，化石燃料のなかで環境負荷が小さいエネルギーである。消費国のうち，欧州では主としてパイプラインで気体のまま利用されているのに対し，日本では液化天然ガス（LNG）のかたちで輸入されている。

4 石油の代替エネルギーの主力として，原子力発電の比重が各国とも高まっており，世界の総発電量に占める割合は，2017年で約3割である。国別ではロシア，オーストラリアにおいて発電量に占める比重が高い一方で，フランスやドイツなどのEU諸国では比重が低い。

5 コバルト，マンガン，クロムなどの金属は，半導体などの先端技術産業で使用されるため重要性が増しており，これらの金属はレアアースと呼ばれている。これらのレアアースは世界の生産量の約9割が中国に集中している。

解　説 ━━━━━━━━━━━━━━━━━━━━━━━━━━━━━━━━━━━━

1．石油は一次エネルギー供給の中で，世界全体の約3分の1を占める。原油は偏在性が高く，世界の埋蔵量の約5割が中東地域である。アメリカ合衆国は約4％（2020年）で，輸出量ではサウジアラビア，ロシア，イラク，カナダに次いで世界5位である（2019年）。

2．石炭の可採年数は99.5年（2019年）で，原油の可採年数は52.8年（2021年）である。中国，インドは主な産出国であるが，輸出は少ない。主な輸入国は中国，インド，日本の順である（2019年）。

3．妥当である。

4．原子力発電の比重は高まりつつあったが，2011年の福島原子力発電所の事故を契機に，主に先進国で比重がやや下がった。なお，2017年の世界の総発電量に占める割合は10.2％である。国別では，フランスが発電量に占める割合が高い。中国，インド，ブラジルではその割合は低い。なお，ドイツ，イタリアは脱原発を決めた。

5．コバルト，マンガン，クロムなどの金属は，レアメタルと呼ばれている。レアアースはサマリウムやネオジム，ユウロピウムなどの希土類元素の酸化物や塩化物などの総称である。主なレアメタルで2019年に中国の生産が世界第1位を占めているのは，タングステン，モリブデン，バナジウム，アンチモンなどである。中国のレアアース生産量は世界の約6割を占めている（2019年）。

資料：『世界国勢図会2022/23』

正答　**3**

国家一般職
［大卒］

No.
433

教養試験

政治 　日本の地方自治 　令和5年度

我が国の地方自治に関する記述として最も妥当なのはどれか。

1 地方公共団体の事務には、国の関与が強い法定受託事務と、法定受託事務以外の自治事務があり、法定受託事務には、飲食店の営業許可や都市計画の決定などが含まれ、自治事務には、旅券の交付や戸籍事務などが含まれる。

2 地方財政について、国庫支出金は、公共事業や社会保障などの事業ごとに、国が使途を指定して地方公共団体に支出するものである。他方、地方交付税交付金は、地方公共団体間の財政力の格差を是正し、どの地域においても一定の行政サービスを提供するために、国が国税の一部を地方公共団体に配分するものである。

3 市町村の規模を大きくして財政基盤を強めるため、1999年から2010年まで「平成の大合併」と呼ばれる市町村合併を全国で進めた結果、市町村数は1,000以下となった。また、より広域的な行政組織による効率化を図るため、都道府県の下に「州」を設ける道州制の導入も検討されている。

4 オンブズマン（オンブズパーソン）制度は、国政で制度化されたことを契機として、一部の地方公共団体でも導入されている。オンブズマンは、国民や住民からの苦情や意見に応えて行政の対応を調査し、改善の提案や勧告を行い、その内容をパブリックコメントとして公表する。

5 首長は、議会の議決した条例や予算について異議のあるときは、その議決に対して拒否権を行使し、再度議会の議決を要求することができる。これに対し、議会が出席議員の過半数の賛成で再議決した場合、首長が議会解散権を行使したり、再度拒否権を行使したりしなければ、議決が確定する。

解説

1. 飲食店の営業許可や都市計画の決定は自治事務に含まれ、旅券の交付や戸籍事務は法定受託事務に含まれる。

2. 妥当である。

3. 「平成の大合併」により、1999年に3,200余りあった市町村の数は、2010年には1,700余りに減少した。また、道州制は、都道府県の下に「州」を設けるものではなく、都道府県を廃止して、新たに広域自治体としての「道」や「州」を設けて、国の権限を大幅に移譲しようとするものである。

4. オンブズマン（オンブズパーソン）制度は、日本では1990年に川崎市で導入されて以来、一部の地方公共団体で導入されている。パブリックコメントは、行政機関が政令や省令などを制定する際に、その案についての意見を人々から募集することである。

5. 条例の制定・改廃や予算に関する議決の場合は、議会が出席議員の3分の2以上の多数（条例の制定・改廃や予算に関する議決以外の議決の場合は過半数）の賛成で再議決すれば、その議決は確定する。

正答 **2**

国家一般職
［大卒］

No.
434

教養試験

政治　日本の選挙制度・政党　令和5年度

思想

日本史

世界史

地理

政治・法律

経済

我が国の選挙制度・政党に関する記述A〜Dのうち、妥当なもののみを全て挙げているのはどれか。

A：近年、公職選挙法の改正により、連座制の規制が強化された一方、選挙運動中の戸別訪問が解禁された。また、若者の投票を促すため、選挙権年齢が18歳に引き下げられたのと同時に、インターネットを利用した選挙運動が解禁された。

B：参議院の選挙制度は、都道府県を単位（一部合区）とする選挙区選挙と、全国を一選挙区とする比例代表選挙を採っている。比例代表選挙では、公職選挙法の改正により、従来の非拘束名簿式に加えて、拘束名簿式の特定枠が新設され、2019年の参議院議員選挙から導入されている。

C：公職選挙法において、各政党には政策の具体的内容や数値目標、財政的根拠などを示すマニフェスト（政権公約）の作成が義務付けられている。また、近年、同法が改正され、衆議院、参議院及び地方議会の議員の選挙において、男女の候補者の数が均等になることを目指すこととされた。

D：政治腐敗を防止するため政治資金規正法が制定されているが、近年、同法が改正され、政党に対する献金は全て禁止された。また、政党活動にかかる費用の一部を政党交付金として交付する政党助成法が制定されており、所属する国会議員のいない政党にも交付金が交付されている。

1 A
2 A、C
3 B
4 B、D
5 C、D

解説

A．誤り。1994年の公職選挙法改正により、連座制の規制が強化されたが、選挙運動中の戸別訪問は現在に至るまで禁止されたままである。また、インターネットを利用した選挙運動が解禁されたのは2013年の公職選挙法改正によってであるが、選挙権年齢が18歳に引き下げられたのは2015年の公職選挙法改正によってであり、同時ではない。

B．妥当である。

C．誤り。政党のマニフェストの作成は義務ではない。また、「衆議院、参議院及び地方議会の議員の選挙において、男女の候補者の数が均等になることを目指す」こととしているのは、公職選挙法ではなく、2018年に成立した「政治分野における男女共同参画の推進に関する法律」（候補者男女均等法）である。

D．誤り。1994年の政治資金規正法改正により、企業、団体から政治家個人への献金は禁止されたが、政党に対する献金は現在に至るまで禁止されていない。また、政党交付金は、国会議員が5名以上いるか、国会議員が1名以上かつ直近の国政選挙で2％以上の得票率を得た政党に交付されている。

したがって、妥当なものはBのみであり、正答は**3**である。

正答　**3**

国家一般職
［大卒］
教養試験
No.
435
法律 | 基本的人権 | 令和 4年度

次は，日本国憲法が保障する基本的人権に関する記述であるが，A〜Dに当てはまるものの組合せとして最も妥当なのはどれか。

　日本国憲法は，第3章で基本的人権を保障している。まず，憲法が保障する権利は，大きく自由権，社会権，参政権，　A　　に分けることができる。ただし，憲法第13条が保障していると考えられている包括的人権としての幸福追求権，及び憲法第14条の定める法の下の平等は，このような分類にはなじまず，それらと並ぶものとして位置付けられる。

　立憲的意味の憲法による人権は，古典的には　B　　の保障を中核にしていた。日本国憲法の人権保障も自由権をその中核としている。自由権は，さらに大きく三つに分けられる。それは，精神の自由，経済の自由，　C　　である。これに対し，国家への請求権としての性格を有する社会権は，資本主義経済が発展する中，憲法に規定されるようになり，団結・団体交渉権・団体行動権の労働三権もこの権利に含まれる。また，参政権は，選挙などによって国政に直接参加する権利のことで，民主主義の実現のために不可欠である。そして，憲法は，その他にも，　A　　として，　D　　など国家に対して一定の行為を請求する権利を保障している。

	A	B	C	D
1	国務請求権	国家からの自由	人身の自由	国家賠償請求権
2	国務請求権	国家からの自由	財産権の保障	教育を受ける権利
3	国務請求権	国家による自由	財産権の保障	環境権
4	生存権	国家からの自由	財産権の保障	環境権
5	生存権	国家による自由	人身の自由	国家賠償請求権

解説

A．国務請求権が当てはまる。生存権（憲法25条）は社会権に含まれる。

B．国家からの自由が当てはまる。国家による自由は一般に社会権をさす。

C．人身の自由が当てはまる。財産権の保障（同29条）は経済の自由に含まれる。

D．国家賠償請求権（同17条）が当てはまる。教育を受ける権利（同26条1項）は社会権に含まれる。環境権は，幸福追求権や生存権に基づいて新しい人権として主張されている。

　したがって，正答は**1**である。

正答　**1**

我が国の内閣と行政に関する記述として最も妥当なのはどれか。

1 内閣は，衆議院で不信任の決議案が可決され，又は信任の決議案が否決されたときは，それから10日以内に衆議院を解散しなければならず，また，その後直ちに総辞職をしなければならない。

2 内閣総理大臣は，内閣を代表して議案を国会に提出し，一般国務及び外交関係について国会に報告するが，行政各部を指揮監督する権限はなく，国務大臣がそれぞれ担当する行政部門を指揮監督する。

3 内閣からある程度独立して活動する合議制の行政機関として独立行政法人がある。それらは，政治的中立性の確保，利害関係の調整，専門知識を必要とする分野などについて各府省に設置され，国家公安委員会，中央労働委員会，教育委員会などが挙げられる。

4 行政からの独立性を有し，中立の立場で国政や地方行政を調査・勧告したり，住民の苦情の処理などを行ったりする制度をオンブズマン（オンブズパーソン）制度という。1990年代に国の行政機関で導入されたが，2021年末現在において，地方公共団体で導入された例はない。

5 民間企業の事業に対する許認可等や行政指導に関する手続について定めた，行政手続法が制定されている。また，国家公務員が一定の利益の供与や供応接待を受けた場合に報告・公開することを定めた国家公務員倫理法が制定されている。

解説

1. 内閣は，衆議院で不信任の決議案が可決され，または信任の決議案が否決されたときは，10日以内に衆議院が解散されない限りは総辞職しなければならない（憲法69条）。衆議院が解散された場合には，解散後ただちに内閣が総辞職しなければならないというわけではなく，解散後の衆議院議員総選挙後に初めて国会の召集があったときに，総辞職することとなっている（同70条）。また，この場合，旧内閣は新しい内閣総理大臣が指名されるまで，職務を継続する（同71条）。

2. 内閣総理大臣は，内閣を代表して議案を国会に提出し，一般国務および外交関係について国会に報告する（同72条）。しかし，憲法で内閣総理大臣は「行政各部を指揮監督する」と規定されているので（同72条），後半部分は誤りである。

3. 前半部分の「独立行政法人」を「行政委員会」に入れ替えれば，行政委員会の定義としてはおおむね妥当な記述となる。ただし，行政委員会の中には，人事院のように各府省から独立して設置される委員会もある。なお，国家公安委員会と中央労働委員会は国の行政委員会であるが，教育委員会は地方公共団体の行政委員会である。独立行政法人は，国から独立し，公的な事務・事業を実施する法人であり，業務の効率化等のために設置される。

4. 前半部分のオンブズマン（オンブズパーソン）制度の定義に関する記述は妥当である。しかし，オンブズマン（オンブズパーソン）制度は，1990年に神奈川県川崎市において導入されたのが国内では初めての事例であり，それ以来地方公共団体での導入が進んでいる。

5. 妥当である。行政手続法は1993年に制定され，国家公務員倫理法は1999年に制定された。

正答 **5**

国家一般職
［大卒］
No.
437
教養試験
政治 わが国の戦後政治史 令和3年度

我が国の戦後政治史に関する記述として最も妥当なのはどれか。

1 第二次世界大戦後，日本自由党に加え，日本社会党や日本共産党が誕生・再生するなど，政党政治が復活した。その後，一旦分裂していた日本社会党が統一され，日本自由党と民主党が合同して自由民主党（自民党）が結成されたことで，本格的な二大政党制の時代を迎えた。これが55年間続いたことから，55年体制と呼ばれる。

2 1970年代前半に就任した田中角栄首相は，消費税の導入や日中国交正常化など，国内外において大きな改革を実現させた。その一方で，金権政治に伴う構造汚職事件が発覚し，政治家への未公開株の譲渡が問題となったリクルート事件で逮捕され，国民の政治不信が強まった。

3 1980年代前半，公共事業の拡大や福祉制度の拡充等により，財政支出が拡大した。中曽根康弘首相は，財政の赤字国債依存から脱却することを主張して行財政改革を進め，電電公社・専売公社の民営化や国鉄の分割民営化を実施し，民間経営による効率の向上を目指した。

4 21世紀に入り，選挙制度に関する様々な改正が行われた。例えば，在外選挙制度では，衆議院議員選挙に限って投票が認められるようになり，また，東日本大震災が発生した年には，選挙権年齢が18歳に引き下げられるなど，幅広い層の民意が反映されるようになった。

5 2010年代前半，民主党政権後に政権交代が起こり，安倍晋三自民党総裁が首相に就任した。安倍首相は，補助金の削減，地方分権，成長戦略の三本の矢から成る経済政策「アベノミクス」に力を注ぐとともに，外交を重視して安定した長期政権を築き，桂太郎に次ぐ連続在任日数を記録した。

解 説

1. 第二次世界大戦後，自由党（当時）に加え，日本社会党や日本共産党が誕生・再生するなどして政党政治が復活した。その後，左派と右派に分裂していた日本社会党が統一されたのを受けて，自由党と日本民主党が合同し，自由民主党（自民党）が結党された。これにより，自民党の一党優位政党制の時代である「55年体制」が成立したが，この体制は1955年に成立したことから「55年体制」と呼ばれるのであり，1993年に崩壊したため，55年間ではなく38年間続いたというのが正しい。

2. 1970年代の田中角栄政権は，日中国交正常化には尽力したが，消費税を導入したという事実はない。消費税の導入は1980年代の竹下登政権である。田中角栄は，首相退陣後，旅客機の受注を巡る贈収賄事件であったロッキード事件で逮捕されており，本肢の後段の記述も誤りである。

3. 妥当である。

4. わが国の在外邦人に関する選挙制度は，1998年の公職選挙法改正に伴い，2000年から衆議院と参議院の選挙に際し，比例代表に限って投票が認められていた。しかし，最高裁判所判決を受けて，2007年から選挙区の投票も認められるようになった（最高裁判所大法廷判決2005年9月14日）。また，選挙権年齢が18歳に引き下げられたのは東日本大震災の年であった2011年ではなく，2015年の公職選挙法の改正に伴う2016年の選挙からであった。

5. 本肢の冒頭，政権交代に伴い安倍晋三自民党総裁が首相に就任した，という記述は正しい。しかし，安倍首相が力を入れた「アベノミクス」とは，大胆な金融政策，機動的な財政政策，民間投資を喚起する成長戦略の「三本の矢」からなる経済政策である。本肢にある補助金の削減や地方分権などは，小泉純一郎政権時代の三位一体の改革の内容である。安倍首相が外交を重視したのは事実であるが，連続在任日数は2,822日で，わが国の憲政史上最長を記録した。

正答 **3**

法の支配等に関する記述として最も妥当なのはどれか。

1 人権が保障されるためには，政治権力も法に縛られるという法の支配の原則が確立される必要があり，この原則はまずは東アジア，特に清朝において発展した。清朝は法の支配の原則を17世紀に権利の章典として具体化したが，実効性には乏しかった。

2 近代的な立憲主義の下で，国民に人権を保障するとともに，国民の権利を制限するための法として存在するものが憲法である。憲法には権力担当者が守るべき事柄が定められているが，我が国を含めて憲法の規定は，第一義的には国民に対して向けられたものである。

3 法の支配における「法」とは，歴史的に人権の観念と固く結び付くものであるが，そこにおける「法」とは，現代においては法の内容とは関係なく，議会の制定する形式的な法を意味し，議会で正当な手続に従って制定された法であれば，その内容も合理的であると解釈されている。

4 日本国憲法は，国の最高法規として位置付けられ，その条規に違反する法律，命令及び国務に関するその他の行為は，効力を有しないと規定している。また，日本国憲法は，天皇及び国務大臣，国会議員，裁判官その他の公務員に，憲法を尊重し，擁護する義務を負わせている。

5 法の支配とは，政治権力の行使を法律によって規律することを意味し，行政が法律に適合しているかについては特別の裁判所によってチェックされる必要がある。我が国ではこの審理を行うため，司法裁判所とは別に行政裁判所が全国に 8 箇所設けられている。

解説

1. 法の支配の原則は，イギリスにおいて，16世紀から17世紀にかけて発展した原理である。清朝は明らかに誤り。

2. 近代的な立憲主義の下で，国民に人権を保障するとともに，国民の権利ではなく「国家の権力」を制限するための法として存在するものが憲法である。

3. 本肢の記述は，形式的法治主義の説明と考えられ，法の支配とは異なる。「法の支配」にいう「法」とは，その内容自体が合理的なものでなければならず，単に議会が制定したものであればよいわけではない。

4. 妥当である（憲法98条 1 項，99条）。

5. 憲法は，特別裁判所の設置を禁止しており（同76条 2 項前段），わが国には，司法裁判所とは別の行政裁判所は存在しない。なお，全国に 8 か所設けられている裁判所は，高等裁判所である。

正答 **4**

我が国の地方自治等に関する記述として最も妥当なのはどれか。

1 地方公共団体には,議決機関として議会や教育委員会などの各種の委員会が,執行機関として首長が存在している。議会の議員と首長は,住民の直接選挙によって選ばれるが,各種委員会の委員は,二元代表制の原則にのっとって,議員の中から首長が任命することとなっている。

2 地方公共団体の事務は,自らが主体的に行う自治事務と,国から委任された機関委任事務に分けられる。近年,国が主体的に行う業務の一部は機関委任事務に移行されており,国道の管理,パスポートの発行,帰化の許可などは,「三位一体の改革」が行われた際に機関委任事務に移行された。

3 地方議会の議員の任期は4年であるが,住民による直接請求で有権者の一定数の署名をもって議会の解散を請求することができる。また,議会が首長の不信任案を可決した場合,首長は議会を解散することができる。

4 条例とは,地方議会の議決により成立する地方公共団体の法規であり,国の法律よりも厳しい規制を定める「上乗せ条例」の成立には,憲法の規定により,議会の議決に加えて住民投票（レファレンダム）で過半数の同意が必要である。

5 地方財政の自主財源には,地方税と地方債がある。しかし,多くの地方公共団体は自主財源だけで歳出を賄うことができないため,地方交付金や国庫支出金なども財源となっている。さらに,財政再生団体となった地方公共団体は,赤字公債を発行することができるようになる。

解説

1. わが国の地方公共団体には，議決機関として議会が，執行機関として首長と教育委員会などの各種の委員会（行政委員会）が設置されている。教育委員会の委員は，議会の同意を得て首長が任命しているが，地方公共団体に設置される行政委員会のすべてに首長による任命制が導入されているわけではない。また，議員が教育委員会などの委員を兼職することは禁止されている。

2. わが国の地方公共団体における事務は，現行では自治事務と法定受託事務に区分されている。機関委任事務は，1999年の地方分権一括法の制定に伴い，2000年に廃止された。それ以降，国が主体的に行う業務の一部は法定受託事務に移行されており，かつて機関委任事務だった国道の管理，パスポートの発行などが地方分権一括法により法定受託事務に移行された。帰化の許可は法務大臣が行う国の事務である。「三位一体の改革」は2000年代に実施された地方財政改革のことで，国から地方への税源移譲，地方交付税の見直し，国庫補助負担金の廃止・縮減を一体的に行おうとするものであった。本肢はその点でも誤りである。

3. 妥当である。原則として有権者の3分の1以上の署名を集めれば，選挙管理委員会に議会の解散請求ができる。さらに議会に3分の2以上の議員が出席し，そのうち4分の3以上の議員が賛成すれば，首長の不信任決議が成立する。成立後10日以内に限り，首長は議会を解散できる。

4. 条例とは，地方議会の議決により成立する地方公共団体の法規である。国の法律よりも厳しい規制を定める「上乗せ条例」については，地方議会の議決があれば制定可能である。これは，本来条例は国の法律の範囲内で制定されるのが望ましいが，環境など地域の特性が強く反映される事柄については，「上乗せ条例」が認められる，とする解釈に基づく。なお，いかなる条例も地方議会の議決によって成立し，それに加えて住民投票（レファレンダム）を要するものはない。

5. わが国の地方公共団体の自主財源は，主に地方税であり，依存財源が地方交付税や国庫支出金，地方債などである。財政再生団体となった地方公共団体は，再生振替特例債として，総務大臣の同意を得て，赤字公債を発行できるようになるので，本肢のその部分の記述は正しい。また，赤字公債に関しては，臨時財政特例債として，地方交付税の不足分を補塡する目的で各地方自治体が発行するものもある。こちらは総務大臣の同意が必要ではあるものの，当該地方公共団体が財政再生団体とならなくても発行が認められている。

正答 **3**

思想

日本史

世界史

地理

政治・法律

経済

我が国の国会議員の特権等に関するA～Dの記述のうち，妥当なもののみを挙げているのはどれか。

A：国会の会期前に逮捕された国会議員は，その議員が所属する議院の要求があれば，会期中は釈放しなければならない。

B：国会議員は，議院で行った演説，討論又は表決について院外で責任を問われない。一方，政党がその党員である国会議員の発言や表決について責任を問い，除名等を行うことは可能である。

C：憲法が国会議員に免責特権を保障している趣旨に照らし，国会議員でない国務大臣や委員会に出席して答弁を行う国家公務員にも，法律により免責特権が認められている。

D：国会議員は，法律の定めるところにより国庫から相当額の歳費を受けるが，この歳費は在任中減額又は自主返納することはできない。

1　A，B
2　A，C
3　A，D
4　B，C
5　C，D

解説

A：妥当である。両議院の議員は，法律の定める場合を除いては，国会の会期中逮捕されず，会期前に逮捕された議員は，その議院の要求があれば，会期中これを釈放しなければならない（憲法50条）。

B：妥当である。両議院の議員は，議院で行った演説，討論または表決について，院外で責任を問われない（憲法51条）が，ここで免責される「責任」とは，民事・刑事責任などの法的責任をさすので，それ以外の責任追及である政党による除名等は可能である。

C：議員の自由な討論・表決を保障する趣旨で認められた免責特権は国会議員の特権であるので，国会議員でない国務大臣や委員会に出席して答弁を行う国家公務員には，免責特権は認められていない。

D：両議院の議員は，法律の定めるところにより，国庫から相当額の歳費を受ける（憲法49条）が，この歳費は在任中減額または自主返納することができる。

以上から，妥当なものはAとBであり，正答は**1**である。

正答　**1**

国家一般職
［大卒］
No.
441
教養試験
政治 世界の軍縮等 令和 元年度

世界の軍縮等に関する記述として最も妥当なのはどれか。

1 第二次世界大戦後，冷戦により安全保障理事会があまり機能せず軍縮が進まなかったため，国際連合は，国際司法裁判所の下にロンドンに本部を置く国連軍縮委員会を設置した。同委員会での交渉を経て，ロンドン海軍軍縮条約が発効して，欧州での軍縮につながった。

2 1980年代，米ソ間の緊張緩和が進む中，両国間で戦略兵器削減交渉（START）が行われ，包括的核実験禁止条約（CTBT）が発効した。2010年代には，米ロに経済成長が著しい中国を加えた3か国で戦略兵器制限交渉（SALT）が行われ，中距離核戦力（INF）全廃条約が発効した。

3 21世紀に入り，国際テロ組織が核兵器を入手する可能性が高まったことを受けて，核拡散防止条約（NPT）が発効した。核兵器非保有国での核兵器の開発も指摘されたことから，国際原子力機関（IAEA）が安全保障理事会の下に設置され，国連軍の指揮下でIAEAが核査察を実施している。

4 核兵器の根絶を目指す動きの一つに域内国での核兵器の生産・取得・保有を禁止する非核兵器地帯条約の締結・発効があり，中南米，南アジア，東南アジアで条約が発効している。現在，イランやカザフスタンを含む中央アジア地域でも条約の締結に向けた交渉が進められている。

5 特定の兵器がもたらす人道上の懸念に対処するために，それらの使用等を禁止する対人地雷禁止条約，クラスター弾に関する条約が発効し，我が国も批准している。対人地雷禁止条約の採択には，NGOが全世界に地雷の非人道性を訴える活動が大きな役割を果たしたとされている。

解 説

1. ロンドン海軍軍縮条約は，1930年に，イギリスのラムゼイ＝マクドナルド首相の提案により，アメリカ，イギリス，フランス，日本，イタリアの海軍力の軍縮を目標に開かれた会議（ロンドン海軍軍縮会議）により調印されたものである。本肢のように国際連合（国連）に関係し，国際司法裁判所の下に置かれた委員会による条約ではない。現代の国連の国連軍縮委員会は初め，安全保障理事会の下に設けられたが，後に国連総会の補助機関として再発足した。また，1930年当時は国際連盟の時代であり，その点においても誤りである。

2. 包括的核実験禁止条約（CTBT）は，現在未発効である。この条約は，あらゆる核実験を禁止しようとするものであり，米ソ間の戦略兵器削減交渉（START）と直接的な関係はない。また，戦略兵器制限交渉（SALT）は，あくまでアメリカ合衆国とソヴィエト社会主義共和国連邦（当時）の2国間における交渉であり，中華人民共和国は参加していない。交渉自体も1985年に期限切れとなって以降，行われていない。なお，中距離核戦力（INF）全廃条約は，1987年に当時の米ソ間で調印され，2019年にアメリカがロシア側に破棄を通告したものである。

3. 核拡散防止条約（NPT）は，1963年に国際連合で採択された（1968年調印，1970年発効）。また，国際原子力機関（IAEA）は，1957年にアメリカ主導で設置されたもので，国連と密接な関係を持つが国連機関ではない。設置された当時はまだ，世界にそれほど核兵器が拡散しておらず，設置目的は原子力の平和利用の促進と軍事利用の防止だった。本肢の，国連軍の指揮下で核査察を実施しているという点も誤りである。なお，国連憲章に規定された正規の国連軍は，国際連合発足以来，一度も編成されていない。

4. 中南米の非核兵器地帯条約としては，1967年調印（1968年発効）のトラテロルコ条約があり，東南アジアのものとしては1995年調印（1997年発効）のバンコク条約がある。しかし，南アジアの非核兵器地帯条約は，2021年時点で，存在しない。1974年にパキスタンが国連総会で南アジア地域の非核兵器地帯条約の調印を提唱したが実現しなかった。また，イランなどの中近東における非核兵器地帯条約も，1974年にイランやエジプトが提唱したが実現していない。

5. 妥当である。対人地雷禁止条約は，1992年に欧米のNGOが中心になって国際社会に呼びかけたのを皮切りに，1997年にカナダのオタワで署名されたものである（1999年発効）。わが国は1997年に署名した。

正答 **5**

我が国の司法に関する記述 A〜D のうち，妥当なもののみを挙げているのはどれか。

A：違憲審査権は全ての裁判所に認められており，この権限は，いずれの裁判所においても，刑事裁判や民事裁判などの具体的な訴訟の中で行使されるが，具体的訴訟とは無関係に法令や国家行為の合憲性を抽象的・一般的に審査することはできない。

B：裁判官は，心身の故障のため職務を果たすことができない場合や，国会の弾劾裁判所で罷免が決定された場合以外は罷免されない。ただし，最高裁判所の裁判官については，任命後最初の衆議院議員総選挙のとき及びその後10年を経過した後初めて行われる衆議院議員総選挙ごとに行われる国民審査において，罷免を可とする投票が多数であった場合には罷免される。

C：行政機関が最高裁判所の裁判官の懲戒処分を行うことは，裁判官の職権の独立を保障するため憲法上禁止されているが，下級裁判所の裁判官については，最高裁判所が認めた場合に限り，行政機関が懲戒処分を行うことができる。

D：裁判員制度における裁判員は，裁判官と共に事実認定，被告人の有罪・無罪の決定及び量刑の評議を行うが，証人に対する尋問及び被告人に対する質問については，高度な法的知識が必要となるため，裁判官のみが行うこととされている。

1 A，B
2 A，D
3 B，C
4 B，D
5 C，D

解説

A：妥当である（前半について，最大判昭25・2・1，後半について，同昭27・10・8）。

B：妥当である（憲法78条前段，79条2項・3項）。

C：憲法は，「裁判官」の懲戒処分を行政機関が行うことはできないとする（同78条後段）。したがって，前半は正しいが，後半が誤り。最高裁判所の裁判官だけでなく，下級裁判所の裁判官についても行政機関による懲戒処分は禁止されている。

D：裁判員制度における裁判員は，裁判官とともに事実認定，被告人の有罪・無罪の決定および量刑の評議を行うので（裁判員の参加する刑事裁判に関する法律66条），前半は正しい。しかし，後半が誤り。裁判員も，証人に対する尋問および被告人に対する質問を行うことができる（同56条，59条）。

以上から，妥当なものはAとBであり，正答は**1**である。

正答 **1**

我が国の行政に関する記述として最も妥当なのはどれか。

1 行政権は内閣に属し，その主な権限としては，一般行政事務のほか，法律の執行，外交関係の処理，予算の作成と国会への提出，政令の制定などがある。また，国家公務員法は，一般職の国家公務員に対して，争議行為を禁じているほか政治的行為を制限している。

2 中央省庁等改革基本法の制定に伴い，中央省庁は，それまでの1府12省庁から1府22省庁に再編された。これにより多様化する行政課題に対して，きめの細かい対応ができるようになったが，さらに2010年代には，スポーツ庁や防衛装備庁も設置されている。

3 行政の民主的運営や適正かつ能率的運営を目的として，準立法的機能や準司法的機能は与えられていないものの，国の行政機関から独立した行政委員会が国家行政組織法に基づき設置されている。この行政委員会の例としては，公害等調整委員会や選挙管理委員会などがある。

4 効率性や透明性の向上を目的として，各府省から一定の事務や事業を分離した独立行政法人が設立されている。具体的には，国立大学，国立印刷局，日本放送協会や造幣局などがあるが，これらの組織で働く職員は国家公務員としての身分を有していない。

5 情報公開法が1990年代前半に制定され，それまで不明瞭と指摘されてきた行政指導や許認可事務について，行政運営の公正の確保と透明性の向上が図られた。その後，1990年代後半には行政手続法が制定され，政府の国民に対する説明責任が明確化された。

解説

1. 妥当である。国家公務員法は1947年公布および一部施行，1948年に完全施行となった法律である。一般職の国家公務員に対して適用され，試験及び任免（第33条），給与（第62条）などについて規定されている。争議行為の禁止は第98条に，政治的行為の制限は第102条にそれぞれ規定がある。

2. 中央省庁等改革基本法は，内閣機能の強化や，中央省庁の再編などについて1998年に定められた法律である。これを受けて，わが国の中央省庁は，2001年にそれまでの1府22省庁から1府12省庁へ再編された。なお，スポーツ庁は文部科学省の外局として，防衛装備庁は防衛省の外局として，それぞれ2015年に新設された。

3. 行政委員会は，国や地方自治体から独立した形で，行政的権能を行使できる合議制の機関である。行政機能のほかに，準立法的機能や準司法的機能を有している。この委員会の例としては，公害等調整委員会や，選挙管理委員会のほかに，国家公安委員会や教育委員会などが挙げられる。

4. 独立行政法人は，省庁から一定の独立性を保ち，効率的にその業務を執行していく機関であり，その例として国立公文書館や造幣局などが挙げられる。独立行政法人の職員の身分は，行政執行法人の職員が国家公務員待遇となり国家公務員法の適用を受けるのに対し，国立研究開発法人ならびに中期目標管理法人の職員は非公務員待遇となり国家公務員法の適用を受けない。国立大学法人は，独立行政法人通則法により独立行政法人に準じた運営がなされている。また，日本放送協会（NHK）は総務省が所管する外郭団体であり，特殊法人に区分される。

5. 情報公開法は1999年公布，2001年施行の法律で，国民主権に基づいて，何人の請求に対しても中央省庁が保有する文書等の情報を公開することとされ，国の説明責任が明記されたものである。行政手続法は1993年に成立したもので，行政運営の公正の確保と透明性の向上が図られた。

正答　**1**

国家一般職
［大卒］

No.
444

教養試験

政治　発展途上国への援助等　平成29年度

思想

日本史

世界史

地理

政治・法律

経済

発展途上国への援助等に関する記述として最も妥当なのはどれか。

1　後発発展途上国とは，財政事情の悪化などにより，2000年まで発展途上国とみなされていなかった国のうち，それ以降に新たに発展途上国として国際連合から認定された国を指し，東南アジアの国々がその代表例として挙げられる。

2　発展途上国援助に関連する組織として，発展途上国援助の調整を行う開発援助委員会（DAC）や，世界銀行加盟国の一部によって活動が開始され発展途上国の中でも最も貧しい国々を対象として支援を行う国際開発協会（IDA）がある。

3　発展途上国と先進国との間の経済格差の問題を南北問題というが，近年では，発展途上国の中でも急速な経済成長を遂げた新興工業経済地域と，先進国との間で，発展途上国で産出される資源の獲得競争が問題となっており，これを南南問題という。

4　先進国側の働きかけにより，国連貿易開発会議（UNCTAD）が設立され，先進国と発展途上国との間の貿易拡大などが協議されたが，発展途上国では，先進国からの輸入品に対し関税面で優遇する一般特恵関税が義務付けられたため，両国間の経済格差が拡大した。

5　資源価格の高騰を背景に，欧州諸国に多額の資金を貸し付けていた中南米諸国では，1980年代に欧州諸国の一部が債務不履行の危機に陥ったことで累積債務問題が表面化し，救済策として債務繰延べなどが行われた。

解説

1. 後発発展途上国（Least Developed Country）とは，発展途上国の中でも特に発展が遅れている国のことである。後発発展途上国は，国連開発計画委員会（CDP）が認定した基準に基づき，国連経済社会理事会の審議を経て，国連総会の決議により認定されている（ただし当該国の同意が前提となる）。現在，その過半数はアフリカの国々によって占められている。

2. 妥当である。開発援助員会（DAC）は，経済協力開発機構（OECD）の下部機関として，発展途上国援助の調整を行っている。また，国際開発協会（IDA）は，世界銀行のグループ機関として，世界で最も貧しい国々を支援しており，経済成長促進，格差是正，生活水準向上のためのプログラムに融資と贈与を提供している。

3. 南南問題とは，発展途上国間における経済格差の問題のことである。1980年代以降，産油国や新興工業経済地域と後発開発途上国の間で経済格差が広がり，南南問題が深刻化するようになった。

4. 国連貿易開発会議（UNCTAD）は，発展途上国側の働きかけによって1964年に設立された。また，一般特恵関税とは，開発途上国からの輸入品に対して，先進国が関税面で優遇する制度のことである。UNCTAD で合意された制度的枠組みに基づいて，先進国は発展途上国に一般特恵関税を適用しており，経済格差の是正に一定の貢献をなしている。

5. 先進国の金融機関から多額の資金を借り入れていた中南米諸国は，1980年代に金利負担が増加したことで，対外債務の返済が困難となった。特に1983年にブラジルが債務不履行（デフォルト）に陥ると，累積債務問題の解決が大きな焦点となり，先進各国は債務繰延べ（リスケジューリング）や追加融資などの救済策をとることとなった。

正答　**2**

日本国憲法の基本的人権に関する記述として最も妥当なのはどれか。

1　憲法は，全て国民は法の下に平等であって，人種，信条，年齢，社会的身分又は門地により，政治的，経済的又は社会的関係において差別されないと定めている。一方，男女の体力的な差に配慮して異なる取扱いをすることはむしろ合理的であることから，男女で異なる定年年齢を企業が就業規則で定めることには合理的な理由があり，憲法には反しない。

2　教育を受ける権利を保障するため，憲法は，全て国民はその能力や環境に応じて等しく教育を受ける権利を有することや，その保護する子女に普通教育を受けさせる義務を負うことを定めている。また，憲法は，後期中等教育を修了するまでの間，授業料や教科書等に係る費用を無償とすると定めている。

3　経済の自由として，憲法は，財産権の不可侵や居住・移転の自由，職業選択の自由，勤労の権利等を保障している。経済の自由は，近代憲法が人々の経済活動を国家による介入から守るために保障してきたという伝統に基づいており，公共の福祉による制限は認められておらず，社会権やその他の新しい権利とは異なっている。

4　刑事手続に関し，憲法は，被疑者や被告人の権利を守るため，令状主義，黙秘権，取調べの公開，弁護人依頼権など詳細な規定を設けている。しかし，殺人等の重大な事件については，裁判に慎重を期す必要があるため，有罪又は無罪の判決が確定した後でも，必要な場合には，同一事件について再び裁判を行うことができる。

5　プライバシーの権利は，憲法に明文の規定はないが，幸福追求権を根拠に保障されていると考えられている。プライバシーの権利については，私生活をみだりに公開されない権利などとされてきたが，情報化社会の進展等に伴い，自己に関する情報をコントロールする権利としても考えられるようになってきている。

解 説

1. 憲法は，すべて国民は法の下に平等であって，人種，信条，「性別」，社会的身分又は門地により，政治的，経済的又は社会的関係において，差別されないと定めている（14条1項）。また，男女で異なる定年年齢を企業が就業規則で定めることには合理的な理由がなく，不合理な差別である（最判昭56・3・24）。

2. 憲法は，すべて国民はその能力に応じて等しく教育を受ける権利を有することや，その保護する子女に普通教育を受けさせる義務を負うことを定めている（26条1項・2項前段）が，「環境に応じて」とは定めていない。さらに，憲法は，義務教育は，これを無償とすると定めているのみであり（26条2項後段），後期中等教育（高等学校）までは定めていない。また，この無償とは授業料の無償を意味し，教科書等に係る費用まで無償とするとは定めていない（最大判昭39・2・26）。

3. 経済の自由の例として挙げている勤労の権利（憲法27条1項）は，社会権に属すると考えられている。また，経済の自由も，公共の福祉による制限が認められている（同22条1項，29条2項参照）。

4. 刑事手続に関し，憲法は，取調べの公開の規定を設けていない。また，すでに無罪とされた行為については，刑事上の責任を問われないとする一事不再理の原則から（39条前段後半），無罪の判決が確定した後は，同一事件について再び裁判を行うことはできない。

5. 妥当である。幸福追求権（憲法13条後段）を根拠に保障される。

正答　**5**

国家一般職
［大卒］
No.
446

教養試験

政治　　日本の選挙制度　　平成28年度

我が国の選挙制度に関する記述として最も妥当なのはどれか。

1　衆議院議員総選挙は，4年ごとに実施され，小選挙区選挙と拘束名簿式比例代表制による。選挙区間の議員1人当たり有権者数に格差があると一票の価値が不平等になるという問題があり，近年の選挙においては，参議院よりも衆議院で一票の最大格差が大きくなっている。

2　参議院議員通常選挙は，3年ごとに実施され，議員の半数が改選される。参議院の選挙制度は，選挙区選挙と非拘束名簿式比例代表制となっており，選挙区選出議員の定数の方が比例代表選出議員の定数よりも多い。

3　期日前投票制度とは，選挙期間中に名簿登録地以外の市区町村に滞在していて投票できない人が，定められた投票所以外の場所や郵便などで，選挙期日前に投票することができる制度である。選挙期日に仕事や旅行などの用務がある場合や，仕事や留学などで海外に住んでいる場合などに利用することができる。

4　従来，国政選挙の選挙権を有する者を衆・参両議院議員選挙は20歳以上，被選挙権を有する者を衆議院議員選挙は25歳以上，参議院議員選挙は30歳以上としていた。平成25年の公職選挙法の改正により，衆・参両議院議員選挙において，選挙権を有する者を18歳以上，被選挙権を有する者を25歳以上とすることが定められた。

5　公職選挙法では，選挙運動期間以前の事前運動や戸別訪問を禁止するなど，選挙運動の制限が規定されている。平成25年の同法の改正により，電子メールによる選挙運動用文書図画の送信については，候補者や政党に加えて，一般有権者にも認められるようになった。

解説

1．近年の選挙では，衆議院よりも参議院で一票の最大格差が大きくなっている。その理由としては，参議院の選挙区選挙では都道府県を単位として選挙が実施されるが，人口の少ない県にも最低2議席を配分しなければならず，人口比例で算定した議席数を上回ってしまうことなどが挙げられる。なお，こうした不都合を解消するため，平成28年には「合区」制度が導入され，鳥取・島根および徳島・高知はそれぞれ一つの選挙区として扱われることとなった。

2．妥当である。参議院議員通常選挙では，選挙区選挙と非拘束名簿式比例代表制の混合制が採用されている。このうち選挙区選出議員は148名，比例代表選出議員は100名で，前者のほうが多い。

3．期日前投票制度では，有権者は期日前投票場まで赴いて投票しなければならず，郵便による投票は認められていない。また，仕事や留学などで海外に住んでいる日本人を対象とする制度は，期日前投票制度ではなく在外投票制度である。

4．平成27年の公職選挙法の改正により，選挙権を有する者を18歳以上とすることが定められたが，被選挙権年齢の変更は行われなかった。したがって，現在でも衆議院議員選挙の被選挙権年齢は25歳以上，参議院議員選挙の被選挙権年齢は30歳以上である。

5．平成25年の公職選挙法の改正により，候補者や政党については，電子メールによる選挙運動用文書図画の送信が認められるようになった。しかし，一般有権者については解禁されておらず，一般有権者がこうした行為を行えば選挙違反となる。なお，同改正によって一般有権者にも認められたのは，ウェブサイト等（ホームページ，ブログ，SNS，動画共有サービス，動画中継サイトなど）を用いた選挙運動である。

正答　**2**

思想

日本史

世界史

地理

政治・法律

経済

我が国における情報の管理・保護に関する記述として最も妥当なのはどれか。

1　個人情報保護法は，個人情報取扱事業者が個人情報を取り扱う場合は，その利用の目的をできる限り特定することを義務付けている。また，法令に基づく場合などを除き，あらかじめ本人の同意を得ないで，個人データを第三者に提供することを禁じている。

2　情報公開法は，国民主権の理念に基づいて，中央省庁の行政文書の開示を請求する権利と，政府の説明責任（アカウンタビリティ）を規定している。同法に基づき，行政文書の開示が認められるためには，請求者が我が国の国籍を有し，かつ18歳以上であることが必要である。

3　特定秘密保護法は，機密情報を保護し，その漏えい防止を図るための法律である。機密情報は，公務員が職務上知り得た情報のうち，国家安全保障会議が指定したものであり，この機密情報を漏えいした公務員に対する罰則が規定されている。

4　著作権法は，知的財産権を保護するための法律の一つである。著作権は，新しい発明や考案，デザインやロゴマークなどの著作者が，それらを一定期間独占的に利用できる権利であり，同法による保護を受けるためには，特許庁に申請する必要がある。

5　商標法は，知的財産権を保護するための法律の一つである。同法は，許可なしに顔写真などの肖像を撮影されたり，利用されたりしないように主張できる肖像権や，有名人の名前や肖像が無断で商品化されたり，宣伝などに利用されたりできないようにするパブリシティ権を規定している。

解説

1. 妥当である（前半につき個人情報保護法15条1項，後半につき同23条1項）。

2. 情報公開法は，国民主権の理念に基づいて，行政文書の開示を請求する権利と，政府の説明責任を規定しているので（同1条），前半は正しい。しかし，請求者については「何人も」と規定しており（同3条），わが国の国籍を有することや，18歳以上であることは不要である。

3. 特定秘密保護法における特定秘密は，行政機関の長が指定する（同3条1項）。なお，特定秘密の取扱い従事者には，秘密漏えいに対する罰則の規定がある（同23条）。

4. 著作権法は，知的財産権を保護する法律の一つであるが，本肢は特許法，実用新案法，意匠法，商標法の内容になっている。

5. 商標法は，知的財産権を保護する法律の一つであるが，肖像権やパブリシティ権は規定していない。

正答　**1**

思想

日本史

世界史

地理

政治・法律

経済

我が国の地方自治に関する記述として最も妥当なのはどれか。

1　憲法では，地方自治の基本原則として，「地方公共団体の組織及び運営に関する事項は，地方自治の本旨に基いて，法律でこれを定める」と規定されている。この地方自治の本旨には，住民自治と団体自治の二つの側面があり，そのうち，団体自治とは，地方公共団体の政治が地域住民の意思に基づいて行われることをいう。

2　地方公共団体は，地方議会の議決に基づき，法律の範囲内で条例を制定することが認められている。したがって，法律で規定されていない項目を条例に追加するいわゆる上乗せ条例や，法律の規定より厳しい規制を行ういわゆる横出し条例は，法律の趣旨を逸脱し，国民の権利を著しく制約するおそれがあるため，禁止されている。

3　地方自治法では，議会の解散請求や議会議員・首長の解職請求（リコール）など住民による直接請求権が規定されている。その一つである条例の制定・改廃請求（イニシアティブ）は，地方公共団体の住民の3分の1の署名によって，首長に対して行うことができるとされている。

4　平成11年に成立したいわゆる地方分権一括法に基づき，三位一体の改革が進められたことで，地方交付税に充てられていたたばこ税などは地方税に移譲された。これにより，地方公共団体はその歳出の8割を自主財源で賄うことができるようになり，地方公共団体の独自性が高められた。

5　地方自治への住民参加については，一つの地方公共団体のみに適用される特別法の制定に関して憲法で保障されている住民投票（レファレンダム）のほか，地域の重要な政策決定について，条例に基づいて住民の意思を問う住民投票などがある。

解説

1.　前半の憲法条文は正しい（同92条）。しかし，後半が誤り。地方公共団体の政治が地域住民の意思に基づいて行われることを「住民自治」という。「団体自治」は，地方公共団体の政治が国から独立した団体に委ねられ，その意思と責任で行われることをいう。

2.　前半は憲法条文で正しい（同94条）。しかし，後半が誤り。法律で規定されていない項目を条例に追加するいわゆる「横出し条例」や，法律の規定より厳しい規制を行ういわゆる「上乗せ条例」も，法律の趣旨などから，禁止されない場合もある（徳島市公安条例事件：最大判昭50・9・10）。

3.　前半は正しい（地方自治法13条，76条，80条，81条）。しかし，後半が誤り。条例の制定・改廃請求は，地方公共団体の有権者の50分の1以上の署名によって行われる（同12条1項，74条1項）。

4.　（国の）たばこ税が地方税に移譲されたという事実はない。また，地方公共団体はその歳出の8割を自主財源で賄ってはいない。6割程度である。

5.　妥当である（憲法95条など）。

正答　**5**

次は，国際連盟に関する記述であるが，A～Dに当てはまるものの組合せとして最も妥当なのはどれか。

国際社会の諸問題に取り組むために組織を作る構想は，既に18世紀には生まれていた。哲学者のカントは，　A　の中で，国際平和機構の構想を示している。

第一次世界大戦中には，米国大統領ウィルソンが，　B　の中で，集団安全保障の仕組みの設立を提唱した。これを受けて，1920年に42か国の参加で発足したのが国際連盟で，本部はジュネーヴに置かれた。国際連盟は，第一次世界大戦後の国際協調の中心となったが，　C　の不参加や，総会や理事会の議決方式として　D　の原則を採っていたこと等もあり，十分に機能せず，第二次世界大戦の勃発を未然に防止できなかった。

その後，第二次世界大戦中に，連合国を中心として戦後の新たな平和維持機構の設立が話し合われ，1945年に国際連合が成立した。

	A	B	C	D
1	『永久平和のために』	「平和原則14か条」	米国	全会一致
2	『永久平和のために』	「大西洋憲章」	米国	全会一致
3	『永久平和のために』	「大西洋憲章」	ロシア	五大国一致
4	『戦争と平和の法』	「大西洋憲章」	米国	五大国一致
5	『戦争と平和の法』	「平和原則14か条」	ロシア	全会一致

解説

A：『永久平和のために』が該当する。I.カントは『永久平和のために』を著し，世界の恒久的平和のためには，常備軍の全廃，諸国家の民主化，国際連合の創設が必要であると主張した。これに対して，『戦争と平和の法』はH.グロティウスの著作であり，正当な戦争と不正な戦争の区別，戦時中にも守られるべき規則などについて主張が展開されている。

B：「平和原則14か条」が該当する。米国大統領W.ウィルソンは，1918年に平和原則14か条（14か条の平和原則）を発表し，その第14条において国際平和機構の設立を訴えた。これが，第一次世界大戦後における国際連盟の創設につながったとされている。これに対して，大西洋憲章は，1941年に米国大統領F.ルーズヴェルトと英国首相W.チャーチルが発表したもので，一般的安全保障のための仕組みの必要性などが主張されていた。これが，第二次世界大戦後における国際連合の創設につながったとされている。

C：「米国」が該当する。米国は連邦議会の上院の反対にあって，国際連盟には終始参加しなかった。これに対して，ロシア（ソ連）は国際連盟の原加盟国ではないが，1934年に日本やドイツと入れ替わる形で国際連盟への加盟を果たした。ただし，1939年には，フィンランド侵攻を理由として除名処分を受けている。

D：「全会一致」が該当する。国際連盟では，主権平等原則を貫くため，加盟国が1か国でも反対した案件は採択が見送られた（全会一致制）。これに対して，国際連合では，全会一致制による決定の遅延を防ぐため，新たに多数決制が導入された。ただし，安全保障理事会に限っては，現在でも部分的に全会一致制が残されており，五大国（米・英・仏・露・中）が拒否権を行使した案件は採択されないものとされている。

よって，正答は**1**である。

正答　**1**

国際機関に関する記述として最も妥当なのはどれか。

1 世界保健機関（WHO）は，世界の全ての人が最高の健康水準を維持できるよう，各国の感染症の撲滅のほか，近年では健康に害を及ぼす化学兵器の廃棄を目指し，その生産施設や毒性化学物質を扱う産業施設等に対して査察等を行っており，その活動によりノーベル平和賞を受賞した。

2 国連教育科学文化機関（UNESCO）は，教育・科学・文化を通じて国際協力を促進することを目的とした機関であり，活動の一つに世界遺産の登録・保護がある。近年，選定の基準に，文化遺産，自然遺産に続き「負の世界遺産」が新たに設けられ，チェルノブイリ原子力発電所が登録された。

3 国際原子力機関（IAEA）は，原子力の平和的利用を促進するとともに，軍事的利用に転用されることの防止を目的とした機関である。平成25年現在の事務局長は日本人が務めており，また，我が国の東京電力福島第一原子力発電所事故においては，調査団の派遣を行った。

4 国連児童基金（UNICEF）は，子どもの権利条約によって設立された国連の専門機関の一つであり，開発途上国の児童に限定した援助活動を行い，食料の生産，分配の改善などを通じて，児童の飢餓の根絶に重点を置いて活動をしている。

5 国連貿易開発会議（UNCTAD）は，世界貿易の秩序形成を目的とした機関であり，モノの貿易だけでなく，サービス貿易や知的財産権問題などを扱うほか，開発途上国のための長期資金の供与を業務として行っている。

解説

1. 化学兵器の廃棄をめざして査察等を行い，ノーベル平和賞を受賞した国際機関は，化学兵器禁止機関（OPCW）である。世界保健機関（WHO）は，生物・化学兵器への公衆衛生対策等で各国に技術支援を行うなどしているが，化学兵器の査察等の活動は行っていない。

2. 負の世界遺産という呼称は，UNESCO が公式に用いているものではなく，世間一般に広く流布しているものである。また，負の世界遺産は，1978 年に登録された最初の世界遺産の中にすでに含まれており，その後，アウシュビッツ＝ビルケナウ・ナチスの絶滅収容所や広島の原爆ドームなど，何件も登録されているが，チェルノブイリ原子力発電所はそもそも世界遺産に登録されておらず，負の世界遺産にも該当しない。なお，UNESCO は世界遺産の登録を行っているが，世界遺産の保護は原則として当該遺産を持っている国が行うものとされており，UNESCO が一義的責任を負うわけではない。

3. 妥当である。国際原子力機関は，1953 年のアイゼンハワー米大統領の国連総会演説（「平和のための核」）をきっかけとして設立された国際機関であり，原子力の平和的利用等を目的としている。平成 25 年現在の事務局長は天野之弥であり，また，福島の原発事故の際には調査団を派遣して報告書を発表するなど，わが国とも関係が深い。

4. 国連児童基金（UNICEF）は，第二次世界大戦後の 1946 年から活動を開始した国際基金であり，子どもの権利条約によって設立されたわけではない。子どもの権利条約は，1989 年に国連総会で採択された国際条約であり，UNICEF も草案作りに参加するなどの形で，これに深く関与している。また，UNICEF は，先進国も含めた世界各国で活動を展開しており，東日本大震災の際には，わが国でもさまざまな子ども支援の活動を展開した。

5. 世界貿易の秩序形成を目的として，モノとサービスの貿易や知的財産権問題などを扱っているのは，世界貿易機関（WTO）である。また，開発途上国のための長期資金の供与を業務として行っているのは，国際復興開発銀行（IBRD）である。これに対して，国連貿易開発会議（UNCTAD）は，発展途上国の経済発展のために貿易と開発に関する諸問題を協議する場として国連内に設けられた国際会議である。

正答 **3**

思想　日本史　世界史　地理　政治・法律　経済

国際法に関する記述として最も妥当なのはどれか。なお，条約名は略称とする。

1 国際法を最初に体系的に論じたのは国際法の父といわれるカントである。彼は，『戦争と平和の法』において，平時には自然法の立場から国際社会にも諸国家が従うべき法があるが，戦時には国際法の適用が停止されざるを得なくなるとして，法によらず戦争に訴える国家を厳しく批判した。

2 領土・領海に限られていた国家の主権は，航空機の発達によって領空にまで及んだが，人類の活動領域が宇宙空間にも及ぶに至り，1966年に採択された宇宙条約では，月その他の天体を含む宇宙空間は，全ての国が国際法に従って自由に探査・利用できるとされた。

3 海洋については，1982年に採択された国連海洋法条約により，公海，排他的経済水域，領海の三つに分けられることになった。このうち，領海とは，基線から3海里以内で沿岸国が設定し得る水域であり，領海内では沿岸国の同意を得ない外国船舶の航行は禁止される。

4 大陸棚については，1958年に採択された大陸棚条約において，大陸棚の資源は人類の共同の財産であり，そのいかなる部分についても主権を主張したり，主権的権利を行使したりしてはならないとされ，国際機関が大陸棚の資源開発を管理することとなった。

5 国際紛争を裁判で解決するための機関として18世紀に創設された仲裁裁判所では，当事国が合意した場合に限り裁判が行われるとされ，紛争解決事例は少なかったが，国際連合に設置された国際司法裁判所は，強制的管轄権を付与され，当事国の合意がなくとも裁判を行うことが可能になった。

解説

1. 『戦争と平和の法』を著して国際法理論を初めて体系化し，後に「国際法の父」と呼ばれるようになったのは，カントではなくオランダの法学者グロティウス（1583〜1645年）である。彼は，「きわめて些細な理由で，あるいは，まったく理由なしに武器に訴えることが行われている」として，いったん武器がとられると，「どのような犯罪を犯しても差し支えない錯乱状態が公然と法令によって許されたかのような有様を呈している」と述べ，本肢の後半のような，法によらず戦争に訴える国家を厳しく批判した。

2. 妥当である（宇宙条約1条）。

3. 領海とは，基線から12海里以内で沿岸国が設定しうる水域である（国連海洋法条約3条）。この領海は，国家の領域の一部を構成し，沿岸国の領土主権に服するが（同2条），海上国際交通の便宜を図るためにその主権に制限が課されており，すべての国の船舶は領海において無害通航権を有するとされる（同17条）。

4. 1958年の大陸棚条約は，国際法上の大陸棚を水深200メートルまでの海底，またはそれを超える場合には開発が可能なところまでと定義して，沿岸国に天然資源を開発するための主権的権利を与えた。しかし，その後の技術の進歩によってこの定義が実情に沿わなくなり，国連海洋法条約によって新たな基準が設けられた。それによると，大陸棚は基線から原則として200海里までの海底区域をいい（国連海洋法条約76条），沿岸国はその天然資源を開発するために大陸棚に対して主権的権利を行使できるとされている（同77条1項）。

5. 国際司法裁判所が特定の国に強制管轄権を行使するには，その国が強制管轄権を受諾する旨の宣言（裁判所規程36条の2，選択条項）を行っていることが必要である。この宣言がなければ，その国に対しては強制管轄権を行使できない。なお，わが国は1958年に受諾の宣言をしている。

正答 **2**

政治や行政に関する記述として最も妥当なのはどれか。

1 現代の国家は，国の政策分野の拡大などを背景に，議会中心の「立法国家」から「行政国家」へと変化している。行政国家の下では，議会の制定する法律は行政の大綱を定めるにとどめ，具体的な事柄は委任立法として行政府に任される傾向が強まっている。

2 行政委員会の制度は，行政府から独立した機関を立法府の下に設置することによって，行政府の活動の適正さを確保しようとするものである。我が国では，決算行政監視委員会や公正取引委員会がそれに当たる。

3 圧力団体は，政府や行政官庁などに圧力をかけ，集団の固有の利益を追求・実現しようとする団体であり，政党や労働団体がその例である。そして，圧力団体の利益のために政策決定過程で影響力を行使する議員がロビイストであり，我が国ではロビイストは族議員とも呼ばれる。

4 比例代表制は，各政党の得票数に応じて議席数を配分する選挙方法である。この方法は，小選挙区制と比べ，大政党に有利で，死票が多くなる欠点をもつが，二大政党制をもたらすことによって，有権者に政権を担当する政党を選択する機会を与える。

5 我が国の政治資金規正法は，企業から政党への献金を禁止する一方，企業から政治家個人への寄付を促すことで，政治資金の調達の透明性を高めている。また，同法では，政党に対する国庫補助制度を導入し，政治資金に関する民主的統制の強化を図っている。

解説

1. 妥当である。現代の行政国家においては，行政府の委任立法や自由裁量が拡大しているため，議会による行政統制が弱まる傾向にある。

2. 行政委員会は府省の外局として設けられており，立法府に設けられる委員会（常任委員会および特別委員会）とは明確に区別される。わが国の場合，決算行政監視委員会は衆議院に設けられた（常任）委員会であり，公正取引委員会は内閣府に設けられた行政委員会である。

3. 圧力団体は，政権の獲得をめざさないという点で，政党とは明確に区別される。圧力団体の典型例は，労働団体，財界団体，農業団体などである。また，ロビイストとは，圧力団体の代理人として議員に接触し，影響力を行使する専門家のことであり，アメリカで典型的に見られる。わが国では専門職としてのロビイストは存在しないが，圧力団体の要求を官庁に伝える役割を果たすという意味で，しばしば議員（特に特定の政策分野で大きな影響力を持つ「族議員」）がロビイスト的役割を果たしているとされる。

4. 「大政党に有利で，死票が多くなる欠点をもつが，二大政党制をもたらすことによって，有権者に政権を担当する政党を選択する機会を与える」のは，「小選挙区制」の特徴である。比例代表制は，中小政党にも議席獲得の可能性を広げ，死票を減少させるという利点を持つが，多党制をもたらすことによって政治をしばしば不安定化させる。

5. わが国の政治資金規正法は，企業から政治家個人への献金を禁止する一方，企業から政党への献金を認めることで，政治資金の調達の透明性を高めている。また，政党に対する国庫補助制度（政党交付金制度）は，1994年に成立した政党助成法によって導入されたものであり，政治資金規正法とは無関係である。

正答　**1**

近年の雇用に係る法律の改正に関する記述として最も妥当なのはどれか。

1 長時間労働を抑制するため，平成20年に労働基準法が改正され，1か月60時間を超える時間外労働の法定割増賃金率が25％に引き上げられた。また，これに伴い，一定以上の年収がある労働者を労働時間規制から外すいわゆるホワイトカラー・エグゼンプション制度が導入された。

2 男女ともに仕事と家庭の両立ができる雇用環境を整備するため，平成21年にいわゆる育児・介護休業法が改正され，事業主は，育児休業を有給化することや通算1年の介護休業制度を整備することが義務付けられた。

3 リーマン・ショック以降の雇用情勢の悪化により，いわゆる派遣切りなど，派遣労働者の雇用環境が社会問題化したことから，派遣労働者の保護と雇用の安定を図るため，平成24年にいわゆる労働者派遣法が改正され，登録型派遣や製造業への労働者派遣が禁止された。

4 有期労働契約の反復更新の下で生じる雇止めに対する不安を解消し，労働者が安心して働き続けることができるようにするため，平成24年に労働契約法が改正され，有期労働契約が5年を超えて反復更新された場合，労働者の申込みにより，無期労働契約に転換させる仕組みが導入された。

5 高年齢者が少なくとも年金受給開始年齢まで働き続けられる環境を整備するため，平成24年にいわゆる高年齢者雇用安定法が改正され，年金支給開始年齢の引上げに併せて定年を65歳に引き上げることが事業主に義務付けられた。

解説

1. 60時間を超える時間外労働の法定割増賃金率は25％ではなく50％である（労働基準法37条1項ただし書）。また，主に事務作業に従事するホワイトカラー労働者について労働時間規制を完全に外して成果のみで賃金額を決定するというホワイトカラー・エグゼンプションの制度が平成20年の労働基準法改正によって導入されたという事実はない。

2. 育児休業は有給とはされていない（育児・介護休業法には育児休業を有給とする旨の規定は存在しない）。ただし，育児休業の取得を支援する観点から，一定額の育児休業給付金が支給される制度が雇用保険法で設けられている（雇用保険法61条の4）。なお，平成21年改正により，短期の介護休暇の制度が設けられたが（育児・介護休業法16条の5第1項），介護休業に関する改正はなく，介護休業の期間を93日以内とする点に変更はない（同15条1項）。

3. 平成24年改正法は，日雇い派遣の原則禁止，派遣労働者の無期雇用化の推進および待遇改善，違法派遣の場合の労働契約申込みみなし制度などを主な内容とするもので，登録型派遣の禁止や製造業への労働者派遣の禁止などは盛り込まれていない。登録型派遣（一般労働者派遣事業の別称，労働者派遣法5条以下）および製造業への労働者派遣（同附則4項）の禁止は，ワーキングプア対策として民主党政権が政策目標に掲げていたが，実現には至らなかった。

4. 妥当である（労働契約法18条1項）。なお，5年の通算期間は平成25年4月1日以降に開始したものに限られ，それ以前に開始したものは期間算入されない点に注意（同附則〈平成24・8・10〉2項）。

5. 平成24年の高年齢者雇用安定法の改正では，定年年齢の65歳への引上げは行われていない。同改正法では，従来，労使協定によって継続雇用制度の対象者を限定できるとしていたものが廃止され，希望者全員がその対象とされることになった（高年齢者雇用安定法8条，9条2項）。

正答　**4**

国家一般職
[大卒]

No.
454

教養試験

政治

中東戦争

平成24年度

中東戦争に関する記述として妥当なもののみをすべて挙げているのはどれか。

A：国連総会において，パレスチナ地域を分割しユダヤ人とアラブ人それぞれの国家をつくるという国連パレスチナ分割決議が採択され，翌年にはイスラエルが建国されたが，周辺アラブ諸国がこれに反対し，本格的な戦争へと発展した。この戦争の休戦協定においては，先の分割決議で示された地域よりも広い範囲をイスラエルが支配することとなり，多数のパレスチナ難民が発生した。

B：エジプトのナセル大統領がスエズ運河の国有化を宣言したことに対して，スエズ運河を保有していた英国は，イスラエルとともにエジプトに侵攻した。イスラエル建国を支持していた米国から支援を受けたものの，エジプトへの侵攻はソ連やフランスを初めとする国際社会からの強い反発を受け，米・英・イスラエルの三か国の軍は6日間でエジプトから撤退した。

C：エジプトとシリアが，イスラエルに占領された地域を取り戻すため，シナイ半島とゴラン高原でイスラエルと交戦した。この戦争に際し，アラブ石油輸出国機構（OAPEC）は，非友好国への石油輸出の禁止，石油供給の削減を行った。また，原油価格が大幅に引き上げられたため，先進諸国の経済は大きな打撃を受け，世界的な不況が引き起こされた。

1 A　**2** B　**3** A，C　**4** B，C　**5** A，B，C

解説

A：妥当である。1947年の国連パレスチナ分割決議（国連決議181号）に基づいて，翌48年にはイスラエルが建国された。しかし，エジプト，トランスヨルダン，シリア，レバノン，イラクなどの周辺アラブ諸国はこれを不満に思い，ただちにイスラエルに軍事侵攻した（第1次中東戦争）。1949年には停戦協定が成立したが，これによってパレスチナの約80％がイスラエルに帰属することとなり，土地を失った多数のパレスチナ人が難民化した。

B：誤り。1956年にエジプトのナセル大統領がスエズ運河の国有化を宣言すると，これを不満に思ったイギリスは，フランスやイスラエルとともにエジプトに軍事侵攻した（第2次中東戦争）。3か国は各地の戦闘で勝利を収めたが，アメリカやソ連が即時停戦を要求し，国際世論もこれに批判的であったことから，イギリスとフランスは同年中に国連の停戦決議を受け入れ，翌57年にはイスラエルもエジプトから撤退した。

C：妥当である。第3次中東戦争でイスラエルに占領された地域を取り戻すため，エジプトとシリアは1973年にイスラエルを奇襲した（第4次中東戦争）。この際，アラブ石油輸出国機構（OAPEC）は親イスラエル諸国に圧力をかけるため，石油戦略を発動したが，これによって原油価格が4倍にも跳ね上がり，先進諸国の経済は大きな打撃を受けた（第1次石油危機）。

　以上より，**3**が正しい。

正答　**3**

我が国の三権分立に関する記述として最も妥当なのはどれか。

1 国会の機関として設けられる弾劾裁判所の弾劾裁判で，罷免の宣告がなされた裁判官は，職を失う。司法権の独立の観点から，弾劾裁判所及び罷免の裁判を求める裁判官訴追委員会は，国会議員ではなく，現職の裁判官で構成される。

2 違憲立法審査権は，最高裁判所にはあるが，下級裁判所にはない。また，その対象は，国会の制定する法律に限られ，行政機関の命令・規則，行政処分については対象とならないと解されている。

3 最高裁判所の長たる裁判官は，内閣の指名に基づいて天皇が任命し，最高裁判所のその他の裁判官は，内閣が任命する。また，下級裁判所の裁判官は，最高裁判所の指名した者の名簿によって内閣が任命する。

4 内閣は，内閣不信任案が可決又は信任案が否決された場合のみ，衆議院を解散することができる。内閣は，衆議院を解散した場合，解散の日に総辞職しなければならず，また，解散の日から40日以内に総選挙が行われ，総選挙の日から30日以内に臨時国会が召集される。

5 国会は，国会議員の中から，内閣の長たる内閣総理大臣を指名する。この指名について，両議院の議決が異なる場合に，両院協議会を開いても意見が一致しないときは，改めて他の国会議員の中から指名しなければならない。

解説

1. 前半は正しい（憲法64条1項，78条，裁判官弾劾法37条）が，後半が誤り。弾劾裁判所および罷免の裁判を求める裁判官訴追委員会は，国会議員で構成される（憲法64条1項，国会法125条1項，126条1項，裁判官弾劾法5条1項，16条1項）。

2. 違憲立法審査権は，下級裁判所にもある（最大判昭25・2・1）。また，行政機関の命令・規則，行政処分も，その対象となる（憲法81条）。

3. 妥当である（同6条2項，79条1項，80条1項）。

4. 内閣は，内閣不信任案が可決または信任案が否決された憲法69条の場合以外にも，衆議院を解散することができる（同7条3号参照）。また，内閣が衆議院を解散した場合は，衆議院議員総選挙の後に初めて国会の召集があったときに，総辞職しなければならない（同70条）。さらに，総選挙の日から30日以内に召集されるのは特別国会である（憲法54条1項，国会法1条3項）。

5. 前半は正しい（憲法67条1項前段）が，後半が誤り。両院協議会を開いても意見が一致しないときは，衆議院の議決が国会の議決となる（同条2項）。

正答 **3**

国家一般職
［大卒］

No.
456

教養試験

経済　第二次世界大戦後の日本の経済　令和 5 年度

思想

日本史

世界史

地理

政治・法律

経済

第二次世界大戦後の我が国の経済に関する記述として最も妥当なのはどれか。

1 終戦直後に政府が傾斜生産方式を採用したことで、家電製品、機械、自動車などの輸出が増加した。その結果、日本の貿易黒字額が急速に膨らんで日米貿易摩擦が生じたため、シャウプ勧告がなされ、日米間でドル高の是正と政策協調が合意された。

2 1950年代初頭に勃発した朝鮮戦争により、狂乱物価と呼ばれる激しいインフレーションと不況が同時に進行するスタグフレーションが起こり、朝鮮戦争開始翌年の実質経済成長率は戦後初めてマイナスを記録した。

3 1950年代半ばから、神武景気、岩戸景気、オリンピック景気、いざなぎ景気という大型景気が相次ぎ、高度経済成長と呼ばれる急速な経済成長を遂げた。また、1960年代後半には国民総生産（GNP）が資本主義国で米国に次いで第 2 位になるなど、経済大国の仲間入りをした。

4 日銀の金融引締めや政府による不動産融資の総量規制などによって、1980年代後半には地価や株価が本来の価値以上に急上昇するバブル経済が発生した。バブル経済が崩壊すると、1990年代後半にはマイナス金利などの金融緩和策が導入された。

5 1990年代後半に発足した小泉内閣により、省エネルギー技術の開発や経営合理化など、「小さな政府」を目指す構造改革が行われた。この結果、株価や実質経済成長率が上昇してバブル経済当時の水準に戻るなど、日本経済は復活の兆しを見せた。

解説

1．家電製品、機械、自動車などの輸出が増加した結果、日本の貿易黒字額が急速に膨らんで日米貿易摩擦が生じたのは、1970年代頃以降のことである。1985年、アメリカ、イギリス、西ドイツ、フランス、日本によるプラザ合意で、アメリカの貿易収支を改善するために、ドル高を是正することが合意された。シャウプ勧告は、1949年にアメリカのシャウプを団長とする税制調査団によって出された、日本の税制改革に関する勧告である。

2．1973年に第 1 次石油危機が起きた結果、日本は狂乱物価と呼ばれる激しいインフレーションと同時に、景気の停滞に見舞われ、翌1974年の実質経済成長率は戦後初めてマイナスを記録した。

3．妥当である。

4．バブル経済は、日銀の金融緩和の結果、低金利の下で調達された資金が、設備投資だけではなく株式や土地購入の投機にも向けられたことなどから発生した。1989年以降、日銀が金融引締めに転じ、政府が不動産融資の総量規制を行ったことなどにより、バブル経済は崩壊した。1999年にはゼロ金利政策、2001年からは量的緩和政策などの金融緩和策が導入された。マイナス金利が導入されたのは2016年である。

5．2001年に発足した小泉内閣により、郵政民営化、道路公団民営化、特殊法人改革など「小さな政府」をめざす構造改革が行われた。この時期、株価や実質経済成長率の上昇がみられることもあったが、バブル経済当時の水準に戻ることはなかった。

正答　**3**

金融の仕組みや働きに関する記述として最も妥当なのはどれか。

1 流通している貨幣を現金通貨，流通していない貨幣を預金通貨という。現金通貨は，流通規模が預金通貨に比べて大きく，流動性が高いという特徴があり，預金通貨は，当座預金のように預けてから一定期間は引き出せないという特徴がある。

2 金本位制度とは，通貨価値を米国が保有する金の量と結び付けることで，通貨価値を安定させるものである。この制度は，不況期に通貨量が増大してインフレーションを引き起こしやすいが，1970年代に米国のニクソン大統領が金の交換停止を発表するまで，多くの国で採用されていた。

3 金融には，銀行などからの借入れによって資金を直接調達する直接金融と，企業が有価証券を発行し金融市場を介して資金を調達する間接金融がある。金融市場には1日で取引が完了する株式市場などを扱う短期金融市場と，1日を越えて取引する手形市場などを扱う長期金融市場がある。

4 銀行の主要な業務として，預金として資金を預かる預金業務，株式や社債などの発行引受や販売などを行う為替業務がある。また，最後の貸手として，資金繰りが困難になった企業に資金を供給することで信用創造を行い，社会全体としての資源配分が適正になるよう調整している。

5 通貨制度の中心として金融政策を担うのが中央銀行であり，我が国の中央銀行は日本銀行である。日本銀行は，発券銀行として銀行券を独占的に発行したり，銀行の銀行として市中金融機関に資金を貸し出したりするほか，政府の銀行として国庫金の出納なども行う。

解説

1. 現金通貨は銀行券と貨幣の総称であり，預金通貨は普通預金や当座預金などいつでも払い戻せる要求払預金のことである。また，現金通貨（残高）は預金通貨（残高）のおよそ9分の1である。

2. 金本位制度とは，貨幣価値を貨幣発行国が保有する一定量の金との等価関係で示す制度である。また，金本位制度の下では，貨幣発行量が金の保有量によって制約されるので，不況時に通貨量が増大することはなく，インフレーションを引き起こしやすいということもない。さらに，多くの国は1930年代以降に金本位制度から脱却した。

3. 銀行などからの借り入れによる資金調達は間接金融であり，有価証券発行による資金調達は直接金融である。また，短期金融市場とは期間1年以内の資金取引が行われる市場のことであり，手形市場がその例である。さらに，長期金融市場とは短期金融市場以外の市場であり，株式市場がその例である。

4. 銀行の為替業務とは，株式や社債などの発行引受けや販売でなく，振込による送金などである。また，「最後の貸し手」とは一般に，一時的な資金不足に陥った金融機関に対して貸付等を行う中央銀行のことである。さらに，信用創造とは銀行が貸付によって預金通貨を創造する仕組みであり，それが，社会全体としての資源配分を適正になるように調整しているとは限らない。

5. 妥当である。

正答 **5**

国際経済に関する記述として最も妥当なのはどれか。

1 リカードは，保護貿易政策を理論的に擁護するために比較生産費説を提唱した。この考え方によると，A国とB国がそれぞれ，財1と財2を生産する場合，もしA国が両財共にB国よりも安く生産できるならば，両財共にA国が生産することが効率的となる。

2 一国の一定期間における対外経済取引の収支を示したものが国際収支であり，経常収支や金融収支などから成る。また，財貨・サービスの国際取引を示す貿易・サービス収支は経常収支に含まれる。

3 貿易収支は，輸出額から輸入額を引いて算定される。近年の我が国の貿易収支を暦年でみると，2010年から2019年まで黒字額が拡大傾向で推移した。一方，我が国のサービス収支についても，日本国外への旅行が増加したことに伴い，同期間では黒字が継続した。

4 外国為替市場の仕組みについてみると，例えば我が国の米国に対する貿易黒字が大きくなった場合，米国によるドルでの支払額が大きくなるため，為替市場でドル買い・円売りの圧力が大きくなり，ドル高・円安方向への動きが強くなる。

5 外国為替相場の状況についてみると，2000年代以降，円高・ドル安傾向が強くなっていったが，2010年代初頭の東日本大震災の直後には，未曾有の国難に伴う円売りの動きが強くなり，一時1ドル120円となった。その後，再び円高傾向が強くなり，その傾向は2016年頃まで続いた。

解説

1. リカードの比較生産費説は，保護貿易政策ではなく，自由貿易政策を理論的に擁護する学説である。また，この学説によれば，A国が財1と財2の両財においてB国より安く生産できるとしても，A国が両財を生産することは非効率的であり，A国は比較優位を持つ財の生産に特化し，B国が他方の財の生産に特化して，両国が貿易を行うことによって効率的な状態を実現できる。

2. 妥当である。

3. 貿易収支の算出に関する記述は正しい。わが国の貿易収支は，2011年から2015年まで赤字であり，2016年から2019年までは黒字である。また，2011年から2014年まで貿易赤字は拡大し，2016年から2019年まで貿易黒字は縮小傾向にある。

4. わが国のアメリカに対する貿易黒字が大きくなると，アメリカの日本（企業）に対する支払額が増大し，円に対する需要が増大する。そのため，為替市場ではドル売り・円買いの圧力が大きくなり，為替レートはドル安・円高方向への動きが強くなる。

5. 為替レートの推移を見ると，2002年に1ドル125.17円となった後，2011年の1ドル79.77円までドル安・円高傾向となり，2011年3月の東日本大震災直後にはドルに対して円は急騰した。その後，為替レートは2017年の1ドル112.13円までドル高・円安方向に動いた。

参考資料：『令和2年版　経済財政白書』

正答　**2**

国家一般職
［大卒］
No.
459
教養試験
経済　国際通貨体制　令和2年度

1930年代から1980年代までの国際通貨等の動向に関する記述として最も妥当なのはどれか。

1　1930年代には世界恐慌の影響による不況への対策として，各国は，輸入品を安く大量に獲得するための激しい為替の切上げ競争を行った。この結果，為替相場も乱高下し世界貿易は不均衡となったため，各国は金本位制を導入し為替相場の安定化を図った。

2　第二次世界大戦後の国際経済秩序であるブレトン＝ウッズ体制の下で，国際通貨基金（IMF）などの国際機関の設立と同時期に変動為替相場制が導入された。また，同体制を支えるため，金とドルとの交換が停止されるとともに，米国のドルが基軸通貨とされた。

3　1970年代初頭，米国の経済力が他の先進諸国を圧倒し，金準備高も増大していく中，米国は，ベトナム戦争への介入を契機として，金とドルの交換を保証したため，外国為替市場は安定に向かった。

4　1970年代末，外国為替市場では為替投機が活発化したため，固定為替相場制を維持することが困難となり，主要各国はスミソニアン協定を結び変動為替相場制に移行した。また，為替相場の安定化に伴い，IMF加盟国が担保なしに通貨を引き出せる特別引出権（SDR）制度は廃止された。

5　1980年代前半，米国は，国内の金利の上昇に伴いドル高となり，経常収支が赤字となった。このため，1980年代半ばに主要先進国の間でプラザ合意が交わされ，ドル高を是正するため各国が協調して為替介入が行われることとなった。

解説

1．世界恐慌後，各国は不況対策・貿易収支の改善として輸出産業を刺激するために為替の切下げ競争を展開した。その結果，世界的に金本位制は崩壊し管理通貨制度へ移行した。

2．第二次世界大戦後のブレトン＝ウッズ体制では，変動為替相場制（変動相場制）ではなく，固定為替相場制（固定相場制）が導入された。また，アメリカのドルが基軸通貨とされた点は正しいが，金または金との交換が保証されるドルによって自国通貨の交換比率を保証するものであった。

3．1970年代初めには，ヨーロッパ諸国や日本が経済的に台頭する中，アメリカはベトナム戦争への介入などにより，金保有量を減少させ，1971年には金とドルの交換を停止させた（ニクソン・ショック）。これを受けて，外国為替市場は不安定化した。

4．1971年8月のニクソン・ショックを受け，1971年12月，金に対してドルを切り下げるなどして固定相場制の維持を図るスミソニアン協定が合意された。しかし，1973年から各国が変動相場制へ移行すると，1976年のキングストン合意で変動相場制への移行が認められた。また，1970年にIMFが，金・ドルにかわる準備資金として運用開始したSDR制度は廃止されていない。

5．妥当である。

正答　**5**

国家一般職
［大卒］
教養試験
No.
460
経済　日本の経済・財政事情 令和元年度

我が国の2000年以降の経済・財政事情に関する記述として最も妥当なのはどれか。

1　我が国では，人口が2005年に戦後初めて減少に転じた。一方で，完全失業率は，2008年のリーマン・ショック後に高度経済成長期以降初めて 7 ％を超えた。また，派遣労働者を含む非正規雇用者の全雇用者に占める割合は一貫して増加しており，2016年には50％を超えた。

2　中小企業基本法によると，中小企業の定義は業種によって異なるが，小売業では，常時使用する従業員の数が50人以下の企業は中小企業に分類される。2014年には，我が国の中小企業は，企業数では全企業の90％以上を，従業員数では全企業の従業員数の50％以上を占めている。

3　国内で一定期間内に新たに生み出された価値の合計額を GDP といい，GNP に市場で取引されない余暇や家事労働などを反映させたものである。また，経済成長率は一般に，GDP の名目成長率で表され，2010年以降における GDP の名目成長率は 2 ％台で推移している。

4　我が国では，国民皆保険・国民皆年金が実現しており，2015年度には国民所得に対する租税・社会保障負担の割合は50％を超え，OECD 諸国内でも最も高い水準にある。また，我が国の歳出に占める社会保障関係費の割合も年々高まっており，2015年度には50％を超えた。

5　我が国では，財政法により，社会保障費などを賄う特例国債（赤字国債）を除き，原則として国債の発行が禁止されている。我が国の歳入に占める国債発行額の割合は一貫して高まっており，政府長期債務残高は2017年度には対 GDP 比で 3 倍を超えた。

解説

1.　日本の人口は2008年をピークにして減少に転じた。また，高度経済成長期以降において，完全失業率は 7 ％を超えたことがなく，2002年の5.4％が最高で，2008年は4.0％，2009年は5.1％であった。さらに，2016年の非正規雇用者の全雇用者に占める割合は，37.5％であった。

2.　妥当である。

3.　GDP の定義は正しいが，市場取引きされない余暇や家事労働などは GDP にも反映されておらず，GNP から海外からの純所得を差し引いたものが GDP である。また，経済成長率は一般に GDP の名目成長率ではなく，実質成長率で表される。さらに，2010年以降において名目 GDP 成長率が 2 ％台以上となったのは，2010年（2.1％），2014年（2.0％）および2015年（3.7％）だけである。

4.　2015年度の国民所得に対する租税・社会保障負担の割合，すなわち国民負担率は42.6％であり，50％を超えていない。また，この水準は OECD 諸国内でも低い水準である。さらに，日本の歳出に占める社会保障関係費の割合は年々高まっているが，50％を超えていない。

5.　財政法は，公共事業費，出資金および貸付金の財源に充てる「建設国債」を除き，原則として国債の発行を禁じているが，特例国債は財政法によらず，特例法によって発行される。また，2009年度以降の日本の歳入に占める国債発行額の割合（決算）の推移を見ると，2012年度と2016年度を除いて前年度比減となっている。さらに，2017年度の政府長期債務残高は対 GDP 比で 3 倍を超えておらず，実績見込みで，国の長期債務残高は対 GDP 比157％，国と地方の長期債務残高は対 GDP 比187％となっている。

正答　**2**

参考資料：『平成30年度版 経済財政白書』『債務リポート2018』「日本の財政関係資料」（財務省）

国家一般職
［大卒］
No.
461
教養試験

経済　第二次世界大戦以降の日本経済　平成30年度

第二次世界大戦以降の我が国の経済に関する記述として最も妥当なのはどれか。

1 連合国軍最高司令官総司令部（GHQ）が行った農地改革では，自作農を抑制し，地主・小作関係に基づく寄生地主制が採られた。一方，労働改革については民主化が期待されていたが，財閥の反対により労働基準法を含む労働三法の制定は1950年代初めまで行われなかった。

2 経済復興のために傾斜生産方式が採用された結果，通貨量の増加によるインフレーションが生じた。GHQは，シャウプ勧告に基づき間接税を中心に据える税制改革等を行ったものの，インフレーションは収束せず，朝鮮戦争後も我が国の経済は不況から脱出することができなかった。

3 我が国は，1955年頃から，神武景気，岩戸景気等の好景気を経験したが，輸入の増加による国際収支の悪化が景気持続の障壁となっており，これは国際収支の天井と呼ばれた。また，高度経済成長期の1960年代半ばに，我が国は経済協力開発機構（OECD）に加盟した。

4 1973年の第1次石油危機は我が国の経済に不況をもたらしたため，翌年には経済成長率が戦後初めてマイナスとなった。また，第2次石油危機に際しても省エネルギー技術の開発が進まず，国際競争力で後れを取ったため，貿易赤字が大幅に拡大していった。

5 1980年代末のバブル景気の後，1990年代には，政府の地価抑制政策などをきっかけに，長期にわたり資産価格や消費者物価の大幅な上昇が見られるとともに，景気の停滞に見舞われた。1990年代の企業は，金融機関からの融資条件の緩和を背景に積極的に人材雇用を行ったため，失業率は低下傾向で推移した。

解説

1．農地改革では，地主・小作関係に基づく寄生地主制を解体し，自作農の存立が促された。また，労働三法とは労働基準法（1947年），労働組合法（1945年），労働関係調整法（1946年）のことであり，いずれも1940年代に制定された。

2．傾斜生産方式の採用により，過剰な資金投入が行われてインフレーションが生じた。また，インフレーション抑制のために採られたのはシャウプ勧告に基づく税制改革ではなく，財政・金融政策の引締めを図るドッジ・ラインである。このドッジ・ラインでインフレーションは収まったが，日本は安定不況に陥った。さらに，朝鮮戦争勃発により，いわゆる朝鮮特需で日本は好景気を迎えることになった。

3．妥当である。ちなみに，日本が経済協力開発機構（OECD）に加盟したのは1964年である。

4．前半の記述は正しい。第2次石油危機によって日本の貿易収支の黒字幅は急減したが，省エネルギー技術の開発が進み，国際競争力がついたため，1981年には黒字幅は急増した。

5．1990年代には，長期にわたり資産価格や消費者物価の大幅な下落が見られた。また，1990年代の企業は，金融機関の貸し渋りや貸し剥がしなどもあって雇用を悪化させ，わが国の失業率は上昇（1990年2.1％→2000年4.7％）した。

正答　**3**

財政やその機能に関する記述として最も妥当なのはどれか。

1 財政とは，国が単独で行う経済活動をいい，その機能には，資源配分，所得再分配，景気調整，金融調節，為替介入の五つがある。例えば，景気を立て直そうとする場合に，景気調整と資源配分を組み合わせた財政政策が行われるが，これをポリシー・ミックスという。

2 資源配分機能とは，電気，ガスなどの純粋公共財や，交通機関，通信回線などの公共サービスを政府が財政資金を用いて供給することをいう。例えば，政府は，電力会社や鉄道会社などに対して補助金を交付することで，全国一律の料金で同等のサービスが受けられるようにしている。

3 所得再分配機能とは，資本主義経済では所得格差が発生するため，税制度や社会保障制度を通じて所得の均一化を図ることをいう。例えば，所得の多い人ほど一般に消費性向が高く，消費税による税負担の割合が重くなるという累進課税がこの機能の一つである。

4 自動安定化装置（ビルト・イン・スタビライザー）とは，自動的に税収が増減したり，社会保障費が増減したりする機能である。例えば，景気の拡大期には，所得の増加に伴って個人消費が伸び，消費税による税収が増えることで積極的な財政政策を行わせ，景気を更に拡大させる。

5 裁量的財政政策（フィスカル・ポリシー）とは，政府が公共支出や課税の増減を行うことで，有効需要を適切に保ち，景気循環の振幅を小さくして経済を安定させる政策である。例えば，不景気のときには，減税をしたり国債の発行によって公共事業を増やしたりする。

解説

1. 財政とは政府の経済活動の収支のことであり，国が単独で行う経済活動に限定されていない。財政の機能には，資源配分，所得再分配および経済の安定化の3つがある。ポリシーミックスとは，複数の機能を組み合わせた政策ではなく，複数の政策を組み合わせて実施することである。

2. 電気やガスは純粋公共財（集団的に供給され，ある個人が利用するときに他の個人の利用を排除することが困難という「排除不可能性」，およびある主体の利用する財・サービスの量が他の主体の利用量に影響を与えず，ある主体への財・サービスの量を増やしても他の主体への量を減らすこともないという「非競合性」の2つの性質を満たす財）ではない。また，電力会社や鉄道会社などに対して補助金が交付され，全国一律の料金で同等のサービスが受けられるようにはなっていない。

3. 資本主義経済だからといって所得格差が発生するとは限らない。一般に，所得が多い人ほど消費性向は低く，消費税による税負担の割合は軽くなる（逆進性）。ちなみに，所得再分配機能としては，所得税などへの累進税率の適用や資産課税などがある。

4. 自動安定化装置（ビルトイン・スタビライザー）とは，景気の拡大期には，所得の増加に伴って所得税税収が増えたり，消費税税収が増えたりして，個人消費などの総需要の伸びを抑制し，景気の拡大を抑制する機能である。

5. 妥当である。ちなみに，裁量的財政政策（フィスカル・ポリシー）は経済の安定化機能を果たすために実施される。

正答 **5**

国家一般職
[大卒]
No.
463
教養試験
経済 　　　**為　替**　　　 _{平成}**28**_{年度}

為替に関する記述として最も妥当なのはどれか。

1 外国通貨と自国通貨の交換比率のことを外国為替相場，銀行間で外貨取引を行う市場を外国為替市場という。外国為替相場は米国と各国の中央銀行間で決定されており，基軸通貨である米ドルと各国の通貨との交換比率が「１ドル＝100円」のように表される。

2 第二次世界大戦後，外国為替相場の安定と自由貿易の促進を目的としたブレトン＝ウッズ体制の下で固定為替相場制の体制が成立した。我が国が国際貿易に復帰する時には，「１ドル＝360円」の相場であった。

3 1973年に先進国間でプラザ合意が成立し，我が国も変動為替相場制へ移行することとなった。経済成長とともに我が国の貿易黒字が拡大し，日米間での貿易摩擦に発展した。そのため，円高・ドル安の傾向が強まり，1985年には「１ドル＝80円」に達した。

4 貿易での決済がドルで行われる場合，円高・ドル安になると我が国の輸入は増加し，円安・ドル高になると我が国の輸出が増加する。為替相場を誘導することは貿易問題を引き起こしやすいことから，国家による為替介入は，変動為替相場制の下では禁止されている。

5 為替相場の変動によって生じる利益のことを為替差益といい，例えば日本円を「１ドル＝100円」の相場で全てドルに交換し，その相場が円高・ドル安に進んだ後，全て日本円に交換すると，利益が出ることになる。

解 説

1．外国為替市場とは異なる通貨を交換（売買）する場のことであり，そこで行われる取引には，個人や企業が金融機関と行う取引（対顧客取引）と金融機関同士が直接または外為ブローカーを通じて行う取引（インターバンク取引）がある。また，外国為替相場とは，外国為替市場において異なる通貨が交換される際の交換比率のことであり，外国通貨と自国通貨の交換比率に限定されない。さらに，変動為替相場制の下での外国為替相場は外国為替市場での需要と供給のバランスによって決まるものであって，アメリカと各国の中央銀行間で決定されるものではなく，米ドルとの交換比率で表されるとは限らない。

2．妥当である。

3．プラザ合意は1985年のことである。1971年のドルと金の兌換停止（ニクソン・ショック）を受けて，日本を含む主要国は変動為替相場制へ移行し，1976年のキングストン合意で金の廃貨が決まった。また，1985年のプラザ合意は，1980年代前半のレーガン政権下で顕在化した「双子の赤字」を背景にして進んだドル高を是正するための合意であり，1985年の為替レートは「1ドル＝238.05円」であった。

4．前半の記述は妥当である。変動為替相場制において，国家による為替介入（正式名称：外国為替平衡操作）は禁止されていない。ちなみに，日本では，為替介入は財務大臣の権限において実施されることとなっており，実施の時期，タイミング，金額等の決定は財務大臣が行っている。なお，日本銀行は，外国為替資金特別会計法と日本銀行法に基づいて，財務大臣の代理人として，財務大臣の指示に基づいて為替介入の実務を遂行している。

5．前半の記述は妥当である。円高・ドル安とは「1ドル＝100円」から「1ドル＝90円」というように，1ドルを買うのに必要な「円」が少なくなる，あるいは1ドルで得られる「円」が少なくなる現象をいう。したがって，1ドルを100円で買い，「1ドル＝90円」の円高・ドル安になって「円」を買い戻すと，手元には90円しか戻らず，10円の損失を被る。この例のように，為替相場の変動によって生じる損失のことを「為替差損」という。

正答 **2**

経済主体と経済の循環に関する記述として最も妥当なのはどれか。

1 家計は，消費を行う主体であり，財・サービスを企業や政府に提供し，その見返りとして賃金や利子を得る。企業等から得た賃金を所得といい，税・社会保険料を支払って残った中から消費支出を行う。貯蓄は消費支出に含まれ，投資とは区別される。

2 企業は，生産を行う主体であり，機械設備と原材料費の二つの固定資本をもとに商品を作り，他の企業や家計，政府に販売して利潤を得る。生産活動を行うに当たって，自己資本のみでは不足する場合等には，株式を発行するなどして，他人資本による資金を調達する場合も多い。

3 政府は，一国の経済活動全体を調整する主体であり，財政・金融政策を実施する政府機関として，日本銀行がある。日本銀行は通貨供給量を適切に管理する役割があり，日本銀行が保有している通貨をマネーストック，企業や家計に流通している通貨をマネーサプライという。

4 資金が不足している経済主体と，資金に余裕がある経済主体との間で，資金を融通し合うことを金融という。貯蓄された資金は，銀行預金や株式などを通じて企業の投資資金となり，また，公債を通じて政府の財源の一部ともなる。

5 金融機関は，経済主体間の資金を取り次ぐ役割を担っている。銀行が預金に現金と同等の機能を持たせ，現金のやり取りを介さずに決済業務や為替業務を行うことを信用創造といい，これにより海外との商取引も可能となっている。

解説

1. 家計は，労働や資本を企業や政府に提供し，その見返りとして賃金や利子を得る。また，家計は，賃金や利子などの形で得た所得から税や社会保険料を除いた可処分所得を消費支出と貯蓄に振り分けて使う。よって，貯蓄は消費支出には含まれない。

　※所得＝税・社会保険料＋消費支出＋貯蓄
　　　　　　　　　　　　　　可処分所得

2. 原材料費は資本の分類でなく，費用の分類である。ちなみに，原材料費は生産量に応じて変化する「可変費用」であり，原材料は1回の生産過程でその価値全体が生産物に移転する「流動資本」である。また，株式は返済の義務がない自己資本であり，他人資本の例として社債がある。

3. 日本銀行は認可法人であり，政府機関でない。また，日本銀行は財政政策を実施しない。マネーストックは従来マネーサプライと呼ばれていたもので，金融部門から経済全体に供給されている通貨の総量のことである。ゆうちょ銀行が国内銀行として取り扱われることになったことや金融商品が多様化したことを背景に，日本銀行は，金融部門や金融商品の範囲を見直す際に，名称をマネーサプライからマネーストックへ変更した。

4. 妥当である。

5. 信用創造とは，銀行に預けられた預金の一部は貸し出され，その貸し出された現金が再び銀行預金となり，新たなこの預金の一部がまた貸し出されるといった一連の動きによって，市中に出回る通貨の量が増える仕組みのことである。

正答　**4**

国民所得や景気変動に関する記述として最も妥当なのはどれか。

1　GNP（国民総生産）は，GDP（国内総生産）より海外からの純所得（海外から送金される所得－海外へ送金される所得）を控除することで得られる。GNPとGDPを比較すると，GNPはGDPより必ず小さくなる。

2　名目GDPの増加率である名目成長率から，物価上昇率を差し引くと，実質GDPの増加率である実質成長率が求められる。また，我が国の場合，第二次世界大戦後から2013年までに，消費者物価上昇率（前年比）が7.5％を上回ったことはない。

3　NI（国民所得）は，生産，支出，分配の三つの流れから捉えることが可能である。また，生産国民所得から支出国民所得を差し引いた大きさと分配国民所得の大きさが等しいという関係が成り立つ。

4　景気が好況時に継続的に物価が上昇することをスタグフレーションという。我が国の場合，デフレーションと不況が悪循環となるデフレスパイラルの現象が見られたことはあるが，スタグフレーションの現象が第二次世界大戦後から2013年までに見られたことはない。

5　景気の波のうち，在庫調整に伴って生じる周期3年から4年ほどの短期の波を，キチンの波という。一方，大きな技術革新などによって生じる周期50年前後の長期の波を，コンドラチェフの波という。

解説

1. GNP（国民総生産）は，GDP（国内総生産）に海外からの純所得（海外から送金される所得－海外へ送金される所得）を合算することで得られる。また，GNPがGDPより小さくなるとは限らない。

2. 第二次世界大戦以降の日本の消費者物価上昇率（前年比）を見ると，オイルショック期などに前年比7.5％を上回ったことがある。

3. 生産，支出，分配のいずれの面から見ても一致する。これを三面等価の原則という。

4. スタグフレーションとは，不況・景気停滞と継続的な物価上昇が併存する状態である。また，日本はオイルショック期にスタグフレーションに陥ったことがある。

5. 妥当である。ちなみに，キチンの波やコンドラチェフの波のほかに，設備投資に伴って生じる周期10年程度のジュグラーの波や建設に伴って生じる周期20年程度のクズネッツの波がある。

正答　**5**

思想
日本史
世界史
地理
政治・法律
経済

国家一般職
[大卒]
No.
466
教養試験
経済　わが国の ODA
〈改題〉
平成 25年度

思想

日本史

世界史

地理

政治・法律

経済

我が国の政府開発援助（ODA）に関する記述として最も妥当なのはどれか。

1　ODA には，開発途上国を直接支援する二国間援助と，間接支援する多国間援助がある。我が国の2019年の ODA 実績（支出純額）の内訳をみると，多国間援助が二国間援助よりも多い。

2　二国間援助は，開発途上国に対して無償で提供される「贈与」と，将来，開発途上国が返済することを前提としている「政府貸付」に大別することができる。我が国の2019年の二国間援助（支出純額）の内訳をみると，「贈与」が「政府貸付」よりも多い。

3　多国間援助には，国連児童基金（UNICEF）や世界保健機関（WHO）への拠出などがあるが，国際復興開発銀行（IBRD）やアジア開発銀行（ADB）などの経済成長や経済協力などを目的とする国際機関への拠出金は，多国間援助には含まれない。

4　我が国の ODA 実績（支出純額）は，2001年にアメリカ合衆国に抜かれ，世界第2位となったが，その後は2位を維持している。一方，ODA の国民一人当たりの負担額をみると，2019年においては世界第1位となっている。

5　我が国の二国間援助について，2019年の地域別実績（支出総額）をみると，依然として内戦や紛争，難民，干ばつによる飢餓，感染症のまん延など，発展を阻害する深刻な問題を抱える国が多いアフリカ地域が最も高く，全体の約6割を占めている。

解　説

1．前半の記述は妥当である。日本の2019年の ODA 実績（支出純額）を見ると，多国間援助（42億4,275万ドル）は二国間援助（74億7,742万ドル）より少ない。

2．妥当である。ちなみに，日本の2019年の二国間援助（支出純額）を見ると，贈与は31億2,303万ドル，政府貸付等は11億1,972万ドルであった。

3．国際復興開発銀行（IBRD）やアジア開発銀行（ADB）などの国際機関への拠出金も多国間援助に含まれる。

4．日本の ODA 実績（支出純額）は1991〜2000年は世界第1位であったが，2001年以降次第に順位を下げ，2019年はアメリカ，ドイツ，イギリスに次ぐ第4位であった。また，2019年の DAC 諸国における ODA の国民一人当たりの負担額を見ると，第1位はノルウェー（800.3ドル）であり，日本（123.6ドル）は第16位であった。

5．日本の二国間援助について，2019年の地域別実績（支出総額）の内訳を見ると，第1位はアジアであった。ちなみに，アジア61.1％，中東・北アフリカ10.3％，サブサハラ・アフリカ10.6％，中南米2.8％，大洋州1.5％，欧州0.5％，複数地域にまたがる援助等13.2％である。

参考：『2020年版　開発協力白書 日本の国際協力』

正答　**2**

第二次世界大戦後の我が国の経済史に関する記述として最も妥当なのはどれか。

1　1960年代を通して，個人消費や設備投資などの内需が低迷したことから，我が国の企業は需要を海外に求めて輸出を伸ばした。その結果，大幅な貿易黒字が発生し，自動車や半導体をめぐる貿易摩擦が欧米諸国との間で深刻化した。

2　1970年代前半に策定された「国民所得倍増計画」では，完全雇用を維持しつつ，10年間に実質国民所得を2倍にするという目標が設定された。このため，我が国の経済は，景気過熱とインフレーションが共存する「スタグフレーション」に直面した。

3　1980年代前半のニクソンショックにより円安ドル高が進展し，民間設備投資ブームが生じたため，景気拡張の期間が57か月に及ぶ大型景気が到来した。この景気は巨額の税収をもたらしたことから，1980年代半ばには，赤字国債の残高はゼロになった。

4　1980年代後半には，低金利政策などによって生じた余剰資金が，株式や土地購入などへの投機に向かったため，株価や不動産価格などの資産価格は高騰した。一方，この時期，卸売物価，消費者物価は，資産価格のような大きな変化はなかった。

5　1990年代初頭，政府は我が国の経済を「ゆるやかなデフレにある」と認定し，デフレ脱却のための各種措置を講じた。その一環として実施された量的緩和政策は，積極的な財政支出により有効需要を刺激しようとするものであった。

解　説

1．記述内容は，1980年代のことである。

2．「国民所得倍増計画」は1960年に策定された。この計画は「東洋の奇跡」とも言われる経済成長をもたらし，海外からも注目された。なお，スタグフレーションは，不況とインフレーションが共存する状態を示す造語である。

3．1970年から景気後退する中で，1971年にニクソンショックが起こり，日本の景気停滞感は強まった。また，景気拡張期間が57か月に及んだいざなぎ景気は，1965年から始まった。さらに，いざなぎ景気で公債依存度は低下したが，赤字国債の発行は1975年からであり，それ以後赤字国債残高がゼロになったことはない。

4．妥当である。

5．日本がデフレに入ったのは，1990年代後半からである。また，量的緩和政策とは，日本銀行が金融機関に潤沢な資金を供給することで，ゼロ金利政策と同等以上の金融緩和効果を実現しようとする政策である。2001年3月から実施され，2006年3月に解除された。

正答　**4**

国家Ⅱ種

教養試験

No.
468
経済 日本の経済事情 平成23年度

思想
日本史
世界史
地理
政治・法律
経済

我が国の経済状況に関する記述として最も妥当なのはどれか。

1 我が国の名目GDPは1990年代以降，ほぼ一貫して増大していたが，2009年には減少に転じている。これは2008年9月のリーマンショックにより，景気が後退局面に入ったことに伴うものである。

2 GDPに占める民間最終消費支出（個人消費）の割合は，長期的に緩やかな上昇傾向で推移し，2000年代初頭は4割弱の水準で安定していたが，2000年代後半の景気後退によって，当該割合は3割程度に低下した。

3 リーマンショック後における企業の生産活動の落ち込みは，2000年代初頭のITバブル崩壊後の落ち込みには及ばないものの，それに次ぐものであった。企業の生産活動は2009年春頃に持ち直しに転じたが，1980年代以降の景気持ち直し局面と比較すると増加率が小さかった。

4 基礎的財政収支（プライマリーバランス）は，利払費を含む歳出を歳入でまかなえるかどうかを示すものである。国と地方を合わせた我が国の基礎的財政収支は2000年代初めまでは黒字であったが，その後は赤字に転じている。

5 雇用情勢が悪化するなかで，特に若年世代の雇用環境の悪化が目立った。2009年における15〜24歳の失業率は全年齢の失業率よりも高く，また，大学の新規学卒者の就職率（4月1日現在）については，2009年，2010年とも前年を下回った。

解説

1. 日本の名目GDPの1990年代以降における推移を暦年ベースで見ると，1998〜99，2001〜02および2008〜09年で前年比減となっている。日本経済は2007年10月をピークに後退局面に入り，2008年にマイナス成長に転じると，2008年9月のリーマンショック後，急速に悪化した。

2. GDPに占める民間最終消費支出（個人消費）の割合は，長期的には安定的ないし低下しても緩やかなものであった。2000年代初頭の同割合は6割程度であり，その後いくぶん低下したものの，2000年代後半には回復して再び6割程度となった。

3. リーマンショック後における企業の生産活動の落ち込みは，比較的大幅だった2000年代初頭のITバブル崩壊後の落ち込みに比べても大きかった。また，2009年春ごろからの持ち直しの幅についても，1980年代以降の景気持ち直し局面と比較しても大きかった。

4. 基礎的財政収支（プライマリーバランス）とは，「利払い費を除く歳出」を「借入および利子収入を除く歳入」で賄えるか否かを示すものである。また，国と地方を合わせた日本の基礎的財政収支は，1992年度以降赤字を続けている。

5. 妥当である。

参考資料：『平成22年度版 経済財政白書』

正答 **5**

次のA～Dは，ヨーロッパの国々の経済事情に関する記述であるが，該当する国名の組合せとして最も妥当なのはどれか。

A：近年，金融業が発達し，国民一人当たりの国民所得では，世界でも有数の高所得国となっていた。しかし，世界的な金融危機とともに投資資金の国外流出が始まり，2008年10月には信用不安の高まりを受けて国内の三大銀行が国有化された。

B：2009年，政権交代を受け成立した新政権は，前政権が財政赤字を過小評価していたことを公表，これにより，この国の財政への不安が拡大し，国債金利が急騰した。同国政府は2010年4月にIMF及びEU等に対して金融支援を要請し，3年間で1,100億ユーロの支援が決定された。

C：EU諸国のなかでは，住宅バブル崩壊の影響，世界的な金融危機によるマクロ経済への影響は比較的小さく抑えられてきたが，2009年にはマイナス成長となった。失業率は2009年を通じて上昇し，2010年はおおむね10％近傍で推移している。

D：住宅バブルの崩壊を受け，経済は急速に悪化し，失業率は2007年後半から上昇し，2010年半ばには20％を超えた。財政は2000年代半ばには財政黒字を実現していたが，2009年以降，景気刺激策と税収減によって急速に悪化している。

	A	B	C	D
1	アイスランド	ギリシャ	英　国	ドイツ
2	アイスランド	ギリシャ	フランス	スペイン
3	アイスランド	イタリア	英　国	スペイン
4	ポルトガル	ギリシャ	英　国	スペイン
5	ポルトガル	イタリア	フランス	ドイツ

解説

A：アイスランドの国民1人当たりの名目国民所得は52,640米ドル（2007年度，同年度の日本は27,712米ドル）であり，世界でも有数の高所得国である。同国は，2008年10月に三大銀行（カウプシング，ランズバンキ，グリトニル）を国有化し，事実上，国内の全銀行を国有化した。

B：「ギリシャ債務問題」に関する記述である。

C：フランスに関する記述である。英国のマクロ経済は住宅バブル崩壊の影響，世界的な金融危機の影響を受けた。また英国の失業率は2009年6月まで上昇したが，その後横ばいになり，2010年は8％弱である。

D：スペインに関する記述である。

よって，正答は**2**である。

参考資料：『世界の統計2010』『世界経済の潮流2009Ⅰ』『世界経済の潮流2010Ⅰ・Ⅱ』『通商白書2010』

正答　**2**

国家Ⅱ種

教養試験

No.
470　経済　　　国民経済計算　　平成23年度

思想
日本史
世界史
地理
政治・法律
経済

国の経済規模を表す指標に，国内総生産（GDP）や国民所得（NI）などがある。これらに関する記述として最も妥当なのはどれか。

1　国内総生産とは，1年間に国内で新たに生産した財やサービスの総額である。原材料や半製品などの中間生産物の価格は，二重・三重に計算されるため，産業が高度に発展した国ほど，最終生産額の何倍もの価値が生み出され，国内総生産として集計される。

2　国民総生産（GNP）は，自国の国籍を有する「国民」が国内で生み出した付加価値の合計であり，その国内で働く外国人や外資系企業が行った経済活動は含まれない。また，外国に滞在する自国民や，自国企業が外国で行った経済活動も含まれない。

3　国民所得は，国民純生産（NNP）から，政府からの補助金を差し引き，間接税を加えたものである。この理由は，消費税等の間接税は売上高に含まれるためこれを加えるが，補助金は，その分だけ価格を低めているので，これを除くものである。

4　一国経済の規模は，生産・分配・支出の三つの側面から捉えることができる。各産業により生み出される生産国民所得，賃金や利潤などの形で分配される分配国民所得，各経済主体により消費・投資される支出国民所得の三者は等しく，これを三面等価の原則という。

5　国内総生産は，ある一時点での生産量の大きさを示すストック量である。これに対して，国富とは，ある期間内において，国内で保有している建物・機械や土地・森林などの実物資産と，預貯金などの金融資産の合計を示すフロー量である。

解説

1. 記述は国内総生産ではなく，産出額に関するものである。国内総生産は，国内産出額から中間生産物の価値を差し引いたものであり，中間生産物の価値が二重・三重に算入されることはない。

2. 国民総生産は，自国に居住するもの（外為法の通達の居住者条件を満たす企業，一般政府，対家計民間非営利団体および個人）が生み出した付加価値の合計であるから，自国の国籍を有する必要はなく，彼らが外国で生み出した付加価値も含む。

3. 国民純生産は購入者価格で評価（市場価格表示）し，国民所得は生産のために必要とされる生産要素に対して支払った費用で評価（要素費用価格表示）する。よって，国民純生産から国民所得を求める場合，国民純生産から間接税（購入者価格に含まれるが生産要素の対価でない）を差し引き，補助金（購入者価格には含まれないが生産要素の対価である）を加える必要がある。

4. 妥当である。

5. 国内総生産は，ある一定期間内の生産量の大きさを示すフロー量である。また，国富は，ある一時点での資産の大きさを表すストック量である。さらに，国内での貸し借りになる預貯金等，国内分の金融資産は国富に含まれない。

正答　**4**

●本書の内容に関するお問合せについて

　本書の内容に誤りと思われるところがありましたら、まずは小社ブックスサイト（books.jitsumu.co.jp）
中の本書ページ内にある正誤表・訂正表をご確認ください。正誤表・訂正表がない場合や訂正表に該当箇所
が掲載されていない場合は、書名、発行年月日、お客様の名前・連絡先、該当箇所のページ番号と具体的な
誤りの内容・理由等をご記入のうえ、郵便、FAX、メールにてお問合せください。

　〒163-8671　東京都新宿区新宿1-1-12　　実務教育出版　受験ジャーナル編集部
　FAX：03-5369-2237　　　E-mail：juken-j@jitsumu.co.jp

【ご注意】
※電話でのお問合せは、一切受け付けておりません。
※内容の正誤以外のお問合せ（詳しい解説・受験指導のご要望等）には対応できません。

公務員試験　合格の500シリーズ

国家一般職［大卒］〈教養試験〉過去問500［2026年度版］

2024年12月15日　初版第1刷発行　　　　　　　　　　　　　　　　　　　〈検印省略〉

編　者　資格試験研究会
発行者　淺井　亨

発行所　株式会社　実務教育出版
　　　　〒163-8671　東京都新宿区新宿1-1-12
　　　　☎編集　03-3355-1813　　販売　03-3355-1951
　　　　振替　00160-0-78270

印　刷　精興社
製　本　ブックアート

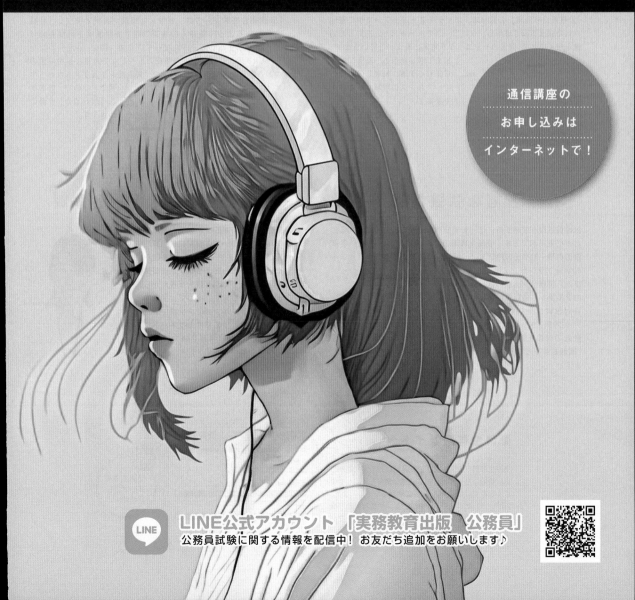

「公務員合格講座」の特徴

68年の伝統と実績

実務教育出版は、68年間におよび公務員試験の問題集・参考書・情報誌の発行や模擬試験の実施、全国の大学・専門学校などと連携した教室運営などの指導を行っています。その積み重ねをもとに作られた、確かな教材と個人学習を支える指導システムが「公務員合格講座」です。公務員として活躍する数多くの先輩たちも活用した伝統ある「公務員合格講座」です。

時間を有効活用

「公務員合格講座」なら、時間と場所に制約がある通学制のスクールとは違い、生活スタイルに合わせて、限られた時間を有効に活用できます。通勤時間や通学時間、授業の空き時間、会社の休憩時間など、今まで利用していなかったスキマ時間を有効に活用できる学習ツールです。

取り組みやすい教材

「公務員合格講座」の教材は、まずテキストで、テーマ別に整理された頻出事項を理解し、次にワークで、テキストと連動した問題を解くことで、解法のテクニックを確実に身につけていきます。初めて学ぶ科目も、基礎知識から詳しく丁寧に解説しているので、スムーズに理解することができます。

実戦力がつく学習システム

「公務員合格講座」では、習得した知識が実戦で役立つ「合格力」になるよう、数多くの演習問題で重要事項を何度も繰り返し学習できるシステムになっています。特に、eラーニング[Jトレプラス]は、実戦力養成のカギになる豊富な演習問題の中から学習進度に合わせ、テーマや難易度をチョイスしながら学習できるので、効率的に「解ける力」が身につきます。

eラーニング

[J トレプラス]

豊富な試験情報

公務員試験を攻略するには、まず公務員試験のことをよく知ることが必要不可欠です。受講生専用の［Jトレプラス］では、各試験の概要一覧や出題内訳など、試験の全体像を把握でき、ベストな学習プランが立てられます。また、実務教育出版の情報収集力を結集し、最新試験情報や学習対策コンテンツなどを随時アップ！ さらに直前期には、最新の時事を詳しく解説した「直前対策ブック」もお届けします。

※KCMのみ

親切丁寧なサポート体制

受講に関する疑問や、学習の進め方や学科内容についての質問には、専門の指導スタッフが一人ひとりに親身になって丁寧にお答えします。模擬試験や添削課題では、客観的な視点からアドバイスをします。そして、受講生専用サイトやメルマガでの受講生限定の情報提供など、あらゆるサポートシステムであなたの学習を強力にバックアップしていきます。

受講生専用サイト

受講生専用サイトでは、公務員試験ガイドや最新の試験情報など公務員合格に必要な情報を利用しやすくまとめていますので、ぜひご活用ください。また、お問い合わせフォームからは、質問や書籍の割引購入などの手続きができるので、各種サービスを安心してご利用いただけます。

※サイトのデザインは変更する場合があります

受講生専用メルマガも配信中！！

志望職種別　講座対応表

各コースの教材構成をご確認ください。下の表で志望する試験区分に対応したコースを確認しましょう。

	教材構成			
	教養試験対策	専門試験対策	論文対策	面接対策
K 大卒程度 公務員総合コース［教養＋専門行政系］	●	●行政系	●	●
C 大卒程度 公務員総合コース［教養のみ］	●		●	●
L 大卒程度 公務員択一攻略セット［教養＋専門行政系］	●	●行政系		
D 大卒程度 公務員択一攻略セット［教養のみ］	●			
M 経験者採用試験コース	●		●	●
N 経験者採用試験［論文・面接試験対策］コース			●	●
R 市役所教養トレーニングセット［大卒程度］	●		●	●

	試験名［試験区分］		対応コース
国家公務員試験	国家一般職[大卒程度]	行政	教養＊3＋専門対策 → **K** **L**
		技術系区分	教養＊3対策 → **C** **D**
	国家専門職[大卒程度]	国税専門A（法文系）／財務専門官	教養＊3＋専門対策 → **K** **L** ＊4
		皇宮護衛官[大卒]／法務省専門職員(人間科学)／国税専門B(理工・デジタル系)／食品衛生監視員／労働基準監督官／航空管制官／海上保安官／外務省専門職員	教養＊3対策 → **C** **D**
	国家特別職[大卒程度]	防衛省 専門職員／裁判所 総合職・一般職[大卒]／国会図書館 総合職・一般職[大卒]／衆議院 総合職[大卒]・一般職[大卒]／参議院 総合職	教養＊3対策 → **C** **D**
	国立大学法人等職員		教養対策 → **C** **D**
地方公務員試験	都道府県 特別区(東京23区) 政令指定都市＊2 市役所[大卒程度]	事務（教養＋専門）	教養＋専門対策 → **K** **L**
		事務（教養のみ）	教養対策 → **C** **D** **R**
		技術系区分、獣医師 薬剤師 保健師など資格免許職	教養対策 → **C** **D** **R**
		経験者	教養＋論文＋面接対策 → **M** 論文＋面接対策 → **N**
	都道府県 政令指定都市＊2 市役所[短大卒程度]	事務（教養＋専門）	教養＋専門対策 → **K** **L**
		事務（教養のみ）	教養対策 → **C** **D**
	警察官	大卒程度	教養＋論文対策 → ＊5
	消防官（士）	大卒程度	教養＋論文対策 → ＊5

＊1 地方公務員試験の場合、自治体によっては試験の内容が対応表と異なる場合があります。
＊2 政令指定都市…札幌市、仙台市、さいたま市、千葉市、横浜市、川崎市、相模原市、新潟市、静岡市、浜松市、名古屋市、京都市、大阪市、堺市、神戸市、岡山市、広島市、北九州市、福岡市、熊本市。
＊3 国家公務員試験では、教養試験のことを基礎能力試験としている場合があります。
＊4 国税専門A（法文系）、財務専門官は **K**「大卒程度 公務員総合コース［教養＋専門行政系］」、**L**「大卒程度 公務員択一攻略セット［教養＋専門行政系］」に『新スーパー過去問ゼミ 会計学』（有料）をプラスすると試験対策ができます（ただし、商法は対応しません）。
＊5 警察官・消防官の教養＋論文対策は、「警察官 スーパー過去問セット［大卒程度］」「消防官 スーパー過去問セット［大卒程度］」をご利用ください（巻末広告参照）。

大卒程度 公務員総合コース

[教養＋専門行政系]

膨大な出題範囲の合格ポイントを的確にマスター！

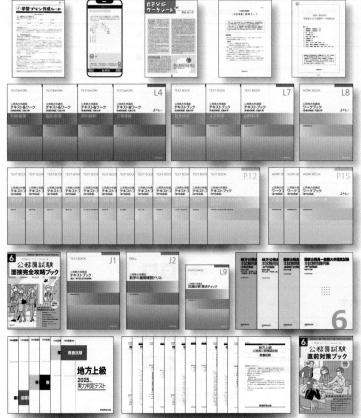

※表紙デザインは変更する場合があります

教材一覧

- ● 受講ガイド（PDF）
- ● 学習プラン作成シート
- ● テキスト＆ワーク［教養試験編］知能分野（4冊）
  判断推理、数的推理、資料解釈、文章理解
- ● テキストブック［教養試験編］知識分野（3冊）
  社会科学［政治、法律、経済、社会］
  人文科学［日本史、世界史、地理、文学・芸術、思想］
  自然科学［数学、物理、化学、生物、地学］
- ● ワークブック［教養試験編］知識分野
- ● 数学の基礎確認ドリル
- ●［知識分野］要点チェック
- ● テキストブック［専門試験編］（12冊）
  政治学、行政学、社会学、国際関係、法学・憲法、行政法、
  民法、刑法、労働法、経済原論（経済学）・国際経済学、財政学、
  経済政策・経済学史・経営学
- ● ワークブック［専門試験編］（3冊）
  行政分野、法律分野、経済・商学分野
- ● テキストブック［論文・専門記述式試験編］
- ● 6年度　面接完全攻略ブック
- ● 実力判定テスト ★（試験別 各1回）
  地方上級［教養試験、専門試験、論文・専門記述式試験（添削2回）］
  国家一般職大卒［基礎能力試験、専門試験、論文試験（添削2回）］
  市役所上級［教養試験、専門試験、論・作文試験（添削2回）］
  ※教養、専門は自己採点　※論文・専門記述式・作文は計6回添削
- ●［添削課題］面接カード（2回）
- ● 自己分析ワークシート
- ●［時事・事情対策］学習ポイント＆重要テーマのまとめ（PDF）
- ● 公開模擬試験 ★（試験別 各1回）※マークシート提出
  地方上級［教養試験、専門試験］
  国家一般職大卒［基礎能力試験、専門試験］
  市役所上級［教養試験、専門試験］
- ● 本試験問題例集（試験別過去問1年分 全4冊）
  令和6年度 地方上級［教養試験編］★
  令和6年度 地方上級［専門試験編］★
  令和6年度 国家一般職大卒［基礎能力試験編］★
  令和6年度 国家一般職大卒［専門試験編］★
  ※平成27年度～令和6年度分は、［Jトレプラス］に収録
- ● 7年度　直前対策ブック★
- ● eラーニング［Jトレプラス］

★印の教材は、発行時期に合わせて送付（詳細は受講後にお知らせします）。

教養・専門・論文・面接まで対応

行政系の大卒程度公務員試験に出題されるすべての教養科目と専門科目、さらに、論文・面接対策教材までを揃え、最終合格するために必要な知識とノウハウをモレなく身につけることができます。また、汎用性の高い教材構成ですから、複数試験の併願対策もスムーズに行うことができます。

出題傾向に沿った効率学習が可能

出題範囲をすべて学ぼうとすると、どれだけ時間があっても足りません。本コースでは過去数十年にわたる過去問研究の成果から、公務員試験で狙われるポイントだけをピックアップ。要点解説と問題演習をバランスよく構成した学習プログラムにより初学者でも着実に合格力を身につけることができます。

受講対象	大卒程度 一般行政系・事務系の教養試験（基礎能力試験）および専門試験対策 ［都道府県、特別区（東京23区）、政令指定都市、市役所、国家一般職大卒など］	申込受付期間	2024年3月15日〜2025年3月31日
		学習期間のめやす	**6か月** 学習期間のめやすです。個人のスケジュールに合わせて、長くも短くも調整することが可能です。試験本番までの期間を考慮し、ご自分に合った学習計画を立ててください。
受講料	**93,500円** （本体 85,000円＋税 教材費・指導費等を含む総額） ※受講料は2024年4月1日現在のものです。	受講生有効期間	2026年10月31日まで

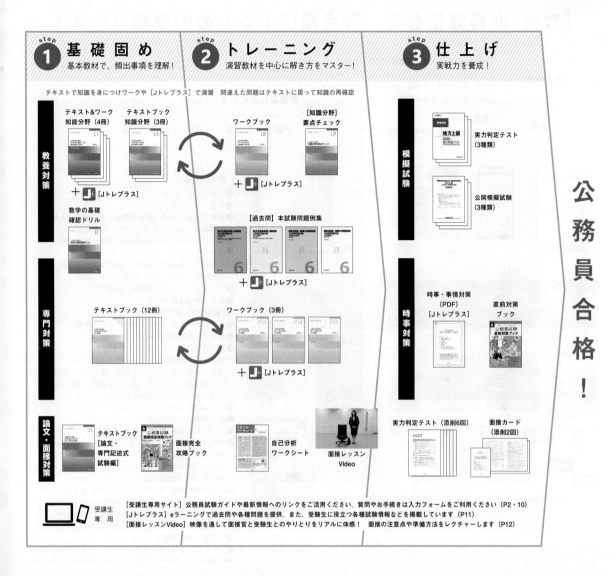

step 1 基礎固め	step 2 トレーニング	step 3 仕上げ
基本教材で、頻出事項を理解！	演習教材を中心に解き方をマスター！	実戦力を養成！

テキストで知識を身につけワークや［Jトレプラス］で演習　間違えた問題はテキストに戻って知識の再確認

教養対策

テキスト&ワーク
知能分野（4冊）

テキストブック
知識分野（3冊）

＋ J ［Jトレプラス］

数学の基礎
確認ドリル

ワークブック

［知識分野］
要点チェック

＋ J ［Jトレプラス］

【過去問】本試験問題例集

＋ J ［Jトレプラス］

専門対策

テキストブック（12冊）

ワークブック（3冊）

＋ J ［Jトレプラス］

論文・面接対策

テキストブック
［論文・
専門記述式
試験編］

面接完全
攻略ブック

自己分析
ワークシート

面接レッスン
Video

模擬試験

実力判定テスト
（3種類）

公開模擬試験
（3種類）

時事対策

時事・事情対策
（PDF）
［Jトレプラス］

直前対策
ブック

実力判定テスト（添削6回）

面接カード
（添削2回）

公 務 員 合 格 ！

受講生専用
［受講生専用サイト］公務員試験ガイドや最新情報へのリンクをご活用ください。質問やお手続きは入力フォームをご利用ください（P2・10）
［Jトレプラス］eラーニングで過去問や各種問題を提供。また、受験生に役立つ各種試験情報などを掲載しています（P11）
［面接レッスンVideo］映像を通して面接官と受験生とのやりとりをリアルに体感！　面接の注意点や準備方法をレクチャーします（P12）

---

success voice!!

通信講座を使い時間を有効的に活用すれば念願の合格も夢ではありません

奥村 雄司 さん
龍谷大学卒業

京都市 上級Ⅰ 一般事務職 合格

　私は医療関係の仕事をしており平日にまとまった時間を確保することが難しかったため、いつでも自分のペースで勉強を進められる通信講座を勉強法としました。その中でも「Jトレプラス」など場所を選ばず勉強ができる点に惹かれ、実務教育出版の通信講座を選びました。

　勉強は試験前年の12月から始め、判断推理・数的推理・憲法などの出題数の多い科目から取り組みました。特に数的推理は私自身が文系であり数字に苦手意識があるため、問題演習に苦戦しましたが、「Jトレプラス」を活用し外出先でも問題と正解を見比べ、問題を見たあとに正解を結びつけられるイメージを繰り返し、解ける問題を増やしていきました。

　ある程度基礎知識が身についたあとは、過去問集や本試験問題例集を活用し、実際に試験で解答する問題を常にイメージしながら問題演習を繰り返しました。回答でミスした問題も放置せず基本問題であればあるほど復習を忘れずに日々解けない問題を減らしていくことを積み重ねていきました。

　私のように一度就職活動中の公務員試験に失敗したとしても、通信講座を使い時間を有効的に活用すれば念願の合格も夢ではありません。試験直前も最後まであきらめず、落ちてしまったことがある方も、その経験を糧にぜひ頑張ってください。社会人から公務員へチャレンジされる全ての方を応援しています。

大卒程度 公務員総合コース C

[教養のみ]

「教養」が得意になる、得点源にするための攻略コース！

受講対象	大卒程度 教養試験（基礎能力試験）対策 [一般行政系（事務系）、技術系、資格免許職を問わず、都道府県、特別区（東京23区）、政令指定都市、市役所、国家一般職大卒など]	申込受付期間	2024年3月15日～2025年3月31日
		学習期間のめやす	**6か月** 学習期間のめやすです。個人のスケジュールに合わせて、長くも短くも調整することが可能です。試験本番までの期間を考慮し、ご自分に合った学習計画を立ててください。
受講料	**68,200円** (本体62,000円＋税 教材費・指導費等を含む総額) ※受講料は、2024年4月1日現在のものです。	受講生有効期間	2026年10月31日まで

※表紙デザインは変更する場合があります

教材一覧

- ●受講ガイド（PDF）
- ●学習プラン作成シート
- ●テキスト＆ワーク [教養試験編] 知能分野（4冊）
  判断推理、数的推理、資料解釈、文章理解
- ●テキストブック [教養試験編] 知識分野（3冊）
  社会科学 [政治、法律、経済、社会]
  人文科学 [日本史、世界史、地理、文学・芸術、思想]
  自然科学 [数学、物理、化学、生物、地学]
- ●ワークブック [教養試験編] 知識分野
- ●数学の基礎確認ドリル
- ●[知識分野] 要点チェック
- ●テキストブック [論文・専門記述式試験編]
- ●6年度 面接完全攻略ブック
- ●実力判定テスト ★（試験別 各1回）
  地方上級 [教養試験、論文試験（添削2回）]
  国家一般職大卒 [基礎能力試験、論文試験（添削2回）]
  市役所上級 [教養試験、論・作文試験（添削2回）]
  ※教養は自己採点 ※論文・作文は計6回添削
- ●[添削課題] 面接カード（2回）
- ●自己分析ワークシート
- ●[時事・事情対策] 学習ポイント＆重要テーマのまとめ（PDF）
- ●公開模擬試験 ★（試験別 各1回）※マークシート提出
  地方上級 [教養試験]
  国家一般職大卒 [基礎能力試験]
  市役所上級 [教養試験]
- ●本試験問題例集（試験別過去問1年分 全2冊）
  令和6年度 地方上級 [教養試験編]★
  令和6年度 国家一般職大卒 [基礎能力試験編]★
  ※平成27年度～令和6年度分は、「Jトレプラス」に収録
- ●7年度 直前対策ブック★
- ●eラーニング [Jトレプラス]
  ★印の教材は、発行時期に合わせて送付します（詳細は受講後にお知らせします）

success voice!!

「Jトレプラス」では「面接レッスンVideo」と、直前期に「動画で学ぶ時事対策」を利用しました

伊藤 拓生さん
信州大学卒業

長野県 技術系 合格

私が試験勉強を始めたのは大学院の修士1年の5月からでした。研究で忙しい中でも自分のペースで勉強ができることと、受講料が安価のため通信講座を選びました。

まずは判断推理と数的推理から始め、テキスト＆ワークで解法を確認しました。知識分野は得点になりそうな分野を選んでワークを繰り返し解き、頻出項目を覚えるようにしました。秋頃から市販の過去問を解き始め、実際の問題に慣れるようにしました。また直前期には「動画で学ぶ時事対策」を追加して利用しました。食事の時間などに、繰り返し視聴していました。

2次試験対策は、「Jトレプラス」の「面接レッスンVideo」と、大学のキャリアセンターの模擬面接を利用

し受け答えを改良していきました。

また、受講生専用サイトから質問ができることも大変助けになりました。私の周りには公務員試験を受けている人がほとんどいなかったため、試験の形式など気になったことを聞くことができてとてもよかったです。

公務員試験は対策に時間がかかるため、継続的に進めることが大切です。何にどれくらいの時間をかけるのか計画を立てながら、必要なことをコツコツと行っていくのが必要だと感じました。そして1次試験だけでなく、2次試験対策も早い段階から少しずつ始めていくのがよいと思います。またずっと勉強をしていると気が滅入ってくるので、定期的に気分転換することがおすすめです。

大卒程度 公務員択一攻略セット

[教養＋専門行政系]

教養＋専門が効率よく攻略できる

受講対象	大卒程度 一般行政系・事務系の教養試験（基礎能力試験）および専門試験対策 ［都道府県、特別区（東京23区）、政令指定都市、市役所、国家一般職大卒など］
受講料	**62,700円** （本体57,000円＋税　教材費・指導費等を含む総額） ※受講料は2024年4月1日現在のものです。
申込受付期間	**2024年3月15日〜2025年3月31日**
学習期間のめやす	**6か月** 学習期間のめやすです。個人のスケジュールに合わせて、長くも短くも調整することが可能です。試験本番までの期間を考慮し、ご自分に合った学習計画を立ててください。
受講生有効期間	2026年10月31日まで

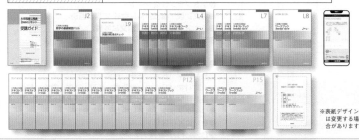

※表紙デザインは変更する場合があります

教材一覧

- ●受講ガイド（PDF）
- ●テキスト＆ワーク［教養試験編］知能分野（4冊）
  判断推理、数的推理、資料解釈、文章理解
- ●テキストブック［教養試験編］知識分野（3冊）
  社会科学［政治、法律、経済、社会］
  人文科学［日本史、世界史、地理、文学・芸術、思想］
  自然科学［数学、物理、化学、生物、地学］
- ●ワークブック［教養試験編］知識分野
- ●数学の基礎確認ドリル
- ●［知識分野］要点チェック
- ●テキストブック［専門試験編］（12冊）
  政治学、行政学、社会学、国際関係、法学・憲法、行政法、民法、刑法、労働法、経済原論（経済学）・国際経済学、財政学、経済政策・経済学史・経営学
- ●ワークブック［専門試験編］（3冊）
  行政分野、法律分野、経済・商学分野
- ●［時事・事情対策］学習ポイント＆重要テーマのまとめ（PDF）
- ●過去問 ※平成27年度〜令和6年度 ［Jトレプラス］に収録
- ●eラーニング［Jトレプラス］

教材は K コースと同じもので、面接・論文対策、模試がついていません。

大卒程度 公務員択一攻略セット

[教養のみ]

教養のみ効率よく攻略できる

受講対象	大卒程度 教養試験（基礎能力試験）対策 ［一般行政系（事務系）、技術系、資格免許職を問わず、都道府県、政令指定都市、特別区（東京23区）、市役所など］
受講料	**46,200円** （本体42,000円＋税　教材費・指導費等を含む総額） ※受講料は2024年4月1日現在のものです。
申込受付期間	**2024年3月15日〜2025年3月31日**
学習期間のめやす	**6か月** 学習期間のめやすです。個人のスケジュールに合わせて、長くも短くも調整することが可能です。試験本番までの期間を考慮し、ご自分に合った学習計画を立ててください。
受講生有効期間	2026年10月31日まで

※表紙デザインは変更する場合があります

教材一覧

- ●受講ガイド（PDF）
- ●テキスト＆ワーク［教養試験編］知能分野（4冊）
  判断推理、数的推理、資料解釈、文章理解
- ●テキストブック［教養試験編］知識分野（3冊）
  社会科学［政治、法律、経済、社会］
  人文科学［日本史、世界史、地理、文学・芸術、思想］
  自然科学［数学、物理、化学、生物、地学］
- ●ワークブック［教養試験編］知識分野
- ●数学の基礎確認ドリル
- ●［知識分野］要点チェック
- ●［時事・事情対策］学習ポイント＆重要テーマのまとめ（PDF）
- ●過去問 ※平成27年度〜令和6年度 ［Jトレプラス］に収録
- ●eラーニング［Jトレプラス］

教材は C コースと同じもので、面接・論文対策、模試がついていません。

M 経験者採用試験コース

職務経験を活かして公務員転職を狙う教養・論文・面接対策コース！

POINT

広範囲の教養試験を頻出事項に絞って効率的な対策が可能！

8回の添削で論文力をレベルアップ
面接は、本番を想定した準備が可能！
面接レッスンVideoも活用しよう！

受講対象	民間企業等職務経験者・社会人採用試験対策
受講料	**79,200円** （本体72,000円＋税 教材費・指導費等を含む総額） ※受講料は、2024年4月1日現在のものです。
申込受付期間	**2024年3月15日～2025年3月31日**
学習期間のめやす	6か月 学習期間のめやすです。個人のスケジュールに合わせて、長くも短くも調整することが可能です。試験本番までの期間を考慮し、ご自分に合った学習計画を立ててください。
受講生有効期間	2026年10月31日まで

※表紙デザインは変更する場合があります

教材一覧

- ●受講ガイド（PDF）
- ●学習プラン作成シート
- ●論文試験・集団討論試験等 実際出題例
- ●テキスト＆ワーク［論文試験編］
- ●テキスト＆ワーク［教養試験編］知能分野（4冊）
  判断推理、数的推理、資料解釈、文章理解
- ●テキストブック［教養試験編］知識分野（3冊）
  社会科学［政治、法律、経済、社会］
  人文科学［日本史、世界史、地理、文学・芸術、思想］
  自然科学［数学、物理、化学、生物、地学］
- ●ワークブック［教養試験編］知識分野
- ●数学の基礎確認ドリル
- ●［知識分野］要点チェック
- ●面接試験対策ブック
- ●提出課題1（全4回）
  ［添削課題］論文スキルアップ No.1（職務経験論文）
  ［添削課題］論文スキルアップ No.2, No.3, No.4（一般課題論文）
- ●提出課題2（以下は初回答案提出後発送 全4回）
  再トライ用［添削課題］論文スキルアップ No.1（職務経験論文）
  再トライ用［添削課題］論文スキルアップ No.2, No.3, No.4（一般課題論文）
- ●実力判定テスト［教養試験］★（1回）※自己採点
- ●［添削課題］面接カード（2回）
- ●［時事・事情対策］学習ポイント＆重要テーマのまとめ（PDF）
- ●本試験問題例集（試験別過去問 1年分 全1冊）
  令和6年度 地方上級［教養試験編］★
  ※平成27年度～令和6年度分は、［Jトレプラス］に収録
- ●7年度 直前対策ブック★
- ●eラーニング［Jトレプラス］

★印の教材は、発行時期に合わせて送付します（詳細は受講後にお知らせします）。

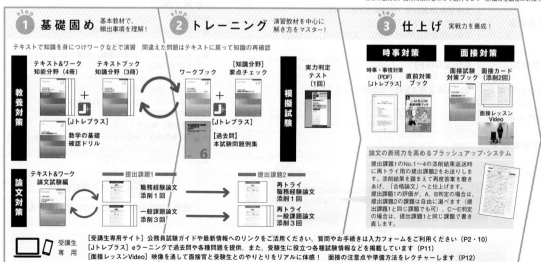

公 務 員 合 格 ！

経験者採用試験
［論文・面接試験対策］コース

経験者採用試験の論文・面接対策に絞って攻略！

受講対象	民間企業等職務経験者・社会人採用試験対策
受講料	**39,600円** （本体 36,000 円＋税　教材費・指導費等を含む総額） ※受講料は、2024 年 4 月 1 日現在のものです。
申込受付期間	**2024 年 3 月 15 日〜 2025 年 3 月 31 日**
学習期間のめやす	**4 か月**　学習期間のめやすです。個人のスケジュールに合わせて、長くも短くも調整することが可能です。試験本番までの期間を考慮し、ご自分に合った学習計画を立ててください。
受講生有効期間	2026 年 10 月 31 日まで

教材一覧

- ●受講のてびき
- ●論文試験・集団討論試験等 実際出題例
- ●テキスト＆ワーク［論文試験編］
- ●面接試験対策ブック
- ●提出課題 1（全 4 回）
  - ［添削課題］論文スキルアップ No.1（職務経験論文）
  - ［添削課題］論文スキルアップ No.2、No.3、No.4（一般課題論文）
- ●提出課題 2（以下は初回答案提出後発送 全 4 回）
  - 再トライ用［添削課題］論文スキルアップ No.1（職務経験論文）
  - 再トライ用［添削課題］論文スキルアップ No.2、No.3、No.4（一般課題論文）
- ●［添削課題］面接カード（2 回）
- ●［時事・事情対策］学習ポイント＆重要テーマのまとめ（PDF）
- ●e ラーニング［J トレプラス］

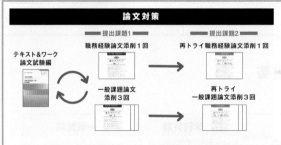

論文対策

提出課題1

職務経験論文添削 1 回

一般課題論文添削 3 回

提出課題2

再トライ職務経験論文添削 1 回

再トライ一般課題論文添削 3 回

テキスト＆ワーク論文試験編 M1

論文の表現力を高めるブラッシュアップ・システム

提出課題1のNo.1〜4の添削結果返送時に再トライ用の提出課題2をお送りします。添削結果を踏まえて再度答案を磨きあげ、「合格論文」へと仕上げます。
提出課題1の評価が、A、B判定の場合は、提出課題2の課題は自由に選べます（提出課題1と同じ課題でも可）。C〜E判定の場合は、提出課題1と同じ課題で書き直します。

面接対策

面接試験対策ブック

面接カード（添削2回）

面接レッスンVideo

公務員合格！

受講生専用

[受講生専用サイト] 公務員試験ガイドや最新情報へのリンクをご活用ください。質問やお手続きは入力フォームをご利用ください（P2・10）
[面接レッスンVideo] 映像を通して面接官と受験生とのやりとりをリアルに体感！　面接の注意点や準備方法をレクチャーします（P12）
[Jトレプラス] [時事] 重要テーマのまとめ(PDF)、eラーニング「時事問題の穴埋めチェック」、試験情報などが利用できます

※『経験者採用試験コース』と『経験者採用試験［論文・面接試験対策］コース』の論文・面接対策教材は同じものです。
　両方のコースを申し込む必要はありません。どちらか一方をご受講ください。

success voice!!

通信講座のテキスト、添削のおかげで効率よく公務員試験に必要な情報を身につけることができました

小川 慎司 さん
南山大学卒業

**国家公務員中途採用者選考試験
（就職氷河期世代）合格**

私が大学生の頃はいわゆる就職氷河期で、初めから公務員試験の合格は困難と思い、公務員試験に挑戦しませんでした。そのことが大学卒業後20年気にかかっていましたが、現在の年齢でも公務員試験を受験できる機会を知り、挑戦しようと思いました。

通信講座を勉強方法として選んだ理由は、論文試験が苦手だったため、どこが悪いのかどのように書けばよいのかを、客観的にみてもらいたいと思ったからです。

添削は、案の定厳しい指摘をいただき、論文の基本的なことがわかっていないことを痛感しましたが、返却答案のコメントやテキストをみていくうちに、順を追って筋道立てて述べること、明確に根拠を示すことなど論文を書くポイントがわかってきました。すると筆記試験に合格するようになりました。

面接は、面接試験対策ブックが役に立ちました。よくある質問の趣旨、意図が書いてあり、面接官の問いたいことはなにかという視点で考えて、対応することができるようになりました。

正職員として仕事をしながらの受験だったので、勉強時間をあまりとることができませんでしたが、通信講座のテキスト、添削のおかげで効率よく公務員試験に必要な情報を身につけることができました。

ちょうどクリスマスイブに合格通知書が届きました。そのときとても幸せな気持ちになりました。40歳代後半での受験で合格は無理ではないかと何度もくじけそうになりましたが、あきらめず挑戦してよかったです。

R 2025年度試験対応
市役所教養トレーニングセット
［大卒程度］

大卒程度の市役所試験を徹底攻略！

受講対象	大卒程度 市役所 教養試験対策 一般行政系（事務系）、技術系、資格免許職を問わず、大卒程度 市役所
受講料	**31,900 円** （本体 29,000 円＋税　教材費・指導費等を含む総額） ※受講料は 2024 年 8 月 1 日現在のものです。
申込受付期間	**2024 年 8 月 1 日～ 2025 年 7 月 31 日**
学習期間のめやす	**3 か月** 学習期間のめやすです。個人のスケジュールに合わせて、長くも短くも調整することが可能です。試験本番までの期間を考慮し、ご自分に合った学習計画を立ててください。
受講生有効期間	2026 年 10 月 31 日まで

教材一覧

- ●受講ガイド（PDF）
- ●学習のモデルプラン
- ●テキスト＆ワーク［教養試験編］知能分野（4 冊）
  判断推理、数的推理、資料解釈、文章理解
- ●テキストブック［教養試験編］知識分野（3 冊）
  社会科学［政治、法律、経済、社会］
  人文科学［日本史、世界史、地理、文学・芸術、思想］
  自然科学［数学、物理、化学、生物、地学］
- ●ワークブック［教養試験編］知識分野
- ●数学の基礎確認ドリル
- ●［知識分野］要点チェック
- ●面接試験対策ブック
- ●実力判定テスト★　※教養は自己採点
  市役所上級［教養試験、論・作文試験（添削 2 回）］
- ●過去問（5 年分）
  ［J トレプラス］に収録 ※令和 2 年度～ 6 年度
- ●e ラーニング［J トレプラス］

★印の教材は、発行時期に合わせて送付（詳細は受講後にお知らせします）。

 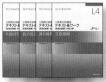

※表紙デザインは変更する場合があります

質問回答

学習上の疑問は、指導スタッフが解決！

マイペースで学習が進められる自宅学習ですが、疑問の解決に不安を感じる方も多いはず。でも「公務員合格講座」なら、学習途上で生じた疑問に、指導スタッフがわかりやすく丁寧に回答します。
手軽で便利な質問回答システムが、通信学習を強力にバックアップします！

質問の種類	**学科質問** 通信講座教材の内容についてわからないこと	**一般質問** 志望先や学習計画に関することなど
回数制限	**10 回まで無料** 11 回目以降は有料となります。 詳細は下記参照	**回数制限なし** 何度でも質問できます。
質問方法	受講生専用サイト　郵便　FAX 受講生専用サイト、郵便、FAXで受け付けます。	受講生専用サイト　電話　郵便　FAX 受講生専用サイト、電話、郵便、FAX で受け付けます。

受講生特典

受講後、実務教育出版の書籍を当社に直接ご注文いただくとすべて 10% 割引になります！！

公務員合格講座受講生の方は、当社へ直接ご注文いただく場合に限り、実務教育出版発行の本すべてを 10% OFF でご購入いただけます。
書籍の注文方法は、受講生専用サイトでお知らせします。

e ラーニング

[J トレプラス]

時間や場所を選ばず学べます！

スマホで「いつでも・どこでも」学習できるツールを提供しています。本番形式の「五肢択一式」のほか、手軽な短答式で重要ポイントの確認・習得が効率的にできる「穴埋めチェック」や短時間でトライできる「ミニテスト」など、さまざまなシチュエーションで活用できるコンテンツをご用意しています。外出先などでも気軽に問題に触れることができ、習熟度がUPします。

Jトレプラスの活用法がご覧いただけます

ホーム	五肢択一式	穴埋めチェック	ミニテスト

スキマ時間で、問題を解く！　テキストで確認！

＼ 利用者の声 ／

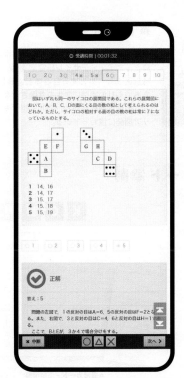

[Jトレプラス]をスマートフォンで利用し、ゲーム感覚で問題を解くことができたので、飽きることなく進められて良かったと思います。

ちょっとした合間に手軽に取り組める[Jトレプラス]でより多くの問題に触れるようにしていました。

通学時間に利用した[Jトレプラス]は時間が取りにくい理系学生にも強い味方となりました。

テキスト自体が初心者でもわかりやすい内容になっていたのでモチベーションを落とさず勉強が続けられました。

テキスト全冊をひととおり読み終えるのに苦労しましたが、一度読んでしまえば、再読するのにも時間はかからず、読み返すほどに理解が深まり、やりがいを感じました。勉強は苦痛ではなかったです。

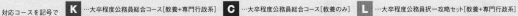

面接のポイントが動画や添削でわかる！

面接レッスン Video

面接試験をリアルに体感！

K C M N R

実際の面接試験がどのように行われるのか、自分のアピール点や志望動機をどう伝えたらよいのか？
面接レッスン Video では、映像を通して面接試験の緊張感や面接官とのやりとりを実感することができます。面接試験で大きなポイントとなる「第一印象」対策も、ベテラン指導者が実地で指南。対策が立てにくい集団討論やグループワークなども含め、準備方法や注意点をレクチャーしていきます。
また、動画内の面接官からの質問に対し声に出して回答し、その内容をさらにブラッシュアップする「実践編」では、「質問の意図」「回答の適切な長さ」などを理解し、本番をイメージしながらじっくり練習することができます。
[Jトレプラス]内で動画を配信していますので、何度も見て、自分なりの面接対策を進めましょう。

面接レッスン Video の紹介動画公開中！

面接レッスン Video の紹介動画を公開しています。
実務教育出版 web サイト各コースページからもご覧いただけます。

紹介動画をご覧いただけます

（1）個人面接編
（2）集団討論編
（3）実践編

の3つを見ることができます！
※コースによって異なる場合があります
実務教育出版

指導者 Profile

坪田まり子先生

有限会社コーディアル代表取締役、東京学芸大学特命教授、プロフェッショナル・キャリア・カウンセラー®。
自己分析、面接対策などの著書を多数執筆し、就職シーズンの講演実績多数。

森下一成先生

東京未来大学モチベーション行動科学部コミュニティ・デザイン研究室 教授。
特別区をはじめとする自治体と協働し、まちづくりの実践に学生を参画させながら、公務員や教員など、公共を担うキャリア開発に携わっている。

面接試験対策テキスト / 面接カード添削

テキストと添削で自己アピール力を磨く！

K C M N

面接試験対策テキストでは、面接試験の形式や評価のポイントを解説しています。テキストの「質問例＆回答のポイント」では、代表的な質問に対する回答のポイントをおさえ、事前に自分の言葉で的確な回答をまとめることができます。面接の基本を学習した後は「面接カード」による添削指導で、問題点を確認し、具体的な対策につなげます。2回分の提出用紙を、「1回目の添削結果を踏まえて2回目を提出」もしくは「2回目は1回目と異なる受験先用として提出」などニーズに応じて利用できます。

▲面接試験対策テキスト

▲面接カード・添削指導

K …大卒程度公務員総合コース[教養＋専門行政系]　**C** …大卒程度公務員総合コース[教養のみ]　**L** …大卒程度公務員択一攻略セット[教養＋専門行政系]
D …大卒程度公務員択一攻略セット[教養のみ]　**M** …経験者採用試験コース　**N** …経験者採用試験[論文・面接試験対策]コース　**R** …市役所教養トレーニングセット

お申し込み方法・受講料一覧

インターネット

実務教育出版ウェブサイトの「公務員合格講座 受講申込」ページへ進んでください。

● 受講申込についての説明をよくお読みになり【申込フォーム】に必要事項を入力の上【送信】してください。
● 【申込フォーム】送信後、当社から【確認メール】を自動送信しますので、必ずメールアドレスを入力してください。

■お支払方法

コンビニ・郵便局で支払う
教材と同送の「払込取扱票」でお支払いください。お支払い回数は「1回払い」のみです。

クレジットカードで支払う
インターネット上で決済できます。ご利用いただけるクレジットカードは、VISA、Master、JCB、AMEXです。お支払い回数は「1回払い」のみです。
※クレジット決済の詳細は、各カード会社にお問い合わせください。

■複数コース受講特典

コンビニ・郵便局で支払いの場合
以前、公務員合格講座の受講生だった方（現在受講中含む）、または今回複数コースを同時に申し込まれる場合は、受講料から3,000円を差し引いた金額を印字した「払込取扱票」をお送りします。
以前、受講生だった方は、以前の受講生番号を【申込フォーム】の該当欄に入力してください（ご本人様限定）。

クレジットカードで支払いの場合
以前、公務員合格講座の受講生だった方（現在受講中含む）、または今回複数コースを同時に申し込まれる場合は、後日当社より直接ご本人様宛にQUOカード3,000円分を進呈いたします。
以前、受講生だった方は、以前の受講生番号を【申込フォーム】の該当欄に入力してください（ご本人様限定）。

詳しくは、実務教育出版ウェブサイトをご覧ください。
「公務員合格講座 受講申込」
https://form.jitsumu.co.jp/contact/kouza_app/default.aspx?fcd=1203999

教材のお届け　あなたからのお申し込みデータにもとづき受講生登録が完了したら、教材の発送手配をいたします。
＊教材一式、受講生証を発送します。　＊通常は当社受付の翌日に発送します。
＊お申し込み内容に虚偽があった際は、教材の送付を中止させていただく場合があります。

受講料一覧 ［インターネットの場合］

コース記号	コース名	受講料	申込受付期間
K	大卒程度 公務員総合コース［教養＋専門行政系］	**93,500円**（本体85,000円＋税）	2024年3月15日 ～ 2025年3月31日
C	大卒程度 公務員総合コース［教養のみ］	**68,200円**（本体62,000円＋税）	
L	大卒程度 公務員択一攻略セット［教養＋専門行政系］	**62,700円**（本体57,000円＋税）	
D	大卒程度 公務員択一攻略セット［教養のみ］	**46,200円**（本体42,000円＋税）	
M	経験者採用試験コース	**79,200円**（本体72,000円＋税）	
N	経験者採用試験［論文・面接試験対策］コース	**39,600円**（本体36,000円＋税）	
R	市役所教養トレーニングセット［大卒程度］	**31,900円**（本体29,000円＋税）	2024年8月1日 ～2025年7月31日

＊受講料には、教材費・指導費などが含まれております。　＊お支払い方法は、一括払いのみです。　＊受講料は、2024年8月1日現在の税込価格です。

［返品・解約について］

◇教材到着後、未使用の場合のみ2週間以内であれば、返品・解約ができます。
◇返品・解約される場合は、必ず事前に当社へ電話でご連絡ください（電話以外不可）。
TEL：03-3355-1822（土日祝日を除く9：00～17：00）
◇返品・解約の際、お受け取りになった教材一式は、必ず実務教育出版あてにご返送ください。教材の返送料は、お客様のご負担となります。
◇2週間を過ぎてからの返品・解約はできません。また、2週間以内でも、お客様による折り目や書き込み、破損、汚れ、紛失等がある場合は、返品・解約ができませんのでご了承ください。
◇全国の取扱い店（大学生協・書店）にてお申し込みになった場合の返品・解約のご相談は、直接、生協窓口・書店へお願いいたします。

公務員受験生を応援するwebサイト

※サイトのデザインは変更する場合があります

実務教育出版は、68年の伝統を誇る公務員受験指導のパイオニアとして、常に新しい合格メソッドと学習スタイルを提供しています。最新の公務員試験情報や詳しい公務員試験ガイド、国の機関から地方自治体までを網羅した官公庁リンク集、さらに、受験生のバイブル・実務教育出版の公務員受験ブックスや通信講座など役立つ学習ツールを紹介したオリジナルコンテンツも見逃せません。お気軽にご利用ください。

公務員試験ガイド

【公務員試験ガイド】は、試験別に解説しています。試験区分・受験資格・試験日程・試験内容・各種データ、対応コースや関連書籍など、盛りだくさん！

あなたに合ったお仕事は？
公務員クイック検索！

【公務員クイック検索！】は、選択条件を設定するとあなたに合った公務員試験を検索することができます。

公務員合格講座に関するお問い合わせ　　　　実務教育出版 公務員指導部

「どのコースを選べばよいか」、「公務員合格講座のシステムのここがわからない」など、公務員合格講座についてご不明な点は、電話かwebのお問い合わせフォームよりお気軽にご質問ください。公務員指導部スタッフがわかりやすくご説明いたします。

 03-3355-1822 （土日祝日を除く 9:00〜17:00）
電話

 https://www.jitsumu.co.jp/contact/inquiry/
web　　　　　　　　　　　　　　　　　　　　（お問い合わせフォーム）

実務教育出版
www.jitsumu.co.jp
〒163-8671　東京都新宿区新宿1-1-12 / TEL：03-3355-1822（土日祝日を除く 9:00〜17:00）

警察官・消防官 [大卒程度]
一次試験対策セット！

大卒程度の警察官・消防官の一次試験合格に必要な書籍、教材、模試をセット販売します。問題集をフル活用することで合格力を身につけることができます。模試は自己採点でいつでも実施することができ、論文試験は対策に欠かせない添削指導を受けることができます。

警察官 スーパー過去問セット [大卒程度]

教材一覧

● 大卒程度 警察官・消防官 スーパー過去問ゼミ[改訂第3版]
社会科学、人文科学、自然科学、判断推理、数的推理、文章理解・資料解釈
● 数学の基礎確認ドリル
● [知識分野] 要点チェック
● 2026年度版 大卒警察官 教養試験 過去問350
● 警察官・消防官 [大卒程度] 公開模擬試験
＊問題、正答と解説（自己採点）、論文（添削付き）

セット価格	18,150円（税込）
申込受付期間	2024年10月25日〜

消防官 スーパー過去問セット [大卒程度]

教材一覧

● 大卒程度 警察官・消防官 スーパー過去問ゼミ[改訂第3版]
社会科学、人文科学、自然科学、判断推理、数的推理、文章理解・資料解釈
● 数学の基礎確認ドリル
● [知識分野] 要点チェック
● 2025年度版 大卒・高卒消防官 教養試験 過去問350
● 警察官・消防官 [大卒程度] 公開模擬試験
＊問題、正答と解説（自己採点）、論文（添削付き）

セット価格	18,150円（税込）
申込受付期間	2024年1月12日〜

動画で学ぶ 【公務員合格】シリーズ

公務員試験対策のプロから学べる動画講義
お得な価格で受験生を応援します！

「独学」合格のための
受験生を応援！

👆 **Check Point**

動画で学ぶ【公務員合格】シリーズは
厳選されたポイントを
何度も見直すことができ
「独学」合格のための
確かなスタートダッシュが可能です

教養 ＋ 専門パック
SPI(非言語)+教養+時事+専門

これだけ揃って格安価格！
▶ **9,680円**（税込）◀

◆動画時間：各90分
◆講義数：
SPI（非言語）2コマ	憲法 10コマ
数的推理 4コマ	民法 15コマ
判断推理 4コマ	行政法 12コマ
時事対策 3コマ [2024年度]	ミクロ経済学 6コマ
	マクロ経済学 6コマ
	速攻ミクロ経済学 6コマ
	速攻マクロ経済学 6コマ

◆視聴可能期間：1年間

教養パック
SPI(非言語)+教養+時事

頻出テーマ攻略で得点確保！
▶ **5,940円**（税込）◀

◆動画時間：各90分
◆講義数：

SPI（非言語）2コマ

数的推理 4コマ

判断推理 4コマ

時事対策 3コマ
［2024年度］

◆視聴可能期間：1年間

動画で学ぶ【公務員合格】時事対策 2024

2024年度試験 時事対策を徹底解説！
▶ **4,950円**（税込）◀

◆動画時間：各90分
◆講義数：時事対策［2024年度］ 3コマ
◆視聴可能期間：1年間

公務員 公開模擬試験

2025年度試験対応

web限定 申込

主催：実務教育出版

自宅で受けられる模擬試験！直前期の最終チェックにぜひご活用ください！

▼日程・受験料

試験名	申込締切日 ※	問題発送日 当社発送日	答案締切日 当日消印有効	結果発送日 当社発送日	受験料（税込）	受験料[教養のみ]（税込）
地方上級 公務員	2/25	3/13	3/27	4/16	5,390 円 教養+専門	3,960 円 教養のみ
国家一般職大卒	2/25	3/13	3/27	4/16	5,390 円 基礎能力+専門	3,960 円 基礎能力のみ
[大卒程度] 警察官・消防官	2/25	3/13	3/27	4/16	4,840 円 教養+論文添削	
市役所上級 公務員	4/3	4/18	5/7	5/26	4,840 円 教養+専門	3,960 円 教養のみ
高卒・短大卒程度 公務員	6/5	6/23	7/11	8/1	3,850 円 教養+適性+作文添削	
[高卒・短大卒程度] 警察官・消防官	6/5	6/23	7/11	8/1	3,850 円 教養+作文添削	

※申込締切日後は【自己採点セット】を販売予定。詳細は4月上旬以降に実務教育出版webサイトをご覧ください。　　＊自宅受験のみになります。

▼試験構成・対象

試験名	試験時間・問題数	対象
地方上級 公務員 ＊問題は2種類から選択	教養 [択一式/2時間30分/全問：50題 or 選択：55題中45題] 専門（行政系）[択一式/2時間/全問：40題 or 選択：50題中40題]	都道府県・政令指定都市・特別区（東京23区）の大卒程度一般行政系
国家一般職大卒	基礎能力試験 [択一式/1時間50分/30題] 専門（行政系）[択一式/3時間/16科目（80題）中 8科目（40題）]	行政
[大卒程度] 警察官・消防官	教養 [択一式/2時間/50題] 論文 [記述式/60分/警察官 or 消防官 いずれか1題] ＊添削付き	大卒程度 警察官・消防官（男性・女性）
市役所上級 公務員	教養 [択一式/2時間/40題] 専門（行政系）[択一式/2時間/40題]	政令指定都市以外の市役所の大卒程度一般行政系（事務系）
高卒・短大卒程度 公務員	教養 [択一式/1時間40分/45題]　適性 [択一式/15分/120題] 作文 [記述式/50分/1題] ＊添削付き	都道府県・市区町村、国家一般職（高卒者、社会人）事務、国家専門職（高卒程度、社会人）、国家特別職（高卒程度）など高卒・短大卒程度試験
[高卒・短大卒程度] 警察官・消防官	教養 [択一式/2時間/50題] 作文 [記述式/60分/警察官 or 消防官 いずれか1題] ＊添削付き	高卒・短大卒程度 警察官・消防官（男性・女性）

実務教育出版webサイトからお申し込みください
https://www.jitsumu.co.jp/

■模擬試験の特徴

●2025年度（令和7年度）試験対応の予想問題を用いた、実戦形式の試験です！

試験構成、出題数、試験時間など実際の試験と同形式です。マークシートの解答方法はもちろん時間配分に慣れることができ、本試験直前期に的確な最終チェックが可能です。

●自宅で本番さながらの実戦練習ができます！

全国規模の実施ですので、実力を客観的に把握できます。「正答と解説」には、詳しい説明が記述されていますので、周辺知識までが身につき、一層の実力アップがはかれます。

●全国レベルの実力がわかる、客観的な判定資料をお届けします！

マークシートご提出後に、個人成績表をお送りいたします。精度の高い合格可能度判定をはじめ、得点、偏差値、正答率などの成績データにより、学習の成果を確認できます。

▼ 個人成績表

▼ マークシート

▶ 教養試験・専門試験

▼ 正答と解説

■申込方法

公開模擬試験は、実務教育出版webサイトの公開模擬試験申込フォームからお申し込みください。

1. 受験料のお支払いは、クレジット決済、コンビニ決済の2つの方法から選べます。

2. コンビニ決済の場合、ご利用のコンビニを選択すると、お申込情報（金額や払込票番号など）とお支払い方法が表示されます。その指示に従い指定期日（ネット上でのお申込み手続き完了日から6日目の23時59分59秒）までにコンビニのカウンターにて受験料をお支払いください。この期限を過ぎますと、お申込み自体が無効となりますので、十分ご注意ください。

スマホから
簡単アクセス

【ご注意】決済後の受験内容の変更・キャンセル等、受験料の返金を伴うご要望には一切応じることができませんのでご了承ください。
氏名は、必ず受験者ご本人様のお名前で、入力をお願いいたします。

◆公開模擬試験についてのお問い合わせ先

問題発送日より1週間経っても問題が届かない場合、下記「公開模擬試験」係までお問い合わせください。

実務教育出版　「公開模擬試験」係　TEL：03-3355-1822（土日祝日を除く9：00～17：00）

当社 2025 年度 通信講座受講生 は下記の該当試験を無料で受験できます。

申込手続きは不要です。問題発送日になりましたら、自動的に問題、正答と解説をご自宅に発送します。
＊無料受験対象以外の試験をご希望の方は、当サイトの公開模擬試験申込フォームからお申し込みください。

▼各コースの無料受験できる公開模擬試験は下記のとおりです。

あなたが受講している通信講座のコース名	無料受験できる公開模擬試験
大卒程度公務員総合コース [教養＋専門行政系]	地方上級（教養＋専門）　国家一般職大卒（基礎能力＋専門） 市役所上級（教養＋専門）
大卒程度公務員総合コース [教養のみ]	地方上級（教養のみ）　国家一般職大卒（基礎能力のみ） 市役所上級（教養のみ）

【実力判定テスト】もあります！

詳細は、実務教育出版webサイトをご覧ください。